आर॰ गुप्ता® कृत

पॉपुलर मास्टर गाइड

छत्तीसगढ़

प्रयास

आवासीय विद्यालय

Class 9th

प्रवेश परीक्षा

- नवीनतम पाठ्यक्रम के आधार पर सभी विषय सम्मिलित
- अध्यायवार MCQs एवं संक्षिप्त थ्योरी नोट्स
- परीक्षा प्रश्न-पत्र (व्याख्या सहित)

RPH संपादक मंडल
द्वारा संपादित

2026
EDITION

रमेश पब्लिशिंग हाउस, नई दिल्ली

प्रकाशक

ओ.पी. गुप्ता, **रमेश पब्लिशिंग हाउस**

प्रशासनिक कार्यालय

12-H, न्यू दरियागंज रोड, ऑफिसर्स मेस के सामने,
नई दिल्ली-110002 ✆ 23275224, 23245124

E-mail: info@rameshpublishinghouse.com
For Online Shopping: www.rameshpublishinghouse.com

विक्रय केन्द्र

- बालाजी मार्किट, नई सड़क, दिल्ली-110006 ✆ 23282525 📱 9354373464
- 4457, नई सड़क, दिल्ली-110006

Book Code: R-2864

ISBN: 978-93-5477-643-4

मूल्य: ₹ 380

मुद्रक: दीपक ऑफसैट, दिल्ली

अनुक्रमणिका

प्रश्न-पत्र का पैटर्न

कक्षा 8वीं स्तर के प्रश्न होंगे। जिसके विषय एवं अंकों का विवरण निम्नानुसार हैं:

क्र.सं.	विषय	अंक
1	विज्ञान	20
2	गणित	20
3	सामाजिक विज्ञान	20
4	मानसिक योग्यता परीक्षा	10
5	हिन्दी	10
6	अंग्रेजी	10
7	छत्तीसगढ़ का सामान्य ज्ञान	10
	कुल	**100**

- प्रश्न बहुविकल्पीय होंगे।
- सही उत्तर को विद्यार्थी द्वारा ओ.एम.आर. सीट के निधारित स्थान पर स्वयं निर्देशित निशान लगाना होगा।
- ओ.एम.आर. सीट को गलत भरने या उसमें काट छांट करने पर विद्यार्थी स्वयं जिम्मेदार होगा
- ओ.एम.आर. सीट पर किसी प्रकार का सुधार मान्य नहीं होगा।

पिछले प्रश्न-पत्र

छत्तीसगढ़–प्रयास आवासीय विद्यालय

कक्षा-9, प्रवेश परीक्षा, 2025

(Exam held on 20-04-2025)

विज्ञान

1. दिए गए हाइड्रोकार्बन को उनके अणुसूत्र से मिलान कीजिए :

(*a*) C_2H_6	1. एथीन
(*b*) C_2H_4	2. मीथेन
(*c*) C_2H_2	3. ऐथेन
(*d*) CH_4	4. एथाइन

	(*a*)	(*b*)	(*c*)	(*d*)
A.	2	3	1	4
B.	3	1	4	2
C.	1	3	4	2
D.	2	4	1	3

2. कोयले के अपूर्ण दहन से प्राप्त होने वाली गैस है :

A. CH_4 B. CO
C. CO_2 D. O_2

3. सही जोड़ी बनाइए :

(*a*) धातु	1. नाइट्रोजन
(*b*) अधातु	2. सोडियम
(*c*) उपधातु	3. जर्मेनियम
(*d*) अक्रिय गैस	4. हीलियम

	(*a*)	(*b*)	(*c*)	(*d*)
A.	2	1	3	4
B.	1	2	3	4
C.	3	1	2	4
D.	2	3	1	4

4. निम्न में से कौन-सा रोग जीवाणु जनित है :

1. टिटेनस 2. क्षय रोग
3. डिफ्थिरिया 4. एड्स

A. 1, 3, 4 B. 1, 2, 4
C. 2, 3, 4 D. 1, 2, 3

5. निम्न में से पादप हार्मोन हैं :

A. ऑक्सीटोसीन B. लेक्टिन
C. जिबरेलीन D. इन्सुलीन

6. विटामिन व उसकी कमी से होने वाले रोग की सही जोड़ी कौन-सी है?

A. विटामिन D – बेरी-बेरी B. विटामिन A – रतौंधी
C. विटामिन C – रिकेट्स D. विटामिन B – स्कर्वी

7. किसी वस्तु द्वारा कौन-सी गति करने पर ध्वनि उत्पन्न होती है?

A. घूर्णन B. कम्पन
C. परिक्रमण D. सरल रेखीय गति

8. सही जोड़ी है :

A. डी.एन.ए - वसा निर्माण
B. सेंट्रोसोम - रक्त निर्माण
C. लाइसोसोम - अस्थि निर्माण
D. राइबोसोम - प्रोटीन निर्माण

9. एक मछली पानी में सरलता से तैर पाती है जिसका कारण है :

A. पानी फिसलन युक्त होता है
B. सुप्रवाही शरीर
C. तेज गति
D. शून्य घर्षण

10. निम्नलिखित में से कौन-सी धातु स्वतंत्र अवस्था में पाई जाती है?

A. एल्युमिनियम B. सोना
C. लोहा D. सीसा

11. किसी वस्तु के द्रव्यमान और त्वरण के गुणनफल को क्या कहते हैं?

A. संवेग B. ऊर्जा
C. बल D. घनत्व

12. निम्नलिखित में से कौन एक धातु नहीं है?

A. तांबा B. एल्युमीनियम
C. कार्बन D. सोना

1. B **2.** B **3.** A **4.** D **5.** C **6.** B **7.** B **8.** D **9.** B **10.** B **11.** C **12.** C

13. मनुष्यों में पाचन क्रिया कहाँ से शुरू होती है?
A. आमाशय B. यकृत
C. मुँह D. छोटी आंत

14. सिस्टिक फाइब्रोसिस और हीमोफीलिया इसके उदाहरण हैं ....।
A. आनुवांशिक रोग B. अपक्षयी रोग
C. कमी रोग D. उपरोक्त में से कोई नहीं

15. निम्नलिखित में से कौन-सा खाद्य पदार्थ फाइबर प्रदान करता है?
A. दालें B. साबुत अनाज
C. फल और सब्जियाँ D. उपरोक्त सभी

16. यदि हम दरवाजे के कब्जों पर तेल लगाते हैं, तो घर्षण :
A. बढ़ जाएगा
B. घट जाएगा
C. पूरी तरह से गायब हो जाएगा
D. अपरिवर्तित रहेगा

17. पेट्रोलियम एक .... विलयन है।
A. द्रव-द्रव B. गैस-गैस
C. द्रव-गैस D. उपरोक्त सभी

18. जब चांदी को हवा के संपर्क में लाया जाता है, तो उसके ऊपर किसका काला जमाव हो जाता है?
A. $AgNO_3$ B. Ag_2O
C. Ag_2S D. Ag_2CO_3

19. परावर्तित सतह पर पड़ने वाली प्रकाश किरण को कहते हैं :
A. परावर्तक किरण B. आपतित किरण
C. अपवर्तित किरण D. अभिलंब किरण

20. दृष्टिबाधित लोग किसका उपयोग करके पढ़ और लिख सकते हैं?
A. इलेक्ट्रॉनिक राइटर B. डिजिटल पेन
C. ब्रेल प्रणाली D. श्रवण यंत्र

गणित

21. 2^{-2} का मान है :
A. 4 B. 1/4
C. 2 D. 1/2

22. $100^0 + 20^0 + 5^0$ बराबर है :
A. 125 B. 25
C. 1/125 D. 3

23. वृत्त के केन्द्र से जीवा पर डाला गया लंब :
A. जीवा को दो असमान भागों में विभाजित करता है
B. जीवा को दो समान भागों में विभाजित करता है
C. जीवा को तीन भागों में विभाजित करता है
D. जीवा को चार भागों में विभाजित करता है

24. यदि 15 पुरुष और 18 महिलाएँ किसी काम को 12 दिनों में पूरा करते हैं तो 5 पुरुष और 6 महिलाएँ उसी काम को कितने दिनों में पूरा करेंगे?
A. 12 B. 18
C. 24 D. 36

25. यदि कोई रेलगाड़ी 54 किमी. प्रति घंटा की गति से चलकर 400 मीटर लंबे प्लेटफॉर्म को 40 सेकंड में पार करती है, तो रेलगाड़ी की लम्बाई क्या होगी?
A. 150 मीटर B. 180 मीटर
C. 200 मीटर D. 220 मीटर

26. (–4) और 5 के बीच में कितने पूर्णांक हैं?
A. 8 B. 6
C. 5 D. 4

27. सोनू की दादी 80 वर्ष की है और सोनू 20 वर्ष का है कितने वर्ष पहले उसकी दादी की आयु सोनू से 7 गुना थी?
A. 8 वर्ष B. 10 वर्ष
C. 12 वर्ष D. 15 वर्ष

28. 90 और 100 के बीच अभाज्य संख्याओं की संख्या कितनी है?
A. 1 B. 0
C. 2 D. 3

29. दो समान घनों में से प्रत्येक का कुल पृष्ठीय क्षेत्रफल 24 सेमी.^{2} है। यदि इन दोनों घनों को सिरों से जोड़ दिया जाए, तो बने हुए घनाभ का कुल पृष्ठीय क्षेत्रफल क्या होगा?
A. 144 cm^2 B. 40 cm^2
C. 120 cm^2 D. 118 cm^2

30. त्रिज्या 18 सेमी. और ऊँचाई 25 सेमी. वाले एक बेलन का वक्र पृष्ठीय क्षेत्रफल और पूर्ण पृष्ठीय क्षेत्रफल ज्ञात करें।
A. 900π cm^2, 1800π cm^2
B. 1200π cm^2, 2400π cm^2
C. 600π cm^2, 1250π cm^2
D. 900π cm^2, 1548π cm^2

31. ₹ 9,600 की मूल राशि पर वार्षिक दर 25% से एक वर्ष के लिए चक्रवृद्धि ब्याज की गणना करें, जब ब्याज की गणना छमाही रूप से की जाए।
A. ₹ 2,500 B. ₹ 2,400
C. ₹ 2,550 D. इनमें से कोई नहीं

13. C	**14.** A	**15.** D	**16.** B	**17.** A	**18.** C	**19.** B	**20.** C	**21.** B	**22.** D
23. B	**24.** D	**25.** C	**26.** A	**27.** B	**28.** A	**29.** B	**30.** D	**31.** C	

32. एक फल विक्रेता के पास कुछ सेब थे। वह 40% सेब बेच देता है और फिर भी उसके पास 420 सेब बचते हैं। शुरू में उसके पास कितने सेब थे?

A. 588 सेब B. 600 सेब
C. 672 सेब D. 700 सेब

33. एक पूर्ण वर्ग बनाने के लिए 176 में से कौन-सी सबसे छोटी संख्या घटाई जाए?

A. 16 B. 10
C. 7 D. 4

34. 2.5 + 3.8 ÷ 0.02 का मान क्या है?

A. 192.5 B. 315
C. 6.32 D. 128.8

35. जिस कोण का माप 180° और 360° के बीच होता है, उसे क्या कहते हैं?

A. प्रतिवर्तन कोण B. पूर्णकोण
C. न्यूनकोण D. इनमें से कोई नहीं

36. निम्नलिखित में से कौन-सी परिमेय संख्या नहीं है?

A. 0/3 B. 5/0
C. 7/1 D. 1/7

37. जिस चतुर्भुज में सम्मुख भुजाओं की केवल एक जोड़ी समान्तर हो, उसे .... कहते हैं।

A. वर्ग
B. समचतुर्भुज
C. समलम्ब चतुर्भुज
D. समांतर चतुर्भुज

38. यदि 192 का 12.5% = x का 50% है, तो x =

A. 45 B. 25
C. 48 D. 92

39. यदि एक वर्ग का विकर्ण दूसरे वर्ग के विकर्ण का दोगुना है, तो दोनों वर्गों के क्षेत्रफलों का अनुपात होगा :

A. 3 : 2 B. 4 : 1
C. 3 : 1 D. 4 : 3

40. एक बेलनाकार खंभा 18 मीटर व्यास का और 21 मीटर ऊँचा है। इसकी वक्र सतह को ₹ 20 प्रति वर्ग मीटर की दर से सफेद करने की लागत .... है।

A. ₹ 20680 B. ₹ 21065
C. ₹ 15860 D. ₹ 23760

सामाजिक विज्ञान

41. किस नदी को मध्य प्रदेश व गुजरात की जीवन रेखा कहा जाता है?

A. चंबल B. ब्रह्मपुत्र
C. नर्मदा D. सोन

42. पटसन की खेती के लिए किस प्रकार की जलवायु की आवश्यकता होती है?

A. गर्म और आर्द्र B. शीत और आर्द्र
C. गर्म D. शीत

43. कूनो वन्य जीव अभयारण्य किस राज्य में है?

A. उत्तर प्रदेश B. असम
C. केरल D. मध्य प्रदेश

44. अप्रत्यक्ष कर नहीं है :

A. उत्पाद शुल्क B. मूल्य संवर्धित कर
C. सेवा कर D. आयकर

45. भू-क्षरण का कारण है :

1. भूकम्प 2. बाढ़ 3. पेड़ों की कटाई

A. 1 एवं 2 B. 1 एवं 3
C. 2 एवं 3 D. 1, 2 तथा 3

46. केन्द्र सरकार के प्रमुख कार्य नहीं हैं :

A. रक्षा B. शिक्षा
C. कृषि D. विदेश

47. अभ्रक उत्पादक राज्य है :

1. आंध्र प्रदेश 2. राजस्थान
3. कर्नाटक

A. 1 और 2 B. 2 और 3
C. 1, 2 और 3 D. 1 और 3

48. इनमें से कौन निर्वाचित स्थानीय स्वशासन की सबसे छोटी इकाई है?

A. जमींदार पंचायत B. ग्राम पंचायत
C. जिला पंचायत D. तहसील पंचायत

49. विधान परिषद वाले कितने राज्य हैं?

A. 2 B. 4
C. 6 D. 5

50. 1857 की क्रांति की शुरूआत कहाँ से हुई?

A. मेरठ B. झाँसी
C. लखनऊ D. इनमें से कोई नहीं

32. D **33.** C **34.** A **35.** A **36.** B **37.** C **38.** C **39.** B **40.** D **41.** C
42. A **43.** D **44.** D **45.** D **46.** C **47.** A **48.** B **49.** C **50.** A

51. कौन-सा राज्य 'सात बहनों' का हिस्सा नहीं है?
A. असम B. त्रिपुरा
C. पश्चिम बंगाल D. मणिपुर

52. भारतीय संविधान को अपनाने की तिथि क्या थी?
A. 26 नवंबर, 1949 B. 26 जनवरी, 1950
C. 15 अगस्त, 1947 D. इनमें से कोई नहीं

53. भारतीय संसद कितने सदनों से मिलकर बनी है?
A. एक B. दो
C. तीन D. चार

54. भारत में मौलिक अधिकारों की संख्या है :
A. 5 B. 6
C. 7 D. 8

55. सीमेंट उद्योग के लिए कच्चा माल है :
A. चूना-पत्थर B. लोहा
C. कपास D. इनमें से कोई नहीं

56. महात्मा गाँधी 1917 में कहाँ से लौटे थे?
A. संयुक्त राज्य अमेरिका B. इंग्लैंड
C. कनाडा D. दक्षिण अफ्रीका

57. भारत में सबसे पहले इस्पात कारखाना कहाँ पर स्थापित किया गया था?
A. जमशेदपुर B. हुगली
C. मुम्बई D. बिहार

58. प्रथम विश्व युद्ध कब हुआ था?
A. 1914 B. 1945
C. 1961 D. 1972

59. किन चीजों को जनसुविधाओं के नाम से जाना जाता है?
A. सार्वजनिक परिवहन B. बिजली
C. विद्यालय और कॉलेज D. उपरोक्त सभी

60. देश के मुख्य न्यायाधीश किस अदालत के मुखिया होते हैं?
A. सर्वोच्च न्यायालय B. उच्च न्यायालय
C. जिला न्यायालय D. इनमें से कोई नहीं

मानसिक योग्यता

61. A का बेटा E है, B का बेटा D है, E की शादी C से हुई है, B की बेटी C है, तो E का D से क्या रिश्ता है?
A. चाचा B. ससुर
C. भाई D. जीजा

62. किसी कूट भाषा में POPULAR को QPQVMBS लिखा जाता है। तो किसको GBNPVT लिखेंगे :
A. FARMER B. FAMOTH
C. FRAMES D. FAMOUS

63. घंटे की सूई 20 मिनट आगे बढ़ने पर कितने डिग्री चलती है?
A. 10 B. 20
C. 30 D. 40

64. प्रियंका अपने निश्चित स्थान से दक्षिण की ओर चलकर 8 मी. दूरी तय करती है, फिर वह बाएं मुड़कर 6 मी. जाती है, उसके बाद बाएं मुड़कर 8 मी. जाती है, तब वह दाएं मुड़ती है और 2 मी. जाती है, प्रारम्भिक स्थान से अब वह कितनी दूरी पर है?
A. 14 मी. B. 20 मी.
C. 15 मी. D. 8 मी.

65. आज सोमवार है। 61 दिनों बाद कौन-सा दिन होगा?
A. बुधवार B. शनिवार
C. मंगलवार D. गुरुवार

66. नीचे पासे की दो स्थितियाँ दिखाई गई हैं। जब '1' ऊपर होता है, तो नीचे कौन-सी संख्या होगी?

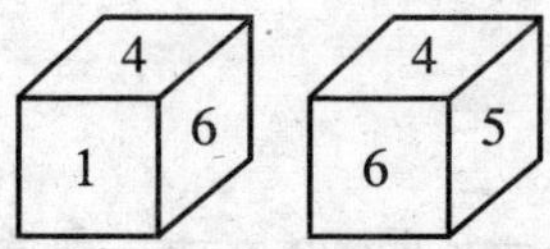

A. 3 B. 5
C. 2 D. 6

67. उस विकल्प को खोजें जिसमें चित्र (X) उसका हिस्सा हो :

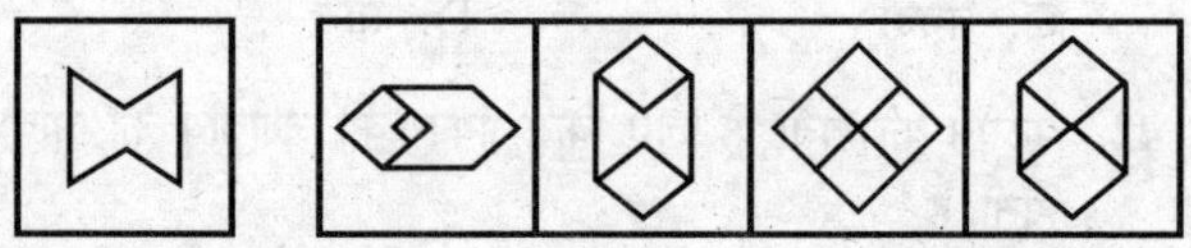

X 1 2 3 4
A. 1 B. 2
C. 3 D. 4

68. AZ, CX, FU, ?
A. IR B. JV
C. JQ D. KP

69. यदि ENGLAND को 1234526 लिखा जाता है और FRANCE को 785291 लिखा जाता है, तो GREECE को कैसे कोड किया जाएगा?
A. 381171 B. 381191
C. 832252 D. 835545

70. यदि CAT को XZG कोड किया गया है, तो DOG को कैसे कोड किया जाएगा?
A. WLT B. WLR
C. XLT D. XLR

51. C	**52.** A	**53.** B	**54.** B	**55.** A	**56.** D	**57.** A	**58.** A	**59.** D	**60.** A
61. D	**62.** D	**63.** A	**64.** D	**65.** B	**66.** B	**67.** B	**68.** C	**69.** B	**70.** A

हिन्दी

71. छत्तीसगढ़ी शब्द 'सरलग' का अर्थ है :

A. लगातार B. सरल
C. सफलता D. अलग

72. विदेशी शब्द है :

A. विजय B. लज्जा
C. शर्म D. समय

73. शब्द 'क्षीण' का समानार्थी होगा :

A. कमजोर B. ताकतवर
C. समाप्त होना D. शुरू होना

74. पुनरूक्त, युग्म और सहचर शब्दों के मध्य चिह्न को कहा जाता है?

A. योजक चिह्न B. अल्प विराम
C. पूर्ण विराम D. कोई नहीं

75. 'शिक्षक' शब्द में प्रयुक्त प्रत्यय कौन-सा है?

A. इक B. ईय
C. अक D. ता

76. "नाच न जाने आंगन टेढ़ा" लोकोक्ति का सही अर्थ क्या है?

A. नाचना सीखना चाहिए
B. अपनी गलती दूसरों पर मढ़ना
C. आंगन सही बनाना चाहिए
D. टेढ़ा आंगन सही नहीं होता

77. निम्न में से किस शब्द की वर्तनी सही है?

A. अनुग्रहित B. अनुगृहीत
C. अनग्रहित D. अनूग्रहित

78. क्ष, त्र और ज्ञ ये तीनों कौन-सा व्यंजन हैं?

A. संयुक्त व्यंजन B. उष्म व्यंजन
C. तवर्गीय व्यंजन D. इनमें से कोई नहीं

79. 'गोल' विशेषण है?

A. सार्वनामिक विशेषण B. परिमाणवाचक विशेषण
C. गुणवाचक विशेषण D. इनमें से कोई नहीं

80. निम्नलिखित में से पानी का पर्यायवाची शब्द नहीं है?

A. अंबु B. सर
C. मेघपुष्प D. नीर

ENGLISH

81. That person is a friend of ....

A. me B. mine
C. my D. myself

82. AMBITION is nearest in meaning to:

A. Expectation B. Goal
C. Desire D. Aspiration

83. One word for "Able to adopt oneself readily to many situations":

A. Sacrilege B. Versatile
C. Truant D. Omnipotent

84. Choose the correctly spelled word:

A. Sattlite B. Satellite
C. Sattelite D. Satelite

85. Identify the correct noun in the given sentence:
The boy kicked the football.

A. The B. Boy
C. Kicked D. Kick

86. Choose the correct verb for the blank:
He .... to school every day.

A. go B. goes
C. going D. gone

87. Choose the correct conjunction:
She likes tea .... coffee.

A. or B. but
C. so D. None of these

88. The second form of sing is:

A. sang B. sung
C. singing D. sings

89. .... Times of India is a popular newspaper.

A. The B. A
C. An D. No Article

90. Throw the paper .... the dustbin.

A. in B. into
C. on D. under

71. A	**72.** C	**73.** A	**74.** A	**75.** C	**76.** B	**77.** B	**78.** A	**79.** C	**80.** B
81. B	**82.** D	**83.** B	**84.** B	**85.** B	**86.** B	**87.** A	**88.** A	**89.** A	**90.** B

सामान्य ज्ञान

91. भूमकाल क्या था?
A. जनजातीय समुदाय B. एक विद्रोह
C. बस्तर का राजा D. बस्तर राज्य

92. छत्तीसगढ़ की नदी नहीं है :
A. लूनी B. केलो
C. दूध D. नारंगी

93. छत्तीसगढ़ में स्थित वृष्टिछाया क्षेत्र है :
A. जगदलपुर B. मैकाल श्रेणी
C. छत्तीसगढ़ का मैदान D. अबूझमाड़ की पहाड़ियाँ

94. छत्तीसगढ़ के इस अनाज को 'गरीबों का अनाज' भी कहा जाता है :
A. गेहूँ B. चावल
C. कोदो-कुटकी D. मक्का

95. छत्तीसगढ़ में कौन-सा प्रसिद्ध जलप्रपात स्थित है?
A. दूधसागर जलप्रपात B. चित्रकोट जलप्रपात
C. जोग जलप्रपात D. भगत जलप्रपात

96. छत्तीसगढ़ में कौन-सा राष्ट्रीय उद्यान स्थित है?
A. कान्हा राष्ट्रीय उद्यान B. इंद्रावती राष्ट्रीय उद्यान
C. बांधवगढ़ राष्ट्रीय उद्यान D. पन्ना राष्ट्रीय उद्यान

97. गुरु घासीदास विश्वविद्यालय कहाँ पर स्थित है?
A. बिलासपुर B. रायपुर
C. दुर्ग D. कांकेर

98. छत्तीसगढ़ में कुल कितने जिले हैं?
A. 28 B. 32
C. 33 D. 34

99. छत्तीसगढ़ राज्य में 'मन्दिर नगरी' किसे कहा जाता है?
A. रतनपुर को B. राजिम को
C. डोंगरगढ़ को D. आरंग को

100. निम्नलिखित में से किस नदी को 'सरगुजा की जीवन रेखा' के रूप में जाना जाता है?
A. शिवनाथ B. महानदी
C. रिहंद नदी D. सबरी

व्याख्यात्मक उत्तर

1. (*a*) **C_2H_6 — ऐथेन (ईथेन)** : C_2H_6 एल्केन परिवार का एक संतृप्त हाइड्रोकार्बन है। एल्केन्स में कार्बन परमाणुओं के बीच केवल एकल सहसंयोजक बंध होते हैं। ईथेन रंगहीन और गंधहीन होता है, जिसका उपयोग पेट्रोरसायनों में ईंधन और फीडस्टॉक के रूप में किया जाता है।

(*b*) **C_2H_4 — एथीन (एथीन)** : C_2H_4 एक असंतृप्त हाइड्रोकार्बन (एल्कीन) है जिसमें C = C द्विबंध होता है। एथीन एक महत्वपूर्ण औद्योगिक रसायन है, जिसका उपयोग पॉलीइथाइलीन बनाने में किया जाता है और यह फलों को पकाने के लिए पादप हार्मोन (एथिलीन) के रूप में भी कार्य करता है।

(*c*) **C_2H_2 — एथीन (एथाइन)** : C_2H_2 एक एल्काइन है जिसमें C≡C त्रिबंध होता है। आमतौर पर एसिटिलीन के रूप में जाना जाता है, इसका उपयोग वेल्डिंग और कार्बनिक संश्लेषण में कच्चे माल के रूप में किया जाता है।

(*d*) **CH_4 — मीथेन (मीथेन)** : CH_4 सबसे सरल एल्केन है, जो प्राकृतिक गैस का एक प्रमुख घटक है। यह एक ग्रीनहाउस गैस और एक सामान्य ईंधन स्रोत है।

2. कोयले का अपूर्ण दहन (अपर्याप्त ऑक्सीजन के साथ जलना) कार्बन मोनोऑक्साइड (CO) उत्पन्न करता है। CO तब बनता है जब कोयले में कार्बन पूरी तरह से कार्बन डाइऑक्साइड में ऑक्सीकृत नहीं होता है। यह रंगहीन, गंधहीन और अत्यधिक विषैला होता है, क्योंकि यह हीमोग्लोबिन से मजबूती से बंध जाता है, जिससे रक्त में ऑक्सीजन का परिवहन बाधित होता है। इस प्रकार, प्राप्त गैस CO है।

3. (*a*) **धातु – सोडियम (Na)** : सोडियम एक धातु है जिसकी विशेषता धात्विक चमक, अच्छी चालकता और धनात्मक आयन (Na^+) बनाने की प्रवृत्ति है। → 2

(*b*) **अधात्विक – नाइट्रोजन (N_2)** : नाइट्रोजन एक अधातु है, सामान्य परिस्थितियों में एक द्विपरमाणुक गैस, कुचालक और सहसंयोजक बंध बनाती है। → 1

(*c*) **अधात्विक – जर्मेनियम (Ge)** : जर्मेनियम एक उपधातु (अर्धधातु) है जो धात्विक और अधात्विक दोनों गुण प्रदर्शित करता है। इसका उपयोग अर्धचालकों में किया जाता है। → 3

(*d*) **अक्रिय गैस – हीलियम (He)** : हीलियम एक उत्कृष्ट गैस है, रासायनिक रूप से निष्क्रिय, जिसका उपयोग गुब्बारों और क्रायोजेनिक्स में किया जाता है। → 4

मिलान क्रम 2 1 3 4 है।

4. • **टिटेनस (टेटनस)** : *क्लोस्ट्रीडियम टेटानी* बैक्टीरिया के कारण होता है, जिससे मांसपेशियों में गंभीर ऐंठन होती है। → 1

91. B **92.** A **93.** B **94.** C **95.** B **96.** B **97.** A **98.** C **99.** D **100.** C

- **क्षय रोग (तपेदिक) :** *माइकोबेक्टीरियम ट्यूबरकुलोसिस* के कारण होता है, जो मुख्य रूप से फेफड़ों को प्रभावित करता है। → 2
- **डिप्थीरिया (डिप्थीरिया) :** *कोरिनेबैक्टीरियम डिप्थीरिया* के कारण होता है, जिससे गले में संक्रमण और विष-संबंधी क्षति होती है। → 3
- **एड्स (एड्स) :** एचआईवी वायरस के कारण होता है, जीवाणु रोग नहीं, इसलिए इसे बाहर रखा गया है।

इसलिए, विकल्पों में से जीवाणु रोग 1, 2, 3 हैं।

5. विकल्पों में से, जिबरेलीन एक पादप हार्मोन है। यह तने की लंबाई बढ़ाने, बीज अंकुरण, बीज सुप्तावस्था को तोड़ने में मदद करता है और पुष्पन व फल विकास को प्रभावित करता है। ऑक्सीटोसीन और इन्सुलीन क्रमशः प्रसव और ग्लूकोज नियमन में शामिल जंतु हार्मोन हैं, जबकि लेक्टिन एक पादप प्रोटीन है जो प्रतिरक्षा में शामिल है, लेकिन हार्मोन नहीं है। इसलिए, जिबरेलीन ही एकमात्र सही पादप हार्मोन है।

6. विटामिन A आंखों की रेटिना के लिए आवश्यक है और प्रकाश की कम स्थिति में देखने की क्षमता बनाए रखता है। इसकी कमी से रतौंधी (Night blindness) होती है, जिसमें व्यक्ति को अंधेरे या धुंधली रोशनी में स्पष्ट दिखाई नहीं देता। विटामिन D की कमी से रिकेट्स, विटामिन C की कमी से स्कर्वी, और विटामिन B_1 की कमी से बेरी-बेरी होता है—इसलिए अन्य जोड़ियां गलत हैं।

7. ध्वनि का उत्पादन किसी वस्तु के कम्पन (Vibration) से होता है। जब वस्तु आगे-पीछे दोलन करती है तो माध्यम में दाब तरंगें बनती हैं, जो हमारे कानों तक पहुँच कर ध्वनि के रूप में अनुभव होती हैं। घूर्णन, परिक्रमण या सरल रेखीय गति अकेले ध्वनि नहीं पैदा करते।

8. राइबोसोम कोशिका के भीतर वह ऑर्गेनेल है जहाँ प्रोटीन संश्लेषण होता है। यह mRNA पर आधारित होकर अमीनो अम्लों को जोड़कर प्रोटीन बनाता है। डीएनए आनुवंशिक जानकारी रखता है, सेंट्रोसोम कोशिका विभाजन में स्पिंडल फाइबर बनाता है, और लाइसोसोम पाचन एंजाइमों से कोशिकीय अपशिष्ट का अपघटन करते हैं—वे दिए गए अन्य कार्य नहीं करते।

9. मछली का सुप्रवाही (Streamlined) शरीर जल प्रतिरोध को कम करता है। इसका आकार तीर जैसा होता है जिससे पानी का घर्षण न्यूनतम होता है, और वह आसानी से तैर सकती है। पानी का फिसलन युक्त होना या शून्य घर्षण गलत है, और तेज गति कारण नहीं बल्कि परिणाम है।

10. सोना एक अक्रिय धातु है और प्रकृति में अक्सर स्वतंत्र अवस्था में (अयस्क के रूप में संयोजित हुए बिना) पाया जाता है। एल्युमिनियम, लोहा और सीसा आमतौर पर अयस्कों के रूप में मिलते हैं और स्वतंत्र रूप से नहीं मिलते।

11. किसी वस्तु के द्रव्यमान (m) और त्वरण (a) के गुणनफल को बल (Force) कहा जाता है।

न्यूटन का दूसरा नियम कहता है : $F = m \times a$।

इसका अर्थ है कि जब किसी वस्तु पर बल लगाया जाता है तो उसका त्वरण उसके द्रव्यमान के अनुपात में होता है। यह भौतिकी का मूलभूत सिद्धांत है।

12. तांबा, एल्युमीनियम और सोना सभी धातुएँ हैं जो विद्युत एवं ऊष्मा के अच्छे चालक हैं। कार्बन एक अधातु है, जो विभिन्न अलोट्रॉप (हीरा, ग्रेफाइट) के रूप में पाया जाता है। ग्रेफाइट विद्युत चालक होने के बावजूद इसे धातु नहीं माना जाता।

13. मनुष्यों में पाचन क्रिया मुँह से शुरू होती है। यहाँ भोजन चबाया जाता है और लार (saliva) में उपस्थित एंजाइम एमाइलेज स्टार्च को तोड़ना शुरू करता है। यह यांत्रिक एवं रासायनिक पाचन की प्रथम अवस्था है। आमाशय, यकृत या छोटी आंत पाचन की बाद की अवस्थाओं में कार्य करते हैं।

14. सिस्टिक फाइब्रोसिस और हीमोफीलिया दोनों आनुवांशिक रोग (Genetic disorders) हैं। सिस्टिक फाइब्रोसिस CFTR जीन में उत्परिवर्तन से होता है जिससे गाढ़ा श्लेष्मा बनता है, जबकि हीमोफीलिया X-गुणसूत्र से जुड़ी विकार है जिसमें रक्त का थक्का बनने में कठिनाई होती है। ये अपक्षयी या कमी रोग नहीं हैं।

15. फाइबर (रेशा) पाचन तंत्र को स्वस्थ रखने और कब्ज रोकने के लिए महत्वपूर्ण है। दालें (legumes), साबुत अनाज (whole grains), तथा फल और सब्जियाँ—सभी आहार फाइबर के अच्छे स्रोत हैं। इसलिए सही उत्तर है सभी विकल्प।

16. जब दरवाजे के कब्जों (hinges) पर तेल डाला जाता है, तो तेल एक स्नेहक (lubricant) के रूप में कार्य करता है। यह कब्जों की धातु सतहों के बीच एक पतली परत बनाता है, जिससे सतहों के बीच प्रत्यक्ष संपर्क कम हो जाता है। इस कारण सतहों के बीच घर्षण कम होकर दरवाजा आसानी से घूमने लगता है।

17. पेट्रोलियम हाइड्रोकार्बनों का मिश्रण है जो मुख्यतः तरल अवस्था में होता है। यह विभिन्न तरल हाइड्रोकार्बनों (जैसे एल्केन्स, साइक्लोएल्केन्स, एरोमैटिक यौगिकों) का द्रव-द्रव विलयन है। गैस या ठोस का मिश्रण इसमें प्रमुख नहीं होता, इसलिए अन्य विकल्प सही नहीं हैं।

18. चाँदी (Ag) हवा के संपर्क में आने पर उसमें मौजूद सल्फर यौगिकों (जैसे H_2S) से अभिक्रिया कर चाँदी सल्फाइड (Ag_2S) बनाती है। यह काला जमाव चाँदी के धूमिल या काला होने का कारण है। $AgNO_3$, Ag_2O या Ag_2CO_3 इस स्थिति में नहीं बनते।

19. परावर्तन में जिस प्रकाश किरण को परावर्तक सतह पर डाला जाता है उसे आपतित किरण (Incident ray) कहते हैं। सतह से जो किरण वापस जाती है, वह परावर्तित किरण कहलाती है। अपवर्तित किरण माध्यम परिवर्तन के समय बनती है और अभिलंब किरण काल्पनिक लम्बवत रेखा है।

20. दृष्टिबाधित (Blind) लोग पढ़ने और लिखने के लिए ब्रेल प्रणाली का उपयोग करते हैं। इसमें ऊभरे हुए बिंदुओं (raised dots) के पैटर्न के माध्यम से अक्षर बनाए जाते हैं, जिन्हें स्पर्श से पढ़ा जा सकता है। इलेक्ट्रॉनिक राइटर या डिजिटल पेन सामान्य दृष्टि वालों के लिए हैं, और श्रवण यंत्र सुनने की क्षमता सुधारते हैं।

21. गणित में घातांक (Exponents) के नियमों के अनुसार, किसी भी शून्य से भिन्न संख्या a और किसी भी पूर्णांक n के लिए :

$$a^{-n} = \frac{1}{a^n}$$

यह नियम बताता है कि ऋणात्मक घातांक उस संख्या के धनात्मक घात का व्युत्क्रम (reciprocal) दर्शाता है। इस नियम को 2^{-2} पर लागू करने पर :

$$2^{-2} = \frac{1}{2^2}$$

अब 2^2 का मान $2 \times 2 = 4$ होता है। अतः

$$2^{-2} = \frac{1}{4}$$

इसलिए 2^{-2} का मान $\frac{1}{4}$ है।

22. किसी भी शून्य से भिन्न संख्या का शून्य घातांक हमेशा 1 होता है। घातांकों का नियम कहता है :

$$a^0 = 1 \text{ (जहाँ } a \neq 0)$$

इस नियम के अनुसार–

$$100^0 = 1, 20^0 = 1, 5^0 = 1$$

अब इन सभी को जोड़ते हैं :

$$100^0 + 20^0 + 5^0 = 1 + 1 + 1 = 3$$

अतः सही उत्तर है : 3.

23. जीवा को दो समान भागों में विभाजित करता है : वृत्त का प्रमेय—"केन्द्र से जीवा पर खींचा गया लंब उस जीवा का समद्विभाजन करता है"—के अनुसार लंब जीवा को ठीक बीच से काटता है, इसलिए दोनों भाग समान होते हैं।

24. 15 पुरुष + 18 महिलाएँ 12 दिन में कार्य पूरा करते हैं

$\Rightarrow$ कुल दर = (15M + 18W)

5 पुरुष + 6 महिलाएँ = $\frac{1}{3}$(15M + 18W)

(क्योंकि दोनों ही संख्याएँ 1/3 हैं)।

दर 1/3 होने पर समय 3 गुना होगा

$\Rightarrow$ $12 \times 3 = 36$ दिन।

25. गति 54 किमी/घं = $\frac{54 \times 1000}{3600}$ = 15 मी/से

समय, $t = 40$ से.

$\Rightarrow$ चली दूरी = $vt = 15 \times 40 = 600$ मी

दूरी = ट्रेन की लम्बाई (L) + प्लेटफॉर्म (400)

$\Rightarrow$ $L + 400 = 600 \Rightarrow L = 200$ मी.।

26. –4 और 5 के बीच के पूर्णांक (exclusive) हैं :

–3, –2, –1, 0, 1, 2, 3, 4

गिनती = 8.

27. मान लें x वर्ष पहले दादी की आयु सोनू की आयु की 7 गुना थी।

$$80 - x = 7(20 - x)$$

$\Rightarrow$ $80 - x = 140 - 7x$

$\Rightarrow$ $6x = 60$

$\Rightarrow$ $x = 10$

अतः 10 वर्ष पहले यह अनुपात सही था।

28. 90 और 100 के बीच संख्याएँ जाँचें :

91 (7 × 13), 92 (सम), 93 (3 × 31), 94 (सम), 95 (5 × 19), 96 (सम), 97 (अभाज्य), 98 (सम), 99 (3 × 33), 100 (सम)।

केवल 97 अभाज्य है ⇒ कुल 1.

29. एक घन का कुल पृष्ठीय क्षेत्रफल

$$6a^2 = 24$$

$\Rightarrow$ $a^2 = 4$

$\Rightarrow$ $a = 2$ सेमी।

दो घनों को एक-एक फलक से जोड़ने पर बने घनाभ का TSA:

$$\text{TSA (cuboid)} = 2(lw + lh + wh)$$
$$= 2((2a) \cdot a + (2a) \cdot a + a \cdot a))$$
$$= 2(2a^2 + 2a^2 + a^2)$$
$$= 10a^2$$

$a = 2$ रखने पर

$10a^2 = 10 \times 4 = 40$ सेमी^{2}

(वैकल्पिक : $2 \times 24 - 2 \times a^2 = 48 - 8 = 40$ सेमी^{2})

30. 900π cm^2, 1548π cm^2 :

बेलन के लिए $r = 18$ सेमी, $h = 25$ सेमी।

वक्र पृष्ठीय क्षेत्रफल (CSA) :

$2\pi rh = 2\pi \cdot 18 \cdot 25 = 900\pi$ सेमी^{2}

पूर्ण पृष्ठीय क्षेत्रफल (TSA) :

$$2\pi rh + 2\pi r^2 = 900\pi + 2\pi \cdot (18^2)$$
$$= 900\pi + 2\pi \cdot 324$$

$= 900\pi + 648\pi = 1548\pi$ सेमी^{2}।

31. चक्रवृद्धि ब्याज छमाही पर होने से दर आधे वर्ष के लिए

$\frac{25\%}{2} = 12.5\%$ होगी और अवधियाँ 2 होंगी।

राशि, $A = P\left(1 + \frac{r}{2}\right)^2$

$= 9600 \times (1.125)^2$

$= 9600 \times 1.265625 =$ ₹ 12,150

चक्रवृद्धि ब्याज = A – P

= 12,150 – 9,600 = ₹ 2,550.

32. 40% बेच दिए

$\Rightarrow$ 60% शेष = 420 सेब

प्रारम्भिक संख्या, शुरुआत = $\frac{420}{0.60} = 700$.

33. 176 के निकटतम छोटे पूर्ण वर्ग देखें :

$13^2 = 169$,

$14^2 = 196$ (बड़ा)।

अतः 176 को पूर्ण वर्ग बनाने हेतु 176 – 169 = 7 घटाना होगा।

34. क्रम-विन्यास (BODMAS) अनुसार पहले भाग :

$$3.8 \div 0.02 = 3.8 \times 50 = 190,$$

फिर जोड़ : $2.5 + 190 = 192.5$.

35. जिसका माप 180° और 360° के बीच हो वह प्रतिवर्तन (Reflex) कोण कहलाता है; 360° स्वयं पूर्णकोण है।

36. परिमेय संख्या वह है जिसे $\frac{p}{q}$ के रूप में लिखा जा सके जहाँ p, q पूर्णांक हों और $q \neq 0$.

$\frac{0}{3} = 0$, $\frac{7}{1} = 7$, $\frac{1}{7}$ तीनों परिमेय हैं।

$\frac{5}{0}$ अपरिभाषित है (हर में शून्य), इसलिए परिमेय नहीं है।

37. वह चतुर्भुज जिसमें सम्मुख भुजाओं की केवल एक जोड़ी समान्तर होती है, उसे समलम्ब चतुर्भुज कहते हैं। वर्ग, समचतुर्भुज (रोम्बस) और समांतर चतुर्भुज—इनमें या तो दोनों जोड़ी भुजाएँ समान्तर होती हैं या विशेष समता होती है।

38. दिए अनुसार,

$$12.5\% \text{ of } 192 = 50\% \text{ of } x$$

$$12.5\% \times 192 = \frac{1}{8} \times 192 = 24$$

$$50\% \times x = \frac{x}{2}$$

$$\text{तो } \frac{x}{2} = 24 \Rightarrow x = 48.$$

39. वर्ग का क्षेत्रफल भुजा के वर्ग के समानुपाती और विकर्ण के वर्ग के भी समानुपाती होता है (क्योंकि $d = a\sqrt{2} \Rightarrow A = a^2 = \frac{d^2}{2}$)।

यदि एक वर्ग का विकर्ण दूसरे से दोगुना है, तो क्षेत्रफलों का अनुपात $(2^2) : 1 = 4 : 1$ होगा।

40. बेलन के वक्र पृष्ठीय क्षेत्रफल (CSA) का सूत्र $2\pi rh$ है।

$$\text{व्यास} = 18 \text{ m} \Rightarrow r = 9 \text{ m},$$

$$\text{ऊँचाई}, h = 21 \text{ m}$$

$$\text{CSA} = 2\pi \times 9 \times 21 = 378\pi \text{ m}^2$$

$$\text{लागत} = \text{दर} \times \text{क्षेत्रफल}$$

$$= ₹\, 20 \times 378\pi = 7560\pi$$

$$\approx ₹\, 23{,}760 \; (\pi \approx 3.14).$$

41. नर्मदा नदी को मध्य प्रदेश और गुजरात की जीवन रेखा कहा जाता है। यह मध्य प्रदेश के अमरकंटक से निकलकर पश्चिम की ओर बहती है, और गुजरात से होकर अरब सागर में गिरती है। यह सिंचाई, पेयजल और जलविद्युत के लिए प्रमुख स्रोत है।

42. पटसन (Jute) की खेती के लिए गर्म एवं आर्द्र जलवायु आवश्यक होती है। यह अधिक वर्षा (लगभग 150-200 सेमी) और गर्म तापमान (24-35°C) वाले क्षेत्रों जैसे पश्चिम बंगाल, बिहार, असम, उड़ीसा में उगाया जाता है।

43. कूनो वन्य जीव अभयारण्य मध्य प्रदेश के श्योपुर जिले में स्थित है। यह अभयारण्य एशियाई शेरों और चीता पुनर्वास परियोजनाओं के लिए प्रसिद्ध है।

44. अप्रत्यक्ष कर वह है जो वस्तु/सेवा पर लगाया जाता है और अंतिम उपभोक्ता द्वारा अप्रत्यक्ष रूप से चुकाया जाता है (जैसे उत्पाद शुल्क, VAT, सेवा कर)। आयकर सीधे आय अर्जित करने वाले व्यक्ति पर लगाया जाता है, अतः यह प्रत्यक्ष कर है।

45. भू-क्षरण (Soil erosion) के कारण अनेक प्राकृतिक और मानवजनित कारक हैं—

- **भूकंप :** भूमि को हिला कर ढलानों से मिट्टी खिसकाता है।
- **बाढ़ :** बहते पानी से ऊपरी उपजाऊ मिट्टी बह जाती है।
- **पेड़ों की कटाई :** वनस्पति आवरण हटने से मिट्टी ढीली होकर आसानी से बह जाती है।

तीनों ही कारण योगदान करते हैं।

46. भारत में रक्षा और विदेश नीति केन्द्र सरकार के प्रमुख कार्य हैं। शिक्षा अब साझा विषय (Concurrent list) है, पर राष्ट्रीय नीतियाँ केन्द्र बनाती है। कृषि मुख्यतः राज्य सूची का विषय है, इसलिए यह केन्द्र सरकार का प्रमुख कार्य नहीं माना जाता।

47. भारत में अभ्रक (Mica) के प्रमुख उत्पादक राज्य वास्तव में आंध्र प्रदेश और राजस्थान हैं।

- **आंध्र प्रदेश :** विशेषकर नेल्लोर जिला अभ्रक उत्पादन के लिए प्रसिद्ध है और देश के कुल उत्पादन का बड़ा हिस्सा यहाँ से आता है।
- **राजस्थान :** अजमेर, भीलवाड़ा, और जयपुर जिलों में महत्वपूर्ण अभ्रक खनन होता है।
- **कर्नाटक :** यहाँ अभ्रक की उपस्थिति बहुत कम और औद्योगिक दृष्टि से नगण्य है, इसलिए इसे प्रमुख उत्पादक नहीं माना जाता।

48. निर्वाचित स्थानीय स्वशासन की सबसे छोटी इकाई ग्राम पंचायत है, जो गाँव स्तर पर प्रशासन और विकास कार्यों के लिए उत्तरदायी होती है। जिला पंचायत और तहसील पंचायत ऊँचे स्तर की इकाइयाँ हैं।

49. वर्तमान में भारत में विधान परिषद (Legislative Council) वाले राज्य 6 हैं—आंध्र प्रदेश, तेलंगाना, उत्तर प्रदेश, महाराष्ट्र, बिहार, और कर्नाटक।

50. 1857 की क्रांति की शुरुआत मेरठ से हुई थी। 10 मई 1857 को यहाँ के सिपाहियों ने ब्रिटिश अधिकारियों के खिलाफ विद्रोह किया, जो बाद में देशभर में फैल गया।

51. 'सात बहनें' (Seven Sisters) पूर्वोत्तर भारत के सात राज्य हैं—असम, अरुणाचल प्रदेश, मणिपुर, मिजोरम, मेघालय, नागालैंड और त्रिपुरा। पश्चिम बंगाल इनमें शामिल नहीं है।

52. भारतीय संविधान को संविधान सभा ने 26 नवंबर 1949 को अपनाया था। इसे 26 जनवरी 1950 को लागू (Enforce) किया गया, लेकिन अपनाने की तिथि यही है।

53. भारतीय संसद दो सदनों से मिलकर बनी है–लोकसभा (निम्न सदन) और राज्यसभा (उच्च सदन)। राष्ट्रपति संसद का अंग है, पर सदनों की संख्या दो ही मानी जाती है।

54. वर्तमान में भारतीय संविधान में 6 मौलिक अधिकार हैं–(1) समानता का अधिकार, (2) स्वतंत्रता का अधिकार, (3) शोषण के विरुद्ध अधिकार, (4) धर्म की स्वतंत्रता का अधिकार, (5) सांस्कृतिक एवं शैक्षिक अधिकार, (6) संवैधानिक उपचार का अधिकार।

55. सीमेंट उद्योग के लिए मुख्य कच्चा माल चूना-पत्थर (Limestone) है। इसके अतिरिक्त सिलिका, ऐलुमिना और जिप्सम सहायक सामग्री होती हैं।

56. महात्मा गांधी 1917 में दक्षिण अफ्रीका से लौटे थे। दक्षिण अफ्रीका में उन्होंने सत्याग्रह और अहिंसक प्रतिरोध की तकनीकें विकसित कीं, जिन्हें भारत में स्वतंत्रता संग्राम में लागू किया।

57. भारत का सबसे पहला इस्पात कारखाना टाटा आयरन एंड स्टील कंपनी (TISCO) 1907 में जमशेदपुर (झारखंड) में स्थापित किया गया था। यह भारत के औद्योगिक विकास में एक मील का पत्थर था।

58. प्रथम विश्व युद्ध 1914 में आरंभ हुआ और 1918 तक चला। यह मुख्य रूप से यूरोप में लड़ा गया, जिसमें मित्र राष्ट्र और धुरी राष्ट्र आमने-सामने थे।

59. जनसुविधाएँ वे सेवाएँ हैं जो समाज के सभी वर्गों के लिए उपलब्ध कराई जाती हैं। सार्वजनिक परिवहन, बिजली, और विद्यालय/कॉलेज सभी जनसुविधाओं के उदाहरण हैं।

60. भारत के मुख्य न्यायाधीश (Chief Justice of India), सर्वोच्च न्यायालय के मुखिया होते हैं, जो देश की सर्वोच्च न्यायिक संस्था है।

61. संबंध-वृक्ष के अनुसार–E, A का बेटा; C, B की बेटी; E की शादी C से हुई $\Rightarrow$ E, B का दामाद। D, B का बेटा है $\Rightarrow$ D, C का भाई।

अतः E (पति-C) का D (भाई-C) से संबंध जीजा का होता है।

62. दिए कूट में हर अक्षर को +1 शिफ्ट किया गया है ($P \to Q$, $O \to P$, ...)।

इसलिए GBNPVT को मूल रूप पाने हेतु –1 शिफ्ट करें :

$G \to F, B \to A, N \to M, P \to O, V \to U, T \to S$

$\Rightarrow$ FAMOUS.

63. घंटे की सूई प्रति मिनट 0.5° घूमती है (360°/12 घंटे/60 मिनट)। 20 मिनट में घूमाव $= 20 \times 0.5° = 10°$।

64. मार्ग-निर्धारण : प्रारम्भ $(0, 0) \to$ दक्षिण 8

$\Rightarrow (0, -8) \to$ बाएँ (पूर्व) 6

$\Rightarrow (6, -8) \to$ बाएँ (उत्तर) 8

$\Rightarrow (6, 0) \to$ दाएँ (पूर्व) 2

$\Rightarrow (8, 0)$

मूल बिंदु से दूरी $\sqrt{8^2} = 8$ मीटर।

65. 61 दिन बाद का दिन 61 mod 7 = 5 दिन आगे होगा।

सोमवार से 5 दिन आगे : मंगल (1), बुध (2), गुरु (3), शुक्र (4), शनि (5)।

66. दोनों पासे की स्थितियों को देखें–

- पहली स्थिति में 1 के साथ सटे अंक हैं : 4 और 6।
- दूसरी स्थिति में 6 के साथ सटे अंक हैं : 4 और 5।

इससे स्पष्ट है कि 1, 4, 6 आपस में सटे हैं। अब 6 दोनों स्थितियों में आम है, तो 1 के विपरीत जो अंक होगा, वह 6 के साथ सटा नहीं होना चाहिए। चूँकि 5 केवल दूसरी स्थिति में आता है और 6 के साथ सटा है, वह 1 के विपरीत हो सकता है। विकल्पों की जाँच से पता चलता है कि जब 1 ऊपर है, तो नीचे 5 होगा।

67. चित्र (X) एक bow-tie / hourglass जैसी रचना है–दो समद्विबाहु त्रिकोण, जो मध्य बिंदु पर स्पर्श करते हैं और खुले मुख विपरीत दिशाओं में हैं। ऐसे प्रश्नों में घूर्णन (rotation) और प्रतिबिंब (mirror) स्वीकार्य होते हैं।

विकल्प 2 में ऊपर-नीचे लगे दो हीरों (♦) के बीच बना मध्याकार, रेखाओं द्वारा बिल्कुल वही bow-tie बनाता है–बस 90° घुमी हुई अवस्था में।

विकल्प 1, 3 और 4 में यह विशिष्ट 'दो विपरीत त्रिकोण मिलन' आकृति उपस्थित नहीं है।

68. क्रम में पहला अक्षर A, C, F, ... बढ़ रहा है :

$+2, +3, +4 \Rightarrow F + 4 = J$

दूसरा अक्षर Z, X, U, ... घट रहा है :

$-2, -3, -4 \Rightarrow U - 4 = Q$

अतः अगला पद JQ.

69. दिए कोड से अक्षर-अंक मिलान निकालें–

ENGLAND $\to$ 1234526

$\Rightarrow E = 1, N = 2, G = 3, L = 4, A = 5, D = 6$

FRANCE $\to$ 785291

$\Rightarrow$ इससे और मिलता है : $F = 7, R = 8, C = 9$

($A = 5, N = 2, E = 1$ पहले से सही)।

अब GREECE = G R E E C E $\Rightarrow$ 3 8 1 1 9 1 = 381191.

70. CAT $\to$ XZG से स्पष्ट है कि Atbash (वर्णमाला उलट) सिफर है :

$A \leftrightarrow Z, B \leftrightarrow Y, C \leftrightarrow X, ..., T \leftrightarrow G$.

DOG पर लागू करें : $D \to W, O \to L, G \to T \Rightarrow$ WLT.

71. छत्तीसगढ़ी भाषा में 'सरलग' का अर्थ 'लगातार' या 'निरंतर' होता है। यह शब्द किसी कार्य, घटना या क्रिया के बिना रुके, सतत रूप से जारी रहने को दर्शाने के लिए प्रयोग किया जाता है। उदाहरण के लिए, यदि कोई कहे, ''वह सरलग काम करत है'',तो इसका भाव है कि वह व्यक्ति बिना रुके या निरंतर काम कर रहा है। अतः इस संदर्भ में सही उत्तर 'लगातार' है।

72. 'शर्म' फारसी/उर्दू मूल का विदेशी शब्द है, जबकि विजय, लज्जा, समय संस्कृत से निकले देशज/तत्सम/तद्भव शब्द हैं।

73. 'क्षीण' का अर्थ क्षयग्रस्त/दुबला/कमजोर होना है (बल, आकार या मात्रा का क्षय)। इसलिए समानार्थी कमजोर उपयुक्त है।

74. पुनरुक्त, युग्म और सहचर शब्दों (जैसे टन-टन, मीठा-तीखा) के बीच जो चिह्न लगाया जाता है, वह योजक चिह्न (हाइफन/डैश) कहलाता है।

75. 'शिक्षक' = 'शिक्ष' (धातु/मूल) + 'क/अक' प्रत्यय (कर्ता/कर्मकारक सूचक), जिसका अर्थ 'पढ़ाने वाला' है। दिए विकल्पों में अक सर्वाधिक उपयुक्त प्रत्यय है।

76. लोकोक्ति का भाव–कौशल न होने पर दोष परिस्थिति/दूसरों पर डालना, जैसे नाचना न आता हो तो आंगन को टेढ़ा कहना।

77. सही वर्तनी अनुगृहीत (गृहीत = ग्रहण किया/कृतज्ञ) है–प्रचलित प्रयोग : "मैं आपके उपकार से अनुगृहीत हूँ।" अन्य रूप यहाँ प्रसंगानुकूल नहीं।

78. क्ष, त्र, ज्ञ–ये दो वर्णों के संयोग से बने संयुक्त व्यंजन हैं (क् + ष, त् + र, ज् + ञ)।

79. 'गोल' वस्तु के आकार/गुण को बताता है, इसलिए यह गुणवाचक विशेषण है (न कि परिमाणवाचक या सर्वनामिक)।

80. 'सर' शब्द का सामान्य अर्थ 'तालाब' या 'सरोवर' होता है। यह सीधे रूप से पानी का पर्यायवाची नहीं है, बल्कि जल से भरे स्थान या जलाशय को सूचित करता है। इसके विपरीत, अंबु, मेघपुष्प, और नीर–ये तीनों शब्द संस्कृत और हिंदी में जल या पानी के सीधे पर्यायवाची रूप में प्रयुक्त होते हैं। चूँकि 'सर' केवल जलाशय का बोध कराता है और स्वयं पानी का पर्याय नहीं है, इसलिए दिए गए विकल्पों में सही उत्तर 'सर' है।

81. The possessive pronoun mine is used after "friend of ..." to indicate ownership: "That person is a friend of mine."

82. Ambition means a strong desire or aim to achieve something, which is closest to aspiration.

83. A person who can easily adapt to many situations is called versatile.

84. The correct spelling is satellite. Other options are misspellings.

85. In "The boy kicked the football", boy is the noun—it names a person. "The" is an article, "kicked" is a verb, and "kick" is not in the sentence as a noun here.

86. Third-person singular subject "He" takes goes in the present tense: "He goes to school every day".

87. The correct conjunction for alternatives is or: "She likes tea or coffee."

88. The simple past (second form) of "sing" is sang.

89. Newspapers take the definite article: "The Times of India is a popular newspaper."

90. Use into to indicate movement toward the inside: "Throw the paper into the dustbin".

91. भूमकाल 1910 में बस्तर क्षेत्र में हुआ एक प्रमुख जनजातीय विद्रोह था, जिसमें आदिवासियों ने ब्रिटिश नीतियों के विरुद्ध विद्रोह किया।

92. लूनी नदी राजस्थान में बहती है और छत्तीसगढ़ की नदी नहीं है। केलो, दूध, और नारंगी छत्तीसगढ़ की नदियाँ हैं।

93. मैकाल श्रेणी छत्तीसगढ़ के पश्चिमी भाग में स्थित एक प्रमुख पर्वत श्रृंखला है। यह श्रेणी बंगाल की खाड़ी से आने वाली मानसूनी हवाओं को अवरुद्ध करती है। परिणामस्वरूप, हवाएँ पूर्वी ढलानों पर अधिक वर्षा कराती हैं, जबकि श्रेणी का पश्चिमी भाग, विशेषकर कवर्धा और राजनांदगांव जिले, वृष्टिछाया क्षेत्र (Rain Shadow Region) के अंतर्गत आते हैं। यहाँ वर्षा की मात्रा अपेक्षाकृत कम होती है, जिससे यह क्षेत्र शुष्क परिस्थितियों का अनुभव करता है। अतः छत्तीसगढ़ में वृष्टिछाया क्षेत्र के रूप में मैकाल श्रेणी सही विकल्प है।

94. छत्तीसगढ़ का मोटा अनाज कोदो-कुटकी 'गरीबों का अनाज' कहलाता है, क्योंकि यह सस्ता और पोषक आहार है, जिसे गरीब तबका बड़े पैमाने पर खाता है।

95. चित्राकोट जलप्रपात बस्तर जिले में स्थित है और इसे 'भारत का नियाग्रा' कहा जाता है। यह छत्तीसगढ़ का प्रसिद्ध जलप्रपात है।

96. छत्तीसगढ़ में स्थित राष्ट्रीय उद्यान इंद्रावती राष्ट्रीय उद्यान है, जो बस्तर क्षेत्र में स्थित है।

97. गुरु घासीदास विश्वविद्यालय छत्तीसगढ़ के बिलासपुर में स्थित है। यह एक केन्द्रीय विश्वविद्यालय है।

98. छत्तीसगढ़ में वर्तमान में 33 जिले हैं।

99. छत्तीसगढ़ राज्य में आरंग को 'मंदिर नगरी' कहा जाता है। यह रायपुर जिले में महानदी के तट पर स्थित एक प्राचीन ऐतिहासिक नगर है। आरंग अपनी समृद्ध धार्मिक और सांस्कृतिक धरोहर के लिए प्रसिद्ध है। यहाँ कई प्राचीन जैन और हिंदू मंदिर पाए जाते हैं, जिनमें 11वीं-12वीं शताब्दी के काल का भांडदेवल मंदिर विशेष रूप से उल्लेखनीय है। ये मंदिर उत्कृष्ट शिल्पकला और स्थापत्य कला के उदाहरण हैं तथा आरंग को धार्मिक पर्यटन का एक महत्वपूर्ण केंद्र बनाते हैं। इस कारण इसे छत्तीसगढ़ की 'मंदिर नगरी' कहा जाता है।

100. रिहंद नदी को 'सरगुजा की जीवन रेखा' कहा जाता है। यह सरगुजा जिले में बहती है और सिंचाई व जलापूर्ति के लिए महत्वपूर्ण है।

पिछले प्रश्न-पत्र

छत्तीसगढ़–प्रयास आवासीय विद्यालय

कक्षा-9, प्रवेश परीक्षा, 2024

(Exam held on 09-06-2024)

विज्ञान

1. सुमेल कीजिए :

(*a*) वृषण एवं अण्डाशय	1. रक्त में शर्करा की मात्रा पर नियंत्रण
(*b*) अग्न्याशय	2. द्वितीयक लैंगिक लक्षण
(*c*) पीयूष ग्रंथि	3. पादप हार्मोन
(*d*) जिबरेलिन	4. मास्टर ग्रंथि

	(*a*)	(*b*)	(*c*)	(*d*)
A.	2	1	4	3
B.	3	1	4	2
C.	3	2	4	1
D.	4	1	2	3

2. एक वस्तु 6 सेकेण्ड में 30 कम्पन करती है, उसकी आवृत्ति क्या होगी?

A. 5 कम्पन/सेकंड

B. 6 कम्पन/सेकंड

C. 2 कम्पन/सेकंड

D. 3 कम्पन/सेकंड

3. रोग उत्पन्न करने वाले सूक्ष्म जीव व रोगों के बीच सही संबंध स्थापित करें :

(*a*) मलेरिया	1. बैक्टीरिया
(*b*) एच.आई.वी.	2. फंगस
(*c*) कुकुर खांसी	3. प्रोटोजोआ
(*d*) दाद	4. वायरस

	(*a*)	(*b*)	(*c*)	(*d*)
A.	3	1	2	4
B.	3	1	4	2
C.	3	4	1	2
D.	4	1	2	3

4. कौन-सा पदार्थ ध्वनि का सबसे अच्छा संवाहक है :

A. वायु B. पानी

C. स्टील D. रबर

5. साधारण मशीन नहीं है :

A. लीवर B. पुली

C. पहिया और धुरी D. परिवर्तन

6. विद्युत लेपन का उपयोग निम्न में से किस कार्य के लिए होता है?

1. विद्युत आपूर्ति बंद करने में
2. सौर सेल बनाने में
3. धातु को जंग से बचाने में
4. धातु अयस्क से शुद्ध धातु प्राप्त करने में

A. 1 व 3 सही है B. 2 व 3 सही है

C. 1, 3 व 4 सही है D. 3 व 4 सही है

7. विभिन्न मिश्रण को अलग करने की विधि में कौन-सी जोड़ी गलत है :

A. नौसादर तथा रेत को अलग करना - ऊर्ध्वपातन

B. गंदे पानी में फिटकरी मिलाना - वाष्पीकरण

C. रेत और लोहे का चूर्ण - चुंबकीय पृथक्करण

D. दूध से मक्खन निकालना - अपकेंद्रण

8. आहार में अघुलनशील फाइबर का मुख्य स्रोत क्या है?

A. बीन्स B. सूखे मेवे

C. साबुत अनाज D. सब्जी

9. निम्न में गलत को अलग करें :

A. संतान के लिंग निर्धारण में माता की भूमिका है

B. किशोरावस्था में लंबाई में वृद्धि होती है

C. नर हार्मोन टेस्टोस्टेरोन है

D. शुक्राणु एवं अंडाणु का संलयन निषेचन है

10. यदि किसी वस्तु पर 50 न्यूटन बल लगते हैं और वस्तु बल की दिशा में 10 मीटर दूरी तय करती है, तो किया गया कार्य होगा :

A. 5 जूल B. 50 जूल

C. 5000 जूल D. 500 जूल

1. A **2.** A **3.** C **4.** C **5.** D **6.** D **7.** B **8.** C **9.** A **10.** D

11. मैग्नीशियम धातु को कार्बन डाइऑक्साइड की उपस्थिति में जलाने पर होने वाली क्रिया का सन्तुलित रासायनिक समीकरण होगा :

A. $2Mg + CO_2 = 2MgO + C$

B. $Mg + CO_2 = MgO + C$

C. $2Mg + 2CO_2 = 2MgO + C$

D. $4Mg + 2CO_2 = 4MgO + CO_2$

12. स्कर्वी रोग है :

A. आनुवांशिक B. संक्रामक

C. कमी से होने वाली बीमारी D. दोनों A और B

13. सुमेल कीजिए :

(*a*) हेमेटाइट 1. सीसा

(*b*) गेलेना 2. चाँदी

(*c*) बॉक्साइड 3. लोहा

(*d*) अर्जेन्टाइट 4. एल्युमीनियम

	(*a*)	(*b*)	(*c*)	(*d*)
A.	3	1	2	4
B.	3	1	4	2
C.	3	2	4	1
D.	4	1	2	3

14. क्षय रोग के लिए दिया जाने वाला टीका है :

A. डी.पी.टी. B. बी.सी.जी.

C. टी.टी. D. डी.टी.1

15. निम्नलिखित में से कौन बाह्य निषेचन दर्शाता है :

A. मेंढक B. मनुष्य

C. गाय D. मुर्गी

16. लोहे के अयस्क मैग्नेटाइट का रासायनिक सूत्र है :

A. Fe_2O_3 B. Fe_3O_4

C. FeO_3 D. FeS_2

17. यदि किसी वस्तु को उत्तल लेंस के 2F पर रखा गया है, तो उसकी प्रतिबिम्ब कहाँ बनेगी?

A. 2F B. F

C. F और 2F के बीच में D. F और दृश्य केन्द्र के बीच

18. लेंस की शक्ति 5D है, तो इसकी फोकल लंबाई होगी :

A. 10 cm B. 20 cm

C. 1/20 cm D. 30 cm

19. पैराशूट निर्माण में उपयोग होता है :

A. नाइलॉन B. रेयॉन

C. टेरीलीन D. ऐक्रिलिक

20. निम्नलिखित में से कौन-सी जोड़ी सही नहीं है?

A. घरों का ईंधन - जीवाश्म ईंधन

B. सोलर कुकर - सौर ऊर्जा

C. ऊर्जा का नवीनीकरण स्रोत - पेट्रोलियम

D. पेट्रोलियम - बायोडीजल

गणित

21. किसी वृत्त का एक चक्कर 1 किमी. का है। उस वृत्त की त्रिज्या क्या होगी?

A. 100.33 m B. 125.25 m

C. 159.09 m D. 200 m

22. एक कमीज की सिलाई के लिए 2 मी. 15 सेमी. कपड़े की आवश्यकता है। 40 मीटर कपड़े से कितनी कमीजें सिली जा सकती है तथा कितना कपड़ा शेष बचेगा?

A. 15 कमीज तथा शेष 60 सेमी.

B. 16 कमीज तथा शेष 130 सेमी.

C. 17 कमीज तथा शेष 60 सेमी.

D. 18 कमीज तथा शेष 130 सेमी.

23. 9216 छात्र एक सभागार में इस तरह बैठे हैं कि जितनी कतार है, उतने ही छात्र प्रत्येक कतार में है। प्रत्येक कतार में कितने छात्र बैठे हैं?

A. 96 B. 93

C. 92 D. 94

24. एक आयताकार मैदान की लंबाई 90 मी. व चौड़ाई 70 मी. है। एक व्यक्ति इसके चारों ओर 4 किमी. प्रति घंटा की चाल से चक्कर लगाता है। उसे 5 चक्कर लगाने में कितना समय लगेगा?

A. 5 घंटे

B. 4 घंटे

C. 24 मिनट

D. 90 मिनट

25. $50+\frac{1}{10}+\frac{6}{100}$ दशमलव में लिखें।

A. 50.106 B. 50.16

C. 5.016 D. 51.60

26. रहीम को 33 किमी. यात्रा करने के बाद पता चलता है कि उसकी यात्रा का 2/5 भाग अब भी शेष है। यात्रा की पूरी दूरी ज्ञात करें :

A. 100 km B. 55 km

C. 66 km D. 133 km

11. A	**12.** C	**13.** B	**14.** B	**15.** A	**16.** B	**17.** A	**18.** B
19. A	**20.** C	**21.** C	**22.** D	**23.** A	**24.** C	**25.** B	**26.** B

27. P किसी कार्य के 1/4 को 10 दिन में पूरा करता है, Q उसी कार्य के 40% को 15 दिन में पूरा करता है और R उसी कार्य के 1/3 को 13 दिन में पूरा करता है तो सबसे पहले कौन इस कार्य को पूरा कर सकता है?

A. P B. Q
C. R D. P और R दोनों

28. $\frac{x^2y^2}{xy} - \frac{x(y^2-1)}{y}$ का मान बताइए।

A. $\frac{x}{y}$ B. $\frac{y}{x}$
C. $-\frac{x}{y}$ D. $-\frac{y}{x}$

29. गलत समीकरण को पहचानिए :

A. $(a+b)^2 = a^2 + 2ab + b^2$
B. $(a-b)^2 = a^2 - 2ab - b^2$
C. $(a-b)^2 = a^2 - 2ab + b^2$
D. $a^2 - b^2 = (a+b)(a-b)$

30. छात्रावास में 100 छात्रों के लिए 20 दिनों के भोजन का प्रावधान है। यदि 25 छात्र अतिरिक्त आ जाते हैं, तो भोजन कितने दिन दिया जा सकेगा?

A. 12 B. 15
C. 16 D. 17

31. तीन व्यक्ति एक साथ सुबह की सैर पर निकलते हैं। उनके कदमों की माप 80 सेमी., 85 सेमी. व 90 सेमी. है। न्यूनतम दूरी क्या होगी कि सभी के कदमों का संख्या पूर्णांकों में हो?

A. 12240 cm B. 900 cm
C. 7200 cm D. 6800 cm

32. दो अंकों वाली किसी संख्या के अंकों का योगफल 9 है, दी हुई संख्या के अंकों के क्रम को उलट देने पर प्राप्त हुई संख्या मूल संख्या से 27 अधिक है, तो मूल संख्या होगी :

A. 40 B. 24
C. 36 D. 32

33. एक पासे को फेंकने पर सम संख्या प्राप्त होने की प्राथमिकता होगी :

A. $\frac{1}{3}$ B. $\frac{1}{2}$
C. $\frac{1}{4}$ D. 1

34. π निम्न प्रकार की संख्या है :

A. परिमेय संख्या B. अपरिमेय संख्या
C. पूर्णांक संख्या D. इनमें से कोई नहीं

35. $\frac{1}{3^2}$ का मान ज्ञात करें।

A. $\frac{1}{3}$ B. $\frac{1}{6}$
C. $\frac{1}{9}$ D. 9

36. 20 से बड़ी सबसे छोटी अभाज्य संख्या कौन-सी है?

A. 21 B. 23
C. 25 D. 27

37. निम्न का बहुलक क्या होगा?

5, 3, 2, 2, 4, 5, 3, 3, 4, 3, 5, 3

A. 2 B. 3
C. 4 D. 5

38. वितरणात्मक नियम इस पर लागू होता है :

A. जोड़ व गुणा B. घटाव व विभाजन
C. गुणन और घातांक D. विभाजन और वर्गमूल

39. यदि ₹ 100 मूलधन पर वार्षिक ब्याज दर 15 प्रतिशत हो, तो एक माह के बाद मिश्रधन कितना होगा?

A. 15 B. 101.25
C. 105.75 D. 115

40. 2^{99} के इकाई मान पर कौन-सी संख्या होगी?

A. 2 B. 4
C. 6 D. 8

सामाजिक विज्ञान

41. हिन्दुओं के चार धामों की स्थापना किसने की थी?

A. रामकृष्ण परमहंस B. रामानुजम्
C. शंकराचार्य D. स्वामी दयानन्द सरस्वती

42. सुमेलित कीजिए :

(*a*) श्रीराम 1. लुम्बिनी
(*b*) महात्मा बुद्ध 2. अयोध्या
(*c*) विवेकानन्द 3. मथुरा
(*d*) श्रीकृष्ण 4. कलकत्ता

	(*a*)	(*b*)	(*c*)	(*d*)
A.	2	1	4	3
B.	4	3	2	1
C.	1	2	3	4
D.	3	2	4	1

27. B	**28.** A	**29.** B	**30.** C	**31.** A	**32.** C	**33.** B	**34.** B
35. C	**36.** B	**37.** B	**38.** A	**39.** B	**40.** D	**41.** C	**42.** A

43. भारत में रेलमार्ग की स्थापना किस गवर्नर जनरल के समय हुई?
A. लॉर्ड डलहौजी B. लॉर्ड कर्जन
C. लॉर्ड कॉर्नवालिस D. लॉर्ड वेलेजली

44. सूर्य की किरणें किस तिथि को कर्क रेखा के लम्बवत् पड़ती हैं?
A. 23 सितम्बर B. 21 जून
C. 22 दिसम्बर D. 23 दिसम्बर

45. हल्दीघाटी युद्ध किनके बीच लड़ा गया था?
A. अकबर और राणा संग्राम सिंह
B. अकबर और महाराणा प्रताप सिंह
C. अकबर और उदय सिंह
D. अकबर और मेदिनी राय

46. शेरशाह सूरी ने ग्राण्ड ट्रंक रोड का निर्माण कहाँ से कहाँ तक करवाया?
A. श्रीनगर से कन्याकुमारी B. दिल्ली से मुम्बई
C. नेपाल से श्रीलंका D. काबुल से चिटगाँव

47. सेना के तीनों अंगों का प्रधान सेनापति होता है :
A. राष्ट्रपति B. प्रधानमंत्री
C. लोकसभा अध्यक्ष D. वायु सेना प्रमुख

48. निम्नलिखित में से कौन-सा सही नहीं है?
A. दादाभाई नौरोजी - ग्रैंड ओल्ड मैन
B. महात्मा गाँधी - राष्ट्रपिता
C. रबीन्द्रनाथ टैगोर - कोबी गुरु
D. सरदार पटेल - गुरुदेव

49. संसद के उच्च सदन का अध्यक्ष कौन होता है?
A. राष्ट्रपति B. उपराष्ट्रपति
C. लोकसभा अध्यक्ष D. इनमें से कोई नहीं

50. संयुक्त राष्ट्र संघ की स्थापना हुई थी :
A. 15 नवम्बर, 1943 B. 14 अक्टूबर, 1944
C. 24 अक्टूबर, 1945 D. 24 अप्रैल, 1946

51. छत्तीसगढ़ के किस स्थान में आलू खरीफ के फसल के मौसम में उगाया जाता है?
A. मैनपाट B. बस्तर
C. चिल्फी D. जांजगीर-चांपा

52. स्वदेशी आन्दोलन की शुरूआत की थी :
A. दादाभाई नौरोजी B. सुभाषचन्द्र बोस
C. बाल गंगाधर तिलक D. लाला लाजपत राय

53. छत्तीसगढ़ में कौन-सा झरना अपने घोड़े की नाल के आकार के झरने के लिए प्रसिद्ध है?
A. तीरथगढ़ B. चित्राकोट
C. अमृतधारा D. तमड़ा घूमर

54. सही जोड़े बनाइए :

(*a*) कैस्पियन सागर		1.	विशालकाय झील
(*b*) ज्वार भाटा		2.	जल में आवधिक चढ़ाव एवं उतार
(*c*) सुनामी		3.	तीव्र भूकंपी तरंगें
(*d*) महासागरीय धाराएँ		4.	निश्चित मार्ग में प्रवाहित होने वाली जल-धाराएँ

	(*a*)	(*b*)	(*c*)	(*d*)
A.	3	4	1	2
B.	4	3	2	1
C.	1	2	3	4
D.	3	2	4	1

55. हिमालय से निकलने वाली निम्नलिखित में से कौन-सी चार नदियाँ हैं?
A. गंगा, यमुना, कोसी, ब्रह्मपुत्र
B. गंगा, यमुना, कोसी, गोदावरी
C. गंगा, कोसी, गोदावरी, नर्मदा
D. गंगा, यमुना, नर्मदा, ब्रह्मपुत्र

56. विश्व का व्यस्तम वायु अड्डा न्यूयॉर्क किस महाद्वीप में है?
A. दक्षिण अमेरिका B. उत्तर अमेरिका
C. ऑस्ट्रेलिया D. यूरोप

57. 'तारापुर' किस शक्ति के साधन से संबंधित है और भारत के किस राज्य में स्थापित है?
A. जलविद्युत, उत्तर प्रदेश B. परमाणु शक्ति, महाराष्ट्र
C. कोयला, बिहार D. परमाणु शक्ति, गुजरात

58. भारत की राष्ट्रीय तितली का नाम बताएँ जो मुख्यतः छत्तीसगढ़ में पाई जाती है :
A. डेडलीफ B. इंडियन जैजबैल
C. कृष्णा पीकॉक D. ऑरेंज ऑक्लीफ

59. शैक्षिक क्षेत्र में काम करने वाला संयुक्त राष्ट्र संघ का कौन-सा अंग है?
A. यूनिसेफ B. यू.एन.डी.पी.
C. यूनेस्को D. इनमें से कोई नहीं

60. किसी मृत्युदंड पाए अपराधी को क्षमादान की शक्ति निम्नलिखित में से किसको प्राप्त है?
A. केवल राष्ट्रपति
B. राज्यपाल
C. राष्ट्रपति तथा राज्यपाल दोनों
D. सर्वोच्च न्यायालय के मुख्य न्यायाधीश

43. A	**44.** B	**45.** B	**46.** D	**47.** A	**48.** D	**49.** B	**50.** C	**51.** A
52. C	**53.** B	**54.** C	**55.** A	**56.** B	**57.** B	**58.** D	**59.** C	**60.** A

मानसिक योग्यता

61. एक बक्से में काँच की 42875 गोलियाँ घन के रूप में रखी गई हैं। बक्से में गोलियों की कितनी तहें हैं?
A. 45 B. 42 C. 40 D. 35

62. निम्नलिखित में से कौन-सा वर्ष लीप वर्ष था?
A. 2018 B. 2022 C. 2014 D. 2016

63. शंकर B का पिता है, परंतु B शंकर का पुत्र नहीं है, तो B का शंकर से क्या रिश्ता है?
A. पोती B. माँ C. बेटी D. पोता

64. 43 छात्रों की कक्षा में सरिता का क्रम ऊपर से 27वां है, तो नीचे से क्या क्रम होगा?
A. 16वाँ B. 17वाँ C. 15वाँ D. 21वाँ

65. अगला वर्ण क्या होगा : A...C...F...J...O...?
A. R B. S C. T D. U

66. संजू भारती एक निश्चित स्थान से 9 मी. दक्षिण की ओर चलती है, फिर वह दाएं मुड़कर 7 मी. चलती है, अन्त में वह दाएं मुड़कर 16 मी. चलती है। प्रारम्भिक बिन्दु से वह अब किस दिशा में है?
A. उत्तर-पूर्व B. उत्तर-पश्चिम
C. दक्षिण-पश्चिम D. ज्ञात नहीं कर सकते

67. कपिल की ओर इशारा करते हुए शिल्पा कहती है, उसकी माँ का भाई मेरे बेटे का पिता है। शिल्पा कपिल की क्या है?
A. साली B. बहन
C. भतीजी D. मामी

68. अल्फाबेटिकल क्रम में दूसरे स्थान पर कौन-सा शब्द आएगा?
A. Restrict B. Rocket
C. Robber D. Radom

69. लुप्त संख्या ज्ञात कीजिए :
240 ...... ? ...... 120 ...... 40 ...... 10 2
A. 120 B. 240 C. 100 D. 10

70. राम, श्याम से उतना लम्बा नहीं है, जितना कि मोहन है, धीरेन्द्र, मधुकर से उतना लम्बा नहीं है, जितना कि रंजीत है, मधुकर, मोहन से लम्बा है। इन सबमें कौन सबसे लम्बा है?
A. श्याम B. रंजीत C. मधुकर D. मोहन

हिन्दी

71. नुकसान का विलोम शब्द है :
A. फायदा B. लाभ
C. A व B दोनों D. उपरोक्त में से कोई नहीं

72. छत्तीसगढ़ी में बीस की संख्या को कहते हैं :
A. खरिखा B. कोरी
C. जम्मो D. सब्बो

73. निम्नलिखित में से कौन चन्द्रमा का पर्यायवाची शब्द नहीं है?
A. राकेश B. मृगांक
C. सुधाकर D. अम्बु

74. निम्नांकित में से स्त्रीलिंग शब्द खोजें :
A. घी B. हीरा C. चावल D. टोपी

75. 'जिसकी गहराई न मापी जा सके' के लिए एक शब्द है :
A. अनंत B. अथाह C. अगम D. असम

76. निम्न में से कौन-से शब्द तत्सम शब्द हैं?
A. पक्षी B. स्वर्ण
C. सोना D. उपरोक्त सभी

77. तद्भव शब्द किस आधार पर शब्द का भेद हैं?
A. अर्थ B. प्रयोग
C. रचना D. उत्पत्ति

78. निम्नलिखित वाक्य में सही कालक्रम का विकल्प चुनें :
1. दीपक अखबार बेचेगा।
2. मैं अभी सोकर उठी हूँ।
3. रीता रो रही थी।
A. 1 वर्तमान काल, 2 भूतकाल, 3 भविष्य काल
B. 1 भूतकाल, 2 वर्तमान काल, 3 भविष्य काल
C. 1 भविष्य काल, 2 वर्तमान काल, 3 भूतकाल
D. 1 भविष्य काल, 2 भूतकाल, 3 वर्तमान काल

79. निम्नलिखित में से किस शब्द में प्रत्यय का प्रयोग हुआ है?
A. मौसेरा B. आतप
C. विदेश D. प्रबंध

80. वह समास जिसमें उपसर्ग के रूप में संख्या विशेषण होता है?
A. तत्पुरुष B. बहुव्रीहि
C. कर्मधारय D. द्विगु

61. D	**62.** D	**63.** C	**64.** B	**65.** D	**66.** B	**67.** D	**68.** A	**69.** B	**70.** B
71. C	**72.** B	**73.** D	**74.** D	**75.** B	**76.** B	**77.** D	**78.** C	**79.** A	**80.** D

ENGLISH

81. Raju said to the boy "Where is your school?" (Change Narration)
A. Raju asked the boy where his school is?
B. Raju asked the boy where was his school is?
C. Raju asked the boy where his school was?
D. Raju asked the boy is his school where?

82. Superlative degree of Fat is:
A. Fatty B. Fater
C. Fattest D. Fatest

83. This is the book ……….. I wanted for so long.
A. what B. whom
C. that D. which

84. Incorrect form of the verb fall is:
A. Fell B. Falling
C. Fallen D. Fallow

85. Choose the mismatch word:
A. Cock-Hen B. Fox-Vixen
C. Boar-Saw D. Monk-Nun

86. He gave me …………… one rupee note.
A. The B. A
C. An D. Thee

87. Everybody ………. respect his teacher.
A. can B. will
C. should D. could

88. Ram will sing a song. (Change voice)
A. A song will be sung by Ram.
B. A song shall sing by Ram.
C. A song will sing by Ram.
D. A song is singing by Ram.

89. Write proper conjunction in the blank: "Ramesh is clever …………. proud".
A. That B. As
C. But D. Although

90. Odd one out:
A. Blank B. Empty
C. Plain D. Hollow

सामान्य ज्ञान

91. छत्तीसगढ़ सरकार द्वारा 'प्रहार' नामक एक अभियान प्रारम्भ किया गया है, इस अभियान का उद्देश्य क्या है?
A. राज्य से बेरोजगारी दूर करना
B. बी.एस.एफ. को प्रोत्साहित करना
C. नक्सलवाद को दूर करना
D. इनमें से कोई नहीं

92. दुर्ग जिले का गठन कब हुआ था?
A. 1952 B. 1958
C. 1960 D. 1906

93. छत्तीसगढ़ का राजकीय गीत 'अरपा पैरी के धार' के रचयिता कौन हैं?
A. सुंदरलाल शर्मा
B. हरि ठाकुर
C. डॉ. नरेंद्र देव वर्मा
D. लोचन प्रसाद पाण्डेय

94. छत्तीसगढ़ की वीरता पर लोक नृत्य जिसे लोक बैले भी कहा जाता है, वह है :
A. पंडवानी B. बिलमा
C. रीला D. गौरा

95. छत्तीसगढ़ में चुटकी आभूषण किस अंग में पहना जाता है?
A. गला B. हाथ की उंगली
C. पैर की उंगली D. कान

96. महानदी के उद्गम स्थल पर होने वाला माघ पूर्णिमा का मेला किस ऋषि के नाम से है?
A. मुचुकुंद ऋषि B. लोमश ऋषि
C. अगस्त्य ऋषि D. शृंगी ऋषि

97. मध्य प्रदेश के कितने जिलों से छत्तीसगढ़ का निर्माण हुआ?
A. 14 B. 15 C. 16 D. 17

98. लोक भाषा पर बनी छत्तीसगढ़ राज्य की पहली फिल्म थी?
A. भाकला B. मया
C. कहीं देबें संदेश D. मोर छईया भुईया

99. गंधेश्वर मंदिर कहाँ है?
A. रायपुर B. दंतेवाड़ा
C. सिरपुर D. महासमुंद

100. सोनाखान के जमींदार वीर नारायण सिंह को कब फाँसी दी गई?
A. 10 दिसंबर, 1857 B. 10 दिसंबर, 1858
C. 18 जनवरी, 1857 D. 18 फरवरी, 1858

81. C	**82.** C	**83.** C	**84.** D	**85.** C	**86.** B	**87.** C	**88.** A	**89.** C	**90.** C
91. C	**92.** D	**93.** C	**94.** A	**95.** C	**96.** D	**97.** C	**98.** C	**99.** C	**100.** A

व्याख्यात्मक उत्तर

1. (*a*) **वृषण एवं अण्डाशय → द्वितीयक लैंगिक लक्षण (2) :** ये टेस्टोस्टेरोन, एस्ट्रोजन व प्रोजेस्टेरोन हार्मोन स्रवित कर शरीर में दाढ़ी-मूंछ, आवाज की गहराई, स्तन विकास, मासिक-चक्र, और वसा वितरण जैसी विशेषताएँ विकसित करते हैं।

   (*b*) **अग्न्याशय → रक्त शर्करा का नियंत्रण (1) :** इंसुलिन रक्त ग्लूकोज घटाता है और ग्लूकागॉन बढ़ाता है; दोनों हार्मोन मिलकर रक्त-शर्करा की समस्थिति बनाए रखते हैं।

   (*c*) **पीयूष ग्रंथि → मास्टर ग्रंथि (4) :** यह थायरॉयड, अधिवृक्क, गोनैड्स आदि अनेक ग्रंथियों को नियंत्रित करती है, इसलिए इसे मास्टर ग्रंथि कहा जाता है।

   (*d*) **जिबरेलिन → पादप हार्मोन (3) :** यह पौधों की लंबाई वृद्धि, बीज अंकुरण और पुष्पन को प्रोत्साहित करने वाला वृद्धि-हार्मोन है।

2. आवृत्ति $f = \frac{\text{कम्पन संख्या}}{\text{समय}}$ होती है।

   दिए गए हैं : 30 कम्पन, समय 6 सेकण्ड।

   $f = \frac{30}{6} = 5$ कम्पन/सेकण्ड।

   इसका अर्थ है कि वस्तु प्रति सेकण्ड पाँच बार दोलन करती है।

3. (*a*) **मलेरिया → प्रोटोजोआ (3) :** मलेरिया प्लास्मोडियम प्रोटोजोआ से होता है, जो एनॉफिलीज मच्छर द्वारा फैलता है।

   (*b*) **एच.आई.वी. → वायरस (4) :** यह इम्यूनो डिफिशिएंसी वायरस है, जो एड्स का कारण बनता है।

   (*c*) **कुकुर खांसी → बैक्टीरिया (1) :** बोर्डेटेला पर्ट्यूसिस बैक्टीरिया इस श्वसन रोग का कारक है।

   (*d*) **दाद → फंगस (2) :** रिंगवर्म के लिए जिम्मेदार त्वचा का यह संक्रमण डर्माटोफाइट फंगस से होता है।

4. ध्वनि का संचार ठोसों में सबसे तेज होता है। स्टील जैसे ठोस माध्यम में कणों का घनत्व और आपसी बंधन अधिक होते हैं, जिससे ध्वनि तरंगें तेजी से आगे बढ़ती हैं। तुलना में पानी और वायु में ध्वनि की चाल कम होती है, जबकि रबर में यह और भी धीमी होती है।

5. सरल मशीनें वे उपकरण हैं जो बल की दिशा या परिमाण को सरल बनाती हैं। लीवर, पुली, पहिया-धुरी, तिर्यक तख्ता, पेंच और वेज इसके उदाहरण हैं।

   'परिवर्तन' (Transformation) कोई यांत्रिक उपकरण या सरल मशीन नहीं है, इसलिए यह सूची में नहीं आता।

6. • **विद्युत लेपन (Electroplating)** का आशय विद्युत धारा द्वारा किसी धातु की सतह पर दूसरी धातु की पतली परत जमाना है।

   • **(3) धातु को जंग से बचाने में :** लोहे जैसी सक्रिय धातुओं पर जस्ता/क्रोम/निकेल की परत चढ़ाने से ऑक्सीकरण रुकता है, रूप-सौंदर्य भी बढ़ता है, और घिसाव घटता है (जैसे क्रोम-प्लेटेड फिक्स्चर, निकेल-प्लेटेड हार्डवेयर)।

   • **(4) धातु अयस्क/घोल से शुद्ध धातु प्राप्त करने में :** धातुओं की इलेक्ट्रोलाइटिक निकासी/शोधन (electrowinning/electro-refining) में भी कैथोड पर धातु का इलेक्ट्रोडिपोजिशन कराया जाता है—यह सिद्धांततः वही जमाव (plating) तकनीक है, जिससे शुद्ध धातु की परत कैथोड पर चढ़ती है।

   • **(1) विद्युत आपूर्ति बंद करना** और **(2) सौर सेल बनाना** विद्युत लेपन के प्रत्यक्ष/प्रमुख उपयोग नहीं हैं (PV में धातु कॉन्टैक्ट्स के लिए plating हो सकती है, पर यह प्राथमिक/पाठ्यपुस्तक-स्तरीय उपयोग नहीं)।

7. गंदे पानी में फिटकरी मिलाना – वाष्पीकरण (गलत जोड़ी) :

   • **फिटकरी मिलाना → जमाव/सुसंजन (coagulation-flocculation) + तलछटीकरण :** निलंबित कण समेकित होकर नीचे बैठते हैं; वाष्पीकरण नहीं किया जाता।

   सही जोड़ियाँ :

   • **नौसादर (NH_4Cl) + रेत → ऊर्ध्वपातन :** NH_4Cl उड़ जाता है, रेत बचती है।

   • **रेत + लोहे का चूर्ण → चुंबकीय पृथक्करण :** लोहा चुंबक से अलग हो जाता है।

   • **दूध से मक्खन → अपकेंद्रण :** क्रीम/वसा परत अपकेंद्र बल से अलग होती है।

8. अघुलनशील फाइबर मुख्यतः साबुत अनाज (विशेषकर गेहूँ का चोकर/ब्रान) में प्रचुर होता है; यह आंतों की गतिशीलता बढ़ाता है, मल में थोक (bulk) देता है और कब्ज से बचाव करता है। बीन्स/सब्जियाँ घुलनशील-अघुलनशील दोनों फाइबर देती हैं, पर मुख्य स्रोत पूछे जाने पर मानक उत्तर साबुत अनाज माना जाता है।

9. 'संतान के लिंग निर्धारण में माता की भूमिका है' (गलत कथन) :

   • मनुष्यों में लिंग निर्धारण शुक्राणु द्वारा होता है : अंडाणु हमेशा X गुणसूत्र देता है; शुक्राणु X या Y दे सकता है—XY → पुत्र, XX → पुत्री।

   • शेष कथन सत्य : किशोरावस्था में लंबाई वृद्धि होती है; नर हार्मोन टेस्टोस्टेरोन है; शुक्राणु-अंडाणु का संलयन निषेचन कहलाता है।

10. कार्य (W) = बल (F) × विस्थापन (s)
    (जब दोनों एक ही दिशा में हों)।

    दिए गए : F = 50 N, s = 10 m

    $\Rightarrow$ W = 50 × 10 = 500 J.

    इकाई जूल (J) है; परिमाणानुसार यही सही मान है।

11. • जलती मैग्नीशियम पट्टी कार्बन डाइऑक्साइड में भी क्रिया करती है क्योंकि Mg का ऑक्सीजन के प्रति अधिक आकर्षण है।

• क्रिया में Mg CO_2 से ऑक्सीजन छीनकर मैग्नीशियम ऑक्साइड (MgO) बनाता है और मुक्त कार्बन (C) निकलता है।

• संतुलित समीकरण : $2Mg + CO_2 \rightarrow 2MgO + C$.

12. • स्कर्वी शरीर में विटामिन C (एस्कॉर्बिक एसिड) की कमी से होता है।

• इसके लक्षणों में मसूड़ों से रक्तस्राव, थकान, घावों का देर से भरना और त्वचा पर नीले धब्बे शामिल हैं।

• यह न तो आनुवांशिक है और न ही संक्रामक, इसलिए यह कमी से होने वाली बीमारी है।

13. (*a*) **हेमेटाइट → लोहा (3)** : प्रमुख लौह अयस्क Fe_2O_3 है।

(*b*) **गेलेना → सीसा (1)** : PbS खनिज सीसा का मुख्य स्रोत है।

(*c*) **बॉक्साइट → एल्युमीनियम (4)** : $Al_2O_3 \cdot 2H_2O$ एल्युमीनियम का प्रमुख अयस्क है।

(*d*) **अर्जेन्टाइट → चाँदी (2)** : Ag_2S से चाँदी प्राप्त की जाती है।

14. बीसीजी (Bacillus Calmetten—Guérin) वैक्सीन क्षय रोग (टीबी) की रोकथाम के लिए दी जाती है। यह नवजात शिशुओं या प्रारंभिक जीवन में लगाई जाती है और टीबी के गंभीर रूपों से सुरक्षा प्रदान करती है।

15. बाह्य निषेचन (External Fertilization) वह प्रक्रिया है जिसमें नर और मादा के गैमेट्स शरीर के बाहर मिलते हैं। मेंढक अंडे और शुक्राणु जल में छोड़ते हैं, जहाँ निषेचन होता है। मनुष्य, गाय और मुर्गी में आंतरिक निषेचन होता है।

16. मैग्नेटाइट का रासायनिक सूत्र Fe_3O_4 है। यह लौह का मिश्रित ऑक्साइड ($FeO \cdot Fe_2O_3$) है और एक मजबूत चुंबकीय गुण वाला महत्वपूर्ण लौह अयस्क है।

17. उत्तल लेंस में यदि वस्तु को 2F (फोकस दूरी का दोगुना) पर रखा जाता है, तो प्रतिबिम्ब भी 2F पर बनता है। प्रतिबिम्ब का स्वरूप उल्टा, समान आकार का और वास्तविक होता है। यह लेंस के दूसरी ओर 2F पर स्थित होता है।

18. लेंस की शक्ति (P) और फोकल लंबाई (f, मीटर) का संबंध :

$$P = 100 / f \text{ (cm)}.$$

दिए गए : $P = 5$ D.

$$f = \frac{100}{5} = 20 \text{ cm}.$$

अतः इस लेंस की फोकल लंबाई 20 cm है।

19. पैराशूट बनाने में नाइलॉन का प्रयोग होता है। नाइलॉन मजबूत, हल्का, टिकाऊ और घर्षण-प्रतिरोधी सिंथेटिक रेशा है, जो पैराशूट के लिए आवश्यक तन्यता शक्ति प्रदान करता है।

20. पेट्रोलियम एक अ-नवीकरणीय (non-renewable) जीवाश्म ईंधन है, इसे नवीनीकरणीय स्रोत नहीं माना जाता।

अन्य जोड़ियाँ सही हैं :

• घरों का ईंधन → जीवाश्म ईंधन (कोयला, एलपीजी)

• सोलर कुकर → सौर ऊर्जा

• पेट्रोलियम से बायोडीजल भी प्राप्त किया जा सकता है, पर मूल असत्य जोड़ी पेट्रोलियम को नवीकरणीय स्रोत बताना है।

21. एक चक्कर = परिधि C = 1 km = 1000 m.

वृत्त की परिधि $C = 2\pi r$

$$\Rightarrow \quad r = \frac{C}{2\pi} = \frac{1000}{2\pi} = \frac{500}{\pi}$$

$\pi \approx 3.1416$ लेने पर

$$r \approx \frac{500}{3.1416} \approx 159.15 \text{ m}$$

दिए गए विकल्प के निकटतम ≈ 159.09 m.

22. प्रति कमीज आवश्यक कपड़ा : 2 मी. 15 सेमी.

$$= 2 + \frac{15}{100} = 2.15 \text{ मी.}$$

कुल कपड़ा : 40 मी.

कितनी कमीजें बनेंगी :

$$\frac{40}{2.15} \approx 18.60$$

पूर्ण कमीजें ही बन सकती हैं, इसलिए 18 कमीजें।

उपयोग किया गया कपड़ा :

$$18 \times 2.15 = 38.70 \text{ मी}$$

शेष कपड़ा :

$$40 - 38.70 = 1.30 \text{ मी} = 130 \text{ सेमी}$$

अतः 40 मीटर कपड़े से 18 कमीजें सिली जा सकती हैं और 130 सेमी कपड़ा शेष बचेगा।

23. व्यवस्था : जितनी कतारें, उतने ही प्रति कतार विद्यार्थी

$$\Rightarrow \quad n^2 = 9216$$

$$96^2 = (100 - 4)^2$$

$$= 10000 - 800 + 16 = 9216$$

अतः प्रत्येक कतार में 96 छात्राएँ बैठीं।

24. आयत की परिमाप = 2(L + B)

= 2(90 + 70) = 320 मी.

चाल = 4 किमी/घं = 4000 मी/घं

$$= \frac{4000}{60} \approx 66.67 \text{ मी/मिनट}$$

$$1 \text{ चक्कर का समय} = \frac{320}{66.67} \approx 4.8 \text{ मिनट}$$

5 चक्कर का समय = 5 × 4.8 = 24 मिनट।

25. $50+\frac{1}{10}+\frac{6}{100} = 50 + 0.1 + 0.06 = 50.16$

दशमलव रूप में मान 50.16.

26. 33 किमी यात्रा करने के बाद अभी $\frac{2}{5}$ भाग शेष है

$\Rightarrow$ किया हुआ भाग $\frac{3}{5} = 33$ किमी।

कुल दूरी $= \frac{33}{3/5} = 33\times\frac{5}{3}$

$= 55$ किमी।

27. P : $\frac{1}{4}$ काम 10 दिन में

$\Rightarrow$ दर $= \frac{1}{40}$ प्रति दिन

$\Rightarrow$ समय $= 40$ दिन।

Q : 40% काम 15 दिन में

$\Rightarrow$ दर $= \frac{0.4}{15} = \frac{2}{75}$

$\Rightarrow$ समय $= \frac{75}{2} = 37.5$ दिन।

R : $\frac{1}{3}$ काम 13 दिन में

$\Rightarrow$ दर $= \frac{1}{39}$

$\Rightarrow$ समय $= 39$ दिन।

सबसे कम समय 37.5 दिन $\Rightarrow$ Q.

28. $\left(\frac{x^2y^2}{xy}\right)-\left(\frac{x(y^2-1)}{y}\right)$

पहला भाग : $\frac{x^2y^2}{xy} = xy$

दूसरा भाग : $\frac{x(y^2-1)}{y} = \frac{xy^2-x}{y} = xy-\frac{x}{y}$

अब दोनों का अंतर :

$$xy-\left(xy-\frac{x}{y}\right) = \frac{x}{y}$$

अतः मान $\frac{x}{y}$ है।

29. $(a-b)^2 = a^2 - 2ab - b^2$ गलत है : सही पहचान :

$$(a+b)^2 = a^2 + 2ab + b^2$$
$$(a-b)^2 = a^2 - 2ab + b^2$$

और $a^2 - b^2 = (a+b)(a-b)$

अतः गलत समीकरण B.

30. 100 छात्र $\times$ 20 दिन = 2000 छात्र-दिन का भोजन।

' यदि 125 छात्र हों, तो दिन $= \frac{2000}{125} = 16$ दिन।

31. कदमों की लंबाइयाँ 80, 85, 90 सेमी हैं।

आवश्यक दूरी = तीनों की LCM

$$80 = 2^4\cdot 5,$$
$$85 = 5\cdot 17,$$
$$90 = 2\cdot 3^2\cdot 5$$
$$\Rightarrow \text{LCM} = 2^4\,3^2\cdot 5\cdot 17$$
$$= 16\cdot 9\cdot 5\cdot 17$$
$$= 12240 \text{ cm.}$$

32. मान लें संख्या $10a + b$, जहाँ $a + b = 9$

उलटी संख्या $10b + a$ है और यह मूल से 27 अधिक :

$$10b + a = 10a + b + 27$$
$$\Rightarrow 9b = 9a + 27$$
$$\Rightarrow b = a + 3$$
$$a + b = 9$$
$$\Rightarrow a + (a+3) = 9$$
$$\Rightarrow a = 3,\ b = 6$$

$\Rightarrow$ संख्या 36.

33. पासे पर सम परिणाम {2, 4, 6} (3 परिणाम) ⁄ कुल 6

$\Rightarrow \frac{3}{6} = \frac{1}{2}$°

34. π को भिन्न के रूप में ठीक-ठीक नहीं लिखा जा सकता और इसका दशमलव न आवर्ती है न समाप्त–अतः यह अपरिमेय है।

35. $\frac{1}{3^2} = \frac{1}{9}$

चूँकि $3^2 = 9$, इसलिए यह भिन्न $\frac{1}{9}$ के बराबर है।

अतः मान $\frac{1}{9}$ है।

36. 20 से बड़ी संख्याएँ क्रमशः 21, 22, 23, 24, 25... आती हैं।

- 21 = 3 × 7 $\Rightarrow$ अभाज्य नहीं
- 22 = 2 × 11 $\Rightarrow$ अभाज्य नहीं
- 23 केवल 1 और 23 से विभाज्य है $\Rightarrow$ अभाज्य

इसलिए 20 से बड़ी सबसे छोटी अभाज्य संख्या 23 है।

37. दी गई संख्याएँ : 5, 3, 2, 2, 4, 5, 3, 3, 4, 3, 5, 3

- 2 दो बार आती है
- 4 दो बार आती है
- 5 तीन बार आती है
- 3 पाँच बार आती है

जो संख्या सबसे अधिक बार आती है वही बहुलक होती है। यहाँ 3 सबसे अधिक बार (5 बार) आया है, इसलिए बहुलक 3 है।

38. वितरण नियम गणित का वह नियम है जिसमें गुणा जोड़ पर वितरित होता है।

उदाहरण :

$$a \times (b + c) = (a \times b) + (a \times c)$$

यह नियम घटाव, विभाजन, घातांक या वर्गमूल पर लागू नहीं होता। अतः सही उत्तर जोड़ और गुणा है।

39. मूलधन = ₹ 100

वार्षिक ब्याज दर = 15%

$\Rightarrow$ मासिक ब्याज दर = $\frac{15}{12} = 1.25\%$

अब मिश्रधन (Compound Amount) का सूत्र :

$$A = P\left(1 + \frac{R}{100}\right)^t$$

जहाँ P = 100, R = 1.25, t = 1 माह

$$A = 100 \times (1 + 0.0125)$$
$$= 100 \times 1.0125$$
$$= 101.25$$

अतः एक माह बाद मिश्रधन = ₹ 101.25.

40. यहाँ 2^{99} के इकाई अंक की बात है।

2 की घातों का इकाई अंक हर 4 कदमों पर दोहराता है :

- $2^1 = 2$ (इकाई अंक 2)
- $2^2 = 4$ (इकाई अंक 4)
- $2^3 = 8$ (इकाई अंक 8)
- $2^4 = 16$ (इकाई अंक 6)

इसके बाद यह क्रम (2, 4, 8, 6) दोहराता रहता है।

अब 99 ÷ 4 = 24

शेष 3 $\Rightarrow$ इकाई अंक तीसरे स्थान का होगा $\Rightarrow$ 8.

41. आदि शंकराचार्य ने 8वीं शताब्दी में सनातन धर्म के पुनरुत्थान हेतु हिन्दुओं के चार धाम–बद्रीनाथ (उत्तराखंड), द्वारका (गुजरात), पुरी (ओडिशा) और रामेश्वरम (तमिलनाडु) की स्थापना की थी। इन धामों का उद्देश्य सम्पूर्ण भारत को एक धार्मिक और सांस्कृतिक सूत्र में बाँधना था।

42. *(a)* श्रीराम का जन्मस्थान अयोध्या (2) है।

(b) महात्मा बुद्ध का जन्मस्थान लुम्बिनी (1) है।

(c) स्वामी विवेकानन्द का प्रमुख कार्यस्थल व स्थान कलकत्ता (4) है।

(d) श्रीकृष्ण का जन्मस्थान मथुरा (3) है।

इस प्रकार सही सुमेल है : 2, 1, 4, 3.

43. भारत में रेलमार्ग की शुरुआत 16 अप्रैल 1853 को हुई जब पहली रेलगाड़ी बॉम्बे (आज का मुंबई) से ठाणे तक चली। यह स्थापना लार्ड डलहौजी के शासनकाल में हुई। उन्होंने ही भारत में रेलवे और डाक प्रणाली के विस्तार को प्राथमिकता दी।

44. सूर्य की किरणें कर्क रेखा (Tropic of Cancer) पर वर्ष में केवल एक बार सीधी (लंबवत्) पड़ती हैं और वह तिथि है 21 जून। इसे उत्तरी गोलार्ध का ग्रीष्म अयनांत (Summer Solstice) भी कहा जाता है।

45. हल्दीघाटी का युद्ध 1576 ई. में अकबर की सेना (राजा मानसिंह के नेतृत्व में) और मेवाड़ के महाराणा प्रताप सिंह के बीच हुआ। यह युद्ध मेवाड़ की स्वतंत्रता और मुगल प्रभुत्व के संघर्ष का प्रतीक है।

46. शेरशाह सूरी ने 16वीं शताब्दी में ग्रैंड ट्रंक रोड का निर्माण करवाया जो उत्तर-पश्चिम में काबुल (अफगानिस्तान) से लेकर पूर्व में चिटगाँव (अब बांग्लादेश) तक फैली थी। यह सड़क व्यापार और सैनिक गतिविधियों के लिए अत्यंत महत्वपूर्ण थी और आज भी एशिया की सबसे लंबी सड़कों में गिनी जाती है।

47. भारत के संविधान के अनुसार तीनों सेनाओं–थल सेना, वायु सेना और नौसेना–का सर्वोच्च सेनापति भारत का राष्ट्रपति होता है।

हालांकि वास्तविक संचालन रक्षा मंत्रालय और कैबिनेट की सलाह से होता है।

48.
- दादाभाई नौरोजी को 'ग्रैंड ओल्ड मैन' कहा गया।
- महात्मा गांधी को 'राष्ट्रपिता' कहा गया।
- रवीन्द्रनाथ टैगोर को 'कोबी गुरु' कहा जाता है।
- लेकिन 'गुरुदेव' उपाधि भी रवीन्द्रनाथ टैगोर के लिए प्रयोग होती है, न कि सरदार पटेल के लिए। सरदार पटेल को 'भारत का लौह पुरुष' कहा जाता है।

इसलिए गलत जोड़ी है : सरदार पटेल - गुरुदेव।

49. संसद का उच्च सदन राज्यसभा कहलाता है और राज्यसभा का पदेन अध्यक्ष भारत का उपराष्ट्रपति होता है।

50. संयुक्त राष्ट्र संघ (UNO) की स्थापना द्वितीय विश्व युद्ध के बाद शांति और सहयोग के उद्देश्य से की गई। 24 अक्टूबर, 1945 को 51 देशों ने इसके चार्टर को अनुमोदित किया। यह तिथि आज भी संयुक्त राष्ट्र दिवस के रूप में मनाई जाती है।

51. छत्तीसगढ़ का मैनपाट (जिला सरगुजा) अपने ठंडे मौसम और उच्चभूमि की जलवायु के कारण विशेष रूप से खरीफ सीजन में आलू की खेती के लिए प्रसिद्ध है। यहाँ की जलवायु आलू उत्पादन के लिए उपयुक्त है, जबकि राज्य के अन्य भागों में मुख्य रूप से रबी सीजन में आलू बोया जाता है।

52. 1905 में बंग-भंग (Lord Curzon द्वारा बंगाल विभाजन) के विरोध में स्वदेशी आंदोलन शुरू हुआ। इस आंदोलन का उद्देश्य विदेशी वस्तुओं का बहिष्कार और स्वदेशी वस्तुओं के प्रयोग को बढ़ावा देना था। इसका नेतृत्व लाला लाजपत राय, बिपिन चन्द्र पाल और बाल गंगाधर तिलक जैसे नेताओं ने किया, किंतु वास्तविक शुरुआत का श्रेय बाल गंगाधर तिलक को दिया जाता है।

53. चित्राकोट जलप्रपात (जिला बस्तर) इन्द्रावती नदी पर स्थित है। इसका आकार घोड़े की नाल (Horse-shoe shape) जैसा होने के कारण इसे छत्तीसगढ़ का नियाग्रा फॉल्स भी कहा जाता है।

54. (*a*) **कैस्पियन सागर → विशालकाय झील (1)** : यह विश्व की सबसे बड़ी झील है।

(*b*) **ज्वार भाटा → जल में आवधिक चढ़ाव एवं उतार (2)** : यह चंद्रमा एवं सूर्य के गुरुत्वाकर्षण बल के कारण होता है।

(*c*) **सुनामी → तीव्र भूकंपी तरंगें (3)** : समुद्र के भीतर भूकंप या ज्वालामुखी विस्फोट से उत्पन्न विशाल तरंगें।

(*d*) **महासागरीय धाराएँ → निश्चित मार्ग में प्रवाहित होने वाली जल-धाराएँ (4)** : जैसे गल्फ स्ट्रीम।

55. ये चारों नदियाँ हिमालय से निकलती हैं :

- गंगा (भागीरथी से),
- यमुना (यमुनोत्री ग्लेशियर से),
- कोसी (नेपाल-तिब्बत हिमालय से),
- ब्रह्मपुत्र (अंगसी ग्लेशियर, तिब्बत से)।

गोदावरी और नर्मदा हिमालय से नहीं बल्कि प्रायद्वीपीय भारत से निकलती हैं।

56. न्यूयॉर्क का प्रमुख हवाई अड्डा जॉन एफ. केनेडी इंटरनेशनल एयरपोर्ट (JFK) विश्व के व्यस्ततम वायु अड्डों में से एक है। न्यूयॉर्क अमेरिका का शहर है और अमेरिका उत्तर अमेरिका महाद्वीप में स्थित है। इसलिए सही उत्तर है उत्तर अमेरिका।

57. भारत का पहला परमाणु बिजलीघर तारापुर परमाणु ऊर्जा संयंत्र महाराष्ट्र राज्य में स्थित है। यह 1969 में चालू हुआ था और भारत के परमाणु शक्ति उत्पादन की दिशा में यह मील का पत्थर साबित हुआ।

58. भारत की राष्ट्रीय तितली ऑरेंज ऑक्लीफ (Orange Oakleaf, वैज्ञानिक नाम : Kallima inachus) है। यह विशेष रूप से छत्तीसगढ़ सहित भारत के वनों में पाई जाती है।

इसकी सबसे अद्वितीय विशेषता इसका छलावरण (Camouflage) है–जब यह अपने पंख बंद करती है तो सूखे पत्ते जैसी दिखती है, जिससे यह शिकारी से बच जाती है। इस कारण इसे 'डेड लीफ बटरफ्लाई' भी कहा जाता है।

59. यूनेस्को (UNESCO) संयुक्त राष्ट्र संघ का अंग है जो शिक्षा, विज्ञान और संस्कृति के क्षेत्र में कार्य करता है। इसका पूरा नाम है–United Nations Educational, Scientific and Cultural Organization. शिक्षा से संबंधित अंतरराष्ट्रीय सहयोग और शैक्षिक विकास इसी संस्था द्वारा किया जाता है।

60. भारतीय संविधान का अनुच्छेद 72 राष्ट्रपति को यह विशेषाधिकार देता है कि वे किसी भी व्यक्ति को मिली सजा को माफ (Pardon), स्थगित (Reprieve), शमन (Remission), रूपांतरण (Commutation) या स्थगन (Respite) कर सकते हैं। यह अधिकार मृत्युदंड के मामलों पर भी लागू होता है।

- राष्ट्रपति यह शक्ति मंत्रिपरिषद की सलाह पर प्रयोग करते हैं।
- इसका उद्देश्य संभावित न्यायिक त्रुटियों को सुधारना तथा उपयुक्त मामलों में दया या उदारता दिखाना है।

अन्य विकल्प क्यों नहीं सही हैं :

B. राज्यपाल : अनुच्छेद 161 के अंतर्गत राज्यपाल को भी दया-याचिका संबंधी शक्तियाँ हैं, लेकिन वे मृत्युदंड को पूरी तरह माफ नहीं कर सकते, केवल स्थगन, शमन या रूपांतरण कर सकते हैं।

C. राष्ट्रपति तथा राज्यपाल दोनों : मृत्युदंड पर पूर्ण क्षमादान का अधिकार सिर्फ राष्ट्रपति के पास है, राज्यपाल के पास नहीं।

D. सर्वोच्च न्यायालय के मुख्य न्यायाधीश : न्यायपालिका केवल दंड को बरकरार रख या रद्द कर सकती है, लेकिन क्षमादान की शक्ति नहीं रखती।

इसलिए मृत्युदंड पाए अपराधी को क्षमादान देने की शक्ति केवल राष्ट्रपति को प्राप्त है।

61. कुल गोलियाँ = 42875

यदि गोलियाँ घन में रखी गई हैं तो कुल संख्या = n^3

$35^3 = 42875$

अतः गोलियों की तहें = 35.

62. लीप वर्ष की शर्त : 4 से विभाज्य होना चाहिए (और यदि शताब्दी वर्ष है तो 400 से भी)।

2016 ÷ 4 = 504 (संपूर्ण विभाज्य) ⇒ लीप वर्ष।

अतः सही उत्तर = 2016.

63. शंकर B का पिता है।

B शंकर का पुत्र नहीं है।

पिता के लिए दूसरा विकल्प केवल बेटी है।

अतः रिश्ता = बेटी।

64. कुल छात्र = 43

ऊपर से क्रम = 27

नीचे से क्रम = 43 - 27 + 1 = 17

अतः सरिता का क्रम नीचे से = 17वाँ।

65. शृंखला : A (1), C (3), F (6), J (10), O (15)

अंतर : +2, +3, +4, +5

अगला अंतर = +6 ⇒ 15 + 6 = 21

21वाँ अक्षर = U.

66. शुरुआत (0, 0) → 9 मी. दक्षिण : (0, –9)

दाएँ मुड़कर 7 मी. पश्चिम : (–7, –9)

फिर दाएँ मुड़कर 16 मी. उत्तर : (–7, 7)

x नकारात्मक (पश्चिम), *y* धनात्मक (उत्तर) ⇒ दिशा उत्तर-पश्चिम।

67. 'उसकी (कपिल की) माँ का भाई' = कपिल का मामा।

'मेरे बेटे का पिता' = शिल्पा का पति।

अतः शिल्पा = कपिल के मामा की पत्नी ⇒ मामी।

68. शब्द : Radom, Restrict, Rocket, Robber

द्वितीय अक्षर तुलना : a < e < o...

क्रम : Radom (पहला), Restrict (दूसरा), फिर Robber, Rocket।

69. श्रृंखला : 240, ?, 120, 40, 10, 2

पैटर्न : /2, /3, ,4, /5

? → 120 - /2 ⇒ ? = 240

(और 120 → 40 /3. 40 → 10 /4, 10 → 2 /5).

70. 'धीरेन्द्र, मधुकर से उतना लम्बा नहीं है, जितना कि रंजीत है'

⇒ रंजीत > मधुकर और मधुकर > धीरेन्द्र।

'मधुकर, मोहन से लम्बा है' ⇒ मधुकर > मोहन।

पहले वाक्य से मोहन > श्याम; राम की सटीक जगह अस्पष्ट।

सम्मिलित क्रम का शीर्ष : रंजीत

(क्योंकि रंजीत > मधुकर > मोहन ...)।

71. 'नुकसान' का विलोम 'फायदा/लाभ' दोनों है; दोनों समानार्थी सकारात्मक अर्थ देते हैं, इसलिए सही विकल्प दोनों।

72. छत्तीसगढ़ी में बीस को 'कोरी' कहा जाता है; 'जम्मो/सब्बो' का अर्थ 'सब/समस्त' होता है।

73. 'मृगांक/सुधाकर/राकेश' चंद्रमा के पर्याय हैं; अम्बु का अर्थ 'जल' होता है, चंद्रमा नहीं।

74. 'टोपी' स्त्रीलिंग है' 'घी, हीरा, चावल' सामान्यतः पुल्लिंग/नपुंसकवाचक रूप में प्रयुक्त होते हैं।

75. वाक्यांश 'जिसकी गहराई न मापी जा सके' का पारिभाषिक एक-शब्द 'अथाह' है (अथाह गहराई = bottomless/unfathomable)।

76. **पक्षी** – यह संस्कृत पक्षिन् से ध्वनि परिवर्तन के बाद आया है, इसलिए तद्भव है।

स्वर्ण – यह संस्कृत से बिना किसी परिवर्तन के लिया गया शब्द है, अतः तत्सम है।

सोना – यह 'स्वर्ण' का तद्भव रूप है, अतः तत्सम नहीं।

इसलिए केवल स्वर्ण तत्सम शब्द है।

77. तद्भव शब्द वे हैं जो संस्कृत के तत्सम शब्दों से ध्वनि-परिवर्तन और समयानुसार बने हैं।

अतः इनका वर्गीकरण शब्द की उत्पत्ति के आधार पर किया जाता है।

78.
- 'दीपक अखबार बेचेगा' → भविष्य काल।
- 'मैं अभी सोकर उठी हूँ' → वर्तमान पूर्ण काल।
- 'रीता रो रही थी' → अपूर्ण भूतकाल।

अतः सही क्रम : भविष्य, वर्तमान, भूत।

79. 'मौसा' + 'एरा' (प्रत्यय) = मौसेरा।

अन्य शब्द : 'आतप' (उपसर्ग से बना), 'विदेश' (वि + देश, उपसर्ग), 'प्रबंध' (प्र + बंध, उपसर्ग)।

अतः प्रत्यययुक्त शब्द = मौसेरा।

80. जब किसी समास में उपसर्ग की तरह संख्या विशेषण प्रयुक्त हो तो वह द्विगु समास कहलाता है।

उदाहरण : 'त्रिलोकी' (तीन लोक), 'द्वारिका' (दो आरियाँ)।

81. Direct : *Raju said to the boy, "Where is your school?"*

Indirect : Question word *where remains, pronoun your → his*, tense *is → was*.

सही बदला हुआ रूप : Raju asked the boy where his school was.

82. Positive degree : Fat

Comparative degree : Fatter

Superlative degree : Fattest

इसलिए superlative degree = Fattest.

83. यहाँ *that* का प्रयोग उचित है क्योंकि यह **restrictive clause** को जोड़ रहा है–

"I wanted for so long" उस किताब की पहचान बताने के लिए अनिवार्य जानकारी दे रहा है।

That वस्तुओं के लिए प्रयुक्त होता है और "book" एक वस्तु है, इसलिए यह उपयुक्त है।

Which भी प्रयोग हो सकता है, लेकिन सामान्यतः non-restrictive clauses में, और अधिकतर ब्रिटिश अंग्रेजी में देखा जाता है।

What इस स्थिति में नहीं आता क्योंकि यह सीधे noun को refer नहीं करता।

Whom का प्रयोग केवल व्यक्तियों के लिए होता है, वस्तुओं के लिए नहीं।

इसलिए सही उत्तर है that।

84. Verb "fall" के सही रूप : Fall (present), Fell (past), Fallen (past participle), Falling (continuous form)।

"Fallow" क्रिया का रूप नहीं है, यह अलग शब्द है (अर्थ = परती भूमि)।

इसलिए गलत रूप = Fallow।

85. सही जोड़े :

Cockn - Hen

Fox - Vixen

Monk - Nun

सही जोड़ा "Boar-Sow" होता है (नर-सूअर, मादा-सूअर)।

यहाँ "Saw" गलत लिखा गया है।

अतः mismatch शब्द = Boar-Saw।

86. वाक्य : *He gave me .... one rupee note.*

"One" व्यंजन ध्वनि (w) से शुरू होता है, इसलिए "A" सही article है।

पूरा वाक्य : *He gave me a one rupee note.*

87. "Everybody ... respect his teacher."

यहाँ नैतिक कर्तव्य या अपेक्षा प्रकट हो रही है, इसलिए should उपयुक्त है।

सही वाक्य : *Everybody should respect his teacher.*

88. Active : *Ram will sing a song.*
Passive : Object (a song) + will + be + past participle (sung) + by + subject.
इसलिए सही वाक्य : *A song will be sung by Ram.*

89. वाक्य : *Ramesh is clever ... proud.*
दोनों विचार विपरीत हैं, इसलिए सही conjunction but होगा।
पूरा वाक्य : *Ramesh is clever but proud.*

90.
- Blank = खाली (कागज)
- Empty = खाली (डिब्बा)
- Hollow = खोखला
- Plain = साधारण, सरल, बिना सजावट
- पहला तीनों 'खालीपन' का अर्थ देते हैं, लेकिन Plain अलग अर्थ देता है।

91. छत्तीसगढ़ सरकार द्वारा 'प्रहार' अभियान विशेष रूप से राज्य से नक्सलवाद उन्मूलन और प्रभावित क्षेत्रों में सुरक्षा व्यवस्था सुदृढ़ करने के उद्देश्य से प्रारंभ किया गया है।

92. दुर्ग जिला का गठन सन् 1906 में किया गया था। यह छत्तीसगढ़ के प्राचीन ज़िलों में से एक है और वर्तमान में औद्योगिक व शैक्षणिक दृष्टि से भी अत्यंत महत्त्वपूर्ण है।

93. छत्तीसगढ़ का राजकीय गीत 'अरपा पैरी के धार' है। इसके रचयिता डॉ. नरेंद्र देव वर्मा थे। यह गीत छत्तीसगढ़ की संस्कृति और जीवन-धारा का सुंदर चित्रण करता है।

94. पंडवानी छत्तीसगढ़ की एक प्रसिद्ध लोकगाथा-आधारित कला शैली है, जिसे लोक बैले भी कहा जाता है। इसमें महाभारत की कथाओं का गायन और नाट्य रूपांतरण किया जाता है। यह शैली वीरता, पराक्रम और लोककथाओं को प्रभावी ढंग से प्रस्तुत करती है। प्रमुख रूप से इसे तेजन बाई और झाडूराम देवांगन जैसे कलाकारों ने राष्ट्रीय और अंतरराष्ट्रीय स्तर पर प्रसिद्ध किया।
अतः सही उत्तर है : पंडवानी।

95. चुटकी छत्तीसगढ़ का एक पारंपरिक आभूषण है, जिसे महिलाएँ पैर की उंगली में पहनती हैं। यह वैवाहिक आभूषण माना जाता है और सौंदर्य के साथ-साथ सामाजिक प्रतीक का भी कार्य करता है।

96. महानदी का उद्गम स्थल छत्तीसगढ़ के सिहावा पर्वत (धमतरी जिला) में है। यहाँ प्रतिवर्ष माघ पूर्णिमा को शृंगी ऋषि मेले का आयोजन होता है।

97. छत्तीसगढ़ राज्य का गठन 1 नवम्बर 2000 को हुआ था। उस समय मध्य प्रदेश के 16 जिलों को अलग करके नया राज्य बनाया गया था।

98. छत्तीसगढ़ी लोकभाषा पर बनी पहली फिल्म 'कहीं देबे संदेश' थी, जो 1965 में रिलीज हुई थी। इसे छत्तीसगढ़ी सिनेमा का प्रथम प्रयास माना जाता है।

99. गंधेश्वर मंदिर महासमुंद जिले के ऐतिहासिक नगर सिरपुर में स्थित है। यह महानदी के तट पर बना प्राचीन शिव मंदिर है।

100. सोनाखान के जमींदार वीर नारायण सिंह को 1857 के प्रथम स्वतंत्रता संग्राम में विद्रोह का नेतृत्व करने पर अंग्रेजों ने रायपुर के जयस्तंभ चौक पर 10 दिसंबर, 1857 को फाँसी दे दी थी।

गणित (Mathematics)

1

संख्या पद्धति
(Number System)

❖ **प्राकृत संख्या (Natural Numbers):** जिन संख्याओं से गिनती की क्रिया की जाती है, उन्हें प्राकृत संख्या कहते हैं। इनमें शून्य (0) शामिल नहीं है। प्राकृत संख्याएं अनन्त होती हैं।

जैसे: 1, 2, 3, 4, 5, 6, 7 ....

❖ **पूर्ण संख्या (Whole Numbers):** प्राकृत संख्याओं में 0 (शून्य) को शामिल करने के बाद संख्याओं का जो समुच्चय या परिवार बनता है, उन्हें पूर्ण संख्याएँ कहते हैं।

जैसे: 0, 1, 2, 3, 4, 5 .... इत्यादि।

❖ **पूर्णांक संख्याएँ (Integer Numbers):** जब पूर्ण संख्याओं को धनात्मक और ऋणात्मक चिह्नों के द्वारा दर्शाया जाता है तो इनसे बना समुच्चय पूर्णांक संख्याएँ कहलाती हैं।

जैसे: ...... –4, –3, –2, –1, 0, 1, 2, 3, 4 ....

❖ **भाज्य संख्याएँ या यौगिक संख्याएँ (Composite Numbers):** वे प्राकृत संख्याएँ जो 1 व अपने अलावा किसी अन्य संख्या से भी विभाजित हो सकें अर्थात् जिनके आसानी से अन्य अभाज्य गुणनखण्ड (टुकड़े) हो सकें, भाज्य संख्याएँ कहलाती हैं।

जैसे: 4, 6, 8, 10, 12, 14, 15 ....

❖ **रूढ़ संख्याएँ या अभाज्य संख्याएँ (Prime Numbers):** वे प्राकृत संख्याएँ जो केवल स्वयं से या 1 से विभाजित हों अन्य से नहीं अर्थात् जिनके अभाज्य गुणनखण्ड (टुकड़े) न हो सकें, अभाज्य संख्याएँ कहलाती हैं।

जैसे: 2, 3, 5, 7, 11, 13, 17 ....

सबसे छोटी अभाज्य संख्या 2 है।

2 एकमात्र एक ऐसी अभाज्य संख्या है जो सम संख्या भी है।

1 न तो भाज्य संख्या है न ही अभाज्य संख्या है।

1 से 25 तक अभाज्य संख्याएँ = 9

1 से 50 तक अभाज्य संख्याएँ = 15

1 से 75 तक अभाज्य संख्याएँ = 21

1 से 100 तक अभाज्य संख्याएँ = 25

❖ **असहभाज्य संख्याएँ (Co-Prime Numbers):** जब दो प्राकृत संख्याओं का म.स.प. 1 हो, तो वे दोनों संख्याएँ असहभाज्य संख्याएँ कहलाती हैं।

जैसे: (2, 5) (3, 7) (4, 9) .... इत्यादि।

❖ **सम-संख्याएँ (Even Numbers):** वे संख्याएँ जो दो से भाज्य हों सम संख्याएँ कहलाती हैं। अर्थात् जिनके अन्त में 0, 2, 4, 6 व 8 हो।

जैसे: 2, 4, 6, 8, 10, 12 .... इत्यादि।

❖ **विषम संख्याएँ (Odd Number):** ऐसी संख्याएँ जो 2 से पूरी तरह विभाजित न हों विषम संख्याएँ कहलाती हैं।

जैसे: 1, 3, 5, 7 .... इत्यादि।

❖ **परिमेय संख्याएँ (Rational Numbers):** एक पूर्णांक को दूसरे पूर्णांक (0 को छोड़कर) से भाग देने पर जो लघुत्तम प्राप्त हो उन्हें परिमेय संख्या कहते हैं अर्थात् जिनको p/q के रूप में लिख सकें। यहाँ $q \neq 0$

अर्थात् गुणनखण्ड (common factor) न हों।

दशमलव भिन्न वाली संख्याओं में दशमलव के बाद वाली संख्याओं की गिनती हो सके या दशमलव के बाद वाली संख्याओं की पुनरावृत्ति हो रही हो। परिमेय संख्याएँ होंगी।

जैसे: 1, 2, 3, 4, $\frac{1}{2}$, 3, 7, $\frac{2}{5}$ .... इत्यादि।

❖ **अपरिमेय संख्याएँ (Irrational Numbers):** ऐसी संख्याएँ जिनको p/q के रूप में न लिख सकें, अपरिमेय संख्या कहलाती हैं।

अर्थात् जिनका कोई निश्चित अन्त न हो। e एवं π अपरिमेय संख्या है।

❶ ऐसी संख्याएँ प्रायः पूर्ण वर्ग संख्याएँ नहीं होती हैं।

❷ परिमेय संख्याओं के समुच्चय में सभी प्राकृत, पूर्ण, पूर्णांक संख्याएँ शामिल हैं।

❸ दो परिमेय संख्याओं का गुणनफल या योग हमेशा एक परिमेय संख्या होती है।

❹ एक परिमेय संख्या तथा एक अपरिमेय संख्या का गुणनफल या योग हमेशा एक अपरिमेय संख्या होती है।

❖ **पूर्ववर्ती संख्याः** दी गई संख्या से ठीक पहले आने वाली (छोटी) संख्या, **जैसेः** 752 की पूर्ववर्ती संख्या 751 है।

❖ **अनुवर्ती संख्याः** दी गई संख्या से ठीक बाद आने वाली (बड़ी) संख्या, **जैसेः** 16543 की अनुवर्ती संख्या 16544 है।

संख्याओं में 2, 3, 4, 5, 6, 8, 9, 10 व 11 से विभाज्यता की जाँच

1. **2 से विभाज्यताः** ऐसी संख्याएं जिनके इकाई के स्थान पर 0, 2, 4, 6 या 8 का अंक हों, तो वे संख्याएं 2 से पूर्णतः विभाजित होंगी।
2. **3 से विभाज्यताः** ऐसी संख्याएं जिनके अंकों का योग 3 से विभाज्य हों, तो वे संख्याएं 3 से विभाज्य होंगी।
3. **4 से विभाज्यताः** यदि किसी संख्या के अन्तिम दो अंक 4 से पूर्णतः विभाजित हों, तो वे संख्याएं 4 से विभाजित होंगी।
4. **5 से विभाज्यताः** जिन संख्याओं के इकाई के स्थान पर 0 या 5 का अंक हो, तो वे संख्याएं 5 से विभाजित होंगी।
5. **6 से विभाज्यताः** ऐसी संख्याएं जो 2 और 3 से अलग-अलग पूर्णतः विभाजित हों, तो वे संख्याएं 6 से विभाजित होंगी।
6. **8 से विभाज्यताः** वे संख्याएं जिनके अन्तिम तीन अंक 8 से विभाज्य हों, तो वे संख्याएं 8 से विभाजित होंगी।
7. **9 से विभाज्यताः** ऐसी संख्याएं जिनके अंकों का योग 9 से विभाज्य हों, तो वे संख्याएं 9 से विभाजित होंगी।
8. **10 से विभाज्यताः** जिन संख्याओं के इकाई के स्थान पर 0 का अंक हो, वे संख्याएं 10 से विभाजित होंगी।
9. **11 से विभाज्यताः** ऐसी संख्याएं जिनके सम तथा विषम स्थानों के अंकों के योगफलों का अन्तर 0 या 11 का गुणज हों, तो वे संख्याएं 11 से विभाजित होंगी।

भाज्य, भाजक, भागफल तथा शेष में संबंध

1. भाज्य = भाजक × भागफल + शेष **2.** भाजक = $\frac{\text{भाज्य} - \text{शेष}}{\text{भागफल}}$

ध्यान रखने योग्य कुछ महत्वपूर्ण बातें

(*i*) छोटा-से-छोटा प्राकृतिक या धन पूर्णांक (+1) है।

(*ii*) बड़े-से-बड़ा ऋण पूर्णांक (–1) है।

(*iii*) “0” न तो धनात्मक और न ही ऋणात्मक पूर्णांक है।

(*iv*) ऐसी संख्या जो न तो भाज्य है और न ही अभाज्य केवल 1 है।

(*v*) ऐसी संख्या जो सम भी है और अभाज्य भी केवल 2 है।

(*vi*) छोटी-से-छोटी अभाज्य संख्या 2 है।

(*vii*) 1 से 100 तक की संख्याओं के बीच अभाज्य संख्याओं की कुल गिनती 25 है।

(*viii*) किसी भी पूर्ण वर्ग संख्या के इकाई के स्थान पर केवल 0, 1, 4, 5, 6 तथा 9 अंकों में से कोई भी अंक हो सकता है।

(*ix*) यदि किसी संख्या का घन किया जाये तो प्राप्त घन के इकाई के स्थान पर 0 से 9 तक कोई भी अंक हो सकता है।

वस्तुनिष्ठ प्रश्न

1. 49587 में 5 के स्थानीय मान और जातीय मान में कितना अन्तर है?

A. 495 B. 480
C. 8 D. 400

2. गुणनफल 743 × 512 × 417 × 215 में इकाई का अंक क्या है?

A. 0 B. 2
C. 3 D. 5

3. दो संख्याओं का योग 25 तथा अन्तर 13 है, तो इन संख्याओं का गुणनफल होगाः

A. 122 B. 118
C. 104 D. 114

4. किसी संख्या को जब 221 से विभाजित करते हैं, तो 64 शेष बचता है। यदि उस अंक को 13 से विभाजित करें, तो कितना शेष बचेगा?

A. 9 B. 10
C. 11 D. 12

5. यदि $\frac{x}{16} = \frac{196}{x}$ हो, तो x का मान बताओः

A. 56 B. 58
C. 42 D. इनमें से कोई नहीं

6. किसी संख्या का $\frac{2}{3}$ का 25% अगर 30 है, तो वह संख्या क्या है?

A. 180 B. 140
C. 90 D. 150

7. एक परीक्षा में एक छात्र को किसी संख्या का $\frac{3}{14}$ ज्ञात करने को कहा परन्तु उसने गलती से उसका $\frac{3}{4}$ निकाल दिया, तो उसका उत्तर सही उत्तर से 150 अधिक आया, तो बताओ वह संख्या क्या है?

A. 140 B. 230
C. 280 D. 250

8. यदि $\frac{x}{y}=\frac{5}{2}$ हो, तो $\frac{4x+2y}{4x-2y}$ का मान क्या होगा?
A. 4.5 B. 1.5
C. 3.5 D. 2.5

9. दो संख्याओं के वर्गों का योग 386 है। यदि एक संख्या 5 हो, तो दूसरी संख्या क्या है?
A. 16 B. 19
C. 17 D. 18

10. किसी प्राकृत संख्या के वर्ग के तिगुने में से उस संख्या के चार गुने को घटाने पर प्राप्त संख्या उस संख्या से 50 अधिक है, तो वह संख्या क्या है?
A. 4 B. 5
C. 10 D. 6

11. किसी संख्या के तीन-चौथाई का $\frac{4}{5}$ भाग 153 है। वह संख्या क्या है?
A. 255 B. 235
C. 265 D. 225

12. किसी संख्या के $\frac{6}{7}$ भाग का 20%, 78 है। वह संख्या क्या है?
A. 465 B. 555
C. 365 D. 455

13. किसी संख्या का $\frac{5}{8}$ भाग 3825 है। उस संख्या का दो-तिहाई कितना है?
A. 3060 B. 4080
C. 2980 D. 5060

14. किसी संख्या का 26%, 1040 है। उस संख्या का तीन-चौथाई भाग क्या है?
A. 3200 B. 3400
C. 3000 D. 2800

15. दो लगातार विषम संख्याओं का योग 116 है। उन संख्याओं का गुणनफल क्या है?
A. 3264 B. 3253
C. 3373 D. 3363

16. दो संख्याएँ 7 : 15 के अनुपात में हैं। यदि वे एक-दूसरे से 128 कम हों, तो बड़ी संख्या क्या है?
A. 250 B. 235
C. 240 D. 245

17. दो संख्याएँ 3 : 8 के अनुपात में हैं। यदि बड़ी संख्या को 34 कम कर दिया जाता है, तब वह 38 हो जाती है। छोटी संख्या क्या है?
A. 27 B. 22
C. 28 D. 23

18. 160 को दो भागों में इस प्रकार बाँटा गया है कि पहले भाग का पाँच गुना तथा दूसरे भाग के दो गुना का योग 599 है। पहले भाग की संख्या क्या है?
A. 85 B. 93
C. 89 D. 91

19. किसी संख्या को 9 से गुणा करके गुणनफल में से 12 घटाने से 717 प्राप्त होता है। वह संख्या क्या है?
A. 83 B. 87
C. 81 D. 78

20. किसी संख्या के वर्ग में 102 जोड़ने पर जो संख्या प्राप्त होती है, वह उस संख्या के वर्ग के दो गुना से 42 कम है। वह संख्या क्या है?
A. 12 B. 16
C. 18 D. 20

21. एक संख्या को जब उसके $\frac{3}{5}$ से बढ़ाया जाता है, तब वह संख्या 48 से बढ़ जाती है। वह संख्या क्या है?
A. 85 B. 70
C. 65 D. 80

22. किसी परीक्षा में रूपेश ने गणित में जो अंक प्राप्त किया वह उसके द्वारा विज्ञान और हिन्दी में प्राप्त अंकों के योग का $\frac{2}{3}$ है। उसने हिन्दी में 75 अंक प्राप्त किया तथा उसका विज्ञान का अंक हिन्दी में प्राप्त अंक के $\frac{6}{5}$ है। उसने गणित में कितने अंक प्राप्त किया?
A. 108 B. 110
C. 114 D. 116

23. अगर किसी संख्या का $\frac{7}{9}$ और उसके दो गुने के बीच 132 का अन्तर हो, तो वह संख्या क्या है?
A. 109 B. 110
C. 108 D. 116

24. दो अंकों की एक संख्या में से जब 14 घटाया जाता है, तब उस संख्या का तीन-चौथाई प्राप्त होता है। उस संख्या के अंकों का गुणनफल क्या है?
A. 24 B. 28
C. 56 D. 30

25. तीन लगातार सम संख्याओं का योग 246 है। पहली संख्या का $\frac{2}{5}$ भाग, दूसरे का $\frac{3}{4}$ भाग तथा तीसरे के आधा का योग क्या है?
A. 118.5 B. 120
C. 135.5 D. 125.4

26. किसी संख्या के पाँचवे भाग को जब 80 बढ़ाया जाता है तब ऐसी संख्या प्राप्त होती है जो उस संख्या के $\frac{3}{4}$ भाग को 19 से घटाने से प्राप्त संख्या के बराबर होती है। वह संख्या क्या है?
A. 180 B. 160
C. 108 D. 150

27. यदि किसी संख्या के आठ गुना में 120 जोड़ा जाता है, तो उस संख्या के 10 गुना से 4 कम प्राप्त होता है। वह संख्या क्या है?

A. 63 B. 65
C. 62 D. 68

28. तीन संख्याओं में से पहली तथा तीसरी संख्या का योग 39 है और पहली और दूसरी संख्या का योग 45 है। यदि दूसरी संख्या का चार गुना और तीसरी संख्या का योग 114 हो, तो दूसरी संख्या क्या होगी?

A. 22 B. 24
C. 21 D. 26

29. बड़ी संख्या एक छोटी संख्या के पांच गुने से 4 अधिक है। छोटी संख्या का 8 गुना बड़ी संख्या से 2 अधिक है। बड़ी संख्या क्या है?

A. 14 B. 15
C. 16 D. 21

30. यदि दो संख्याओं में से बड़ी संख्या के तीन गुने से जब 54 घटाया जाता है, तब छोटी संख्या प्राप्त होती है। जब छोटी संख्या में 14 जोड़ा जाता है, तब बड़ी संख्या प्राप्त होती है। उनमें से छोटी संख्या क्या है?

A. 4 B. 5
C. 6 D. 7

31. किसी संख्या को 9 से गुणा करके गुणनफल में से 12 घटाने से 717 प्राप्त होता है। वह संख्या क्या है?

A. 83 B. 87
C. 81 D. 78

32. एक संख्या को जब उसके $\frac{3}{5}$ से बढ़ाया जाता है, तब वह संख्या 48 से बढ़ जाती है। वह संख्या क्या है?

A. 85 B. 70
C. 65 D. 80

33. एक बाँस का $\frac{1}{4}$ भाग काले रंग से, $\frac{2}{5}$ भाग पीले रंग से और शेष 21 मीटर लाल रंग से रंगा हुआ है। उस बाँस की लम्बाई क्या है?

A. 50 मी. B. 58 मी.
C. 65 मी. D. 60 मी.

34. 9.48 मी. लम्बी रस्सी के टुकड़े से 79 सेमी. लम्बी रस्सी के कितने टुकड़े काटे जा सकते हैं?

A. 18 B. 20
C. 12 D. 14

35. यदि 49 अंडों का मूल्य ₹ 95.40 हो, तो 11 दर्जन अंडों का मूल्य लगभग क्या होगा?

A. ₹ 260
B. ₹ 270
C. ₹ 265
D. ₹ 250

36. दो शहरों के बीच की दूरी 138.6 किमी. है, यदि कोई आदमी 6.3 किमी. प्रतिदिन पैदल चले तो, वह कितने दिनों में पूरी दूरी तय कर लेगा?

A. 28 B. 20
C. 18 D. 22

37. पाँच लगातार विषम संख्याओं का योग तीसरी संख्या से 60 अधिक है। सबसे बड़ी विषम संख्या क्या है?

A. 16 B. 18
C. 19 D. 17

38. दो अंकीय संख्या और इस संख्या के दोनों अंकों को परस्पर बदलने के बाद बनी संख्या के बीच 9 का अन्तर है। संख्या के दोनों अंकों के बीच कितना अन्तर है?

A. 5 B. 3
C. 1 D. 2

39. दो अंकों की संख्या के अंकों का योग 7 है। यदि अंकों को पलट दिया जाता है, तो नई संख्या में 3 जोड़ने पर मूल संख्या की चार गुनी हो जाती है। मूल संख्या क्या है?

A. 18 B. 21
C. 35 D. 16

40. 60 से 75 के बीच की अभाज्य संख्याओं का योग कितना है?

A. 242 B. 262
C. 282 D. 272

उत्तरमाला

1	2	3	4	5	6	7	8	9	10
A	A	D	D	A	A	C	B	B	B
11	**12**	**13**	**14**	**15**	**16**	**17**	**18**	**19**	**20**
A	D	B	C	D	C	A	B	C	A
21	**22**	**23**	**24**	**25**	**26**	**27**	**28**	**29**	**30**
D	B	C	C	C	A	C	B	A	C
31	**32**	**33**	**34**	**35**	**36**	**37**	**38**	**39**	**40**
C	D	D	C	A	D	C	C	D	D

व्याख्यात्मक उत्तर

1. 5 का स्थानीय मान = 500 और जातीय मान 5

अन्तर = 500 − 5 = 495.

2. 743 × 512 × 417 × 215 में इकाई का अंक

3 × 2 × 7 × 5 = 0.

3. पहली संख्या $= \frac{25+13}{2} = \frac{38}{2} = 19$

दूसरी संख्या $= \frac{25-13}{2} = \frac{12}{2} = 6$

गुणनफल = 19 × 6 = 114.

4. $\frac{64}{13} = 4$, शेष = 12.

5.
$$\frac{x}{16} = \frac{196}{x}$$
$$x^2 = 16 \times 196$$
$$x = \sqrt{16\times196},$$
$$x = 4 \times 14 = 56.$$

6.
$$x \times \frac{2}{3}\times\frac{25}{100} = 30$$
$$x = 180.$$

7.
$$\frac{3x}{4}-\frac{3x}{14} = 150$$
$$21x - 6x = 150 \times 28$$
$$x = \frac{150\times28}{15} = 280.$$

8. $\frac{4x+2y}{4x-2y} - \frac{4(5)+2(2)}{4(5)-2(2)} = \frac{20+4}{20-4} = \frac{24}{16} = 1.5.$

9. माना दूसरी संख्या x है।
$$x^2 + (5)^2 = 386$$
$$x^2 = 386 - 25$$
$$x^2 = 361$$
$$x = 19.$$

10. माना वह संख्या x है।
$$3x^2 - 4x = x + 50$$
$$3x^2 - 5x - 50 = 0$$
$$3x^2 - 15x + 10x - 50 = 0$$
$$3x(x-5) + 10(x-5) = 0$$
$$(x-5) + (3x+10) = 0$$
$$x = 5.$$

11. संख्या = x (माना)

$\therefore$ $x\times\frac{3}{4}\times\frac{4}{5} = 153$

$\therefore$ $x = \frac{153\times5}{3} = 255.$

12. संख्या = x (माना)

$\therefore$ $x\times\frac{6}{7}\times\frac{20}{100} = 78$

या, $x = \frac{78\times100\times7}{6\times20} = 455.$

13. संख्या = x (माना)

$\therefore$ $x\times\frac{5}{8} = 3825$

$\therefore$ $x = \frac{3825\times8}{5} = 6120$

$\therefore$ अभीष्ट संख्या = $6120 \times \frac{2}{3} = 4080.$

14. संख्या = x (माना)

$\therefore$ x का $\frac{26}{100} = 1040$

$\therefore$ $x = \frac{1040\times100}{26} = 4000$

$\therefore$ अभीष्ट संख्या = $4000 \times \frac{3}{4} = 3000.$

15. दो लगातार विषम संख्याएँ क्रमशः x और $(x + 2)$ हैं।

$\therefore$ $x + (x + 2) = 116$

या, $2x + 2 = 116$

या, $2x = 116 - 2$

$\therefore$ $x = \frac{114}{2} = 57$

$\therefore$ पहली विषम संख्या = 57

दूसरी विषम संख्या = 57 + 2 = 59

$\therefore$ अभीष्ट गुणनफल = 57 × 59 = 3363

16. पहली संख्या = $7x$

तथा दूसरी संख्या = $15x$

$\therefore$ $15x - 7x = 128$

या, $8x = 128$

$\therefore$ $x = \frac{128}{8} = 16$

अतः बड़ी संख्या = $15x$ = 15 × 16 = 240.

17. छोटी संख्या = $3x$

बड़ी संख्या = $8x$

$\therefore \quad 8x - 34 = 38$

या, $\quad 8x = 38 + 34 = 72$

$\therefore \quad x = \frac{72}{8} = 9$

$\therefore$ छोटी संख्या = $3x = 3 \times 9 = 27$.

18. पहला भाग = x (माना)

$\therefore$ दूसरा भाग = $(160 - x)$

$\therefore 5x + 2 \times (160 - x) = 599$

या, $\quad 5x + 320 - 2x = 599$

या, $\quad 3x = 599 - 320$

$\therefore \quad x = \frac{279}{3} = 93$

$\therefore$ पहली संख्या = $x = 93$

19. संख्या = x (माना)

अतः $\quad 9x - 12 = 717$

या, $\quad 9x = 717 + 12$

या, $\quad x = \frac{729}{9} = 81$

अतः संख्या = 81.

20. संख्या = x (माना)

$\therefore \quad x^2 + 102 = 2x^2 - 42$

या, $\quad 2x^2 - x^2 = 102 + 42$

या, $\quad x^2 = 144$

$\therefore \quad x = \sqrt{144} = 12$

21. संख्या = x (माना)

$$x + \frac{3x}{5} = x + 48$$

या, $\quad \frac{3x}{5} = 48$

$\therefore \quad x = \frac{48 \times 5}{3} = 80$

22. $\quad H = 75$

$$S = 75 \times \frac{6}{5} = 90$$

$\therefore \quad M = (H + S) \times \frac{2}{3} = (75 + 90) \times \frac{2}{3}$

$$= 165 \times \frac{2}{3} = 110$$

23. संख्या = x (माना)

अतः $\quad 2x - \frac{7x}{9} = 132$

या, $\quad \frac{11x}{9} = 132$

$\therefore \quad x = \frac{132 \times 9}{11} = 108.$

24. संख्या = x (माना)

अतः $\quad x - 14 = \frac{3x}{4}$

या, $\quad x - \frac{3x}{4} = 14$

या, $\quad \frac{x}{4} = 14$

$\therefore$ संख्या = $x = 4 \times 14 = 56$.

25. प्रश्नानुसार

$x + (x + 2) + (x + 4) = 246$

या, $\quad 3x + 6 = 246$

या, $\quad 3x = 246 - 6$

$\therefore \quad x = \frac{240}{3} = 80$

$\therefore$ पहली सम संख्या = $x = 80$

दूसरी सम संख्या = $x + 2 = 82$

तीसरी सम संख्या = $x + 4 = 84$

$\therefore$ अभीष्ट उत्तर = $\left(80 \times \frac{2}{5}\right) + \left(82 \times \frac{3}{4}\right) + 84 \times \frac{1}{2}$

$= 32 + 61.5 + 42 = 135.5.$

26. संख्या = x (माना)

$\therefore \quad \frac{x}{5} + 80 = \frac{3x}{4} - 19$

या, $\quad \frac{3x}{4} - \frac{x}{5} = 80 + 19$ या, $\frac{11x}{20} = 99$

$\therefore \quad x = \frac{20 \times 99}{11} = 180.$

27. संख्या = x (माना)

$8x + 120 = 10x - 4$

या, $\quad 10x - 8x = 120 + 4$

या, $\quad 2x = 124$

$\therefore \quad x = \frac{124}{2} = 62$

$\therefore$ अभीष्ट संख्या = 62.

28. पहली, दूसरी और तीसरी संख्याएँ क्रमशः x, y और z हैं।

अतः $x + z = 39$ ...(*i*)

$x + y = 45$ ...(*ii*)

$4y + z = 114$ ...(*iii*)

समीकरण (*i*) से, $x = 39 - z$

समीकरण (*ii*) से, $x = 45 - y$

$\therefore$ $39 - z = 45 - y$

या, $y - z = 45 - 39 = 6$

अब, $4y + z = 114$

$y - z = 6$

$5y = 120$

$\therefore$ $y = \frac{120}{5} = 24.$

29. छोटी संख्या $= x$

तथा बड़ी संख्या $= y$ (माना)

$\therefore$ $y = 5x + 4$

या, $y - 5x = 4$

पुनः $8x = y + 2$

या, $-y + 8x = 2$

$\therefore$ $y - 5x = 4$

$-y + 8x = 2$

$3x = 6$

$\therefore$ $x = 2$

$\therefore$ $y = 5 \times 2 + 4 = 14.$

अतः अभीष्ट बड़ी संख्या = 14

30. छोटी संख्या $= x$

बड़ी संख्या $= y$

प्रश्न से, $3y - 54 = x$

या, $3y - x = 54$

पुनः $x + 14 = y$

या, $-y + x = -14$

अब,

$3y - x = 54$

$-y + x = -14$

$2y = 40$

$\therefore$ $y = 20$

$\therefore$ $x = 3 \times 20 - 54$

$= 60 - 54 = 6$

अतः अभीष्ट छोटी संख्या = 6.

$\therefore$ सबसे बड़ी सम संख्या = 62 + 6 = 68.

31. संख्या $= x$ (माना)

अतः $9x - 12 = 717$

या, $9x = 717 + 12$

या, $x = \frac{729}{9} = 81$

अतः संख्या = 81.

32. संख्या $= x$ (माना)

$x + \frac{3x}{5} = x + 48$ या, $\frac{3x}{5} = 48$

$\therefore$ $x = \frac{48 \times 5}{3} = 80$

33. बाँस की लम्बाई $= x$ (माना)

काले और पीले रंग से रंगे बाँस का भाग $= \frac{x}{4} + \frac{2x}{5} = \frac{13x}{20}$

लाल रंग से रंगे बाँस का भाग $= x - \frac{13x}{20} = \frac{7x}{20}$

$\therefore$ $\frac{7x}{20} = 21$

अतः $x = \frac{21 \times 20}{7} = 60$ मी.

34. रस्सी के टुकड़े की अभीष्ट संख्या $= \frac{9.48}{0.79} = 12.$

35. $\because$ 49 अंडों का मूल्य = ₹ 95.40

$\therefore$ 1 अंडों का मूल्य $= \frac{95.40}{49}$

$\therefore$ 132 अंडों का मूल्य $= \frac{95.40 \times 132}{49}$

= ₹ 260 (लगभग)

36. दिनों की अभीष्ट संख्या $= \frac{138.6}{6.3} = 22.$

37. $x + (x + 2) + (x + 4) + (x + 6) + (x + 8)$

$= (x + 4) + 60$

या, $5x + 20 = x + 4 + 60$

या, $5x - x = 64 - 20$

या, $4x = 44$

$\therefore$ $x = \frac{44}{4} = 11$

अतः सबसे बड़ी विषम संख्या = 11 + 8 = 19.

38. अंकों का अन्तर $= \frac{\text{संख्याओं का अन्तर}}{9} = \frac{9}{9} = 1.$

39. विकल्प (D) से, 16 = 61 + 3 = 64.

40. अभीष्ट योग = (61 + 67 + 71 + 73) = 272.

★ ★ ★

2 पूर्ण संख्याओं पर संक्रियाएँ (Operations on Whole Number)

प्राकृत संख्याएँ शून्य के साथ मिलकर पूर्ण संख्याओं (whole numbers) का संग्रह बनाती हैं। अर्थात् 0, 1, 2, 3, ... ∞ को पूर्ण संख्याएँ कहते हैं।

पूर्ण संख्याओं पर आधारित चार मूलभूत संक्रियाएं (जैसे : जोड़, घटाव, गुणा और भाग) निम्न हैं–

योगफल (Addition) के गुण

(*i*) पूर्ण संख्याओं का योग क्रम विनिमेय (Commutative) होता है।

यदि a तथा b कोई दो पूर्ण संख्याएँ हैं,

तब $a + b = b + a$

जैसे : $4 + 6 = 6 + 4$

(*ii*) पूर्ण संख्याओं का योग साहचर्य (Associative) होता है।

यदि a, b, c कोई तीन पूर्ण संख्याएँ है, तब

$$(a + b) + c = a + (b + c)$$

जैसे : $(6 + 4) + 5 = 6 + (4 + 5)$

(*iii*) जब आप शून्य को किसी पूर्ण संख्या में जोड़ते हैं, तो परिणाम स्वयं वही पूर्ण संख्या होती है।

यदि a कोई पूर्ण संख्या है,

तब $a + 0 = 0 + a = a$

जैसे : $6 + 0 = 0 + 6 = 6$

शून्य को पूर्ण संख्याओं के लिए तत्समक अवयव (identity element) या योज्य तत्समक (additive identity) कहते हैं।

घटाव (Subtraction) के गुण

घटाव क्रम विनिमय नहीं होता है।

घटाव साहचर्य नहीं होता है।

घटाव तत्समक अवयव नहीं है।

अर्थात् $a - b \neq b - a$

$$a - (b - c) \neq (a - b) - c$$

तथा $a - 0 \neq 0 - a \neq a$

गुणा के गुण (Properties of multiplication)

(*i*) दो पूर्ण संख्याओं का गुणनफल एक पूर्ण संख्या होती है। अतः हम कह सकते हैं कि पूर्ण संख्याएँ गुणन के अन्तर्गत संवृत होती हैं।

(*ii*) पूर्ण संख्याओं के लिए गुणन क्रम विनिमेय (Commutative) होता है। यदि a तथा b कोई दो पूर्ण संख्याएँ हैं,

तब $a \times b = b \times a$

जैसे : $8 \times 6 = 6 \times 8$

(*iii*) पूर्ण संख्याओं के लिए गुणन साहचर्य (Associative) होता है :

यदि a, b, c कोई तीन पूर्ण संख्याएँ हैं,

तब $a \times (b \times c) = (a \times b) \times c$

जैसे : $6 \times (2 \times 4) = (6 \times 2) \times 4$

(*iv*) किसी पूर्ण संख्या को 1 से गुणा करने पर उनका गुणनफल उस संख्या के बराबर होता है।

यदि a एक पूर्ण संख्या है, तब

$$a \times 1 = 1 \times a = a$$

जैसे : $8 \times 1 = 1 \times 8 = 8$

1 को पूर्ण संख्याओं का तत्समक अवयव (identity element) गुणज कहते हैं।

(*v*) योग पर गुणन का वितरण नियम (Distributive property of multiplication over addition)

यदि a, b, c कोई तीन पूर्ण संख्याएँ हैं

तब $a \times (b + c) = a \times b + a \times c$

जैसे : $4 \times (5 + 6) = 4 \times 5 + 4 \times 6$

पूर्ण संख्याओं का विभाजन

हम जानते हैं कि विभाजन, गुणा की विपरीत संक्रिया है।

∵ $3 \times 5 = 15,$

अतः $15 \div 5 = 3$ तथा $15 \div 3 = 5$

$4 \times 3 = 12,$

अतः $12 \div 4 = 3$ तथा $12 \div 3 = 4$ प्राप्त होता है।

इस प्रकार हम कह सकते हैं कि पूर्ण संख्याओं के प्रत्येक गुणन कथन के लिए दो विभाजन या भाग कथन हैं।

पूर्ण संख्याओं का भाग के संदर्भ में एक प्रमुख सूत्र

$$\text{भाज्य} = \text{भाजक} \times \text{भागफल} + \text{शेष}$$

$$\text{भाजक} = \frac{\text{भाज्य} - \text{शेष}}{\text{भागफल}}$$

$$\text{भागफल} = \frac{\text{भाज्य} - \text{शेष}}{\text{भाजक}}$$

वस्तुनिष्ठ प्रश्न

1. यदि 9587 – A = 7429 – 4358, तब A का मान क्या है?
A. 6516 B. 5616
C. 6156 D. 6616

2. 976 × 237 + 976 × 763 = ?
A. 9760 B. 7600
C. 976000 D. 237000

3. यदि 7589 – P = 3434, तब P का मान है:
A. 4242 B. 4155
C. 1123 D. 11023

4. यदि 8597 – M = 7429 – 4358, तब M का मान क्या है?
A. 5426 B. 5706
C. 5526 D. 5476

5. सरल कीजिए :
3251 + 587 + 369 – A = 3007
A. 1250 B. 1300
C. 1375 D. 1200

6. 5358 × 51 = ?
A. 273258 B. 322758
C. 223758 D. 237258

7. 256 × 47 का गुणनफल है:
A. 32120 B. 12032
C. 21320 D. 12322

8. 18 को किस संख्या से गुणा किया जाए कि उनका गुणनफल 846 हो?
A. 51 B. 48
C. 47 D. 57

9. 26 को किस संख्या से गुणा करें कि गुणनफल 1014 हो जाए?
A. 49 B. 48
C. 38 D. 39

10. अन्तर ज्ञात कीजिए : 1426 – 548
A. 878 B. 788
C. 868 D. 798

11. 986 × 307 – 986 × 207 = ?
A. 86900 B. 98600
C. 69800 D. 68900

12. 2010 में कौन-सी छोटी संख्या जोड़ी जाए ताकि प्राप्त संख्या 19 से पूर्णतः विभाजित हो?
A. 2 B. 3
C. 4 D. 5

13. 1672 में कौन-सी संख्या घटाई जाए ताकि प्राप्त संख्या 17 से पूर्णतः विभाजित हो?
A. 4 B. 7
C. 5 D. 6

14. 12401 को किसी संख्या से भाग देने पर भागफल 76 तथा शेष 13 प्राप्त होता है। भाजक ज्ञात कीजिए:
A. 163 B. 165
C. 173 D. 153

15. किसी संख्या को 342 से भाग देने पर शेष 47 आता है तो उसी संख्या को 18 से भाग देने पर शेष क्या होगा?
A. 8 B. 9
C. 10 D. 11

16. 8001 + 7909 + 5190 = ?
A. 21100 B. 20100
C. 21090 D. 20090

17. 2095 + 3909 = 7209 – ?
A. 1205 B. 6004
C. 8414 D. 4111

18. 74 × 34 = ?
A. 2436 B. 2516
C. 2456 D. 2526

19. (71 + 25) × 26 को सरल कीजिए:
A. 2496 B. 1801
C. 1846 D. 1775

20. 86 × 27 – 27 = ?
A. 2349 B. 0
C. 2295 D. 1435

21. 8223 ÷ 41 = ?
A. 303 B. 105
C. 200.56 D. 403

22. यदि 18952 ÷ 23 = 824, तो 18952 ÷ 824 = ?
A. 21 B. 20
C. 22 D. 23

23. 4845760 से 70,00,000 कितना अधिक है?
A. 2154240 B. 2164240
C. 2174240 D. 2184240

24. दो संख्याओं का योग 673579845 है। यदि उनमें से एक 492798546 है, तो दूसरी संख्या है:
A. 185781299 B. 180781299
C. 186781299 D. 182781299

25. दो संख्याओं का गुणनफल 492723 है। यदि एक संख्या 567 है, तो दूसरी संख्या है:
A. 869 B. 769
C. 669 D. 569

26. 469157 × 9999 = (______)
A. 4586970843 B. 4686970743
C. 4691100843 D. 4586870843

27. राम का वजन 123 किलोग्राम है। वह श्याम से 4 गुना भारी है। श्याम का वजन कितना है?
A. 30.75 किलोग्राम B. 30.65 किलोग्राम
C. 30.70 किलोग्राम D. 30.60 किलोग्राम

28. 27 से छोटी उन सभी संख्याओं का योग ज्ञात कीजिए जो 9 से विभाज्य हैं।

A. 54 B. 18 C. 36 D. 27

29. (–10) में से (–4) घटाएँ।

A. 6 B. –6 C. 14 D. –14

30. एक स्कूल में 1200 विद्यार्थी हैं। यदि उनमें से 40% लड़कियाँ हैं, तो स्कूल में लड़कों की संख्या ज्ञात कीजिए।

A. 480
B. 620
C. 720
D. 600

उत्तरमाला

1	2	3	4	5	6	7	8	9	10
A	C	B	C	D	A	B	C	D	A
11	**12**	**13**	**14**	**15**	**16**	**17**	**18**	**19**	**20**
B	C	D	A	D	A	A	B	A	C
21	**22**	**23**	**24**	**25**	**26**	**27**	**28**	**29**	**30**
C	D	A	B	A	C	A	D	B	C

व्याख्यात्मक उत्तर

1. $\because$ 9587 – A = 7429 – 4358

$\Rightarrow$ 9587 + 4358 – 7429 = A

$\Rightarrow$ 13945 – 7429 = A

$\Rightarrow$ 6516 = A

$\therefore$ A = 6516.

2. 976 × 237 + 976 × 763

= 976 (237 + 763) = 976 × 1000

= 976000.

3. $\because$ 7589 – P = 3434

$\Rightarrow$ 7589 – 3434 = P

$\Rightarrow$ 4155 = P

$\therefore$ P = 4155

4. $\because$ 8597 – M = 7429 – 4358

$\Rightarrow$ 8597 – M = 3071

$\Rightarrow$ 8597 – 3071 = M

$\Rightarrow$ 5526 = M

$\therefore$ M = 5526.

5. 3251 + 587 + 369 – 3007 = A

$\Rightarrow$ 4207 – 3007 = A

$\Rightarrow$ 1200 = A

$\therefore$ A = 1200.

6. 5358 × 51

```
   5358
   × 51
   5358
  26790
 273258
```

अत: 5358 × 51 = 273258

7. 256 × 47

```
  256
 × 47
 1792
1024
12032
```

अत: 256 × 47 = 12032.

8. अभीष्ट संख्या = 846 ÷ 18 = 47

```
     47
18 ) 846 (
     72
     126
     126
      ×
```

9.

```
     39
26 ) 1014 (
     78
     234
     234
      ×
```

$\therefore$ अभीष्ट संख्या = 1014 ÷ 26 = 39.

10.

```
 1426
– 548
  878
```

11. 986 × 307 – 986 × 207

= 986 (307 – 207)

= 986 × 100

= 98600.

12.

$$19\overline{)2010}(105$$
$$\begin{array}{r} 19 \\ \hline 110 \\ 95 \\ \hline 15 \end{array}$$

$\therefore$ अभीष्ट संख्या = 19 – 15 = 4.

13.

$$17\overline{)1672}(98$$
$$\begin{array}{r} 153 \\ \hline 142 \\ 136 \\ \hline 6 \end{array}$$

$\therefore$ अभीष्ट संख्या = 6.

14. भाजक × भागफल + शेष = भाज्य

$$\therefore \quad \text{भाजक} = \frac{\text{भाज्य} - \text{शेष}}{\text{भागफल}}$$

$$= \frac{12401-13}{76}$$

$$= \frac{12388}{76} = 163.$$

15. माना कि दी गई संख्या को 342 से विभाजित करने पर हम पाते हैं कि

भागफल = K तथा शेष = 47

तब, संख्या = 342 × K + 47
= (18 × 19K) + (18 × 2) + 11
= 18 (19K + 2) + 11

अतः संख्या को जब 18 से भाग दिया जाता है, तो शेष 11 होगा।

16. 8001 + 7909 + 5190 = 21100

$$\begin{array}{r} 8001 \\ 7909 \\ +\ 5190 \\ \hline 21100 \\ \hline \end{array}$$

17. 2095 + 3909 = 7209 – x

$\Rightarrow$ 6004 + x = 7209

$\Rightarrow$ x = 7209 – 6004

$\Rightarrow$ x = 1205.

18. 74 × 34 = 2516

$$\begin{array}{r} 74 \\ \times\ 34 \\ \hline 296 \\ +\ 222\ \ \\ \hline 2516 \\ \hline \end{array}$$

19. (71 + 25) × 26 = 96 × 26 = 2496

$$\begin{array}{r} 96 \\ \times\ 26 \\ \hline 576 \\ +\ 192\ \ \\ \hline 2496 \\ \hline \end{array}$$

20. 86 × 27 – 27

$$\begin{array}{r} 85 \\ \times\ 27 \\ \hline 595 \\ +\ 170\ \ \\ \hline 2295 \end{array}$$

= 27 (86 – 1) = 27 × 85 = 2295.

21. 8223 ÷ 41 = ? $\therefore$? = 200.56.

22. 18952 ÷ 23 = 824 तो, 18952 ÷ 824 = 23.

नोटः यदि भाजक और भागफल को आपस में बदल दिया जाए, तो भाजक, भागफल बन जाएगा और भागफल, भाजक बन जाएगा।

23.

$$\begin{array}{r} 7000000 \\ -\ 4845760 \\ \hline 2154240 \\ \hline \end{array}$$

24. दो संख्याओं का योग = 673579845

$\Rightarrow$ 492798546 + दूसरी संख्या = 673579845

$\Rightarrow$ दूसरी संख्या = 673579845 – 492798546
= 180781299.

25. दो संख्याओं का गुणनफल = 492723

$\Rightarrow$ 567 × दूसरी संख्या = 492723

$$\Rightarrow \quad \text{दूसरी संख्या} = \frac{492723}{567} = 869.$$

26. 469157 × 9999 = 469157 × (10000 – 1)
= 4691570000 – 469157 = 4691100843.

27. माना श्याम का वजन = x किग्रा

तो, राम का वजन = 4 × श्याम का वजन

$\Rightarrow$ 123 किग्रा = 4 × x किग्रा

$$\Rightarrow \quad x = \frac{123}{4} = 30.75 \text{ किग्रा}$$

28. 27 से छोटी संख्याएँ जो 9 से विभाज्य हैं, 9 और 18 हैं।

योग = 9 + 18 = 27

अतः 27 से छोटी सभी संख्याओं का योग जो 9 से विभाज्य हैं, 27 है।

29. –10 – (–4) = –10 + 4 = –6.

30. स्कूल में लड़कों की संख्या $= 1200 \times \frac{100-40}{100}$

= 12 × 60 = 720.

★ ★ ★

3 महत्तम समापवर्तक तथा लघुत्तम समापवर्त्य (HCF and LCM)

लघुत्तम समापवर्त्य (L.C.M.)

किन्हीं दो या दो से अधिक दी हुई संख्याओं का लघुत्तम समापवर्त्य (ल.स.) वह छोटी-से-छोटी संख्या है जो प्रत्येक दी हुई संख्याओं से पूरी-पूरी विभाजित हो जाए।

लघुत्तम समापवर्त्य ज्ञात करने की दो विधियाँ हैं :

(*i*) अभाज्य गुणनखण्ड विधि द्वारा; (*ii*) भाग विधि द्वारा।

(*i*) अभाज्य गुणनखण्ड विधि द्वारा ल.स. निकालना

इस विधि में दी गई संख्याओं का सबसे पहले अभाज्य गुणनखण्ड करते हैं। इसके बाद सर्वाधिक बार आए हुए गुणनखण्डों का आपस में गुणा कर देते हैं। इस प्रकार प्राप्त गुणनफल अभीष्ट ल.स. होता है।

उदाहरण : 24, 36 तथा 90 का ल.स. ज्ञात कीजिए।

हल : 24, 36 तथा 90 के अभाज्य गुणनखण्ड करने पर

$$24 = 2 \times 2 \times 2 \times 3$$
$$36 = 2 \times 2 \times 3 \times 3$$
$$90 = 2 \times 3 \times 3 \times 5$$

अतः स्पष्ट है कि अभाज्य गुणनखण्ड 2 सबसे अधिक 3 बार, 3 दो बार तथा 5 एक बार आया है।

$\therefore$ अभीष्ट ल.स. $= 2 \times 2 \times 2 \times 3 \times 3 \times 5 = 360$

(*ii*) भाग विधि द्वारा ल.स. निकालना

दी हुई संख्याओं को अर्थात् जिन संख्याओं का ल.स. ज्ञात करना हो उन्हें क्रम से लिख देते हैं। फिर 2, 3, 4, 5, ... से बारी-बारी से भाग देते जाते हैं। यदि किसी संख्या में भाग न जाए, तो उसे ज्यों-का-त्यों उतार देते हैं। अगली बार उसे उसके भाजक से भाग देते हैं। जब सभी संख्याओं का अन्तिम भागफल 1 आ जाए तो सभी भाजकों को आपस में गुणा कर देते हैं। इस प्रकार प्राप्त गुणनफल अभीष्ट ल.स. होगा।

उदाहरण : 16, 24, 36 तथा 54 का ल.स. (L.C.M.) ज्ञात कीजिए।

हल :

2	16,	24,	36,	54
2	8,	12,	18,	27
2	4,	6,	9,	27
3	2,	3,	9,	27
3	2,	1,	3,	9
	2,	1,	1,	3

अतः ल.स. $= 2 \times 2 \times 2 \times 3 \times 3 \times 2 \times 3 = 432$.

महत्तम समापवर्तक (H.C.F.)

किन्हीं दो या दो से अधिक दी गई संख्याओं का महत्तम समापवर्तक (म.स.) वह बड़ी-से-बड़ी संख्या है जो प्रत्येक दी गई संख्याओं को पूरा-पूरा विभाजित कर दे। महत्तम समापवर्तक ज्ञात करने की दो विधियाँ हैं :

(*i*) अभाज्य गुणनखण्ड विधि द्वारा म.स. निकालना

जिन संख्याओं का म.स. ज्ञात करना होता है, उनका बारी-बारी से अभाज्य गुणनखण्ड करते हैं। अभाज्य गुणनखण्ड करने के बाद सर्वनिष्ठ गुणनखण्डों (Common factors) को आपस में गुणा कर लेते हैं। इस प्रकार प्राप्त गुणनफल अभीष्ट म.स. होता है।

उदाहरण : 28, 32 तथा 40 का म.स. ज्ञात कीजिए।

हल : 28, 32 तथा 40 को अभाज्य गुणनखण्डों के गुणनफल के रूप में लिखने पर,

$$28 = \underline{2 \times 2} \times 7$$
$$32 = \underline{2 \times 2} \times 2 \times 2 \times 2$$
$$40 = \underline{2 \times 2} \times 2 \times 5$$

चूँकि तीनों संख्याओं का उभयनिष्ठ गुणनखण्ड $2 \times 2 = 4$ है।

अतः अभीष्ट म.स. = 4

(*ii*) भाग विधि द्वारा म.स. निकालना

जब दी गई संख्याएँ इस प्रकार हों कि उनका अभाज्य गुणनखण्ड आसानी से ज्ञात न हो सके, तब भाग विधि का प्रयोग किया जाता है। इस विधि में सबसे पहले दो संख्याओं को लेकर छोटी संख्या से बड़ी संख्या में भाग देते हैं। इस क्रिया के अन्त में जो शेष बचता है उससे भाजक में भाग देते हैं। पुनः इसमें प्राप्त शेष से इसके भाजक में भाग देते हैं। यही क्रिया तब तक करते हैं जब तक शेष शून्य न हो जाए। जब शेष शून्य हो जाए तो अन्तिम भाजक दोनों संख्याओं का म.स. होगा। यदि तीसरी संख्या भी प्रश्न में दी गई हो, तो इस म.स. और तीसरी संख्या का म.स. उक्त भाग विधि से ज्ञात करते हैं। इस प्रकार चौथी, पाँचवीं संख्या का म.स. ज्ञात किया जाता है।

उदाहरण : 48, 168 तथा 324 का म.स. (H.C.F.) ज्ञात कीजिए।

हल : सबसे पहले 168 को 48 से भाग देते हैं।

```
48) 168 ( 3
    144
    24) 48 ( 2
        48
        ×
```

इस प्रकार 48 और 168 का म.स. 24 हुआ। अब 24 और तीसरी संख्या 324 का म.स. इसी भाग विधि से ज्ञात करेंगे।

$$\begin{array}{l} 24)\overline{324}(13 \\ \underline{24} \\ 84 \\ \underline{72} \\ 12)\overline{24}(2 \\ \underline{24} \\ \times \end{array}$$

अतः तीनों संख्याओं 48, 168 तथा 324 का म.स. 12 हुआ।

भिन्नों का ल.स. तथा म.स. ज्ञात करना

$$\text{ल.स.} = \frac{\text{अंश का ल.स.}}{\text{हर का म.स.}}$$

तथा $$\text{म.स.} = \frac{\text{अंश का म.स.}}{\text{हर का ल.स.}}$$

उदाहरण : $\frac{2}{5}, \frac{3}{10}$ तथा $\frac{6}{25}$ का ल.स. निकालें।

हल : $\frac{2}{5}, \frac{3}{10}$ तथा $\frac{6}{25}$ का ल.स. $= \frac{2, 3 \text{ तथा } 6 \text{ का ल.स.}}{5, 10 \text{ तथा } 25 \text{ का म.स.}} = \frac{6}{5}$

उदाहरण : $\frac{4}{9}, \frac{10}{21}$ तथा $\frac{20}{63}$ का म.स. ज्ञात कीजिए।

हल : $\frac{4}{9}, \frac{10}{21}$ तथा $\frac{20}{63}$ का म.स.

$$= \frac{4, 10 \text{ तथा } 20 \text{ का म.स.}}{9, 21 \text{ तथा } 63 \text{ का ल.स.}} = \frac{2}{63}.$$

दो संख्याओं तथा उनके म.स. तथा ल.स. में सम्बन्ध (Relationship between two numbers and their H.C.F. and L.C.M.)

किन्हीं दो दी गई संख्याओं का म.स. तथा ल.स. का गुणनफल उन दो दी गई संख्याओं के गुणनफल के बराबर होता है।

अर्थात् पहली संख्या × दूसरी संख्या = म.स. × ल.स.

उदाहरण : दो संख्याओं का ल.स. तथा म.स. क्रमशः 72 तथा 6 है। यदि उनमें से एक संख्या 18 हो, तो दूसरी संख्या का मान कितना होगा?

हल : पहली संख्या × दूसरी संख्या = ल.स. × म.स.

$$18 \times \text{दूसरी संख्या} = 72 \times 6$$

$$\therefore \quad \text{दूसरी संख्या} = \frac{72 \times 6}{18} = 24.$$

उदाहरण : दो संख्याओं का गुणनफल 2560 है। यदि दोनों संख्याओं का म.स. 16 है, तो उनका ल.स. कितना होगा?

हल : ल.स. × म.स. = दोनों संख्याओं का गुणनफल

$$\text{ल.स.} \times 16 = 2560$$

$$\therefore \quad \text{ल.स.} = \frac{2560}{16} = 160.$$

वस्तुनिष्ठ प्रश्न

1. 420, 315 तथा 462 का म.स. क्या है?
A. 24 B. 28
C. 27 D. 21

2. 6, 8, 10 तथा 12 का ल.स. कितना होगा?
A. 120 B. 60
C. 240 D. 130

3. $\frac{5}{6}, \frac{6}{7}, \frac{7}{8}, \frac{8}{9}$ तथा $\frac{9}{10}$ का म.स. कितना होगा?
A. $\frac{1}{2420}$ B. $\frac{1}{2520}$
C. $\frac{1}{2660}$ D. $\frac{1}{2540}$

4. दो संख्याओं का ल.स. तथा म.स. क्रमशः 4284 तथा 32 है। यदि उन संख्याओं में से एक संख्या 204 है, तो दूसरी संख्या का मान क्या होगा?
A. 672 B. 576
C. 676 D. 572

5. वह छोटी-से-छोटी संख्या क्या होगी जो 3, 4, 6 तथा 8 से पूर्णतः विभाजित हो जाए?
A. 26 B. 24
C. 28 D. 32

6. तीन अंकों की सबसे छोटी संख्या क्या होगी जो 12, 18 तथा 24 से पूर्णतः विभाजित हो?
A. 72 B. 144
C. 180 D. 224

7. तीन अंकों की वह बड़ी-से-बड़ी संख्या क्या होगी जिसमें 6, 9 तथा 12 से भाग देने पर प्रत्येक दशा में 1 शेष बचे?
A. 887 B. 987
C. 973 D. 730

8. 226 और 272 में भाग देने पर क्रमशः 1 और 2 शेषफल देने वाली बड़ी-से-बड़ी संख्या का मान कितना होगा?
A. 36 B. 45
C. 55 D. 59

9. बिजली की तारें दो तरह की हैं जिसमें एक एल्युमिनियम की है जिसकी लम्बाई 9 मी. 60 सेमी. है तथा दूसरी तार तांबे की है जिसकी लम्बाई 5 मी. 12 सेमी. है। उस तार की अधिकतम लम्बाई ज्ञात कीजिए जिससे दोनों तारों को पूर्णतः विभाजित कर सकें।
A. 40 सेमी. B. 46 सेमी.
C. 64 सेमी. D. 60 सेमी.

10. पाँच घंटियाँ एक साथ 24, 40, 64, 72 तथा 120 सेकेण्ड के अन्तर पर बजती हैं। कितने सेकेण्ड के बाद वे फिर एक साथ बजेंगी?

A. 42 मिनट B. 36 मिनट

C. 48 मिनट D. 54 मिनट

11. तीन विभिन्न चौराहों पर यातायात की बत्तियाँ 48 सेकेण्ड, 72 सेकेण्ड तथा 108 सेकेण्ड के बाद बदलती रहती हैं। यदि वे प्रातः 9 बजे एक साथ बदलें, तो पुनः एक साथ कितने बजे बदलेंगी?

A. 10 मिनट 10 सेकेण्ड B. 7 मिनट 12 सेकेण्ड

C. 7 मिनट 10 सेकेण्ड D. 12 मिनट 10 सेकेण्ड

12. वह बड़ी-से-बड़ी नाप ज्ञात कीजिए जो क्रमशः 4 मी. 3 सेमी., 4 मी. 34 सेमी. तथा 4 मी. 65 सेमी. की लम्बाइयों को पूर्णतया नाप सके।

A. 31 सेमी. B. 29 सेमी.

C. 28 सेमी. D. 32 सेमी.

13. 3, 9, 12, 15, 6 का ल.स. ज्ञात कीजिए।

A. 240 B. 90

C. 180 D. 120

14. $\frac{4}{3}, \frac{8}{9}, \frac{3}{5}$ का ल.स. ज्ञात कीजिए।

A. 20 B. 24

C. $\frac{1}{24}$ D. $\frac{1}{20}$

15. 120, 150, 180 का म.स. ज्ञात कीजिए।

A. 30 B. 60

C. 50 D. 10

16. तीन घंटियाँ 12, 15 तथा 18 मिनट के अन्तराल पर बजती हैं। यदि वे प्रातः 9 बजे एक साथ बजें तो वे पुनः कितनी देर बाद एक-साथ बजेंगी?

A. 10:00 a.m. B. 11:00 a.m.

C. 12:00 p.m. D. 1:00 p.m.

17. वह बड़ी-से-बड़ी संख्या ज्ञात कीजिए जिससे 43, 91 तथा 183 को भाग देने पर प्रत्येक दशा में समान शेष बचे।

A. 9 B. 8

C. 4 D. 3

18. दो संख्याओं का अनुपात 5 : 6 है। यदि उनका म.स. 4 है, तो उनका ल.स. होगा?

A. 90 B. 96

C. 150 D. 120

19. वह छोटी-से-छोटी संख्या ज्ञात कीजिए जो 12, 15 तथा 25 से पूर्ण विभाजित हो जाए।

A. 300 B. 150

C. 200 D. 400

20. तीन घंटियाँ क्रमशः 4, 5 तथा 6 मिनटों के अन्तराल पर बजती हैं। यदि वे प्रातः 8:30 बजे एक साथ बजना आरम्भ करें, तो वे पुनः कितने बजे एक-साथ बजेंगी?

A. 8:45 a.m. B. 9:30 a.m.

C. 9:45 a.m. D. 10:15 a.m.

उत्तरमाला

1	2	3	4	5	6	7	8	9	10
D	A	B	A	B	B	C	B	C	C
11	**12**	**13**	**14**	**15**	**16**	**17**	**18**	**19**	**20**
B	A	C	B	A	C	C	D	A	B

व्याख्यात्मक उत्तर

1.

315) 420 (1
315
105) 315 (3
315
×

105) 462 (4
420
42) 105 (2
84
21) 42 (2
42
×

∴ अभीष्ट म.स. = 21.

2. 6, 8, 10 तथा 12 का ल.स.

2	6,	8,	10,	12
2	3,	4,	5,	6
3	3,	2,	5,	3
	1,	2,	5,	1

ल.स. = $2 \times 2 \times 3 \times 2 \times 5 = 120$.

3. $\frac{5}{6}, \frac{6}{7}, \frac{7}{8}, \frac{8}{9}$ तथा $\frac{9}{10}$ का म.स.

$$\text{म.स.} = \frac{\text{अंश का म.स.}}{\text{हर का ल.स.}}$$

$$= \frac{5, 6, 7, 8, 9 \text{ का म.स.}}{6, 7, 8, 9, 10 \text{ का ल.स.}}$$

$$= \frac{1}{2520}.$$

4. $\because$ पहली संख्या × दूसरी संख्या = ल.स. × म.स.

$\Rightarrow$ 204 × दूसरी संख्या = 4284 × 32

$\therefore$ दूसरी संख्या $= \frac{4284 \times 32}{204} = 42 \times 16$

$\therefore$ अभीष्ट संख्या = 672.

5. 3, 4, 6 तथा 8 का ल.स.

2	3,	4,	6,	8
2	3,	2,	3,	4
3	3,	1,	3,	2
	1,	1,	1,	2

$\therefore$ सबसे छोटी संख्या = 2 × 2 × 3 × 2 = 24.

6. 12, 18, 24 का ल.स.

2	12,	18,	24
2	6,	9,	12
3	3,	9,	6
	1,	3,	2

ल.स. = 2 × 2 × 3 × 3 × 2 = 72

$\therefore$ अभीष्ट संख्या = 72 × 2 = 144.

7. 6, 9 तथा 12 का ल.स.

2	6,	9,	12
3	3,	9,	6
	1,	3,	2

$\therefore$ ल.स. = 2 × 3 × 3 × 2 = 36

$\because$ तीन अंकों की सबसे बड़ी संख्या = 999

36) 999 (27
72
279
252
27

$\therefore$ तीन अंकों की सबसे बड़ी संख्या जो 6, 9 तथा 12 से पूर्णतः विभाजित है

= 999 – 27 = 972

$\therefore$ अभीष्ट संख्या = 972 + 1 = 973.

8. 226 – 1 = 225

तथा 272 – 2 = 270

अब 225 तथा 270 का म.स.

225) 270 (1
225
45) 225 (5
225
×

$\therefore$ अभीष्ट संख्या = 45.

9. 9 मी. 60 सेमी. = 960 सेमी.

तथा 5 मी. 12 सेमी. = 512 सेमी.

960 तथा 512 का म.स.

512) 960 (1
512
448) 512 (1
448
64) 448 (7
448
×

$\therefore$ अभीष्ट सबसे बड़ा टुकड़ा = 64 सेमी.

10. 24, 40, 64, 72 तथा 120 का ल.स.

2	24,	40,	64,	72,	120
2	12,	20,	32,	36,	60
2	6,	10,	16,	18,	30
3	3,	5,	8,	9,	15
5	1,	5,	8,	3,	5
	1,	1,	8,	3,	1

ल.स. = 2 × 2 × 2 × 3 × 5 × 8 × 3 = 2880

2880 सेकेण्ड $= \frac{2880}{60} = 48$ मिनट

$\therefore$ अभीष्ट समय = 48 मिनट

11. 48, 72 तथा 108 का ल.स. = 432 सेकेण्ड

यातायात की बत्तियाँ 432 सेकेण्ड के बाद बदलेंगी

= 7 मिनट 12 सेकेण्ड

$\therefore$ अभीष्ट समय = 7 मिनट 12 सेकेण्ड

12. 4 मी. 3 सेमी. = 403 सेमी.; 4 मी. 34 सेमी. = 434 सेमी.

4 मी. 65 सेमी. = 465 सेमी.

403, 434 तथा 465 का म.स.

403) 434 (1
403
× 31) 403 (13
31
× 93
93
×.

$$\begin{array}{l} 31\overline{)465}(\,15 \\ \underline{31} \\ 155 \\ \underline{155} \\ \times \end{array}$$

∴ अभीष्ट माप

= 403, 434 तथा 465 का म.स.

= 31 सेमी.

13. 3, 9, 12, 15, 6 का ल.स.

$$\begin{array}{r|lllll} 2 & 3, & 9, & 12, & 15, & 6 \\ \hline 3 & 3, & 9, & 6, & 15, & 3 \\ \hline & 1, & 3, & 2, & 5, & 1 \end{array}$$

ल.स. $= 2 \times 3 \times 3 \times 2 \times 5 = 180$.

14. $\frac{4}{3}, \frac{8}{9}, \frac{3}{5}$ भिन्न का ल.स.

ल.स. $= \frac{\text{अंश का ल.स.}}{\text{हर का म.स.}}$

$= \frac{4,8,3 \text{ का ल.स.}}{3,9,5 \text{ का म.स.}} = \frac{24}{1}$

∴ अभीष्ट ल.स. = 24.

15. 120, 150, 180 का म.स.

$$\begin{array}{l} 120\overline{)150}(\,1 \\ \quad \underline{120} \\ \quad 30\overline{)120}(\,4 \\ \qquad \underline{120} \\ \qquad \times \end{array}$$

$$\begin{array}{l} 30\overline{)180}(\,6 \\ \underline{180} \\ \times \end{array}$$

∴ अभीष्ट म.स. = 30.

16. 12, 15 तथा 18 का ल.स.

$$\begin{array}{r|lll} 2 & 12, & 15, & 18 \\ \hline 3 & 6, & 15, & 9 \\ \hline & 2, & 5, & 3 \end{array}$$

ल.स. $= 2 \times 3 \times 2 \times 5 \times 3 = 180$

180 मिनट $= \frac{180}{60} = 3$ घंटे

अभीष्ट समय = 9:00 A.M. + 3 घंटे

= 12:00 P.M.

17. इस तरह के प्रश्न में, सबसे बड़ी अभीष्ट संख्या दिए गए संख्याओं के अन्तर का म.स. होती है।

∴ (*i*) $\begin{array}{r} 91 \\ -43 \\ \hline 48 \end{array}$ (*ii*) $\begin{array}{r} 183 \\ -43 \\ \hline 140 \end{array}$ (*iii*) $\begin{array}{r} 183 \\ -91 \\ \hline 92 \end{array}$

अब तीन संख्याएँ 48, 140 तथा 92 और उनका म.स. 4 होगा।

अतः अभीष्ट बड़ी संख्या = 4.

18. माना कि संख्याएँ $5x$ तथा $6x$ हैं

$5x$ तथा $6x$ का म.स. $= x$

लेकिन म.स. = 4 (दिया गया है)

∴ $x = 4$

संख्याएँ 20 तथा 24 हैं

∴ ल.स. $= \frac{\text{संख्याओं का गुणनफल}}{\text{म.स.}}$

$= \frac{20 \times 24}{4} = 5 \times 24 = 120.$

19. 12, 15 तथा 25 का ल.स.

$$\begin{array}{r|lll} 3 & 12, & 15, & 25 \\ \hline 5 & 4, & 5, & 25 \\ \hline & 4, & 1, & 5 \end{array}$$

ल.स. $= 3 \times 5 \times 4 \times 5 = 300$

∴ अभीष्ट संख्या = 300.

20. 4, 5 तथा 6 का ल.स.

$$\begin{array}{r|lll} 2 & 4, & 5, & 6 \\ \hline & 2, & 5, & 3 \end{array}$$

ल.स. $= 2 \times 2 \times 5 \times 3$

= 60 मिनट

60 मिनट = 1 घंटा

∴ अभीष्ट समय = 8:30 a.m. + 1 घंटा

= प्रातः 9:30 बजे

★ ★ ★

4

दशमलव भिन्न
(Decimal Fraction)

ऐसी भिन्नात्मक संख्याएँ जिनके हर 10 के घात में हों, दशमलव भिन्नें कहलाती हैं।

जैसे : $\frac{1}{10}, \frac{7}{100}, \frac{11}{1000}$ इत्यादि।

$\frac{1}{10} = .1$ इसे दशमलव एक पढ़ा जाता है।

$\frac{7}{100} = .07$ इसे दशमलव शून्य सात पढ़ा जाता है।

$\frac{11}{1000} = .011$ इसे दशमलव शून्य एक एक पढ़ा जाता है।

दशमलव पर सभी मूलभूत संक्रियाएँ

दशमलव भिन्नों को जोड़ना तथा घटाना

दी गई दशमलव भिन्नों को इस प्रकार लिखा जाता है कि दशमलव बिन्दु एक-दूसरे के ऊपर नीचे रहे। अब इन संख्याओं को उसी प्रकार जोड़ा या घटाया जाता है, जिस प्रकार साधारण संख्याओं को। उत्तर में दशमलव बिन्दु ठीक ऊपर लिए गए बिन्दुओं के नीचे लगाते हैं।

उदाहरण : $521 + 52.1 + 5.21 + 0.521$ का जोड़ ज्ञात कीजिए।

हल :

$$\begin{array}{r} 521.000 \\ 52.100 \\ 5.210 \\ +0.521 \\ \hline 578.831 \\ \hline \end{array}$$

जोड़ने के बाद 578.831 हमें प्राप्त होता है।

उदाहरण : $5.064 + 3.98 + 0.7036 + 7.6 + 0.3 + 2$ का मान ज्ञात कीजिए।

हल :

$$\begin{array}{r} 5.064 \\ 3.980 \\ 0.7036 \\ 7.6 \\ 0.3 \\ +2.0 \\ \hline 19.6476 \\ \hline \end{array}$$

अतः अभीष्ट योगफल का मान 19.6476 होगा।

उदाहरण : 31.004 में से 17.2386 घटाइए।

हल :

$$\begin{array}{r} 31.0040 \\ -17.2386 \\ \hline 13.7654 \\ \hline \end{array}$$

अतः $31.004 - 17.2386 = 13.7654$

दशमलव भिन्नों का गुणा

दी गई संख्याओं को बिना दशमलव बिन्दु के गुणा कर लेते हैं। गुणनफल में दशमलव बिन्दु उतने लेते हैं, जितना कि दी गई भिन्नों के दशमलव स्थानों का योग है।

उदाहरण : $.2 \times .02 \times .002$ का गुणनफल ज्ञात कीजिए।

हल : $2 \times 2 \times 2 = 8$

दशमलव स्थानों का योग $= 1 + 2 + 3 = 6$

अतः गुणनफल में 6 अंकों पूर्व दशमलव बिन्दु लगाएं।

अतः $.2 \times .02 \times .002 = 0.000008$

उदाहरण : 6.32×0.002 का मान ज्ञात कीजिए।

हल : $632 \times 2 = 1264$

दशमलव स्थानों का योग $= 2 + 3 = 5$

अतः गुणनफल में 5 अंकों पूर्व दशमलव बिन्दु लगाएं।

$6.32 \times 0.002 = .01264$

अतः अभीष्ट गुणनफल $= .01264$

दशमलव भिन्न में एक पूर्णांक से भाग

यदि किसी दशमलव भिन्न में किसी पूर्णांक से भाग करना हो, तो दशमलव चिह्न (.) को ध्यान में रखे बिना साधारण क्रिया से भाग करें। भागफल में दाहिनी ओर से गिनकर उतने अंकों के बाद दशमलव चिह्न लगा दें, जितने अंकों के बाद दशमलव चिह्न (.) भाज्य भिन्न में हों।

जैसे : $0.049 \div 7$ में भागफल ज्ञात करना है।

```
7) 49 (7
   49
  ----
   ×
```

अतः भागफल = 7.

चूँकि भाज्य दशमलव भिन्न (0.049) में दशमलव चिह्न (.) दाहिनी ओर से तीन अंकों के बाद है। इसलिए भागफल में भी दशमलव चिह्न (.) दाहिनी ओर से तीन अंकों के बाद ही आएगा। अतः भागफल 7 से पहले आवश्यकतानुसार शून्य लगाने पर भागफल 007 होगा तथा तीन अंकों के बाद दशमलव चिह्न (.) लगाने पर अभीष्ट भागफल 0.007 होगा।

दशमलव भिन्न का दशमलव भिन्न से भाग

किसी दशमलव भिन्न में किसी दूसरी दशमलव भिन्न से भाग करना हो, तो भाजक और भाज्य दोनों में 10 की ऐसी न्यूनतम घात से गुणा करनी चाहिए जिससे भाजक एक पूर्णांक बन जाए। फिर उपरोक्त बताई गई विधि के अनुसार क्रिया करके भागफल में दशमलव चिह्न (.) सुविधा अनुसार लगा दें। जैसे : $12.45 \div 1.5$ का भागफल ज्ञात है तब चूँकि भाजक 1.5 है, इसे पूर्णांक बनाना है।

अतः भाजक और भाज्य में 10 से गुणा करें।

$$\frac{12.45\times10}{1.5\times10} = \frac{124.5}{15}$$

अब, 15)1245(83
120
45
45
×

अतः भागफल = 83

चूँकि भाज्य (124.5) में दशमलव चिह्न (.) दाहिनी ओर से एक अंक बाद है। अतः भागफल में भी दशमलव चिह्न (.) दाहिनी ओर से एक अंक बाद होगा।

∴ अभीष्ट भागफल = 8.3.

वस्तुनिष्ठ प्रश्न

1. $337.62 + 8.591 + 34.4$ का योगफल ज्ञात कीजिए:
A. 370.611 B. 380.511
C. 380.611 D. 426.97

2. $48.95 - 32.006$ का मान है :
A. 16.089 B. 16.35
C. 16.89 D. 16.944

3. $(1 + .1 + .01 + .001)$ का मान है :
A. 1.001 B. 1.011
C. 1.003 D. 1.111

4. $34.95 + 240.016 + 23.98$ का मान ज्ञात कीजिए :
A. 298.0946 B. 298.111
C. 298.946 D. 299.09

5. 4.036 को 0.04 से भाग देने पर मिलता है :
A. 1.009 B. 10.09
C. 100.9 D. 1009

6. 0.213 को 0.00213 से भाग दीजिए :
A. 1 B. 10
C. 100 D. 1000

7. $\frac{1}{0.04}$ का मान है :
A. $\frac{1}{40}$ B. $\frac{2}{5}$
C. 2.5 D. 25

8. 95.75 तथा .02554 के गुणनफल में दशमलव के दाहिनी तरफ कितने अंक होंगे?
A. 5 B. 6
C. 7 D. 3

9. यदि $\frac{144}{0.144} = \frac{14.4}{x}$, तब x का मान है :
A. 0.0144 B. 1.44
C. 14.4 D. 144

10. एक दर्जी के पास 37.5 मी. कपड़ा है और एक मीटर में उसे 8 टुकड़े बनाना है, तो पूरे कपड़े में कितने टुकड़े प्राप्त होंगे?
A. 320 B. 360
C. 400 D. इनमें से कोई नहीं

11. $\frac{3.6\times0.48\times2.50}{0.12\times0.09\times0.5}$ का मान है :
A. 80 B. 800
C. 8000 D. 80000

12. $0.002 \times 0.5 = ?$
A. 0.0001 B. 0.001
C. 0.01 D. 0.1

13. $3 \times 0.3 \times 0.03 \times 0.003 \times 30 = ?$
A. 0.0000243 B. 0.000243
C. 0.00243 D. 0.0243

14. $0.014 \times 0.014 = ?$
A. 0.000196 B. 0.00196
C. 19.6 D. 196

15. $792.02 + 101.32 - 306.76 = ?$
A. 586.58 B. 893.34
C. 997.11 D. 1200.10

16. $12.1212 + 17.0005 - 9.1102 = ?$
A. 20.0015 B. 20.1015
C. 20.0115 D. 20.0105

17. $892.7 - 573.07 - 95.007 = ?$
A. 224.623 B. 224.777
C. 233.523 D. 414.637

18. $.4 \times .04 \times .004 \times 40$ का गुणनफल ज्ञात कीजिए :
A. 25600 B. .002560
C. 2560 D. .00264

19. दिया गया है कि $268 \times 74 = 19832$, तो $2.68 \times .74$ का मान ज्ञात कीजिए :
A. 1.9832 B. 1983.2
C. 19.832 D. 198.32

20. $3.1603 \div 13$ का मान है :
A. 2.431 B. 24.31
C. .2431 D. .2341

उत्तरमाला

1	2	3	4	5	6	7	8	9	10
C	D	D	C	C	C	D	B	A	D
11	**12**	**13**	**14**	**15**	**16**	**17**	**18**	**19**	**20**
B	B	C	A	A	C	A	B	A	C

व्याख्यात्मक उत्तर

1.
$$\begin{array}{r} 337.62 \\ 8.591 \\ +\,34.4 \\ \hline 380.611 \end{array}$$

2.
$$\begin{array}{r} 48.950 \\ -\,32.006 \\ \hline 16.944 \end{array}$$

3.
$$\begin{array}{r} 1.000 \\ .1 \\ .01 \\ +\,.001 \\ \hline 1.111 \end{array}$$

4.
$$\begin{array}{r} 34.95 \\ 240.016 \\ +\,23.98 \\ \hline 298.946 \end{array}$$

5. $\dfrac{4.036}{0.04} = \dfrac{4036}{1000} \times \dfrac{100}{4} = \dfrac{1009}{10} = 100.9.$

6. $\dfrac{0.213}{0.00213} = \dfrac{213}{1000} \times \dfrac{100000}{213} = 100.$

7. $\dfrac{1}{0.04} = \dfrac{100}{4} = 25.$

8. $\because$ दशमलव स्थानों का योग = 7

$\because$ गुणनफल में अन्तिम अंक 0, $(5 \times 4 = 20)$ आ रहा है। अतः दशमलव के बाद दाहिनी तरफ 6 अंक होंगे।

9. $\dfrac{144 \times 1000}{144} = \dfrac{144}{10x}$

$\Rightarrow \quad 1000 \times 10x = 144 \Rightarrow x = \dfrac{144}{10000} = 0.0144.$

10. अभीष्ट टुकड़ों की संख्या $= 37.5 \times 8$

$= \dfrac{375 \times 8}{10} = \dfrac{3000}{10} = 300.$

11. $\dfrac{3.6 \times 0.48 \times 2.50}{0.12 \times 0.09 \times 0.5} = \dfrac{36 \times 48 \times 250}{12 \times 9 \times 5}$

$= 4 \times 4 \times 50 = 800.$

12. $0.002 \times 0.5 = \dfrac{2}{1000} \times \dfrac{5}{10} = \dfrac{1}{1000} = 0.001.$

13. $\dfrac{3 \times 3 \times 3 \times 3 \times 30}{10 \times 100 \times 1000} = \dfrac{243}{100000} = 0.00243.$

14. $0.014 \times 0.014 = \dfrac{14}{1000} \times \dfrac{14}{1000} = \dfrac{196}{1000000}$

$= 0.000196.$

15.
$$\begin{array}{r} 792.02 \\ +\,101.32 \\ \hline 893.34 \end{array} \qquad \begin{array}{r} 893.34 \\ -\,306.76 \\ \hline 586.58 \end{array}$$

16.
$$\begin{array}{r} 12.1212 \\ +\,17.0005 \\ \hline 29.1217 \end{array} \qquad \begin{array}{r} 29.1217 \\ -\,9.1102 \\ \hline 20.0115 \end{array}$$

17. $892.7 - 573.07 - 95.007$

$$\begin{array}{r} 892.700 \\ -\,668.077 \\ \hline 224.623 \end{array}$$

$= 892.7 - 668.077$

$= 224.623$

18. $.4 \times .04 \times .004 \times 40$

$= \dfrac{4 \times 4 \times 4 \times 40}{10 \times 100 \times 1000} = \dfrac{256}{100000}$

$= 0.00256 = .002560.$

19. $\because \quad 268 \times 74 = 19832$

$\therefore \quad 2.68 \times .74 = 1.9832$

20. $\dfrac{3.1603}{13} = \dfrac{31603}{13} \times \dfrac{1}{10000} = \dfrac{2431}{10000} = 0.2431.$

★ ★ ★

5

आयु संबंधी प्रश्न
(Problems on Age)

आयु संबंधी प्रश्न सामान्यतः अनुपात अथवा गुणा पर आधारित होते हैं। अतः ऐसे प्रश्नों का उत्तर देने से पूर्व सर्वप्रथम इसकी भाषा समझने का प्रयास करना चाहिए। इसमें गुणा पर आधारित प्रश्नों को भी अनुपात के आधार पर ही हल करना चाहिए।

साधित उदाहरण

1. एक व्यक्ति अपने पुत्र से 24 वर्ष बड़ा है। 2 वर्ष बाद उसकी आयु अपने पुत्र की आयु की दुगुना होगी। पुत्र की वर्तमान आयु कितनी है?

हलः माना पुत्र की वर्तमान आयु = x वर्ष

तथा, पिता की वर्तमान आयु = $(x + 24)$ वर्ष

2 वर्ष बाद पिता की आयु = $(x + 26)$ वर्ष

तथा पुत्र की आयु = $(x + 2)$ वर्ष

$\therefore (x + 26) = 2(x + 2) \Leftrightarrow x = 22$

अतः पुत्र की वर्तमान आयु = 22 वर्ष

2. 6 वर्ष पूर्व कुनाल तथा रोहित की आयु का अनुपात 6 : 5 था। चार वर्ष बाद इनकी आयु का अनुपात 11 : 10 होगा। रोहित की वर्तमान आयु कितनी है?

हलः माना 6 वर्ष पूर्व कुनाल की आयु = $6x$ वर्ष

तथा रोहित की आयु = $5x$ वर्ष

4 वर्ष बाद इनकी आयु क्रमशः $(6x + 10)$ वर्ष तथा $(5x + 10)$ वर्ष होगी।

$\therefore \dfrac{6x+10}{5x+10} = \dfrac{11}{10}$

$\Leftrightarrow 60x + 100 = 55x + 110$

$\Leftrightarrow \quad 5x = 10 \Leftrightarrow x = 2$

रोहित की वर्तमान आयु = $(5 \times 2 + 6) = 16$ वर्ष

3. 18 वर्ष पूर्व एक व्यक्ति की आयु उसके पुत्र की आयु से तिगुनी थी। अब उस व्यक्ति की आयु अपने पुत्र की आयु से दुगुनी है। पिता तथा पुत्र की वर्तमान आयु का योग क्या होगा?

हलः माना पुत्र की वर्तमान आयु = x वर्ष

तब, 18 वर्ष पूर्व पुत्र की आयु = $(x - 18)$ वर्ष

18 वर्ष पूर्व व्यक्ति की आयु = $3(x - 18)$ वर्ष

$\Leftrightarrow$ व्यक्ति की वर्तमान आयु = $(3x - 54 + 18)$ वर्ष

$= (3x - 36)$ वर्ष

$\therefore \quad (3x - 36) = 2x$

$\Leftrightarrow \quad x = 36$

पिता तथा पुत्र की वर्तमान आयु का योग

$= (3 \times 36 - 36) + 36 = 108$ वर्ष

4. नीलम तथा शान की वर्तमान आयु का अनुपात 5 : 6 है। यदि नीलम की एक-तिहाई आयु तथा शान की आधी आयु का अनुपात 5 : 9 हो, तो शान की वर्तमान आयु कितनी है?

हलः माना नीलम की वर्तमान आयु = $5x$ वर्ष

तथा शान की वर्तमान आयु = $6x$ वर्ष

$\left(\dfrac{1}{3}\times 5x\right) : \left(\dfrac{1}{2}\times 6x\right) = 5 : 9$

$\Leftrightarrow \quad 5 : 9 = 5 : 9$

अतः शान की वर्तमान आयु ज्ञात नहीं की जा सकती।

5. एक व्यक्ति तथा उसकी पत्नी की आयु का अनुपात 4 : 3 है। चार वर्ष बाद यह अनुपात 9 : 7 होगा। यदि शादी के समय इनकी आयु का अनुपात 5 : 3 हो, तो शादी कितने वर्ष पहले हुई थी?

हलः माना उस व्यक्ति की वर्तमान आयु = $4x$ वर्ष

तथा उसकी पत्नी की वर्तमान आयु = $3x$ वर्ष

$\therefore \dfrac{4x+4}{3x+4} = \dfrac{9}{7}$

$\Leftrightarrow 28x + 28 = 27x + 36 \quad \Leftrightarrow x = 8$

$\therefore$ व्यक्ति की वर्तमान आयु = 32 वर्ष

तथा पत्नी की वर्तमान आयु = 24 वर्ष

माना उनकी शादी y वर्ष पूर्व हुई

तब, $\dfrac{32-y}{24-y} = \dfrac{5}{3}$

$\Leftrightarrow \quad 3(32 - y) = 5(24 - y)$

$\Leftrightarrow \quad 2y = 24 \Leftrightarrow y = 12$

अतः उनकी शादी 12 वर्ष पहले हुई।

6. A, B से 2 वर्ष बड़ा है तथा B की आयु, C की आयु की दुगुनी है। यदि A, B, C की आयु का योग 27 वर्ष हो, तो B की आयु कितनी है?

हलः माना C की आयु = x वर्ष

तब, B की आयु = $2x$ वर्ष

तथा, A की आयु = $(2x + 2)$ वर्ष

$\therefore\ x + 2x + (2x + 2) = 27 \Leftrightarrow 5x = 25 \Leftrightarrow x = 5$

$\therefore$ अतः B की आयु (2×5) वर्ष = 10 वर्ष

7. 1 वर्ष पहले प्रीति की आयु सोनल की आयु से 4 गुना थी। 6 वर्ष बाद प्रीति की आयु सोनल की आयु से 9 वर्ष अधिक होगी। प्रीति तथा सोनल की वर्तमान आयु का अनुपात क्या होगा?

हलः माना सोनल की वर्तमान आयु = x वर्ष

1 वर्ष पहले सोनल की आयु = $(x - 1)$ वर्ष

तथा प्रीति की आयु = $4(x - 1)$ वर्ष

प्रीति की वर्तमान आयु = $(4x - 4 + 1)$ वर्ष = $(4x - 3)$ वर्ष

6 वर्ष बाद सोनल की आयु = $(x + 6)$ वर्ष

तथा प्रीति की आयु = $(4x - 3 + 6)$ वर्ष = $(4x + 3)$ वर्ष

$\therefore (4x + 3) - (x + 6) = 9$

$\Leftrightarrow 3x = 12 \quad \Leftrightarrow x = 4$

प्रीति तथा सोनल की वर्तमान आयु का अनुपात

$= (4 \times 4 - 3) : 4 = 13 : 4$

8. एक व्यक्ति की आयु अपने पुत्र की आयु से दुगुनी है। बीस वर्ष पूर्व पिता की आयु पुत्र की आयु का 12 गुना थी। उनकी वर्तमान आयु ज्ञात कीजिए।

हलः माना पुत्र की वर्तमान आयु = x वर्ष

तब, पिता की वर्तमान आयु = $2x$ वर्ष

20 वर्ष पूर्व, पुत्र की आयु = $(x - 20)$ वर्ष

तथा पिता की आयु = $(2x - 20)$ वर्ष

$\therefore 12(x - 20) = (2x - 20) \Leftrightarrow 10x = 220 \Leftrightarrow x = 22$

अतः पुत्र की वर्तमान आयु = 22 वर्ष

तथा पिता की वर्तमान आयु = 44 वर्ष

9. एक व्यक्ति तथा उसके पुत्र की वर्तमान आयु का अनुपात 7 : 2 है। दस वर्ष बाद इनकी आयु का अनुपात 9 : 4 होगा। पिता की वर्तमान आयु कितनी है?

हलः माना पिता की वर्तमान आयु = $7x$ वर्ष तथा

पुत्र की वर्तमान आयु = $2x$ वर्ष

$$\therefore \frac{7x+10}{2x+10} = \frac{9}{4} \Leftrightarrow 28x + 40 = 18x + 90$$

$\Leftrightarrow 10x = 50$

$\Leftrightarrow x = 5$

अतः पिता की वर्तमान आयु = (7×5) वर्ष = 35 वर्ष

10. 10 वर्ष पूर्व सचिन की आयु अजय की आयु से दुगुनी थी। दस वर्ष बाद सचिन की आयु 40 वर्ष होगी। अजय की वर्तमान आयु कितनी है?

हलः सचिन की वर्तमान आयु = $(40 - 10)$ वर्ष = 30 वर्ष

10 वर्ष पूर्व सचिन की आयु = $(30 - 10)$ वर्ष = 20 वर्ष

10 वर्ष पूर्व अजय की आयु = $\frac{1}{2} \times 20$ वर्ष

= 10 वर्ष

अजय की वर्तमान आयु = $(10 + 10)$ = 20 वर्ष

वस्तुनिष्ठ प्रश्न

1. जॉन की वर्तमान आयु अपने पिता की वर्तमान आयु की एक चौथाई है। 4 वर्ष बाद इनकी आयु का योग 68 वर्ष हो जाएगा। जॉन की वर्तमान आयु कितनी है?

A. 6 वर्ष B. 9 वर्ष
C. 12 वर्ष D. 11 वर्ष

2. उर्मिला की आयु उसके पुत्र की आयु से चार गुनी है। यदि चार वर्ष बाद दोनों की आयु का योग 43 वर्ष हो, तो पुत्र की आयु क्या है?

A. 7 वर्ष B. 5 वर्ष
C. 6 वर्ष D. 12 वर्ष

3. 5 वर्ष बाद पिता की आयु अपने पुत्र की आयु की तिगुनी हो जाएगी और 5 वर्ष पूर्व पिता की आयु, पुत्र की आयु की सात गुनी थी। पिता की वर्तमान आयु क्या है?

A. 35 वर्ष B. 38 वर्ष
C. 40 वर्ष D. 42 वर्ष

4. जयेश, प्रकाश और समीर की आयु का कुल योग 93 वर्ष है। 10 वर्ष पहले उनकी आयु का अनुपात 2 : 3 : 4 था। समीर की वर्तमान आयु क्या है?

A. 40 वर्ष B. 38 वर्ष
C. 37 वर्ष D. 36 वर्ष

5. जगदीश की वर्तमान आयु उसके 5 बच्चों की वर्तमान आयु के योग के बराबर है। 15 वर्ष बाद उसके 5 बच्चों की आयु का योग उसकी आयु से दुगुना हो जाएगा। जगदीश की वर्तमान आयु क्या है?

A. 41 वर्ष B. 43 वर्ष
C. 44 वर्ष D. 45 वर्ष

6. एक पिता और उसके पुत्र की आयु का योग 45 है। यदि 5 वर्ष पूर्व दोनों की आयु का गुणनफल उस समय पिता की आयु का 4 गुना था तो पुत्र की वर्तमान आयु क्या है?

A. 9 वर्ष B. 7 वर्ष
C. 8 वर्ष D. 10 वर्ष

7. सुनीता तथा बबीता की वर्तमान आयु का अनुपात 4 : 3 है। 6 वर्ष बाद सुनीता 30 वर्ष की हो जाती है। बबीता की वर्तमान आयु क्या है?

A. 15 वर्ष B. 16 वर्ष
C. 12 वर्ष D. 18 वर्ष

8. A, B तथा C की औसत आयु 30 वर्ष है। यदि उनकी आयु का अनुपात 3 : 5 : 7 है तो A की आयु क्या है?

A. 18 वर्ष B. 17 वर्ष
C. 15 वर्ष D. 20 वर्ष

9. A तथा B की आयु में 5 वर्ष का अन्तर है। B तथा C की आयु में 3 : 2 का अनुपात है। D की आयु A की आयु की दोगुनी है। यदि C तथा D की आयु का योग 50 वर्ष है तो A की आयु कितनी है?

A. 20 वर्ष B. 19 वर्ष
C. 18 वर्ष D. 22 वर्ष

10. दो व्यक्तियों की आयु में 20 वर्ष का अन्तर है। 5 वर्ष पूर्व बड़े व्यक्ति की आयु छोटे व्यक्ति की आयु की 5 गुनी थी। उनकी वर्तमान आयु क्रमशः है?

A. 30 वर्ष, 10 वर्ष B. 25 वर्ष, 5 वर्ष
C. 29 वर्ष, 9 वर्ष D. 50 वर्ष, 30 वर्ष

उत्तरमाला

1	2	3	4	5	6	7	8	9	10
C	A	C	B	D	A	D	A	A	A

व्याख्यात्मक उत्तर

1. जॉन तथा उसके पिता की वर्तमान आयु का अनुपात = 1 : 4

$\therefore$ 4 वर्ष बाद उनकी आयु का अनुपात = $(x + 4) : (4x + 4)$

प्रश्नानुसार,

$x + 4 + 4x + 4 = 68$

$\Rightarrow 5x = 68 - 8$

$\Rightarrow 5x = 60$

$\therefore x = 12$ वर्ष

2. उर्मिला तथा उसके पुत्र की वर्तमान आयु का अनुपात = 4 : 1

$\therefore$ 4 वर्ष बाद उनकी आयु का अनुपात = $(4x + 4) : (x + 4)$

प्रश्नानुसार,

$(4x + 4) + (x + 4) = 43$

$\Rightarrow 5x = 43 - 8$

$\Rightarrow 5x = 35 \Rightarrow x = 7$ वर्ष

3. 5 वर्ष बाद पिता और पुत्र की आयु का अनुपात = 3 : 1 और 5 वर्ष पूर्व इनकी आयु का अनुपात = 7 : 1

$\therefore \frac{7x+5+5}{x+5+5} = \frac{3}{1} \Rightarrow \frac{7x+10}{x+10} = \frac{3}{1}$

$\Rightarrow 7x + 10 = 3x + 30$

$\Rightarrow 4x = 20$ वर्ष

$\therefore x = 5$

$\therefore$ पिता की वर्तमान आयु = $(7x + 5) = (7 \times 5 + 5) = 40$ वर्ष

4. $(2x + 10) + (3x + 10) + (4x + 10) = 93$

$\Rightarrow 9x = 93 - 30 = 63$

$\Rightarrow x = 7$

$\Rightarrow$ समीर की वर्तमान आयु = $(4x + 10)$

$= (4 \times 7 + 10) = 38$ वर्ष

5. माना जगदीश की वर्तमान आयु = उसके 5 बच्चों की वर्तमान आयु का योग = x

प्रश्नानुसार, $2(x + 15) = x + 5 \times 15$

$\Rightarrow 2x + 30 = x + 75 \Rightarrow x = 45$ वर्ष

6. माना पिता की वर्तमान आयु = F तथा पुत्र की वर्तमान आयु = S

$\therefore (F - 5)\,(S - 5) = 4\,(F - 5)$

$\Rightarrow S - 5 = 4 \Rightarrow S = 9$ वर्ष

7. $4x + 6 = 30$

$\Rightarrow 4x = 24 \Rightarrow x = 6$

$\therefore$ बबीता की वर्तमान आयु = $3x = (3 \times 6) = 18$ वर्ष

8. A, B तथा C की आयु का योग = $3 \times 30 = 90$ वर्ष

$\therefore$ A की आयु = $\frac{3}{(3+5+7)} \times 90 = \left(\frac{3}{15} \times 90\right) = 18$ वर्ष

9. $A - B = 5 \Rightarrow B = A - 5$

$\frac{B}{C} = \frac{3}{2} \Rightarrow C = \frac{2}{3} B = \frac{2}{3}(A - 5)$ तथा $D = 2A$

$\therefore C + D = 50 \Rightarrow \frac{2}{3}(A - 5) + 2A = 50$

$\Rightarrow 2A - 10 + 6A = 150 \Rightarrow 8A = 160$

$\therefore A = 20$ वर्ष

10. माना, 5 वर्ष पूर्व छोटे व्यक्ति की आयु = x वर्ष

$\therefore$ बड़े व्यक्ति की आयु = $5x$ वर्ष

अब, $(5x + 5) - (x + 5) = 20 \Rightarrow 4x = 20 \Rightarrow x = 5$

$\therefore 5x + 5 = (5 \times 5 + 5) = 30$ वर्ष तथा

$x + 5 = 5 + 5 = 10$ वर्ष

★ ★ ★

6

घातांक तथा करणी

(Indices and Surds)

घातांक (Indices)

जब किसी संख्या के गुणनों को संख्या के ऊपर दिया जाए, तो वह उस संख्या का घातांक कहलाता है।

यदि x कोई संख्या तथा n कोई पूर्णांक $(n > 0)$ है, तो x^n का अर्थ है कि x को n बार गुणा किया है। अर्थात् $x^n = x \times x \times x \times x \times .... n$ बार

पद x^n में x को आधार तथा n को घातांक कहा जाता है।

घातांक के नियम

(i) $a^m \times a^n \times a^k = a^{m+n+k}$

जैसे : $2^3 \times 2^2 \times 2^4 = 2^{3+2+4}$ या 2^9

(ii) $\frac{a^m}{a^n}$ या $a^m \div a^n = a^{m-n}$

जैसे : $\frac{5^7}{5^3} = 5^{7-3}$ या 5^4

(iii) $(a^m)^n = a^{mn}$ जैसे : $(3^3)^2 = 3^{3\times 2}$ या 3^6

(iv) $a^1 = a$, जैसे : $5^1 = 5$

(v) $a^0 = 1$. (जिसकी घात शून्य हो तो उसका मान 1 होगा।) जैसे : $3^0 = 1$

(vi) घातांक वाली संख्या को ऊपर या नीचे बदलने पर उसकी घात के चिह्न (–, +) बदल जाते हैं।

$\frac{1}{a^{-n}} = a^n$ जैसे : $\frac{1}{5^{-2}} = 5^2$

(vii) $(ab)^n = a^n . b^n$

(viii) $\left(\frac{a}{b}\right)^n = \frac{a^n}{b^n}$

करणी (Surds)

यदि किसी संख्या का मूल (root) पूरी तरह से नहीं निकाला जा सके तो उसे करणी कहते हैं। जैसे : $\sqrt[3]{4}, \sqrt[4]{5}$, यदि $\sqrt[n]{a}$ एक करणी हो, तो n को करणीघात एवं a को करणीगत कहते हैं।

प्रत्येक करणी एक अपरिमेय संख्या होती है परन्तु प्रत्येक अपरिमेय संख्या एक करणी नहीं हो सकती।

करणी के नियम

(i) $a\sqrt{x} + b\sqrt{x} + c\sqrt{x} = \sqrt{x}(a+b+c)$

जैसे : $5\sqrt{3} + 4\sqrt{3} + 2\sqrt{3} = \sqrt{3}(5+4+2)$

या $\sqrt{3}(11)$ या $11\sqrt{3}$

(ii) $\sqrt{a} \times \sqrt{b} \times \sqrt{c} = \sqrt{a \times b \times c}$

जैसे : $\sqrt{5} \times \sqrt{3} \times \sqrt{6} = \sqrt{5 \times 3 \times 6} = \sqrt{90}$

(iii) $\sqrt[n]{a} = a^{\frac{1}{n}}$ जैसे : $\sqrt{3} = 3^{\frac{1}{2}}, \sqrt[3]{5} = 5^{\frac{1}{3}}$

(iv) $\left(\sqrt[n]{a}\right)^n = \left(a^{\frac{1}{n}}\right)^n = a$

(v) $\sqrt[n]{\frac{a}{b}} = \frac{\sqrt[n]{a}}{\sqrt[n]{b}}$ जैसे : $\sqrt[3]{\frac{49}{15}} = \frac{\sqrt[3]{49}}{\sqrt[3]{15}}$

(vi) $\sqrt[m]{\sqrt[n]{a}} = \sqrt[mn]{a}$ जैसे : $\sqrt[3]{\sqrt[2]{45}} = \sqrt[3\times 2]{45}$ या $\sqrt[6]{45}$

इस प्रकार के प्रश्नों को हल करने के लिए निम्न मानों को याद रखें :

$\sqrt{2} = 1.414$ $\quad \sqrt{3} = 1.732$ $\quad \sqrt{5} = 2.236$

$\sqrt{6} = 2.449$ $\quad \sqrt{7} = 2.645$ $\quad \sqrt{8} = 2.828$

वस्तुनिष्ठ प्रश्न

1. $\left(\frac{8}{125}\right)^{\frac{-4}{3}} = ?$

A. $\frac{625}{16}$ B. $\frac{625}{8}$

C. $\frac{625}{32}$ D. $\frac{16}{625}$

2. $(4)^{0.5} \times (0.5)^4$ का मान है–

A. 1 B. 0.1250

C. $\frac{1}{16}$ D. $\frac{1}{32}$

3. $(-3)^2 + 3^{-2} - 3^2 = ?$

A. –9 B. 3

C. 3^{-2} D. इनमें से कोई नहीं

4. यदि $\frac{(x^3)^3 \times x^5}{x^4} = x^n$ हो, तो n का मान है–

A. 10
B. 7
C. 9
D. इनमें से कोई नहीं

5. $16^{(-2)^{(-2)}}$ बराबर है।

A. 16^4
B. $\frac{1}{256}$
C. 16
D. 2

6. $\frac{\sqrt{80}-\sqrt{112}}{\sqrt{45}-\sqrt{63}} = ?$

A. $\frac{3}{4}$
B. $1\frac{3}{4}$
C. $1\frac{1}{3}$
D. $1\frac{7}{9}$

7. $\left(\sqrt{72}-\sqrt{18}\right) \div \sqrt{12}$ का मान होगा।

A. $\sqrt{6}$
B. $\frac{\sqrt{3}}{2}$
C. $\frac{\sqrt{2}}{3}$
D. $\frac{\sqrt{6}}{2}$

8. यदि $27^{2x-1} = (243)^3$ हो, तो x का मान होगा :

A. 6
B. 9
C. 7
D. 3

9. $\sqrt{2^n} = 64$ हो, तो n का मान है :

A. 2
B. 4
C. 6
D. 12

10. वह संख्या जिसे $\left(\sqrt{3}+\sqrt{2}\right)$ के साथ गुणा करने पर $\left(\sqrt{12}+\sqrt{18}\right)$ प्राप्त होता है, है :

A. $3\sqrt{2}-2\sqrt{3}$
B. $3\sqrt{2}+2\sqrt{3}$
C. $\sqrt{6}$
D. $2\sqrt{3}-3\sqrt{2}$

11. यदि $a = \frac{\sqrt{3}}{2}$ हो, तो $\sqrt{1+a}+\sqrt{1-a}$ का मान होगा :

A. $\sqrt{3}$
B. $\frac{\sqrt{3}}{2}$
C. $2+\sqrt{3}$
D. $2-\sqrt{3}$

12. यदि $\frac{4^n \times 4^8 - 4^{(n+1)}}{4 \times 4^{n+7}} = x$ हो, तो $x \times 4^7$ का मान होगा :

A. (4^7-1)
B. (4^6-1)
C. (4^5-1)
D. $(4^{10}-1)$

13. यदि $\sqrt[3]{3} \times 3^3 \div 3^{\frac{-3}{2}} = 3^{a+1}$ हो, तो a का मान कितना होगा?

A. $\frac{23}{6}$
B. $\frac{27}{6}$
C. $\frac{29}{6}$
D. इनमें से कोई नहीं

14. यदि $2^{x+6} = 8^{x+1}$ हो, तो x का मान है :

A. $\frac{3}{2}$
B. $\frac{5}{2}$
C. $\frac{7}{2}$
D. $\frac{9}{2}$

15. यदि $2^{2x-y} = 16$ और $2^{x+y} = 32$, तो xy का मान है :

A. 2
B. 4
C. 6
D. 8

उत्तरमाला

1	2	3	4	5	6	7	8	9	10
A	B	C	A	D	C	D	D	D	C
11	**12**	**13**	**14**	**15**					
A	A	A	A	C					

व्याख्यात्मक उत्तर

1. $\left(\frac{8}{125}\right)^{\frac{-4}{3}} = \left[\left(\frac{2}{5}\right)^3\right]^{\frac{-4}{3}} = \left(\frac{2}{5}\right)^{-4} = \left(\frac{5}{2}\right)^4 = \frac{625}{16}.$

2. $(4)^{0.5} \times (0.5)^4 = (4)^{1/2} \times (0.5)^4$

$= \left(2^2\right)^{1/2} \times .0625$

$= 2 \times .0625 = .1250.$

3. $(-3)^2 + 3^{-2} - 3^2 = 9 + 3^{-2} - 9 = 3^{-2}.$

4. $\frac{(x^3)^3 \times x^5}{x^4} = x^{9+5-4} = x^{10}$

अतः $n = 10.$

5. $16^{(-2)^{(-2)}} = 16^{\left(-\frac{1}{2}\right)^2} = 16^{\frac{1}{4}}$

$= \left(2^4\right)^{\frac{1}{4}} = 2.$

6. $\dfrac{\sqrt{80}-\sqrt{112}}{\sqrt{45}-\sqrt{63}} = \dfrac{\sqrt{16\times5}-\sqrt{16\times7}}{\sqrt{9\times5}-\sqrt{9\times7}} = \dfrac{4\sqrt{5}-4\sqrt{7}}{3\sqrt{5}-3\sqrt{7}}$

$$= \frac{4\left(\sqrt{5}-\sqrt{7}\right)}{3\left(\sqrt{5}-\sqrt{7}\right)} = \frac{4}{3} = 1\frac{1}{3}.$$

7. $\left(\sqrt{72}-\sqrt{18}\right)\div\sqrt{12} = \left(\sqrt{36\times2}-\sqrt{9\times2}\right)\div\sqrt{4\times3}$

$$= \left(6\sqrt{2}-3\sqrt{2}\right)\div2\sqrt{3} = \frac{3\sqrt{2}}{2\sqrt{3}} = \frac{\sqrt{3}.\sqrt{2}}{2} = \frac{\sqrt{6}}{2}.$$

8. $27^{2x-1} = (243)^3$

$(3^3)^{2x-1} = (3^5)^3$

$3^{6x-3} = 3^{15}$

$6x - 3 = 15$

$6x = 18$

$x = 3.$

9. $\sqrt{2^n} = 64 \Rightarrow 2^{\frac{n}{2}} = 2^6$

$\dfrac{n}{2} = \dfrac{6}{1}$

$\Rightarrow \quad n = 12.$

10. अभीष्ट संख्या $= \dfrac{\sqrt{12}+\sqrt{18}}{\sqrt{3}+\sqrt{2}} = \dfrac{\sqrt{2\times2\times3}+\sqrt{3\times3\times2}}{\sqrt{3}+\sqrt{2}}$

$$= \frac{2\sqrt{3}+3\sqrt{2}}{\sqrt{3}+\sqrt{2}}\times\frac{\sqrt{3}-\sqrt{2}}{\sqrt{3}-\sqrt{2}}$$

$$= 6+3\sqrt{6}-2\sqrt{6}-6 = \sqrt{6}.$$

11. दिया है, $a = \dfrac{\sqrt{3}}{2}$

$\therefore \sqrt{1+a}+\sqrt{1-a}$

$$= \sqrt{1+\frac{\sqrt{3}}{2}}+\sqrt{1-\frac{\sqrt{3}}{2}} = \sqrt{\frac{2+\sqrt{3}}{2}}+\sqrt{\frac{2-\sqrt{3}}{2}}$$

$$= \sqrt{\frac{4+2\sqrt{3}}{4}}+\sqrt{\frac{4-2\sqrt{3}}{4}}$$

$$= \sqrt{\frac{\left(\sqrt{3}\right)^2+1^2+2\sqrt{3}}{4}}+\sqrt{\frac{\left(\sqrt{3}\right)^2+1^2-2\sqrt{3}}{4}}$$

$$= \sqrt{\frac{\left(\sqrt{3}+1\right)^2}{4}}+\sqrt{\frac{\left(\sqrt{3}-1\right)^2}{4}}$$

$$= \sqrt{\left(\frac{\sqrt{3}+1}{2}\right)^2}+\sqrt{\left(\frac{\sqrt{3}-1}{2}\right)^2}$$

$$= \frac{\sqrt{3}+1}{2}+\frac{\sqrt{3}-1}{2} = \frac{\sqrt{3}+1+\sqrt{3}-1}{2} = \frac{2\sqrt{3}}{2} = \sqrt{3}.$$

12. $\dfrac{4^n\times4^8-4^{(n+1)}}{4\times4^{n+7}} = x$

$\Rightarrow \quad \dfrac{4^n\times4^8-4^n\times4}{4\times4^n\times4^7} = x \Rightarrow \dfrac{4^n(4^8-4)}{4\times4^n\times4^7} = x$

$\Rightarrow \quad \dfrac{4^8-4}{4\times4^7} = x \Rightarrow \dfrac{4(4^7-1)}{4\times4^7} = x$

$\Rightarrow \quad \dfrac{4^7-1}{4^7} = x$

$\therefore \quad x\times4^7 = \dfrac{4^7-1}{4^7}\times4^7 = (4^7-1).$

13. $\sqrt[3]{3}\times3^3\div3^{\frac{-3}{2}} = 3^{a+1}$

$3^{\frac{1}{3}}\times3^3\times3^{\frac{3}{2}} = 3^{a+1}$

$3^{\frac{29}{6}} = 3^{a+1}$

$a+1 = \dfrac{29}{6} \Rightarrow a = \dfrac{23}{6}.$

14. दिया है, $2^{x+6} = 8^{x+1}$

$\Rightarrow \quad 2^{x+6} = 2^{3x+3}$

$\Rightarrow \quad x + 6 = 3x + 3$

$\Rightarrow \quad 3x - x = 6 - 3$

$\Rightarrow \quad 2x = 3$

$\Rightarrow \quad x = \dfrac{3}{2}.$

15. दिया है, $2^{2x-y} = 16 \Rightarrow 2^{2x-y} = 2^4$

$\Rightarrow \quad 2x - y = 4 \quad ...(i)$

और $\quad 2^{x+y} = 32$

$\Rightarrow \quad 2^{x+y} = 2^5$

$\Rightarrow \quad x + y = 5 \quad ...(ii)$

(*i*) और (*ii*) को जोड़ने से,

$3x = 9 \Rightarrow x = 3$

x का मान (*ii*) में रखने पर, $y = 2$

अतः $xy = 3 \times 2 = 6.$

★ ★ ★

7

सीधा अनुपात, विलोमानुपात और मिश्र समानुपात

(Direct, Indirect and Chain Rule)

सीधा अनुपात (Direct Proportion)

यदि दो राशियाँ इस प्रकार हों कि एक राशि के घटने (या बढ़ने) पर दूसरी राशि भी उसी अनुपात में घटे (या बढ़े), तो ये राशियाँ सीधे अनुपात में कहलाती हैं।

विलोमानुपात (Indirect Proportion)

यदि दो राशियाँ इस प्रकार हों कि एक राशि को घटाने से दूसरी राशि बढ़े या एक को बढ़ाने से दूसरी घटे, तो ये राशियाँ विलोमानुपात में कहलाती हैं। यूँ तो Chain Rule से संबंधित सभी प्रश्नों को Repeated use of Rule Three से हल किया जा सकता है, लेकिन इस नियम के अनुप्रयोग में समय अपेक्षाकृत अधिक लगता है। अतः ऐसे प्रश्नों को सूत्रों से हल करना अधिक सुविधाजनक होता है।

मिश्र समानुपात (Chain Rule)

जब तीन समानुपात दिए गये हों तो चौथा समानुपात ज्ञात करना साधारण समानुपात (Simple Proportion) या "Rule of Three" कहलाता है। "Rule of three" का बार-बार प्रयोग (Repeated Use) मिश्र समानुपात (Chain Rule) कहलाता है। दूसरे शब्दों में, यदि चार राशियाँ समानुपाती हों तथा इनमें से तीन राशियाँ ज्ञात हों, तो चौथी राशि को x मानकर समानुपात के गुण का प्रयोग करके इसका मान ज्ञात करते हैं।

$$(a : b) : : (c : x) \Rightarrow ax = bc \Rightarrow x = \frac{bc}{a}$$

वस्तुनिष्ठ प्रश्न

1. यदि 4.5 मीटर लम्बी लोहे की एक समांग छड़ का भार 17.1 किग्रा. हो, तो इसी प्रकार की 12 मीटर लम्बी छड़ का भार क्या होगा?
A. 48 किग्रा. B. 52 किग्रा.
C. 45.6 किग्रा. D. 47 किग्रा.

2. एक मानचित्र में यदि 0.8 सेमी., 8.8 किमी. वास्तविक दूरी को प्रदर्शित करे, तो 80.5 सेमी. कितनी वास्तविक दूरी को व्यक्त करेगा?
A. 820 किमी. B. 885.5 किमी.
C. 845 किमी. D. इनमें से कोई नहीं

3. किसी समय झन्डे में लगी 17.5 मीटर ऊँची छड़ की परछाई 40.25 मीटर है, उसी समय 28.75 मीटर लम्बी परछाई कितनी ऊँची इमारत की होगी?
A. 15.5 मीटर B. 12.5 मीटर
C. 16.5 मीटर D. 14.5 मीटर

4. यदि 5 व्यक्ति एक खाई 1 घण्टे में खोद सकें, तो 12 व्यक्ति ऐसी ही खाई खोदने में कितना समय लेंगे?
A. 15 मिनट B. 25 मिनट
C. 18 मिनट D. 35 मिनट

5. कुछ व्यक्ति एक कार्य को 40 दिन में समाप्त कर सकते है। यदि 8 व्यक्ति और होते तो यह कार्य 10 दिन कम में समाप्त हो जाता। आरम्भ में कितने व्यक्ति थे?
A. 20 B. 22
C. 24 D. 23

6. एक किले में 40 व्यक्तियों के लिए 12 दिन का राशन है। यही राशन 30 व्यक्तियों के लिए कितने दिन के लिए पर्याप्त होगा?
A. 8 दिन B. 12 दिन
C. 16 दिन D. 18 दिन

7. एक किले में 500 सैनिकों के लिए 24 दिन का भोजन था। 300 सैनिक और आ जाने पर यह भोजन कितने दिन चलेगा?
A. 15 दिन B. 14 दिन
C. 16 दिन D. 17 दिन

8. यदि 10 व्यक्ति 60 घरों में रंग रोगन 120 दिन में करें, तो 5 व्यक्ति 30 घरों का रंग रोगन कितने दिन में करेंगे?
A. 85 दिन B. 80 दिन
C. 90 दिन D. 120 दिन

9. यदि 6 मजदूरों का 15 दिन का वेतन ₹ 700 हो, तो 9 मजदूरों का 12 दिन का वेतन कितना होगा?

A. ₹ 790
B. ₹ 840
C. ₹ 830
D. ₹ 850

10. यदि 39 मजदूर 5 घण्टे प्रतिदिन कार्य करके एक सड़क की मरम्मत 12 दिन में कर सकें, तो 30 मजदूर 6 घण्टे प्रतिदिन कार्य करके इस सड़क की मरम्मत कितने दिनों में पूरी कर सकेंगे?

A. 12 दिन B. 13 दिन
C. 16 दिन D. 11 दिन

उत्तरमाला

1	2	3	4	5	6	7	8	9	10
C	B	B	B	C	C	A	D	B	B

व्याख्यात्मक उत्तर

1. माना अभीष्ट भार = x किग्रा.
अधिक लम्बाई, अधिक भार (सीधा अनुपात)
$4.5 : 12 :: 17.1 : x \Leftrightarrow 4.5 \times x = 12 \times 17.1$
$\Leftrightarrow \quad x = \frac{(12 \times 17 \cdot 1)}{4 \cdot 5} = 45.6$ किग्रा.

2. माना अभीष्ट भार = x किग्रा.
मानचित्र में अधिक दूरी, वास्तव में अधिक दूरी (सीधा अनुपात)
$0.8 : 80.5 :: 8.8 : x$
$\Leftrightarrow \quad 0.8 \times x = 80.5 \times 8.8$
$\Leftrightarrow \quad x = \frac{(80 \cdot 5 \times 8 \cdot 8)}{0 \cdot 8} = 885.5$ किग्रा.

3. माना इमारत की अभीष्ट ऊँचाई = x मीटर
कम परछाई, कम ऊँचाई (सीधा अनुपात)
$40.25 : 28.75 :: 17.5 : x$
$\Leftrightarrow 40.25 \times x = 28.75 \times 17.5$
$\Leftrightarrow \quad x = \frac{28 \cdot 75 \times 17 \cdot 5}{40 \cdot 25} = 12 \cdot 5$ मीटर

4. माना अभीष्ट समय = x मिनट
अधिक व्यक्ति, कम समय (विलोमानुपात)
$12 : 5 :: 60 : x \Leftrightarrow 12 \times x = (5 \times 60)$
$\Leftrightarrow \quad x = \frac{(5 \times 60)}{12} = 25$ मिनट

5. माना आरम्भ में x व्यक्ति थे। तब, $40 : 30 :: (x + 8) : x$
$\Leftrightarrow \frac{40}{30} = \frac{x+8}{x} \Leftrightarrow 4x = 3x + 24 \Leftrightarrow x = 24$ व्यक्ति

6. माना अभीष्ट दिनों की संख्या = x
कम व्यक्ति, अधिक दिन का राशन (विलोमानुपात)
$30 : 40 :: 12 : x \Leftrightarrow (30 \times x) = (40 \times 12)$
$\Leftrightarrow \quad x = \frac{(40 \times 12)}{30} = 16$ दिन

7. माना अभीष्ट दिनों की संख्या = x
अधिक व्यक्ति, कम दिन का भोजन (विलोमानुपात)
$800 : 500 :: 24 : x$
$\Leftrightarrow (800 \times x) = (500 \times 24)$
$\Leftrightarrow \quad x = \frac{(500 \times 24)}{800} = 15$ दिन

8. माना अभीष्ट दिनों की संख्या = x
कम व्यक्ति, अधिक दिन (विलोमानुपात)
कम घर, कम दिन (सीधा अनुपात)

$$\left.\begin{array}{lc} \text{व्यक्ति} & 5 : 10 \\ \text{घर} & 60 : 30 \end{array}\right\} :: 120 : x$$

$\therefore (5 \times 60 \times x) = (10 \times 30 \times 120)$
$\Leftrightarrow \quad x = \frac{(10 \times 30 \times 120)}{(5 \times 60)} = 120$ दिन

9. माना अभीष्ट वेतन = x रु.
अधिक मजदूर, अधिक दिन (समानुपात)
कम दिन, कम वेतन (समानुपात)

$$\left.\begin{array}{lc} \text{मजदूर} & 6 : 9 \\ \text{दिन} & 15 : 12 \end{array}\right\} :: 700 : x$$

$\therefore (6 \times 15 \times x) = (9 \times 12 \times 700)$
$\Leftrightarrow \quad x = \frac{(9 \times 12 \times 700)}{(6 \times 15)} = ₹\ 840$

10. माना अभीष्ट दिनों की संख्या = x.
कम मजदूर, अधिक दिन (विलोमानुपात)
अधिक घण्टे प्रतिदिन, कम दिन (विलोमानुपात)

$$\left.\begin{array}{lc} \text{मजदूर} & 30 : 39 \\ \text{घण्टे प्रतिदिन} & 6 : 5 \end{array}\right\} :: 12 : x$$

$\therefore (30 \times 6 \times x) = (39 \times 5 \times 12)$
$\Leftrightarrow \quad x = \frac{(39 \times 5 \times 12)}{(30 \times 6)} = 13$ दिन

★ ★ ★

8

प्रतिशतता
(Percentage)

❖ **प्रतिशतता:** प्रतिशत वह भिन्न है जिसका हर (Denominator) 100 हो। अंश (Numerator) को दर प्रतिशत कहा जाता है। इसे प्रायः % चिह्न द्वारा व्यक्त किया जाता है।

x प्रतिशत का अर्थ है, किसी वस्तु के 100 बराबर भागों में से x भाग। इसे $x\%$ से व्यक्त करते हैं। स्पष्ट है कि, $x\% = \frac{x}{100}$.

उदाहरण: $25\% = \frac{25}{100} = \frac{1}{4}$.

❖ **प्रतिशत को भिन्न में बदलना:** किसी प्रतिशत को भिन्न में बदलने के लिए उसे 100 से भाग दिया जाता है।

जैसे: $15\% = \frac{15}{100} = \frac{3}{20}$.

❖ **भिन्न को प्रतिशत में बदलना:** भिन्न को प्रतिशत में बदलने के लिए उसे 100 से गुणा किया जाता है।

जैसे: $\frac{3}{5} = \frac{3}{5} \times 100 = 60\%$.

❖ **दशमलव को प्रतिशत में बदलना:** दशमलव को प्रतिशत में बदलने के लिए उसे 100 से गुणा किया जाता है।

जैसे: $0.3 = 0.3 \times 100 = \frac{3}{10} \times 100 = 30\%$.

स्मरणीय तथ्य

$5\% = \frac{1}{20}$	$10\% = \frac{1}{10}$	$80\% = \frac{4}{5}$
$30\% = \frac{3}{10}$	$75\% = \frac{3}{4}$	$60\% = \frac{3}{5}$
$8\frac{1}{3}\% = \frac{1}{12}$	$40\% = \frac{2}{5}$	$90\% = \frac{9}{10}$
$12\frac{1}{2}\% = \frac{1}{8}$	$33\frac{1}{3}\% = \frac{1}{3}$	$150\% = \frac{3}{2}$

वस्तुनिष्ठ प्रश्न

1. 800 का 40% क्या होगा?
A. 420 B. 320
C. 440 D. 220

2. 1200 का कितने प्रतिशत 900 है?
A. 65% B. 70%
C. 75% D. 85%

3. किस संख्या का 65%, 260 है?
A. 300 B. 400
C. 500 D. 200

4. 1 प्रतिशत का आधा क्या होगा?
A. 0.5 B. 0.05
C. 0.005 D. 0.0005

5. 12.5 प्रतिशत को साधारण भिन्न में बदलो–
A. $\frac{2}{5}$ B. $\frac{1}{8}$
C. $\frac{4}{3}$ D. $\frac{5}{2}$

6. दो वस्तुओं का वजन 3 : 5 में है, तो बताओ प्रथम वस्तु का वजन, दूसरी वस्तु के वजन का कितने प्रतिशत है?
A. 45% B. 60%
C. 55% D. 65%

7. राम का वेतन ₹ 800 से बढ़कर ₹ 1000 हो गया, तो बताओ उसके वेतन में कितने प्रतिशत की वृद्धि हुई?
A. 24% B. 25%
C. 35% D. 28%

8. किसी शहर की जनसंख्या 4000 से बढ़कर 5000 हो जाती है, तो बताओ इस जनसंख्या में कितने % की कमी करें ताकि पुनः वही जनसंख्या हो जाए?
A. 25% B. 20%
C. 30% D. 40%

9. किसी संख्या में से 15 घटाने पर उस संख्या में 20% की कमी हो जाती है, तो उस संख्या का 60% क्या है?
A. 75 B. 35
C. 45 D. 55

10. 5 घंटा, एक दिन का कितना % है?

A. 22%
B. $20\frac{5}{6}\%$
C. 26%
D. 40%

11. यदि x का 30% का 15% = 18, तो x का मान है:

A. 375
B. 425
C. 300
D. 400

12. यदि x का $x\% = 36$, हो, तो x का मान है:

A. 45
B. 60
C. 75
D. 80

13. किसी संख्या के 60% में से 60 घटाने पर 60 प्राप्त होता है। वह संख्या है:

A. 175
B. 160
C. 125
D. 200

14. 4.8 को प्रतिशतता में व्यक्त करने पर प्राप्त होगा:

A. 0.48%
B. 4.8%
C. 48%
D. 480%

15. $\frac{2}{3}, \frac{1}{3}$ का कितने प्रतिशत है?

A. $33\frac{1}{3}\%$
B. 50%
C. 150%
D. 200%

16. किस संख्या का 75%, 15 है?

A. 28
B. 20
C. 32
D. 30

17. किसी संख्या का 35%, 175 है। तब, 175 का कितने प्रतिशत वह संख्या होगी?

A. 35%
B. 65%
C. 280%
D. इनमें से कोई नहीं

18. एक संख्या में 25% कमी करने पर यह 225 हो जाती है। इसमें कितने प्रतिशत वृद्धि की जाये कि वह 375 हो जाये?

A. 25%
B. 45%
C. 35%
D. 15%

19. यदि x, y से 10% कम है तथा y, 125 से 10% अधिक है, तो x का मान है:

A. 123.75
B. 140.55
C. 143
D. 150

20. यदि x, y से 10% अधिक हो, तो y, x से कितने प्रतिशत कम है?

A. $9\frac{2}{11}\%$
B. $9\frac{1}{11}\%$
C. $2\frac{9}{11}\%$
D. $4\frac{11}{12}\%$

उत्तरमाला

1	2	3	4	5	6	7	8	9	10
B	C	B	C	B	B	B	B	C	B
11	**12**	**13**	**14**	**15**	**16**	**17**	**18**	**19**	**20**
D	B	D	D	D	B	D	A	A	B

व्याख्यात्मक उत्तर

1. $800 \times \frac{40}{100} = 320$

2. $1200 \times x\% = 900$

$\Rightarrow \frac{1200 \times x}{100} = 900$

$\Rightarrow x = \frac{900}{1200} \times 100 = 75\%$

अर्थात् जिसके साथ "का" लगा होता है उसे नीचे लिखते हैं।

3. $x \times 65\% = 260$

$\frac{x \times 65}{100} = 260$

$\Rightarrow x = 400$

4. 1% का $\frac{1}{2} = \frac{1}{100} \times \frac{1}{2} = \frac{1}{200} = .005.$

5. $12.5\% = \frac{12.5}{100} = \frac{125}{1000} = \frac{1}{8}.$

6. प्रथम वस्तु का वजन, दूसरी वस्तु के वजन का $\frac{3}{5} \times 100 = 60\%.$

7. वेतन में वृद्धि = 1000 − 800 = ₹ 200

% वृद्धि = $\frac{200}{800} \times 100 = 25\%.$

8. जनसंख्या में कमी = 5000 − 4000 = ₹ 1000

% कमी = $\frac{1000}{5000} \times 100 = 20\%.$

9. माना वह संख्या $= x$

$$x - 15 = \frac{80x}{100}$$

$$5x - 75 = 4x$$

$$x = 75$$

तो $75 \times \frac{60}{100} = 45$

दूसरी विधि $20\% = 15$

तो $60\% = \frac{15}{20} \times 60 = 45.$

10. $\frac{5}{24} \times 100 = 20\frac{5}{6}\%.$

11. $\left(x \times \frac{30}{100} \times \frac{15}{100}\right) = 18$

$\Rightarrow$ $9x = 3600$

$\Rightarrow$ $x = 400.$

12. $\left(x \times \frac{x}{100}\right) = 36$

$\Rightarrow$ $x^2 = 3600$

$\Rightarrow$ $x = \sqrt{3600} = 60.$

13. माना संख्या $= x$ तब, (x का 60%) $- 60 = 60$

$\Rightarrow$ $\left(x \times \frac{60}{100}\right) = 120$

$\Rightarrow$ $\frac{3x}{5} = 120$

$\Rightarrow$ $x = \frac{(120 \times 5)}{3} = 200.$

14. $4.8 = \left(\frac{48}{10} \times 100\right)\% = 480\%.$

15. अभीष्ट $\% = \left\{\frac{(2/3)}{(1/3)} \times 100\right\}\% = 200\%.$

16. माना x का 75% = 15, तब, $x \times \frac{75}{100} = 15$

$\Rightarrow$ $x = \frac{(15 \times 100)}{75} = 20.$

17. माना x का 35% = 175

तब, $x \times \frac{35}{100} = 175$

$\Rightarrow$ $x = \left(175 \times \frac{100}{35}\right) = 500$

माना 175 का $y\% = 500$ तब, $175 \times \frac{y}{100} = 500$

$\Rightarrow$ $y = \left(\frac{500 \times 100}{175}\right) = 285\frac{5}{7}\%.$

18. माना संख्या $= x$

तब, x का 75% = 225

$\Rightarrow$ $x \times \frac{75}{100} = 225$

$\Rightarrow$ $x = \left(\frac{225 \times 100}{75}\right) = 300$

अब मूल संख्या = 300

वृद्धि के बाद संख्या = 375

इच्छित % वृद्धि $= \left(\frac{75}{300} \times 100\right)\% = 25\%.$

19. $x = y$ का $90\% = \left(y \times \frac{90}{100}\right) = \frac{9y}{10}$

$y = 125$ का $110\% = \left(125 \times \frac{110}{100}\right) = 137.5$

$\therefore$ $x = \left(\frac{9}{10} \times 137.5\right) = (9 \times 13.75) = 123.75.$

20. $x = y$ का $110\% = \left(y \times \frac{110}{100}\right) = \frac{11y}{10}$

$\Rightarrow$ $y = \frac{10x}{11}$

अभीष्ट $\% = \left\{\frac{(x - y)}{x} \times 100\right\}\%$

$$= \left\{\frac{\left(x - \frac{10x}{11}\right)}{x} \times 100\right\}\%$$

$$= \frac{100}{11}\% = 9\frac{1}{11}\%.$$

★★★

9

लाभ, हानि और बट्टा
(Profit, Loss and Discount)

❖ **क्रय मूल्य (Cost Price):** जिस मूल्य पर कोई वस्तु खरीदी जाती है वह मूल्य उस वस्तु का क्रय मूल्य कहलाता है।

जैसे: राम ने एक पंखा ₹ 500 में खरीदा तथा ₹ 600 में बेच दिया। यहाँ क्रय मूल्य ₹ 500 है।

❖ **विक्रय मूल्य (Selling Price):** जिस मूल्य पर कोई वस्तु बेची जाती है, उसे उस वस्तु का विक्रय मूल्य कहते हैं।

जैसे: राम ने एक पुस्तक ₹ 50 में खरीदी तथा ₹ 80 में बेच दी। यहाँ विक्रय मूल्य ₹ 80 है।

❖ **लाभ (Profit):** यदि किसी वस्तु का विक्रय-मूल्य उसके क्रय-मूल्य से अधिक हो, तो वहाँ लाभ होता है।

❖ **हानि (Loss):** यदि किसी वस्तु का क्रय-मूल्य उसके विक्रय-मूल्य से अधिक हो, तो वहाँ हानि होती है।

❖ **उपरिव्यय (Overhead Expenditure):** यह वह व्यय है जो किसी व्यापारी को किसी वस्तु के क्रय मूल्य के अतिरिक्त वहन करना जरूरी हो जाता है।

जैसे: श्याम ने 8 टी.वी. ₹ 25000 में खरीदे तथा ₹ 1200 भाड़े और ₹ 600 ढुलाई पर खर्च किया।

अतः उपरिव्यय = 1200 + 600 = ₹ 1800

इसे लागत या क्रय-मूल्य में जोड़ दिया जाता है।

❖ **अंकित मूल्य (Marked Price):** यह वह मूल्य है जो किसी वस्तु पर या उसके पैकेट पर अंकित रहता है।

जैसे: किसी साबुन के पैकेट पर लिखा है "Price ₹ 10 (inclusive of all taxes)" अर्थात् अंकित मूल्य ₹ 10 है। इसे सूची मूल्य भी कहा जाता है।

❖ **बट्टा (Discount):** किसी वस्तु के अंकित मूल्य पर जो छूट दी जाती है उसे बट्टा कहते हैं। **जैसे:** एक साड़ी की कीमत ₹ 200 है तथा यह 20% छूट पर बेची जाती है। अतः बट्टा = 20%.

❖ **क्रमिक बट्टा (Successive Discount):** जब किसी वस्तु के अंकित मूल्य पर r_1 % की छूट देने के बाद शेष धनराशि पर r_2 % की छूट दी जाए, फिर r_2 % की छूट देने के बाद शेष धनराशि पर r_3 % की छूट दी जाए, तो r_1 %, r_2 % तथा r_3 % को क्रमिक बट्टा कहा जाता है।

महत्वपूर्ण सूत्र

1. क्रय मूल्य (CP) = विक्रय मूल्य (SP) – लाभ (Profit)
2. क्रय मूल्य (CP) = विक्रय मूल्य (SP) + हानि (Loss)
3. लाभ (Profit) = विक्रय मूल्य (SP) – क्रय मूल्य (CP)
4. हानि (Loss) = क्रय मूल्य (CP) – विक्रय मूल्य (SP)
5. प्रतिशत लाभ = $\frac{\text{लाभ}}{\text{क्रय मूल्य}} \times 100$
6. प्रतिशत हानि = $\frac{\text{हानि}}{\text{क्रय मूल्य}} \times 100$

वस्तुनिष्ठ प्रश्न

1. यदि 16 वस्तुओं का विक्रय-मूल्य 20 वस्तुओं के क्रय-मूल्य के बराबर हो, तो विक्रेता को:

A. 10% हानि होगी B. 15% लाभ होगा
C. 25% हानि होगी D. 25% लाभ होगा

2. यदि 8 वस्तुओं का क्रय-मूल्य 9 वस्तुओं के विक्रय-मूल्य के बराबर हो, तो विक्रेता को कितना प्रतिशत लाभ अथवा हानि होगी?

A. $11\frac{1}{9}$% लाभ B. $11\frac{1}{9}$% हानि
C. $12\frac{1}{2}$% लाभ D. $12\frac{1}{2}$% हानि

3. एक फल-विक्रेता ने 100 संतरे ₹ 350 में खरीद कर ₹ 48 प्रति दर्जन के भाव से बेच दिये। उसे कितने प्रतिशत लाभ अथवा हानि हुई?

A. $14\frac{2}{7}$% लाभ
B. 12% लाभ
C. $14\frac{2}{7}$% हानि
D. 12% हानि

4. A ने कोई वस्तु ₹ 400 की खरीदकर B को 20% लाभ पर बेच दी। B ने इसे C को 10% लाभ पर बेच दिया। C ने इसे कितने में खरीदा?

A. ₹ 482 B. ₹ 582
C. ₹ 528 D. ₹ 428

5. प्रीति ने एक पुस्तक 10% हानि पर बेची। यदि वह इसे ₹ 85 अधिक में बेचती, तो उसे 7% लाभ होता। पुस्तक का क्रय-मूल्य क्या है?

A. ₹ 500 B. ₹ 600
C. ₹ 625 D. ₹ 725

6. एक व्यापारी अपनी वस्तुओं को क्रय-मूल्य पर बेचने का दिखावा करता है। परन्तु वह 1 किग्रा. के स्थान पर 900 ग्राम का बाट प्रयोग करता है। उसका लाभ प्रतिशत कितना है?

A. $16\frac{2}{3}\%$ B. $33\frac{1}{3}\%$
C. $8\frac{1}{3}\%$ D. $11\frac{1}{9}\%$

7. एक बेईमान दुकानदार अपनी वस्तुओं को क्रय-मूल्य पर बेचता है, परन्तु कम तोल कर 25% लाभ कमाता है। 1 किग्रा. के लिए वह कितना भार प्रयोग करता है?

A. 775 ग्राम B. 900 ग्राम
C. 800 ग्राम D. 850 ग्राम

8. एक दुकानदार दो घड़ियों में से प्रत्येक को ₹ 616 में बेचता है। इस प्रकार वह एक घड़ी पर 12% लाभ कमाता है तथा दूसरी पर 12% हानि। कुल पर उसे कितना लाभ अथवा हानि होती है?

A. न लाभ न हानि B. $1\frac{11}{25}\%$ लाभ
C. $1\frac{11}{25}\%$ हानि D. $3\frac{2}{25}\%$ हानि

9. एक व्यक्ति को कोई वस्तु एक निश्चित मूल्य पर बेचने से 20% लाभ होता है। यदि वह इसे इससे दुगुने मूल्य पर बेचे, तो उसे कितने प्रतिशत लाभ होगा?

A. 125% B. 130%
C. 135% D. 140%

10. एक फल विक्रेता को ₹ 9 प्रति किग्रा. की दर से आम बेचने पर 20% हानि होती है। इस पर 5% लाभ कमाने के लिए उसे कितने ₹ प्रति किग्रा. की दर से बेचना होगा?

A. ₹ 11.81 B. ₹ 12
C. ₹ 12.25 D. ₹ 12.31

11. यदि किसी वस्तु के क्रय-मूल्य तथा विक्रय-मूल्य में 4 : 5 का अनुपात हो, तो लाभ प्रतिशत कितना होगा?

A. 15% B. 18%
C. 25% D. 35%

12. एक फल विक्रेता ने ₹ 34 के 8 की दर से सेब खरीदे तथा उन्हें ₹ 57 के 12 की दर से बेच दिया। ₹ 45 का लाभ कमाने हेतु उसे कितने सेब बेचने होंगे?

A. 90 B. 80
C. 120 D. 110

13. 17 गेंदें ₹ 720 में बेचने पर, 5 गेंदों के क्रय-मूल्य के बराबर हानि होती है। एक गेंद का क्रय-मूल्य क्या होगा?

A. ₹ 40 B. ₹ 55
C. ₹ 45 D. ₹ 60

14. 36 संतरे बेचने पर एक फल वाले को 4 संतरों के विक्रय-मूल्य के बराबर हानि होती है। हानि प्रतिशत कितनी है?

A. 10% B. $12\frac{1}{2}\%$
C. $11\frac{1}{9}\%$ D. इनमें से कोई नहीं

15. यदि 110 आम बेचने पर 120 आमों का क्रय-मूल्य प्राप्त होता है, तो लाभ प्रतिशत कितना है?

A. $9\frac{1}{9}\%$ B. $9\frac{1}{11}\%$
C. $10\frac{10}{11}\%$ D. $11\frac{1}{9}\%$

उत्तरमाला

1	2	3	4	5	6	7	8	9	10
D	B	A	C	A	D	C	C	D	A
11	**12**	**13**	**14**	**15**					
C	A	D	A	B					

व्याख्यात्मक उत्तर

1. माना प्रत्येक वस्तु का क्रय-मूल्य = ₹ 1

तब, 16 वस्तुओं का क्रय-मूल्य = ₹ 16

16 वस्तुओं का क्रय-मूल्य = 20 वस्तुओं का क्रय-मूल्य = ₹ 20

₹ 16 पर लाभ = ₹ 4 ⇒ लाभ % = $\left(\frac{4}{16}\times 100\right)\%$ = 25%

2. माना प्रत्येक वस्तु का क्रय-मूल्य = ₹ 1

तब, 9 वस्तुओं का क्रय-मूल्य = ₹ 9

9 वस्तुओं का विक्रय-मूल्य = 8 वस्तुओं का क्रय-मूल्य = ₹ 8

₹ 9 पर हानि = ₹ 1 ⇒ हानि % = $\left(\frac{1}{9}\times 100\right)\% = 11\frac{1}{9}\%$.

3. 100 संतरों का क्रय-मूल्य = ₹ 350

100 संतरों का विक्रय-मूल्य = ₹ $\left(\frac{48}{12}\times100\right)$ = ₹ 400

अतः लाभ = ₹ (400 – 350) = ₹ 50

$\Rightarrow$ लाभ % = $\left(\frac{50}{350}\times100\right)\% = 14\frac{2}{7}\%$.

4. A का विक्रय-मूल्य = ₹ 400 का 120% = ₹ $\left(400\times\frac{120}{100}\right)$
= ₹ 480

B का विक्रय-मूल्य = ₹ 480 का 110% = ₹ $\left(480\times\frac{110}{100}\right)$
= ₹ 528

अतः C ने इसे ₹ 528 में खरीदा।

5. माना क्रय मूल्य = ₹ x तब, (7% लाभ पर विक्रय-मूल्य) – (10% हानि पर विक्रय-मूल्य) = 85

$\Rightarrow \left(x\times\frac{107}{100}\right)-\left(x\times\frac{90}{100}\right) = 85$

$\Rightarrow 107x - 90x = 8500$

$\Rightarrow 17x = 8500 \Rightarrow x = 500$

अतः पुस्तक का क्रय-मूल्य = ₹ 500.

6. माना 1 किग्रा. का क्रय-मूल्य = ₹ 1000

तब, 900 ग्राम का क्रय-मूल्य = 900

900 ग्राम का विक्रय-मूल्य = 1000

₹ 900 पर लाभ = ₹ 100

$\Rightarrow$ लाभ % = $\left(\frac{100}{900}\times100\right)\% = 11\frac{1}{9}\%$.

7. माना कि दुकानदार 1000 ग्राम के स्थान पर (1000 – x) ग्राम बाट का प्रयोग करता है तथा 1 ग्राम का क्रय-मूल्य = ₹ 1

तब क्रय-मूल्य = ₹ (1000 – x) तथा विक्रय-मूल्य = ₹ 1000

लाभ = ₹ [1000 – (1000 –x)] = ₹ x

$\therefore$ लाभ % = $\frac{x}{(1000-x)}\times100 \Rightarrow \frac{100x}{(1000-x)} = 25$

$\Rightarrow 100x = 25000 - 25x \Rightarrow 125x = 25000 \Rightarrow x = 200$

अतः 1000 ग्राम के स्थान पर वह (1000 – 200) = 800 ग्राम बाट का प्रयोग करता है।

8. इसमें सदैव हानि होती है।

हानि % = $\left(\frac{\text{उभयनिष्ठ लाभ व हानि \%}}{10}\right)^2$ %

$= \left(\frac{12}{10}\right)^2 = \left(\frac{12}{10}\times\frac{12}{10}\right)\% = \frac{36}{25}\% = 1\frac{11}{25}\%$.

9. माना क्रय-मूल्य = ₹ x

तब, विक्रय-मूल्य = ₹ x का 120% = ₹ $\left(x\times\frac{120}{100}\right)$ = ₹ $\frac{6x}{5}$

नया विक्रय-मूल्य = ₹ $\left(2\times\frac{6x}{5}\right)$ = ₹ $\frac{12x}{5}$

तब, लाभ = ₹ $\left(\frac{12x}{5}-x\right)$ = ₹ $\frac{7x}{5}$

$\therefore$ लाभ % = $\left(\frac{7x}{5}\times\frac{1}{x}\times100\right)\%$ = 140%.

10. माना फल विक्रेता ने 1 किग्रा. आम बेचे।

विक्रय-मूल्य = ₹ 9, हानि = 20%

$\Rightarrow$ क्रय-मूल्य = ₹ $\left(\frac{100}{80}\times9\right)$ = ₹ $\frac{45}{4}$

अब, क्रय-मूल्य = ₹ $\frac{45}{4}$, लाभ = 5%

विक्रय-मूल्य = ₹ $\left(\frac{105}{100}\times\frac{45}{4}\right)$ = ₹ 11.81

अतः आम बेचने की दर = ₹ 11.81 प्रति किग्रा.।

11. माना क्रय-मूल्य = ₹ $4x$, तब, विक्रय-मूल्य = ₹ $5x$

$\therefore$ लाभ % = $\left(\frac{x}{4x}\times100\right)\%$ = 25%.

12. 1 सेब का क्रय-मूल्य = ₹ $\left(\frac{34}{8}\right)$ = ₹ 4.25

1 सेब का विक्रय-मूल्य = ₹ $\left(\frac{57}{12}\right)$ = ₹ 4.75

प्रत्येक सेब पर लाभ = ₹ (4.75 – 4.25) = ₹ .50

अभीष्ट सेबों की संख्या = $\left(\frac{45}{0.50}\right) = \left(45\times\frac{100}{50}\right) = 90$.

13. (17 गेंदों का क्रय-मूल्य) – (17 गेंदों का विक्रय-मूल्य)
= (5 गेंदों का क्रय-मूल्य)

$\Rightarrow$ (12 गेंदों का क्रय-मूल्य) = (17 गेंदों का विक्रय-मूल्य) = ₹ 720

$\Rightarrow$ 1 गेंद का क्रय-मूल्य = ₹ $\left(\frac{720}{12}\right)$ = ₹ 60.

14. (36 संतरों का क्रय-मूल्य) – (36 संतरों का विक्रय-मूल्य)
= (4 संतरों का विक्रय-मूल्य)

$\Rightarrow$ 36 संतरों का क्रय-मूल्य = 40 संतरों का विक्रय-मूल्य

माना 1 संतरे का क्रय-मूल्य = ₹ 1

40 संतरों का विक्रय-मूल्य = 36 संतरों का क्रय-मूल्य = ₹ 36

$\therefore$ हानि % = $\left(\frac{4}{40}\times100\right)\%$ = 10%.

15. 110 आमों का विक्रय-मूल्य = 120 आमों का क्रय-मूल्य

माना 1 आम का क्रय-मूल्य = ₹ 1

110 आमों का क्रय-मूल्य = ₹ 110

110 आमों का विक्रय-मूल्य = 120 आमों का क्रय-मूल्य = ₹ 120

$\therefore$ लाभ % = $\left(\frac{10}{110}\times100\right)\% = 9\frac{1}{11}\%$.

★ ★ ★

10

साधारण ब्याज
(Simple Interest)

जब कोई व्यक्ति किसी अन्य व्यक्ति से अथवा बैंक से रुपया उधार लेता है, तो उसे अन्य व्यक्ति या बैंक का धन प्रयोग करने के लिए जो किराया देना पड़ता है उसे ब्याज कहते हैं। अर्थात् उधार ली गई धनराशि के साथ जो अतिरिक्त धन राशि वापस की जाती है उसे ब्याज कहते हैं। जब ब्याज केवल उधार ली गई राशि पर, जिसे मूलधन कहते हैं, लगता है तब उसे साधारण ब्याज कहते हैं। मूलधन और ब्याज के योग को मिश्रधन कहते हैं।

महत्वपूर्ण सूत्र

(*i*) $\text{साधारण ब्याज (S.I.)} = \dfrac{\text{मूलधन} \times \text{दर} \times \text{समय}}{100}$

(*ii*) $\text{मूलधन (P)} = \dfrac{\text{साधारण ब्याज} \times 100}{\text{दर} \times \text{समय}}$

(*iii*) $\text{दर (R)} = \dfrac{\text{साधारण ब्याज} \times 100}{\text{मूलधन} \times \text{समय}}$

(*iv*) $\text{समय (T)} = \dfrac{\text{साधारण ब्याज} \times 100}{\text{मूलधन} \times \text{दर}}$

(*v*) साधारण ब्याज (S.I.) = मिश्रधन – मूलधन

(*vi*) मिश्रधन (A) = मूलधन + साधारण ब्याज

(*vii*) मूलधन (P) = मिश्रधन – साधारण ब्याज

वस्तुनिष्ठ प्रश्न

1. किस धनराशि पर 4% वार्षिक ब्याज की दर से 5 वर्ष का साधारण ब्याज ₹ 64 होगा?

A. ₹ 220 B. ₹ 280
C. ₹ 320 D. ₹ 300

2. ₹ 600 की राशि पर $2\frac{1}{2}$ वर्ष का साधारण ब्याज ₹ 30 हो, तो ब्याज की वार्षिक दर होगी:

A. 1% B. 2%
C. 4% D. 8%

3. कितने वर्ष में ₹ 3600 पर 6% वार्षिक ब्याज की दर से साधारण ब्याज ₹ 432 होगा?

A. 1 वर्ष B. 2 वर्ष
C. $1\frac{1}{2}$ वर्ष D. $2\frac{1}{4}$ वर्ष

4. ₹ 5000 की राशि पर 10% वार्षिक ब्याज की दर से 5 वर्ष का साधारण ब्याज कितना होगा?

A. ₹ 2200 B. ₹ 2500
C. ₹ 2300 D. ₹ 2600

5. कितने वर्षों में कोई राशि 10% वार्षिक ब्याज की दर से अपने से दोगुनी हो जाएगी?

A. 10 वर्ष B. 8 वर्ष
C. 5 वर्ष D. 12 वर्ष

6. कोई धनराशि 20 वर्षों में दो गुनी हो जाती है, तो वह धनराशि कितने समय में तीन गुनी हो जाएगी?

A. 30 वर्षों में B. 50 वर्षों में
C. 40 वर्षों में D. 45 वर्षों में

7. कोई धनराशि किसी निश्चित दर से 3 वर्ष में बढ़कर ₹ 1150 तथा 5 वर्ष में बढ़कर ₹ 1250 हो जाती है, तो उस राशि पर प्रतिशत दर क्या होगी?

A. 5% B. 8%
C. 7% D. 6%

8. किसी राशि का 6% की दर से $4\frac{1}{2}$ वर्ष का साधारण ब्याज ₹ 81 हो जाता है, तो वह राशि कितनी होगी?

A. ₹ 325 B. ₹ 225
C. ₹ 300 D. ₹ 340

9. यदि किसी राशि का 3 वर्ष का साधारण ब्याज की दर से मिश्रधन ₹ 2100 तथा 5 वर्ष का मिश्रधन ₹ 2250 हो, तो उस राशि पर ब्याज की वार्षिक दर कितनी होगी?

A. 4% B. 3%
C. 2% D. 5%

10. यदि किसी धनराशि का 2 वर्ष में मिश्रधन ₹ 1760 तथा 5 वर्ष में मिश्रधन ₹ 2000 हो, तो वह धनराशि कितनी होगी?

A. ₹ 1650 B. ₹ 1500
C. ₹ 1580 D. ₹ 1600

11. यदि किसी राशि पर 6% प्रति वर्ष की दर से 3 वर्ष का साधारण ब्याज ₹ 90 है, तो वह राशि कितनी होगी?

A. ₹ 500 B. ₹ 450
C. ₹ 525 D. ₹ 560

12. यदि ₹ 500 का 4 वर्ष के लिए साधारण ब्याज ₹ 40 हो, तो ब्याज की प्रतिशत दर क्या है?

A. $3\frac{1}{2}\%$ B. 2%
C. $2\frac{1}{2}\%$ D. 3%

13. कितने समय में ₹ 2000 की राशि 4% वार्षिक दर से ₹ 2240 हो जाएगी?

A. 3 वर्षों में B. 2 वर्षों में
C. 5 वर्षों में D. 4 वर्षों में

14. ₹ 892 की राशि पर 6% की दर से 8 मास का साधारण ब्याज क्या होगा जबकि ब्याज की दर वार्षिक हो?

A. ₹ 36.68 B. ₹ 35.68
C. ₹ 48.58 D. ₹ 33.38

15. ₹ 1850 का 3% वार्षिक ब्याज की दर से 5 वर्ष का मिश्रधन कितना होगा?

A. ₹ 2227.75
B. ₹ 2127.50
C. ₹ 2137.50
D. ₹ 2086.50

16. एक व्यक्ति ₹ 500, 4 वर्ष के लिए तथा ₹ 600, 3 वर्ष के लिए साधारण ब्याज पर उधार देता है। यदि उसे ₹ 190 साधारण ब्याज के रूप में मिले हों, तो दोनों राशियों पर वार्षिक प्रतिशत दर क्या होगी?

A. 8% B. 5%
C. 10% D. 4%

17. ₹ 1550 की राशि में से कुछ धन 5% तथा शेष धन 8% की साधारण ब्याज पर उधार दिया गया। यदि 3 वर्ष बाद साधारण ब्याज ₹ 300 हो, तो 8% पर दिया गया धन कितना होगा?

A. ₹ 760 B. ₹ 775
C. ₹ 750 D. ₹ 780

18. किसी राशि पर साधारण ब्याज ₹ 144 है। यदि ब्याज की दर का प्रतिशत वर्ष की संख्या के बराबर हो, तो प्रतिशत ब्याज दर क्या होगी?

A. 10% B. 12%
C. 15% D. 8%

19. यदि कोई राशि साधारण ब्याज की दर से उधार देने पर 3 वर्ष में बढ़कर ₹ 368 तथा पुनः 2 वर्ष में बढ़कर ₹ 400 हो जाती है, तो वह राशि कितनी होगी?

A. ₹ 300 B. ₹ 320
C. ₹ 290 D. ₹ 325

20. गिरीश ने राजेश को 5% वार्षिक दर से कुछ धन उधार दिया। राजेश ने ओमदत्त को $8\frac{1}{2}\%$ वार्षिक दर से वही धन उधार दे दिया। इस प्रकार राजेश को वर्ष के अन्त में ₹ 350 का फायदा हुआ, तो बताइए गिरीश ने राजेश को कितना धन उधार दिया?

A. ₹ 10000 B. ₹ 8000
C. ₹ 9500 D. ₹ 10500

उत्तरमाला

1	2	3	4	5	6	7	8	9	10
C	B	B	B	A	C	A	C	A	D
11	**12**	**13**	**14**	**15**	**16**	**17**	**18**	**19**	**20**
A	B	A	B	B	B	C	B	B	A

व्याख्यात्मक उत्तर

1. $$\text{मूलधन} = \frac{\text{ब्याज} \times 100}{\text{दर} \times \text{समय}} = \frac{64 \times 100}{5 \times 4} = ₹\ 320$$

2. $$\text{दर} = \frac{\text{ब्याज} \times 100}{\text{मूलधन} \times \text{समय}} = \frac{30 \times 100 \times 2}{600 \times 5} = 2\%$$

3. $$\text{समय} = \frac{\text{ब्याज} \times 100}{\text{मूलधन} \times \text{दर}} = \frac{432 \times 100}{3600 \times 6} = 2 \text{ वर्ष}$$

4. $$\text{साधारण ब्याज} = \frac{\text{मूलधन} \times \text{समय} \times \text{दर}}{100} = \frac{5000 \times 5 \times 10}{100} = ₹\ 2500$$

5. माना कि मूलधन = P, मिश्रधन = 2P

ब्याज = 2P – P = P

$$समय = \frac{ब्याज \times 100}{मूलधन \times दर} = \frac{P \times 100}{P \times 10} = 10 \text{ वर्ष}$$

6. मूलधन = ₹ P, मिश्रधन = ₹ 2P, समय = 20 वर्ष

अतः ब्याज = मिश्रधन – मूलधन = 2P – P = P

$$दर = \frac{ब्याज \times 100}{मूलधन \times समय}$$

$$= \frac{P \times 100}{P \times 20} = 5\%$$

पुनः मूलधन = P, मिश्रधन = 3P, दर = 5%

ब्याज = मिश्रधन – मूलधन

= 3P – P = 2P

$$समय = \frac{ब्याज \times 100}{मूलधन \times दर} = \frac{2P \times 100}{P \times 5} = 40 \text{ वर्ष}$$

अतः वह धनराशि 40 वर्षों बाद तीन गुनी हो जाएगी।

7. ∵ 3 वर्ष का मिश्रधन = ₹ 1150

तथा 5 वर्ष का मिश्रधन = ₹ 1250

∴ 2 वर्ष का साधारण ब्याज

= 5 वर्ष का मिश्रधन – 3 वर्ष का मिश्रधन

= 1250 – 1150 = ₹ 100

$$1 \text{ वर्ष का साधारण ब्याज} = \frac{100}{2} = ₹ 50$$

3 वर्ष का साधारण ब्याज = 50 × 3 = ₹ 150

∴ मूलधन = 3 वर्ष का मिश्रधन – 3 वर्ष का साधारण ब्याज

= 1150 – 150 = ₹ 1000

$$\text{अतः} \quad दर = \frac{ब्याज \times 100}{मूलधन \times समय}$$

$$= \frac{50 \times 100}{1000 \times 1} = 5\%$$

8.
$$मूलधन = \frac{ब्याज \times 100}{समय \times दर}$$

$$= \frac{81 \times 100 \times 2}{9 \times 6} = ₹ 300$$

अतः वह राशि ₹ 300 होगी।

9. ∵ 3 वर्ष का मिश्रधन = ₹ 2100 तथा

5 वर्ष का मिश्रधन = ₹ 2250

∴ 2 वर्ष का साधारण ब्याज

= 5 वर्ष का मिश्रधन – 3 वर्ष का मिश्रधन

= 2250 – 2100 = ₹ 150

$$1 \text{ वर्ष का साधारण ब्याज} = \frac{150}{2} = ₹ 75$$

3 वर्ष का साधारण ब्याज = 75 × 3 = ₹ 225

मूलधन = 3 वर्ष का मिश्रधन – 3 वर्ष का ब्याज

= 2100 – 225

= ₹ 1875

$$दर = \frac{ब्याज \times 100}{मूलधन \times समय}$$

$$= \frac{225 \times 100}{1875 \times 3} = 4\%$$

10. 2 वर्ष का मिश्रधन = ₹ 1760

5 वर्ष का मिश्रधन = ₹ 2000

3 वर्ष का साधारण ब्याज

= 5 वर्ष का मिश्रधन – 2 वर्ष का मिश्रधन

= 2000 – 1760 = ₹ 240

$$1 \text{ वर्ष का साधारण ब्याज} = \frac{240}{3} = ₹ 80$$

2 वर्ष का साधारण ब्याज = 80 × 2 = ₹ 160

मूलधन = 2 वर्ष का मिश्रधन – 2 वर्ष का ब्याज

= 1760 – 160 = ₹ 1600

11. ∵ साधारण ब्याज = ₹ 90

दर = 6%

समय = 3 वर्ष

$$\therefore \quad मूलधन \text{ या } राशि = \frac{साधारण \text{ ब्याज} \times 100}{दर \times समय}$$

$$= \frac{90 \times 100}{6 \times 3} = ₹ 500.$$

12. $दर = \frac{40 \times 100}{500 \times 4} = 2\%.$

13. ∵
$$मिश्रधन = मूलधन\left(1 + \frac{दर \times समय}{100}\right)$$

$$\text{या} \quad समय = \frac{(मिश्रधन - मूलधन) \times 100}{मूलधन \times दर}$$

$$= \frac{(2240 - 2000) \times 100}{2000 \times 4}$$

$$= \frac{240 \times 100}{2000 \times 4} = 3 \text{ वर्ष}$$

14. ∵ मूलधन = ₹ 892

दर = 6% तथा

$$समय = 8 \text{ मास} = \frac{8}{12} = \frac{2}{3} \text{ वर्ष}$$

$$\therefore \quad साधारण \text{ ब्याज} = \frac{892 \times 6 \times \frac{2}{3}}{100} = ₹ 35.68$$

15. $\because$ मूलधन = ₹ 1850

दर = 3%

समय = 5 वर्ष

$\therefore$ साधारण ब्याज $= \frac{1850 \times 3 \times 5}{100} =$ ₹ 277.50

$\therefore$ मिश्रधन = मूलधन + साधारण ब्याज

= 1850 + 277.50 = ₹ 2127.50

16. माना कि ब्याज की वार्षिक प्रतिशत दर $x\%$ है

$\therefore$ **पहली स्थिति में,**

साधारण ब्याज $= \frac{500 \times 4 \times x}{100} =$ ₹ $20x$

दूसरी स्थिति में,

साधारण ब्याज $= \frac{600 \times 3 \times x}{100} =$ ₹ $18x$

प्रश्नानुसार,

दोनों स्थितियों में साधारण ब्याज का योग = ₹ 190

$\therefore \quad 20x + 18x = 190$

$\Rightarrow \quad 38x = 190$

$\Rightarrow \quad x = \frac{190}{38} \Rightarrow x = 5$

$\therefore$ दोनों राशियों पर ब्याज की वार्षिक प्रतिशत दर 5% होगी।

17. माना कि ₹ 1550 में से 5% की दर पर ₹ x तथा 8% की दर पर ₹ $(1550 - x)$ उधार दिए।

$\therefore$ **5% दर के लिए,**

मूलधन = ₹ x

दर = 5%

समय = 3 वर्ष

$\therefore$ साधारण ब्याज $= \frac{x \times 5 \times 3}{100} =$ ₹ $\frac{15x}{100}$

$\therefore$ **8% दर के लिए,**

मूलधन = ₹ $(1550 - x)$

दर = 8%

समय = 3 वर्ष

$\therefore$ साधारण ब्याज $= \frac{(1550 - x) \times 8 \times 3}{100} =$ ₹ $\frac{24(1550 - x)}{100}$

प्रश्नानुसार, दोनों राशियों पर साधारण ब्याज = ₹ 300 है।

$\therefore \quad \frac{15x}{100} + \frac{24(1550 - x)}{100} = 300$

$\Rightarrow \quad 15x + 24(1550 - x) = 30000$

$\Rightarrow \quad 9x = 24 \times 1550 - 30000$

$= 37200 - 30000 = 7200$

$\Rightarrow \quad x = \frac{7200}{9} = 800$

$\therefore$ 8% दर पर उधार दिया गया धन

= ₹ (1550 – 800) = ₹ 750 होगा।

18. माना कि राशि = ₹ 100 तथा दर $= x\%$ $\therefore$ समय = x वर्ष

$\therefore$ साधारण ब्याज $= \frac{\text{मूलधन} \times \text{दर} \times \text{समय}}{100}$

$\therefore \quad 144 = \frac{100 \times x \times x}{100}$

$\Rightarrow \quad x^2 = 144 \Rightarrow x = 12$

अतः ब्याज की प्रतिशत दर 12% होगी।

19. $\because$ 3 वर्ष का मिश्रधन = ₹ 368

तथा (3 + 2) = 5 वर्ष का मिश्रधन = ₹ 400

$\therefore$ 2 वर्ष का साधारण ब्याज = 400 – 368 = ₹ 32

$\therefore$ 1 वर्ष का साधारण ब्याज $= \frac{32}{2} =$ ₹ 16

$\therefore$ 3 वर्ष का साधारण ब्याज = 16 × 3 = ₹ 48

$\therefore$ राशि (मूलधन)

= 3 वर्ष का मिश्रधन – 3 वर्ष का साधारण ब्याज

= 368 – 48 = ₹ 320

अतः वह राशि ₹ 320 होगी।

20. माना कि गिरीश ने राजेश को ₹ x उधार दिए।

$\therefore$ राजेश के लिए,

साधारण ब्याज $= \frac{x \times 5 \times 1}{100} =$ ₹ $\frac{5x}{100}$

चूँकि राजेश, ओमदत्त को ₹ x उधार देगा।

$\therefore$ ओमदत्त के लिए,

साधारण ब्याज $= \frac{x \times 8\frac{1}{2} \times 1}{100} =$ ₹ $\frac{17x}{200}$

प्रश्नानुसार, राजेश को ₹ 350 का फायदा होने का अर्थ होगा कि राजेश का साधारण ब्याज, ओमदत्त के साधारण ब्याज से ₹ 350 कम है।

$\therefore \quad \frac{5x}{100} + 350 = \frac{17x}{200}$

$\Rightarrow \quad \frac{17x}{200} - \frac{5x}{100} =$ ₹ 350

$\Rightarrow \quad 17x - 10x = 200 \times 350 \Rightarrow 7x =$ ₹ 70000

$\Rightarrow \quad x = \frac{70000}{7} = 10000$

अतः गिरीश ने राजेश को ₹ 10000 उधार दिए।

★ ★ ★

11

चक्रवृद्धि ब्याज (Compound Interest)

❖ **चक्रवृद्धि ब्याजः** कभी-कभी उधार दिये गये धन को चुकता करने के लिए एक निश्चित अवधि तय कर ली जाती है जो कि प्रायः वार्षिक, छमाही अथवा तिमाही होती है। इस अवधि के बाद मूलधन तथा ब्याज को जोड़ने पर बना मिश्रधन अगली अवधि के लिए मूलधन बन जाता है। प्रत्येक अवधि के लिए यही क्रिया दोहराई जाती है। अन्त में बना मिश्रधन चक्रवृद्धि-मिश्रधन कहलाता है। चक्रवृद्धि ब्याज = (चक्रवृद्धि मिश्रधन) – (मूलधन)।

महत्वपूर्ण सूत्र

माना मूलधन = ₹ P, दर = R% वार्षिक तथा समय = n वर्ष। तब,

1. यदि ब्याज वार्षिक देय हो, तो मिश्रधन = $P\left(1+\frac{R}{100}\right)^n$.

2. यदि ब्याज छमाही देय हो, तो दर = $\frac{R}{2}$% प्रति छमाही तथा समय = 2n छमाही, चक्रवृद्धि मिश्रधन = $P\left(1+\frac{R}{2\times100}\right)^{2n}$.

3. यदि ब्याज तिमाही देय हो, तो दर = $\frac{R}{4}$% प्रति तिमाही तथा समय = 4n तिमाही, चक्रवृद्धि मिश्रधन = $P\left(1+\frac{R}{4\times100}\right)^{4n}$.

4. यदि ब्याज वार्षिक हो तथा ब्याज की दर पहले वर्ष R_1%, दूसरे वर्ष R_2% तथा तीसरे वर्ष R_3% हो, तो 3 वर्ष बाद चक्रवृद्धि मिश्रधन
$$= P\left(1+\frac{R_1}{100}\right)\times\left(1+\frac{R_2}{100}\right)\times\left(1+\frac{R_3}{100}\right).$$

5. यदि समय एक परिमेय संख्या हो, जैसे $3\frac{2}{5}$ वर्ष।
तब, $3\frac{2}{5}$ वर्ष बाद चक्रवृद्धि मिश्रधन
$$= P\left(1+\frac{R}{100}\right)^3 \times \left(1+\frac{2}{5}\cdot\frac{R}{100}\right).$$

6. n वर्ष बाद देय किसी धन x का वर्तमान मूल्य = $\frac{x}{\left(1+\frac{R}{100}\right)^n}$.

वस्तुनिष्ठ प्रश्न

1. ₹ 25000 पर 12% वार्षिक दर से 3 वर्ष का चक्रवृद्धि ब्याज क्या होगा?
A. ₹ 9000.30 B. ₹ 10123.20
C. ₹ 10483.20 D. ₹ 9720

2. आनन्द ने निशा से ₹ 15000, 12% वार्षिक दर से चक्रवृद्धि ब्याज पर उधार लिये। इस ऋण को चुकता करने के लिए आनन्द को 2 वर्ष बाद कितना धन देना होगा?
A. ₹ 18600 B. ₹ 18618
C. ₹ 18816 D. ₹ 18869

3. ₹ 11200 का 10% वार्षिक दर से $1\frac{1}{2}$ वर्ष का चक्रवृद्धि ब्याज क्या होगा, जबकि ब्याज वार्षिक देय हो?
A. ₹ 1740 B. ₹ 1750
C. ₹ 1736 D. ₹ 1725

4. एक पेड़ की ऊँचाई में प्रतिवर्ष 1/8 गुना वृद्धि हो जाती है। यदि पेड़ की वर्तमान ऊँचाई 64 सेमी. हो, तो 2 वर्ष बाद इसकी ऊँचाई कितनी होगी?
A. 70 सेमी. B. 72 सेमी.
C. 81 सेमी. D. 90 सेमी.

5. ₹ 1000 पर 10% वार्षिक दर से 4 वर्ष का चक्रवृद्धि ब्याज तथा साधारण ब्याज का अन्तर क्या होगा?
A. ₹ 50.10 B. ₹ 65.20
C. ₹ 60.20 D. ₹ 64.10

6. समीर ने ₹ 15000 एक वर्ष के लिए 10% वार्षिक दर पर उधार दिये। यदि ब्याज प्रति छमाही संयोजित हो, तो वर्ष के अन्त में उसे कितना धन मिलेगा?
A. ₹ 16500 B. ₹ 16525.50
C. ₹ 16537.50 D. ₹ 18150

7. ₹ 15625 पर 9 माह का 16% वार्षिक दर से तिमाही देय चक्रवृद्धि ब्याज कितना होगा?
A. ₹ 1931 B. ₹ 1951
C. ₹ 1960 D. ₹ 1941

8. ₹ 1200 का 1 वर्ष में 10% वार्षिक दर से चक्रवृद्धि ब्याज तथा साधारण ब्याज का अन्तर कितना होगा, जबकि चक्रवृद्धि ब्याज छमाही देय हो?

A. ₹ 5 B. ₹ 3
C. ₹ 2 D. ₹ 6

9. कितने समय में ₹ 30000 का 7% वार्षिक दर से चक्रवृद्धि ब्याज ₹ 4347 हो जायेगा?

A. 2 वर्ष B. 3 वर्ष
C. 5 वर्ष D. 4 वर्ष

10. कितने वर्ष में ₹ 1600 का चक्रवृद्धि मिश्रधन 10% वार्षिक दर से ₹ 1852.20 हो जायेगा, जबकि ब्याज प्रति छमाही संयोजित होता रहे?

A. 3 वर्ष B. $1\frac{1}{2}$ वर्ष
C. $2\frac{1}{2}$ वर्ष D. 2 वर्ष

11. ₹ 5000 पर 4% वार्षिक दर से $1\frac{1}{2}$ वर्ष के चक्रवृद्धि ब्याजों में क्या अन्तर होगा जबकि ब्याज क्रमशः वार्षिक तथा छमाही देय हो?

A. ₹ 2.04 B. ₹ 3.06
C. ₹ 4.80 D. ₹ 8.30

12. चक्रवृद्धि ब्याज से किसी धन का मिश्रधन 2 वर्ष में ₹ 9680 तथा 3 वर्ष में ₹ 10648 हो जाता है। ब्याज की वार्षिक दर क्या है?

A. 8% B. 7%
C. 10% D. 11%

13. किसी धन पर 5% वार्षिक दर से 3 वर्ष का चक्रवृद्धि ब्याज ₹ 252.20 है। इतने ही धन पर इसी दर से इतने ही समय का साधारण ब्याज क्या होगा?

A. ₹ 235 B. ₹ 240
C. ₹ 230 D. ₹ 245

14. किसी धन पर 5% वार्षिक दर से 2 वर्ष का चक्रवृद्धि ब्याज ₹ 328 है। इतने ही धन पर इसी दर से इतने ही समय का साधारण ब्याज क्या होगा?

A. ₹ 318 B. ₹ 316
C. ₹ 320 D. ₹ 222

15. किसी धन पर 4% वार्षिक दर से 2 वर्ष का चक्रवृद्धि ब्याज तथा साधारण ब्याज का अन्तर ₹ 80 है। यह धन कितना है?

A. ₹ 40,000 B. ₹ 45,000
C. ₹ 55,000 D. ₹ 50,000

उत्तरमाला

1	2	3	4	5	6	7	8	9	10
B	C	C	C	D	C	B	B	A	B
11	**12**	**13**	**14**	**15**					
A	C	B	C	D					

व्याख्यात्मक उत्तर

1. चक्रवृद्धि ब्याज $= \left\{25000 \times \left(1+\frac{12}{100}\right)^3 - 25000\right\}$

$= \left\{\left(25000 \times \frac{28}{25} \times \frac{28}{25} \times \frac{28}{25}\right) - 25000\right\}$

$= \left(\frac{175616}{5} - 25000\right) = \frac{50616}{5} =$ ₹ 10123.20.

2. अभीष्ट धन

$= \left\{15000 \times \left(1+\frac{12}{100}\right)^2\right\} = \left(15000 \times \frac{28}{25} \times \frac{28}{25}\right)$

= ₹ 18816.

3. चक्रवृद्धि ब्याज

$= \left[\left\{11200 \times \left(1+\frac{10}{100}\right) \times \left(1+\frac{\frac{1}{2} \times 10}{100}\right)\right\} - 11200\right]$

$= \left\{\left(11200 \times \frac{11}{10} \times \frac{21}{20}\right) - 11200\right\}$

= (12936 – 11200) = ₹ 1736.

4. पेड़ की वर्तमान ऊँचाई = 64 सेमी., वार्षिक वृद्धि %

$= \left(\frac{1}{8} \times 100\right)\% = \frac{25}{2}\%$ तथा समय = 2 वर्ष

अभीष्ट ऊँचाई $= \left\{64 \times \left(1+\frac{25}{2 \times 100}\right)^2\right\}$ सेमी.

$= \left(64 \times \frac{9}{8} \times \frac{9}{8}\right)$ सेमी. = 81 सेमी.

5. साधारण ब्याज $= \left(1000 \times \frac{10}{100} \times 4\right) =$ ₹ 400

चक्रवृद्धि ब्याज $= \left\{1000 \times \left(1+\frac{10}{100}\right)^4 - 1000\right\}$

$= \left\{\left(1000 \times \frac{11}{10} \times \frac{11}{10} \times \frac{11}{10} \times \frac{11}{10}\right) - 1000\right\} = \frac{4641}{10}$

= ₹ 464.10.

अभीष्ट अन्तर = (464.10 – 400) = ₹ 64.10.

6. मूलधन = ₹ 15000, दर $= \left(\frac{10}{2}\right)\%$ प्रति छमाही तथा समय = 2 छमाही $\therefore$ अभीष्ट धन $= \left\{15000 \times \left(1+\frac{5}{100}\right)^2\right\}$

$= \left(15000 \times \frac{21}{20} \times \frac{21}{20}\right) = \frac{33075}{2} =$ ₹ 16537.50

7. मूलधन = ₹ 15625, दर = $\left(\frac{16}{4}\right)\%$ प्रति तिमाही तथा समय = 3 तिमाही।

$\therefore$ चक्रवृद्धि ब्याज = $\left\{15625\times\left(1+\frac{4}{100}\right)^3-15625\right\}$

$=\left\{\left(15625\times\frac{26}{25}\times\frac{26}{25}\times\frac{26}{25}\right)-15625\right\}$

= (17576 – 15625) = ₹ 1951.

8. साधारण ब्याज = $\left(1200\times\frac{10}{100}\times1\right)$ = ₹ 120

अब, मूलधन = ₹ 1200, दर = $\left(\frac{10}{2}\right)\%$ प्रति छमाही तथा

समय = 2 छमाही

$\therefore$ चक्रवृद्धि ब्याज = $\left\{1200\times\left(1+\frac{5}{100}\right)^2-1200\right\}$

$=\left\{\left(1200\times\frac{21}{20}\times\frac{21}{20}\right)-1200\right\}$ = (1323 – 1200) = ₹ 123

अभीष्ट अन्तर = (123 – 120) = ₹ 3.

9. चक्रवृद्धि मिश्रधन = (30000 + 4347) = ₹ 34347

माना अभीष्ट समय = n वर्ष

तब, 30000 × $\left(1+\frac{7}{100}\right)^n$ = 34347

$\Leftrightarrow\ \left(\frac{107}{100}\right)^n=\frac{34347}{30000}=\frac{11449}{10000}=\left(\frac{107}{100}\right)^2\ \Leftrightarrow n=2.$

अतः अभीष्ट समय = 2 वर्ष।

10. मूलधन = ₹ 1600, दर = $\left(\frac{10}{2}\right)\%$ प्रति छमाही, चक्रवृद्धि मिश्रधन = ₹ 1852.20

माना समय = n वर्ष = $(2n)$ छमाही

$\therefore$ 1600 × $\left(1+\frac{5}{100}\right)^{2n}$ = 1852.20

$\Leftrightarrow\ \left(\frac{21}{20}\right)^{2n}=\frac{185220}{160000}=\frac{9261}{8000}=\left(\frac{21}{20}\right)^3$

$\Leftrightarrow 2n=3\Leftrightarrow n=\frac{3}{2}$ वर्ष = $1\frac{1}{2}$ वर्ष।

11. वार्षिक देय चक्रवृद्धि ब्याज

$=\left\{5000\times\left(1+\frac{4}{100}\right)\times\left(1+\frac{2}{100}\right)-5000\right\}$

$=\left\{\left(5000\times\frac{26}{25}\times\frac{51}{50}\right)-5000\right\}$

= (5304 – 5000) = ₹ 304.

छमाही देय चक्रवृद्धि ब्याज

$=\left\{5000\times\left(1+\frac{2}{100}\right)^3-5000\right\}$

$=\left\{\left(5000\times\frac{51}{50}\times\frac{51}{50}\times\frac{51}{50}\right)-5000\right\}$

= (5306.04 – 5000) = ₹ 306.04.

अभीष्ट अन्तर = (306.04 – 304) = ₹ 2.04.

12. ₹ 9680 पर 1 वर्ष का ब्याज = (10648 – 9680) = ₹ 968

$\therefore$ ब्याज की दर = $\left(\frac{968\times100}{9680\times1}\right)\%$ वार्षिक = 10% वार्षिक।

13. माना अभीष्ट धन = ₹ x तब,

चक्रवृद्धि ब्याज = $\left\{x\times\left(1+\frac{5}{100}\right)^3-x\right\}$

$=\left\{\left(x\times\frac{21}{20}\times\frac{21}{20}\times\frac{21}{20}\right)-x\right\}=\left(\frac{9261}{8000}-x\right)=\frac{1261x}{8000}$

$\therefore\quad \frac{1261x}{8000}=252.60\Leftrightarrow x=\left(\frac{252.20\times8000}{1261}\right)$

$=\left(\frac{25220\times8000}{1261\times100}\right)$ = ₹ 1600

अतः साधारण ब्याज = $\left(1600\times\frac{5}{100}\times3\right)$ = ₹ 240.

14. माना अभीष्ट धन = ₹ x, तब

चक्रवृद्धि ब्याज = $\left\{x\times\left(1+\frac{5}{100}\right)^2-x\right\}$

$=\left\{\left(x\times\frac{21}{20}\times\frac{21}{20}\right)-x\right\}=\frac{41x}{400}$

$\therefore\quad \frac{41x}{400}=328\Leftrightarrow x=\left(\frac{328\times400}{41}\right)$ = ₹ 3200

अतः साधारण ब्याज = $\left(3200\times\frac{5}{100}\times2\right)$ = ₹ 320.

15. माना अभीष्ट धन = ₹ x, तब

चक्रवृद्धि ब्याज = $\left\{x\times\left(1+\frac{4}{100}\right)^2-x\right\}$

$=\left\{\left(x\times\frac{26}{25}\times\frac{26}{25}\right)-x\right\}=\frac{51x}{625}$

साधारण ब्याज = $\left(x\times\frac{4}{100}\times2\right)=\frac{2x}{25}$

(चक्रवृद्धि ब्याज) – (साधारण ब्याज) = $\left(\frac{51x}{625}-\frac{2x}{25}\right)=\frac{x}{625}$

$\therefore\ \frac{x}{625}=80\Leftrightarrow x=(625\times80)$ = ₹ 50000.

★ ★ ★

12

समय तथा कार्य
(Time and Work)

किसी काम को करने वाले आदमी तथा उस काम को पूरा करने में लगे समय में व्युत्क्रमानुपाती सम्बन्ध होता है।

यदि कोई व्यक्ति n दिनों में 1 काम करता है तो 1 दिन में उस काम को $\frac{1}{n}$ भाग करेगा। यदि m आदमी n दिनों में किसी काम को करते हैं, तो n आदमी उसी काम को m दिनों में करेंगे। यदि तीन व्यक्तियों की क्षमता का अनुपात $x : y : z$ हो, तो उसके द्वारा किसी काम को अलग-अलग करने में लगे समय का अनुपात $\frac{1}{x} : \frac{1}{y} : \frac{1}{z}$ होगा।

जैसे: 4 : 5 : 6 अनुपात की क्षमता वाले तीन व्यक्तियों द्वारा किसी काम को अलग-अलग करने में लगे समय का अनुपात

$$= \frac{1}{4} : \frac{1}{5} : \frac{1}{6} = 15 : 12 : 10$$

किसी काम को करने वाले व्यक्तियों को $m : n$ अनुपात में बदल दिया जाए, तो काम को करने में लगा समय $n : m$ अनुपात में बदल जाता है।

वस्तुनिष्ठ प्रश्न

1. मुकेश किसी काम को 18 दिनों में तथा राजेश उसी काम को 24 दिनों में कर सकता है। वे दोनों एक साथ मिलकर उस काम को कितने दिनों में पूरा करेंगे?

A. $10\frac{3}{7}$ B. $10\frac{1}{7}$

C. $10\frac{5}{7}$ D. $10\frac{2}{7}$

2. A किसी काम को 30 घंटे में तथा B उसे 45 घंटे में अलग-अलग पूरा कर सकते हैं। दोनों एक साथ मिलकर उस काम को कितने समय में सम्पन्न करेंगे?

A. 19 घंटे B. 18 घंटे

C. 13 घंटे D. 14 घंटे

3. दो मित्र अलग-अलग एक खाई को 15 तथा 20 घंटों में खोद सकते हैं। दोनों एक साथ मिलकर इस तरह के तीन खाइयों को कितने घंटों में खोद सकेंगे?

A. $26\frac{2}{7}$ B. $25\frac{2}{7}$

C. $25\frac{5}{7}$ D. $24\frac{1}{7}$

4. A और B एक साथ एक दीवार को 12 दिनों में तैयार कर सकते हैं। यदि B उस दीवार को अकेले 18 दिनों में तैयार करता है, तो A उसे अकेले कितने दिनों में तैयार कर पायेगा?

A. 36 B. 35

C. 39 D. 34

5. प्रेम और सुमन एक साथ मिलकर किसी खेत की फसल को 180 मिनट में काट सकते हैं यदि प्रेम अकेले उसे 270 मिनट में काटता है, तो सुमन अकेले उसे कितने घंटों में काट सकता है?

A. 6 घंटे B. 7 घंटे

C. 5 घंटे D. 9 घंटे

6. राजेन्द्र और अभय किसी काम को 50 दिनों में पूरा कर सकते हैं। यदि अभय उसी काम को 60 दिनों में कर सकता है, तो राजेन्द्र अकेले उस काम को कितने दिनों में पूरा करेगा?

A. 275 B. 320

C. 310 D. 300

7. A, B और C एक साथ एक काम को 20 दिनों में कर सकते हैं। यदि B और C अलग-अलग उस काम को क्रमशः 40 और 50 दिनों में पूरा कर सकते हैं, तो A अकेले उसे कितने दिनों में पूरा करेगा?

A. 175 B. 195

C. 200 D. 220

8. सुमित, अमित और कुमित एक साथ एक खाई 10 दिनों में खोद सकते हैं। सुमित और कुमित उसे अलग-अलग क्रमशः 20 और 25 दिनों में खोद सकते हैं। अमित अकेले उसे कितने दिनों में खोद पायेगा?

A. 95 B. 90

C. 100 D. 105

9. A, B और C एक साथ 10 एकड़ में खड़ी फसल को 80 मिनट में काट सकते हैं। A और B अलग-अलग उसे क्रमशः 160 और 240 मिनट में काट सकते हैं। C अकेले उसे कितने मिनटों में काट सकता है?

A. 460 B. 480
C. 475 D. 485

10. जयन्ती किसी काम को 20 दिनों में तथा सीमा उसी कार्य को 40 दिनों में कर सकती है। 10 दिन तक जयंती अकेले काम करती है तथा उसके बाद वह काम करना छोड़ देती है। शेष काम को सीमा कितने दिनों में पूरा करेगी?

A. 22 B. 20
C. 16 D. 15

11. सोहन और पीयूष अलग-अलग किसी काम को क्रमशः 40 और 45 दिनों में पूरा कर सकते हैं। 9 दिनों तक पीयूष उस काम को अकेले करता है, उसके बाद वह काम करना छोड़ देता है। शेष काम को सोहन कितने दिनों में पूरा करेगा?

A. 32 B. 36
C. 31 D. 29

12. A तथा B की कार्यक्षमता का अनुपात 4 : 5 है। यदि A अकेले किसी काम को 15 दिनों में पूरा करे तो B अकेले उसे कितने दिनों में पूरा करेगा?

A. 11 B. 9
C. 12 D. 13

13. B, A से 40% अधिक सक्षम श्रमिक है। यदि B अकेले किसी काम को 30 दिनों में करे, तो A उसे अकेले कितने दिनों में पूरा करेगा?

A. 45 B. 42
C. 41 D. 43

14. A, B का चार गुना काम निश्चित समय में करने की क्षमता रखता है। यदि दोनों मिलकर किसी काम को 28 दिनों में कर सकते हैं, तब A अकेले उस काम को कितने दिनों में पूरा कर सकेगा?

A. 34 B. 36
C. 33 D. 35

15. B की कार्य क्षमता A की 80% है। यदि दोनों मिलकर एक काम को 24 दिनों में करते हैं, तो B अकेले उस काम को कितने दिनों में पूरा करेगा?

A. 54 B. 55
C. 56 D. 52

16. A, B से दुगुना अच्छा श्रमिक है। किसी काम को करने में A, B से 9 दिन कम समय लेता है, तब A अकेले उस काम को कितने दिनों में पूरा करेगा?

A. 11 B. 8
C. 7 D. 9

17. B, A से तिगुना अधिक कार्य क्षमता वाला मज़दूर है। यदि B किसी काम को करने में A से 12 दिन कम समय ले, तो A अकेले उसे कितने दिनों में पूरा करेगा?

A. 18 B. 22
C. 17 D. 14

18. A और B की कार्य क्षमता का अनुपात 6 : 11 है। यदि A किसी काम को करने में B से 35 दिन अधिक समय ले तो B अकेले उसे कितने दिनों में पूरा करेगा?

A. 44 B. 45
C. 42 D. 36

19. किसी काम को ₹ 600 में समाप्त करने का ठेका दिया गया। उस काम को A अकेले 20 दिनों में तथा B अकेले 30 दिनों में समाप्त कर सकता है। अगर दोनों साथ-साथ काम करें तो उसमें से A की मजदूरी कितनी होगी?

A. ₹ 325 B. ₹ 360
C. ₹ 375 D. ₹ 365

20. दो मजदूर अलग-अलग किसी काम को 7 दिन और 8 दिन में समाप्त कर सकते हैं। यदि वे एक साथ काम करें, तो ₹ 1800 की कुल मजदूरी में से दूसरे मजदूर की मजदूरी क्या होगी?

A. ₹ 830 B. ₹ 860
C. ₹ 820 D. ₹ 840

उत्तरमाला

1	2	3	4	5	6	7	8	9	10
D	B	C	A	D	D	C	C	B	B
11	12	13	14	15	16	17	18	19	20
A	C	B	D	A	D	A	C	B	D

व्याख्यात्मक उत्तर

1. अभीष्ट समय $= \dfrac{18\times24}{18+24}$

$= \dfrac{18\times24}{42} = \dfrac{72}{7} = 10\dfrac{2}{7}$ दिन

2. अभीष्ट समय $= \dfrac{30\times45}{30+45} = \dfrac{30\times45}{75} = 18$ घंटा

3. अभीष्ट समय $= \left(\dfrac{15\times20}{15+20}\right)\times3 = \dfrac{15\times20\times3}{35}$

$$= \frac{180}{7} = 25\frac{5}{7} \text{ घंटा}$$

4. अभीष्ट समय $= \frac{12 \times 18}{18-12} = \frac{12 \times 18}{6} = 36$ दिन

5. अभीष्ट समय $= \frac{180 \times 270}{270-180}$

$$= \frac{180 \times 270}{90} = 540 \text{ मिनट}$$

$$= \frac{540}{60} \text{ घंटा} = 9 \text{ घंटा}$$

6. अभीष्ट समय $= \frac{50 \times 60}{60-50} = \frac{50 \times 60}{10} = 300$ दिन

7. अभीष्ट समय $= \frac{20 \times 40 \times 50}{40 \times 50 - 20 \times 40 - 20 \times 50}$

$$= \frac{40000}{2000-800-1000}$$

$$= \frac{40000}{200} = 200 \text{ दिन}$$

8. अभीष्ट समय $= \frac{10 \times 20 \times 25}{20 \times 25 - 10 \times 20 - 10 \times 25}$

$$= \frac{10 \times 20 \times 25}{500-200-250}$$

$$= \frac{10 \times 20 \times 25}{50} = 100 \text{ दिन}$$

9. अभीष्ट समय $= \frac{80 \times 160 \times 240}{160 \times 240 - 80 \times 160 - 80 \times 240}$

$$= \frac{80 \times 160 \times 240}{38400-12800-19200}$$

$$= \frac{80 \times 160 \times 240}{6400} = 480 \text{ मिनट}$$

10. अभीष्ट समय $= \left(\frac{20-10}{20}\right) \times 40 = \frac{10}{20} \times 40 = 20$ दिन

11. अभीष्ट समय $= \left(\frac{45-9}{45}\right) \times 40 = \frac{36}{45} \times 40 = 32$ दिन

12. अभीष्ट समय $= \frac{4}{5} \times 15 = 12$ दिन

13. $A : B = 100 : 140 = 5 : 7$

$\therefore$ अभीष्ट समय $= \frac{7}{5} \times 30 = 42$ दिन

14. $A : B = 4 : 1$

$\therefore$ अभीष्ट समय $= \frac{28(4+1)}{4} = 7 \times 5 = 35$ दिन

15. $A : B = 100 : 80 = 5 : 4$

$\therefore$ अभीष्ट समय $= \frac{24 \times (5+4)}{4} = 6 \times 9 = 54$ दिन

16. $A : B = 2 : 1$

$\therefore$ अभीष्ट उत्तर $= \frac{1}{2-1} \times 9 = 9$ दिन

17. $A : B = 1 : 3$

$\therefore$ अभीष्ट समय $= \frac{3}{3-1} \times 12 = 18$ दिन

18. $\therefore$ अभीष्ट समय $= \frac{6}{11-6} \times 35 = \frac{6}{5} \times 35 = 42$ दिन

19. A की मजदूरी $= \frac{30}{20+30} \times 600$

$$= \frac{30}{50} \times 600 = ₹\ 360$$

20. दूसरे मजदूर की अभीष्ट मजदूरी $= \frac{7}{7+8} \times 1800$

$$= \frac{7}{15} \times 1800 = ₹\ 840$$

★ ★ ★

13

समय, चाल और दूरी
(Time, Speed and Distance)

दूरी (Distance)

वस्तु द्वारा किसी समय अन्तराल में तय किए गए मार्ग की सम्पूर्ण लम्बाई को दूरी कहते हैं। यह एक अदिश राशि है। यह सदैव धनात्मक होती है।

दूरी = चाल × समय

चाल (Speed)

किसी गतिशील वस्तु द्वारा एकांक समय में चली गई दूरी को चाल कहते हैं। इसका मात्रक मी./से. या किमी./घंटा है।

$$\text{चाल} = \frac{\text{चली गई दूरी}}{\text{समय}}$$

यदि कोई वस्तु समान समय में समान दूरियाँ तय करे, तो वह एक समान चाल से गतिमान होगी।

औसत चाल (Average Speed)

किसी वस्तु द्वारा किसी समय अन्तराल में तय की गई दूरी और उस समय अन्तराल के अनुपात को उस वस्तु की औसत चाल (Average Speed) कहते हैं।

$$\text{औसत चाल} = \frac{\text{तय की गई कुल दूरी}}{\text{दूरी तय करने में लगा समय}}$$

सापेक्ष गति (Relative Speed)

जब दो वस्तुएँ समान दिशा (Same direction) में गतिशील हों

यदि दो रेलगाड़ियाँ किसी स्थान से निश्चित समय में समान दिशा में क्रमशः x किमी./घंटा तथा y किमी./घंटा की गति से चलना प्रारम्भ करती हैं, तो उनकी एक-दूसरे के सापेक्ष चाल = $(x - y)$ किमी./घंटा होगी।

अर्थात् सापेक्ष गति = पहली रेलगाड़ी की चाल – दूसरी रेलगाड़ी की चाल।

जब दो वस्तुएँ विपरीत दिशा (Opposite direction) में गतिशील हों

जब दो रेलगाड़ियाँ किसी निश्चित स्थान से निश्चित समय में, विपरीत दिशा में क्रमशः x किमी./घंटा तथा y किमी./घंटा की चाल से चलती हैं। तो उनकी एक-दूसरे के सापेक्ष चाल = $(x + y)$ किमी./घंटा होगी।

अर्थात् सापेक्ष गति = पहली रेलगाड़ी की चाल + दूसरी रेलगाड़ी की चाल।

महत्वपूर्ण नियम :

यदि कोई सवारी किसी निश्चित दूरी को x किमी./घंटा तथा दूसरी समान दूरी को y किमी./घंटा की चाल से तय करती है, तो सम्पूर्ण यात्रा में सवारी की औसत चाल = $\left(\frac{2xy}{x+y}\right)$ किमी./घंटा होगी।

(*i*) $\text{चाल} = \frac{\text{दूरी}}{\text{समय}}$

(*ii*) $\text{समय} = \frac{\text{दूरी}}{\text{गति}}$

(*iii*) दूरी = समय × चाल

(*iv*) x किमी./घंटा $= \left(x \times \frac{5}{18}\right)$ मी./से.

(*v*) x मी./से. $= \left(x \times \frac{18}{5}\right)$ किमी./घंटा

(*vi*) यदि कोई रेलगाड़ी किसी वृक्ष या रेलवे लाइन के पास खड़े किसी व्यक्ति को पार करती है, तो दिए गए चाल व समय में अपनी लम्बाई के बराबर ही दूरी तय करती है।

(*vii*) यदि कोई रेलगाड़ी किसी रेलवे प्लेटफार्भ या पुल को पार करती है तो वह अपनी लम्बाई के साथ-साथ रेलवे प्लेटफार्म या पुल की लम्बाई की दूरी को भी तय करती है।

वस्तुनिष्ठ प्रश्न

1. एक मोटर साइकिल की चाल 36 किमी./घंटा है। इसकी चाल मी./सेकेण्ड में कितनी होगी?

A. 10
B. 12
C. 14
D. 18

2. 400 मीटर लम्बी एक रेलगाड़ी 72 किमी./घंटा की चाल से चल रही है। इसे 100 मीटर लम्बे एक प्लेटफार्म को पार करने में कितना समय लगेगा?

A. 22 सेकेण्ड
B. 25 सेकेण्ड
C. 23 सेकेण्ड
D. 24 सेकेण्ड

3. एक 100 मीटर लम्बी रेलगाड़ी 65 किमी./घंटा की चाल से चल रही है। गाड़ी विपरीत दिशा में 5 किमी./घंटा की चाल से आते हुए एक आदमी को पार करने में कितना समय लेगी?

A. $5\frac{1}{7}$ सेकेण्ड　　B. $6\frac{2}{3}$ सेकेण्ड

C. $4\frac{1}{7}$ सेकेण्ड　　D. $3\frac{1}{7}$ सेकेण्ड

4. एक रेलगाड़ी, जो 90 किमी./घंटा की गति से चली जा रही है। एक खम्भे को पार करने में 10 सेकेण्ड का समय लेती है। रेलगाड़ी की लम्बाई (मीटर में) कितनी होगी?

A. 250　　B. 240

C. 280　　D. 270

5. A एक स्थान से कार द्वारा 60 किमी./घंटा की चाल से चलता है। B एक घंटे बाद उसी स्थान से उसी दिशा में 80 किमी./घंटे की चाल से चलता है। बताइये B, A को कितने समय पश्चात् पकड़ लेगा?

A. $2\frac{1}{2}$ घंटे　　B. 2 घंटे

C. 3 घंटे　　D. $3\frac{1}{2}$ घंटे

6. एक रेलगाड़ी जिसकी चाल 54 किमी./घंटा है, प्लेटफार्म पर खड़े एक व्यक्ति को 9 सेकेण्ड में पार कर लेती है। रेलगाड़ी की लम्बाई (मीटर) में क्या होगी?

A. 140　　B. 135

C. 145　　D. 120

7. एक रेलगाड़ी 130 किमी./घंटा की चाल से चल रही है। यदि रेलगाड़ी की लम्बाई 110 मी. हो, तो 165 मी. लम्बे प्लेटफार्म को कितने समय में पार कर लेगी?

A. $8\frac{9}{13}$ सेकेण्ड　　B. $7\frac{9}{13}$ सेकेण्ड

C. $7\frac{8}{13}$ सेकेण्ड　　D. $8\frac{3}{13}$ सेकेण्ड

8. कंचन अपने मकान से 4 किमी./घंटा की चाल से चलकर अपने स्कूल 5 मिनट देर से पहुँचती है। यदि वह 5 किमी./घंटा की चाल से चलती है, तो स्कूल $2\frac{1}{2}$ मिनट पहले पहुँच जाती है। बताइये घर से स्कूल की दूरी कितनी होगी?

A. 3.5 किमी.　　B. 2.5 किमी.

C. 2.75 किमी.　　D. 3.2 किमी.

9. दो रेलगाड़ियाँ एक-दूसरे की ओर क्रमशः 40 किमी. प्रति घंटा तथा 30 किमी. प्रति घंटा की चाल से समान्तर पटरियों पर चल रही हैं। यदि दोनों गाड़ियों के बीच की दूरी 35 किमी. हो, तो वे कब मिलेंगी?

A. 18 मि. बाद　　B. 30 मि. बाद

C. 27 मि. बाद　　D. 35 मि. बाद

10. दो बिन्दुओं A से B तक के बीच की दूरी 150 किमी. है। यदि कोई व्यक्ति A से B तक जाने में 3 घंटे 20 मिनट तथा B से A तक वापस आने में 4 घंटे 10 मिनट का समय लेता हो, तो उसकी सम्पूर्ण यात्रा में औसत चाल, A से B तक की यात्रा की औसत चाल से कितनी कम होगी?

A. 5 किमी./घंटा　　B. 7.5 किमी./घंटा

C. 9 किमी./घंटा　　D. 3 किमी./घंटा

11. एक 100 मीटर लम्बी रेलगाड़ी 60 किमी./घंटा की रफ्तार से जा रही है। रेलगाड़ी को एक टेलीग्राफ पोस्ट को पार करने में कितना समय लगेगा?

A. 4 सेकेण्ड　　B. 6 सेकेण्ड

C. 8 सेकेण्ड　　D. 10 सेकेण्ड

12. एक 150 मीटर लम्बी रेलगाड़ी 90 किमी./घंटा की चाल से चल रही है। गाड़ी को एक पेड़ को पार करने में कितना समय लगेगा?

A. 6 सेकेण्ड　　B. 8 सेकेण्ड

C. 10 सेकेण्ड　　D. 11 सेकेण्ड

13. एक स्कूटर सवार अपनी यात्रा 10 घंटे में पूरी करता है। यदि वह आधी दूरी 21 किमी./घंटा की चाल से तथा शेष आधी दूरी को 24 किमी./घंटा की चाल से तय करे, तो उसके द्वारा तय की गई दूरी कितनी होगी?

A. 230 किमी.　　B. 224 किमी.

C. 324 किमी.　　D. 120 किमी.

14. एक आदमी प्लेटफार्म पर 8 किमी./घंटा की चाल से चल रहा है। पीछे से आती हुई एक रेलगाड़ी उसे 30 सेकेण्ड में पार कर जाती है। यदि रेलगाड़ी की लम्बाई 300 मीटर हो, तो इसकी चाल कितनी होगी?

A. 32 किमी./घंटा　　B. 44 किमी./घंटा

C. 34 किमी./घंटा　　D. 40 किमी./घंटा

15. कमलकान्त ने कार द्वारा 40 किमी./घंटा की चाल से 2 घंटे तक यात्रा की तथा उसने A की तरफ आधी दूरी तय कर ली। अब वह किस औसत चाल से चले ताकि अगले 4 घंटे में A तक पहुँच जाए?

A. 22 किमी./घंटा　　B. 21 किमी./घंटा

C. 20 किमी./घंटा　　D. 30 किमी./घंटा

उत्तरमाला

1	2	3	4	5	6	7	8	9	10
A	B	A	A	C	B	C	B	B	A
11	**12**	**13**	**14**	**15**					
B	A	B	B	C					

व्याख्यात्मक उत्तर

1. मोटरसाइकिल की चाल = 36 किमी./घंटा

$\therefore$ मोटर साइकिल की चाल $= 36 \times \frac{5}{18} = 10$ मी./से.

[$\because$ 1 किमी./घंटा $= \frac{5}{18}$ मी./से.]

2. चूँकि रेलगाड़ी प्लेटफार्म को पार करती है।

$\therefore$ प्लेटफार्म को पार करने में लगा समय

$$= \frac{\text{रेलगाड़ी की लम्बाई + प्लेटफार्म की लम्बाई}}{\text{रेलगाड़ी की चाल}}$$

$$= \frac{(400+100)\text{ मी.}}{72 \text{ किमी./घंटा}} = \frac{500}{72 \times \frac{5}{18}} = \frac{500}{20} = 25 \text{ सेकेण्ड}$$

3. चूँकि आदमी रेलगाड़ी के विपरीत दिशा में चल रहा है।

$\therefore$ सापेक्ष चाल = रेलगाड़ी की चाल + आदमी की चाल

$= 65 + 5 = 70$ किमी./घंटा

रेलगाड़ी की लम्बाई = 100 मी.

70 किमी./घंटा $= 70 \times \frac{5}{18}$ मी./से.

$\therefore$ पार करने में लगा समय $= \frac{100 \times 18}{70 \times 5} = \frac{36}{7} = 5\frac{1}{7}$ सेकेण्ड

4. चूँकि रेलगाड़ी सिर्फ खम्भे को पार करती है।

$\therefore$ खम्भे को पार करने में लगा समय $= \frac{\text{रेलगाड़ी की लम्बाई}}{\text{रेलगाड़ी की चाल}}$

$$\Rightarrow \quad 10 = \frac{\text{रेलगाड़ी की लम्बाई}}{90 \times \frac{5}{18}}$$

$\therefore$ रेलगाड़ी की लम्बाई $= 10 \times 25 = 250$ मीटर।

5. माना कि B, A को t घंटे बाद पकड़ लेगा।

A के द्वारा 60 किमी./घंटा की चाल से $(t+1)$ घंटे में तय की गई दूरी $60 \times (t+1)$ किमी. ...(*i*)

तथा B के द्वारा 60 किमी./घंटा की चाल से t घंटे में तय की गई दूरी $= 80t$ किमी. ...(*ii*)

परन्तु समीकरण (*i*) तथा (*ii*) में तय की गई दूरी समान हैं

$\therefore \quad 60 \times (t+1) = 80t$

$\Rightarrow \quad 80t - 60t = 60$

$\Rightarrow \quad 20t = 60 \Rightarrow t = 3$ घंटे

अतः B, A को 3 घंटे के बाद पकड़ लेगा।

6. चूँकि रेलगाड़ी सिर्फ व्यक्ति को पार करती है।

अतः दिये गये समय में खिलाड़ी अपनी लम्बाई के बराबर ही दूरी तय करेगी।

$\because$ रेलगाड़ी की चाल = 54 किमी./घंटा

$= 54 \times \frac{5}{18}$ मी./से.

$\therefore$ रेलगाड़ी की लम्बाई = चाल × समय

$= 15 \times 9 = 135$ मी.

7. चूँकि रेलगाड़ी अपनी लम्बाई के साथ-साथ प्लेटफार्म की लम्बाई की दूरी को भी तय करेगी।

$\therefore$ रेलगाड़ी द्वारा तय की गई दूरी $= 110 + 165 = 275$ मी.

तथा रेलगाड़ी की चाल = 130 किमी./ घंटा

$= 130 \times \frac{5}{18} = \frac{325}{9}$ मी./से.

$\therefore$ प्लेटफार्म को पार करने में लिया गया समय

$$= \frac{275}{\frac{325}{9}} = \frac{275 \times 9}{325} = \frac{99}{13} = 7\frac{8}{13} \text{ से.।}$$

8. माना कि घर से स्कूल की दूरी x किमी. है। 4 किमी./घंटा की चाल से x किमी. की दूरी तय करने में लगा समय

$= \frac{x}{4}$ घंटा।

परन्तु कंचन अपने स्कूल 5 मिनट देर से पहुँचती है

$\therefore$ पहुँचने का वास्तविक समय

$$= \frac{x}{4} \text{ घंटा} - 5 \text{ मिनट} = \left(\frac{x}{4} - \frac{1}{12}\right) \text{ घंटा}$$

तथा 5 किमी./घंटा की चाल से x किमी. की दूरी तय करने में लगा समय

$= \frac{x}{5}$ घंटा

परन्तु कंचन अपने स्कूल $2\frac{1}{2}$ मिनट जल्दी पहुँचती है

$\therefore$ पहुँचने का वास्तविक समय

$$= \frac{x}{5} \text{ घंटा} + \frac{5}{2} \text{ मिनट} = \left(\frac{x}{5} + \frac{1}{24}\right) \text{ घंटा}$$

$$\therefore \quad \frac{x}{4} - \frac{1}{12} = \frac{x}{5} + \frac{1}{24}$$

$$\Rightarrow \quad \frac{x}{4} - \frac{x}{5} = \frac{1}{24} + \frac{1}{12}$$

$$\Rightarrow \quad \frac{5x - 4x}{20} = \frac{1+2}{24} = \frac{3}{24} = \frac{1}{8} \Rightarrow \frac{x}{20} = \frac{1}{8}$$

$$\Rightarrow \quad 8x = 20$$

$$\Rightarrow \quad x = \frac{20}{8} = \frac{5}{2} = 2.5$$

अतः घर से स्कूल की दूरी 2.5 किमी. होगी।

9. चूँकि दोनों रेलगाड़ियाँ एक-दूसरे की ओर चलती हैं।

$\therefore$ सापेक्ष गति $= 40 + 30 = 70$ किमी/घंटा

तथा बीच की दूरी $= 35$ किमी.

$\therefore$ मिलने का समय $= \frac{35}{70} = \frac{1}{2}$ घंटा $= 30$ मिनट बाद।

10. A से B तक जाने में, चली गई दूरी $= 150$ किमी.

तथा समय $= 3$ घंटे 20 मिनट

$$= 3\frac{1}{3} = \frac{10}{3} \text{ घंटे}$$

$$\text{व्यक्ति की औसत चाल} = \frac{150}{\frac{10}{3}} = \frac{150 \times 3}{10} = 45 \text{ किमी./घंटा}$$

B से A तक आने में, चली गई दूरी $= 150$ किमी.

तथा समय $= 4$ घंटे 10 मिनट $= 4\frac{1}{6} = \frac{25}{6}$ घंटा

$$\text{व्यक्ति की औसत चाल} = \frac{150}{\frac{25}{6}} = \frac{150 \times 6}{25} = 36 \text{ किमी./घंटा}$$

चूँकि आने और जाने में तय की गई दूरी समान है

$\therefore$ सम्पूर्ण यात्रा में औसत चाल

$$= \frac{2 \times 45 \times 36}{45 + 36} = \frac{90 \times 36}{81}$$

$$= 40 \text{ किमी./घंटा}$$

अतः स्पष्ट है कि सम्पूर्ण यात्रा में औसत चाल, A से B तक की औसत चाल से $(45 - 40) = 5$ किमी./घंटा कम है।

11. रेलगाड़ी की लम्बाई $= 100$ मीटर

गाड़ी की चाल $= 60$ किमी./घंटा

$$= 60 \times \frac{5}{18} = \frac{50}{3} \text{ मी./से.}$$

गाड़ी को टेलीग्राफ पोस्ट को पार करने में लगा समय

$$= \frac{\text{दूरी}}{\text{गति}} = \frac{100}{\frac{50}{3}} = \frac{100 \times 3}{50} = 6 \text{ सेकेण्ड}$$

12. रेलगाड़ी की लम्बाई $= 150$ मीटर

गाड़ी की चाल $= 90$ किमी./घंटा

$$= 90 \times \frac{5}{18} = 25 \text{ मी./से.}$$

गाड़ी को एक पेड़ को पार करने में लगा समय

$$= \frac{\text{दूरी}}{\text{गति}} = \frac{150}{25} = 6 \text{ से.}$$

13. माना कि स्कूटर सवार द्वारा तय की गई दूरी $= x$ किमी.

पहली स्थिति में, दूरी $= \frac{x}{2}$ किमी. तथा

चाल $= 21$ किमी./घंटा

$$\text{तय करने में लगा समय} = \frac{\text{दूरी}}{\text{चाल}}$$

$$= \frac{x/2}{21} = \frac{x}{42} \text{ घंटा}$$

दूसरी स्थिति में, दूरी $= \frac{x}{2}$ किमी. तथा

चाल $= 24$ किमी./घंटा

$$\text{तय करने में लगा समय} = \frac{\text{दूरी}}{\text{चाल}}$$

$$= \frac{x/2}{24} = \frac{x}{48} \text{ घंटा}$$

परन्तु वह पूरी यात्रा 10 घंटे में तय करता है

$$\therefore \quad \frac{x}{42} + \frac{x}{48} = 10$$

$$\frac{8x + 7x}{336} = 10$$

$$15x = 336 \times 10$$

$$x = \frac{336 \times 10}{15} = 112 \times 2 = 224$$

अतः यात्रा की दूरी $= 224$ किमी. होगी।

14. चूँकि आदमी, रेलगाड़ी के समान दिशा में चल रहा है।

$\therefore$ सापेक्ष गति = रेलगाड़ी की चाल − आदमी की चाल

= रेलगाड़ी की चाल − 8 किमी./घंटा

$\therefore$ रेलगाड़ी की चाल − 8 किमी./घंटा

$$= \frac{\text{रेलगाड़ी की लम्बाई}}{\text{पार करने में लगा समय}}$$

$$= \frac{300}{30} = 10 \text{ मी./सेकेण्ड}$$

$$= 10 \times \frac{18}{5} = 36 \text{ किमी./घंटा}$$

अतः रेलगाड़ी की चाल $= 36 + 8 = 44$ किमी./घंटा

15. 40 किमी./घंटे की चाल से 2 घंटे में तय की गई दूरी

$$= 40 \times 2 = 80 \text{ किमी.}$$

परन्तु यह यात्रा की आधी है

$\therefore$ यात्रा की शेष बची दूरी $= 80$ किमी.

तथा लिये जाने वाला समय $= 4$ घंटे

$$\therefore \text{ A तक पहुँचने में औसत चाल} = \frac{80}{4}$$

$= 20$ किमी./घंटा होनी चाहिए।

★ ★ ★

14

बीजगणित (Algebra)

बीजगणितीय सूत्र (Algebraic Identities)

(i) $(a + b)^2 = a^2 + 2ab + b^2$

(ii) $(a - b)^2 = a^2 - 2ab + b^2$

(iii) $a^2 - b^2 = (a - b)(a + b)$

(iv) $(a + b + c)^2 = a^2 + b^2 + c^2 + 2ab + 2bc + 2ca$

(v) $(a + b - c)^2 = a^2 + b^2 + c^2 + 2ab - 2bc - 2ca$

(vi) $(a - b + c)^2 = a^2 + b^2 + c^2 - 2ab - 2bc + 2ca$

(vii) $(-a + b + c)^2 = a^2 + b^2 + c^2 - 2ab + 2bc - 2ca$

(viii) $(a + b)^3 = a^3 + b^3 + 3ab(a + b)$ या

$= a^3 + b^3 + 3a^2b + 3ab^2$

(ix) $(a - b)^3 = a^3 - b^3 - 3ab\,(a - b)$ या

$= a^3 - b^3 - 3a^2b + 3ab^2$

(x) $a^3 + b^3 = (a + b)\,(a^2 + b^2 - ab)$ या

$= (a + b)^3 - 3ab(a + b)$

(xi) $a^3 - b^3 = (a - b)\,(a^2 + b^2 + ab)$ या

$= (a - b)^3 + 3ab\,(a - b)$

(xii) $a^3 + b^3 + c^3 - 3abc = (a + b + c)(a^2 + b^2 + c^2 - ab - bc - ca)$

यदि $a + b + c = 0$

$a^3 + b^3 + c^3 = 3abc$

(xiii) $(x + a)\,(x + b) = x^2 + (a + b)x + ab$

(xiv) $(a + b)^2 + (a - b)^2 = 2(a^2 + b^2)$

(xv) $(a + b)^2 - (a - b)^2 = 4ab$

(xvi) $(a + b)^3 + (a - b)^3 = 2(a^3 + 3ab^2)$

(xvii) $(a + b)^3 - (a - b)^3 = 2(b^3 + 3a^2b)$

(xviii) यदि $x + \frac{1}{x} = t$

तब, $x^2 + \frac{1}{x^2} = t^2 - 2$

(xix) यदि $x - \frac{1}{x} = t$

तब, $x^2 + \frac{1}{x^2} = t^2 + 2$

(xx) $x^3 + \frac{1}{x^3} = \left(x + \frac{1}{x}\right)^3 - 3\left(x + \frac{1}{x}\right)$

(xxi) $x^2 - \frac{1}{x^3} = \left(x - \frac{1}{x}\right)^3 + 3\left(x - \frac{1}{x}\right)$

(xxii) $x + \frac{1}{x} = \sqrt{x^2 + \frac{1}{x^2} + 2}$

(xxiii) $x - \frac{1}{x} = \sqrt{x^2 + \frac{1}{x^2} - 2}$

गुणनखण्ड (Factorisation)

यदि कोई व्यंजक दो या दो से अधिक व्यंजक का गुणनफल है, तो इनमें से प्रत्येक व्यंजक को मूल व्यंजक का गुणनखण्ड तथा उस मूल व्यंजक को, अभाज्य गुणनखण्डों के रूप में प्रदर्शित करने की क्रिया को गुणनखण्ड (Factorisation) कहते हैं।

वस्तुनिष्ठ प्रश्न

1. यदि $2x + \frac{1}{3x} = 6$ हो, तो $3x + \frac{1}{2x}$ का मान क्या होगा?

A. 4 B. 8
C. 9 D. 12

2. यदि $x + \frac{1}{16x} = 1$, तो $64x^3 + \frac{1}{64x^3}$ का मान क्या होगा?

A. 4 B. 52
C. 64 D. 76

3. यदि $x\left(3 - \frac{2}{x}\right) = \frac{3}{x}, x \neq 0$, तो $x^2 + \frac{1}{x^2}$ का मान क्या होगा?

A. $2\frac{1}{3}$ B. $2\frac{2}{3}$
C. $2\frac{4}{9}$ D. $2\frac{5}{9}$

4. यदि $\sqrt{x}+\frac{1}{\sqrt{x}}=5$ हो, तो $x^2+\frac{1}{x^2}$ का मान क्या होगा?

A. 250 B. 525
C. 527 D. 725

5. यदि $x = a(b-c), y = b(c-a), z = c(a-b)$ हो, तो व्यंजक $\left(\frac{x}{a}\right)^3+\left(\frac{y}{b}\right)^3+\left(\frac{z}{c}\right)^3$ का मान क्या होगा?

A. $x+y+z$ B. abc
C. $\frac{3xyz}{abc}$ D. $\frac{3abc}{xyz}$

6. यदि $x=\frac{\sqrt{3}+1}{\sqrt{3}-1}, y=\frac{\sqrt{3}-1}{\sqrt{3}+1}$ हो, तो x^2+y^2 का मान क्या होगा?

A. 3 B. 12
C. 2 D. 14

7. यदि $x+\frac{1}{y}=1$ तथा $y+\frac{1}{z}=1$ हो, तो $z+\frac{1}{x}=?$

A. 0 B. 1
C. 2 D. 4

8. यदि $x^2+y^2+z^2+2=2(y-x)$, तो $x^3+y^3+z^3$ का मान है :

A. 0 B. 1
C. 2 D. 3

9. यदि $x+y+z=0$ हो, तो व्यंजक $\frac{(x+y)(y+z)(z+x)}{xyz}$ का मान क्या होगा?

A. –3 B. –2
C. 0 D. –1

10. यदि $x+y=2z$ हो, तो व्यंजक $\frac{x}{x-z}+\frac{z}{y-z}$ का मान क्या होगा?

A. 1 B. 4
C. 0 D. 2

उत्तरमाला

1	2	3	4	5	6	7	8	9	10
C	B	C	C	C	D	B	A	D	A

व्याख्यात्मक उत्तर

1. $\because\ 2x+\frac{1}{3x}=6$

$\frac{3}{2}$ से दोनों ओर गुणा करने पर,

$$\frac{3}{2}\times 2x+\frac{3}{2}\times\frac{1}{3x} = \frac{3}{2}\times 6$$

$$\Rightarrow \quad 3x+\frac{1}{2x} = 9$$

2. $\because\ x+\frac{1}{16x} = 1$

दोनों ओर 4 से गुणा करने पर,

$$4x+\frac{1}{4x} = 4$$

पुनः दोनों ओर घन करने पर,

$$\left(4x+\frac{1}{4x}\right)^3 = (4)^3$$

$$\Rightarrow 64x^3+\frac{1}{64x^3}+3.4x.\frac{1}{4x}\left(4x+\frac{1}{4x}\right) = 64$$

$$\Rightarrow \quad 64x^3+\frac{1}{64x^3}+3\times 4 = 64$$

$$\Rightarrow \quad 64x^3+\frac{1}{64x^3} = 52$$

3. $x\left(3-\frac{2}{x}\right) = \left(\frac{3}{x}\right)$

$$\Rightarrow \quad 3x-2 = \frac{3}{x}$$

$$\Rightarrow \quad 3x-\frac{3}{x} = 2$$

$$\Rightarrow \quad x-\frac{1}{x} = \frac{2}{3}$$

दोनों ओर वर्ग करने पर,

$$\left(x-\frac{1}{x}\right)^2 = \left(\frac{2}{3}\right)^2$$

$$\Rightarrow \quad x^2+\frac{1}{x^2}-2\cdot x\cdot\frac{1}{x} = \frac{4}{9}$$

$$\Rightarrow \quad x^2+\frac{1}{x^2} = \frac{4}{9}+2=\frac{22}{9}=2\frac{4}{9}$$

4. $\because \quad \sqrt{x}+\frac{1}{\sqrt{x}} = 5$

$\Rightarrow \quad \left(\sqrt{x}+\frac{1}{\sqrt{x}}\right)^2 = (5)^2$

$\therefore \quad x+2.\sqrt{x}.\frac{1}{\sqrt{x}}+\frac{1}{x} = 25$

$\therefore \quad x+2+\frac{1}{x} = 25$

$\Rightarrow \quad x+\frac{1}{x} = 25 - 2 = 23$

$\therefore \quad \left(x+\frac{1}{x}\right)^2 = (23)^2$

$\Rightarrow \quad x^2+2\cdot x\cdot\frac{1}{x}+\frac{1}{x^2} = 529$

$\therefore \quad x^2+2+\frac{1}{x^2} = 529$

$\Rightarrow \quad x^2+\frac{1}{x^2} = 529 - 2$

$x^2+\frac{1}{x^2} = 527$

5. $x = a(b - c) \Rightarrow \frac{x}{a} = b - c$

$y = b(c - a) \Rightarrow \frac{y}{b} = c - a$

तथा $\quad z = c(a - b)$

$\Rightarrow \quad \frac{z}{c} = a - b$

$\therefore \quad \frac{x}{a}+\frac{y}{b}+\frac{z}{c} = b - c + c - a + a - b = 0$

$\Rightarrow \quad \left(\frac{x}{a}+\frac{y}{b}+\frac{z}{c}\right)^3 = 0$

$\therefore \quad \frac{x^3}{a^3}+\frac{y^3}{b^3}+\frac{z^3}{c^3} = 3\cdot\frac{x}{a}\cdot\frac{y}{b}\cdot\frac{z}{c}$

$= \frac{3xyz}{abc} \qquad [\because a + b + c = 0)$

6. $x = \frac{\sqrt{3}+1}{\sqrt{3}-1} = \frac{(\sqrt{3}+1)\times(\sqrt{3}+1)}{(\sqrt{3}-1)(\sqrt{3}+1)} = \frac{3+1+2\sqrt{3}}{2}$

$= 2+\sqrt{3}$

तथा $\quad y = \frac{\sqrt{3}-1}{\sqrt{3}+1} = \frac{(\sqrt{3}-1)\times(\sqrt{3}-1)}{(\sqrt{3}+1)(\sqrt{3}-1)}$

$= \frac{3+1-2\sqrt{3}}{2} = 2-\sqrt{3}$

$\therefore \quad x^2 + y^2 = (2+\sqrt{3})+(2-\sqrt{3})^2$

$= 4+3+2.2\sqrt{3}+4+3-2.2\sqrt{3}$

$= 7 + 7 = 14$

7. $x+\frac{1}{y} = 1$

$\Rightarrow \quad xy + 1 = y$

$\Rightarrow \quad x = \frac{y-1}{y}$

$\Rightarrow \quad \frac{1}{x} = \frac{y}{y-1}$

तथा $\quad y+\frac{1}{z} = 1$

$\Rightarrow \quad zy + 1 = z$

$\Rightarrow \quad z = \frac{1}{1-y}$

$\therefore \quad z+\frac{1}{x} = \frac{1}{1-y}+\frac{y}{y-1}$

$= \frac{1-y}{1-y} = 1$

8. $x^2 + y^2 + z^2 + 2 = 2(y - x)$

$\Rightarrow \quad x^2 + y^2 + z^2 + 2 = 2y - 2x$

$\Rightarrow \quad x^2 + 2x + 1 + y^2 - 2y + 1 + z^2 = 0$

$\Rightarrow \quad (x + 1)^2 + (y - 1)^2 + (z - 0)^2 = 0$

$\therefore \quad x = -1, y = 1$ तथा $z = 0$

तब $\quad x^3 + y^3 + z^3 = (-1)^3 + (1)^3 + (0)^3$

$= -1 + 1 + 0 = 0$

9. $x + y + z = 0 \Rightarrow x + y = -z$

$x + y + z = 0 \Rightarrow y + z = -x$

तथा $\quad x + y + z = 0 \Rightarrow z + x = -y$

$\therefore \quad \frac{(x+y)(y+z)(z+x)}{xyz} = \frac{(-z)\cdot(-x)\cdot(-y)}{xyz} = -1$

10. $\because \quad x + y = 2z$

या $\quad x - z = z - y$

$\therefore \quad \frac{x}{x-z}+\frac{z}{y-z} = \frac{x}{x-z}-\frac{z}{y-z}$

$= \frac{x-z}{x-z} = 1 \qquad (\because z - y = x - z)$

★ ★ ★

15

क्षेत्रमिति (Mensuration)

समतल आकृतियाँ

आयत (Rectangle)

- ❖ परिमिति = 2 × (लम्बाई + चौड़ाई)
- ❖ क्षेत्रफल = लम्बाई × चौड़ाई
- ❖ विकर्ण = $\sqrt{(\text{ल॰})^2 + (\text{चौ॰})^2}$

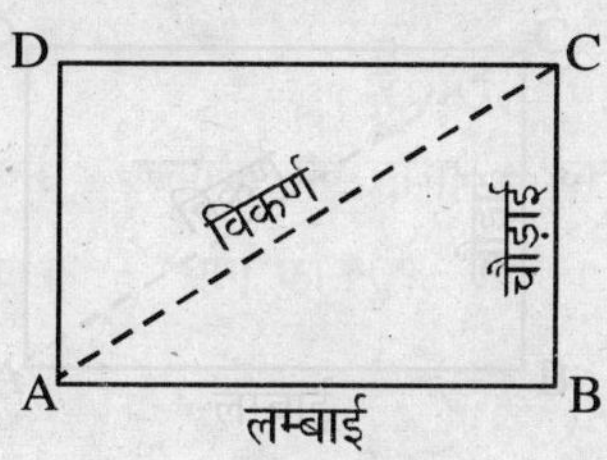

वर्ग (Square)

- ❖ क्षेत्रफल = $(\text{भुजा})^2 = \dfrac{(\text{विकर्ण})^2}{2}$
- ❖ परिमिति = 4 × भुजा

$\Rightarrow$ भुजा = $\dfrac{\text{परिमिति}}{4}$

- ❖ भुजा = $\sqrt{\text{क्षेत्रफल}}$
- ❖ विकर्ण = $\sqrt{2} \times \text{भुजा} = \sqrt{2 \times \text{क्षेत्रफल}}$

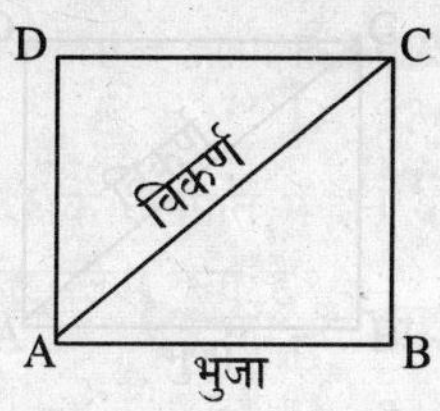

त्रिभुज (Trianlges)

- ❖ विषमबाहु त्रिभुज का क्षेत्रफल

$= \sqrt{s(s-a)(s-b)(s-c)}$

जहाँ $s = \dfrac{a+b+c}{2}$

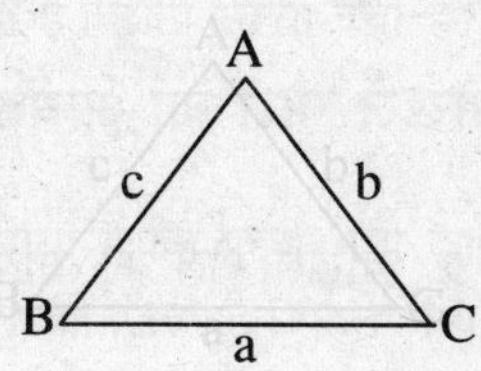

- ❖ समद्विबाहु त्रिभुज का क्षेत्रफल

$= \sqrt{s(s-a)(s-b)^2}$

जहाँ $s = \dfrac{a+2b}{2}$

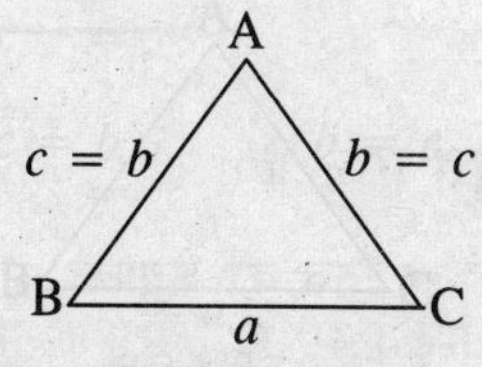

- ❖ समबाहु त्रिभुज का क्षेत्रफल

$= \dfrac{\sqrt{3}}{4} \times \text{भुजा}^2$

समबाहु त्रिभुज की ऊँचाई

$= \dfrac{\sqrt{3}}{2} \times \text{भुजा}$

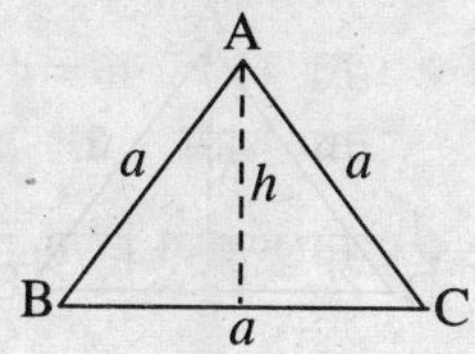

- ❖ समकोण त्रिभुज का क्षेत्रफल

$= \dfrac{1}{2} \times$ आधार × ऊँचाई

$\text{कर्ण}^2 = \text{लम्ब}^2 + \text{आधार}^2$

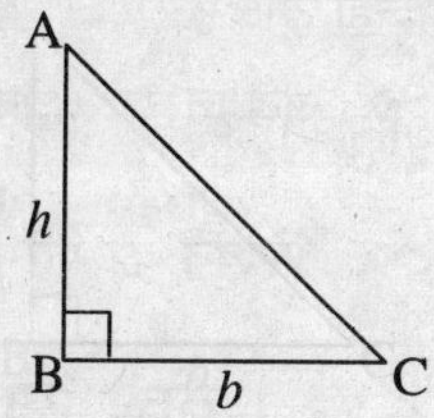

चतुर्भुज (Quadrilateral)

- ❖ समानान्तर चतुर्भुज (Parallelogram) का क्षेत्रफल = आधार × ऊँचाई

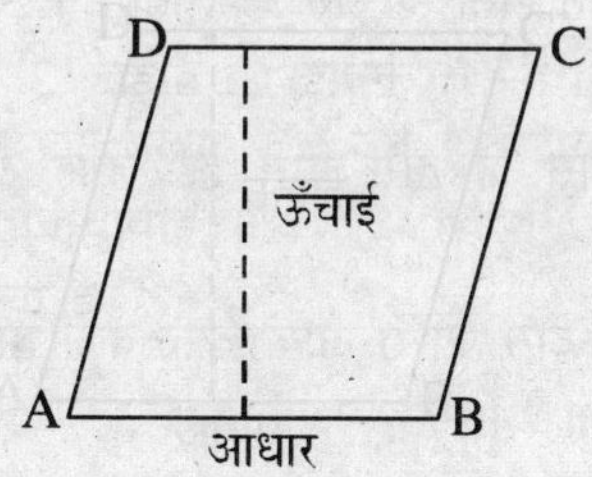

- ❖ समचतुर्भुज (Rhombus) का क्षेत्रफल

$= \dfrac{1}{2} \times$ पहला विकर्ण × दूसरा विकर्ण

$= \dfrac{1}{2} \times AC \times BD$

$= \dfrac{1}{2} \times d_1 \times d_2$

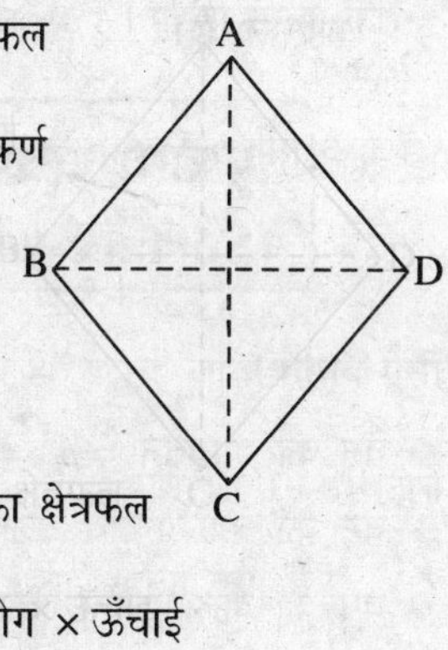

- ❖ समलम्ब चतुर्भुज (Trapezium) का क्षेत्रफल

$= \dfrac{1}{2} \times$ समानान्तर भुजाओं का योग × ऊँचाई

$= \frac{1}{2} \times (b_1 + b_2) \times h$

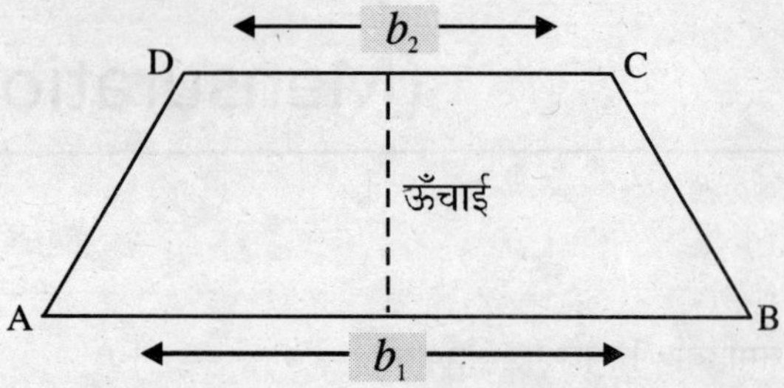

वृत्त (Circle)

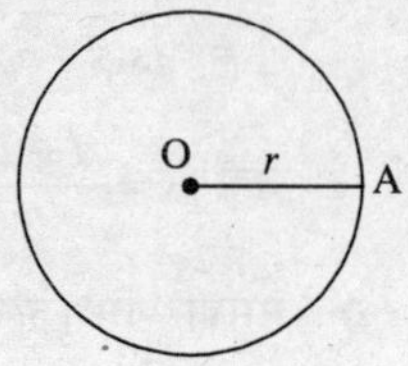

❖ वृत्त का क्षेत्रफल = πr^2

❖ वृत्त की परिधि = $2\pi r$

❖ वृत्त की त्रिज्या = r
तथा व्यास = $2r$

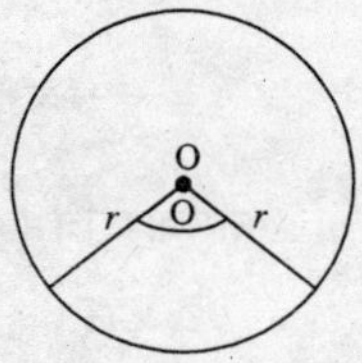

❖ वृत्तखण्ड या त्रिज्यखण्ड का क्षेत्रफल

$= \frac{\theta}{360°} \times \pi r^2$

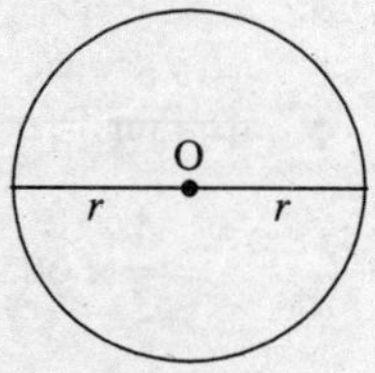

❖ अर्द्धवृत्त का क्षेत्रफल = $\frac{1}{2} \pi r^2$

❖ अर्द्धवृत्त का परिमाप = $\pi r + 2r$

ठोस आकृतियाँ (Solid Figures)

❑ **ठोस:** कोई वस्तु जो स्थान घेरती है, भार रखती है तथा जिसका आकार निश्चित होता है, ठोस कहलाती है। इस प्रकार ठोस की तीन माप होती हैं—1. लम्बाई; 2. चौड़ाई; 3. ऊँचाई (मोटाई)।

❑ **आयतन:** ठोस के द्वारा घिरी हुई जगह ठोस का आयतन कहलाती है।

❑ **घनाभ:** एक ठोस जो 6 आयताकार तलों द्वारा घिरा होता है, घनाभ कहलाता है।

❑ **घन:** एक ठोस जो 6 वर्गाकार तलों द्वारा घिरा होता है, घन कहलाता है।

पृष्ठीय क्षेत्रफल और आयतन (Surface area and Volume)

घन (Cube)

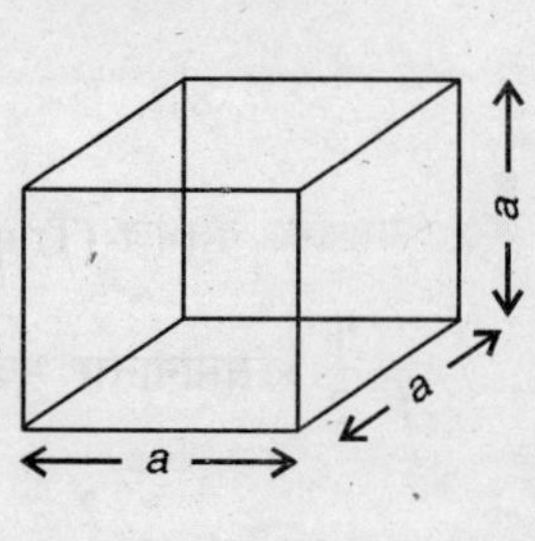

❖ घन का आयतन = a^3 = (भुजा)^3

❖ घन का वक्र पृष्ठीय क्षेत्रफल = $4a^2$

❖ घन का कुल पृष्ठीय क्षेत्रफल = $6a^2$

❖ घन का विकर्ण = $a\sqrt{3}$

घनाभ (Cuboid)

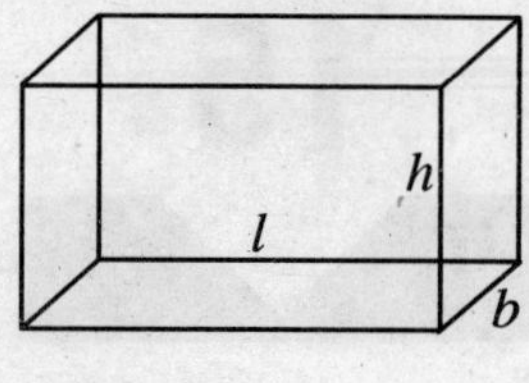

❖ घनाभ का आयतन
= लम्बाई × चौड़ाई × ऊँचाई
$= l \times b \times h$

❖ घनाभ का पृष्ठीय क्षेत्रफल
$= 2(l + b) \times h$

❖ घनाभ का कुल पृष्ठीय क्षेत्रफल = $2(lb + bh + hl)$

❖ घनाभ का विकर्ण = $\sqrt{l^2 + b^2 + h^2}$

बेलन (Cylinder)

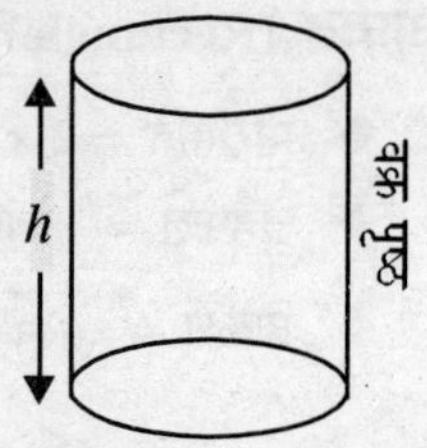

❖ बेलन का आयतन = $\pi r^2 h$

❖ बेलन का वक्र पृष्ठ का क्षेत्रफल = $2\pi rh$

❖ बेलन का सम्पूर्ण पृष्ठ का क्षेत्रफल = $2\pi r(h + r)$

❖ बेलन का आयतन = आधार का क्षेत्रफल × ऊँचाई

शंकु (Cone)

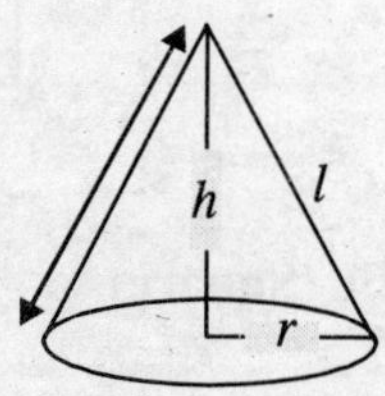

❖ शंकु का आयतन = $\frac{1}{3} \pi r^2 h$

❖ शंकु का वक्र पृष्ठ का क्षेत्रफल = πrl
[$l^2 = r^2 + h^2$,
जहाँ l तिर्यक ऊँचाई (Slant height) है]

❖ शंकु का सम्पूर्ण पृष्ठ का क्षेत्रफल = $\pi r(l + r)$

गोला (Sphere)

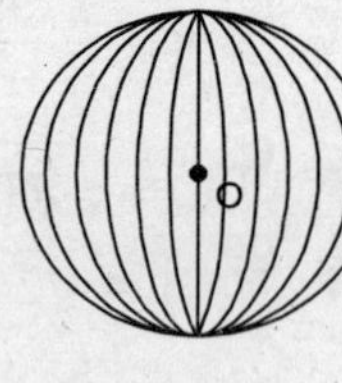

❖ गोले का आयतन = $\frac{4}{3} \pi r^3$

❖ गोले का पृष्ठीय क्षेत्रफल = $4\pi r^2$

❖ गोले का सम्पूर्ण पृष्ठ का क्षेत्रफल = $4\pi r^2$

अर्द्धगोला (Hemisphere)

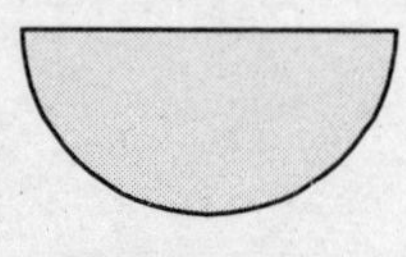

❖ अर्द्ध गोले का आयतन = $\frac{2}{3} \pi r^3$

❖ अर्द्ध गोले का पृष्ठीय क्षेत्रफल = $2\pi r^2$

❖ अर्द्ध गोले का सम्पूर्ण पृष्ठ का क्षेत्रफल = $3\pi r^2$

खोखले गोले का आयतन (Volume of Hollow Sphere)

❖ खोखले गोले का आयतन = $\frac{4}{3} \pi \left(R^3 - r^3\right)$

❖ बाह्य पृष्ठीय क्षेत्रफल = $4\pi R^2$

वस्तुनिष्ठ प्रश्न

1. एक वर्गाकार मैदान का परिमाप 580 मी. है, तो बताइये उस मैदान का क्षेत्रफल कितना होगा?
A. 21025 वर्ग मी. B. 20050 वर्ग मी.
C. 20075 वर्ग मी. D. 20060 वर्ग मी.

2. यदि किसी त्रिभुज का आधार 8 सेमी. तथा ऊँचाई 10 सेमी. हो, तो उस त्रिभुज का क्षेत्रफल कितना होगा?
A. 40 वर्ग सेमी. B. 35 वर्ग सेमी.
C. 42 वर्ग सेमी. D. 28 वर्ग सेमी.

3. एक आयताकार खेत का परिमाप 760 मी. है तथा इसकी लम्बाई व चौड़ाई में 11 : 8 का अनुपात है। तो बताइये आयताकार खेत का क्षेत्रफल क्या होगा?
A. 35200 वर्ग मी. B. 34700 वर्ग मी.
C. 35600 वर्ग मी. D. 45200 वर्ग मी.

4. एक वृत्त की परिधि तथा एक वर्ग का परिमाप बराबर है। तो बताइये उनके क्षेत्रफलों का अनुपात क्या होगा?
A. 14 : 11 B. 7 : 8
C. 14 : 13 D. 13 : 11

5. एक घास का मैदान 24 मी. × 14 मी. है तथा इसके बाहर की ओर 1 मी. चौड़ा रास्ता है। यदि एक टाइल का क्षेत्रफल 20 × 20 वर्ग सेमी. हो, तो रास्ते पर लगने वाली टाइलों की संख्या क्या होगी?
A. 1900 B. 2100
C. 2000 D. 2050

6. एक कमरे की चार दीवारों का क्षेत्रफल 120 वर्ग मी. है तथा इसकी लम्बाई, चौड़ाई से दुगुनी है। यदि कमरे की ऊँचाई 4 मीटर हो, तो इसके फर्श का क्षेत्रफल क्या होगा?
A. 48 वर्ग मीटर B. 49 वर्ग मीटर
C. 50 वर्ग मीटर D. 52 वर्ग मीटर

7. एक आयताकार मैदान की भुजायें 3 : 4 के अनुपात में हैं। यदि इस मैदान का क्षेत्रफल 7500 वर्ग मीटर हो, तो इसके चारों ओर 25 पैसे प्रतिमीटर की दर से बाड़ लगाने का खर्च क्या होगा?
A. ₹ 55.50 B. ₹ 67.50
C. ₹ 86.50 D. ₹ 87.50

8. एक वर्गाकार खेत का क्षेत्रफल 0.5 हेक्टेयर है। इसके विकर्ण की लम्बाई क्या होगी?
A. 75 मीटर B. 80 मीटर
C. 100 मीटर D. 110 मीटर

9. एक वर्ग तथा इसके विकर्ण पर बनाये गये वर्ग के क्षेत्रफलों का अनुपात क्या होगा?
A. 1 : 2 B. 2 : 3 C. 3 : 4 D. 4 : 5

10. एक वर्गाकार खेत को ₹ 135 प्रति हेक्टेयर की दर से समतल करने का खर्च ₹ 1215 है। इस खेत के चारों ओर 75 पैसे प्रति मीटर की दर से बाड़ लगाने का खर्च क्या होगा?
A. ₹ 540 B. ₹ 880 C. ₹ 900 D. ₹ 920

11. एक पहिये की त्रिज्या 0.25 मीटर है। 11 किमी. दूरी तय करने में यह कितने चक्कर लगायेगा?
A. 8000 B. 6000
C. 9000 D. 7000

12. एक लम्ब वृत्तीय शंकु का आयतन 1232 सेमी.^{3} है, और उसकी ऊर्ध्वाधर ऊँचाई 24 सेमी. है। तदनुसार, वक्राकार पृष्ठ का क्षेत्रफल कितना है?
A. 154 सेमी.^{2} B. 550 सेमी.^{2}
C. 604 सेमी.^{2} D. 704 सेमी.^{2}

13. एक लोहे का बड़ा गोला, जिसको पिघलाकर तीन विभिन्न प्रकार के गोले बनाये जाते हैं जिसकी त्रिज्या क्रमशः 3 सेमी., 4 सेमी. तथा 5 सेमी. है। बड़े गोले का व्यास कितना होगा?
A. 6 सेमी. B. 8 सेमी.
C. 12 सेमी. D. 16 सेमी.

14. एक घन का पृष्ठ क्षेत्रफल 1014 वर्ग सेमी. है। इसका आयतन कितना होगा?
A. 2197 घन सेमी. B. 2297 घन सेमी.
C. 2179 घन सेमी. D. 2117 घन सेमी.

15. यदि दो घनाकृतियों के आयतन में 8 : 1 का अनुपात हो, तो उनकी कोरों में क्या अनुपात होगा?
A. 1 : 2 B. 2 : 1 C. 4 : 1 D. 2 : 3

16. दो गोलों के पृष्ठ क्षेत्रफल में 9 : 16 का अनुपात है, तो बताइये उनके आयतनों में क्या अनुपात होगा?
A. 64 : 27 B. 27 : 64
C. 16 : 27 D. 11 : 27

17. एक कमरे की लं., चौ. व ऊँ. क्रमशः 12 मी., 9 मी. तथा 8 मी. है, तो बताइये उस छड़ की अधिक-से-अधिक लम्बाई क्या होगी जो कमरे में ठीक प्रकार रखी जा सके?
A. 17 मी. B. 18 मी. C. 25 मी. D. 16 मी.

18. यदि किसी बेलन के आधार की परिधि 88 सेमी. तथा ऊंचाई 42 सेमी. हो, तो उस बेलन का आयतन कितना होगा?
A. 25872 घन सेमी. B. 28572 घन सेमी.
C. 25870 घन सेमी. D. 22584 घन सेमी.

19. 14 मी. लम्बे तथा 4 मी. त्रिज्या वाले एक ठोस बेलन को पिघलाकर शंकु बनाया जाता है। यदि शंकु की त्रिज्या बेलन की त्रिज्या के बराबर हो, तो शंकु की ऊंचाई कितनी होगी?
A. 21 मी. B. 42 मी. C. 48 मी. D. 54 मी.

20. तीन घन, जिनके किनारे क्रमशः 2 सेमी., 3 सेमी. तथा 4 सेमी. हैं, को पिघलाकर एक नया घन बनाया जाता है। उस नए घन का किनारा कितना होगा?
A. $\sqrt{99}$ सेमी. B. $3\sqrt{99}$ सेमी.
C. $\sqrt[3]{99}$ सेमी. D. 99 सेमी.

उत्तरमाला

1	2	3	4	5	6	7	8	9	10
A	A	A	A	C	C	D	C	A	C
11	**12**	**13**	**14**	**15**	**16**	**17**	**18**	**19**	**20**
D	B	C	A	B	B	A	A	B	C

व्याख्यात्मक उत्तर

1. $\because$ वर्गाकार मैदान का परिमाप = 4 × भुजा

प्रश्नानुसार, $\therefore$ 4 × भुजा = 580 $\Rightarrow$ भुजा = $\frac{580}{4}$ = 145 सेमी.

$\therefore$ क्षेत्रफल = $(\text{भुजा})^2 = (145)^2$ = 21025 वर्ग सेमी.

2. त्रिभुज का क्षेत्रफल = $\frac{1}{2}$ × आधार × ऊँचाई

= $\frac{1}{2} \times 8 \times 10$ = 40 वर्ग सेमी.।

3. माना कि आयताकार खेत की लम्बाई व चौड़ाई क्रमशः $11x$ मी. व $8x$ मी. है।

$\therefore$ खेत का परिमाप = $2(11x + 8x) = 2 \times 19x = 38x$ मी.

प्रश्नानुसार, आयताकार खेत का परिमाप = 760 मी. है।

$\therefore 38x = 760 \quad \Rightarrow x = \frac{760}{38} = 20$

$\therefore$ खेत की लम्बाई व चौड़ाई क्रमशः (11 × 20 = 220 मी.) व (8 × 20 = 160 मी.) होगी।

$\therefore$ आयताकार खेत का क्षेत्रफल = 220 × 160 = 35200 वर्ग मी.।

4. माना कि वृत्त की त्रिज्या R सेमी. तथा वर्ग की भुजा x सेमी. है।

$\therefore$ वृत्त की परिधि = $2\pi R$ सेमी. तथा वर्ग का परिमाप = $4x$ सेमी.

प्रश्नानुसार, $2\pi R = 4x \Rightarrow R = \frac{2x}{\pi}$

$\therefore$ वृत्त तथा वर्ग के क्षेत्रफलों में अनुपात = $\pi R^2 : x^2$

$\Rightarrow \pi \times \left(\frac{2x}{\pi}\right)^2 : x^2 \Rightarrow \frac{4x^2}{\pi} : x^2$

$\Rightarrow 4 : \pi \quad \Rightarrow 4 : \frac{22}{7} \quad \Rightarrow 14 : 11$

5. चूँकि मैदान का क्षेत्रफल = 24 × 14 = 336 वर्ग मी.

रास्ते सहित मैदान का क्षेत्रफल = 26 × 16 = 416 वर्ग मी.

$\therefore$ रास्ते का क्षेत्रफल = 416 – 336 = 80 वर्ग मी.

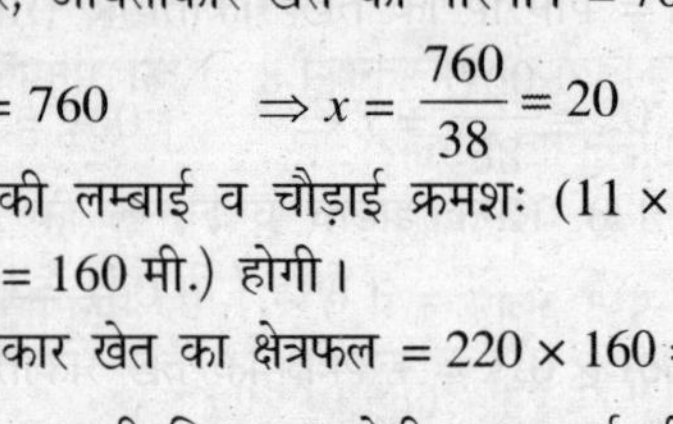

चूँकि एक टाइल का क्षेत्रफल = $\frac{20}{100} \times \frac{20}{100} = \frac{400}{10000}$ = .04 वर्ग मी.

$\therefore$ रास्ते पर लगने वाली टाइलों की संख्या = $\frac{80}{.04}$ = 2000

6. माना कमरे की लम्बाई = x मीटर। तब चौड़ाई = $\left(\frac{x}{2}\right)$ मीटर

कमरे की चार दीवारों का क्षेत्रफल = 2 (लम्बाई + चौड़ाई) × ऊँचाई

= $\left[2\left(x + \frac{x}{2}\right) \times 4\right]$ वर्ग मी. = $(12x)$ वर्ग मी.

$\therefore 12x = 120 \quad \Leftrightarrow x = 10$

अतः लम्बाई = 10 मीटर तथा चौड़ाई = 5 मीटर

$\therefore$ फर्श का क्षेत्रफल = (10 × 5) वर्ग मी. = 50 वर्ग मीटर

7. माना भुजायें क्रमशः $3x$ तथा $4x$ मीटर हैं।

तब, $3x \times 4x = 7500 \quad \Leftrightarrow x^2 = 625 \quad \Leftrightarrow x = 25$

अतः भुजाओं की लम्बाई 75 मी. तथा 100 मी. हैं।

$\therefore$ परिमिति = 2(75 + 100) मी. = 350 मी.

बाड़ लगाने का खर्च = $\left(350 \times \frac{25}{100}\right)$ = ₹ 87.50

8. वर्ग का क्षेत्रफल = $\frac{1}{2}$ × (विकर्ण)^2

$\Leftrightarrow$ (0.5 × 10000) वर्ग मी. = 0.5 × (विकर्ण)^2

$\Leftrightarrow$ (विकर्ण)^2 = 10000 मीटर $\Leftrightarrow$ विकर्ण = 100 मीटर

9. माना वर्ग की प्रत्येक भुजा = x मी.

विकर्ण पर बने वर्ग की भुजा = $\sqrt{2}x$ मी.

पहले वर्ग का क्षेत्रफल = x^2 वर्ग मी.,

दूसरे वर्ग का क्षेत्रफल = $2x^2$ वर्ग मी.

क्षेत्रफलों का अभीष्ट अनुपात = $x^2 : 2x^2 = 1 : 2$

10. खेत का क्षेत्रफल = $\frac{\text{कुल खर्च}}{\text{दर}} = \left(\frac{1215}{135}\right)$ हेक्टेयर = 9 हेक्टेयर

= (9 × 10000) वर्ग मी.

खेत की प्रत्येक भुजा = $\sqrt{9 \times 10000} = (3 \times 100)$ मी. = 300 मीटर

खेत की परिमिति = (300 × 4) मीटर = 1200 मीटर

बाड़ लगाने का खर्च = $\left(1200 \times \frac{75}{100}\right)$ = ₹ 900

11. पहिये की परिधि = $2\pi R = \left(2\times\frac{22}{7}\times\frac{25}{100}\right)$ मी. $= \frac{11}{7}$ मी.

11 किमी. दूरी तय करने में लगे चक्करों की संख्या

$$= \left(11000\times\frac{7}{11}\right) = 7000$$

12. शंकु का आयतन = 1232 सेमी.^{3}

$\Rightarrow \quad \frac{1}{3}\pi r^2 h = 1232$

$\Rightarrow \quad \frac{1}{3}\times\frac{22}{7}\times r^2\times 24 = 1232$

$\Rightarrow \quad r^2 = \frac{3\times 7\times 1232}{22\times 24} = 49$

$\Rightarrow \quad r = 7$ सेमी.

तिर्यक ऊँचाई $= \sqrt{r^2+h^2} = \sqrt{7^2+24^2}$

$= \sqrt{49+576} = \sqrt{625} = 25$ सेमी.

अभीष्ट क्षेत्रफल $= \pi rl = \frac{22}{7}\times 7\times 25 = 550$ वर्ग सेमी.

13. माना कि बड़े गोले की त्रिज्या R सेमी. है।

बड़े गोले का आयतन = 3 छोटे गोले का आयतन

$\Rightarrow \quad \frac{4}{3}\pi R^3 = \frac{4}{3}\pi\left[(3)^3+(4)^3+(5)^3\right]$

$\Rightarrow \quad R^3 = 27 + 64 + 125 = 216$

$\Rightarrow \quad R^3 = (6)^3$

$\Rightarrow \quad R = 6$ सेमी.

अतः बड़े गोले का व्यास = 2 × 6 = 12 सेमी.।

14. $\because$ घन का पृष्ठ क्षेत्रफल = 6 × (भुजा)^2

$\therefore$ 6 × (भुजा)^2 = 1014

$\Rightarrow$ (भुजा)$^2 = \frac{1014}{6} = 169$

$\therefore$ घन की भुजा $= \sqrt{169} = 13$ सेंमी.

$\therefore$ घन का आयतन = (भुजा)^3

$= (13)^3$ सेंमी. = 2197 घन सेंमी.

15. माना दो घनों की भुजा क्रमशः a_1 व a_2 है।

$\therefore$ दोनों घनों का आयतन क्रमशः a_1^3 व a_2^3 होगा

प्रश्नानुसार, $a_1^3 : a_2^3 = 8 : 1$

$\therefore \frac{a_1^3}{a_2^3} = \frac{8}{1} \quad \therefore \left(\frac{a_1}{a_2}\right)^3 = \left(\frac{2}{1}\right)^3 \Rightarrow a_1 : a_2 = 2 : 1$

अतः उनकी कोरों में 2 : 1 का अनुपात होगा।

16. माना कि दो गोलों की त्रिज्या क्रमशः r_1 व r_2 है

दोनों गोलों का पृष्ठ क्षेत्रफल क्रमशः $4\pi r_1^2$ व $4\pi r_2^2$

प्रश्नानुसार, $4\pi r_1^2 : 4\pi r_2^2 = 9 : 16 \Rightarrow r_1^2 : r_2^2 = 9 : 16$

$\Rightarrow \frac{r_1^2}{r_2^2} = \frac{9}{16} \Rightarrow \left(\frac{r_1}{r_2}\right)^2 = \left(\frac{3}{4}\right)^2 \Rightarrow r_1 : r_2 = 3 : 4$

$\Rightarrow \left(\frac{r_1}{r_2}\right)^3 = \left(\frac{3}{4}\right)^3 \Rightarrow \frac{r_1^3}{r_2^3} = \frac{27}{64}$

$\Rightarrow r_1^3 : r_2^3 = 27 : 64$

$\therefore$ उनके आयतनों का अनुपात $= \frac{4}{3}\pi r_1^3 : \frac{4}{3}\pi r_2^3$

$\Rightarrow r_1^3 : r_2^3 = 27 : 64$

17. $\because$ अधिक-से-अधिक लम्बाई की छड़ = घनाभ के विकर्ण की लम्बाई

$= \sqrt{(\text{लं.})^2 + (\text{चौ.})^2 + (\text{ऊं})^2}$

$= \sqrt{(12)^2+(9)^2+(8)^2}$

$= \sqrt{144+81+64} = \sqrt{289} = 17$ मी.

अतः उस छड़ की अधिक-से-अधिक लम्बाई जो ठीक प्रकार से कमरे में रखी जा सके 17 मी. होगी।

18. माना कि बेलन के आधार की त्रिज्या = r सेमी.

$\therefore$ बेलन के आधार की परिधि = $2\pi r$ सेमी.

प्रश्नानुसार, $2\pi r = 88$

$\Rightarrow r = \frac{88}{2\pi} = \frac{88}{2\times\frac{22}{7}} = \frac{88\times 7}{2\times 22} = 14$ सेमी.

$\therefore$ बेलन का आयतन $= \pi r^2 h = \frac{22}{7}\times(14)^2\times 42$

$= 22 \times 2 \times 14 \times 42 = 25872$ घन सेमी.।

19. $\because$ ठोस बेलन का आयतन $= \pi r^2 h = \pi r^2 \times 14$ घन मी.

प्रश्नानुसार,

शंकु की त्रिज्या = बेलन की त्रिज्या r मी = 4 मी.

चूंकि शंकु का आयतन = बेलन का आयतन

$\therefore \quad \frac{1}{3}\pi r^2 \times$ ऊंचाई $= \pi r^2 \times 14$

$\therefore$ ऊंचाई = 14 × 3 = 42 मी.

अतः शंकु की ऊंचाई 42 मी. होगी।

20. $\because$ तीन घन के किनारे क्रमशः 2 सेमी., 3 सेमी. तथा 4 सेमी. है।

$\therefore$ तीनों घनों के आयतन क्रमशः $(2)^3 = 8$ घन सेमी.,

$(3)^3 = 27$ घन सेमी. तथा $(4)^3 = 64$ घन सेमी. होगी।

$\therefore$ नए घन का आयतन = तीनों घनों का आयतन

$\therefore$ नए घन का आयतन = 8 + 27 + 64 = 99 घन सेमी.

$\therefore$ नए घन का किनारा $= \sqrt[3]{99}$ सेमी.।

★ ★ ★

16 ज्यामिति (Geometry)

बिन्दु (Point)

बिन्दु वह है, जिसमें न लम्बाई हो, न चौड़ाई हो और न मोटाई हो अर्थात् किसी लेखनी से एक समतल पटल पर दबाने पर जो चिह्न बनता है, बिन्दु कहलाता है।

रेखा (line)

- रेखा वह है, जिसमें केवल लम्बाई हो, चौड़ाई और मोटाई न हो।
- एक रेखा में असंख्य बिन्दु होते हैं।
- एक रेखा में कम-से-कम दो बिन्दु अवश्य होंगे।
- रेखा असीमित हैं।
- दो भिन्न-भिन्न रेखाएँ अधिक से अधिक एक बिन्दु पर कटती है।
- दो बिन्दुओं से एक और केवल एक रेखा गुजरती है।

रेखा दो प्रकार की होती हैं–1. सरल रेखा (Straight line), 2. वक्र रेखा (Curved Line)

सरल रेखा (Straight Line) : वह रेखा, जो एक बिन्दु से दूसरे बिन्दु तक बिना दिशा बदले जाती है, सरल रेखा कहलाती है।

यहाँ AB एक सरल रेखा है।

वक्र रेखा (Curved Line) : वह रेखा, जो एक बिन्दु से दूसरे बिन्दु तक टेढ़ी-मेढ़ी दिशा में बदलती हुई जाती है, वक्र रेखा कहलाती है।

कोण (Angle)

किसी बिन्दु पर दो आसन्न रेखाओं के मिलने से जो झुकाव पैदा होता है, उसे कोण कहते हैं। चित्र में, AB और BC रेखाओं से बना कोण ABC है। सांकेतिक रूप से इसे $\angle B$ या $\angle ABC$ या $\angle CBA$ से व्यक्त किया जाता है।

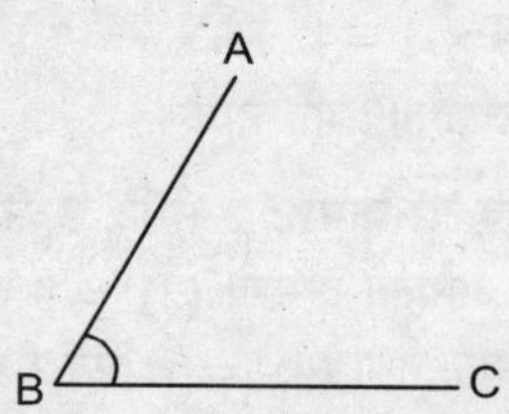

समकोण (Right Angle) : वह कोण, जिसका मान 90° होता है, समकोण कहलाता है। चित्र में, $\angle ABC$ समकोण है।

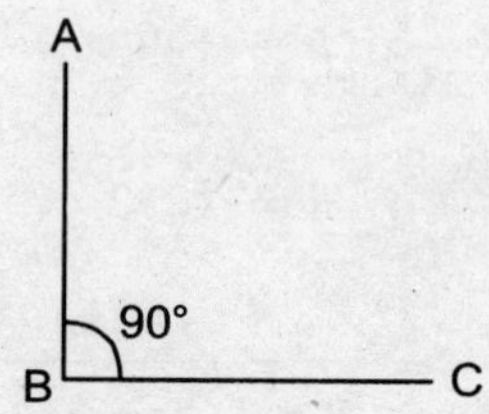

न्यून कोण (Acute Angle) : वह कोण, जिसका मान 0° से अधिक और 90° से कम होता है, उसे न्यून कोण कहते हैं। चित्र में, $\angle ABC$ न्यून कोण है।

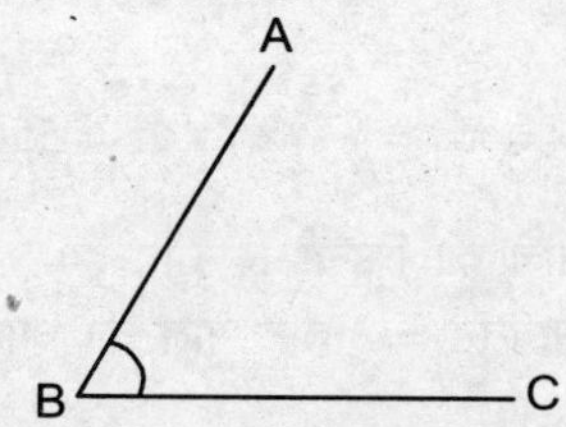

अधिक कोण (Obtuse Angle) : वह कोण, जिसका मान 90° से बड़ा और 180° से छोटा होता है, उसे अधिक कोण कहते हैं। चित्र में, $\angle ABC$ अधिक कोण है।

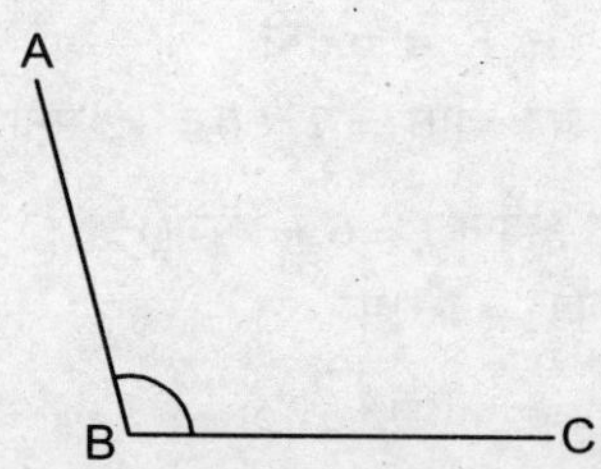

ऋजु कोण (Straight Angle) : वह कोण, जिसका मान 180° होता है, ऋजु कोण कहलाता है। चित्र में, $\angle ABC$ ऋजु कोण है।

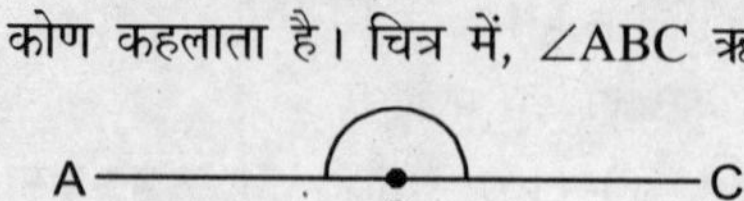

वृहत् कोण (Reflex Angle) : वह कोण, जिसका मान 180° से अधिक और 360° से कम होता है, उसे वृहत् कोण कहते हैं। चित्र में, $\angle ABC$ वृहत् कोण है।

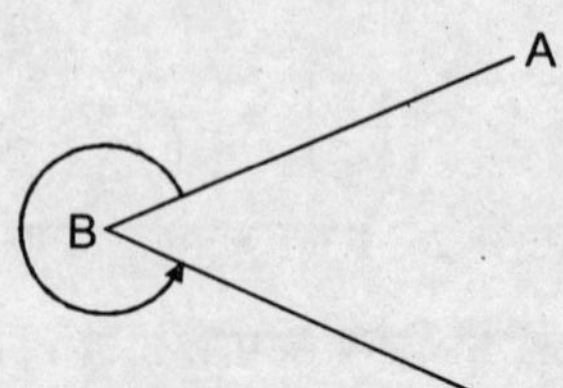

कोटिपूरक कोण (Complementary Angle) : जब दो कोणों का योग 90° होता है, तो प्रत्येक कोण एक-दूसरे के कोटिपूरक कोण कहलाते हैं।

चित्र में, ∠ABD का कोटिपूरक ∠DBC और ∠DBC का कोटिपूरक ∠ABD है।

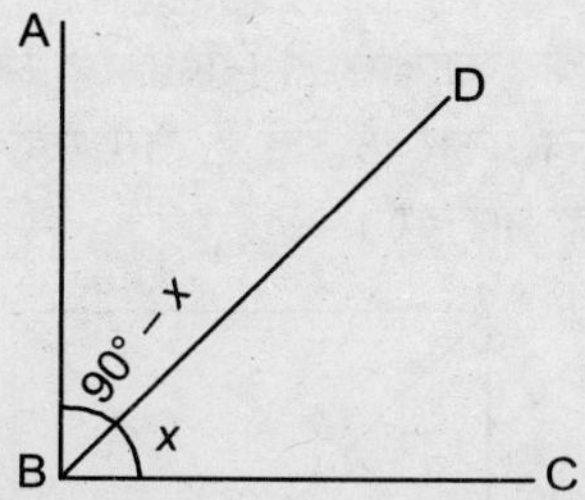

सम्पूरक कोण (Supplementary Angle) : जब दो कोणों का योग 180° होता है, तो प्रत्येक कोण एक-दूसरे के सम्पूरक कोण कहलाते हैं।

चित्र में, ∠ABD का सम्पूरक ∠CBD और ∠CBD का सम्पूरक ∠ABD है।

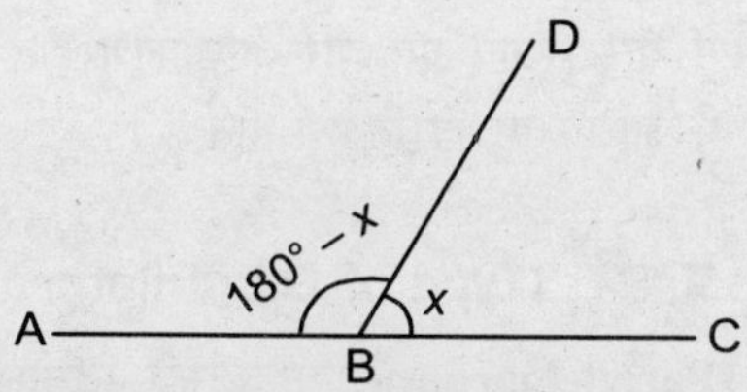

शीर्षाभिमुख कोण (Vertically Opposite Angle) : जब दो रेखाएँ एक-दूसरे को किसी बिन्दु पर प्रतिच्छेदित करती हैं, तब इस प्रकार आमने-सामने बने कोण शीर्षाभिमुख कोण कहलाते हैं।

चित्र में, ∠AOC और ∠BOD शीर्षाभिमुख कोण हैं तथा ∠AOD और ∠BOC भी शीर्षाभिमुख कोण हैं। अतः ∠AOC = ∠BOD तथा ∠AOD = ∠BOC होगा।

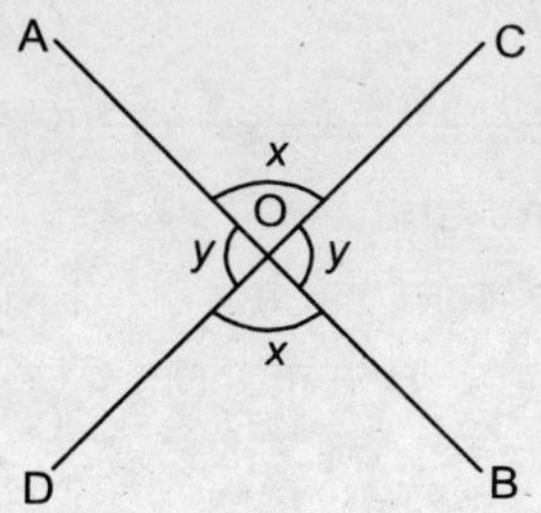

त्रिभुज (Triangle)

तीन रेखाखण्डों से घिरी हुई समतलीय आकृति त्रिभुज कहलाती है। त्रिभुज को Δ से निरूपित करते हैं तथा इसमें तीन भुजाएँ और तीन कोण होते हैं।

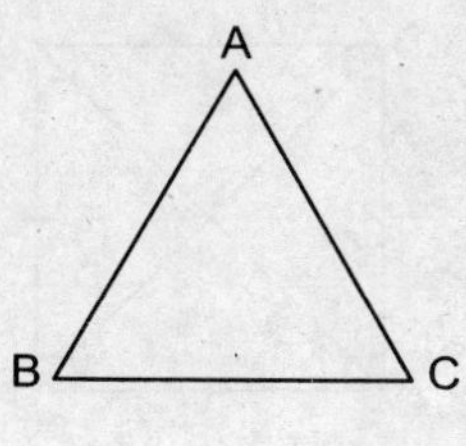

भुजाओं के आधार पर त्रिभुज के प्रकार
(Types of Triangles on the Basis of Sides)

भुजाओं (विमाओं) के आधार पर त्रिभुज के निम्न प्रकार हैं :

विषमबाहु त्रिभुज (Scalene Triangle) : वह त्रिभुज जिसकी सभी भुजाएँ भिन्न-भिन्न लम्बाइयों की होती हैं, विषमबाहु त्रिभुज कहलाता है।

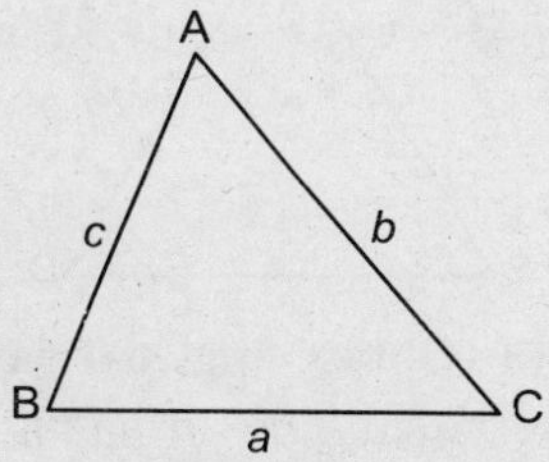

समद्विबाहु त्रिभुज (Isosceles Triangle) : वह त्रिभुज जिसकी दो भुजाएँ बराबर हों, समद्विबाहु त्रिभुज कहलाता है।

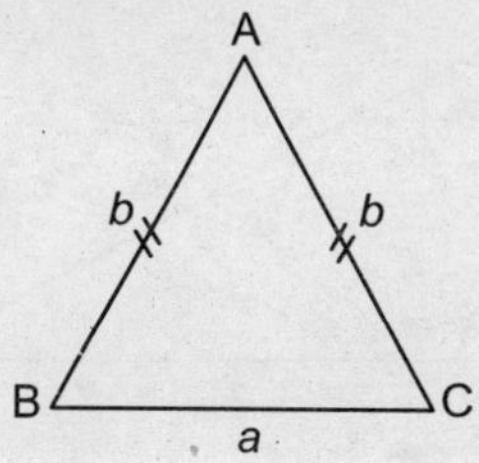

समबाहु त्रिभुज (Equilateral Triangle) : वह त्रिभुज जिसकी तीनों भुजाएँ बराबर हों, समबाहु त्रिभुज कहलाता है।

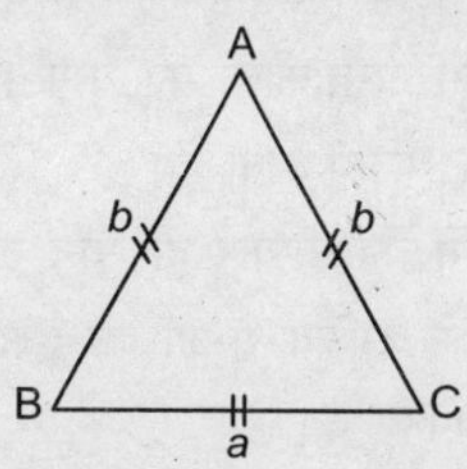

नोट : समबाहु त्रिभुज के प्रत्येक कोण की माप 60° होती है।

कोणों के आधार पर त्रिभुजों के प्रकार
(Types of Triangles on the Basis of Angles)

कोणों के आधार पर त्रिभुज के निम्न प्रकार हैं :

समकोण त्रिभुज (Right Angled Triangle) : जिस त्रिभुज का एक कोण समकोण अर्थात् 90° का हो, उसे समकोण त्रिभुज कहते हैं। चित्र में, ABC एक समकोण त्रिभुज है, जिसमें ∠ABC = 90° है।

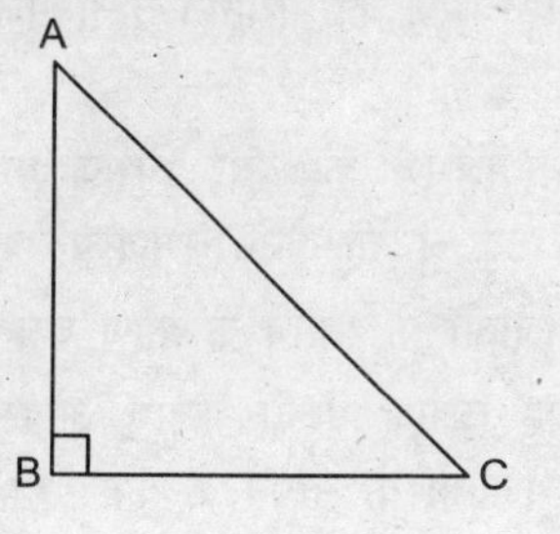

न्यूनकोण त्रिभुज (Acute Angled Triangle) : जिस त्रिभुज के तीनों कोण न्यून कोण अर्थात् 90° से कम हों, उसे न्यूनकोण त्रिभुज कहते हैं। चित्र में, ABC एक न्यूनकोण त्रिभुज है, जिसमें प्रत्येक कोण की माप 90° से कम है।

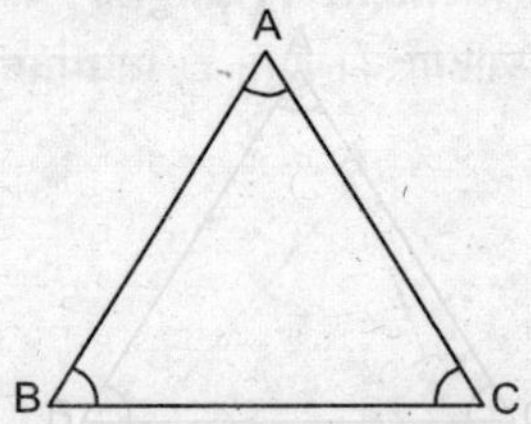

अधिककोण त्रिभुज (Obtuse Angled Triangle) : जिस त्रिभुज का एक कोण अधिककोण अर्थात् 90° से अधिक हो, उसे अधिककोण त्रिभुज कहते हैं। चित्र में, ABC एक अधिककोण त्रिभुज है, जिसमें ∠ABC की माप 90° से अधिक है।

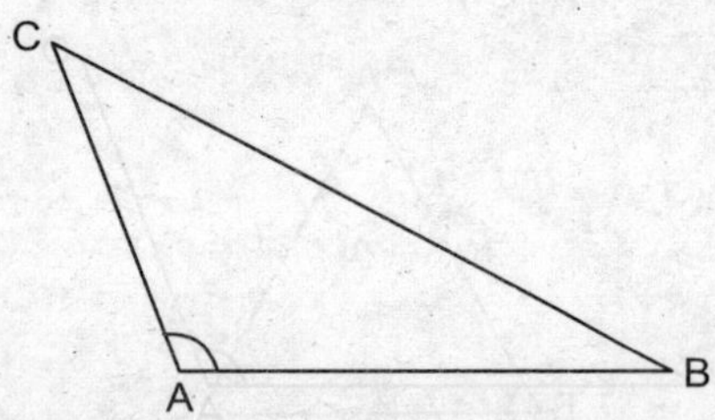

त्रिभुजों से सम्बन्धित महत्वपूर्ण तथ्य (Important Facts Related to Triangle)

- तीन भुजाओं से घिरा समतल क्षेत्र त्रिभुज कहलाता है।
- त्रिभुज के तीनों अन्तःकोणों का योग 180° होता है।
- त्रिभुज में तीन भुजाएँ होती हैं।
- किसी त्रिभुज में कम-से-कम दो न्यून कोण हो सकते हैं।
- किसी त्रिभुज में अधिक-से-अधिक एक अधिककोण या एक समकोण हो सकता है।
- त्रिभुज की समान भुजाओं के सम्मुख बने कोण एकसमान होते हैं।
- यदि किसी त्रिभुज के दो कोण बराबर हों, तो उनकी सम्मुख भुजाएँ भी बराबर होती हैं।
- किसी भी त्रिभुज की दो भुजाओं का योग तीसरी भुजा से अधिक होता है।
- किसी भी त्रिभुज की दो भुजाओं का अन्तर तीसरी भुजा से कम होता है।
- किसी भी त्रिभुज की परिमिति तीनों भुजाओं का योगफल होता है।
- यदि एक त्रिभुज को दूसरे त्रिभुज पर रखने से दूसरा उसे पूरा-पूरा ढक ले, तो दोनों त्रिभुज प्रत्येक दशा में बराबर होंगे।
- संगत भुजाओं के सामने के कोण बराबर होते हैं।
- समद्विबाहु त्रिभुज में दो भुजाएँ आपस में बराबर होती हैं। बराबर भुजाओं के सामने के कोण भी बराबर होते हैं।
- समबाहु त्रिभुज में तीनों भुजाएँ बराबर होती हैं तथा इसके तीनों कोण बराबर यानि प्रत्येक कोण 60° का होता है।
- यदि दो या दो से अधिक त्रिभुजों के कोण आपस में अलग-अलग बराबर हों, तो त्रिभुजों को समान कोणिक त्रिभुज कहते हैं।

चतुर्भुज (Quadrilateral)

किसी समतल पर चार रेखाखण्डों से निर्मित बन्द आकृति चतुर्भुज कहलाती है। चतुर्भुज विभिन्न प्रकार के होते हैं; जैसे समलम्ब, समान्तर चतुर्भुज, समचतुर्भुज, आयत और वर्ग।

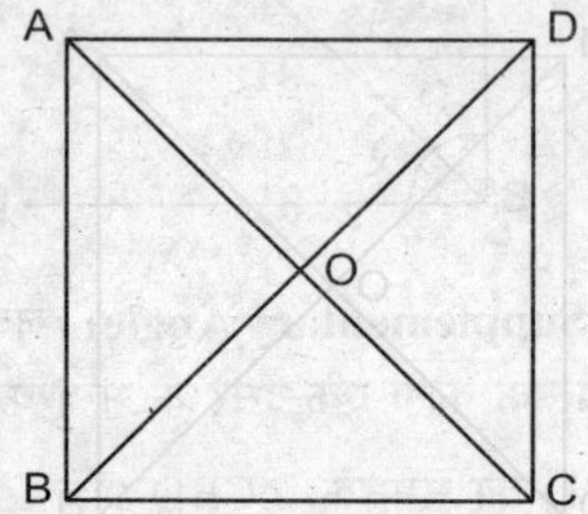

एक चतुर्भुज के सभी कोणों का योग 360° होता है।
चतुर्भुज में चार भुजाएँ एवं चार अन्तःकोण होते हैं।
चतुर्भुज में अधिकतम दो विकर्ण होते हैं।

चतुर्भुज के प्रकार (Type of Quadrilateral)

समान्तर चतुर्भुज (Parallelogram) : एक चतुर्भुज, जिसकी आमने-सामने की भुजाएँ (सम्मुख भुजाएँ) बराबर और समान्तर हों, समान्तर चतुर्भुज कहलाता है।

समान्तर चतुर्भुज के गुण (Porperties of Parallelogram) :

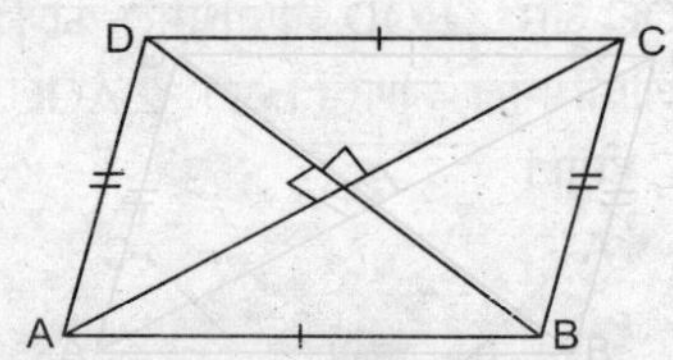

- सम्मुख भुजाएँ बराबर होती हैं।
- सम्मुख कोण बराबर होते हैं।
- विकर्ण एक-दूसरे को समद्विभाजित करते हैं।
- विकर्ण बराबर नहीं होते हैं।

वर्ग (Square)

वह समान्तर चतुर्भुज, जिसकी सभी भुजाएँ समान हों, वर्ग कहलाता है। इसकी आसन्न भुजाओं के बीच बना प्रत्येक कोण 90° का होता है।

वर्ग के गुण (Properties of Square) :

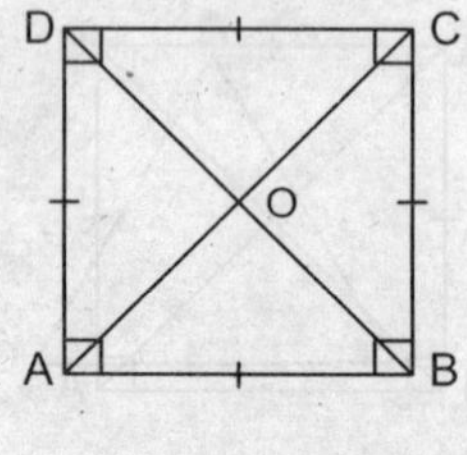

- चारों भुजाएँ बराबर होती हैं।
- प्रत्येक अन्तःकोण समकोण होता है।
- विकर्ण बराबर होते हैं।
- विकर्ण एक-दूसरे को 90° पर समद्विभाजित करते हैं।
- विकर्ण एक-दूसरे पर लम्बवत् होते हैं।

आयत (Rectangle)

वह समान्तर चतुर्भुज, जिसकी सम्मुख भुजाएँ बराबर व समान्तर हों और आसन्न भुजाओं के बीच का कोण 90° हो, आयत कहलाता है।

आयत के गुण (Properties of Rectangle) :

- सम्मुख भुजाएँ बराबर होती हैं।
- प्रत्येक अन्तःकोण समकोण होता है।
- विकर्ण बराबर होते हैं।
- विकर्ण एक-दूसरे को समद्विभाजित करते हैं।

समचतुर्भुज (Rhombus)

वह समान्तर चतुर्भुज जिसकी चारों भुजाएँ बराबर हों, समचतुर्भुज कहलाता है।

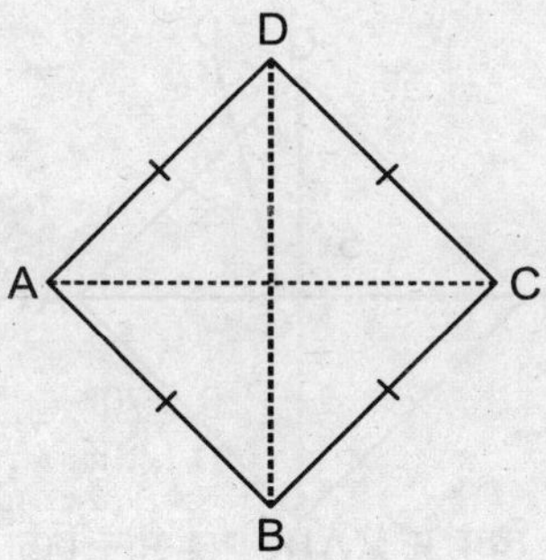

समचतुर्भुज के गुण (Properties of Rhombus) :

- चारों भुजाएँ बराबर होती हैं।
- विकर्ण एक-दूसरे को 90° पर समद्विभाजित करते हैं।
- विकर्ण बराबर नहीं होते हैं।
- भुजाओं के वर्गों का योग विकर्णों के वर्गों के योग के बराबर होता है।

  अर्थात् $AB^2 + BC^2 + CD^2 + DA^2 = AC^2 + BD^2$

समलम्ब (Trapezium)

वह चतुर्भुज जिसकी दो सम्मुख भुजाएँ समान्तर हों तथा शेष दो सम्मुख भुजाएँ असमान्तर हों, समलम्ब कहलाता है।

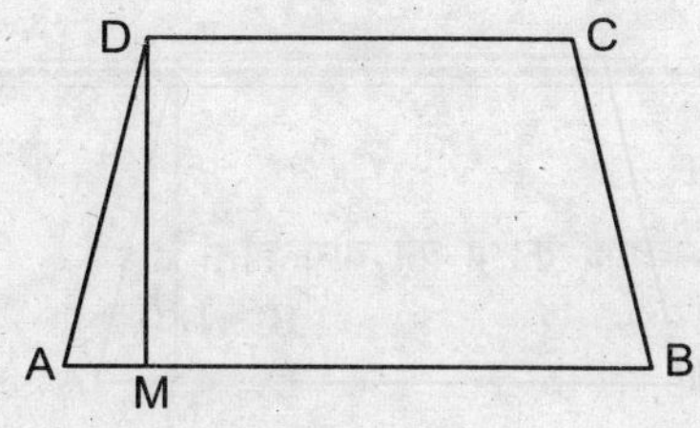

यहाँ पर $AB \parallel DC$, $DM \perp AB$

वृत्त (Circle)

वृत्त एक ऐसी बन्द एवं गोल आकृति है जिसका केन्द्र बिन्दु उसकी परिधि से समान दूरी पर स्थित होता है। इस दूरी को त्रिज्या कहते हैं, जिसे संकेत (r) से प्रदर्शित करते हैं।

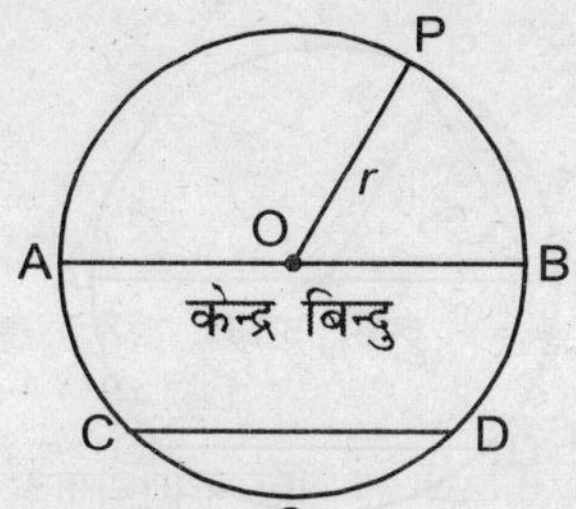

दिए गए वृत्त के चित्र में,

(*i*) AB वृत्त का व्यास है

(*ii*) CD वृत्त की जीवा है

(*iii*) OP वृत्त की त्रिज्या है

(*iv*) CQD वृत्त का चाप है

वृत्त के गुण (Properties of Circle) :

- एक वृत्त में, केन्द्र से जीवा पर डाला गया लम्ब जीवा को समद्विभाजित करता है।
- एक वृत्त में, जीवा के मध्य-बिन्दु को केन्द्र से मिलाने वाली रेखा जीवा पर लम्ब होती है।
- वृत्त की समान जीवाएँ केन्द्र से समदूरस्थ होती हैं।
- वृत्त की समान जीवाएँ केन्द्र पर समान कोण बनाती हैं।
- केन्द्र से समदूरस्थ जीवाएँ समान होती हैं।
- वृत्त की वे जीवाएँ, जो केन्द्र पर समान कोण बनाती हैं, समान होती हैं।
- तीन असरेखीय बिन्दुओं से होकर के एक और केवल एक ही वृत्त खींचा जा सकता है।

संकेन्द्रीय वृत्त (Concentric Circle)

ऐसे दो वृत्त जिनका एक ही केन्द्र हो तथा दोनों वृत्तों की अलग-अलग त्रिज्याएँ हों, संकेन्द्रीय वृत्त कहलाता है।

वस्तुनिष्ठ प्रश्न

1. त्रिभुज के बाह्य कोणों का योग होता है :

A. 90° B. 180°
C. 360° D. 45°

2. चतुर्भुज के सभी अन्तःकोणों का योग होता है :

A. 2 समकोण B. 3 समकोण
C. 1 समकोण D. 4 समकोण

3. दिए गए चित्र में कोण A का मान होगा :

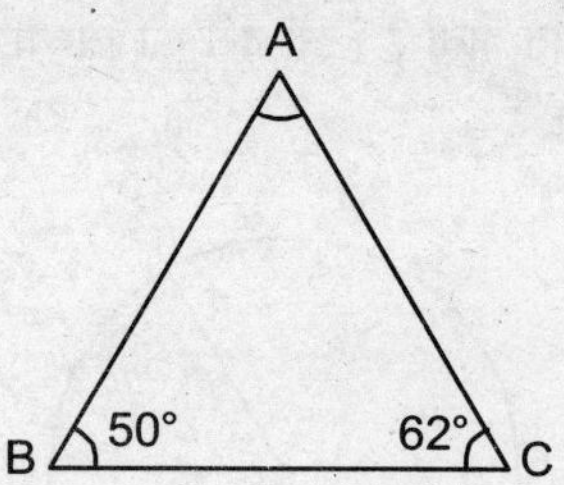

A. 68° B. 58°
C. 78° D. 48°

4. नीचे के चित्र में $\angle x$ का मान क्या होगा?

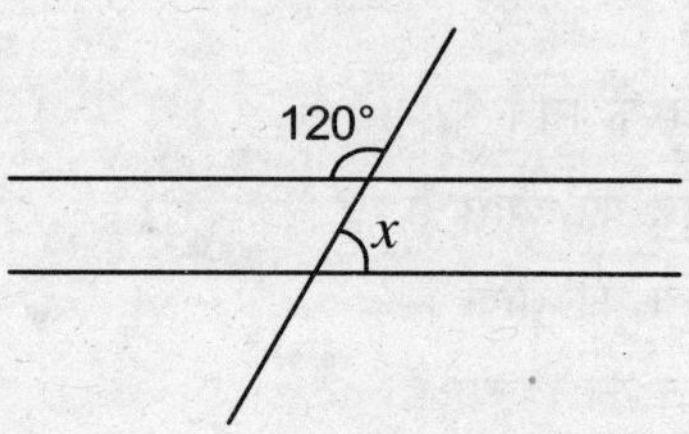

A. 30° B. 45°
C. 60° D. 65°

5. निम्नलिखित चित्र में $\angle AOD$ का मान ज्ञात करें :

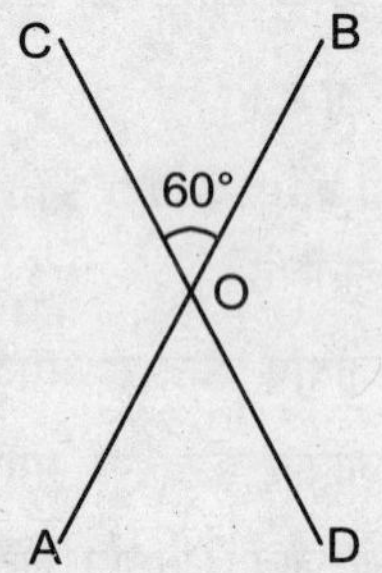

A. 30° B. 60°
C. 70° D. 80°

6. निम्नलिखित कथनों में से सही कथन का चयन करें :

A. एक बिन्दु पर बनने वाले सभी कोणों का योग 180° होता है।
B. किसी त्रिभुज का बहिष्कोण अपने सामने के प्रत्येक कोण से छोटा होता है।
C. यदि शीर्षों से सम्मुख भुजाओं पर खीचें गए लम्ब बराबर हों तो वह त्रिभुज समबाहु त्रिभुज होगा।
D. समद्विबाहु त्रिभुज के तीनों कोण आपस में बराबर होते हैं।

7. दिए गए चित्र में त्रिभुज XYZ में अन्तःकोण $\angle Y$ का मान होगा :

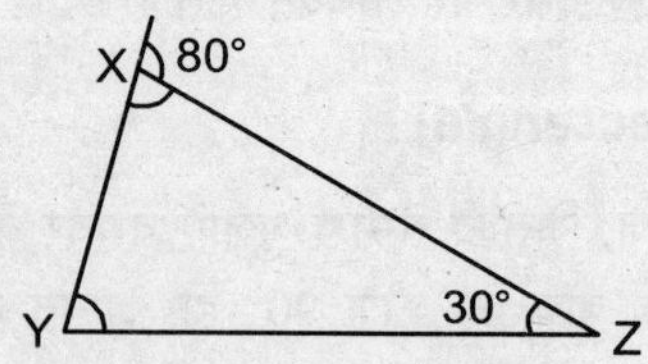

A. 50° B. 60°
C. 70° D. 75°

8. निम्नलिखित चित्र में यदि $\angle B = \angle C$ हो, तो AB और CD में क्या सम्बन्ध हैं?

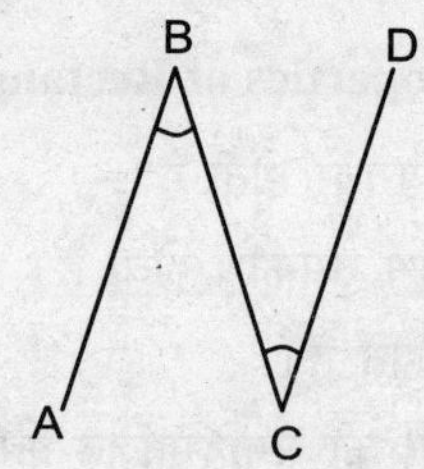

A. $AB = CD$ B. $AB \parallel CD$
C. $AB \neq CD$ D. $AB \neq CD$

9. दिए गए चित्र में $\angle ACD = 5x$ और $\angle BCD = x$, तो x का मान होगा :

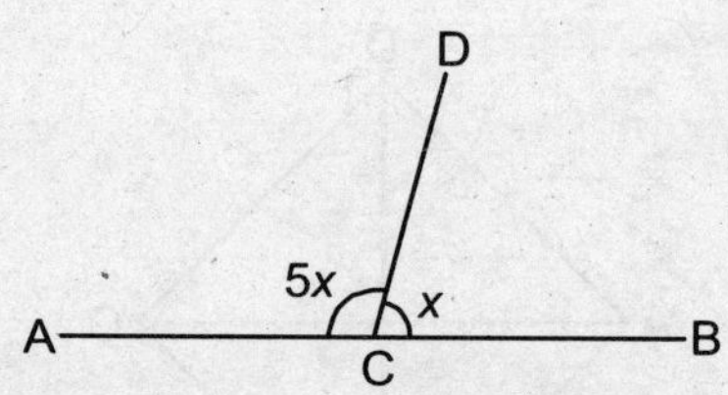

A. 60° B. 70°
C. 80° D. 30°

10. निम्नलिखित चित्र में $\angle ABC$ का मान होगा :

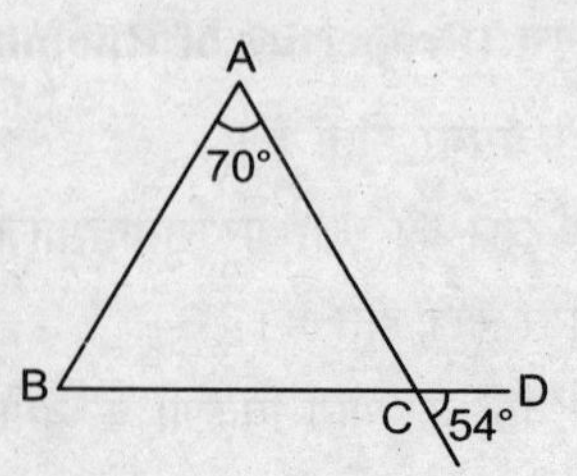

A. 75° B. 65°
C. 60° D. 56°

11. $\frac{3}{5}$ समकोण के कोटिपूरक कोण का मान है :

A. 60° B. 55°
C. 50° D. 36°

12. किसी त्रिभुज में अधिक-से-अधिक कितने समकोण हो सकते हैं?

A. एक B. दो

C. एक भी नहीं D. एक या दो

13. समचतुर्भुज के विकर्ण परस्पर किस कोण पर काटते हैं?

A. अधिककोण

B. समकोण

C. न्यूनकोण

D. इनमें से कोई नहीं

14. यदि दो समान्तर रेखाओं को कोई तिर्यक रेखा काटे, तो एक ही ओर के दो अन्तःकोणों का योग कितना होगा?

A. तीन समकोण B. दो समकोण

C. एक समकोण D. चार समकोण

15. यदि किसी त्रिभुज की दो भुजाओं के मध्य बिन्दुओं को मिलाया जाए, तो मिलाने वाली रेखा आधार की कितनी गुनी होगी?

A. दो-तिहाई B. दोगुनी

C. तीन गुनी D. आधी

उत्तरमाला

1	2	3	4	5	6	7	8	9	10
C	D	A	C	B	C	A	B	D	D
11	**12**	**13**	**14**	**15**					
D	A	B	B	D					

व्याख्यात्मक उत्तर

1. त्रिभुज के बाह्य कोणों का योग 360° होता है।

2. चतुर्भुजों के सभी अंतःकोण का योग 360° अर्थात् 4 समकोण होता है।

3. $\angle A = 180° - (50° + 62°) = 68°$

4. $\angle x = 180° - 120° = 60°$

∴ यह कोण सम्पूरक कोण है।

5. $\angle AOD + \angle AOC = 180°$

$\therefore \angle AOC = \angle BOC = 60°$ (शीर्षाभिमुख कोण)

6. यदि शीर्षों से सम्मुख भुजाओं पर खीचें गए लम्ब बराबर हों तो वह त्रिभुज समबाहु त्रिभुज होगा।

7. दिए गए चित्र में,

$$80° + \angle YXZ = 180°$$

$$\Rightarrow \angle YXZ = 180° - 80° \Rightarrow \angle YXZ = 100°$$

∴ ΔXYZ में,

$$\angle X + \angle Y + \angle Z = 180°$$

$$\Rightarrow 100 + \angle Y + 30° = 180°$$

$$\Rightarrow \angle Y = 180° - 130° = 50°.$$

8. दिया है, चित्र में, $\angle B = \angle C$ (एकांतर अंतःकोण)

$\therefore$ $AB \parallel CD$.

9. $\angle 5x° + \angle x° = 180°$

$$\angle x° = \frac{180°}{6} = 30°$$

10. चित्र से, $\angle ACD = 180° - 54° = 126°$

तब $\angle A + \angle B = 126°$

∵ दो अन्तः कोणों का योग बाह्य कोण के बराबर होता है,

$$70° + \angle B = 126° \Rightarrow \angle B = 126° - 70° = 56°.$$

11. $\frac{3}{5}$ समकोण का कोटिपूरक कोण $= 90° - \frac{3}{5} \times 90°$

$$= 90° - 54° = 36°$$

12. किसी त्रिभुज में तीनों कोणों का योग 180° होता है।

∴ किसी त्रिभुज में अधिक से अधिक एक समकोण हो सकता है।

13. समचतुर्भुज के चारों भुजा बराबर होते हैं।

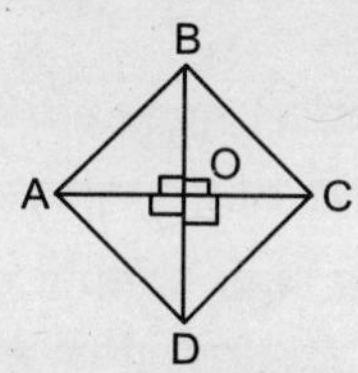

∴ इसके विकर्ण परस्पर समकोण पर काटते हैं।

14. एक ही ओर के दो अंतःकोणों का योग

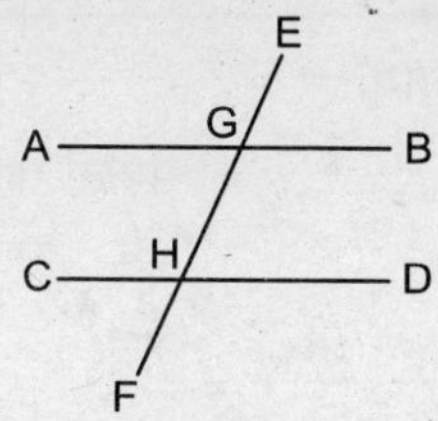

$= \angle BGH + \angle GHD = 180° =$ दो समकोण।

15. $DE = \frac{1}{2} BC$

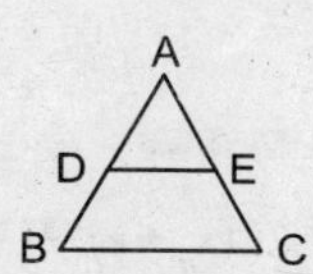

किसी की दो भुजाओं के मध्य बिन्दुओं को मिलाया जाए, तो मिलाने वाली रेखा आधार की आधी होती है।

★ ★ ★

17 सांख्यिकी (Statistics)

केंद्रीय प्रवृत्ति की माप

औसत की पांच सामान्य माप निम्नलिखित हैं :

(*i*) **समांतर माध्य :** किसी संख्याओं के समूह का औसत, इन संख्याओं का समांतर माध्य कहलाता है। उदाहरण के लिए n संख्याओं x_1, x_2, x_3...x_n, का समांतर माध्य,

$$x = \frac{x_1 + x_2 + x_3 + ... + x_n}{n} = \frac{\sum_{i=1}^{n} x_i}{n}$$

(*ii*) **गुणोत्तर माध्य :** अवर्गीकृत आंकड़ों के लिए गुणोत्तर माध्य निम्नलिखित है– G. M. = $(x_1 . x_2 . x_3 .... x_n)^{1/n}$

(*iii*) **हरात्मक माध्य :** अवर्गीकृत आंकड़ों के लिए हरात्मक माध्य निम्नलिखित है–

$$\text{H. M.} = \frac{n}{\frac{1}{x_1} + \frac{1}{x_2} + \frac{1}{x_3} + ... + \frac{1}{x_n}}$$

(*iv*) **माध्यिका :** आंकड़ों को आरोही क्रम में व्यवस्थित किए जाने के बाद मध्यवर्ती प्रेक्षणों का मान माध्यिका कहलाता है।

(*v*) **बहुलक :** बहुलक किसी बारंबारता बंटन के लिए वह मान है जिसके विचर की बारंबारता अधिक है।

महत्वपूर्ण तथ्य एवं सूत्र

माध्य के कुछ अन्य परिणाम :

n संख्याओं x_1, x_2, x_3 ....x_n का समांतर माध्य है

$$\bar{x} = \frac{x_1 + x_2 + x_3 + ... + x_n}{n} = \frac{\sum_{i=1}^{n} x_1}{n}$$

(*i*) यदि n प्रेक्षणों x_1, x_2 ...... x_n का माध्य $\bar{x}$ है, तो

$$\sum_{i=1}^{n} (xi - \bar{x}) = 0$$

(*ii*) यदि x_1, x_2, ...x_n का माध्य $\bar{x}$ है, तो
$(x_1 + k), (x_2 + k)$.......$(x_n + k)$ का माध्य $(\bar{x} + k)$ होता है।

(*iii*) यदि x_1, x_2, ...x_n का माध्य $\bar{x}$ है, तो
$(x_1 - k), (x_2 - k)$.......$(x_n - k)$ का माध्य $(\bar{x} - k)$ होता है।

वर्गीकृत आंकड़ों का माध्य (Mean of Grouped Data) : यदि x_1, x_2........x_k तथा उनकी बारंबारताएं f_1, f_2 ......fk हैं, तो माध्य

$$\bar{x} = \frac{\sum f_i x_i}{\sum f_i} \text{ होता है}$$

भारित समांतर माध्य (Weighted Arithmetic Mean) : यदि w_1, w_2 ...., w_n क्रमश: x_1, x_2 ....x_n के लिए निर्धारित भार है, तो

$$\text{भारित समांतर माध्य} = \frac{w_1 x_1 + w_2 x_2 + ... + w_n x_n}{w_1 + w_2 + ... + w_n}$$

$$\text{या भारित समांतर माध्य} = \frac{\sum w_i x_i}{\sum w_i}$$

संयुक्त माध्य (Combinded Mean) : यदि $\bar{x}_1, \bar{x}_2$ उन दो श्रृंखलाओं के समांतर माध्य हैं जिनके पदों की संख्या क्रमश: n_1, n_2 है, तो संयुक्त माध्य

$$= \frac{n_1 \bar{x} + n_2 \bar{x}_2}{n_1 + n_2}$$

माध्यिका गणना

(*i*) **अवर्गीकृत आंकड़ों की माध्यिका :** सर्वप्रथम आंकड़ों को बढ़ते या घटते क्रम में व्यवस्थित करते हैं तथा प्रेक्षणों की कुल संख्या n है।

(क) यदि n विषम हो, तो माध्यिका $\left(\frac{n+1}{2}\right)$ वां मान होगी।

(ख) यदि n सम हो, तो माध्यिका $\left(\frac{n}{2}\right)$ वें व $\left(\frac{n}{2}+1\right)$ वें मान का औसत होगी।

(*ii*) **असंतत श्रेणी की माध्यिका (Median of Discrete Series) :** सर्वप्रथम पदों को आरोही क्रम में व्यवस्थित करते हैं, इसके पश्चात् संचयी बारंबारता सारणी तैयार करते हैं। माना कुल बारंबारता n है।

(क) यदि n विषम है, तो माध्यिका = $\left(\frac{n+1}{2}\right)$ वें पद का आमाप

(ख) यदि n सम है, तो माध्यिका = $\frac{1}{2}\left[\left(\frac{n}{2}\right) \text{ वें पद का आमाप} + \left(\frac{n}{2}+1\right) \text{ वें पद का आमाप}\right]$

बहुलक (Mode)

एक बारंबारता बंटन के बहुलक की परिभाषा उस मान के रूप में की जाती है, जिसके विचर की बारंबारता अधिकतम है।

(क) अवर्गीकृत आंकड़ों के लिए

Mo = सबसे अधिक बारंबारता वाले पद का आमाप

(ख) सतत् शृंखला के लिए, $Mo = 1 + \left(\frac{f_f - m_1}{2f_m - f_1 - f_2}\right) \times i$

प्रत्येक आंकड़े और बंटन के लिए बहुलक होना आवश्यक नहीं है।

माध्य, माध्यिका तथा बहुलक में मूलानुपाती सम्बन्ध

(*i*) बहुलक = 3 × माध्यिका − 2 × माध्य

(*ii*) माध्य − बहुलक = 3 (माध्य − माध्यिका)

वस्तुनिष्ठ प्रश्न

1. निम्नलिखित बंटन में 3 की बारंबारता कितनी होगी?
3, 7, 0, 5, 3, 2, 3, 4, 3, 2, 7, 8, 3 व 3.
A. 6 B. 3
C. 2 D. 5

2. यदि किसी बंटन में एक वर्ग का मध्यमान 47 तथा वर्ग अन्तराल 5 हो, तो उस वर्ग की निम्नतम सीमा क्या होगी?
A. 44.5 B. 47.5
C. 52.5 D. 42.5

3. 9, 10, 14, 16, 18 की माध्यिका क्या होगी?
A. 10 B. 14
C. 16 D. 15

4. एक विद्यालय के 12 छात्रों ने गणित में 50 अंकों में से क्रमशः 25, 32, 35, 19, 23, 30, 16, 20, 22, 15, 13 तथा 27 अंक प्राप्त किए हों, तो प्राप्तांकों की माध्यिका कितनी होगी?
A. 17.5 B. 22.5
C. 21 D. 23

5. 3, 2, 3, 4, 5, 3, 3, 2, 1, 1 का बहुलक कितना होगा?
A. 4 B. 2
C. 3 D. 1

6. 1 से 20 तक की धन पूर्णांक संख्याओं का समान्तर माध्य कितना होगा?
A. 10.5 B. 12.5
C. 18.6 D. 11.5

7. एक परीक्षा में 8 छात्रों को गणित विषय में क्रमशः 40, 52, 65, 35, 36, 79, 81 व 39 अंक मिले हों, तो इसका परिसर क्या होगा?
A. 36 B. 46
C. 41 D. 49

8. 1, 1, 2, 2, 2, 3, 3, 3, 3, 4, 4, 4, 4, 4 का बहुलक क्या होगा?
A. 2 B. 3
C. 4 D. 1

9. संख्याओं 4, 5, 8, 6, 3, 4 तथा 12 का समान्तर माध्य है :
A. 6 B. 8
C. 7 D. 5

10. यदि $x_1, x_2, x_3, ..., x_n$ का माध्य $\bar{x}$ है, तो $mx_1, mx_2, mx_3, ..., mx_n$ का माध्य होगा :
A. $\sum_{1}^{n} mx$ B. $\sum_{1}^{m} mx$
C. $m\bar{x}$ D. $\frac{m\bar{x}}{n}$

11. 3, 4, 6 तथा x का समान्तर माध्य 5 है। x का मान होगा :
A. 5 B. 2
C. 7 D. 3

12. 4, 7, 8, 6 तथा x का समान्तर माध्य 6 है। x का मान होगा :
A. 4 B. 5
C. 6 D. 7

13. निम्नलिखित संख्याओं की माध्यिका होगी :
0, 1, 0, 2, 3, 2, 3, 4
A. 0 B. 2
C. 3 D. 4

14. निम्नलिखित आँकड़ों की माध्यिका होगी :
7, 10, 12, 15, 19, 23, 29, 32, 35, 44
A. 19 B. 20
C. 21 D. 22

15. निम्नलिखित आँकड़ों की माध्यिका होगी :
6, 9, 11, 14, 18, 22, 28, 31, 34, 43
A. 18 B. 16
C. 20 D. 22

उत्तरमाला

1	2	3	4	5	6	7	8	9	10
D	A	B	B	C	A	B	C	A	C
11	**12**	**13**	**14**	**15**					
C	B	B	C	C					

व्याख्यात्मक उत्तर

1. चूँकि दिये गये बंटन में 3 सबसे अधिक 5 बार आया है।
$\therefore$ 3 की बारंबारता = 5 होगी।

2. माना कि बंटन वर्ग की निम्नतम व उच्चतम सीमा क्रमशः x_1 व x_2 है।

$\therefore$ मध्यमान = $\frac{x_1+x_2}{2}$ $\therefore 47 = \frac{x_1+x_1}{2}$

$\Rightarrow$ $x_1 + x_2 = 94$ ... (i)

तथा $x_2 - x_1 = 5$ (दिया हुआ है) ... (ii)

समीकरण (i) व (ii) से $2, x_1 = 94 - 5 = 89$

$\therefore$ $x_1 = \frac{89}{2} = 44.5$

अतः वर्ग की निम्नतम सीमा = 44.5 होगी।

3. $\because$ दी हुई संख्याओं को आरोही क्रम में लिखने पर श्रेणी 9, 10, 14, 16, 18
चूँकि श्रेणी में मध्य पद का मान = 14 $\therefore$ माध्यिका = 14 होगी।

4. $\because$ दिये गये प्राप्तांकों को आरोही क्रम में लिखने पर,
13, 15, 16, 19, 20, 22, 23, 25, 27, 30, 32 व 35
चूंकि इसमें 22 तथा 23 दो मध्य पद हैं।

$\therefore$ माध्यिका = $\frac{22+23}{2} = \frac{45}{2} = 22.5$.

5. $\because$ दिये गये आँकड़ों में 3 सबसे अधिक 4 बार आया है
$\therefore$ अभीष्ट बहुलक = 3 होगा।

6. $\because$ 1 से 20 तक की धन पूर्णांक संख्याएँ क्रमशः 1, 2, 3, 4, 5, ... 20 तक होंगी

$\therefore$ स. मा. = $\frac{1+2+3+...+20}{20} = \frac{20\times21}{20\times2} = 10.5$

[$\because$ $1+2+3+....+n$ पदों का योग = $\frac{n(n+1)}{2}$]

7. परिसर = चर राशि का अधिकतम मान – चर राशि का न्यूनतम मान
= 81 – 35 = 46.

8. $\because$ 4 की बारंबारता सबसे अधिक 5 है।
$\therefore$ दिये गये आँकड़ों का बहुलक = 4 होगा।

9. दी हुई संख्याओं का समान्तर माध्य
$= \frac{4+5+8+6+3+4+12}{7} = \frac{42}{7} = 6$.

10. $\therefore x_1, x_2, x_3, ..., x_n$ का माध्य = $\bar{x}$

$\Rightarrow \frac{x_1+x_2+x_3+...+x_n}{n} = \bar{x}$ ...(i)

$\therefore mx_1, mx_2, mx_3, ..., mx_n$ का माध्य

$= \frac{mx_1+mx_2+mx_3+...+mx_n}{n}$

$= \frac{m(x_1+x_2+x_3+...+x_n)}{n} = m\bar{x}$. (समीकरण (i) से)

11. 3, 4, 6 तथा x का समान्तर माध्य = 5

$\therefore$ $\frac{3+4+6+x}{4} = 5$ या $13 + x = 5\times4$

या $13 + x = 20$ या $x = 20 - 13 = 7$.

12. 4, 7, 8, 6 तथा x का समान्तर माध्य = 6

$\therefore$ $\frac{4+7+8+6+x}{5} = 6$ या $25 + x = 6\times5$

या $25 + x = 30$ या $x = 30 - 25 = 5$.

13. दी हुई संख्याएँ आरोही क्रम में हैं, में लिखने पर :
0, 0, 1, 2, 2, 3, 3, 4
$\because$ पदों की संख्या $n = 8$ = एक सम संख्या
$\therefore$ दो मध्य-पद होंगे जो निम्नलिखित हैं :

$\frac{n}{2}$ वाँ पद = $\frac{8}{2}$ वाँ पद = चौथा पद

तथा $\left[\frac{n}{2}+1\right]$ वाँ पद = $\left[\frac{8}{2}+1\right]$ वाँ पद
= (4 + 1) वाँ पद = पाँचवां पद

$\therefore$ दी हुई संख्याओं की माध्यिका

$= \frac{\text{चौथे पद का मान} + \text{पाँचवें पद का मान}}{2} = \frac{2+2}{2} = \frac{4}{2} = 2$.

14. दिए हुए आँकड़ें आरोही क्रम में हैं,
$\because$ पदों की संख्या = 10 = एक सम संख्या
$\therefore$ दिए हुए आँकड़ों की माध्यिका

$= \frac{\frac{10}{2}\text{ वें पद का मान} + \left[\frac{10}{2}+1\right]\text{ वें पद का मान}}{2}$

$= \frac{\text{पाँचवें पद का मान} + \text{छठे पद का मान}}{2}$

$= \frac{19+23}{2} = \frac{42}{2} = 21$.

15. दिए हुए आँकड़ें आरोही क्रम में हैं,
$\because$ पदों की संख्या = 10 = एक सम संख्या
$\therefore$ दिए हुए आँकड़ों की माध्यिका

$= \frac{\frac{10}{2}\text{ वें पद का मान} + \left[\frac{10}{2}+1\right]\text{ वें पद का मान}}{2}$

$= \frac{\text{पाँचवें पद का मान} + \text{छठे पद का मान}}{2}$

$= \frac{18+22}{2} = \frac{40}{2} = 20$.

★ ★ ★

विज्ञान (Science)

1 बल, दाब, ऊर्जा एवं घर्षण (Force, Pressure, Energy and Friction)

बल

बल एक ऐसा बाह्य कारक है जो विराम अवस्था की किसी वस्तु को गति में या गतिमान वस्तु को विराम में ला देता है या लाने की कोशिश करता है।

या

किसी एक प्रणाली द्वारा दूसरी प्रणाली पर लगाया गया अभिकर्षण या अपकर्षण (push or pull) बल कहलाता है।

मी-किग्रा-से पद्धति में इसका मात्रक किग्रा-मी/से^{2} या न्यूटन है तथा इसकी विमा $[MLT^{-2}]$ है।

नोट–

(*a*) बल आरोपित करने के लिए यह आवश्यक नहीं है कि दो वस्तुएं परस्पर एक-दूसरे को स्पर्श करें।

(*b*) आरोपित बल के परिणामस्वरूप त्वरण उत्पन्न होता है।

(*c*) आरोपित बल के कारण किसी वस्तु के आकार या आकृति में परिवर्तन हो सकता है।

(*d*) बल एक सदिश राशि है।

(*e*) यदि किसी वस्तु पर लगने वाले दो या दो से अधिक बलों का परिणामी बल शून्य हो अर्थात् वे संतुलन की अवस्था में हों तो वस्तु स्थिर रहेगी किंतु यदि बल परस्पर संतुलन की अवस्था में न हों तो वस्तु परिणामी बल की दिशा में गति करेगी।

(*f*) बलों को दो श्रेणियों में वर्गीकृत किया जा सकता है जैसे–(*i*) संस्पर्शी बल (contact force) और (*ii*) कुछ दूरी से कार्य करने वाले बल (force acting at a distance)

प्रणोद तथा दाब

यदि हम शिथिल (ढीले) रेत पर खड़े होते हैं तो पैर रेत में गहरे धँस जाते हैं लेकिन रेत पर लेटने पर शरीर रेत में पहले जितना नहीं धँसता। दोनों अवस्थाओं में रेत पर लगने वाला बल हमारे शरीर का भार है। भार ऊर्ध्वाधर दिशा में नीचे की ओर लगने वाला बल है। किसी वस्तु की सतह के लंबवत् लगने वाले बल को प्रणोद कहते हैं।

जब हम शिथिल रेत पर खड़े होते हैं तो बल अर्थात् हमारे शरीर का भार, हमारे पैरों के क्षेत्रफल के बराबर क्षेत्रफल पर लग रहा होता है लेकिन जब हम लेट जाते हैं तो वही बल हमारे पूरे शरीर के संपर्क क्षेत्रफल के बराबर क्षेत्रफल पर लगता है जो कि हमारे पैरों के क्षेत्रफल से अधिक है। इस प्रकार समान परिमाण के बलों का भिन्न-भिन्न क्षेत्रफलों पर भिन्न-भिन्न प्रभाव होता है। इस स्थिति में प्रणोद समान है लेकिन उसके प्रभाव अलग-अलग हैं। इसलिए प्रणोद का प्रभाव उस क्षेत्रफल पर निर्भर है जिस पर कि वह लगता है।

रेत पर प्रणोद का प्रभाव लेटे होने की अपेक्षा खड़े होने की स्थिति में अधिक है। प्रति एकांक क्षेत्रफल पर लगने वाले प्रणोद को दाब कहते हैं। इस प्रकार

$$\text{दाब} = \frac{\text{प्रणोद}}{\text{क्षेत्रफल}} \qquad ...(i)$$

समीकरण (*i*) में प्रणोद तथा क्षेत्रफल के SI मात्रक प्रतिस्थापित करने पर हमें दाब का SI मात्रक प्राप्त होता है। यह मात्रक N/m^2 या $N\,m^{-2}$ है।

वैज्ञानिक ब्लैस पास्कल के सम्मान में, दाब के SI मात्रक को पास्कल कहा जाता है, जिसे Pa से व्यक्त किया जाता है।

ऊर्जा

सूर्य हमारे लिए ऊर्जा का सबसे बड़ा प्राकृतिक स्रोत है। ऊर्जा शब्द का प्रयोग प्रायः हमारे दैनिक जीवन में होता है किंतु विज्ञान में इसका एक निश्चित एवं परिशुद्ध अर्थ है। यदि किसी वस्तु में कार्य करने की क्षमता है तो कहा जाता है कि उसमें ऊर्जा है। जो वस्तु कार्य करती है उसमें ऊर्जा की हानि होती है और जिस वस्तु पर कार्य किया जाता है उसमें ऊर्जा की वृद्धि होती है।

ऊर्जा का मात्रक वही है जो कार्य का है अर्थात् जूल (J)। एक जूल कार्य करने के लिए आवश्यक ऊर्जा की मात्रा 1 J होती है। कभी-कभी ऊर्जा के बड़े मात्रक किलो जूल (kJ) का उपयोग किया जाता है। 1 KJ, 1000 J के बराबर होता है।

ऊर्जा के रूप

ऊर्जा के विभिन्न रूपों में स्थितिज ऊर्जा, गतिज ऊर्जा, ऊष्मीय ऊर्जा, रासायनिक ऊर्जा, विद्युत् ऊर्जा तथा प्रकाश ऊर्जा सम्मिलित हैं। किसी वस्तु की स्थितिज तथा गतिज ऊर्जा के योग को वस्तु की यांत्रिक ऊर्जा कहते हैं।

गतिज ऊर्जा

किसी वस्तु में उसकी गति के कारण निहित ऊर्जा को गतिज ऊर्जा कहते हैं। किसी निश्चित वेग से गतिशील वस्तु की गतिज ऊर्जा उस वस्तु पर इस वेग को प्राप्त करने के लिए किए गए कार्य के बराबर होती है।

माना m द्रव्यमान की एक वस्तु एकसमान वेग u से गतिशील है। जब इस पर एक नियत बल F विस्थापन की दिशा में लगता है तो वस्तु s दूरी तक विस्थापित हो जाती है। अतः, किया गया कार्य W, $F\,s$ के बराबर है। वस्तु पर किए गए कार्य के कारण इसके वेग में परिवर्तन होगा। मान लिया कि इसका वेग u से v हो जाता है। अब उत्पन्न हुए त्वरण का मान a है।

एकसमान त्वरण a से गतिशील किसी वस्तु के प्रारंभिक वेग (u), अंतिम वेग (v) तथा विस्थापन s के बीच निम्न संबंध है

$$v^2 - u^2 = 2a\,s. \quad ...(i)$$

या

$$s = \frac{v^2 - u^2}{2a} \quad ...(ii)$$

पुनः $F = ma$। इस प्रकार हम बल F द्वारा किए गए कार्य को लिख सकते हैं

$$W = m\,a \times \frac{v^2 - u^2}{2a} \text{ अथवा } W = \frac{1}{2}m\left(v^2 - u^2\right) \quad ...(iii)$$

यदि वस्तु की गति अपनी विराम अवस्था से प्रारंभ होती है, अर्थात् $u = 0$, तब

$$W = \frac{1}{2}m\,v^2 \quad ...(iv)$$

यह स्पष्ट है कि किया गया कार्य वस्तु की गतिज ऊर्जा में परिवर्तन के बराबर है। यदि $u = 0$, किया गया कार्य होगा $\frac{1}{2}m\,v^2$।

अतः m द्रव्यमान तथा एकसमान वेग v से गतिशील वस्तु की गतिज ऊर्जा का मान

$$E_k = \frac{1}{2}m\,v^2 \quad ...(v)$$

स्थितिज ऊर्जा

किसी वस्तु को स्थानांतरित की गई ऊर्जा इसमें स्थितिज ऊर्जा के रूप में संचित रहती है। यह वस्तु की चाल या वेग में परिवर्तन करने के लिए उपयोग में नहीं आती है।

जब हम किसी रबड़ बैंड को खींचते हैं तो हम कुछ ऊर्जा स्थानांतरित करते हैं। बैंड में स्थानांतरित की गई ऊर्जा इसमें स्थितिज ऊर्जा के रूप में संचित हो जाती है। किसी खिलौना कार में चाबी भरते समय इसके अंदर कमानी में स्थानांतरित की गई ऊर्जा स्थितिज ऊर्जा के रूप में संचित हो जाती है। अतः किसी वस्तु द्वारा इसकी स्थिति अथवा विन्यास में परिवर्तन के कारण प्राप्त ऊर्जा को स्थितिज ऊर्जा कहते हैं।

घर्षण बल (Friction)

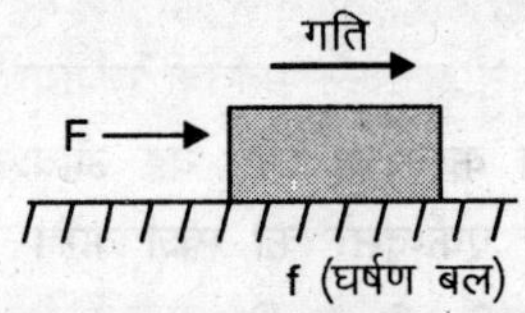

जब कोई वस्तु किसी सतह पर फिसलती है तो स्पर्शी तलों के मध्य एक विरोधी बल कार्य करने लगता है जो गति के विपरीत दिशा में कार्य करता है। इसी विरोधी बल को घर्षण बल (Friction) कहते हैं। दूसरे शब्दों में कहें तो घर्षण बल (Friction) वह विरोधी बल है जो दो सतहों के बीच होने वाली गति का विरोध करता है।

वस्तुनिष्ठ प्रश्न

1. प्रकाश वर्ष इकाई है–
A. दूरी की B. समय की
C. प्रकाश तीव्रता की D. द्रव्यमान की

2. एम्पियर मात्रक है–
A. प्रकाश तीव्रता का B. विद्युत आवेश का
C. विद्युत धारा का D. चुम्बकीय क्षेत्र का

3. निम्नलिखित में से समय का मात्रक नहीं है–
A. अधि वर्ष B. चन्द्र माह
C. प्रकाश वर्ष D. इनमें से कोई नहीं

4. पारसेक (Parsec) इकाई है–
A. दूरी की B. समय की
C. प्रकाश की चमक की D. चुम्बकीय बल की

5. ल्यूमेन किसका मात्रक है?
A. ज्योति तीव्रता का B. ज्योति फ्लक्स का
C. उपर्युक्त दोनों का D. इनमें से कोई नहीं

6. 'क्यूरी' (Curie) किसकी इकाई का नाम है?
A. रेडियोएक्टिव धर्मिता B. तापक्रम
C. ऊष्मा D. ऊर्जा

7. दाब का मात्रक है–

A. पास्कल B. डाइन

C. अर्ग D. जूल

8. जूल निम्नलिखित की इकाई है–

A. ऊर्जा B. बल

C. दाब D. तापमान

9. खाद्य ऊर्जा को हम किस इकाई में माप सकते हैं?

A. कैलोरी B. केल्विन

C. जूल D. अर्ग

10. विद्युत् धारा की इकाई है–

A. एम्पियर B. ओम

C. वोल्ट D. कूलम्ब

11. डेसीबल किसे नापने के लिए प्रयोग में लाया जाता है?

A. खून में हीमोग्लोबीन B. पेशाब में शक्कर

C. वातावरण में ध्वनि D. वायु में कण

12. निम्न में से कौन सम्पर्क बल का उदाहरण है?

A. चुम्बकीय बल B. पेशीय बल

C. विद्युत बल D. गुरुत्वाकर्षण बल

13. यंग.प्रत्यास्थता गुणांक का SI मात्रक है–

A. डाइन/सेमी. B. न्यूटन/मी.

C. न्यूटन/मी.^{2} D. मी.^{2}/से.

14. निम्नलिखित युग्मों में से किन भौतिक राशियों के समान विमीय सूत्र नहीं हैं?

A. बल एवं दाब B. कार्य एवं ऊर्जा

C. आवेग एवं संवेग D. भार एवं बल

15. ऊष्मा संवाहकता गुणांक का आयाम (विमा) है–

A. $ML^{-1}T^{-2}\theta^{-1}$ B. $ML^{-2}T^{-3}\theta^{-1}$

C. $ML^{-1}T^{-1}\theta$ D. $MLT^{-3}\theta^{-1}$

16. घूर्णन करती एक गोल मेज पर अचानक एक लड़का आकर बैठ जाता है। मेज के कोणीय वेग पर क्या प्रभाव पड़ेगा?

A. कम हो जाएगा B. बढ़ जाएगा

C. उतना ही रहेगा D. कुछ नहीं कहा जा सकता

17. किसी असन्तुलित बल द्वारा किसी पिण्ड में उत्पन्न त्वरण–

A. बल के व्युत्क्रमानुपाती होता है

B. बल के अनुक्रमानुपाती होता है

C. बल के प्रभाव से स्वतंत्र होता है

D. शून्य होता है

18. न्यूटन की गति के तीसरे नियम के अनुसार क्रिया तथा प्रतिक्रिया से सम्बद्ध बल–

A. हमेशा एक ही वस्तु पर लगे होने चाहिए

B. भिन्न-भिन्न वस्तु पर लगे हो सकते हैं

C. हमेशा भिन्न-भिन्न वस्तुओं पर ही लगे होने चाहिए

D. का परिणाम बराबर होना जरूरी नहीं है, किन्तु उनकी दिशा समान होनी चाहिए

19. जल में तैरना न्यूटन की गति के किस नियम के कारण सम्भव है?

A. प्रथम नियम B. द्वितीय नियम

C. तृतीय नियम D. उपर्युक्त सभी

20. "कोई पिण्ड तब तक विरामावस्था में ही बना रहेगा जब तक उस पर कोई बाह्य बल कार्य नहीं करता है।" यह कथन किसका है?

A. न्यूटन B. आइन्स्टीन

C. आर्किमिडीज D. गैलीलियो

21. गतिशील वाहन के अचानक रुकते ही यात्री सामने की ओर क्यों गिर पड़ता है?

A. यह एक स्वैच्छिक प्रतिक्रिया है

B. यात्री अपनी असावधानी से धक्के खाता है

C. यात्री के शरीर का निचला भाग रुक जाता है लेकिन ऊपरी भाग जड़त्व के कारण गतिशील अवस्था में रहता है

D. उपर्युक्त में कोई नहीं

22. अश्व यदि एकाएक चलना प्रारम्भ कर दे तो अश्वारोही के गिरने की आशंका का कारण है–

A. जड़त्व आघूर्ण B. द्रव्यमान का संरक्षण नियम

C. विश्राम जड़त्व D. गति का तीसरा नियम

23. जब कोई व्यक्ति चन्द्रमा पर उतरता है तो उसके शरीर में उपस्थित–

A. पदार्थ की मात्रा में परिवर्तन होता है।

B. भार घट जाता है तथा मात्रा अपरिवर्तित रहती है।

C. भार में परिवर्तन होता है।

D. मात्रा तथा भार दोनों में कमी होती है।

24. यदि हम भूमध्य रेखा से ध्रुवों की ओर जाते हैं, तो g का मान–

A. बढ़ता है B. घटता है

C. वही बना रहता है D. 45° अक्षांश तक घटता है

25. एक अंतरिक्ष यात्री पृथ्वी तल की तुलना में चन्द्र तल पर अधिक ऊंची छलांग लगा सकता है, क्योंकि–

A. वह चन्द्रमा पर भारहीन होता है।

B. चन्द्रमा पर कोई वातावरण नहीं है।

C. चन्द्र तल पर गुरुत्वाकर्षण बल पृथ्वी तल की तुलना में अत्यल्प है।

D. चन्द्रमा पृथ्वी से छोटा है।

26. एक बीकर में पानी पर बर्फ तैर रही है। जब बर्फ पूर्णतः पिघल जाएगी तो बीकर में पानी का तल–

A. बढ़ेगा B. घटेगा

C. उतना ही रहेगा D. पहले बढ़ेगा बाद में घटेगा

27. एक नदी में चलता हुआ जहाज समुद्र में आता है तब जहाज का स्तर–

A. पहले जितना होगा

B. थोड़ा ऊपर आएगा

C. थोड़ा नीचे आएगा

D. ऊपर या नीचे होगा जो उसमें पड़े हुए भार पर निर्भर करता है।

28. लोहे की कील पारे में क्यों तैरती है, जबकि यह पानी में डूब जाती है?

A. लोहे की पारे से रासायनिक क्रिया की प्रवृत्ति पानी की तुलना में कम होने के कारण

B. लोहे का भार पानी से अधिक है तथा पारे से कम

C. लोहे का घनत्व पानी से अधिक है तथा पारे से कम

D. पारा पानी से भारी है

29. बर्फ पानी में तैरती है, परन्तु ऐल्कोहल में डूब जाती है, क्योंकि–

A. पानी ऐल्कोहल की अपेक्षा पारदर्शी होता है

B. बर्फ पानी के जमने से बनती है

C. बर्फ ठोस है जबकि ऐल्कोहल द्रव है

D. बर्फ पानी से हल्की होती है तथा ऐल्कोहल से भारी होता है

30. पानी का घनत्व अधिकतम होता है–

A. 4°C पर
B. 4K पर
C. 4°F पर
D. –4°C पर

31. एक अंतरिक्ष यात्री पृथ्वी तल की तुलना में चन्द्र तल पर अधिक ऊँची छलांग लगा सकता है, क्योंकि :

A. वह चन्द्रमा पर भारहीन होता है

B. चन्द्रमा पर कोई वातावरण नहीं है

C. चन्द्र तल पर गुरुत्वाकर्षण बल पृथ्वी तल की तुलना में अत्यल्प है

D. चन्द्रमा पृथ्वी से छोटा है

32. 1 किलोग्राम राशि का वजन है :

A. 1 N
B. 10 N
C. 9.8 N
D. 9 N

33. जड़त्व आघूर्ण व कोणीय त्वरण का गुणनफल होता है :

A. बल
B. टॉर्क
C. कार्य
D. कोणीय संवेग

34. जल के आयतन में क्या परिवर्तन होगा यदि तापमान 9°C से गिराकर 3°C कर दिया जाता है?

A. आयतन में कोई परिवर्तन नहीं होगा

B. आयतन पहले बढ़ेगा और बाद में घटेगा

C. आयतन पहले घटेगा और बाद में बढ़ेगा

D. पानी जम जाएगा

35. एक बीकर में पानी पर बर्फ तैर रही है। जब बर्फ पूर्णतः पिघल जाएगी तो बीकर में पानी का तल :

A. बढ़ेगा
B. घटेगा
C. उतना ही रहेगा
D. पहले बढ़ेगा बाद में घटेगा

36. जब किसी बोतल में पानी भरा जाता है और उसे जमने दिया जाता है तो बोतल टूट जाती है, क्योंकि–

A. पानी जमने पर फैलता है

B. बोतल हिमांक पर सिकुड़ती है

C. बोतल के बाहर का तापक्रम अन्दर से ज्यादा होता है

D. पानी गर्म करने पर फैलता है

37. सड़क पर चलने की अपेक्षा बर्फ पर चलना कठिन है, क्योंकि :

A. बर्फ सड़क से सख्त होती है

B. सड़क बर्फ से सख्त होती है

C. जब हम अपने पैर से धक्का देते हैं तो बर्फ कोई प्रतिक्रिया व्यक्त नहीं करती

D. बर्फ में सड़क की अपेक्षा घर्षण कम होता है

38. एक नदी में चलता हुआ जहाज समुद्र में आता है तब जहाज :

A. का स्तर पहले जितना होगा

B. थोड़ा ऊपर होगा

C. थोड़ा नीचे आएगा

D. ऊपर या नीचे होगा जो उसमें पड़े हुए भार पर निर्भर करता है

39. लोहे की कील पारे में क्यों तैरती है, जबकि यह पानी में डूब जाती है?

A. लोहे की पारे से रासायनिक क्रिया की प्रवृत्ति पानी की तुलना में कम होने के कारण

B. लोहे का भार पानी से अधिक है तथा पारे से कम

C. लोहे का घनत्व पानी से अधिक है तथा पारे से कम

D. पारा पानी से भारी है

40. पानी का घनत्व अधिकतम होता है :

A. 100°C पर
B. 4°C पर
C. 0°C पर
D. –4°C पर

41. वस्तु की मात्रा बदलने पर अपरिवर्तित रहेगा :

A. आयतन
B. भार
C. द्रव्यमान
D. घनत्व

42. समुद्र में प्लवन करते आइसबर्ग का कितना भाग समुद्र की सतह से ऊपर रहता है?

A. $\frac{1}{9}$
B. $\frac{1}{10}$
C. $\frac{1}{6}$
D. $\frac{1}{4}$

43. बर्फ के दो टुकड़ों को आपस में दबाने पर टुकड़े आपस में चिपक जाते हैं, क्योंकि :

A. दाब अधिक होने से बर्फ का गलनांक घट जाता है

B. दाब अधिक होने से बर्फ का गलनांक बढ़ जाता है

C. दाब अधिक होने से बर्फ का गलनांक पहले घटता है फिर बढ़ता है

D. दाब व गलनांक में कोई संबंध नहीं है

44. हवाई जहाज से यात्रा करते समय पेन से स्याही निकलने लगती है :

A. वायुदाब में कमी के कारण

B. वायुदाब में वृद्धि के कारण

C. स्याही के आयतन में वृद्धि के कारण

D. अत्यधिक भार के कारण

45. ऊँचाई की जगहों पर पानी 100°C के नीचे के तापमान पर क्यों उबलता है?

A. क्योंकि वायुमंडलीय दाब कम हो जाता है, अतः उबलने का बिन्दु नीचे आ जाता है

B. क्योंकि गुरुत्वाकर्षण कम होता है

C. पर्वतों पर भारी हवाओं के कारण

D. उपर्युक्त में से कोई सही नहीं है

46. साबुन के बुलबुले के अन्दर का दाब :

A. वायुमंडलीय दाब से अधिक होता है

B. वायुमंडलीय दाब से कम होता है

C. वायुमंडलीय दाब के बराबर होता है

D. वायुमंडलीय दाब का आधा होता है

47. वायुदाब मापी की रीडिंग में अचानक गिरावट इस बात का संकेत है कि मौसम :

A. स्थिर तथा शांत होगा

B. वर्षायुक्त होगा

C. ठंडा होगा

D. तूफानी होगा

48. प्रेशर कुकर में सब्जियाँ जल्दी पकायी जा सकती हैं, क्योंकि :

A. सब्जियों को पानी की अपेक्षा भाप शीघ्र उबाल सकती है

B. दाब बढ़ जाने से क्वथनांक बढ़ जाता है

C. उच्च दाब क्वथनांक को कम करता है

D. इनमें से कोई नहीं

49. चाभी भरी घड़ी में कौन-सी ऊर्जा होती है?

A. गतिज ऊर्जा B. स्थितिज ऊर्जा

C. यांत्रिक ऊर्जा D. संचित ऊर्जा

50. जब हम रबड़ के गद्दे वाले सीट पर बैठते हैं या गद्दे पर लेटते हैं तो उसका आकार परिवर्तित हो जाता है। ऐसे पदार्थ में पाया जाता है?

A. गतिज ऊर्जा B. स्थितिज ऊर्जा

C. संचित ऊर्जा D. विखण्डन ऊर्जा

उत्तरमाला

1	2	3	4	5	6	7	8	9	10
A	C	C	A	B	A	A	A	A	A
11	**12**	**13**	**14**	**15**	**16**	**17**	**18**	**19**	**20**
C	B	C	A	D	A	B	C	C	A
21	**22**	**23**	**24**	**25**	**26**	**27**	**28**	**29**	**30**
C	C	B	A	C	C	B	C	D	A
31	**32**	**33**	**34**	**35**	**36**	**37**	**38**	**39**	**40**
C	C	B	C	C	A	D	B	C	B
41	**42**	**43**	**44**	**45**	**46**	**47**	**48**	**49**	**50**
D	B	C	A	A	A	A	B	B	B

★ ★ ★

2

प्रकाश एवं ध्वनि

(Light and Sound)

प्रकाश

हमारी दृष्टि की अनुभूति जिस बाह्य भौतिक कारण के द्वारा होती है, उसे हम प्रकाश कहते हैं। अतः प्रकाश एक प्रकार का साधन है, जिसके सहारे आँख वाले लोग किसी वस्तु को देखते हैं। जब किसी वस्तु पर प्रकाश पड़ता है, तब उस वस्तु से प्रकाश टकराकर देखने वाले की आँख पर पड़ता है, जिससे व्यक्ति उस वस्तु को देख लेता है। वास्तव में प्रकाश एक प्रकार की ऊर्जा है, जो विद्युत चुम्बकीय तरंगों के रूप में संचरित होती है।

प्रकाश की दोहरी प्रकृति

तरंग या कण (Dual nature of light–wave or particle) : आज प्रकाश को कुछ घटनाओं में तरंग और कुछ में कण माना जाता है। कुछ घटनाओं में उसकी तरंग प्रकृति प्रबल होती है (कण प्रकृति दबी रहती है) और कुछ में प्रकाश की कण प्रकृति स्पष्टतः उभरकर जाती है और तरंग प्रकृति दबी रहती है। इसी को प्रकाश की दोहरी प्रकृति कहते हैं।

प्रकाश की चाल (Speed of light)

सर्वप्रथम रोमर नामक वैज्ञानिक ने बृहस्पति ग्रह के उपग्रहों की गति को देखकर प्रकाश का वेग ज्ञात किया था। उसने बृहस्पति ग्रह के एक उपग्रह में लगने वाले दो ग्रहणों के बीच की अवधि को मापकर प्रकाश की चाल ज्ञात किया था। प्रकाश का वेग सबसे अधिक निर्वात में होता है। निर्वात् में प्रकाश की चाल का सर्वाधिक स्वीकृत मान 1,86,310 मील प्रति सेकेण्ड या 2,99,776 किलोमीटर प्रति सेकेण्ड या 3×10^8 मीटर प्रति सेकेण्ड है। किसी पदार्थ में प्रकाश की चाल निर्वात् से कम होती है। निर्वात की तुलना में हवा में प्रकाश की चाल 0.03 प्रतिशत कम, पानी में 25 प्रतिशत कम तथा काँच में 35% कम होती है।

विभिन्न माध्यमों में प्रकाश की चाल	
माध्यम	**प्रकाश की चाल (मी./से.)**
निर्वात्	3×10^8
काँच	2×10^8
पानी	2.25×10^8
रॉक साल्ट	1.96×10^8
तारपीन का तेल	2.04×10^8
नाइलॉन	1.96×10^8

प्रकाश को सूर्य से पृथ्वी तक आने में औसतन 499 से. (अर्थात् 8 मिनट 19 से.) का समय लगता है। इसी प्रकार चन्द्रमा से परावर्तित प्रकाश को पृथ्वी तक आने में 1.28 से. का समय लगता है।

प्रकाश का सरल रेखीय गमन (Rectilinear Propagation of Light) : समांग माध्यमों (घनत्व हर भाग में बराबर) में प्रकाश की किरणें सरल रेखाओं में चलती हैं। इसे प्रकाश का सरल रेखीय गमन कहते हैं। विभिन्न प्रकार का छायाओं का बनना, सूर्यग्रहण, चन्द्रग्रहण तथा सूची-छिद्र कैमरा में उल्टे चित्र का बनना भी प्रकाश की किरणों के सरल रेखीय गमन के कारण ही संभव होते हैं।

ध्वनि

ध्वनि तरंगें अनुदैर्घ्य तरंगें होती हैं। इसकी उत्पत्ति वस्तुओं में कम्पन होने से होती है, लेकिन सब प्रकार का कम्पन ध्वनि उत्पन्न नहीं करता। जिन तरंगों की आवृत्ति लगभग 20 कम्पन प्रति सेकेण्ड से 20,000 कम्पन प्रति सेकेण्ड के बीच होती है, उनकी अनुभूति हमें अपने कानों द्वारा होती है और उन्हें हम सुन सकते हैं। जिन यांत्रिक तरंगों की आवृत्ति इस सीमा से कम या अधिक होती है उसके लिए हमारे कान सुग्राही नहीं हैं और हमें उनसे ध्वनि की अनुभूति नहीं होती है। अतः ध्वनि शब्द का प्रयोग केवल उन्हीं तरंगों के लिए किया जाता है, जिनकी अनुभूति हमें अपने कानों द्वारा होती है। भिन्न-भिन्न मनुष्यों के लिए ध्वनि तरंगों की आवृत्ति परिसर (Range of frequency) अलग-अलग हो सकती है।

ध्वनि तरंगों का आवृत्ति परिसर (Frequency Range of Sound Waves)

अवश्रव्य तरंग (Infrasonic Waves): 20 Hz से नीचे की आवृत्ति वाली ध्वनि तरंगों को अवश्रव्य तरंगें कहते हैं। इसे मनुष्य के कान सुन नहीं सकते हैं। इस प्रकार की तरंगों को बहुत बड़े आकार के स्रोतों से उत्पन्न किया जा सकता है।

श्रव्य तरंगें (Audible Waves): 20 Hz से 20,000 Hz के बीच की आवृत्ति वाली तरंगों को श्रव्य तरंगें कहते हैं। इन तरंगों को मनुष्य के कान सुन सकते हैं।

पराश्रव्य तरंगें (Ultrasonic Waves): 20,000 Hz से ऊपर की तरंगों को पराश्रव्य तरंगें कहते हैं। मनुष्य के कान इसे नहीं सुन सकते हैं। परन्तु कुछ जानवर जैसे–कुत्ता, बिल्ली, चमगादड़ आदि इसे सुन सकते हैं। इन तरंगों को गाल्टन की सीटी के द्वारा तथा दाब-वैद्युत प्रभाव की विधि द्वारा क्वार्ट्ज़ के क्रिस्टल के कम्पनों से उत्पन्न करते हैं। इन तरंगों की आवृत्ति बहुत ऊँची होने के कारण इसमें बहुत अधिक ऊर्जा होती है। साथ ही इनकी तरंगदैर्घ्य छोटी होने के कारण इन्हें एक पतले किरण-पुंज के रूप में बहुत दूर तक भेजा जा सकता है।

वस्तुनिष्ठ प्रश्न

1. प्रकाश के विद्युत चुम्बकीय स्वरूप की खोज किसने की थी?
A. स्नेल B. न्यूटन
C. मैक्सवेल D. यंग

2. प्रकाश विकिरण की प्रकृति होती है :
A. तरंग के समान
B. कण के समान
C. तरंग एवं कण दोनों के समान
D. तरंग एवं कण के समान नहीं

3. प्रकाश में ध्रुवण की घटना से यह सिद्ध होता है कि प्रकाश तरंगें :
A. तीक्ष्ण B. प्रगामी
C. अनुप्रस्थ D. अनुदैर्ध्य

4. सूर्य की रोशनी को पृथ्वी तक पहुँचने में समय लगता है :
A. 10 मिनट 3.3 सेकंड B. 6 मिनट 5.5 सेकंड
C. 8 मिनट 16.6 सेकंड D. 9 मिनट 8.8 सेकंड

5. माध्यम के तापमान में वृद्धि के साथ प्रकाश की गति :
A. बढ़ती है B. घटती है
C. अपरिवर्तित रहती है D. सहसा गिर जाती है

6. चंद्रग्रहण घटित होता है :
A. अमावस्या के दिन
B. पूर्णिमा के दिन
C. अर्द्धचन्द्र के दिन
D. अमावस्या एवं पूर्णिमा के दिन

7. एक काटा हुआ हीरा क्यों जगमगाता है?
A. इसकी आण्विक संरचना के कारण
B. प्रकाश के शोषण के कारण
C. पूर्ण आंतरिक परावर्तन के कारण
D. कुछ अन्य निहित गुण के कारण

8. पानी में डुबोई एक छड़ी किस कारण मुड़ी हुई प्रतीत होती है?
A. प्रकाश का परावर्तन B. प्रकाश का विवर्तन
C. प्रकाश का अपवर्तन D. प्रकाश का प्रकीर्णन

9. मृगतृष्णा उदाहरण है :
A. अपवर्तन का B. पूर्ण आंतरिक परावर्तन का
C. प्रकीर्णन का D. विवर्तन का

10. एक तालाब के तल पर रखा हुआ एक पत्थर उच्च बिन्दु पर रखा हुआ प्रतीत होता है जहाँ यह वास्तव में है, किसके कारण :
A. प्रकाश का परावर्तन B. प्रकाश का विवर्तन
C. प्रकाश का बिखराव D. प्रकाश का अपवर्तन

11. किस परिघटना के कारण आकाश नीला दिखाई पड़ता है?
A. अपवर्तन B. परावर्तन
C. प्रकीर्णन D. विक्षेपण

12. वातावरण में प्रकाश का विसरण निम्नलिखित की वजह से होता है?
A. कार्बन डाईऑक्साइड B. धूल कण
C. हीलियम D. इनमें से कोई नहीं

13. चंद्र सतह पर एक प्रेक्षक को दिन के समय आकाश दिखाई देगा?
A. हल्का पीला B. नीला
C. नारंगी D. काला

14. इंद्रधनुष में किस रंग का विक्षेपण अधिक होता है?
A. बैंगनी B. पीला
C. लाल D. नीला

15. पेरीस्कोप बनाने में निम्नलिखित में से कौन-सा एक प्रयुक्त होता है?
A. अवतल लेंस B. अवतल दर्पण
C. समतल दर्पण D. इनमें से कोई नहीं

16. साबुन के पतले झाग में चमकदार रंगों का बनना किस परिघटना का परिणाम है?
A. बहुलित परावर्तन और व्यतिकरण
B. बहुलित अपवर्तन और परिक्षेपण
C. अपवर्तन और परिक्षेपण
D. ध्रुवण और व्यतिकरण

17. पिछली साइड के ट्रैफिक को देखने के लिए ऑटोमोबाइल के किस प्रकार के दर्पण का उपयोग किया जाता है?
A. अवतल B. समतल-उत्तल
C. समतल D. उत्तल

18. एक दंत चिकित्सक द्वारा रोगी के दांतों की जांच के लिए प्रयुक्त होने वाला दर्पण है?
A. अवतल B. उत्तल
C. समतल D. बेलनाकार

19. वाहनों के अग्रदीपों में किस प्रकार के दर्पण का प्रयोग होता है?
A. समतल दर्पण B. उत्तल दर्पण
C. अवतल दर्पण D. परावलयिक दर्पण

20. मानव आँख की रेटिना पर कैसा प्रतिबिंब बनता है?
A. वास्तविक तथा उल्टा B. वास्तविक तथा सीधा
C. आभासी तथा उल्टा D. आभासी तथा सीधा

21. जब कोई वस्तु दो समांतर समतल दर्पणों के बीच रखी जाती है तो बने हुए प्रतिबिंबों की संख्या होगी?
A. 2 B. 1
C. 6 D. अनंत

22. हम पृथ्वी के पृष्ठ पर सूर्य का प्रकाश प्राप्त करते हैं, ये प्रकाश के किस प्रकार के किरण पुंज हैं?
A. अपसारी B. बेतरतीब
C. समांतर D. अभिसारी

23. डायोप्टर किसकी इकाई है?
A. लेंस की क्षमता की B. लेंस की फोकस दूरी की
C. प्रकाश की तीव्रता की D. ध्वनि की तीव्रता की

24. तीन मूल रंग हैं :
A. हरा, पीला, लाल B. नीला, पीला, लाल
C. नीला, लाल, हरा D. नीला, पीला, हरा

25. श्रव्य परिसर में ध्वनि तरंगों की आवृत्ति क्या होती है?
A. 20 Hz से 20,000 Hz
B. 0.5 Hz से 5 Hz
C. 1 Hz से 10 Hz
D. 20,000 Hz से 40,000 Hz

26. सूर्य की किरणों में कितने रंग होते हैं?
A. 5 B. 6
C. 7 D. 8

27. फोटोग्राफी में मुख्य रंग कितने होते हैं?
A. लाल, नीला, पीला B. पीला, नीला, हरा
C. लाल, नीला, हरा D. नीला, पीला, हरा

28. जब प्रकाश के लाल, नीला व हरा रंगों को समान अनुपात में मिलाया जाता है, तो परिणामी रंग होगा?
A. मेजेंटा B. सफेद
C. काला D. श्याम

29. कैमरे में किस प्रकार का लेंस उपयोग में लाया जाता है?
A. उत्तल B. अवतल
C. वर्तुलाकार D. समान मोटाई का

30. निकट दृष्टि दोष से पीड़ित व्यक्ति के चश्मे में प्रयोग किया जाता है?
A. उत्तल लेंस B. अवतल लेंस
C. समतल लेंस D. समतल-अवतल

31. मायोपिया से क्या आशय है?
A. दूर दृष्टि दोष B. निकट दृष्टि दोष
C. वर्णांधता D. रतौंधी

32. ल्यूमेन इकाई है :
A. ज्योति फ्लक्स का B. ज्योति तीव्रता का
C. प्रदीप्ति घनत्व का D. चमक का

33. दूरबीन का आविष्कार किया था?
A. गैलीलियो ने B. गुटिनबर्ग ने
C. एडिसन ने D. बेल ने

34. अवतल लेंस प्रयुक्त होता है?
A. मोतियाबिंद के निवारण में
B. दीर्घ दृष्टि दोष के निवारण में
C. निकट दृष्टि दोष के निवारण में
D. दूर दृष्टि दोष के निवारण में

35. प्रकाशिक तन्तु संचार के संकेत किस रूप में प्रवाहित होते हैं?
A. प्रकाश तरंग B. रेडियो तरंग
C. सूक्ष्म तरंग D. विद्युत तरंग

36. निम्नलिखित में से किसमें उच्चतम ऊर्जा होती है?
A. नीला प्रकाश B. हरा प्रकाश
C. लाल प्रकाश D. पीला प्रकाश

37. किसी तारे के रंग से पता चलता है उसके :
A. भार का B. ताप का
C. आकार का D. दूरी का

38. फोटॉन किसकी मूलभूत यूनिट/मात्रा है?
A. प्रकाश B. गुरुत्वाकर्षण
C. विद्युत D. चुम्बकत्व

39. एक तालाब के किनारे एक मछुआरा मछली को भाले से मारने की कोशिश कर रहा है। उसे निशाना कैसे लगाना चाहिए?
A. जहाँ मछली दिखाई दे, उसके ऊपर
B. सीधे मछली पर
C. जहाँ मछली दिखाई दे, उसके नीचे
D. पानी की ऊपरी सतह पर

40. प्रकाश की गति किसके बीच से जाते हुए न्यूनतम होती है?
A. काँच B. निर्वात
C. जल D. वायु

41. जब हम जल के नीचे सुराही भरने के लिए रखते हैं तो जैसे-जैसे सुराही भरती जाती है वैसे-वैसे हमें विशेष प्रकार की ध्वनि सुनाई देती है। इसका कारण है :
A. विवर्तन B. व्यतिकरण
C. अनुनाद D. परावर्तन

42. निम्नलिखित में से किस एक प्रकार की तरंग का प्रयोग रात्रि दृष्टि उपकरण में किया जाता है?
A. रेडियो तरंग B. सूक्ष्म तरंग
C. अवरक्त तरंग D. इनमें से कोई नहीं

43. रेडियो का समस्वरण स्टेशन उदाहरण है :
A. परावर्तन B. अनुनाद
C. व्यतिकरण D. अपवर्तन

44. ध्वनि के स्रोत व परावर्ती सतह के बीच न्यूनतम दूरी कितनी होनी चाहिए, जिससे कि प्रतिध्वनि स्पष्ट रूप से सुनाई दे सके?
A. 10 मीटर B. 17 मीटर
C. 24 मीटर D. 30 मीटर

45. ध्वनि के किस लक्षण के कारण कोई ध्वनि मोटी (Grave) या पतली (Shrill) होती है?
A. तीव्रता (Intensity) B. तारत्व (Pitch)
C. गुणता (Quality) D. इनमें से कोई नहीं

46. अनुरणन काल तथा हॉल के आयतन के बीच सम्बन्ध का प्रतिपादन किया है :
A. डॉप्लर ने B. न्यूटन ने
C. सेबिन ने D. लाप्लास ने

47. एक स्त्री की आवाज का पुरुष की आवाज से अधिक तीक्ष्ण होने का कारण है :

A. उच्चतर आवृत्ति
B. निम्नतर आवृत्ति
C. उच्चतम आयाम
D. कमजोर वाक तन्तु

48. जब किसी स्थान पर दो लाउडस्पीकर साथ-साथ बजते हैं, तो किसी स्थान-विशेष पर बैठे श्रोता को इनकी ध्वनि नहीं सुनाई देती है। इसका कारण है :

A. परावर्तन B. व्यतिकरण
C. अपवर्तन D. अनुनाद

49. विश्व स्वास्थ्य संगठन के अनुसार कितने डेसीबल की ध्वनि मानव के लिए सर्वोत्तम होती है?

A. 30 dB B. 100 dB
C. 60 dB D. 45 dB

50. सुमेलित कीजिए—

सूची-I (परिघटना)	सूची-II (सिद्धान्त)
(*a*) आकाश का नीला रंग	1. पूर्ण आन्तरिक परावर्तन
(*b*) हीरे का चमकना	2. प्रकाश परिक्षेपण
(*c*) इन्द्र धनुष का बनना	3. प्रकाश प्रकीर्णन
(*d*) संध्या में सूर्य के क्षितिज से नीचे जाने के पश्चात् भी कुछ समय तक उसका दिखाई देना	4. प्रकाश अपवर्तन

कूट :

	(*a*)	(*b*)	(*c*)	(*d*)
A.	3	1	2	4
B.	3	1	4	2
C.	1	3	2	4
D.	1	3	4	2

उत्तरमाला

1	2	3	4	5	6	7	8	9	10
C	C	C	C	C	B	C	C	B	D
11	**12**	**13**	**14**	**15**	**16**	**17**	**18**	**19**	**20**
C	B	D	A	C	A	D	A	C	A
21	**22**	**23**	**24**	**25**	**26**	**27**	**28**	**29**	**30**
D	A	A	C	A	C	A	B	A	B
31	**32**	**33**	**34**	**35**	**36**	**37**	**38**	**39**	**40**
B	A	A	C	A	C	B	A	C	A
41	**42**	**43**	**44**	**45**	**46**	**47**	**48**	**49**	**50**
C	C	B	B	B	C	A	B	D	A

★ ★ ★

3

चुम्बकत्व (Magnetism)

पदार्थ का एक ऐसा टुकड़ा जिसे मुक्ततः लटकाने पर एक सिरा सदैव उत्तर की ओर और दूसरा सिरा सदैव दक्षिण की ओर संकेत करता हो, जिसमें अवशिष्ट चुम्बकीय आघूर्ण (net magnetic moment) हो और जो लौह पदार्थों को अपनी ओर आकर्षित करता हो, चुम्बक कहलाता है।

चुम्बक के प्रकार

- **प्राकृतिक चुम्बक (Natural Magnet):** खदानों में प्राकृतिक रूप से पाये जाने वाले चुम्बक को प्राकृतिक चुम्बक कहते हैं, जैसे मैग्नेटाइट एक प्राकृतिक चुम्बक है। इसका कोई निश्चित आकार नहीं होता और न ही कोई निश्चित आकृति होती है, अतः वैज्ञानिक प्रयोजन में इसे प्रयुक्त नहीं किया जा सकता। इसका चुम्बकत्व बहुत क्षीण होता है।
- **कृत्रिम चुम्बक (Artificial Magnet):** व्यावहारिक उपयोग के लिए अपेक्षित आकृति और सामर्थ्य वाले कृत्रिमतः निर्मित चुम्बकों को कृत्रिम चुम्बक कहते हैं। कृत्रिम चुम्बक आम तौर पर लोहा, इस्पात और निकेल से बनाए जाते हैं।
- **दण्ड चुम्बक (Bar Magnet):** ऐसा निकाय जिसके दोनों सिरों (ध्रुवों) पर चुम्बकत्व अधिकतम और परस्पर विपरीत ध्रुवता का होता है तथा दोनों ध्रुव परस्पर एक दूरी पर स्थित होते हैं, दण्ड चुम्बक कहलाता है। इसे चुम्बकीय द्विध्रुव भी कहते हैं।

चुम्बक के गुण

चुम्बक लौह चुम्बकीय पदार्थों को अपनी ओर आकर्षित करता है; मुक्ततः लटकाने पर सदैव एक विशेष दिशा अर्थात उत्तर-दक्षिण दिशा की ओर संकेत करता है; इसके दोनों ध्रुवों का ध्रुव प्राबल्य एकसमान होता है; किसी चुम्बक के दोनों ध्रुवों को विलगित अर्थात अलग-अलग नहीं किया जा सकता है; चुम्बक के विजातीय ध्रुवों (Unlike poles) में आकर्षण होता है और सजातीय ध्रुवों (Like poles) में प्रतिकर्षण होता है; यह चुम्बकीयतः संतृप्त हो सकता है; यह आघात, यांत्रिक प्रतिक्षेप (Mechanical jerk) अथवा तापन के कारण या एक निश्चित समय के बाद विचुम्बकित हो सकता है तथा यह अन्य पदार्थों में प्रेरण द्वारा चुम्बकत्व उत्पन्न कर सकता है।

- **चुम्बकत्व (Magnetism):** चुम्बक का वह गुण जिसके कारण यह लोह-चुम्बकीय पदार्थों (Ferromagnetic Materials) को अपनी ओर आकर्षित करता है और मुक्ततः लटकाने पर उत्तर-दक्षिण दिशा की ओर इंगित करता है, चुम्बकत्व कहलाता है। पदार्थों में चुम्बकीय गुण मुख्यतः इसके इलेक्ट्रॉनों की प्रचक्रण गति (Spin motion) के कारण होता है।
- **चुम्बकीय ध्रुव (Magnetic Poles):** किसी चुम्बक के सिरों पर चुम्बकीय गुण सर्वाधिक होता है। चुम्बक के ये दो सिरे उसके दो ध्रुव कहलाते हैं। किसी चुम्बक को मुक्ततः लटकाने पर उसका एक ध्रुव सदा उत्तर की ओर और दूसरा ध्रुव सदा दक्षिण की ओर इंगित करता है। इन्हें क्रमशः चुम्बक का उत्तरी ध्रुव और दक्षिणी ध्रुव कहते हैं।
- **चुम्बकीय अक्ष (Magnetic Axis):** किसी चुम्बक के दोनों ध्रुवों को मिलानेवाली काल्पनिक रेखा को उसका चुम्बकीय अक्ष कहते हैं।
- **चुम्बकीय क्षेत्र (Magnetic Field):** चुम्बक के चारों ओर का वह क्षेत्र जिसमें चुम्बकीय सूई पर एक बलआघूर्ण (torque) कार्य करता है, चुम्बक का चुम्बकीय क्षेत्र कहलाता है।
- **लॉरेन्ज बल (Lorentz Force):** जब एक आवेशित कण वैद्युत और चुम्बकीय क्षेत्र में गति करता है, तब इसके द्वारा लगने वाला बल लॉरेन्ज बल कहलाता है।

  वैद्युत क्षेत्र के द्वारा बल, $\vec{F}_E = q\vec{E}$

  चुम्बकीय क्षेत्र के द्वारा बल, $\vec{F}_M = q(\vec{v} \times \vec{B})$

  लॉरेन्ज बल, $\vec{F} = \vec{F}_E = \vec{F}_M = q(\vec{E} + \vec{v} \times \vec{B})$

वस्तुनिष्ठ प्रश्न

1. विद्युतचुम्बकीय तरंगों का वेग समान्तर होता है :

A. $\vec{B} \times \vec{E}\ K$ B. $\vec{E} \times \vec{B}\ K$
C. $\vec{E}\ K$ D. $\vec{B}\ K$

2. तरंग की आवृत्ति 6×10^{15} हर्ट्ज है। वह तरंग है :

A. रेडियो तरंग B माइक्रो तरंग
C. X-किरण D. इनमें से कोई नहीं

3. किसी चुम्बक की आकर्षण शक्ति सबसे कम कहां होती है?

A. दोनों किनारों पर B. मध्य में

C. चुम्बकीय अक्ष पर D. सभी जगह समान होती है

4. चुम्बकीय फ्लक्स का मात्रक है–

A. वेबर B. गौस

C. हर्ट्ज D. टैसला

5. निम्नलिखित में से कौन अनुचुम्बकीय पदार्थ है?

A. हाइड्रोजन B. नाइट्रोजन

C. ऑक्सीजन D. लोहा

6. लौह चुम्बकीय पदार्थों के भीतर परमाणुओं के असंख्य अति सूक्ष्म संरचनाओं को क्या कहा जाता है?

A. परिनालिका B. टॉरोइड

C. डोमेन D. इनमें से कोई नहीं

7. मुक्त रूप से निलम्बित चुम्बकीय सूई किस दिशा में टिकती है?

A. उत्तर-पश्चिम दिशा B. उत्तर-दक्षिण दिशा

C. उत्तर-पूर्व दिशा D. दक्षिण-पश्चिम दिशा

8. स्टील को चुम्बकीय करना कठिन है, उसके–

A. कम चुम्बकशील होने के कारण

B. अधिक धारण क्षमता होने के कारण

C. अधिक चुम्बकशील होने के कारण

D. अधिक घनत्व के कारण

9. निम्नलिखित में से कौन-सा एक प्रकृति में अनुचुम्बकीय है?

A. लौह B. हाइड्रोजन

C. ऑक्सीजन D. नाइट्रोजन

10. चुम्बकीय याम्योत्तर और भौगोलिक याम्योत्तर के बीच के कोण को कहते हैं–

A. चुम्बकीय नति B. चुम्बकीय आघूर्ण

C. चुम्बकीय दिकपात् D. इनमें से कोई नहीं

11. किसी चुम्बकीय पदार्थ को विचुम्बकीय किया जा सकता है–

A. हथौड़े से पीटकर B. गर्म कर

C. उपर्युक्त दोनों D. इनमें से कोई नहीं

12. फ्लेमिंग के बाएं हाथ का नियम दिशा बताते हैं–

A. विद्युत् धारा के उस चालक में जो विद्युत् क्षेत्र में रखा है

B. विद्युत् चालक में चुम्बकीय क्षेत्र की

C. विद्युत् चालक में बल की दिशा जब चालक चुम्बकीय क्षेत्र में है

D. इनमें से कोई नहीं

13. डायनेमो (विद्युत् जनित्र) के कार्य करने का सिद्धान्त है–

A. ताप विद्युत् प्रभाव

B. विद्युत् चुम्बकीय प्रभाव

C. धारा का चुम्बकीय प्रभाव

D. ऊर्जा संरक्षण

14. विद्युत् मोटर निम्न सिद्धान्त के अनुसार कार्य करती है–

A. फैराडे के नियम

B. लेन्ज का नियम

C. ओम का नियम

D. फ्लेमिंग का नियम

15. एक लम्बी धारावाही कुण्डली कहलाती है–

A. परिनालिका B. टोराइड

C. डोमेन D. इनमें से कोई नहीं

16. एक समरूप वैद्युत क्षेत्र तथा समरूप चुम्बकीय क्षेत्र एक ही दिशा में उत्पन्न किये गये हैं। उसी दिशा में एक इलेक्ट्रॉन को प्रक्षेपित किया जाता है, तो :

A. इलेक्ट्रॉन अपनी दायीं ओर मुड़ जायेगा

B. इलेक्ट्रॉन अपनी बायीं ओर मुड़ जायेगा

C. इलेक्ट्रॉन का वेग परिणाम बढ़ जायेगा

D. इलेक्ट्रॉन का वेग परिणाम घट जायेगा

17. (वेबर × ऐम्पियर)/ मीटर निम्न में से किसके तुल्य है?

A. J B. N

C. H D. W

18. एक वृत्ताकार धारावाही कुण्डली की त्रिज्या R है। इसके अक्ष पर कितनी दूरी पर चुम्बकीय क्षेत्र का मान केन्द्र पर चुम्बकीय क्षेत्र के मान का $\frac{1}{8}$ होगा?

A. $\frac{R}{\sqrt{3}}$ B. $R\sqrt{3}$

C. $2\sqrt{3}\,R$ D. $\frac{2}{\sqrt{3}}R$

19. एक रेखीय चालक जिसकी लम्बाई 40 सेमी है तथा इसमें 3 A धारा बह रही है, 500 गौस तीव्रता के एक चुम्बकीय क्षेत्र में रखा जाता है। अगर चालक चुम्बकीय क्षेत्र की दिशा से 30° का कोण बनाता है, तो उस पर लगने वाले बल का मान होगाः

A. 3×10^{4} N B. 3×10^{2} N

C. 3×10^{-2} N D. 3×10^{-4} N

20. पृथ्वी की त्रिज्या 6.4×10^{6} मीटर तथा चुम्बकीय आघूर्ण 6.4×10^{21} ऐम्पियर × मीटर^2 है। यदि यह मान लिया जाये कि यह आघूर्ण पृथ्वी के चारों ओर चुम्बकीय अक्ष पर लटके एक धारा लूप के कारण है, तो धारा का मान होगाः

A. 5×10^{6} A B. 5×10^{7} A

C. 5×10^{4} A D. 5×10^{9} A

21. समान द्रव्यमान और आकार के दो चुम्बक प्रति मिनट क्रमशः किसी स्थान पर 10 और 15 दोलन करते हैं, उनके चुम्बकीय आघूर्णों का अनुपात होगाः

A. 4 : 9 B. 9 : 4

C. 2 : 3 D. 3 : 2

22. एक लघु चुम्बक की एक अक्षीय बिन्दु पर चुम्बकीय क्षेत्र की तीव्रता 200 गौस है। उतनी दूरी पर निरक्षीय स्थिति में चुम्बकीय क्षेत्र की तीव्रता होगी :

A. 100 Gaus B. 400 Gaus
C. 50 Gaus D. 200 Gaus

23. दो अभिलम्बवत् (normal) एकसमान चुम्बकीय क्षेत्रों में एक चुम्बकीय सुई है जो F के साथ 60° का कोण बनाती है। F/H का मान है :

A. 1 : 2 B. 2 : 1
C. $\sqrt{3} : 1$ D. $1 : \sqrt{3}$

24. एक दोलन चुम्बकत्वमापी में दो चुम्बक एक साथ रखे जाते हैं और पृथ्वी के चुम्बकीय क्षेत्र में दोलन करते हैं। एक जैसे ध्रुवों के साथ होने पर प्रति मिनट 15 दोलन होते हैं, पर विपरीत ध्रुवों की एक साथ की स्थिति में केवल 5 दोलन हो पाते हैं। चुम्बकीय आघूर्णों का अनुपात होगा :

A. $\frac{5}{4}$ B. $\frac{4}{5}$

C. $\frac{7}{3}$ D. $\frac{3}{7}$

25. चुम्बकीय ध्रुवों के बीच बल लगाने से क्या होता है जब उनके ध्रुव प्राबल्यों तथा इनके बीच की दूरी को दोगुना कर दिया जाये?

A. बल का मान पहले की अपेक्षा दोगुना हो जाता है
B. कोई परिवर्तन नहीं होता
C. पहले की अपेक्षा बल आध हो जाता है
D. बल का मान प्रथम मान से चार गुना हो जाता है

26. सुमेलित कीजिए–

सूची-I	सूची-II
(*a*) रेडियोएक्टिवता	1. टेस्ला
(*b*) चुम्बकीय क्षेत्र	2. प्वाइज
(*c*) श्यानता	3. क्यूरी
(*d*) प्रेरण गुणांक	4. हेनरी

कूट :

	(*a*)	(*b*)	(*c*)	(*d*)
A.	3	1	2	4
B.	3	1	4	2
C.	1	3	2	4
D.	2	4	3	1

27. लौह-चुम्बकीय पदार्थों के संदर्भ में कौन-सा कथन सत्य है?

1. इनमें लोहा होता है।
2. ये हिस्टेरेसिस प्रदर्शित करते हैं।
3. स्थायी द्विध्रुव परमाणु द्वारा इनका अध्ययन किया जाता है।

नीचे दिए गए कूटों में से सही उत्तर का चयन कीजिए–

A. 1, 2 तथा 3 B. 1 तथा 2
C. 2 तथा 3 D. 1 तथा 3

28. निम्न में से कौन-सा कथन सही नहीं है?

1. चुम्बक एक ध्रुवीय (monopoles) नहीं होते हैं।
2. दो लोहे के टुकड़े जो चुम्बकित हैं, एक-दूसरे को सदैव आकर्षित करते हैं।
3. स्वतंत्रता पूर्वक लटकांयी गई चुम्बक स्वयं को क्षेत्र के समान्तर समायोजित कर लेती है।
4. तांबा प्रतिचुम्बकीय है जबकि एल्युमीनियम अनुचुम्बकीय है।

उपरोक्त कथनों में से सही है।

A. 1, 3 एवं 4 B. 2 एवं 4
C. 2 एवं 3 D. 2, 3 एवं 4

29. पृथ्वी के चुम्बकीय उत्तरी ध्रुव पर स्वतंत्रता पूर्वक लटकायी गई चुम्बकीय सुई–

A. ऊर्ध्वाधर रहती है
B. क्षैतिज रहती है
C. ऊर्ध्वाधर से 23° का कोण बनाती है
D. ऊर्ध्वाधर से 67° का कोण बनाती है

30. जब किसी धारावाही चालक को बाहय चुम्बकीय क्षेत्र में रखा जाता है तो उस पर एक बल कार्य करता है। निम्नलिखित में से कौन-सा यंत्र इस सिद्धांत पर कार्य करता है?

A. विद्युत मोटर B. डायनेमो
C. विद्युत घंटी D. इनमें से कोई नहीं

उत्तरमाला

1	2	3	4	5	6	7	8	9	10
B	D	B	A	C	C	B	B	C	C
11	**12**	**13**	**14**	**15**	**16**	**17**	**18**	**19**	**20**
C	C	B	A	A	D	B	B	C	B
21	**22**	**23**	**24**	**25**	**26**	**27**	**28**	**29**	**30**
A	A	D	A	B	A	C	C	B	A

★★★

4 संश्लेषित रेशे एवं प्लास्टिक
(Synthetic Fiber and Plastic)

संश्लेषित रेशे

पोशाक जिन्हें हम पहनते हैं, कपड़े (Fabric) से निर्मित होते हैं। कपड़े प्राकृतिक अथवा कृत्रिम स्रोतों से प्राप्त रेशों (Fibres) से बनाये जाते हैं। प्राकृतिक रेशे, जैसे—कपास, ऊन, रेशम आदि पौधों अथवा जंतुओं से प्राप्त होते हैं। दूसरी ओर संश्लेषित रेशे मनुष्यों द्वारा बनाए जाते हैं। इसलिए ये **संश्लेषित** अथवा **मानव निर्मित** रेशे कहलाते हैं।

एक संश्लेषित रेशा भी छोटी इकाइयों को जोड़कर बनायी गई एक शृंखला है। प्रत्येक छोटी इकाई वास्तव में एक रासायनिक पदार्थ है। इस प्रकार की अनेक छोटी इकाइयाँ मिलकर एक बड़ी एकल इकाई बनाते हैं जो **बहुलक** (अंग्रेजी में पॉलीमर) कहलाती हैं। 'पालीमर' शब्द ग्रीक भाषा के दो शब्दों (Poly तथा Mer) से मिलकर बना है। 'पॉली' का अर्थ अनेक तथा 'मर' का अर्थ भाग अथवा इकाई है। अतः एक पॉलीमर या बहुलक बहुत-सी इकाइयों के दोहराने से बनता है।

प्लास्टिक

संश्लेषित रेशे की तरह प्लास्टिक भी एक बहुलक है। सभी प्लास्टिकों में इकाइयों की व्यवस्था एक ही प्रकार की नहीं होती। कुछ में यह रेखीय होती है तो अन्य में यह तिर्यकबद्ध (क्रॉसबद्ध) होती है।

प्लास्टिक की वस्तुएँ सभी सम्भव आकारों तथा साइजों में उपलब्ध हैं क्योंकि प्लास्टिक आसानी से साँचे में ढाला जा सकता है अर्थात् इसे कोई भी आकार दिया जा सकता है। प्लास्टिक का पुनःचक्रण हो सकता है, इसे पुनः प्रयुक्त किया जा सकता है, इसे रँगा और पिघलाया जा सकता है, इसे बेलकर चद्दरों में बदला जा सकता है अथवा इसकी तारें बनाई जा सकती हैं।

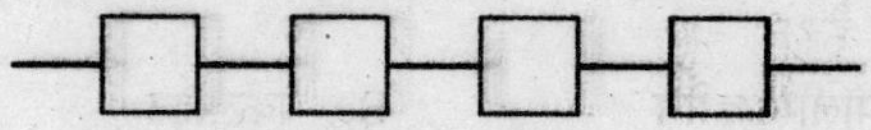

चित्र (*a*) : *रेखीय*

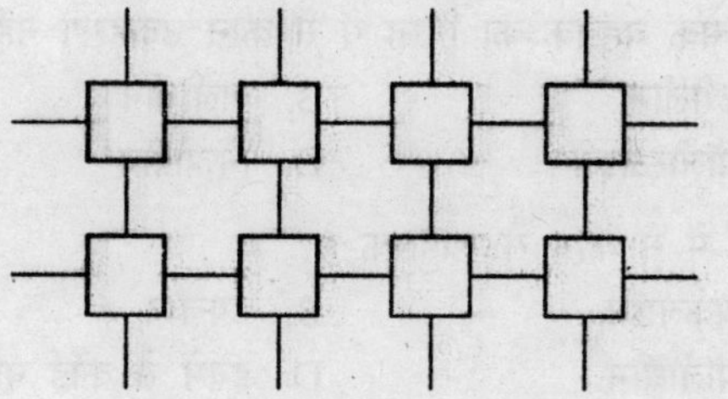

चित्र (*b*) : *क्रॉसबद्ध व्यवस्थाएँ*

ऐसा प्लास्टिक जो गर्म करने पर आसानी से विकृत हो जाता है और सरलतापूर्वक मुड़ जाता है, थर्मोप्लास्टिक कहलाता है।

पॉलिथीन और पीवीसी (PVC) थर्मोप्लास्टिक के कुछ उदाहरण हैं। इनका उपयोग खिलौने, कंघियाँ और विभिन्न प्रकार के पात्रों के बड़े पैमाने पर निर्माण हेतु किया जाता है।

दूसरी ओर, कुछ प्लास्टिक ऐसे हैं जिन्हें एक बार साँचे में ढाल दिया जाता है तो इन्हें ऊष्मा देकर नर्म नहीं किया जा सकता। ये थर्मोसेटिंग प्लास्टिक कहलाते हैं।

इसके दो उदाहरण हैं—बैकेलाइट और मेलामाइन। बैकेलाइट ऊष्मा और विद्युत का कुचालक है। यह बिजली के स्विच, विभिन्न बर्तनों के हत्थे आदि बनाने में काम आता है

मेलामाइन एक बहुउपयोगी पदार्थ है। यह आग का प्रतिरोधक है तथा अन्य प्लास्टिक की अपेक्षा ऊष्मा को सहने की अधिक क्षमता रखता है। यह फर्श की टाइलें, रसोई के बर्तन और कपड़े बनाने के उपयोग में लिया जाता है जो आग का प्रतिरोध करते हैं।

वस्तुनिष्ठ प्रश्न

1. बेकेलाइट प्राप्त होता हैः
A. एथिलीन के बहुलीकरण से
B. फीनॉल तथा फॉर्मेल्डिहाइड की अभिक्रिया से
C. यूरिया तथा फॉर्मेल्डिहाइड की अभिक्रिया से
D. इनमें से कोई नहीं

2. 'रेयॉन' रेशे तैयार किए जाते हैंः
A. सेलूलोस से B. बेकेलाइट से
C. यूरिया से D. इनमें से कोई नहीं

3. टेफ्लॉन निम्न का बहुलक हैः
A. एथिलीन
B. स्टाइरीन
C. ब्यूटाडाइन
D. टेट्राफ्लोरो एथीन

4. संश्लेषित रेशा होता हैः
A. रेयॉन B. रेशम
C. सेलुलोस D. ऊन

5. 'आरलोन' बहुलक है:
A. ब्यूटाडाइन का B. ऐक्रिलो नाइट्राइल का
C. एथिलीन का D. वाइनिल क्लोराइड का

6. निम्नलिखित में से कौन नायलॉन के निर्माण में प्रयुक्त होता है?
A. ब्यूटाडाइन B. एडिपिक अम्ल
C. एथिलीन D. इनमें से कोई नहीं

7. निम्नलिखित में से किसके निर्माण में फिनॉल का उपयोग किया जाता है?
A. पॉलीस्टाइरीन B. बेकेलाइट
C. पॉली सैकेराइड D. पॉली क्लोरोडाइन

8. योगात्मक बहुलक का निम्न में से कौन उदाहरण नहीं है?
A. टेरीलीन B. पॉलीथीन
C. पॉलीस्टाइरीन D. निओप्रीन

9. निम्न में से कौन सह-बहुलक है?
A. बेकेलाइट B. टेफ्लॉन
C. पॉलीथीन D. इनमें से कोई नहीं

10. संश्लेषित बहुलक निम्न में से कौन नहीं है?
A. पॉलीथीन B. सैलोफेन
C. पी.वी.सी. D. नायलॉन

11. प्राकृतिक रूप से पाया जाने वाला बहुलक निम्न में से कौन है?
A. प्रोटीन B. सेलुलोस
C. रबड़ D. उपरोक्त सभी

12. पॉलीथीन निम्न में से किसके बहुलीकरण से प्राप्त होता है?
A. एथिलीन B. ब्यूटाडाइन
C. आइसोप्रीन D. प्रोपीलीन

13. निम्न में से कौन क्लोरोइथिलीन के बहुलीकरण से प्राप्त होता है?
A. पॉलीथीन B. नायलॉन
C. पी.वी.सी. D. टेफ्लॉन

14. पॉलीथीन, नायलॉन एवं टेरीलीन सभी उदाहरण हैं–
A. संघनन बहुलक का B. निओप्रीन का
C. थर्मोप्लास्टिक का D. इनमें से कोई नहीं

15. वह बहुलीकरण जिसमें दो या अधिक रासायनिक रूप से भिन्न मोनोमर भाग लेते हैं, कहलाता है–
A. योगात्मक बहुलीकरण B. सह-बहुलीकरण
C. शृंखला बहुलीकरण D. इनमें से कोई नहीं

16. प्राकृतिक रबड़ निम्नलिखित में से किसका बहुलक होता है?
A. आइसोप्रीन B. निओप्रीन
C. इथाइलीन D. आइसो ब्यूटेन

17. निम्नलिखित में से कौन-सा कथन थर्मोप्लास्टिक के रूप में सत्य है?
A. ये रेखीय बहुलक के उदाहरण हैं
B. ये मुलायम या गर्म करने पर पिघलने वाले होते हैं
C. ये बहुलक ऐच्छिक आकार में ढाले जा सकते हैं
D. उपरोक्त सभी सत्य हैं

18. निम्नलिखिंत में से कौन पॉलीएमाइड कहलाता है?
A. रेयॉन B. नायलॉन
C. टेरीलीन D. ओरलॉन

19. निओप्रीन निम्नलिखित में से किसका बहुलक है?
A. क्लोरोप्रीन का B. आइसोप्रीन का
C. स्टाइरीन का D. ब्यूटाडाइन का

20. निम्न में से कौन थर्मोसेटिंग बहुलक का उदाहरण है?
A. पॉलीथीन B. निओप्रीन
C. पी.वी.सी. D. बेकेलाइट

21. चट्टानों की आयु ज्ञात करने के लिए रेडियोएक्टिव आयु अंकन में किस समस्थानिक का उपयोग किया जाता है?
A. यूरेनियम का B. प्लूटोनियम का
C. थोरियम का D. कार्बन का

22. प्राकृतिक गैस में मुख्यतः रहता है :
A. मिथेन B. इथेन
C. प्रोपेन D. ब्यूटेन

23. एल.पी.जी. (LPG) में कौन-सी गैस मुख्य होती है?
A. मिथेन B. CO_2
C. ब्यूटेन D. SO_2

24. प्राकृतिक रबड़ एक बहुलक है :
A. इथिलीन का B. ऐसीटिलीन का
C. विनाइल क्लोराइड का D. आइसोप्रीन का

25. निम्नलिखित में से कौन प्राकृतिक बहुलक नहीं है?
A. ऊन B. रेशम
C. चमड़ा D. नाइलोन

उत्तरमाला

1	2	3	4	5	6	7	8	9	10
B	A	D	A	B	B	B	A	A	B
11	**12**	**13**	**14**	**15**	**16**	**17**	**18**	**19**	**20**
D	A	C	C	B	A	D	B	A	D
21	**22**	**23**	**24**	**25**					
A	A	C	D	D					

★★★

5

अम्ल, क्षार एवं लवण

(Acid, Base and Salt)

अम्ल, क्षारक एवं लवण प्रकृति में व्यापक रूप से पाए जाते हैं। जठर रस, जिसमें हाइड्रोक्लोरिक अम्ल पाया जाता है, हमारे अमाशय द्वारा प्रचुर मात्रा (1.2 /0 1.5 L/दिन) में स्रावित होता है।

यह पाचन क्रिया के लिए अति आवश्यक है। सिरके का मुख्य अवयव एसीटिक अम्ल है। नींबू एवं संतरे के रस में साइट्रिक अम्ल एवं एस्कॉर्बिक अम्ल तथा इमली में टार्टरिक अम्ल पाया जाता है। अधिकांश अम्ल स्वाद में खट्टे होते हैं, लैटिन शब्द Acidus से बना 'एसिड' शब्द इनके लिए प्रयुक्त होता है, जिसका अर्थ है–खट्टा। अम्ल नीले लिटमस को लाल कर देते हैं तथा कुछ धातुओं से अभिक्रिया करके डाइहाइड्रोजन उत्पन्न करते हैं। इसी प्रकार क्षारक लाल लिटमस को नीला कर देते हैं तथा स्वाद में कड़वे और स्पर्श में साबुनी होते हैं। क्षारक का एक सामान्य उदाहरण कपड़े धोने का सोडा है, जो धुलाई के लिए प्रयुक्त होता है। जब अम्ल एवं क्षारक को सही अनुपात में मिलाते हैं, तो वे आपस में अभिक्रिया करके लवण देते हैं।

लवणों के कुछ सामान्य उदाहरण सोडियम क्लोराइड, बेरियम सल्फेट, सोडियम नाइट्रेट आदि हैं। सोडियम क्लोराइड (साधारण नमक) हमारे भोजन का एक मुख्य घटक है, जो हाइड्रोक्लोरिक अम्ल एवं सोडियम हाइड्रॉक्साइड की क्रिया से प्राप्त होता है। यह ठोस अवस्था में पाया जाता है, जिसमें धनावेशित सोडियम तथा ऋणावेशित क्लोराइड आयन आपस में विपरीत आवेशित स्पीशीज के मध्य स्थिर वैद्युत आकर्षण के कारण गुच्छे बना लेते हैं।

अम्ल तथा क्षारक की आरेनियस धारणा

आरेनियस के सिद्धांतानुसार अम्ल वे पदार्थ हैं, जो जल में अपघटित होकर हाइड्रोजन आयन $H^+_{(aq)}$ देते हैं तथा क्षारक वे पदार्थ हैं, जो हाइड्रॉक्सिल आयन $H^-_{(aq)}$ देते हैं। इस प्रकार जल में एक अम्ल HX का आयनन निम्नलिखित समीकरणों में से किसी एक के द्वारा प्रदर्शित किया जा सकता है :

$$HX\,(aq) \rightarrow H^+(aq) + X^-\,(aq)$$

या $$HX\,(aq) + H_2O(L) \rightarrow H_3O^+\,(aq) + X^-(aq)$$

एक मुक्त प्रोट्रॉन, H^+ अत्यधिक क्रियाशील होता है। स्वतंत्र रूप से जलीय विलयन में इसका अस्तित्व नहीं है। यह विलायक जल अणु के ऑक्सीजन से बंधित होकर त्रिकोणीय पिरामिडी हाइड्रोनियम आयन, H_3O^+ देता है। हम H^+ (aq) तथा H_3O^+(aq) दोनों को ही जलयोजित हाइड्रोजन आयन, जो जल अणुओं से घिरा हुआ एक प्रोटॉन है, के रूप में प्रयोग में लाते हैं।

इसी प्रकार MOH सदृश्य किसी क्षारक का अणु जलीय विलयन में निम्नलिखित समीकरण के अनुसार आयनित होता है–

$$MOH\,(aq) \rightarrow M+\,(aq) + OH–\,(aq)$$

हाइड्रोक्सिल आयन भी जलीय विलयन में जलयोजित रूप से रहता है। परंतु आरेनियस की अम्ल-क्षारक धारणा की अनेक सीमाएँ हैं। यह केवल पदार्थों के जलीय विलयन पर ही लागू होती हैं।

वस्तुनिष्ठ प्रश्न

1. सभी लवण होते हैं–
A. वैद्युत् अनपघट्य B. वैद्युत् अपघट्य
C. स्थायी अपघट्य D. उदासीन

2. जल में सामान्य लवण (Common Salt) के घोल में होते हैं–
A. सोडियम एवं क्लोरीन के प्राकृतिक अणु
B. सोडियम के ऋणात्मक आयन एवं क्लोरीन के धनात्मक आयन
C. सोडियम के धनात्मक आयन एवं क्लोरीन के ऋणात्मक आयन
D. सोडियम क्लोराइड के अणु

3. मोहर लवण है–
A. सरल लवण B. संकर लवण
C. द्विक लवण D. जटिल लवण

4. निम्नलिखित में से कौन सामान्य लवण नहीं है?
A. Na_2SO_4 B. $NaHSO_4$
C. Na_3PO_4 D. $CaSO_4$

5. अम्ल एवं क्षार के परीक्षण के लिए किसका उपयोग किया जाता है?
A. लिटमस पत्र B. कोबाल्ट पत्र
C. अमोनिया पत्र D. इनमें से कोई नहीं

6. लाल लिटमस पत्र को नीला कर देता है–
A. अम्ल B. क्षार
C. लवण D. इनमें से कोई नहीं

7. निम्नलिखित में से कौन-सा कथन सही है?
A. क्षार में साबुन जैसी चिकनाहट होती है।
B. क्षार लाल लिटमस को नीला कर देता है।

C. सभी क्षार भस्म होते हैं किन्तु सभी भस्म क्षार नहीं होते।
D. उपर्युक्त सभी

8. भस्मों का स्वाद होता है–
A. खारा B. खट्टा
C. मीठा D. स्वादहीन

9. 'हाइड्रोजन सभी अम्लों का एक आवश्यक अवयव है' यह सर्वप्रथम किसने कहा?
A. आरेनियस B. ब्रॉन्सटेड
C. डेवी D. लॉरी

10. जटिल लवण का उदाहरण है–
A. $K_4[Fe(CN)_6]$ B. $K_2[HgI_4]$
C. $[Ag(NH_3)_2]Cl$ D. इनमें से सभी

11. जो लवण अम्लीय हाइड्रोजन परमाणु या हाइड्रॉक्सिल आयन से मुक्त रहते हैं, कहलाते हैं–
A. सामान्य लवण B. अम्ल लवण
C. भास्मिक लवण D. मिश्रित लवण

12. क्षार वह पदार्थ है जो–
A. प्रोटॉन देता है। B. प्रोटॉन ग्रहण करता है।
C. इलेक्ट्रॉन देता है। D. इलेक्ट्रॉन युग्म ग्रहण करता है।

13. उदासीनीकरण क्रिया में बनता है–
A. अम्ल B. क्षार
C. लवण D. लवण तथा जल

14. नीले लिटमस पत्र को लाल कर देता है–
A. अम्ल B. भस्म
C. क्षार D. लवण

15. जल में घुलनशील Base को कहते हैं–
A. अम्ल B. क्षार
C. लवण D. इनमें से कोई नहीं

16. सभी अम्ल जल में घुलकर प्रदान करते हैं–
A. OH^- आयन B. H^+ आयन
C. इलेक्ट्रॉन D. न्यूट्रॉन

17. अम्ल वह पदार्थ है जो–
A. इलेक्ट्रॉन ग्रहण करता है। B. इलेक्ट्रॉन प्रदान करता है।
C. प्रोटॉन देता है। D. OH^- आयन देता है।

18. अम्ल व क्षारों की अभिक्रिया के फलस्वरूप बने पदार्थ को कहते हैं–
A. अम्ल B. लवण
C. ईस्टर D. अल्कोहल

19. भस्मों के जलीय घोल में कौन-सा आयन होता है?
A. H^+ B. H^-
C. OH^- D. OH^+

20. पी. एच. (pH) मान का निर्धारण किसने किया?
A. लेवोजियर B. प्रिस्टले
C. कैवेन्डिश D. सॉरेन्सन

21. अम्लीय घोल का pH मान होता है–
A. 7 B. 7 से कम
C. 7 से अधिक D. 14

22. उदासीन घोल का pH मान होता है–
A. 7 से कम B. 7 से अधिक
C. 7 D. 14

23. किसी एक सामान्य व्यक्ति के रक्त का pH स्तर क्या होता है?
A. 4.5 – 4.5 B. 6.45 – 6.55
C. 7.35 – 7.45 D. 8.25 – 8.35

24. क्षारीय घोल का pH मान होता है–
A. 7 से कम B. 7 से अधिक
C. शून्य D. 7

25. सुमेलित कीजिए–

सूची-I	सूची-II
(*a*) सामान्य लवण	1. फिटकरी
(*b*) अम्लीय लवण	2. बेरियम क्लोराइड
(*c*) क्षारीय लवण	3. सोडियम बाइकार्बोनेट
(*d*) द्वि-लवण	4. फेरिक हाइड्राक्साइड

कूट :

	(*a*)	(*b*)	(*c*)	(*d*)
A.	3	2	4	1
B.	2	3	4	1
C.	2	3	1	4
D.	1	2	4	3

उत्तरमाला

1	2	3	4	5	6	7	8	9	10
B	C	C	B	A	B	D	A	C	D
11	**12**	**13**	**14**	**15**	**16**	**17**	**18**	**19**	**20**
A	B	D	A	B	B	C	B	C	D
21	**22**	**23**	**24**	**25**					
B	C	C	B	B					

★ ★ ★

6

धातु एवं अधातु
(Metal and Non-Metal)

धातुओं और अधातुओं के भौतिक गुण

तत्वों को दो श्रेणियों में बाँटा जा सकता है—धातुएँ और अधातुएँ। दोनों के भौतिक व रासायनिक गुणधर्म में अंतर है। धातुओं और अधातुओं के भौतिक गुणधर्मों के अंतर निम्न सारणी में दिए गए हैं।

सारणी

गुणधर्म	धातु	अधातु
आघातवर्ध्यता और तन्यता	धातु आघातवर्ध्य होते हैं। इनको पीट कर पतली चादर बनाई जा सकती है। ये तन्य भी होते हैं और तारों के रूप में खींचा जा सकता है। (अपवाद : Na, Bi)	अधातु न तो आघातवर्ध्य होते हैं और न तन्य। उदाहरण के लिए—लकड़ी और कोयला
धात्विक चमक	सभी धातुओं में धात्विक चमक होती है।	इनमें धात्विक चमक नहीं होती है।
कठोरता	धातु आमतौर पर कठोर होते हैं।	अधातु धातु की अपेक्षाकृत नर्म होते हैं।
भौतिक अवस्था	ये सामान्य ताप पर ठोस और तरल अवस्था में होते हैं।	अधातु ठोस, द्रव या गैस किसी भी अवस्था में हो सकते हैं।
ध्वनिक (सोनोरस)	धातु चोट मारने पर एक विशिष्ट ध्वनि उत्पन्न करते हैं। उदाहरणार्थ—स्कूल की घंटी।	अधातु ध्वनि उत्पन्न नहीं करते हैं।
घनत्व	इनका घनत्व उच्च होता है।	इनका घनत्व कम होता है।
वैद्युत चालकता	ये विद्युत के सुचालक होते हैं।	ये विद्युत के कुचालक होते हैं।

महत्वपूर्ण तथ्य

- पारा एक अकेला धातु और ब्रोमीन एक अकेला अधातु है जो साधारण तापमान पर द्रव अवस्था में पाये जाते हैं।
- ग्रेफाइट और आयोडीन हालांकि अधातु हैं परन्तु इनमें धात्विक चमक होती है।
- सोडियम धातु मोम की तरह नर्म होता है इसे चाकू से काटा जा सकता है।
- गैलियम धातु हथेली पर रखने से पिघल जाता है।
- सोना और चांदी अत्यधिक आघातवर्धनीय और तन्य होते हैं।
- हीरा तांबे की अपेक्षा उत्तम ऊष्माचालक है परन्तु विद्युत कुचालक है।
- अधातु ग्रेफाइट विद्युत सुचालक है परन्तु ऊष्मा कुचालक है।
- सोना, चांदी, प्लेटिनम और कॉपर स्वतंत्र अवस्था में होते हैं क्योंकि दूसरे धातुओं की अपेक्षा ये कम क्रियाशील होते हैं।

धातुओं और अधातुओं के रासायनिक गुणधर्म

धातु की प्रकृति धन विद्युती होती है। उनके संयोजी कोश में 1, 2 या 3 इलेक्ट्रॉन होते हैं और ये धनावेशित धनायन बनाने के लिए आसानी से अपने इलेक्ट्रॉन दे देते हैं। अपना संयोजी कोश का इलेक्ट्रॉन खोने के पश्चात् ये धनायन स्थिर होकर उत्कृष्ट गैस का विन्यास प्राप्त करते हैं।

$$\underset{2,\,8,\,1}{Na(g)} \longrightarrow \underset{2,\,8}{Na^+(g)} + e^-$$

विद्युत अपघटन के समय वह कैथोड पर विमुक्त होते हैं। दूसरी ओर अधातु ऋण विद्युती प्रकृति के होते हैं। इनके संयोजी कोश में आमतौर पर 5, 6 या 7 इलेक्ट्रॉन होते हैं। इनकी प्रकृति इलेक्ट्रॉन प्राप्त करके ऋणायन बनाने की होती है।

$$\underset{2,\,8,\,7}{Cl(g)} + e^- \longrightarrow \underset{2,\,8,\,8}{Cl^-(g)}$$

वस्तुनिष्ठ प्रश्न

1. निम्नलिखित में से किस खनिज द्वारा लोहा प्राप्त किया जाता है?
   A. चूने का पत्थर B. पिच ब्लैंड
   C. मोनजाइट रेत D. हेमाटाइट

2. पृथ्वी के गर्भ में दूसरा सबसे ज्यादा पायी जाने वाली धातु कौन-सी है?
   A. लोहा B. एल्यूमिनियम
   C. ताँबा D. जस्ता

3. जंग लगने पर लोहे का भारः
   A. बढ़ता है B. घटता है
   C. कोई परिवर्तन नहीं होता D. परिवर्तित होता है

4. जंगरहित लोहा बनाने में महत्वपूर्ण धातु है:
   A. एल्यूमिनियम B. कार्बन
   C. क्रोमियम D. टिन

5. स्टेनलेस स्टील तैयार करने के लिए लोहे के साथ कौन-सी महत्वपूर्ण धातु उपयोग में लायी जाती है?
   A. एल्यूमिनियम B. क्रोमियम
   C. टिन D. कार्बन

6. सर्वप्रथम मानव ने निम्न धातु का उपयोग किया:
   A. सोना B. चाँदी
   C. ताँबा D. लोहा

7. पेयजल में कॉपर का अधिकतम अनुतम सान्द्रण है:
   A. 0.01 B. 0.05
   C. 1.0 D. 2.0

8. वायु में थोड़ी देर रखने से किसी धातु के ऊपर हरे रंग की बेसिक कार्बोनेट की परत जम जाती है। वह धातु है:
   A. ताँबा B. चाँदी
   C. निकेल D. जस्ता

9. नीला थोथा है:
   A. कॉपर सल्फेट B. कैल्शियम सल्फेट
   C. आयरन सल्फेट D. सोडियम सल्फेट

10. जंग से बचाने के लिए लोहे से बनी पानी के पाइपों पर जस्ते की परत चढ़ाने को क्या कहते हैं?
    A. जस्ते की परत चढ़ाना B. मिश्रधातु बनाना
    C. वल्कनीकरण D. यशदीकरण

11. निम्नलिखित में से कौन-सा एक धातु है?
    A. क्लोरीन B. जिंक
    C. नियॉन D. आयोडीन

12. निम्नलिखित में से विद्युत का सबसे अच्छा चालक कौन-सा है?
    A. एल्यूमिनियम B. ताँबा
    C. चाँदी D. सोना

13. चाँदी के बर्तन कुछ अवधि के बाद काले क्यों पड़ जाते हैं?
    A. चाँदी पर नाइट्रेट का लेप बन जाने के कारण
    B. चाँदी पर सल्फाइट का लेप बन जाने के कारण
    C. चाँदी पर क्लोराइड का लेप बन जाने के कारण
    D. चाँदी पर ऑक्साइड का लेप बन जाने के कारण

14. निम्नलिखित में से कौन-सी धातु सर्वाधिक भारी है?
    A. चाँदी B. ताँबा
    C. सोना D. सीसा

15. मीनामाता रोग किस कारण से होता है?
    A. पारा B. सीसा
    C. कैडमियम D. जस्ता

16. निम्न में से कौन सामान्य ताप पर द्रव है?
    A. सीसा B. पारा
    C. निकेल D. टिन

17. निम्नलिखित में से मिश्रधातु में से किसे अमलगम कहते हैं?
    A. जस्ता-ताँबा B. ताँबा-टिन
    C. पारा-जस्ता D. सीसा-जस्ता

18. किसी अमलगम का एक घटक सदा होता है?
    A. आयरन B. कॉपर
    C. जिंक D. मरकरी

19. कैडमियम प्रदूषण किससे सम्बद्ध है?
    A. मीनामाता रोग B. ब्लेक फुट रोग
    C. डिस्लेक्सिया D. इटाई-इटाई

20. आवर्त सारणी में निम्नलिखित में से कौन-सी सबसे भारी होती है?
    A. Os B. Pt
    C. Pb D. W

21. एक रेडियोधर्मी तत्व जिसके भारत वर्ष में भंडार पाए जाते हैं?
    A. प्लूटोनियम B. रेडियम
    C. थोरियम D. यूरेनियम

22. निम्न में से कौन सीमेंट का मुख्य घटक है?
    A. जिप्सम B. चूना-पत्थर
    C. राख D. उपर्युक्त में से कोई नहीं

23. निम्न में से किस धातु को प्राप्त करने हेतु बॉक्साइट अयस्क हैं?
    A. लोहा B. चाँदी
    C. ताँबा D. एल्यूमिनियम

24. कलपक्कम के फास्ट ब्रीडर टेस्ट रिएक्टर में प्रयुक्त ईंधन है:
    A. समृद्ध यूरेनियम B. थोरियम
    C. प्लूटोनियम D. टंगस्टन

25. माणिक्य और नीलम रासायनिक रूप से किस नाम से जाने जाते हैं?

A. सिलिकन हाइड्रॉक्साइड B. एल्यूमिनियम ऑक्साइड

C. लेड टेट्राक्साइड D. बोरोन नाइट्राइड

26. निम्नलिखित में से किस एक में रजत नहीं होता है?

A. हार्न सिल्वर B. जर्मन सिल्वर

C. रूबी सिल्वर D. लूनर कास्टिक

27. फिटकरी गंदे पानी को किस प्रक्रिया द्वारा स्वच्छ करती है?

A. अवशोषण B. अविशोषण

C. स्कंदन D. अपोहन

28. बर्तन बनाने में प्रयुक्त जर्मन सिल्वर एक एलॉय है :

A. कॉपर, सिल्वर और निकेल का

B. कॉपर, जिंक और निकेल का

C. कॉपर, निकेल और एल्यूमिनियम का

D. उपर्युक्त में से कोई नहीं

29. निम्न में से कौन-सा युगल विस्थापन अभिक्रिया प्रदर्शित करता है?

A. $NaCl$ विलयन एवं कॉपर धातु

B. $MgCl_2$ विलयन एवं एल्यूमिनियम धातु

C. $FeSO_4$ विलयन एवं सिल्वर धातु

D. $AgNO_3$ विलयन एवं कॉपर धातु

30. लोहे के फ्राइंग पैन (Frying Pan) को जंग से बचाने के लिए निम्न में से कौन-सी विधि उपयुक्त है?

A. ग्रीज लगाकर B. पेंट लगाकर

C. जिंक की परत चढ़ाकर D. उपर्युक्त सभी

31. कोई धातु ऑक्सीजन के साथ अभिक्रिया कर उच्च गलनांक वाला यौगिक निर्मित करती है। यह यौगिक जल में विलेय है। यह तत्व क्या हो सकता है?

A. कैल्सियम B. कार्बन

C. सिलिकन D. लोहा

32. निम्नलिखित में से कौन जीवाश्म ईंधन है?

A. एल्कोहल B. ईथर

C. वाटर गैस D. प्राकृतिक गैस

33. बायोगैस का मुख्य घटक है :

A. हाइड्रोजन B. मिथेन

C. ब्यूटेन D. एसिटिलीन

34. सुमेलित कीजिए–

सूची-I	**सूची-II**
(*a*) इल्मेनाइट	1. जस्ता
(*b*) गैलेना	2. टंगस्टन
(*c*) स्फैलेराइट	3. सीसा
(*d*) शीलाइट	4. टाइटेनियम

कूट :

	(*a*)	(*b*)	(*c*)	(*d*)
A.	4	1	3	2
B.	2	3	1	4
C.	4	3	1	2
D.	2	1	3	4

35. सुमेलित कीजिए–

सूची-I	**सूची-II**
(*a*) पीतल	1. Cu + Zn + Sn
(*b*) कांसा	2. Cu + Al + Mg + Mn
(*c*) ड्यूरेलुमिन	3. Cu + Sn
(*d*) जर्मन सिल्वर	4. Cu + Ni + Zn
	5. Cu + Zn

कूट :

	(*a*)	(*b*)	(*c*)	(*d*)
A.	5	4	2	3
B.	5	3	2	4
C.	2	3	1	4
D.	2	4	1	3

उत्तरमाला

1	2	3	4	5	6	7	8	9	10
D	A	A	C	B	C	B	A	A	D
11	**12**	**13**	**14**	**15**	**16**	**17**	**18**	**19**	**20**
B	C	B	C	A	B	C	D	D	A
21	**22**	**23**	**24**	**25**	**26**	**27**	**28**	**29**	**30**
C	B	D	A	B	B	C	B	D	C
31	**32**	**33**	**34**	**35**					
A	D	B	C	B					

★ ★ ★

7

ऊर्जा के स्रोत

(Source of Energy)

दैनिक जीवन में कार्य करने के लिए हम ऊर्जा के विविध स्रोतों का उपयोग करते हैं। शारीरिक कार्यों को करने के लिए पेशीय ऊर्जा, विविध वैद्युत संयंत्रों को चलाने के लिए विद्युत ऊर्जा, भोजन पकाने अथवा वाहनों को दौड़ाने के लिए रासायनिक ऊर्जा, ये सभी ऊर्जाएँ किसी-न-किसी ऊर्जा स्रोत से प्राप्त होती हैं। कार्यों को करने के लिए किसी विशेष ऊर्जा स्रोत अथवा ईंधन का चयन करना पड़ता है।

ऊर्जा के पारंपरिक स्रोत

जीवाश्मी ईंधन

प्राचीन काल में ऊष्मीय ऊर्जा का सबसे अधिक सामान्य स्रोत लकड़ी था। बढ़ते हुए उद्योगों ने समस्त विश्व में जीवन की गुणवत्ता में वृद्धि कर दी है। ऊर्जा की बढ़ती माँग की अधिकांश पूर्ति जीवाश्मी ईंधन-कोयला तथा पेट्रोलियम से की जाती थी, परंतु ये ईंधन करोड़ों वर्षों में बने हैं तथा अब केवल इनके सीमित भंडार ही शेष हैं।

तापीय विद्युत संयंत्र

विद्युत संयंत्रों में प्रतिदिन विशाल मात्रा में जीवाश्मी ईंधन का दहन करके जल उबालकर भाप बनाई जाती है, जो टरबाइनों को घुमाकर विद्युत उत्पन्न करती है। समान दूरियों तक कोयले तथा पेट्रोलियम के परिवहन की तुलना में विद्युत संचरण अधिक दक्ष होता है। यही कारण है कि बहुत से तापीय विद्युत संयंत्र कोयले तथा तेल के क्षेत्रों के निकट स्थापित किए गए हैं।

जल विद्युत संयंत्र

ऊर्जा का एक अन्य पारंपरिक स्रोत बहते जल की गतिज ऊर्जा अथवा किसी ऊँचाई पर स्थित जल की स्थितिज ऊर्जा है। जल विद्युत संयंत्रों में गिरते जल की स्थितिज ऊर्जा को विद्युत में रूपांतरित किया जाता है।

ऊर्जा के अपारंपरिक स्रोत

जैव-मात्रा (बायो-मास)

ईंधन पादप एवं जंतु उत्पाद के स्रोत को जैव-मात्रा कहते हैं, परंतु ये ईंधन अधिक ऊष्मा उत्पन्न नहीं करते तथा इन्हें जलाने पर अत्यधिक धुआँ निकलता है, इसीलिए इन ईंधनों की दक्षता में वृद्धि के लिए प्रौद्योगिकी का सहारा आवश्यक है। जब लकड़ी को वायु की सीमित आपूर्ति में जलाते हैं तो उसमें उपस्थित जल तथा वाष्पशील पदार्थ बाहर निकल जाते हैं तथा अवशेष के रूप में चारकोल रह जाता है। चारकोल बिना ज्वाला के जलता है, इससे अपेक्षाकृत कम धुआँ निकलता है तथा इसकी ऊष्मा उत्पन्न करने की दक्षता भी अधिक होती है।

पवन ऊर्जा

सूर्य के विकिरणों द्वारा भूखंडों तथा जलाशयों के असमान तप्त होने के कारण वायु में गति उत्पन्न होती है तथा पवनों का प्रवाह होता है। पवनों की गतिज ऊर्जा का उपयोग कार्यों को करने में किया जा सकता है। पवन ऊर्जा का उपयोग शताब्दियों से पवन-चक्कियों द्वारा यांत्रिक कार्यों को करने में होता रहा है।

सौर ऊर्जा

सूर्य लगभग 5 करोड़ वर्ष से निरंतर वर्तमान दर पर विशाल मात्रा में ऊर्जा विकिरित कर रहा है तथा इस दर से भविष्य में भी लगभग 5 करोड़ वर्ष तक ऊर्जा विकिरित करता रहेगा। श्वेत पृष्ठ की तुलना में कृष्ण (काला) पृष्ठ अधिक ऊष्मा अवशोषित करता है। सौर कुकरों तथा सौर जल तापकों की कार्यविधि में इसी गुण का उपयोग किया जाता है।

समुद्री ऊर्जा

ज्वारीय ऊर्जा : घूर्णन गति करती पृथ्वी पर मुख्य रूप से चंद्रमा के गुरुत्वीय खिंचाव के कारण सागरों में जल का स्तर चढ़ता व गिरता रहता है। इस परिघटना को *ज्वार-भाटा* कहते हैं। ज्वार-भाटे में जल के स्तर के चढ़ने तथा गिरने से हमें ज्वारीय ऊर्जा प्राप्त होती है।

तरंग ऊर्जा : इसी प्रकार, समुद्र तट के निकट विशाल तरंगों की गतिज ऊर्जा को भी विद्युत उत्पन्न करने के लिए इसी ढंग से ट्रेप किया जा सकता है। महासागरों के पृष्ठ पर आर-पार बहने वाली प्रबल पवन तरंगें उत्पन्न करती है।

महासागरीय तापीय ऊर्जा : समुद्रों अथवा महासागरों के पृष्ठ का जल सूर्य द्वारा तप्त हो जाता है जबकि इनके गहराई वाले भाग का जल अपेक्षाकृत ठंडा होता है। ताप में इस अंतर का उपयोग सागरीय तापीय ऊर्जा रूपांतरण विद्युत संयंत्र (Ocean Thermal Energy Conversion Plant या OTEC विद्युत संयंत्र) में ऊर्जा प्राप्त करने के लिए किया जाता है।

नाभिकीय ऊर्जा

नाभिकीय विखंडन अभिक्रिया एक ऐसी प्रक्रिया है जिसमें किसी भारी परमाणु (जैसे यूरेनियम, प्लूटोनियम अथवा थोरियम) के नाभिक को निम्न ऊर्जा न्यूट्रॉन से बमवारी कराकर, हलके नाभिकों में तोड़ा जा सकता है। जब ऐसा किया जाता है तो विशाल मात्रा में ऊर्जा मुक्त होती है। यह तब होता है जब मूल नाभिक का द्रव्यमान व्यष्टिगत उत्पादों के द्रव्यमानों के योग से कुछ ही अधिक होता है।

वस्तुनिष्ठ प्रश्न

1. बायो गैस में होती है–

A. 10—30% मीथेन B. 30–40% मीथेन

C. 50–70% मीथेन D. 80–90% मीथेन

2. गैसोहोल का मिश्रण उपयोगी है-

A. खाद के रूप में B. मोटर ईंधन के रूप में

C. किण्वक के रूप में D. उपरोक्त सभी के रूप में

3. बायो गैस उत्पादन के लिए गोबर के अलावा हमारे देश में निम्न कौन-सा खर-पतवार प्रयुक्त होता है?

A. *आइक्रोर्निया क्रैसीपिस* B. *हाइड्रिला*

C. *मेन्जीफेरा इण्डिका* D. *सोलेनम नाइग्रम*

4. ईंधन काष्ठ होता है–

A. पेट्रोलियम उत्पादों का स्रोत B. ऊर्जा के पुनर्नवीनीकृत स्रोत

C. बायो गैस का स्रोत D. एल्कोहल का स्रोत

5. पेट्रोल के स्थान पर निम्न में से कौन-सा पदार्थ प्रयुक्त हो सकता है?

A. ईथेनोल B. मीथेनोल

C. ब्यूटेनोल D. प्रोपेनोल

6. लकड़ी की पायरोलाइसिस (Pyrolysis) से उत्पन्न होता है–

A. चारकोल B. एल्कोहल

C. चारकोल एवं गैस D. चारकोल, गैस एवं तेल

7. ऊर्जा के पुनर्नवीनीकरण योग्य (Renewable) स्रोत का सर्वश्रेष्ठ उदाहरण है–

A. पेट्रोलियम B. जीवाश्म ईंधन

C. वृक्ष D. बायो गैस

8. ऐसा पहला देश, जहाँ पर एल्कोहल को ईंधन की तरह प्रयोग किया है–

A. सऊदी अरेबिया B. ईराक

C. ब्राजील D. जापान

9. निम्नलिखित में से कौन सी ऊर्जा वाली फसलें हैं?

A. गन्ना, आलू एवं टेपिओका

B. बाजरा, केला एवं टमाटर

C. गन्ना, आलू एवं टमाटर

D. गन्ना, टेपिओका तथा फूल गोभी

10. निम्नलिखित में से कौन-सा द्रव हाइड्रोकार्बन है?

A. रबड़ क्षीर B. रेजिन

C. टेनिन D. गोंद

11. पृथ्वी पर रोजाना सूर्य का प्रकाश प्रति वर्ग मीटर प्रतिदिन पहुँचता है–

A. 100 ग्राम कैलोरी B. 400 ग्राम कैलोरी

C. 4,000 किलो कैलोरी D. 40,000 किलो कैलोरी

12. एच. एम. पी. (HMP) एक जैव ऊर्जा होती है, जो प्राप्त की जाती है–

A. ड्राउट जन्तु शक्ति से B. जन्तु अपशिष्टों से

C. मानव पेशी शक्ति से D. इनमें से किसी से नहीं

13. एक पौधे के लिए ऊर्जा का मुख्य स्रोत होता है–

A. प्रकाश B. श्वसन

C. प्रकाश संश्लेषण D. श्वसनिक अंगक

14. जैव-ऊर्जा (Bioenergy) वह ऊर्जा है, जो प्राप्त होती है–

A. प्राकृतिक गैस से B. बायो गैस से

C. कोयले से D. इनमें से किसी से नहीं

15. निम्नलिखित में से कौन-सा पेट्रोलियम पादप है?

A. यूफोर्बिया B. आलू

C. गन्ना D. मक्का

16. डी. ए. पी. (DAP) एक जैव-ऊर्जा है जो प्राप्त होती है–

A. मानव पेशी शक्ति से B. ड्राउट जन्तु शक्ति से

C. जन्तु अपशिष्टों से D. जीवाश्म ईंधन से

17. बायो गैस उत्पादन की दर सीमित होती है–

A. मीथेन से उत्पादन द्वारा

B. सेल्यूलोज के पाचन द्वारा

C. एकलकों (Monomers) के कार्बनिक अम्लों के परिवर्तन द्वारा

D. इनमें से किसी के द्वारा नहीं

18. ईंधन-एल्कोहल के उत्पादन में अग्रणी देश है–

A. सऊदी अरब B. ईरान

C. ब्राजील D. जापान

19. अ-पुनर्नवीकृत पदार्थ अथवा स्रोत है–

A. प्लाक्टोन्स एवं मछलियाँ B. जीवाश्म एवं खनिज

C. जन्तु एवं पौधे D. जन्तु एवं खनिज

20. बायो गैस उत्पादन में प्रथम पद (Step) होता है–

A. मीथेन का जेनरेशन

B. बहुलकों (Polymers) का ऑक्सीजन विखण्डन

C. बहुलकों का अनॉक्सी विखण्डन

D. एकलकों (Monomers) का कार्बनिक अम्लों में विखण्डन

21. सुरक्षा की दृष्टि से खाना पकाने वाली L.P.G. गैस सिलिण्डर में क्या भरकर गैस को गंधयुक्त बनाया जाता है?

A. हीलियम B. अमोनिया

C. मरकैप्टेन D. ईथर

22. गैस एजेन्सियों द्वारा सिलिण्डरों में भरकर दी जाने वाली कुकिंग गैस है–

A. द्रव B. गैस

C. ठोस D. एक घोल

23. C.N.G. को पारिस्थितिकी मैत्रीपूर्ण क्यों कहा जाता है?

A. इसमें हाइड्रोजन अत्यन्त कम मात्रा में है।

B. इसका मुख्य घटक इथेन गैस (80-90%) है।

C. इसमें कार्बन मोनो ऑक्साइड बहुत ही कम है।

D. C.N.G. में होने वाले गैस पूर्ण रूप से जलते नहीं हैं, इसलिए उत्सर्जन बहुत कम होता है।

24. निम्न में से किस एक का ईंधन मान अधिकतम होता है?
A. हाइड्रोजन B. चारकोल
C. प्राकृतिक गैस D. गैसोलिन

25. भूरा कोयला किस नाम से जाना जाता है?
A. पीट B. लिग्नाइट
C. बिटुमिनस D. एन्थ्रासाइट

26. गैर पारम्परिक ऊर्जा स्रोतों के विकास के माध्यम से इनमें से किस भारतीय शहर को भारत के प्रथम सौर शहर के रूप में विकसित किया गया है?
A. आनन्द B. गाजियाबाद
C. अयोध्या D. सिकन्दराबाद

27. लोकटक शक्ति परियोजना निम्नलिखित में से किस राज्य में स्थित है?
A. पश्चिम बंगाल B. मणिपुर
C. ओडिशा D. मेघालय

28. भारत की पहली **लहर ऊर्जा परियोजना** (Wave Energy Project) निम्न में से किस स्थान पर स्थापित की गई है?
A. कांधला B. विझिनजाम
C. कारवार D. धारवाड़

29. सुमेलित कीजिए—

सूची-I (शक्ति केन्द्र)	सूची-II (संबंधित राज्य)
(1) तारापुर परमाणु शक्ति केन्द्र	I. कर्नाटक
(2) रावतभाटा परमाणु शक्ति केन्द्र	II. गुजरात
(3) काकरापारा परमाणु शक्ति केन्द्र	III. राजस्थान
(4) कैगा परमाणु शक्ति केन्द्र	IV. महाराष्ट्र

कूट—

	(1)	(2)	(3)	(4)
A.	IV	III	II	I
B.	I	II	IV	III
C.	II	I	III	IV
D.	III	IV	I	II

30. निम्न में से कौन तेल शोधनशाला खनिज तेल क्षेत्र के समीप ही स्थापित की गई है?
A. नूनामाटी B. विशाखापटनम
C. मथुरा D. बरौनी

31. काइकालूर खनिज तेल क्षेत्र निम्न में से किस नदी घाटी क्षेत्र में स्थित है?
A. कृष्णा-गोदावरी B. नर्मदा-ताप्ती
C. ब्रह्मपुत्र D. कावेरी

32. सुमेलित कीजिए—

सूची I (जलविद्युत केन्द्र)	सूची II (संबंधित नदी)
(1) जवाहर सागर जलविद्युत केन्द्र	I. माही नदी
(2) माही बजाज सागर जलविद्युत केन्द्र	II. चंबल नदी
(3) राणा प्रताप सागर जलविद्युत केन्द्र	III. कृष्णा नदी
(4) श्री सलेम जलविद्युत योजना	IV. चंबल नदी

कूट—

	(1)	(2)	(3)	(4)
A.	I	II	III	IV
B.	II	I	IV	III
C.	IV	III	I	II
D.	III	IV	II	I

33. भारत में शाक्य तेल क्षेत्र (Potential Oil Sources) स्थित है—
A. तमिलनाडु में B. असम में
C. गुजरात में D. इन सभी में

34. चैन्नई के समीप कलपक्कम नामक स्थान पर निम्न में से किसकी स्थापना की गई है?
A. अखबारी कागज का कारखाना
B. लिग्नाइट कारखाना
C. नाभिकीय ऊर्जा संयंत्र
D. तेल शोधन संयंत्र

35. सुमेलित कीजिए—

सूची-I	सूची-II
(1) थोरियम प्लाण्ट	I. भोपाल (मध्य प्रदेश)
(2) इण्डियन रेअर अर्थस लि.	II. रूपनारायणपुर (प. बंगाल)
(3) हिन्दुस्तान केबिल्स लि.	III. अलवाये (केरल)
(4) हैवी इलैक्ट्रीकल्स (प्राइवेट)	IV. ट्रॉम्बे (मुम्बई)

कूट—

	(1)	(2)	(3)	(4)
A.	I	IV	II	III
B.	I	II	III	IV
C.	III	II	IV	I
D.	IV	III	II	I

उत्तरमाला

1	2	3	4	5	6	7	8	9	10
B	B	A	B	A	D	C	C	A	A
11	**12**	**13**	**14**	**15**	**16**	**17**	**18**	**19**	**20**
C	C	A	B	A	B	B	C	B	C
21	**22**	**23**	**24**	**25**	**26**	**27**	**28**	**29**	**30**
C	A	C	A	B	A	B	B	A	A
31	**32**	**33**	**34**	**35**					
C	B	D	C	D					

★ ★ ★

8

सूक्ष्मजीव : मित्र एवं शत्रु

(Microorganism : Friend and Enemy)

सूक्ष्मजीव इतने छोटे होते हैं कि उन्हें बिना यंत्र की सहायता से नहीं देखा जा सकता। इनमें से कुछ, जैसे कि ब्रेड पर उगने वाले कवक को आवर्धक लेंस की सहायता से देखा जा सकता है जबकि अन्य बिना सूक्ष्मदर्शी की सहायता से दिखाई नहीं देते। यही कारण है कि इन्हें सूक्ष्मजीव कहते हैं।

सूक्ष्मजीवों को चार मुख्य वर्गों में बाँटा गया है। यह वर्ग हैं, जीवाणु, कवक, प्रोटोजोआ एवं कुछ शैवाल।

विषाणु (वायरस) भी सूक्ष्म होते हैं परन्तु वे अन्य सूक्ष्मजीवों से भिन्न हैं। वे केवल परपोषी में ही गुणन करते हैं अर्थात् जीवाणु, पौधे अथवा जंतु कोशिका में गुणन करते हैं।

कुछ सामान्य रोग जैसे कि जुकाम, इन्फ्लुएंजा (फ्लू) एवं अधिकतर खाँसी विषाणु द्वारा होते हैं। कुछ विशेष रोग जैसे कि पोलियो एवं खसरा भी विषाणु (वायरस) द्वारा होते हैं।

अतिसार एवं मलेरिया प्रोटोजोआ द्वारा होते हैं। टायफाइड एवं क्षयरोग (TB) जीवाणु द्वारा होने वाले रोग हैं।

मित्रवत सूक्ष्मजीव

सूक्ष्मजीव विभिन्न कार्यों में उपयोग किए जाते हैं। इनका उपयोग दही, ब्रेड एवं केक बनाने में किया जाता है। प्राचीन काल से ही सूक्ष्मजीवों का उपयोग एल्कोहल बनाने में किया जाता रहा है। पर्यावरण को स्वच्छ रखने के लिए भी इनका उपयोग किया जाता है।

उदाहरण के लिए, कार्बनिक, अवशिष्ट (सब्जियों के छिलके, जंतु अवशेष, विष्ठा इत्यादि) का अपघटन जीवाणुओं द्वारा किया जाता है तथा हानिरहित पदार्थ बनते हैं। जीवाणुओं का उपयोग औषधि उत्पादन एवं कृषि में मृदा की उर्वरता में वृद्धि करने में किया जाता है जिससे नाइट्रोजन स्थिरीकरण होता है।

हानिकारक सूक्ष्मजीव

सूक्ष्मजीव अनेक प्रकार से हानिकारक हैं। कुछ सूक्ष्मजीव मनुष्य, जंतुओं एवं पौधों में रोग उत्पन्न करते हैं। रोग उत्पन्न करने वाले ऐसे सूक्ष्मजीवों को रोगाणु अथवा रोगजनक कहते हैं। कुछ सूक्ष्मजीव भोजन, कपड़े एवं चमड़े की वस्तुओं को संदूषित कर देते हैं।

मनुष्य में रोगकारक सूक्ष्मजीव

मनुष्य में रोग उत्पन्न करने वाले सूक्ष्मजीव श्वास द्वारा, पेय जल एवं भोजन द्वारा हमारे शरीर में प्रवेश करते हैं। संक्रमित व्यक्ति अथवा जंतु के सीधे संपर्क में आने पर भी रोग का संचरण हो सकता है। सूक्ष्मजीवों द्वारा होने वाले ऐसे रोग जो एक संक्रमित व्यक्ति से स्वस्थ व्यक्ति में वायु, जल, भोजन अथवा कायिक संपर्क द्वारा फैलते हैं, संचरणीय रोग कहलाते हैं। इस प्रकार के रोगों के कुछ उदाहरण हैं—हैजा, सामान्य सर्दी-जुकाम, चिकनपॉक्स एवं क्षय रोग।

जब जुकाम से पीड़ित कोई व्यक्ति छींकता है तो सूक्ष्म बूँदों के साथ हजारों रोगकारक वायरस (विषाणु) भी वायु में आ जाते हैं। यह वायरस श्वास के साथ ली जाने वाली वायु के साथ शरीर में प्रवेश कर जाते हैं। कुछ कीट एवं जंतु ऐसे भी हैं जो रोगकारक सूक्ष्मजीवों के रोग-वाहक का कार्य करते हैं। घरेलू मक्खी इसका एक उदाहरण है। मक्खी कूड़े एवं जंतु अपशिष्ट पर बैठती है। रोगाणु उसके शरीर से चिपक जाते हैं। जब मक्खी बिना ढके भोजन पर बैठती है तो रोगाणु का स्थानान्तरण संभव है। जो भी व्यक्ति ऐसा संदूषित भोजन करेगा उसके बीमार पड़ने की संभावना है। अतः यह सलाह दी जाती है कि भोजन को सदा ही ढककर रखा जाए। मादा एनॉफ्लीज मच्छर इसका अन्य उदाहरण है। मच्छर प्लैज्मोडियम (मलेरिया परजीवी) का वाहक है। मादा एडीस मच्छर डेंगू के वायरस का वाहक है।

वस्तुनिष्ठ प्रश्न

1. निम्नलिखित में से कौन-सा सूक्ष्मजीव दही जमाने में सहायक होता है?

A. ई-कोलाई B. लेक्टोबैसिलस
C. अमीबा D. पैरामीशियम

2. शराब के उत्पादन में उपयोग किया जाने वाला सूक्ष्मजीव है :

A. वायरस B. यीस्ट
C. कवक D. बैक्टीरिया

3. पनीर और दही जैसे उत्पाद बनाने में कौन-सा सूक्ष्मजीव सहायक होता है?

A. अमीबा B. वायरस
C. बैक्टीरिया D. प्लाज्मोडियम

4. एंटीबायोटिक पेनिसिलिन की खोज किसने की थी?

A. लुई पाश्चर B. रॉबर्ट कोच
C. अलेक्जेंडर फ्लेमिंग D. न्यूटन

5. दालों को उर्वर बनाने में कौन-से सूक्ष्मजीव सहायक होते हैं?
A. यीस्ट B. लाइकेन
C. राइजोबियम D. अमीबा

6. यीस्ट का उपयोग किस प्रक्रिया में होता है?
A. अम्लीकरण B. निष्क्रियकरण
C. किण्वन D. ऑक्सीकरण

7. राइजोबियम बैक्टीरिया किस पौधे की जड़ों में पाया जाता है?
A. गेहूं B. चावल
C. मटर D. गाजर

8. सूक्ष्मजीवों का उपयोग किस औद्योगिक उत्पाद में होता है?
A. प्लास्टिक B. स्टील
C. एल्कोहल D. सीमेंट

9. निम्नलिखित में से कौन-सा सूक्ष्मजीव पर्यावरण की सफाई में सहायक है?
A. कवक B. बैक्टीरिया
C. वायरस D. प्रोटोजोआ

10. टीकों का निर्माण होता है :
A. जीवित जीवों से B. मृत सूक्ष्मजीवों से
C. केवल रसायनों से D. केवल पौधों से

11. मलेरिया किसके कारण होता है?
A. बैक्टीरिया B. वायरस
C. प्रोटोजोआ D. कवक

12. टीबी (Tuberculosis) एक बीमारी है जो होती है :
A. वायरस से B. बैक्टीरिया से
C. कवक से D. प्रोटोजोआ से

13. निम्नलिखित में से कौन-सी बीमारी वायरस से फैलती है?
A. प्लेग B. चेचक
C. कुष्ठ D. कॉलरा

14. फसल को नुकसान पहुँचाने वाला सूक्ष्मजीव है :
A. राइजोबियम B. वायरस
C. लेक्टोबैसिलस D. यीस्ट

15. ब्रेड में फफूंदी किस सूक्ष्मजीव के कारण लगती है?
A. कवक B. बैक्टीरिया
C. प्रोटोजोआ D. वायरस

16. एंथ्रेक्स एक रोग है जो प्रभावित करता है :
A. केवल मनुष्यों को
B. केवल पशुओं को
C. पशुओं और मनुष्यों दोनों को
D. केवल पौधों को

17. विषैले भोजन का कारण बन सकता है :
A. अच्छे बैक्टीरिया B. खाद्य अपघटन बैक्टीरिया
C. यीस्ट D. प्रोटोजोआ

18. वायरस को देखा जा सकता है :
A. नंगी आंखों से B. सूक्ष्मदर्शी से
C. केवल कैमरे से D. एक्स-रे से

19. निम्न में से कौन-सी बीमारी कवक द्वारा होती है?
A. त्वचा रोग (Ringworm) B. डेंगू
C. मलेरिया D. टाइफाइड

20. कॉलरा एक रोग है जो फैलता है :
A. दूषित जल से B. स्वच्छ भोजन से
C. वायु से D. कीड़ों से

21. कौन-सा सूक्ष्मजीव भोजन को संरक्षित करने में मदद करता है?
A. प्रोटोजोआ
B. कवक
C. लैक्टिक एसिड बैक्टीरिया
D. प्लाज्मोडियम

22. रोग प्रतिरक्षा बढ़ाने में सहायता करते हैं :
A. वायरस B. टीके
C. कवक D. जीवाणु

23. दूषित भोजन से कौन-सी बीमारी हो सकती है?
A. डेंगू B. फूड पॉइजनिंग
C. मलेरिया D. टीबी

24. बैक्टीरिया से बनी एंटीबायोटिक है :
A. वेक्सीन B. ग्लूकोज
C. पेनिसिलिन D. क्लोरीन

25. टीकाकरण का उद्देश्य है :
A. रोग फैलाना B. रोग रोकना
C. रोग बढ़ाना D. इलाज करना

उत्तरमाला

1	2	3	4	5	6	7	8	9	10
B	B	C	C	C	C	C	C	B	B
11	**12**	**13**	**14**	**15**	**16**	**17**	**18**	**19**	**20**
C	B	B	B	A	C	B	B	A	A
21	**22**	**23**	**24**	**25**					
C	B	B	C	B					

★ ★ ★

9 पौधे एवं जन्तुओं का संरक्षण/पर्यावरण
(Conservation of Plants and Animal/Environment)

विश्व संरक्षण संघ (The World Conservation Union, IUCN) (पूर्व में 'प्रकृति एवं प्राकृतिक संसाधनों के संरक्षण के लिए अन्तर्राष्ट्रीय संघ' के रूप में जाना जाता था) ने स्पीशीजों की संरक्षण स्थिति के अनुसार आठ रेड लिस्ट श्रेणियों की पहचान की है। इन श्रेणियों को निम्नलिखित रूप से परिभाषित किया गया है।

- **विलुप्त**–एक प्रजाति विलुप्त है जब संदेह करने के लिए कोई कारण ही नहीं बचता कि अंतिम सदस्य की भी मृत्यु हो चुकी है।
- **जंगल में विलुप्त होना**–एक प्रजाति जंगल में विलुप्त है का अर्थ है कि जंगल का सर्वे करने पर एक भी सदस्य का न मिलना एवं/या फिर संभावित वास स्थान में एक सदस्य की भी गिनती रिकॉर्ड नहीं कर पाते हैं।
- **क्रांतिक रूप से संकटापन्न**–एक प्रजाति संकटापन्न होता है जब वह निकट भविष्य में जंगल में विलुप्त होने की सबसे अधिक संभावना का सामना कर रहा होता है।
- **संकटापन्न**–एक प्रजाति संकटापन्न होता है जब वह क्रांतिक रूप से संकटापन्न नहीं है लेकिन उसके जल्दी ही भविष्य में जंगल में तेजी से विलुप्त होने के कगार की बहुत अधिक संभावना है।
- **सुभेद्य**–एक प्रजाति सुभेद्य है जबकि वह क्रांतिक रूप से संकटापन्न है या संकटापन्न नहीं है परन्तु इसके मध्यक्रम का भविष्य में तेजी से विलुप्त होने की संभावना काफी है।
- **कम संभावित**–एक प्रजाति कम संभावित खतरे में है जब वह मापा जा सके एवं क्रांतिक रूप से संकटापन्न, संकटापन्न या सुभेद्य मानने के मानदंडों पर खरा नहीं उतरता है।
- **अपर्याप्त डाटा**–एक प्रजाति का डाटा अपर्याप्त है जब पर्याप्त सूचना के अभाव के कारण परोक्ष या अपरोक्ष रूप से उसकी विलोपन की संभावना के बारे में कुछ कहा नहीं जा सकता है।
- **मूल्यांकन नहीं किया जा सके**–एक प्रजाति का मूल्यांकन नहीं किया जा सकता है जब ऊपर दिए गए मानदंडों के विरुद्ध मूल्यांकन करना संभव नहीं होता है।

जैव विविधता का संरक्षण

संरक्षण प्राकृतिक संसाधनों का योजनाबद्ध प्रबंधन है ताकि प्राकृतिक संतुलन एवं जैव विविधता को बनाए रखा जा सके। इसमें प्राकृतिक संसाधनों का विवेकपूर्ण उपयोग भी शामिल है जिसके अन्तर्गत संसाधनों का उपयोग इस प्रकार किया जाए कि वर्तमान पीढ़ी की आवश्यकताओं की पूर्ति हो सके तथा भविष्य की पीढ़ियों के लिए भी पर्याप्त हो। जैव विविधता का संरक्षण निम्नलिखित के लिए महत्वपूर्ण है–

- प्रजाति की अनुवंशिक विविधता को नष्ट होने से रोकना,
- स्पीशीजों को विलुप्त होने से बचाना, तथा
- पारितंत्र को नष्ट तथा अवक्रमित होने से बचाना।

वन्यजीव अभयारण्य एवं राष्ट्रीय उद्यान

भारत वनस्पतियों और जीव-जन्तुओं के मामले में अत्यंत समृद्ध है। हालांकि लगातार बढ़ती जनसंख्या, तीव्र औद्योगिकीकरण और वाणिज्यिक गतिविधियों के कारण वनों पर जबर्दस्त दबाव पड़ा है। सरकार ने वनस्पतियों और जीव-जन्तुओं की अनेक प्रजातियों की संख्या में आई तीव्र गिरावट को रोकने के लिए अनेकों कदम उठाए हैं। इन उपायों में कुछेक प्राकृतिक वासों को राष्ट्रीय पार्क और अभयारण्य घोषित करना शामिल है।

इनमें से कुछ महत्वपूर्ण उद्यानों और अभयारण्यों का वर्णन निम्नवत् है–

- **असम** : काजीरंगा राष्ट्रीय उद्यान (एक सींग वाले गैंडों के लिए विख्यात); मानस अभयारण्य
- **झारखंड** : हजारीबाग राष्ट्रीय उद्यान, पलामू संरक्षित क्षेत्र
- **गुजरात** : बलवादर राष्ट्रीय उद्यान, भावनगर; मेरिन राष्ट्रीय उद्यान, कच्छ की खाड़ी; गिर वन
- **हिमाचल प्रदेश** : रोहला राष्ट्रीय उद्यान; मोतीचूर अभयारण्य
- **जम्मू और कश्मीर** : डचीगाम अभयारण्य
- **कर्नाटक** : बांदीपुर राष्ट्रीय उद्यान, बनारघेटा राष्ट्रीय उद्यान, बेंगलुरु; नागोरहोल राष्ट्रीय उद्यान, कुर्ग; रंगनथिटो पक्षी अभयारण्य
- **मध्य प्रदेश** : कान्हा राष्ट्रीय उद्यान; बांधवगढ़ राष्ट्रीय उद्यान, शहडोल; शिवपुरी राष्ट्रीय उद्यान
- **केरल** : इराविकुलम राजमलय राष्ट्रीय उद्यान, इडुकी; पेरियार गेम सेन्चुरी
- **महाराष्ट्र** : तलोबा राष्ट्रीय उद्यान, चंद्रापुर; पंच राष्ट्रीय उद्यान, नागपुर; बोरीबली राष्ट्रीय उद्यान, मुम्बई; नौगाँव राष्ट्रीय उद्यान, बांद्रा; मेलघाट राष्ट्रीय उद्यान
- **मणिपुर** : रेबुल लामजाओ राष्ट्रीय उद्यान

- **ओडिशा :** सिमलीपाल
- **राजस्थान :** सरिस्का अभयारण्य; घाना पक्षी अभयारण्य, भरतपुर
- **सिक्किम :** कंचनजंघा राष्ट्रीय उद्यान, गंगटोक
- **तमिलनाडु :** वेदांगथंगल पक्षी अभयारण्य; गुइन्दी राष्ट्रीय पार्क, चेन्नई; मुदुमलाई अभयारण्य, कालाकाड-मुण्डेन थुराई रिजर्व
- **उत्तर प्रदेश :** चंद्रप्रभा अभयारण्य; दुधवा राष्ट्रीय उद्यान, लखीमपुर
- **पश्चिम बंगाल :** जलदापारा अभयारण्य; सुंदरवन
- **उत्तराखंड :** कार्बेट उद्यान, नैनीताल

एक 'राष्ट्रीय उद्यान' अपेक्षाकृत एक बड़ा क्षेत्र होता है जिसे राष्ट्रीय सरकार जनता के लिए आरक्षित करती है ताकि वह प्रकृति के खूबसूरत जीव-जंतुओं को नजदीक से देखने का आनंद उठा सकें। वन्य जीव अभयारण्य एक ऐसा स्थल होता है जहाँ जीव-जन्तुओं और वनस्पतियों को उनकी प्राकृतिक अवस्था में संरक्षण प्रदान किया जाता है। यहाँ वन लगाने की इजाजत होती है। इसके अलावा क्षेत्र के मूल निवासियों या जनजातीय लोगों को वहाँ बसने की अनुमति भी दी जाती है। एक 'गेम सेंचुरी' वह स्थल होता है जहाँ जंगली पशुओं और पक्षियों को संरक्षण प्रदान किया जाता है।

पारिस्थितिकीय तंत्र का परिरक्षण

वनों और झरनों के अलावा भारत में नम भूमि, मैंग्रोव पारिस्थितिकी तंत्र और प्रवाल भित्तियों की संपदा भी मौजूद है। इनका संरक्षण भी उतना ही महत्वपूर्ण है। नम भूमि वाले पारिस्थितिकीय तंत्र विभिन्न भौगोलिक क्षेत्रों में वितरित हैं जिनका विस्तार लद्दाख के ठंडे शुष्क क्षेत्र से लेकर दक्षिणी प्रायद्वीप के नम और आर्द्र क्षेत्रों तक है। मैंग्रोव लवण-सह्य वन आधारित पारिस्थितिकी तंत्र हैं जो मुख्यतः विश्व के उपोष्ण कटिबंधीय अंतर-तटीय क्षेत्रों में पाए जाते हैं। वे तट रेखा को स्थिर और नियमित बनाते हैं और समुद्र की ओर से अतिक्रमण के खिलाफ सुरक्षा कवच का कार्य करते हैं। मैंग्रोव रक्षित एस्चुअरी, टाइडल क्रीक, बैकवाटर, लवणीय दलदल और कीचड़ वाले चौरस स्थानों पर पाए जाते हैं। गहन संरक्षण और प्रबंधन उद्देश्यों के लिए अब तक कई मैंग्रोव क्षेत्रों की पहचान की जा चुकी है, जिसमें पश्चिम बंगाल में सुंदरवन, आंध्र प्रदेश में गोदावरी डेल्टा और गुजरात में कच्छ की खाड़ी शामिल हैं। प्राथमिकता के आधार पर प्रबंधन के लिए 22 गीली भूमियों की पहचान की गई है। प्रवाल भित्तियों में से चार के परिरक्षण उद्देश्यों के लिए पहचान की गई है, ये हैं : मन्नार की खाड़ी, अंडमान और निकोबार द्वीप समूह, लक्षद्वीप और कच्छ की खाड़ी।

वस्तुनिष्ठ प्रश्न

1. भारत के निम्नलिखित क्षेत्रों पर विचार कीजिएः
1. पश्चिमी घाट　2. अरावली
3. पूर्वी हिमाचल श्रेणियाँ
उपर्युक्त में से कौन-सा/से जैव-विविधता का/के प्रमुख स्थल है/हैं?
A. केवल 1　B. केवल 1 और 3
C. केवल 2 और 3　D. 1, 2 और 3

2. जैव-विविधता शब्द का इस्तेमाल सर्वप्रथम किस वैज्ञानिक ने किया?
A. ओडम　B. इ.ओ. विल्सन
C. टेन्सले　D. कार्ल मोबियस

3. जीवमण्डल (Biosphere) आरक्षित परिरक्षण क्षेत्र हैः
A. घासस्थल (Grasslands)
B. कृषि उत्पादन के
C. वायुमण्डलीय सन्तुलन (Atomospheric Balance) के
D. आनुवंशिक विभिन्नता (Genetic Diversity) के

4. भारत का प्रथम तितली उद्यान (Butterfly Park) कहाँ पर स्थित है?
A. बन्नरघट्टा जैविकी उद्यान, बंगलुरु
B. काजीरंगा राष्ट्रीय उद्यान
C. राष्ट्रीय पशु उद्यान, कोलकाता
D. उपर्युक्त में से कोई नहीं

5. भारत में प्रोजेक्ट टाइगर प्रारम्भ किया गया थाः
A. 1970 में　B. 1973 में
C. 1981 में　D. 1984 में

6. झील पर्यावरण में जीवीय अनुक्रमण (Biotic Succession) के साथ-साथ पादपों एवं जन्तुओं की संख्या एवं विविधताः
A. बढ़ती है
B. घटती है
C. न घटती है न बढ़ती है
D. पहले घटती है और फिर बढ़ती है

7. भारत में जैव-विविधता (Bio-diversity) 'ताप स्थल' (Hotspot) हैं:
A. पश्चिमी हिमालय व पूर्वी घाट
B. पूर्वी हिमालय व शान्त घाटी
C. पश्चिमी हिमालय व सुन्दर वन
D. पूर्वी हिमालय व पश्चिमी घाट

8. निम्नलिखित राज्यों में से उस राज्य को चुनिए, जिसमें सर्वाधिक संख्या में वन्य-जीव अभयारण्य (नेशनल पार्क और अभयारण्य) हैं:
A. उत्तर प्रदेश　B. राजस्थान
C. मध्य प्रदेश　D. पश्चिम बंगाल

9. सूर्य में ऊर्जा का निरन्तर सृजन किस कारण होता है?
A. नाभिकीय संलयन　B. नाभिकीय विखण्डन
C. रेडियो सक्रियता　D. कृत्रिम रेडियो सक्रियता

10. राष्ट्रीय नदी संरक्षण निदेशालय, भारत सरकार में किस मंत्रालय के अन्तर्गत है?
A. कृषि मंत्रालय　B. पृथ्वी विज्ञान मंत्रालय
C. पर्यावरण एवं वन मंत्रालय　D. जल संसाधन मंत्रालय

11. निम्नलिखित में से कौन पारिस्थितिक तन्त्र (Ecosystem) का अजीवीय तत्व (Abiotic Element) है?
A. शैलीय लवण (Rock Salt) B. लाइकेन (Lichen)
C. दीमक (Termite) D. शैवाल (Algae)

12. बक्सा बाघ परियोजना (Baxa Tiger Project) भारत के किस राज्य में स्थित है?
A. पश्चिम बंगाल B. राजस्थान
C. गुजरात D. मध्य प्रदेश

13. बांधवगढ़ राष्ट्रीय उद्यान किस प्रदेश में स्थित है?
A. मध्य प्रदेश B. उत्तर प्रदेश
C. केरल D. राजस्थान

14. पौधों को संकटाग्रस्त तब कहा जाता है जबः
A. वह विलुप्त हो गया हो
B. अब वह उपयोगी नहीं रहा हो
C. जिस आवास में उगता है वह नहीं बदला हो
D. उसकी संख्या क्रांतिक सीमा से कम रह गयी हो

15. वानस्पतिक उद्यानों (Botanical Gardens) में उगाये जाने वाले दुर्लभ पौधों की सूची दी गयी हैः
A. लाल आंकड़े की पुस्तक में
B. हरी पुस्तक में
C. ब्रिटिश फ्लांवरिंग प्लान्टस् में
D. उपरोक्त सभी में

16. लाल आंकड़े की पुस्तक (Red Data Book) किसके लिए है?
A. संकट ग्रस्त पौधों के लिए
B. विलुप्त पौधों के लिये
C. विलुप्त पौधे और प्राणियों के लिये
D. संकट ग्रस्त प्राणियों के लिये

17. वन उन्मूलन किसके अवसर कम करता है?
A. मृदा की सतह के अपरदन के
B. बवंडर के
C. वर्षा के
D. बारंबार भूस्खलन के

18. वन उन्मूलन साधारणतः करता है :
A. अधिक मृदा अपरदन
B. मृदा को अधिक उपजाऊ बनाता है
C. अधिकाधिक वर्षा
D. उपरोक्त में से कोई नहीं

19. हिमालय की श्रेणी में कौन प्राचीनतम है?
A. वृहत् हिमालय श्रेणी B. निम्न हिमालय श्रेणी
C. धौलाधार श्रेणी D. शिवालिक श्रेणी

20. वर्तमान जिम कार्बेट नेशनल पार्क, जिसकी स्थापना 1936 में हुई है, का पूर्ववर्ती नाम थाः
A. गढ़वाल नेशनल पार्क B. हैली नेशनल पार्क
C. रामगंगा नेशनल पार्क D. हैप्पी नेशनल पार्क

21. सरिस्का वन्यजीव अभयारण्य किस प्रदेश में स्थित है?
A. मणिपुर B. कर्नाटक
C. गुजरात D. राजस्थान

22. भारत में एनिमल वेलफेयर बोर्ड का मुख्यालय कहाँ स्थित है?
A. अहमदाबाद B. हैदराबाद
C. कोलकाता D. चेन्नई

23. निम्नलिखित में से कौन-सा एक उत्तराखण्ड में जैव-विविधता (Bio-diversity) के ह्रास का कारण नहीं है?
A. सड़कों का विस्तार B. नगरीकरण
C. कृषि का विस्तार D. बंजर भूमि का वनीकरण

24. गुजरात की कच्छ की रण में पाई जाने वाली दुर्लभ जाति निम्नलिखित में से कौन-सी है?
A. जंगली भैंस B. जंगली गधा
C. कस्तूरी मृग D. चित्तीदार मृग

25. सुमेलित कीजिए–

सूची-I (उद्यान)	सूची-II (रक्षित जन्तु)
(*a*) काजीरंगा	1. हाथी
(*b*) रणथम्भौर	2. शेर
(*c*) गिर	3. गैंडा
(*d*) पेरियार	4. चीता

कूट :	(*a*)	(*b*)	(*c*)	(*d*)
A.	3	2	1	4
B.	4	2	1	3
C.	1	4	2	3
D.	3	4	2	1

उत्तरमाला

1	2	3	4	5	6	7	8	9	10
B	B	D	A	B	A	D	C	A	C
11	**12**	**13**	**14**	**15**	**16**	**17**	**18**	**19**	**20**
A	A	A	D	B	A	C	A	A	A
21	**22**	**23**	**24**	**25**					
D	D	D	B	D					

★ ★ ★

10

कोशिका एवं ऊतक
(Cells and Tissue)

कोशिका (Cells)

- जीव विज्ञान की वह शाखा जिसके अन्तर्गत कोशिका का अध्ययन किया जाता है उसे सायटोलॉजी (Cytology) कहते हैं।
- एन्टोनवान लिवेनहॉक ने पहली बार कोशिका को देखा व इसका वर्णन किया था।
- राबर्ट ब्राउन ने बाद में केंद्रक की खोज की। सूक्ष्मदर्शी की खोज व बाद में इनके सुधार के बाद इलेक्ट्रॉन द्वारा कोशिका की विस्तृत संरचना का अध्ययन संभव हो सका।

कोशिकीय जीवधारी (1) स्वतंत्र अस्तित्व यापन व (2) जीवन के सभी आवश्यक कार्य करने में सक्षम होते हैं। कोशिका के बिना किसी भी स्वतंत्र जीव का अस्तित्व नहीं हो सकता। इस कारण जीव के लिए कोशिका ही मूलभूत से संरचनात्मक व क्रियात्मक इकाई होती है।

सभी जीव, कोशिका या कोशिका समूह से बने होते हैं। कोशिकाएं आकार व आकृति तथा क्रियाएं/कार्य की दृष्टि से भिन्न होती हैं। झिल्लीयुक्त केंद्रक व अन्य अंगकों की उपस्थिति या अनुपस्थिति के आधार पर कोशिका या जीव को प्रोकैरियोटिक या यूकैरियोटिक नाम से जानते हैं।

एक प्रारूपी यूकैरियोटिक कोशिका, केंद्रक व कोशिकाद्रव्य से बना होता है। पादप कोशिकाओं में कोशिका झिल्ली के बाहर कोशिका भित्ति पाई जाती हैं। जीवद्रव्यकला चयनित पारगम्य होती है और बहुत सारे अणुओं के परिवहन में भाग लेती है। अंतः झिल्लिकातंत्र के अंतर्गत अंतर्द्रव्यी जालिका, गॉल्जीकाय, लयनकाय व रसधानी होती है। सभी कोशिकीय अंगक विभिन्न एवं विशिष्ट प्रकार के कार्य करते हैं। पादक कोशिका में हरितलवक प्रकाश संश्लेषण के लिए आवश्यक प्रकाशीय ऊर्जा को संचित रखने का कार्य करते हैं। तारककाय व तारककेंद्र पक्ष्माभ व कशाभिका आधारीयकाय बनाता है जो गति में सहायक है। जंतु कोशिकाओं में तारककेंद्र कोशिका विभाजन के दौरान तर्कु उपकरण बनाते हैं। केंद्रक में केंद्रिक व क्रोमोटीन का तंत्र मिलता है। यह अंगकों के कार्य को ही नियंत्रित नहीं करता, बल्कि आनुवंशिकी में प्रमुख भूमिका अदा करता है। अतः कोशिका जीवन की संरचनात्मक व क्रियात्मक इकाई होती है।

ऊतक (Tissues)

समान आकार एवं आकृति की कोशिकाओं का समूह, जिनका कार्य भी समान होता है और जिनकी उत्पत्ति भी समान होती है, ऊतक कहलाता है।

पौधे अपने संपूर्ण जीवन में नए ऊतक उत्पन्न करने में समर्थ हैं। जन्तु कुछ अवस्थाओं के अन्तर्गत कुछ ऊतकों को बदल सकते हैं। हृदय की माँसपेशियाँ एवं तंत्रिका ऊतक के क्षतिग्रस्त हो जाने पर उनका पुनः निर्माण संभव नहीं है।

पादप ऊतक

पादप ऊतक दो प्रकार के होते हैं–

1. मेरिस्टेमेटिक (विभाज्योतक) ऊतक एवं 2. स्थायी ऊतक।

जन्तु ऊतक (Animal Tissue)

जन्तु ऊतकों को चार प्रमुख श्रेणियों में समूहबद्ध किया जाता है– एपिथीलियमी, योजी, पेशीय और तंत्रिकीय ऊतक।

वस्तुनिष्ठ प्रश्न

1. गुणसूत्र के ऊपर उपस्थित रचना होती है:
A. सेण्ट्रोमीयर B. सेण्ट्रोसोम
C. गोल्जीकाय D. केन्द्रक

2. हाइड्रोलिटिक एन्जाइम्स वाले कोशिका अंगक होते हैं:
A. मीसोसोम्स B. लाइसोसोम्स
C. माइक्रोसोम्स D. राइबोसोम्स

3. प्रोटीन संश्लेषण होता है सतह पर:
A. केन्द्रक की B. माइटोकॉण्ड्रिया की
C. राइबोसोम की D. डी एन ए की

4. सेण्ट्रोसोम का कार्य है:
A. प्रोटीन संश्लेषण के केन्द्र को बढ़ाना
B. कोशिका विभाजन का प्रारम्भ
C. कोशिका विभाजन का रुकना
D. इनमें से कोई नहीं

5. वायवीय ऑक्सीकरण (श्वसन) को दिशा देने वाले एन्जाइम्स, ATP संश्लेषण एवं कोशिका का ऊर्जा गृह कहलाने वाले केन्द्र होते हैं:
A. गोल्जी उपकरण B. माइक्रोसोम्स
C. माइटोकॉण्ड्रिया D. लाइसोसोम्स

6. डी ऑक्सीराइबोज शर्करा एवं एक फॉस्फेट ग्रुप के साथ-साथ एक नाइट्रोजनी क्षार बनाता है:
A. न्यूक्लियोटाइड B. अमीनो अम्ल
C. पौलीपेप्टाइड D. न्यूक्लियोसाइड

7. जीव कला की संरचना को बताने वाला आधुनिक वाद है:
A. इकाई कला वाद B. राबर्टसन का मॉडल
C. तरल मौजेक वाद D. कैसकेड वाद

8. प्राणी शरीर में एन्जाइम्स पाए जाते हैं:
A. वृक्कीय कोशिकाओं में B. यकृत कोशिकाओं में
C. मस्तिष्क कोशिकाओं में D. सभी कोशिकाओं में

9. कप्पा कण (Kappa Particles) सम्बन्धित होते हैं:
A. पैरामीशियम से B. युग्लीना से
C. केन्द्रक से D. जीव कला से

10. ए. टी. पी. होता है:
A. एक प्रोटीन
B. एक हारमोन
C. एक अणु जिसमें उच्च ऊर्जा फास्फेट बॉण्ड होता है
D. एक एन्जाइम जो ऑक्सीकरण का कारण बनता है

11. प्राणी कोशिका एवं पादप कोशिका के बीच मुख्य अन्तर होता है:
A. श्वसन में B. पोषण में
C. वृद्धि में D. गति में

12. केन्द्रक रहित प्राणि कोशिका में कमी होगी:
A. सेण्ट्रिओल्स की B. राइबोसोम्स की
C. गुणसूत्रों की D. उपरोक्त सभी की

13. कौन-सा मॉडल चयनात्मक पारगम्यता का वर्णन करता है?
A. इकाई कलावाद B. तरल मोजैक मॉडल
C. सैण्डविच मॉडल D. वर्णन वाद

14. कोशिका कला बनती हैं:
A. फास्फोलिपिड एवं प्रोटीन्स से
B. फॉस्फोप्रोटीन्स से
C. प्रोटीन से दोहरे स्तर से
D. ग्लाइको प्रोटीन्स से

15. कार्टिकल क्रिया कहाँ पर होगी?
A. अण्डों के कोशिका द्रव्य में
B. अण्डों के केन्द्रक में
C. शुक्राणु के केन्द्रक में
D. शुक्राणु के कोशिका द्रव्य में

16. पादप कोशिका, जन्तु कोशिका की अपेक्षा अधिक वृद्धि कर सकती है क्योंकि–
A. पादप कोशिका को जन्तु कोशिका की अपेक्षा कम भोजन की आवश्यकता होती है
B. प्रकाश संश्लेषण की क्रिया में श्वसन की अपेक्षा अधिक ऊर्जा का उत्पादन होता है
C. पादप कोशिका की बड़ी केन्द्रीय रसधानी कोशिका द्रव्य की गहराई को कम करती है तथा अन्दर प्रवेश करने वाले अणुओं को प्लाज्मा भित्ति से कोशिका द्रव्य के सभी भागों में तेजी से विसरित कराती है
D. इनमें से कोई नहीं

17. सुमेलित कीजिए–

सूची-I	**सूची-II**
(*a*) माइटोकॉण्ड्रिया	1. पादप कोशिका का कोशिकीय रस
(*b*) हरितलवक	2. कोशिका का पावर हाउस
(*c*) लाइसोसोम	3. कोशिका का रसोईघर
(*d*) रसधानी	4. कोशिका की आत्महत्या की थैली

कूट :	(*a*)	(*b*)	(*c*)	(*d*)
A.	1	3	2	4
B.	2	3	4	1
C.	2	3	1	4
D.	4	2	1	3

18. एक सजीव कोशिका के सन्दर्भ में नीचे दिए गए कथनों पर विचार कीजिए–
1. गॉल्जीकाय, कार्बोहाइड्रेट को प्रोटीन से जोड़ कर ग्लाइको प्रोटीन का निर्माण करता है
2. पौधे में गॉल्जीकाय, प्रोटीन का संश्लेषण करते हैं
3. लाइसोसोम में जलअपघटनीय एन्जाइम होते है

उपरोक्त कथनों में से कौन-सा/से कथन सत्य है?
A. 1 और 2 B. केवल 2
C. केवल 3 D. 1, 2 और 3

19. निम्नलिखित कथनों पर विचार कीजिए–
1. पादप कोशिका में जन्तु कोशिका की अपेक्षा कम माइटोकॉन्ड्रिया होते हैं।
2. लवक, पादप कोशिका में एकल भित्ति से घिरे हुए कोशिकांग हैं।
3. गॉल्जीकाय, कोशिका में प्लाज्मा झिल्ली (Plasma Membrane) के पुनः चक्रण में भाग लेते हैं।

उपरोक्त कथनों में से कौन सा कथन सत्य है?
A. 1 एवं 2 B. 2 एवं 3
C. 1 एवं 3 D. 1, 2 एवं 3

20. आनुवंशिक पदार्थ का, एक जीवाणु से दूसरे जीवाणु तक, एक विषाणु द्वारा स्थानान्तरण कहलाता है–
A. ट्रांसलेशन B. ट्रांसलोकेशन
C. ट्रांसडक्शन D. ट्रांसक्रिप्शन

21. ''एक कोशिकांग, दोहरीभित्ति से घिरा हुआ, शलाका की आकृति का है। इसके अन्दर कोशिकीय श्वसन में भाग लेने वाले एन्जाइम उपस्थित हैं जो ऊर्जा के उत्पादन में महत्त्वपूर्ण योगदान करते हैं।''
उपरोक्त वाक्य से संबंधित कोशिकांग है–
A. हरितलवक B. माइटोकॉन्ड्रिया
C. गॉल्जीकाय D. अन्तः प्रद्रव्यी जालिका

22. निम्न में से कौन सा कथन सही हैं?
A. रसधानी (Vacuole) पादप कोशिका में पाया जाने वाला सबसे बड़ा कोशिकांग है।
B. पौधों में माइटोकॉन्ड्रिया नहीं पाये जाते हैं।
C. केन्द्रक में प्रोटीन नहीं होती है।
D. प्राथमिक रूप से गॉल्जीकाय, माइक्रो ट्यूब्यूल के द्वारा बने होते हैं।

23. पादप कोशिका, किसकी अनुपस्थिति के कारण जन्तु कोशिका से भिन्न होती है?

A. लवक की B. कोशिका भित्ति की

C. डिक्टियोसोम की D. लाइसोसोम की

24. निम्न में से कौन सा कथन सही है?

A. कोशिका भित्ति, पादप कोशिका की सबसे बाहरी सजीव परत है।

B. कोशिका भित्ति, पादप कोशिका की सबसे बाहरी निर्जीव परत है।

C. कोशिका भित्ति, जन्तु कोशिका की सबसे बाहरी सजीव परत है।

D. कोशिका भित्ति, जन्तु कोशिका की सबसे बाहरी निर्जीव परत है।

25. प्लाज्मिड (Plasmids) होते हैं–

A. मंड (Starch) का भंडारण करने वाले कोशिका द्रव्यी कोशिकांग (Cytoplasmic Organelles)

B. जीवाणु के बाह्य गुणसूत्रीय DNA तत्त्व (Extra Chromosomal DNA Element)

C. कैंसर उत्पन्न करने वाले जीन

D. यूकैरियोटिक गुणसूत्र की क्षारीय प्रोटीन जिसके चारों ओर DNA कुण्डलित रूप में होता है।

26. पर्णहरित एक प्राकृतिक रूप में पाया जाने वाला कीलेट यौगिक (Chelate Compound) है जिसमें केन्द्रीय धातु होती है–

A. कैल्शियम B. तांबा

C. मैग्नीशियम D. लोहा

27. अन्तः प्रद्रव्यी जालिका (Endoplasmic Reticulum) का जाल स्थित होता है–

A. केन्द्रक में B. केन्द्रिका में

C. कोशिका द्रव्य में D. गुणसूत्र में

28. निम्नलिखित में से किसको 'आत्महत्या की थैली' (Suicidal Bag) कहा जाता है?

A. तारककाय (Centrosome) को

B. लाइसोसोम (Lysosome) को

C. कोशिका द्रव्य (Cytoplasm) को

D. गुणसूत्र (Chromosome) को

29. निम्न में से किस सन्दर्भ में अर्द्धसूत्री विभाजन (Meiosis), समसूत्री विभाजन (Mitosis) से भिन्न होता है?

A. पहला विभाजन न्यूनकारी (Reductional) तथा दूसरा विभाजन मध्यवर्ती (Equatorial) होता है।

B. पहला विभाजन मध्यवर्ती तथा दूसरा विभाजन न्यूनकारी होता है।

C. दोनों विभाजन न्यूनकारी होते हैं।

D. दोनों विभाजन मध्यवर्ती होते हैं।

30. सजीव कोशिका के किस भाग में क्रैब्स चक्र (Kreb's Cycle) घटित होता है?

A. हरित लवक में B. श्वेतवर्णी लवक में

C. माइटोकॉन्ड्रिया के मैट्रिक्स में D. न्यूक्लियोसोम में

31. निम्नलिखित में से कौन सा कथन सत्य है?

A. एस्कोमाइसिटीज अगुणित कवक होते है

B. खमीर एककोशिय बेसिडियो माइसिटीज कवक होता है

C. कवकीय कोशिका भित्ति काइटिन (Chitin) से निर्मित होती है।

D. इम्परफेक्टी (Imperfecti) वर्ग के कवक केवल लैंगिक जनन प्रदर्शित करते हैं

32. जीन (Gene) निर्मित होते हैं–

A. हिस्टोन्स से B. हाइड्रोकार्बन से

C. पॉलीन्यूक्लियोटाइड से D. लिपोप्रोटीन से

33. निम्न पदार्थों पर विचार कीजिए–

A. पैक्टिन B. लिग्निन

C. क्यूटिन D. काइटिन

उपरोक्त में से कौन से पदार्थ पादप कोशिका भित्ति में पाए जाते हैं?

A. 1, 2 तथा 3 B. 1, 2, 3 तथा 4

C. 1, 2 तथा 4 D. 3 तथा 4

34. सुमेलित कीजिए–

सूची-I	सूची-II
(*a*) माइटोकॉण्ड्रिया	1. जल अपघटनीय एन्जाइम
(*b*) लाइसोसोम	2. प्रोटीन संश्लेषण
(*c*) राइबोसोम	3. क्रैब्स चक्र
(*d*) गॉल्जीकाय	4. भंडारण तथा पैकिंग

कूट :	(*a*)	(*b*)	(*c*)	(*d*)
A.	3	1	4	2
B.	3	1	2	4
C.	2	1	3	4
D.	4	2	1	3

35. सुमेलित कीजिए–

सूची-I	सूची-II
(*a*) लाइसोसोम	1. साइटोपंजर (Cytoskeleton)
(*b*) माइक्रोसोम	2. स्वतः पाचन (Auto digestion)
(*c*) माइक्रोट्यूब्यूल्स	3. स्रावी कणिका (Secretory granule)
(*d*) गॉल्जीकाय	4. अन्तः प्रद्रव्यी जालिका का एक भाग

कूट :	(*a*)	(*b*)	(*c*)	(*d*)
A.	1	2	3	4
B.	2	4	1	3
C.	2	3	1	4
D.	1	4	2	3

36. निम्नलिखित में से किसने कोशिका सिद्धान्त का प्रतिपादन किया?

A. डार्विन तथा वैलेस ने B. मेंडल तथा मोरगन ने

C. श्लाइडेन तथा श्वान ने D. हेक्सले ने

37. न्यूक्लियोटाइड बना होता है–

A. नाइट्रोजनी बेस तथा फॉस्फेट का

B. पैन्टोस शर्करा तथा फॉस्फेट का

C. नाइट्रोजनी बेस, पैन्टोस शर्करा तथा फॉस्फेट का

D. इनमें से कोई नहीं

38. प्रोटीन का संश्लेषण होता है–

A. गॉल्जीकाय में B. राइबोसोम में

C. माइटोकांड्रिया में D. सेन्ट्रोसोम में

39. कोशिकीय घटकों को किस विधि से भौतिक-रूप में अलग किया जा सकता है?
A. रेडियो ऐक्टिव ट्रेसिंग द्वारा B. सूक्ष्मदर्शी द्वारा
C. क्रोमेटोग्राफी द्वारा D. सेन्ट्रीफ्यूगेशन द्वारा

40. कोशिका विभाजन की निम्नलिखित किस अवस्था में डी.एन.ए. द्विगुणित होता है?
A. अंतरावस्था (Interphase)
B. पूर्वावस्था (Prophase)
C. मध्यावस्था (Metaphase)
D. पश्चावस्था (Anaphase)

41. जब हरे टमाटर लाल हो जाते हैं तब–
A. वर्णीलवक (Chromoplasts) परिवर्तित हो जाते हैं हरितलवकों (Chloroplasts) में
B. हरितलवक अपघटित हो जाते हैं और वर्णीलवकों में बदल जाते हैं
C. नये वर्णीलवक बनते हैं
D. इनमें से कोई नहीं

42. निम्नलिखित में से किसने सर्वप्रथम 'वंशागति के गुणसूत्र सिद्धान्त' का प्रतिपादन किया था?
A. एवरी, मैककारटी, मैक्लियोड ने
B. फ्रेडरिक ग्रिफिथ ने
C. मॉर्गन एवं स्टर्टवेन्ट ने
D. सट्टन एवं बोवेरी ने

43. गुणसूत्र में निहित होते हैं–
A. केवल DNA
B. DNA तथा हिस्टोन प्रोटीन
C. DNA, हिस्टोन तथा नॉन हिस्टोन प्रोटीन
D. DNA तथा नॉन हिस्टोन प्रोटीन

44. निम्नलिखित में से कौन-सी अर्द्धसूत्री विभाजन की प्रथम अवस्था की सबसे लम्बी प्रावस्था (Phase) होती है?
A. प्रोफेज (Prophase) B. मेटाफेज (Metaphase)
C. एनाफेज (Anaphase) D. टीलोफेज (Telophase)

45. केन्द्रक से जुड़ी लम्बी धागेनुमा संरचना कहलाती है–
A. गॉल्जीकाय (Golgi bodies)
B. अन्तः प्रद्रव्यी जालिका (Endoplasmic reticulum)
C. रिक्तिका (Vacuole)
D. प्लाज्मा झिल्ली (Plasma membrane)

46. गुणसूत्र की आनुवंशिक इकाई होती है–
A. जीन (Gene) B. DNA
C. क्रोमैटिड (Chromatids) D. सेन्ट्रोमियर (Centromere)

47. निम्न में से किस प्रक्रिया द्वारा हमारी त्वचा से कोशिकाओं का प्रतिस्थापनं (Replacement) होता रहता है?
A. अर्द्धसूत्री विभाजन B. समसूत्री विभाजन
C. श्वसन D. अन्तर्ग्रहण

48. गुणसूत्र बिन्दु संबंधित होता है–
A. डी.एन.ए. से
B. गुणसूत्रों की ध्रुवीय गति से
C. तर्कु (Spindle) निर्माण से
D. गुणसूत्रों के विसंयोजन से (Chromosome Segregation)

49. समसूत्री विभाजन के दौरान घटित होने वाली निम्न घटनाओं को क्रमानुसार व्यवस्थित कीजिए–
1. पश्चावस्था (Anaphase)
2. अन्त्यावस्था (Telophase)
3. अन्तरावस्था (Interphase)
4. मध्यावस्था (Metaphase)
5. पूर्वावस्था (Prophase)
A. 2, 3, 5, 4, 1 B. 3, 1, 5, 4, 2
C. 3, 5, 4, 1, 2 D. 3, 5, 1, 4, 2

50. गुणसूत्रों में हिस्टोन्स का मुख्य कार्य है–
A. यह गुणसूत्रों की बहुसूत्री प्रकृति को स्थिर करता है
B. यह विभिन्न डी.एन.ए. सूत्रों के मध्य पार्श्व श्रृंखलीकरण स्थापित करता है
C. यह अम्लीय प्रोटीन तथा आर.एन.ए. की मात्रा नियत रखता है
D. यह प्रोटीन संश्लेषण प्रारंभ करता है

उत्तरमाला

1	2	3	4	5	6	7	8	9	10
A	B	C	B	C	A	C	D	A	C
11	**12**	**13**	**14**	**15**	**16**	**17**	**18**	**19**	**20**
B	A	B	A	A	C	B	D	C	C
21	**22**	**23**	**24**	**25**	**26**	**27**	**28**	**29**	**30**
B	A	D	B	B	C	C	B	A	C
31	**32**	**33**	**34**	**35**	**36**	**37**	**38**	**39**	**40**
C	C	A	B	B	C	C	B	D	A
41	**42**	**43**	**44**	**45**	**46**	**47**	**48**	**49**	**50**
B	D	C	A	B	A	B	B	C	B

★ ★ ★

11

जन्तुओं में जनन
(Reproduction in Animals)

जनन द्वारा कोई जीव (वनस्पति या प्राणी) अपने ही सदृश किसी दूसरे जीव को जन्म देकर अपनी जाति की वृद्धि करता है। जन्म देने की इस क्रिया को जनन कहते हैं। जनन जीवितों की विशेषता है। जीव की उत्पत्ति किसी पूर्ववर्ती जीवित जीव से ही होती है। निर्जीव पिंड से सजीव की उत्पत्ति नहीं देखी गई है। संभवतः विषाणु इसके अपवाद है। जनन के दो उद्देश्य होते हैं—एक व्यक्ति-विशेष का संरक्षण और दूसरा जाति की शृंखला बनाए रखना। दोनों का आधार पोषण है। पोषण से ही संरक्षण, वृद्धि और जनन होते हैं। जनन दो प्रकार से हो सकता है–

- अलैंगिक जनन (Asexual)
- लैंगिक जनन (Sexual)

अलैंगिक जनन

कुछ जीवों जैसे बैक्टीरिया, प्रोटोजोआ एवं कुछ शैवालों में जनन अनेक प्रकार से एकल जीव द्वारा होता है। पौधों में अलैंगिक जनन कायिक जनन द्वारा होता है। कुछ जंतु जैसे स्पंज तथा हाइड्रा अलैंगिक व लैंगिक दोनों प्रकार से जनन करते हैं।

लैंगिक जनन

कुछ जंतु जैसे स्पंज व हाइड्रा अलैंगिक विधियों से जनन कर सकते हैं। हालांकि वे लैंगिक जनन भी कर सकते हैं। सभी जंतुओं में मादा अण्ड (अण्डाणु) तथा नर शुक्राणु का संलयन होता है और युग्मज (जाइगोट) बनता है जो कि भ्रूण के रूप में एक पूर्ण-विकसित संतति बन जाता है। अण्डे के भीतर विकास आंशिक या पूर्ण हो सकता है। ऐसे जन्तु जो अण्डे देते हैं जैसे मछली, मेंढक, सरीसृप (सांप/छिपकली) एवं पक्षी अण्डज या ओविपेरस कहलाते हैं। स्तनधारियों जैसे बिल्ली, कुत्ता, गाय एवं मनुष्यों में बच्चा माँ के गर्भ में विकास करता है, इन्हें जरायुज या विविपेरस कहते हैं।

फीताकृमि तथा केंचुए में नर तथा मादा दोनों जनन अंग एक ही जीव में होते हैं, इन्हें उभयलिंगी (हर्माफ्रोडाइट) कहते हैं। बाकी दूसरे जंतुओं में लिंग अलग-अलग जीव में होते हैं। नर में नर जनन अंग जैसे वृषण आदि तथा मादा में अंडाशय आदि होते हैं। मानव भी जंतु जगत में आते हैं। स्तनधारी होने के कारण ये जरायुज या विविपेरस हैं।

वस्तुनिष्ठ प्रश्न

1. निम्नलिखित में से कौन-सा युग्म सही है?
A. स्त्रियों का गर्भाशय गोल होता है
B. स्त्रियों में ऋतुस्राव 45-50 वर्ष के बाद नहीं होता है
C. स्त्रियों में ऋतुस्राव आजीवन होता है
D. स्त्रियों की डिम्ब वाहिनी से टेस्टोस्टेरॉन हॉर्मोन निकलता है

2. निम्नलिखित में से किसका परीक्षण एम्नियोसेन्टेसिस (Amniocentesis) द्वारा किया जाता है?
A. गर्भ में पल रहे शिशु की पहचान के लिए
B. अमीनो अम्लों के परीक्षण के लिए
C. मस्तिष्क की जाँच के लिए
D. रक्त परीक्षण के लिए

3. निम्नलिखित में से किस कारण समान जुड़वा बच्चे पैदा होते हैं?
A. जब एक निषेचित अंडे का दो भागों में विभाजन हो तथा दोनों भाग अलग हो जाएं
B. जब एक शुक्राणु दो अण्डाणुओं का निषेचन करता है
C. जब दो अण्डाणु एक शुक्राणुओं का निषेचन करे
D. जब बिना निषेचन के भ्रूण बनता है

4. गर्भवती स्त्रियों में सामान्य ब्लड ग्रुप की जाँच के अलावा रक्त के एक और तत्व की जाँच की जाती है, जो बहुत आवश्यक है। इसे कहा जाता है–
A. Rh कारक जाँच B. लुकोसाइट जाँच
C. एरिथ्रोसाइट जाँच D. लिम्फोसाइट जाँच

5. गभाशय में विकसित हो रहे भ्रूण को निम्नलिखित में से किस संरचना द्वारा पोषक तत्त्व मिलता है?
A. फैलोपियन ट्यूब द्वारा
B. गर्भाशय द्वारा
C. प्लेसेन्टा द्वारा
D. उपरोक्त में से किसी के भी द्वारा नहीं

6. भ्रूण विज्ञान को आगे बढ़ाने वाले वैज्ञानिक हैं–
A. टी. सदाशिवन B. पी. महेश्वरी
C. एम. स्वामीनाथन D. रामदास

7. लड़का पैदा होगा, जब–
A. बच्चे में XXYY गुणसूत्र हों
B. बच्चे में YY गुणसूत्र हों
C. बच्चे में XX गुणसूत्र हों
D. बच्चे में XY गुणसूत्र हों

8. निम्न में से किसमें बिना निषेचन के प्रजनन की शक्ति होती है?
A. मकड़ी में B. मधुमक्खी में
C. कौवे में D. इनमें में से किसी में भी नहीं

9. लिंगी जनन, में अलिंगी जनन की स्थापनापन्नता को कहा जाता है–
A. अपोमिक्सिस B. एम्फिमिक्सिस
C. एमीस्पोरी D. इनमें में से किसी में भी नहीं

10. भ्रूण निम्नलिखित में से किसके द्वारा चारों ओर से घिरा रहता है?
A. योक द्वारा B. एमन्योटिक द्रव द्वारा
C. A और B दोनों के द्वारा D. इनमें में से कोई नहीं

11. मनुष्य में गर्भ काल होता है लगभग–
A. 10 सप्ताह B. 7 महीने
C. 9 महीने D. 25 सप्ताह

12. ब्लास्टोसिल के निर्माण से मानव भ्रूण निम्नलिखित में से क्या बन जाता है?
A. गैस्ट्रुला B. ब्लैस्टुला
C. न्यूरूला D. मौरूला

13. स्तनधारियों में अण्डों का निषेचन कहाँ पर होता है?
A. प्रघाण में B. योनि में
C. गर्भाशय में D. फैलोपियन नलिका में

14. ग्रैफियन फॉलिकिलिस पाई जाती है–
A. स्तनधारी के अण्डाशय में B. स्तनधारी के वृषण में
C. मेढक के अण्डाशय में D. स्तनधारी के थाइरॉयड में

15. मुख के द्वारा ली जाने वाली गर्भ-निरोधक दवा निम्नलिखित में से किसका निषेध करती है?
A. अण्डोत्सर्जन का
B. निषेचन का
C. गर्भाधारण का
D. शुक्राणुओं के गर्भाशय में प्रवेश का

16. 'ऑटोसोम' (Autosome) क्या है?
A. लिंगी गुणसूत्र को छोड़ कर अन्य गुणसूत्र
B. लिंग गुणसूत्र
C. एक्रोमैटिक
D. उपरोक्त में से कोई भी नहीं

17. निम्नलिखित में से कौन हीमोफिलिया रोग का कारण है?
A. एक X गुणसूत्र की कमी के कारण
B. कैल्शियम पदार्थ की कमी के कारण
C. प्लाज्मा थ्रोम्बिन की कमी के कारण
D. एन्टी-हीमोफिलिक ग्लोबूलिन की कमी के कारण

18. उन गुणसूत्रों को क्या कहते हैं जो लिंग का निर्धारण करते हैं?
A. X तथा Y B. सीमेटिक
C. डी.एन.ए. D. इनमें से कोई नहीं

19. जीन पूल होता है–
A. एक स्थान की सभी जातियों के सदस्यों के विभिन्न जीन
B. किसी व्यक्ति विशेष की जीनिक रचना
C. एक वंश के जीन
D. कृत्रिम रूप से संश्लेषित जीन का पूल

20. जीनोम (Genome) है–
A. एक गुणसूत्र के जीनों की कुल संख्या
B. एक लक्षण की अभिव्यक्ति के लिए आवश्यक जीनों की कुल संख्या
C. लिंग निर्धारण करने वाले गुणसूत्रों की संख्या
D. एक जाति के गुणसूत्रों की अगुणित संख्या

21. मनुष्यों में लिंग सहलग्न लक्षणों की वंशागति मुख्यतः होती है–
A. X-गुणसूत्र से B. Y-गुणसूत्र से
C. ऑटोसोम से D. इनमें से कोई भी नहीं

22. गर्भ में बच्चे का लिंग निर्धारण (Sex determination) निम्नलिखित में से किस आधार पर होता है?
A. पिता के गुणसूत्रों (Chromosomes) के द्वारा
B. माता के गुणसूत्रों के द्वारा
C. माता-पिता दोनों के गुणसूत्रों द्वारा
D. माता-पिता के रक्त ग्रुप द्वारा

23. एक पीढ़ी से दूसरी पीढ़ी में आनुवंशिक गुण ले जाए जाते हैं–
A. साइटोप्लाज्म द्वारा B. प्रोटोप्लाज्म द्वारा
C. क्रोमोसोम द्वारा D. केन्द्रक द्रव्य द्वारा

24. जीवविज्ञान की वह शाखा जिसमें आनुवंशिकी द्वारा मनुष्य जाति का सुधार किया जाता है, उसका नाम है–
A. यूजेनिक्स B. यूफेनिक्स
C. आनुवंशिकी D. पारिस्थितिकी

25. यदि एक हीमोफिलिक पुरुष और एक सामान्य स्त्री का विवाह हो तो सन्तान होगी–
A. सभी लड़के हीमोफिलिक B. सभी संतानें सामान्य
C. सभी लड़कियाँ हीमोफिलिक D. सभी संतानें हीमोफिलिक

उत्तरमाला

1	2	3	4	5	6	7	8	9	10
B	A	A	A	C	B	D	B	A	B
11	**12**	**13**	**14**	**15**	**16**	**17**	**18**	**19**	**20**
C	B	D	A	A	A	D	A	A	D
21	**22**	**23**	**24**	**25**					
A	C	C	A	B					

★★★

12

मानव के सामान्य रोग
(Human Diseases)

रोग (व्याधि) शब्द का मूल शब्द व्याध है, जिसका अर्थ है रुकावट, अर्थात् अच्छे स्वास्थ्य में रुकावट उत्पन्न होना ही रोग है। दूसरे शब्दों में, शरीर में विकार होना ही रोग (Disease—DIS-EASE अर्थात् असहज) कहलाता है।

रोग के प्रकार : रोग को उनकी प्रकृति तथा कारणों के आधार पर दो वर्गों में विभक्त किया जाता है। ये हैं–

1. **जन्मजात रोग (Congenital Diseases):** वे रोग जो जन्म के समय से ही शरीर में होते हैं, उन्हें जन्मजात रोग कहते हैं। ये रोग उपापचयी या विकासीय अनियमितताओं के कारण फैलते हैं।
2. **उपार्जित रोग (Acquired Diseases):** वे रोग जो जन्म के पश्चात् विभिन्न कारकों के कारण उत्पन्न होते हैं, उन्हें उपार्जित रोग कहते हैं।

विटामिन, उनके स्त्रोत और उसके अभाव के कारण होने वाले रोग

विटामिन	प्रमुख यौगिक	उनके अभाव से होने वाले रोग
A	शार्क मछली का तेल, जिगर, दूध, मक्खन, अंडे की जर्दी	रतौंधी (रात में दिखाई न पड़ना)
B	फलियां अन्न, खमीर	स्नायु और मस्तिष्क के रोग
B Complex	दूध, मांस, हरी सब्जियां, चना, गोभी, गाजर	बेरी-बेरी त्वचा के रोग
C	हरी सब्जियां, नींबू, संतरे, टमाटर, ताजे फल	स्कर्वी (Scurvy), जोड़ों का दर्द, मसूड़ों से खून आना, त्वचा फट जाना
D	शार्क लिवर तेल, जिगर, अंडा, दूध, मक्खन, घी	रिकेट्स (Rickets) टेढ़े पैर, पिचकी छाती, जोड़ों पर सूजन, पेट बढ़ जाना आदि
E	गेहूं, हरी सब्जियां, मटर, मक्का	इस विटामिन की कमी से स्त्रियों को गर्भपात हो जाता है।
K	वसा, मछली, मांस, गेहूं	इसकी कमी से खून का बहना जल्दी बंद नहीं होता।

जीवाणु जनित रोग

रोग	उद्भवन अवधि	प्रसार माध्यम	लक्षण
राजयक्ष्मा	2-10 सप्ताह	वायुजनित ड्रापलेट संक्रमण	बुखार, कफ आना, छाती में दर्द, थूक में रक्त आना, शरीर का कोई भी भाग प्रभावित हो सकता है, परंतु फेफड़े सामान्य रूप से प्रभावित
डिप्थेरिया	2-6 दिन	वायुजनित ड्रापलेट संक्रमण	नाक की श्लेष्मा ग्रंथि, गला और टांसिल में सूजन, गंभीर मामलों में श्वसन मार्ग अवरुद्ध हो जाता है, सामान्यतः 5 वर्ष से कम आयु वाले बच्चे प्रभावित होते हैं।
हैजा	6 घंटे से 2-3 दिन	प्रदूषित खाद्य पदार्थ एवं जल घरेलू मक्खियां	संग्रहनी, चमड़ी सिकुड़ना, धंसी हुई आंखे, रक्तचाप में कमी, निर्जलीकरण, पेशाब में खनिजों का क्षरण।
कोढ़	5 वर्ष तक	लंबी अवधि तक और अंतरंग संपर्क	अंगुलियां और अंगूठे का विरुपण, अल्सर बनना, चमड़ी सिकुड़ना और इस पर दाने का उभर आना, संक्रमित चमड़ी संवेदनहीन हो जाती है।

रोग	उद्भवन अवधि	प्रसार माध्यम	लक्षण
कुकुर खांसी	7-14 दिन	ड्रापलेट संक्रमण	मध्यम बुखार, बार-बार कफ आना, उल्टी, श्वसन नली में मांस का जमाव, श्वसन में गतिरोध।
टेटनस	3-21 दिन	कृमि कोष तेज धारदार वस्तु से या कुत्ते के काटने अथवा जमीन पर गिरने के कारण उत्पन्न होने वाले घाव के जरिए प्रवेश करते हैं।	थकावट, घावों में तेज चुभन, मरोड़न, गर्दन का अकड़ना, जबड़ों की मांसपेशियों का सख्त हो जाना, मांसपेशियों का संकुचन और लकवा।
आंत्र ज्वर	1-3 सप्ताह	निर्देशित एवं संपर्क द्वारा	सिरदर्द, आंत्र का बुखार, आंत में अल्सर और रक्त स्राव, छाती और ऊपरी उदर में लेशेज।
प्लेग	2-6 दिन	चूहे या घरेलू कीट जीवाणु को फैलाते हैं	तेज बुखार, अत्यधिक कमजोरी, लिम्फ नोड का बढ़ जाना, श्वसन और फेफड़ों में रक्तस्राव।
निमोनिया	1-3 दिन	वायु जनित	लसीका का संग्रहित हो जाना, श्वसनी और एलविओली में म्युकस का जमाव, श्वसन की क्षमता में कमी।

सुजाक, सिफलिस, संग्रहनी रोग, फूड पॉयजनिंग और मस्तिष्क ज्वर, बैक्टीरिया के कारण उत्पन्न होते हैं।

विषाणुजनित रोग

रोग	उद्भवन अवधि	प्रसार माध्यम	लक्षण
शीतला माता	12-20 दिन	संक्रमित व्यक्ति या वस्तु के सीधे संपर्क में आने पर	बुखार, सिरदर्द, भूख की समाप्ति, सारे शरीर पर लालरंग के चकत्ते बन जाना, कुछ दिन के बाद ये चकत्ते सूखने लगते हैं और मरीज ठीक हो जाता है। 5 वर्ष से कम आयु वाले बच्चे इस रोग के विषाणु के प्रति अत्यधिक संवेदनशील होते हैं।
छोटी माता	12 दिन	ड्रापलेट संक्रमण	अचानक से तेज बुखार, सिरदर्द, पूरे शरीर में दर्द तथा चकत्ते निकल आना, ये चकत्ते द्रव के साथ गिलगिले हो जाते हैं, बाद में चकते खत्म हो जाते हैं पर इनके निशान स्थायी रूप से बने रह जाते हैं।
पोलियो	7-14 दिन	प्रत्यक्ष रूप से और मुख के जरिए	सिरदर्द और बुखार, गर्दन में अकड़न और मरोड़न अंततः पैर लकवाग्रस्त हो जाते हैं, यदि श्वसन केन्द्र छतिग्रस्त हो गये हों तो श्वसन रुक जाता है और रोग ग्रस्त व्यक्ति की मुत्यु हो जाती है।
चेचक	10 दिन	ड्रापलेट संक्रमण	ठंड. लगना, सिरदर्द, बुखार के साथ कफ आना, छींके, कंजक्टिवाइटिस, चमड़ी पर फफोले पड़ना।
गलसुआ	12-26 दिन	ड्रापलेट संक्रमण	दर्द के साथ लार ग्रंथि का बढ़ जाना, तेज बुखार, जबड़ों का तेज गति और मुंह खोलने में कठिनाई।
रेबीज	1-3 माह	रेबीजग्रस्त पशुओं, जैसे—कुत्ते, बंदरों और बिल्लियों के काटने से	शत-प्रतिशत घातक रोग, तेज सिरदर्द, तेज बुखार, मांसपेशियों (गले और छाती की) में दर्द भरा संकुचन। मरीज को पानी से डर लगता है इसलिए इस रोग को हाइड्रोफोबिया कहते हैं।
शीत ज्वर	24-48 घंटे	वायुजनित	ब्रोंकाइटिस, कफ, ब्रोंकोनिमोनिया

वस्तुनिष्ठ प्रश्न

1. निम्नलिखित में से कौन-सा रोग संक्रामक है?
A. मलेरिया B. मधुमेह
C. हाइपरटेंशन D. क्वाशरकोर

2. इनमें से किस रोग का टीका अभी तक विकसित नहीं हुआ है?
A. हैजा B. चेचक
C. क्षय रोग D. मलेरिया

3. अफ्रीकी निद्रा रोग का कारण है–
A. एन्ट अमीबा हिस्टोलाइटिका B. ट्रिपनोसोमा गैम्बीयेन्स
C. ट्रिपनोसोमा बोसायी D. लैशमानिया डोना वैनाई

4. दमा श्वास रोग है। निम्नलिखित में से कौन इसका कारण है–
A. वायुनली में संक्रमण
B. फेफड़ों में संक्रमण
C. प्लूरल गुहा में रुधिर या जल भर जाना
D. फेफड़ों की भित्तियों में पेशियों का संकुचन

5. पोलियो वायरस का संक्रमण किसके द्वारा होता है?
A. मच्छरों के द्वारा
B. सी.सी. मक्खी के द्वारा
C. मधुमक्खी के द्वारा
D. दूषित जल तथा खाद्य पदार्थ के कारण

6. काला जार रोग का रोगाणु निम्नलिखित में से कौन है?
A. जियार्डिया B. ट्राइपैनोसोमा
C. लैशमानिया D. वायरस

7. संक्रामक रोगों जैसे हैजा को रोकने के लिए यह आवश्यक है–
A. मच्छरों की जनसंख्या पर नियंत्रण
B. आस-पास के सभी जलाशयों को सुखाना
C. लोगों को यह शिक्षा देना कि वे उबले पानी का उपयोग करें तथा खुले वातावरण में रखे भोजन पदार्थ न खाएं
D. स्वस्थ लोग रोगियों के सम्पर्क में न आएं

8. निम्नलिखित में से किसका संबंध डिप्थीरिया रोग से है?
A. फेफड़ों से B. यकृत से
C. कण्ठ से D. रुधिर से

9. जीवाणु जनित रोगों की औषधियां अधिक होती हैं जबकि विषाणु (Virus) जनित रोगों की नहीं, क्योंकि–
A. अधिकांश जीवाणु परपोषी होते हैं
B. सभी विषाणु परपोषी होते हैं और उनके चारों ओर प्रोटीन का एक सुरक्षात्मक आवरण होता है
C. विषाणु जीवाणु से बहुत छोटे होते हैं
D. इनमें से कोई नहीं

10. ''जैव चिकित्सा'' का अर्थ है–
A. वाइरस, बैक्टीरिया आदि के माध्यम से चिकित्सा
B. जड़ी बूटियों से चिकित्सा
C. अत्याधुनिक तकनीक द्वारा चिकित्सा
D. इनमें से कोई नहीं

11. पीलिया (Jaundice) रोग का संबंध शरीर के किस अंग से है?
A. फेफड़े B. गुर्दे
C. यकृत D. उपरोक्त में से कोई भी नहीं

12. निम्नलिखित में से किस कारण दाद (रिंगवर्म) की बीमारी होती है?
A. बैक्टीरिया द्वारा B. फंगस द्वारा
C. वाइरस द्वारा D. कृमि द्वारा

13. श्वास में अधिक मात्रा में मैगनीज चले जाने से हमें कौन-सा रोग हो सकता है?
A. पीलिया B. न्यूमोनिया
C. एनीमिया D. डिप्थीरिया

14. सुमेलित कीजिए–

सूची-I		सूची-II
(*a*) एनसीफेलाइटिस (Encephalitis)	1.	मस्तिष्क
(*b*) हेपटाइटिस (Hepatitis)	2.	पिगर
(*c*) लारिनजाइटिस (Laringitis)	3.	गला
(*d*) ओटिटिस (Otitis)	4.	कान

कूट :	(*a*)	(*b*)	(*c*)	(*d*)
A.	1	3	2	4
B.	1	2	3	4
C.	2	1	3	4
D.	2	4	3	1

15. निम्नलिखित में से किस रोग का वाहक घरेलू मक्खी नहीं है?
A. टाइफाइड B. पीला ज्वर
C. हैजा D. पेचिश

16. निम्नलिखित में से कौन-सा रोग रोगी को एक बार हो जाने के बाद प्रायः पुनः आक्रमण नहीं करता है?
A. टाइफाइड B. मोतीझरा
C. मलेरिया D. चिकन पॉक्स

17. सुमेलित कीजिए–

सूची-I		सूची-II
(*a*) क्षय रोग	1.	बैक्टीरिया
(*b*) चेचक	2.	फंजाई
(*c*) दाद	3.	वाइरस
(*d*) पेचिस	4.	प्रोटोजोआ

कूट :	(*a*)	(*b*)	(*c*)	(*d*)
A.	1	2	3	4
B.	4	3	2	1
C.	3	4	1	2
D.	1	3	2	4

18. खसरा रोग निम्नलिखित में से किसके कारण होता है?
A. जीवाणु B. बैक्टीरिया
C. वाइरस D. प्रोटोजोआ

19. निम्नलिखित में से कौन-सा रोग जीवाणुओं के द्वारा नहीं होता है?

A. ट्यूबरक्लोसिस B. छोटीमाता
C. प्लेग D. हैजा

20. निम्नलिखित में से किसके कारण 'एथलीट्स फुट' नामक बीमारी होती है?

A. फंगस के द्वारा B. बैक्टीरिया के द्वारा
C. वाइरस के द्वारा D. शैवालों के द्वारा

21. टायफाइड में शरीर का कौन-सा अंग प्रभावित होता है?

A. फेफड़ा B. तिल्ली
C. लीवर D. आंत

22. निम्नलिखित में से किसके कारण ट्राकोमा रोग होता है?

A. वाइरस के कारण B. बैक्टीरिया के कारण
C. फफूंदी के कारण D. इनमें से कोई नहीं

23. टायफाइड रोग में साधारणतः दी जाने वाली दवा है–

A. क्लोरोक्वीन B. एस्कॉर्बिक अम्ल
C. सल्फा ड्रग्स D. क्लोरोमाइसटीन

24. एस्कैरिस पाया जाता है–

A. पशुओं की आंत में B. मनुष्य के रक्त में
C. सूअर की पेशियों में D. मनुष्य की आंत में

25. कैंसर संबंधित है–

A. ऊतकों की अनियमित वृद्धि से
B. ऊतकों के नियंत्रित विभाजन से
C. घावों के सड़ जाने से
D. इनमें से कोई नहीं

26. नाक से रुधिर का बहना कहलाता है–

A. होमोरेज B. हीमोफीलिया
C. हीमोस्टेसिस D. एपीटेक्सिस

27. नाभिकीय विकिरण से शरीर का कौन-सा अंग सबसे पहले प्रभावित होता है?

A. मस्तिष्क B. फेफड़ा
C. यकृत D. अस्थि मज्जा

28. डायबिटीज के रोगी के शरीर का कौन-सा अंग सही ढंग से कार्य नहीं करता है?

A. फेफड़ा B. मस्तिष्क
C. अग्न्याशय D. यकृत

29. जोड़ों का दर्द (आर्थीटिस) होने का कारण है–

A. एक या अनेक संधियों में सूजन
B. श्वसन में कठिनाई
C. रक्त की कमी
D. उपरोक्त में से कोई नहीं

30. उच्च रक्त चाप (Hypertension) वाले रोगियों की रक्त वाहिनियों में एक पदार्थ जमा हो जाता है जिससे वे संकरी हो जाती हैं। यह पदार्थ क्या कहलाता है?

A. कोलेस्ट्रॉल B. पोटेशियम
C. कैल्शियम D. लोहा

31. निम्नलिखित में से कौन-सा रोग पागल कुत्ते के काटने से होता है?

A. एनीमिया B. हैजा
C. बेरी-बेरी D. रेबीज

32. जिन बच्चों को सूर्य का प्रकाश नहीं मिलता है वे निम्न रोग से ग्रसित पाए जाते हैं?

A. ऑस्टियो मेलेशिया रोग से B. मिक्सीडीमा रोग से
C. रिकेट्स रोग से D. रतौंधी रोग से

33. निम्नलिखित में से कौन-सा विटामिन स्कर्वी रोग के निवारण में काम आता है?

A. थायमिन B. एस्कॉर्बिक अम्ल
C. फोलिक अम्ल D. बी-काम्पलेक्स

34. यदि किसी के मसूड़ों से रुधिर आता है तो उसे अधिक मात्रा में सेवन करना चाहिए–

A. नींबू/संतरे B. मूली/गाजर
C. सेब/अमरूद D. अमरूद/केले

35. निम्नलिखित में से किसकी कमी से रिकेट्स रोग होता है?

A. विटामिन-D की कमी से B. विटामिन-C की कमी से
C. विटामिन-A की कमी से D. इनमें से कोई नहीं

36. निम्नलिखित में से कौन-सा युग्म सुमेलित है?

A. घेंघा रोग-आयोडीन की कमी
B. पेलेग्रा रोग-विटामिन 'सी' की कमी
C. वर्णान्धता रोग-विटामिन 'ए' की कमी
D. स्कर्वी रोग-विटामिन 'D' की कमी

37. बच्चों में क्रिटिनिज्म रोग किसकी कमी से होता है?

A. रेटिनॉल की कमी से B. थायमिन की कमी से
C. कैल्सिफेराल की कमी से D. थायरॉक्सिन की कमी से

38. निम्नलिखित में से किसकी खोज एडवर्ड जेनर ने की थी?

A. टी.बी. का टीका B. एड्स का टीका
C. पोलियो का टीका D. चेचक का टीका

39. पायरिया किस अंग की बीमारी है?

A. मसूड़ों की B. आँत की
C. हृदय की D. दाँतों की

40. रतौंधी (Night blindness) होने का क्या कारण है?

A. आँख में केटेरेक्ट रोग होना
B. आँख के रेटिना का खराब हो जाना
C. विटामिन-A की कमी
D. कॉर्निया में दोष पैदा हो जाना

41. निम्नलिखित में से किस विटामिन की कमी से पैलेग्रा रोग होता है?

A. थायमिन की कमी के कारण
B. एस्कॉर्बिक अम्ल की कमी के कारण
C. राइबोफ्लोविन की कमी के कारण
D. नियासिन की कमी के कारण

42. बी.सी.जी. का टीका नवजात शिशु को कितने दिनों के भीतर लगाया जाता है?
A. जन्म के तुरन्त बाद B. 48 घंटों के भीतर
C. 6 माह के भीतर D. 6 हफ्ते के भीतर

43. डी.पी.टी. (D.P.T.) का टीका निम्नलिखित में से किसके काम नहीं आता है?
A. डिंप्थीरिया में B. पोलियो में
C. टिटनेस में D. हूपिंग कफ

44. माँ का दूध शिशु के लिए लाभदायक क्यों होता है?
A. यह स्वादिष्ट होता है B. इसमें एन्टीबॉडी होते हैं
C. इसमें लोहा पाया जाता है D. इसमें कैल्सियम होता है

45. मानव शरीर को इन्फेक्शनों से बचाने का कार्य निम्नलिखित में से कौन करता है?
A. रक्त मज्जा B. लाल रक्त कोशिकाएं
C. श्वेत रक्त कोशिकाएं D. प्लाज्मा

46. सुमेलित कीजिए—

सूची-I	सूची-II
(*a*) गोनोरिया (Gonorrhoea)	1. आनुवंशिक रोग
(*b*) एल्केप्टोनूरिया (Alkaptonuria)	2. विषाणुजनित रोग
(*c*) धमनी काठिन्य (Arteriosclerosis)	3. हृदय रोग
(*d*) मस्तिष्क शोथ (Meningitis)	4. लैंगिक रोग

कूट :	(*a*)	(*b*)	(*c*)	(*d*)
A.	4	1	3	2
B.	4	3	1	2
C.	4	3	2	1
D.	2	4	3	1

47. सुमेलित कीजिए—

सूची-I	सूची-II
(*a*) नजला	1. हीमोफिलिस परट्यूसिस
(*b*) खाद्य विषाक्तता	2. राइनो विषाणु
(*c*) कुकर खांसी	3. स्ट्रेप्टो कोकस
(*d*) सैप्टिक सोर थ्रोट	4. क्लोस्ट्रीडियम बोटयूलिनम

कूट :	(*a*)	(*b*)	(*c*)	(*d*)
A.	2	4	1	3
B.	2	4	3	1
C.	4	2	1	3
D.	4	2	3	1

48. सुमेलित कीजिए—

सूची-I (दवा)	सूची-II (रोग)
(*a*) कुनैन (Quinine)	1. नींद
(*b*) क्रोसीन (Crosin)	2. ज्वर
(*c*) एविल (Avil)	3. एलर्जी रोग
(*d*) कॉम्पोज (Compose)	4. मलेरिया

कूट :	(*a*)	(*b*)	(*c*)	(*d*)
A.	1	2	3	4
B.	4	2	3	1
C.	1	4	3	2
D.	4	3	2	1

49. सुमेलित कीजिए—

सूची-I	सूची-II
(*a*) एन्टीपायरेटिक (Antipyretic)	1. क्लोरोफार्म
(*b*) एनेस्थिटिक (Anaesthetic)	2. ज्वर कम करने के लिए
(*c*) डिसइनफेक्टेन्ट (Disinfectant)	3. डीटॉल
(*d*) एनाल्जिक (Analgesic)	4. दर्दनाशी

कूट :	(*a*)	(*b*)	(*c*)	(*d*)
A.	1	2	3	4
B.	4	3	2	1
C.	2	1	3	4
D.	2	3	1	4

50. कामकाजी लोग जो बहुत जल्दी खाना खाते हैं तथा बिना आराम के कार्य पर लग जाते हैं, वे प्रायः किस रोग से पीड़ित होते हैं?
A. अपाचन (Indigestion) B. अल्सर (Ulcers)
C. अम्लीयता (Acidity) D. उपरोक्त सभी रोगों से

उत्तरमाला

1	2	3	4	5	6	7	8	9	10
A	D	B	D	D	C	C	C	B	A
11	**12**	**13**	**14**	**15**	**16**	**17**	**18**	**19**	**20**
C	B	B	B	B	D	D	C	B	A
21	**22**	**23**	**24**	**25**	**26**	**27**	**28**	**29**	**30**
D	A	D	D	A	D	D	C	A	A
31	**32**	**33**	**34**	**35**	**36**	**37**	**38**	**39**	**40**
D	C	B	A	A	A	D	D	D	C
41	**42**	**43**	**44**	**45**	**46**	**47**	**48**	**49**	**50**
D	A	B	B	C	A	A	B	C	D

★★★

13 भोजन (Food)

पोषण तथा आहारीय व्यवस्था

भोज्य पदार्थों को हम आहार के नाम से जानते हैं। जिन पदार्थों को हम ग्रहण करते हैं वह पदार्थ शरीर को शक्ति प्रदान करते हैं, जिससे हम सभी कार्यों को सरलता पूर्वक संपन्न करते हैं। व्यक्ति को इसकी जानकारी होनी चाहिए कि कितनी मात्रा में और कैसा भोजन शरीर के लिए लाभकारी और उपयोगी होगा। भोजन से शरीर को शक्ति मिलती है और गर्मी उत्पन्न होती है। ऊतकों का निर्माण और मरम्मत भी इसी के द्वारा होती है।

भोजन का कार्य

भोजन के निम्नलिखित कार्य होते हैं-

1. भोजन तत्वों से एन्जाइम तथा हार्मोन्स बनता है जो शरीर के लिए लाभकारी होता है।
2. भोजन के द्वारा शरीर का निर्माण और मरम्मत का कार्य होता है।
3. भोजन शरीर को शक्ति प्रदान करता है।
4. भोजन द्वारा रोगों से सुरक्षा भी होती है।
5. भोजन से ऊतकों का रखरखाव होता है और इनके कार्यों पर नियंत्रण भी होता है।

भोजन की आवश्यकता

प्रत्येक मनुष्य को स्वस्थ रहने के लिए और अपने दैनिक कार्यों को सुचारू रूप से संपादित करने के लिए शक्ति की आवश्यकता होती है। वह शक्ति उसको भोजन के द्वारा ही मिल सकती है। भोजन में अनेक प्रकार के तत्व मिले रहते हैं जैसे—कार्बोहाईड्रेट्स, वसा, विटामिन्स, खनिज लवण, प्रोटीन और जल इत्यादि इन्हीं तत्वों के द्वारा हम अपने शारीरिक मानसिक कार्यों को पूर्ण करते हैं। यदि उपरोक्त तत्वों में से किसी की भी कमी हो जाती है तो व्यक्ति कमजोर हो जाता है, जिसके कारण से वह रोग ग्रसित हो सकता है इसलिए व्यक्ति को पोषक आहार की आवश्यकता होती है।

भोजन का वर्गीकरण

व्यक्ति के शरीर निर्माण में छह घटकों की आवश्यकता अनिवार्य रूप से होती हैं जो इस प्रकार हैं—1. प्रोटीन, 2. वसा, 3. कार्बोहाईड्रेट्स, 4. विटामिन्स, 5. खनिज लवण 6. जल।

जिन पदार्थों से ऊर्जा प्राप्त होती है। उनके स्रोत हैं—कार्बोईड्रेट्स, वसा, प्रोटीन।

कार्बोहाइड्रेट्स जैसे—गुड़, शक्कर, शहद, ग्लूकोज, चावल, गेहूं, आलू, कच्चा केला आदि।

वसा जैसे—तेल, घी, मक्खन, क्रीम आदि।

प्रोटीन जैसे—दूध, पनीर, दही, अंडा, मांस, बादाम, मूंगफली, सूखे मेवे, सोयाबीन व दालें आदि।

शरीर निर्माणात्मक और मरम्मत वाले पदार्थ हैं—प्रोटीन, कैल्शियम, फास्फोरस, लोहा आदि। शरीर को सुरक्षा प्रदान करने वाले तत्व हैं—खनिज लवण, विटामिन्स, प्रोटीन, हरी पत्ती वाली सब्जियां आदि।

पोषण

पोषण एक गतिशील प्रक्रिया है, जिसके अन्तर्गत भोजन को जलाया जाता है, और उसका उपयोग शरीर के पालन हेतु किया जाता है। Nutrition शब्द बना है Nutricious से जिसका अर्थ होता है—Suple at the breast अर्थात् स्तनपान कराना। शरीर के लिए उपयोगी घुलनशील पदार्थों को पोषक तत्व कहते हैं। पोषक पदार्थों को भोजन के रूप में ग्रहण करना तथा तत्वों को सरलतम रूप में परिवर्तित होकर शरीर के उपयोग में आना ही पोषण कहलाता है। पोषण एक ऐसी प्रक्रिया है, जिसमें जो आहार लिया जाता है उसमें ऊतकों की वृद्धि और मरम्मत होती है। पोषण के अन्तर्गत वह आवश्यक भोजन जिसकी आवश्यकता शरीर को होती है और जो तत्व पच जाता है। वह रक्त पचे हुए भोजन को ऊतकों और शरीर के दूसरे भागों में पहुंचाता है।

वस्तुनिष्ठ प्रश्न

1. विटामिन B9 (फॉलिक एसिड) पाया जाता है-

A. सब्जी में B. ब्रोकली में
C. लिवर में D. उपरोक्त सभी में

2. मानव शरीर में सबसे कम मात्रा में आवश्यक पोषण तत्व हैं:

A. विटामिन B. प्रोटीन
C. वसा D. खनिज लवण

3. विटामिन B_{12} को क्या कहते हैं?

A. थायमीन B. फॉलिक अम्ल
C. बायोटिन D. सायनोकोबालेमाइन

4. बच्चों को प्रतिदिन कितनी ऊर्जा की आवश्यकता होती है?

A. 500-1000 किलो कैलोरी B. 1000-1200 किलो कैलोरी
C. 2500-3500 किलो कैलोरी D. 1800-2000 किलो कैलोरी

5. निम्न में से कौन-सा विटामिन वसा में विलेय नहीं है?
A. विटामिन C B. विटामिन K
C. विटामिन A D. विटामिन D

6. विटामिन का मुख्य कार्य होता है:
A. भोजन के उत्प्रेरक के रूप में B. भोजन के पाचन में
C. भोजन के उत्सर्जन में D. भोजन के अवशोषण में

7. भोजन में प्रोटीन की कमी से क्या होता है?
A. क्वाशरकोर B. मेरेस्मस
C. रिकेट्स D. उपरोक्त सभी

8. ऊर्जा का सबसे सस्ता स्रोत है:
A. विटामिन B. प्रोटीन
C. वसा D. कार्बोहाइड्रेट

9. भारतीय भोजन में किस पोषक तत्व की अधिकता होती है?
A. विटामिन B. कार्बोहाइड्रेट
C. प्रोटीन D. वसा

10. अधिक पौष्टिक भोजन की आवश्यकता किन परिस्थितियों में होती है?
A. गर्भवती स्त्रियों को B. कठोर श्रम करने वालों को
C. वृद्धि कर रहे बच्चों को D. उपरोक्त सभी को

11. निम्नलिखित में मनुष्य के लिए उपयोगी पोषक तत्व हैं:
A. जल B. लोहा
C. वसा D. उपरोक्त सभी

12. एक वयस्क को प्रतिदिन कितने ग्राम प्रोटीन की आवश्यकता है?
A. 50 ग्राम B. 60 ग्राम
C. 80 ग्राम D. 100 ग्राम

13. एक वयस्क के लिए आवश्यक वसा है:
A. 20 ग्राम B. 40 ग्राम
C. 50 ग्राम D. 10 ग्राम

14. शैशवावस्था में सर्वाधिक आवश्यकता होती है:
A. प्रोटीन की B. वसा की
C. कार्बोहाइड्रेट की D. इन सभी की

15. स्वस्थ सुपोषित माताओं के शिशुओं का वजन कितना होता है?
A. 3.5 किग्रा. B. 2.5 किग्रा.
C. 4.5 किग्रा. D. 2.0 किग्रा.

16. हमारे भोजन में मुख्य रूप से होते हैं–
A. सैल्युलोस B. सुक्रोस
C. ग्लूकोस D. कार्बोहाइड्रेट

17. कार्बोहाइट्रेट पाचन के अन्तिम उत्पाद हैं–
A. ग्लूकोस, फ्रक्टोस, गैलेक्टोस
B. गैलेक्टोस, माल्टोस, फ्रक्टोस
C. माल्टोस, फ्रक्टोस, लैक्टोस
D. ग्लाइकोजन, ग्लूकोस, गैलेक्टोस

18. निम्न में से किस जन्तु में जिह्वा शरीर ताप नियन्त्रण में भाग लेती है?
A. गाय B. मनुष्य
C. कुत्ता D. खरगोश

19. शरीर में ग्लाइकोजन का संग्रह किया जाता है–
A. यकृत एवं पेशियों में B. प्लीहा एवं पेशियों में
C. केवल पेशियों में D. केवल यकृत कोशिकाओं में

20. निम्न में से कौन-सा आवश्यक अमीनो अम्ल है?
A. एलेनीन B. ग्लाइसीन
C. ट्रिप्टोफेन D. टायरोसीन

21. प्रोटीनों का प्रयोग होता है–
A. ऊर्जा उत्पादन में B. वृद्धि में
C. मरम्मत में D. वृद्धि तथा मरम्मत में

22. एन्जाइम क्रिया के समय एलोस्टीरिक संदमन होता है–
A. अंतिम उत्पाद के एकत्र हो जाने के कारण
B. क्रियाधार के कारण
C. वितरित क्रिया के कारण
D. क्रियाधार नष्ट हो जाने के कारण

23. रुधिर स्कंदन के लिए आवश्यक विटामिन है–
A. C B. D
C. K D. H

24. स्तनधारियों में काबोहाइड्रेट संचित रहते हैं–
A. यकृत में ग्लूकोस के रूप में
B. पेशियों तथा प्लीहा में ग्लाइकोजन के रूप में
C. पेशियों में लैक्टिक अम्ल के रूप में
D. यकृत तथा पेशियों में ग्लाइकोजन के रूप में

25. निम्न में से मोनोसैकेराइड है–
A. सेल्यूलोस B. काइटिन
C. सुक्रोस D. फ्रक्टोस

उत्तरमाला

1	2	3	4	5	6	7	8	9	10
D	A	D	B	A	A	A	D	B	D
11	12	13	14	15	16	17	18	19	20
D	B	A	A	A	D	A	C	A	C
21	22	23	24	25					
D	A	C	D	D					

★★★

मानसिक योग्यता
(MENTAL ABILITY)

1 अक्षर श्रृंखला
(Letter Series)

अक्षर श्रृंखला में निहित अक्षरों का एक निश्चित क्रम होता है। दी गई अक्षर श्रृंखला में अक्षर वर्णमाला के सीधे क्रम में भी हो सकते हैं और वर्णमाला के विपरीत क्रम में भी। यही नहीं, एक ही श्रृंखला में अक्षर वर्णमाला के सीधे क्रम में और वर्णमाला के विपरीत या उल्टे क्रम में अर्थात् दोनों ही अनुक्रमों में भी हो सकते हैं। श्रृंखला में दिए गए क्रम में कुछ अक्षर छोड़े भी गए हो सकते हैं या ऐसा भी हो सकता है कि श्रृंखला में कुछ अक्षरों को एकाधिक बार प्रयुक्त किया गया हो या फिर वे क्रमागत हों। श्रृंखला एकल भी हो सकती है और एक ही श्रृंखला में एकांतर क्रम में दो अलग-अलग श्रृंखलाएं भी निहित हो सकती हैं। अक्षर श्रृंखला पर आधारित प्रश्नों को हल करते समय श्रृंखला के पैटर्न पर ध्यान दिया जाना आवश्यक होता है।

वर्णमाला के सीधे क्रम में अक्षरों की श्रृंखला है :

A B C D E F G H I J K L M N O P Q R S T U V W X Y Z

A ↓ पहला, E ↓ 5वाँ, J ↓ 10वाँ, O ↓ 15वाँ, T ↓ 20वाँ, Y ↓ 25वाँ

वर्णमाला के विपरीत या उल्टे क्रम में अक्षरों की श्रृंखला है :

Z Y X W V U T S R Q P O N M L K J I H G F E D C B A

Z ↓ पहला, V ↓ 5वाँ, Q ↓ 10वाँ, L ↓ 15वाँ, G ↓ 20वाँ, B ↓ 25वाँ

टिप्पणी : Z पर पहुंच कर श्रृंखला A से पुनः शुरू होती है और A पर पहुंच कर श्रृंखला Z से पुनः शुरू होती है।

वस्तुनिष्ठ प्रश्न

निर्देश : *नीचे दी गई प्रत्येक श्रृंखला में अक्षरों का क्रम निर्धारित करें। तत्पश्चात् दिए गए विकल्पों में से उस विकल्प का चयन करें जिससे दी गई श्रृंखला में प्रश्न चिह्न प्रतिस्थापित होता हो।*

1. T T S R R Q P P O N ?
(*a*) M (*b*) L
(*c*) O (*d*) N

2. D K P ? B
(*a*) R (*b*) T
(*c*) W (*d*) Z

3. A F K P ?
(*a*) T (*b*) U
(*c*) W (*d*) X

4. C C C C D C ? E C
(*a*) D (*b*) C
(*c*) E (*d*) B

5. C A B F D E I G H ?
(*a*) J L K (*b*) J K L
(*c*) L K J (*d*) L J K

6. A L W B M X C N ?
(*a*) V (*b*) W
(*c*) Y (*d*) X

7. D H M S ?
(*a*) W (*b*) X
(*c*) Y (*d*) Z

8. U R P M K ?
(*a*) G (*b*) E
(*c*) H (*d*) F

9. A B F G K L ?
(*a*) P (*b*) M
(*c*) R (*d*) O

10. ADG, XVT, BEH, WUS, ?
(*a*) VTR (*b*) CFI
(*c*) DFJ (*d*) STU

11. GMSY, IOUA, KQWC, ?
(*a*) MSYE (*b*) NSYE
(*c*) MTYE (*d*) MSYF

12. ADG, GJM, ?, SVY
(*a*) MPS (*b*) MQR
(*c*) MQS (*d*) SPM

13. KNQ, TWZ, CFI, ?
(*a*) KOR (*b*) LOR
(*c*) MNQ (*d*) JLM

14. AEI, BFJ, CGK, ?
(*a*) DLH (*b*) EGF
(*c*) EFL (*d*) DHL

15. CFI, IKM, OPQ, ?
(*a*) UUU (*b*) UST
(*c*) VUS (*d*) TUV

16. LAZ, NEX, PIV, ?
(*a*) SLS (*b*) QNS
(*c*) RMT (*d*) RMS

17. DED, EFE, FGF, ?
(*a*) HGH (*b*) GHG
(*c*) EFE (*d*) FHF

18. XYZ, UVW, ?, OPQ
(*a*) RST (*b*) STU
(*c*) QRS (*d*) TUV

19. VCL, UEI, TGF, ?
(*a*) SJC (*b*) THI
(*c*) SIC (*d*) RHD

20. ABC, EFG, HIJ, ?
(*a*) IJK (*b*) KLM
(*c*) LMN (*d*) JKL

व्याख्यात्मक उत्तर

1. (*d*): शृंखला में विषम स्थान पर अवस्थित अक्षरों की पुनरावृत्ति होती है।

TT S RR Q PP O NN
↓ ↓ ↓ ↓
पहला स्थान तीसरा स्थान पाँचवाँ स्थान सातवाँ स्थान

2. (*c*): शृंखला के अक्षरों के बीच बारी-बारी से +7 और +5 का अंतर है।

D K P W B
+7 +5 +7 +5

(शृंखला Z पर पहुंचने के बाद A से पुन: शुरू होती है)

3. (*b*): शृंखला में दो सन्निकट अक्षरों के बीच +5 का अंतर है।

A F K P U
+5 +5 +5 +5

4. (*b*): शृंखला के अक्षर वर्णमाला के सीधे क्रम में हैं और प्रत्येक अक्षर दो C अक्षरों के बीच अवस्थित है।

C C C C D C C E C

5. (*d*): वर्णमाला के सीधे क्रम में 3 अक्षरों के समूह से एक खंड निर्मित होता है।

प्रत्येक खंड में 3 अक्षरों के समूह में पहला अक्षर बीच में है जिसकी दाहिनी ओर उसका क्रमागत अक्षर है तथा तीसरा क्रमागत अक्षर बीच के अक्षर की बायीं ओर अवस्थित है।

CAB FDE IGH LJK

6. (*c*): शृंखला में बारी-बारी से तीन शृंखलाएं अंतर्निहित हैं:

A L W B M X C N Y

शृंखला I : ABC
शृंखला II : LMN
शृंखला III : WXY

7. (*d*): शृंखला में दो सन्निकट अक्षरों के बीच अंतर में प्रत्येक चरण में एक की वृद्धि होती जाती है।

D H M S Z
+4 +5 +6 +7

8. (*c*): शृंखला के अक्षर वर्णमाला के विपरीत क्रम में हैं और दो सन्निकट अक्षरों के बीच बारी-बारी से –3 और –2 का अंतर है।

U R P M K H
–3 –2 –3 –2 –3

9. (*a*): शृंखला के अक्षर वर्णमाला के सीधे क्रम में हैं और अक्षरों के बीच बारी-बारी से +1 और +4 का अंतर है।

A B F G K L P
+1 +4 +1 +4 +1 +4

10. (*b*): शृंखला में बारी-बारी से दो शृंखलाएं अंतर्निहित हैं।

ADG XVT BEH WUS CFI

शृंखला I : ADG BEH CFI
+1 +1
+1 +1
+1 +1

शृंखला II : XVT WUS
–1
–1
–1

11. **(*a*):** अक्षरों के पहले समूह के प्रत्येक अक्षर को वर्णमाला के सीधे क्रम में दो चरण आगे बढ़ाने पर अक्षरों का दूसरा समूह प्राप्त होता है और शृंखला में इसी पैटर्न की आगे भी पुनरावृत्ति होती है।

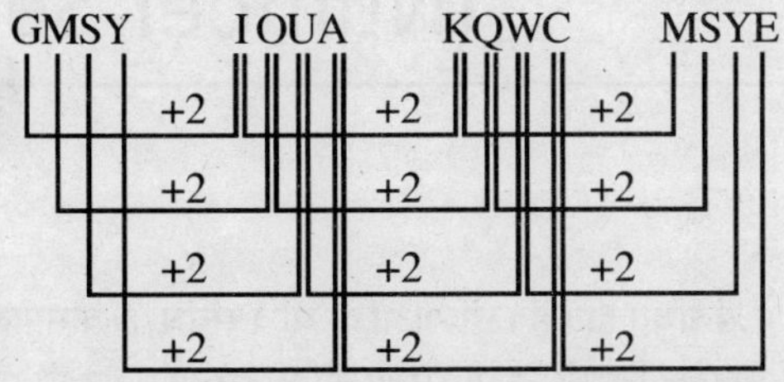

(शृंखला Z पर पहुंचने के बाद A से पुनः शुरू होती है)

12. **(*a*):** शृंखला में तीन अक्षरों के प्रत्येक समूह में दो अक्षरों के बीच +3 का अंतर है। शृंखला का अगला समूह पूर्ववर्ती समूह के अंतिम अक्षर से शुरू होता है।

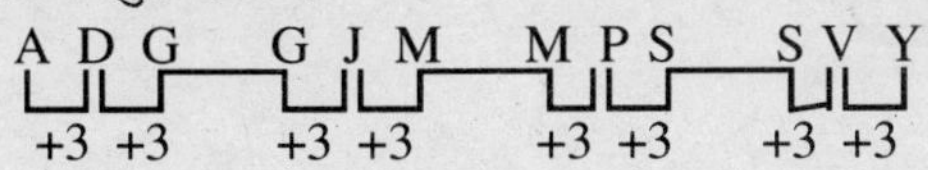

13. **(*b*):** शृंखला के अक्षर वर्णमाला के सीधे क्रम में हैं तथा दो सन्निकट अक्षरों के बीच +3 का अंतर है।

(शृंखला Z पर पहुंचने के बाद A से पुनः शुरू होती है)

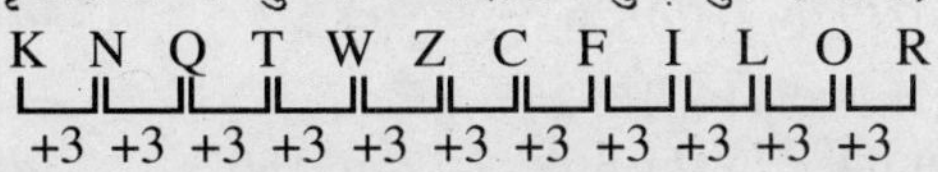

14. **(*d*):** शृंखला में दिए गए तीन अक्षरों के समूहों में पहले समूह के सभी तीनों अक्षरों को वर्णमाला के सीधे क्रम में +1 चरण आगे बढ़ाने पर तीन अक्षरों का दूसरा समूह प्राप्त होता है और यही क्रम आगे भी चलता है।

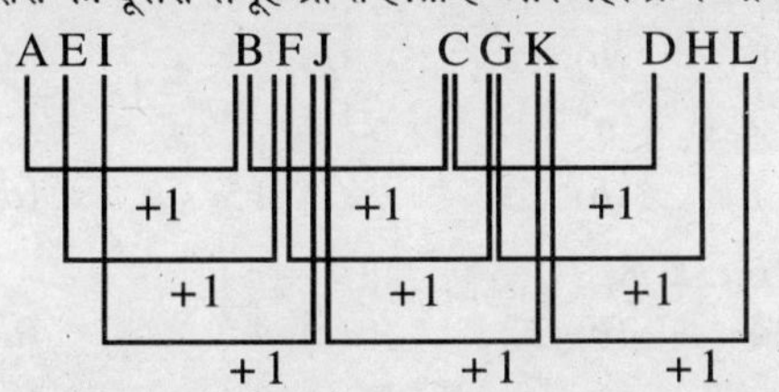

15. **(*a*):** शृंखला में तीन अक्षरों के पहले समूह के सभी तीनों अक्षरों को क्रमशः +6, +5, +4 चरण आगे बढ़ाने पर शृंखला का दूसरा अक्षर समूह प्राप्त होता है।

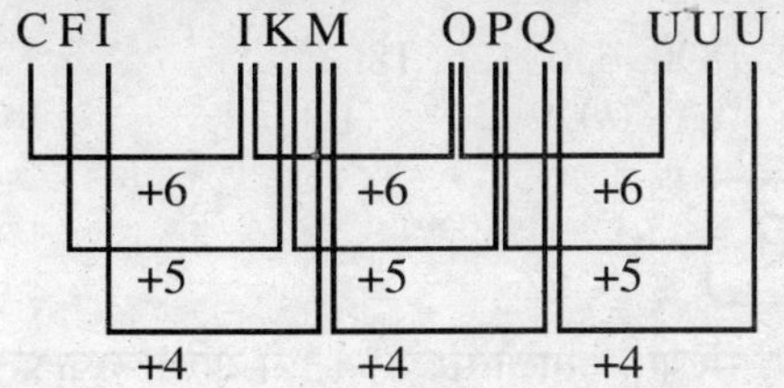

16. **(*c*):** शृंखला में तीन अक्षरों के एक समूह और उसके परवर्ती समूह के संगत अक्षरों में क्रमशः +2, +4, –2 का अंतर है।

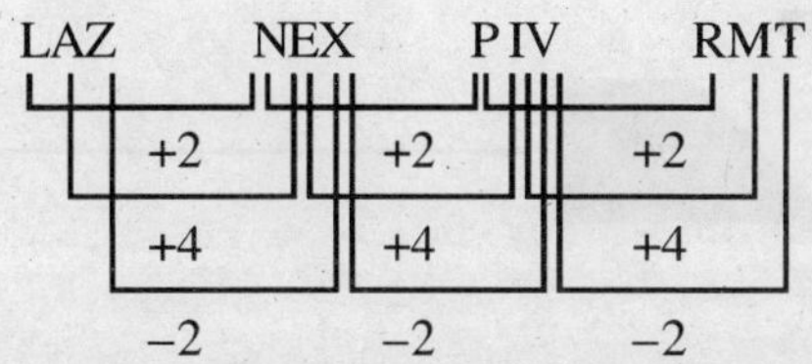

17. **(*b*):** एक समूह के अक्षरों और उसके अगले समूह के संगत अक्षरों के बीच वर्णमाला के सीधे क्रम में +1 का अंतर है।

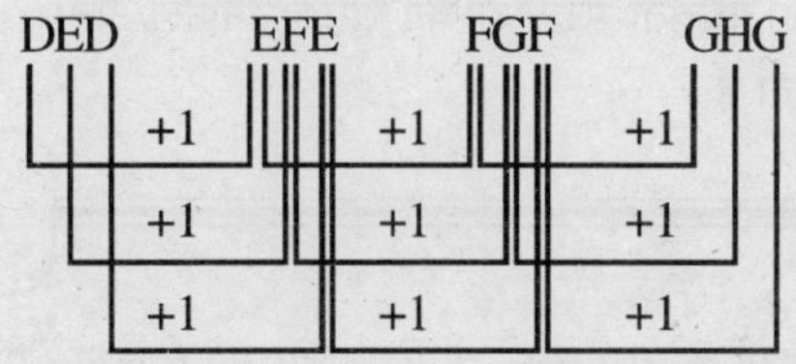

18. **(*a*):** एक समूह के अक्षरों और उसके अगले समूह के संगत अक्षरों के बीच वर्णमाला के विपरीत क्रम में –3 का अंतर है।

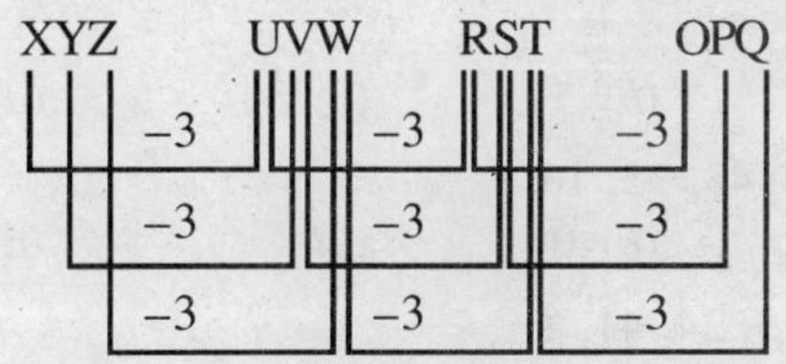

19. **(*c*):** शृंखला में तीन अक्षरों के एक समूह और उसके परवर्ती समूह के संगत अक्षरों में क्रमशः –1, +2, –3 का अंतर है।

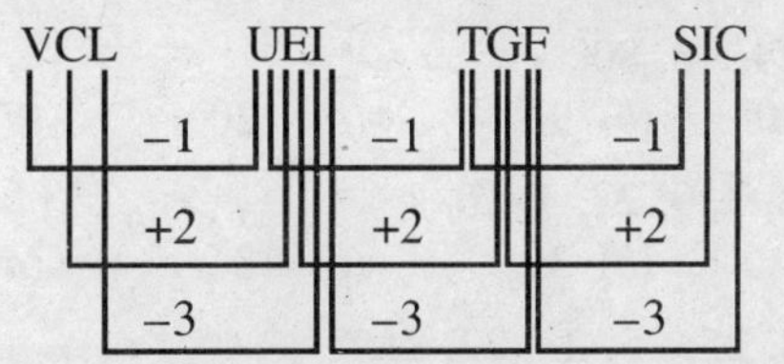

20. **(*d*):** तीन अक्षरों के पूर्ववर्ती समूह के अंतिम अक्षर और अगले अक्षर समूह के पहले अक्षर के बीच अंतर में क्रमशः 1 की कमी होती जाती है।

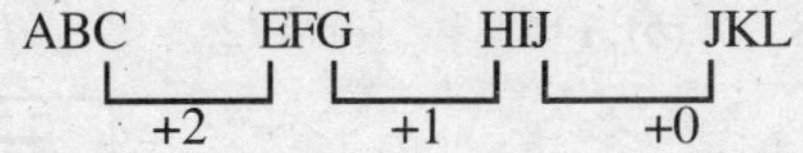

इसके अतिरिक्त प्रत्येक समूह के तीनों अक्षर वर्णमाला के सीधे क्रम में हैं।

★ ★ ★

2

संख्या श्रेणी (Number Series)

इस प्रकार की शृंखला में दी गई संख्याओं के समुच्चय एक-दूसरे से एक विशेष पैटर्न या रुप में संबंधित होते हैं। संख्याओं के बीच संबंध *(i)* क्रमागत विषम/सम संख्याओं; *(ii)* क्रमागत अविभाज्य संख्याओं; *(iii)* किसी संख्या (या संख्याओं) का वर्गफल/घनफल जिसमें किसी संख्या को जोड़ने या घटाने पर परिवर्तन होता है/नहीं होता; *(iv)* पूर्ववर्ती संख्याओं का योग/गुणनफल/अंतर; *(v)* किसी संख्या से योग/घटा/गुणा/भाग; और *(vi)* उपर्युक्त संबंधों के अनेक और भी संयोजनों पर आधारित होता है।

वस्तुनिष्ठ प्रश्न

निर्देश : *शृंखलाओं को पूरा करने के लिए दिए गए विकल्पों में से लुप्त पद/संख्या ज्ञात करें।*

1. 1, 8, 27, 64, 125, ?
(*a*) 172 (*b*) 176 (*c*) 216 (*d*) 189

2. 2, 3, 5, 7, 11, 13, ?
(*a*) 19 (*b*) 57 (*c*) 31 (*d*) 17

3. 80, 64, 48, 32, 16, ?
(*a*) 4 (*b*) 0 (*c*) 8 (*d*) 1

4. 3, 8, 13, 24, 41, ?
(*a*) 65 (*b*) 75 (*c*) 70 (*d*) 80

5. 9, 81, 90, 810, 819, ?
(*a*) 7371 (*b*) 900 (*c*) 8100 (*d*) 1638

6. 0, 8, 24, 48, 80, ?
(*a*) 110 (*b*) 96 (*c*) 120 (*d*) 140

7. 2, 4, 8, 3, 9, 27, 4, 16, ?
(*a*) 64 (*b*) 32 (*c*) 48 (*d*) 24

8. 27, 28, 25, 25, 23, 22, 21, ?
(*a*) 20 (*b*) 21 (*c*) 19 (*d*) 18

9. 80, 63, 72, 72, 64, 81, 56, ?
(*a*) 96 (*b*) 98 (*c*) 89 (*d*) 90

10. 0, 5, 22, 57, ?, 205
(*a*) 198 (*b*) 116 (*c*) 172 (*d*) 92

11. 19200, 1920, 240, 40, 10, ?
(*a*) 1 (*b*) 0 (*c*) 5 (*d*) 10

12. 1, 2, 1, 3, 2, 7, 13, ?
(*a*) 39 (*b*) 26 (*c*) 92 (*d*) 108

13. 2, 4, 4, 8, 16, 16, 256, ?
(*a*) 64 (*b*) 36 (*c*) 180 (*d*) 32

14. 3, 6, 9, 36, 27, 216, 81, ?
(*a*) 1296 (*b*) 648 (*c*) 243 (*d*) 1944

15. 19, 4, 14, 7, 10, 11, 7, ?
(*a*) 16 (*b*) 15 (*c*) 17 (*d*) 23

16. 1, 2, 3, 5, 8, ?
(*a*) 11 (*b*) 13 (*c*) 15 (*d*) 9

17. 64, 16, 32, 8, ?
(*a*) 24 (*b*) 32 (*c*) 4 (*d*) 16

18. 2, 3, 5, 10, 20, 40, ?
(*a*) 65 (*b*) 75 (*c*) 60 (*d*) 80

19. 3, 15, 90, 630, 5040, ?
(*a*) 35280 (*b*) 40320 (*c*) 45360 (*d*) 10080

20. 1890, 1890, 630, 126, 18, ?
(*a*) 6 (*b*) 9 (*c*) 2 (*d*) 3

व्याख्यात्मक उत्तर

1. ***(c)*:** इस शृंखला में संख्याएं 1 से आरंभ हो कर क्रमागत संख्याओं का घनफल हैं।

2. ***(d)*:** शृंखला की संख्याएं वर्धमान क्रम में अविभाज्य संख्याएं (prime numbers) हैं।

3. ***(b)*:** शृंखला की संख्याओं में प्रत्येक चरण में 16 की कमी होती जाती है।

4. ***(c)*:** शृंखला में निम्नलिखित पैटर्न का अनुपालन किया जाता है : (दी गई संख्या + अगली संख्या) +2 से आरंभ करके प्रत्येक चरण में 1 की वृद्धि करते हुए क्रमागत प्राकृतिक संख्या का योग :

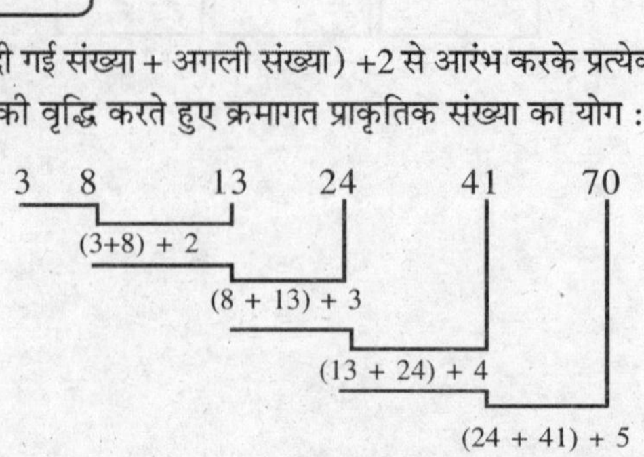

5 **(a):** शृंखला में पहली संख्या को 9 से गुणा करने पर दूसरी संख्या प्राप्त होती है और दूसरी संख्या में 9 जोड़ने पर तीसरी संख्या प्राप्त होती है। तत्पश्चात् आगामी संख्याओं के लिए इसी पैटर्न का अर्थात् $\times 9, + 9$ के पैटर्न का अनुपालन किया जाता है।

6. (c): शृंखला की संख्याएं प्राकृतिक क्रम में दो सम संख्याओं का गुणनफल हैं, अर्थात्

0	8	24	48	80	120
↓	↓	↓	↓	↓	↓
(0 × 2)	(2 × 4)	(4 × 6)	(6 × 8)	(8 × 10)	(10 × 12)

7. (a): इस शृंखला में 3 संख्याओं से एक समुच्चय निर्मित होता है जिनमें से प्रत्येक समुच्चय की पहली संख्याएं प्राकृतिक क्रम में हैं तथा प्रत्येक समुच्चय की दूसरी संख्या पहली संख्या का वर्ग है तथा तीसरी संख्या पहली संख्या का घन है।

8. (c): शृंखला में बारी-बारी से दो शृंखलाएं अंतर्निहित हैं :

−2 −2 −2
27 28 25 25 23 22 21 19
−3 −3 −3

शृंखला I : 27, 25, 23, 21 (शृंखला–2 पैटर्न का अनुपालन करती है)
शृंखला II : 28, 25, 22, 19 (शृंखला–3 पैटर्न का अनुपालन करती है)

9. (d): शृंखला में बारी-बारी से दो शृंखलाएं अंतर्निहित हैं :

−8 −8 −8
80 63 72 72 64 81 56 90
+9 +9 +9

शृंखला I : 80, 72, 64, 56 (शृंखला –8 का अनुपालन करती है)
शृंखला II : 63, 72, 81, 90 (शृंखला +9 पैटर्न का अनुपालन करती है)

10. (b): शृंखला निम्नलिखित पैटर्न का अनुपालन करती है :
1 से आरंभ करके प्राकृतिक संख्याओं का घनफल घटा 1 से आरंभ करके एकांतर विषम संख्याएं

0	5	22	57	116	205
↓	↓	↓	↓	↓	↓
1^3-1	2^3-3	3^3-5	4^3-7	5^3-9	6^3-11

11. (c): शृंखला में पहली संख्या को 10 से आरंभ करके घटते हुए क्रम में सम संख्याओं से भाग देने पर अगली संख्या प्राप्त होती है।

19200 1920 240 40 10 5
÷10 ÷8 ÷6 ÷4 ÷2

12. (c): शृंखला में आरंभिक दो संख्याओं के गुणनफल में बारी-बारी से –1 और +1 करने पर आगामी संख्या प्राप्त होती है।

1 2 1 3 2 7 13 92
(1 × 2) –1
(2 × 1) +1
(1 × 3) –1
(3 × 2) +1
(2 × 7) –1
(7 × 13) +1

13. (d): शृंखला में बारी-बारी से दो शृंखलाएं अंतर्निहित हैं :

×2 ×4 ×16
2 4 4 8 16 16 256 32
×2 ×2 ×2

14. (a): शृंखला में बारी-बारी से दो शृंखलाएं अंतर्निहित हैं :

×3 ×3 ×3
3 6 9 36 27 216 81 1296
×6 ×6 ×6

15. (a): शृंखला में बारी-बारी से दो शृंखलाएं अंतर्निहित हैं :

−5 −4 −3
19 4 14 7 10 11 7 16
+3 +4 +5

16. (b): शृंखला की संख्याएं अपनी पूर्ववर्ती दो संख्याओं का योगफल हैं।

1 2 3 5 8 13
(1+2)
(2+3)
(3+5)
(5+8)

17. (d): शृंखला में बारी-बारी से दो शृंखलाएं अंतर्निहित हैं तथा प्रत्येक शृंखला में पूर्ववर्ती संख्या को 2 से भाग करने पर अगली संख्या प्राप्त होती है।

÷ 2 ÷ 2
64 16 32 8 16
÷ 2

18. (d): शृंखला में अंतर्निहित कोई भी संख्या अपनी पूर्ववर्ती सभी संख्याओं का योगफल है।

2 3 5 10 20 40 80
(2+3)
(2+3+5)
(2+3+5+10)
(2+3+5+10+20)
(2+3+5+10+20+40)

19. (c): शृंखला में ×5, ×6, ×7, ×8, ×9 पैटर्न का अनुपालन किया गया है।

3 15 90 630 5040 45360
×5 ×6 ×7 ×8 ×9

20. (c): शृंखला की आनुक्रमिक संख्याएं 1 से आरंभ करके क्रमशः बढ़ते हुए क्रम में विषम संख्याओं से भाग देने पर प्राप्त होती हैं।

1890 1890 630 126 18 2
÷ 1 ÷ 3 ÷ 5 ÷ 7 ÷ 9

★ ★ ★

3 सांकेतिक भाषा परीक्षण (Coding-Decoding)

कोडिंग से तात्पर्य किसी संदेश को एन्क्रिप्ट करने की प्रक्रिया से है, जो आमतौर पर प्रेषक द्वारा की जाती है, जबकि डिकोडिंग मूल जानकारी को पुनः प्राप्त करने के लिए संदेश की व्याख्या करने की प्रक्रिया है, जो आमतौर पर प्राप्तकर्ता द्वारा की जाती है।

वस्तुनिष्ठ प्रश्न

1. यदि किसी निश्चित भाषा में, SPACE को TQBDF के रूप में कोडित किया जाता है तो उस कोड में PURSE को कैसे कोडित किया जाएगा?

(*a*) QTSRF (*b*) OVQTD
(*c*) QVSTF (*d*) ESRUP

2. यदि PLANE को किसी निशचित भाषा में OKZMD के रूप में कोडित किया जाता है, तो TRAIN को कैसे कोडित किया जाएगा?

(*a*) SQZHM (*b*) UQBHO
(*c*) SQZJM (*d*) USBJM

3. किसी निश्चित भाषा में GAMBLE को FBLCKF के रूप में कोडित किया जाता है, उस कोड में FLOWER को कैसे कोडित किया जाएगा?

(*a*) GKPVFQ (*b*) EMNXDS
(*c*) GMPVDS (*d*) HNQYGT

4. यदि किसी निश्चित भाषा में CURTAIN को CAITURN के रूप में कोडित किया जाता है, तो उस कोड में HILLOCK को कैसे कोडित किया जाएगा?

(*a*) HOCLILK (*b*) HCOLLIK
(*c*) HKLIOC (*d*) HOLLICK

5. यदि किसी निश्चित भाषा में BLEMISH को AODPHVG के रूप में कोडित किया जाता है, तो उस कोड में CHAPTER को कैसे कोडित किया जाएगा?

(*a*) DEBOVTDR (*b*) BKZSSHQ
(*c*) CAHTPRE (*d*) BGAQMFP

6. यदि किसी निश्चित भाषा में KINDLE को ELDNIK के रूप में कोडित किया जाता है, तो उस कोड में EXOTIC को कैसे कोडित किया जाएगा?

(*a*) EXOTLC (*b*) CXOTIE
(*c*) COXITE (*d*) CITOXE

7. यदि किसी निश्चित भाषा में CASUAL को GEWYEP के रूप में कोडित किया जाता है, तो उस कोड में PEOPLE को कैसे कोडित किया जाएगा?

(*a*) SHRSOH (*b*) TISTPI
(*c*) SIRTOI (*d*) THSTOI

8. यदि किसी निश्चित भाषा में SALE को PAIE के रूप में कोडित किया जाता है, तो उस कोड में CASUAL को कैसे कोडित किया जाएगा?

(*a*) BARUZK (*b*) FAVUDL
(*c*) CBSVAM (*d*) ZAPUXL

9. यदि किसी निश्चित भाषा में HUNTER को UHNTRE के रूप में कोडित किया जाता है, तो उस कोड में MANAGE को कैसे कोडित किया जाएगा?

(*a*) MAANGE (*b*) MNAAEG
(*c*) AMNAEG (*d*) EGNAAM

10. यदि RAMAYANA को AMARANAY के रूप में कोडित किया जाता है, तो TULSIDAS को कैसे लिखा जाएगा?

(*a*) SLUTSADI (*b*) UTSLIDSA
(*c*) SADISLUT (*d*) SADITULS

11. यदि CANOE को IFRRG के रूप में कोडित किया जाता है, तो उस कोड में MUSIC को कैसे लिखा जाएगा?

(*a*) NWVNI (*b*) MWVMH
(*c*) NTULB (*d*) SZWLE

12. यदि FRIEND को HUMJTK के रूप में कोडित किया जाता है, तो उस कोड में CANDLE को कैसे लिखा जाएगा?

(*a*) EDRIRL (*b*) DCQHQK
(*c*) FROBOC (*d*) ESJFME

13. यदि ADVENTURE को ERUTNEVDA के रूप में कोडित किया जाता है, तो उस कोड में GREEN को कैसे लिखा जाएगा?

(*a*) NEERG (*b*) ENEGR
(*c*) GEREN (*d*) NEEGR

14. यदि CAB को WUV के रूप में कोडित किया जाता है, तो उसी भाषा में DEAF को कैसे कोडित किया जाएगा?

(*a*) XYUZ (*b*) UWYV
(*c*) XWUY (*d*) UYXZ

15. यदि किसी निश्चित भाषा में KNIFE को IFEKN के रूप में कोडित किया जाता है, तो उस भाषा में DOCTOR को कैसे कोडित किया जाएगा?

(*a*) ROTCOD (*b*) TORDOC
(*c*) CTORDO (*d*) CODTOR

16. यदि TRAIN को WUDLQ के रूप में लिखा जाता है, तो BUS को .... के रूप में लिखा जाएगा।

(*a*) EXU (*b*) DWU
(*c*) EXV (*d*) VXE

17. यदि RDGSE को SEHTF के रूप में कोडित किया जाता है, तो QONUP को कैसे कोडित किया जाएगा?

(*a*) RPOVQ (*b*) RNOVQ
(*c*) RPMWQ (*d*) RPOVO

18. यदि STATEMENT को TNEMETATS के रूप में कोडित किया जाता है, तो POLITICAL को इस प्रकार कोडित किया जाएगा :

(*a*) LACITILOP (*b*) LCATILIOP
(*c*) OPILITACL (*d*) LACITIPOL

19. यदि किसी निश्चित कोड में MBS को ODU के रूप में कोडित किया जाता है, तो BRL को किस प्रकार कोडित किया जाएगा?

(*a*) DTN (*b*) DUN
(*c*) CSM (*d*) CTN

20. किसी कोड में, 'BOMBAY' को 'CNNABX' के रूप में कोडित किया जाता है, तो 'DELHI' का कोड क्या होगा?

(*a*) EDMJG (*b*) GMDEJ
(*c*) DEGMJ (*d*) EDMGJ

21. किसी निश्चित कोड में, RIPPLE को 613382 के रूप में लिखा जाता है और LIFE को 8192 के रूप में लिखा जाता है। उस कोड में PILLER को किस प्रकार लिखा जाएगा?

(*a*) 318826 (*b*) 318286
(*c*) 618826 (*d*) 328816

22. यदि ROSE को 6821, CHAIR को 73456 और PREACH को 961473 लिखा जाता है, तो SEARCH का कोड क्या होगा?

(*a*) 246173 (*b*) 214673
(*c*) 214763 (*d*) 216473

23. यदि किसी निश्चित कोड में TWENTY को 863985 और ELEVEN को 323039 लिखा जाता है, तो उस कोड में TWELVE को कैसे लिखा जाएगा?

(*a*) 863203 (*b*) 863584
(*c*) 863903 (*d*) 863063

24. यदि GIVE को 5137 और BAT को 924 लिखा जाता है, तो GATE को कैसे लिखा जाएगा?

(*a*) 5427 (*b*) 5724
(*c*) 5247 (*d*) 2547

25. यदि PALE को 2134 और EARTH को 41590 लिखा जाता है, तो उस कोड में PEARL को कैसे लिखा जाएगा?

(*a*) 29530 (*b*) 24153
(*c*) 25413 (*d*) 25430

26. यदि किसी निश्चित कोड में DEAF को 3587 और FILE को 7465 लिखा जाता है, तो IDEAL को किस प्रकार लिखा जाएगा?

(*a*) 43568 (*b*) 43586
(*c*) 63548 (*d*) 48536

27. यदि 'WAY' को 679, 'MAY' को 579, तो 'YAW' को किस प्रकार लिखा जाएगा :

(*a*) 976 (*b*) 769
(*c*) 679 (*d*) 579

28. यदि किसी निश्चित भाषा में 'PARROT' को '123345' और 'SOAT' को '6425' लिखा जाता है, तो उस कोड में 'ROAST' को किस प्रकार लिखा जाएगा?

(*a*) 34625 (*b*) 32564
(*c*) 32456 (*d*) 34265

29. यदि 'J' को '20' और 'BAT' को '46' के रूप में कोडित किया जाता है, तो 'CRICKET' को किस प्रकार कोडित किया जाएगा?

(*a*) 140 (*b*) 142
(*c*) 138 (*d*) 158

30. यदि 'आँख' को 'हाथ', 'हाथ' को 'मुँह', 'मुँह' को 'कान', 'कान' को 'नाक' और 'नाक' को 'जीभ' कहा जाता है, तो निम्न में से किससे व्यक्ति सुनेगा?

(*a*) मुँह (*b*) नाक
(*c*) कान (*d*) जीभ

व्याख्यात्मक उत्तर

1. **(*c*)**: दिए गए शब्द के प्रत्येक अक्षर को उसके कोड का अगला अक्षर प्राप्त करने के लिए एक कदम आगे बढ़ाया जाता है।

2. **(*a*)**: वर्णमाला में दिए गए शब्द के प्रत्येक अक्षर से पहले आने वाले अक्षर को उसके कोड का अगला अक्षर माना जाता है।

3. **(*b*)**: वर्णमाला में दिए गए शब्द के पहले, तीसरे और पांचवें अक्षर से पहले आने वाले अक्षर और वर्णमाला में शब्द के दूसरे, चौथे और अंतिम अक्षर के बाद आने वाले अक्षर कोड बनाते हैं।

4. **(*a*)**: कोड में, शब्द के पहले, मध्य और अंतिम अक्षर को समान रखा जाता है। पहले और मध्य अक्षर के बीच के दो अक्षरों को मध्य और अंतिम अक्षर के बीच के दो अक्षरों से बदल दिया जाता है और इसके विपरीत। साथ ही, दो अक्षरों में से प्रत्येक की आपसी व्यवस्था उलट दी जाती है।

5. **(*b*)**: कोड में, विषम स्थानों पर अक्षर शब्द में संबंधित अक्षरों से एक स्थान पहले और विषम स्थानों पर अक्षर तीन स्थान आगे होते हैं।

6. **(*d*)**: कोड में, शब्द में अक्षरों की व्यवस्था पूरी तरह उलट दी जाती है।

7. **(*b*)**: कोड में, प्रत्येक अक्षर शब्द में संगत अक्षरों के बाद चौथा अक्षर है।

8. **(*d*):** कोड में, सम स्थानों पर अक्षर समान हैं जबकि विषम स्थानों पर अक्षर शब्द में संगत अक्षर से तीन स्थान पहले हैं।

9. **(*c*):** कोड में, बीच के दो अक्षरों को अपरिवर्तित रखा गया है, जबकि दोनों तरफ के दो अक्षरों को क्रम में परस्पर उलट दिया गया है।

10. **(*a*):** कोड में, पहले चार अक्षर व्यवस्था में उलटे हैं और अंतिम चार अक्षर व्यवस्था में उलटे हैं।

11. **(*d*):** कोड में, पहला अक्षर वर्णमाला का छठा अक्षर है, दूसरा अक्षर वर्णमाला का पाँचवाँ अक्षर है, तीसरा अक्षर वर्णमाला का चौथा अक्षर है और इसी तरह शब्द में संगत अक्षर के बाद आगे बढ़ता है।

12. **(*a*):** कोड में, पहला अक्षर दूसरा अक्षर है, दूसरा अक्षर वर्णमाला का तीसरा अक्षर है, तीसरा अक्षर वर्णमाला का चौथा अक्षर है और इसी तरह, शब्द में संगत अक्षर के बाद आगे बढ़ता है।

13. **(*a*):** कोड में, पहला और अंतिम अक्षर, दूसरा और दूसरा अंतिम अक्षर, तीसरा और तीसरा अंतिम अक्षर इत्यादि परस्पर प्रतिस्थापित किए जाते हैं।

14. **(*a*):** कोड में प्रत्येक अक्षर शब्द में संबंधित अक्षर के बाद बीसवाँ अक्षर है।

15. **(*c*):** शब्द के अंतिम तीन अक्षर कोड में पहले तीन स्थानों पर वैसे ही रखे गए हैं जैसे वे हैं। शेष अक्षरों को उनकी पारस्परिक व्यवस्था को अपरिवर्तित रखते हुए आगे की ओर स्थानांतरित किया जाता है।

16. **(*c*):** दिया गया है,

T	R	A	I	N
+3 ↓	+3 ↓	+3 ↓	+3 ↓	+3 ↓
W	U	D	L	Q

इसी प्रकार,

B	U	S
+3 ↓	+3 ↓	+3 ↓
E	X	V

17. **(*a*):** दिया गया है,

R	D	G	S	E
+1 ↓	+1 ↓	+1 ↓	+1 ↓	+1 ↓
S	E	H	T	F

इसी प्रकार,

Q	O	N	U	P
+1 ↓	+1 ↓	+1 ↓	+1 ↓	+1 ↓
R	P	O	V	Q

18. **(*a*):** शब्द के अक्षर उल्टे क्रम में लिखे गए हैं।

19. **(*a*):** दिया गया है,

M	B	S
+2 ↓	+2 ↓	+2 ↓
O	D	U

इसी प्रकार,

B	R	L
+2 ↓	+2 ↓	+2 ↓
D	T	N

20. **(*d*):** दिया गया है,

B	O	M	B	A	Y
+1 ↓	-1 ↓	+1 ↓	-1 ↓	+1 ↓	-1 ↓
C	N	N	A	B	X

इसी प्रकार,

D	E	L	H	I
+1 ↓	-1 ↓	+1 ↓	-1 ↓	+1 ↓
E	D	M	G	J

21. **(*a*):** अक्षरों को दिखाए अनुसार कोडित किया गया है, अर्थात P को 3, I को 1, L को 8, E को 2 और R को 6। इसलिए, PILLER को 318826 के रूप में कोडित किया गया है।

22. **(*b*):** अक्षरों को दिखाए अनुसार कोडित किया गया है, अर्थात S को 2, E को 1, A को 4, R को 6, C को 7 और H को 3. इसलिए, SEARCH को 214673 के रूप में कोडित किया गया है।

23. **(*a*):** अक्षरों को दिखाए अनुसार कोडित किया गया है, अर्थात T को 8, W को 6, E को 3, L को 2 और V को 0। इसलिए, TWELVE को 863203 के रूप में कोडित किया गया है।

24. **(*c*):** अक्षरों को दिखाए अनुसार कोडित किया गया है, अर्थात, G को 5, A को 2, T को 4 और E को 7। इसलिए, GATE को 5247 के रूप में कोडित किया गया है।

25. **(*b*):** अक्षरों को दिखाए अनुसार कोडित किया गया है, अर्थात P को 2, E को 4, A को 1, R को 5 और L को 3 के रूप में कोडित किया गया है। इसलिए, PEARL को 24153 के रूप में कोडित किया गया है।

26. **(*b*):** कोड DEAF को 3587 के रूप में लिखा गया है और FILE को 7465 के रूप में लिखा गया है

$\therefore$ IDEAL को 43586 के रूप में लिखा जाएगा

क्योंकि, I = 4, D = 3, E = 5, A = 8, L = 6

27. **(*a*):** दिया गया है,

'WAY' को 679 के रूप में कोडित किया गया है।

'MAY' को 579 के रूप में कोडित किया गया है

$\therefore$ W = 6, A = 7, Y = 9, M = 5.

$\therefore$ 'YAW' को 976 के रूप में कोडित किया जाएगा।

28. **(*d*):** दिया गया है,

P	A	R	R	O	T
↓	↓	↓	↓	↓	↓
1	2	3	3	4	5

और

S	O	A	T
↓	↓	↓	↓
6	4	2	5

इसी प्रकार,

R	O	A	S	T
↓	↓	↓	↓	↓
3	4	2	6	5

अतः, कोड में ROAST को 34265 लिखा जाएगा।

29. **(*c*):** J = 10 × 2 = 20; BAT = 2 + 1 + 20 = 23 × 2 = 46

इसी प्रकार, CRICKET = 3 + 18 + 9 + 3 + 11 + 5 + 20 = 69 × 2 = 138

30. **(*b*):** व्यक्ति अपने 'कान' से सुनता है। लेकिन दी गई जानकारी के अनुसार, 'कान' को 'नाक' कहा जाता है। इसलिए, व्यक्ति नाक से सुनेगा।

★ ★ ★

4

दिशा-ज्ञान परीक्षण
(Direction Sense Test)

इस प्रकार के प्रश्न अभ्यर्थियों की सही दिशा-निर्देशों को समझने की योग्यता की जांच करने हेतु पूछे जाते हैं। ऐसे प्रश्न दिशा-चार्ट पर आधारित होते हैं :

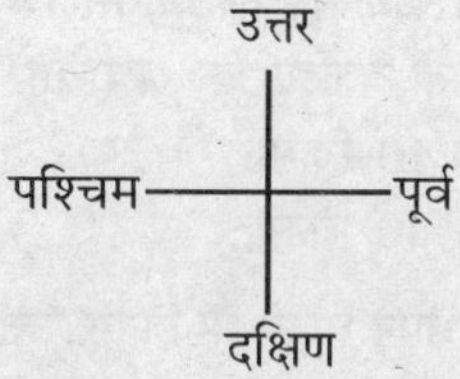

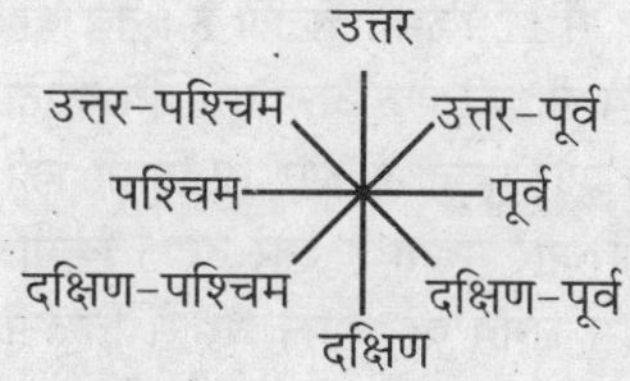

विभिन्न दिशाओं का बोध बाएं या दाएं मोड़ या कोणीय मोड़ों द्वारा निर्देशित होता है।

वस्तुनिष्ठ प्रश्न

निर्देश : *नीचे के प्रत्येक प्रश्न में सही दिशा/दूरी दर्शाने के लिए दिए गए विकल्पों से सही उत्तर का चयन करें।*

1. किट्टू पहले पूर्व दिशा में चलता है और तब दक्षिण दिशा में चलता है। दक्षिण दिशा में कुछ दूरी तय करने के बाद वह पश्चिम दिशा में मुड़ जाता है और तब अपने बाएं मुड़ जाता है। अब वह किस दिशा में चल रहा है?

(*a*) उत्तर (*b*) दक्षिण
(*c*) पूर्व (*d*) पश्चिम

2. एक व्यक्ति पश्चिम दिशा में अपनी गाड़ी चला रहा है। वह दक्षिण दिशा में चले इसके लिए उसे निम्नलिखित में से कौन-से मोड़ मुड़ने चाहिए?

(*a*) बायीं ओर, दायीं ओर, दायीं ओर
(*b*) दायीं ओर, दायीं ओर, बायीं ओर
(*c*) बायीं ओर, बायीं ओर, बायीं ओर
(*d*) दायीं ओर, दायीं ओर, दायीं ओर

3. ऋचा अपनी गाड़ी से दक्षिण दिशा में 8 किमी. आगे चलकर बायीं ओर मुड़ जाती है और 5 किमी. आगे चलती है। वहां वह एक बार फिर से बायीं ओर मुड़कर 8 किमी. आगे चलती है। अब वह अपने शुरु के स्थान से कितनी दूरी पर है?

(*a*) 3 किमी. (*b*) 5 किमी.
(*c*) 8 किमी. (*d*) 13 किमी.

4. डिंगी अपनी गाड़ी से उत्तर की ओर 40 किमी. की दूरी तय करती है, वहां वह दायीं ओर मुड़कर 50 किमी. आगे जाती है जहां वह एक बार फिर से दायीं ओर मुड़कर 30 किमी. आगे जाती है, और तब फिर से दायीं ओर मुड़कर 50 किमी. और आगे जाती है। यहां वह अपने आरंभिक बिंदु से कितनी दूरी पर है?

(*a*) 90 किमी. (*b*) 50 किमी.
(*c*) 10 किमी. (*d*) 5 किमी.

5. देबू पहले पूर्व की ओर और तब उत्तर की ओर चलता है तथा वहां वह 45° दायें मुड़कर कुछ देर आगे चलता है और अंततः बायीं ओर मुड़ जाता है। अब वह किस दिशा में चल रहा है?

(*a*) उत्तर (*b*) पूर्व
(*c*) दक्षिण-पूर्व (*d*) उत्तर-पश्चिम

6. यदि उत्तर का उत्तर-पश्चिम, उत्तर-पश्चिम का पश्चिम, पश्चिम का दक्षिण-पश्चिम और इसी प्रकार अन्य दिशाओं का भी नामकरण किया जाए तो दक्षिण पूर्व को क्या कहा जाएगा?

(*a*) पूर्व (*b*) पश्चिम
(*c*) उत्तर-पूर्व (*d*) दक्षिण-पूर्व

7. मैं अपने घर से उत्तर दिशा में 15 मीटर चला, तब पश्चिम दिशा में मुड़कर 10 मीटर और आगे चला, यहां दक्षिण दिशा में मुड़कर मैंने 5 मीटर की एक अन्य दूरी तय की और तब पूर्व की ओर मुड़कर 10 मीटर की दूरी तय की। बताइए कि मैं अपने आरंभिक स्थान से किस दिशा में हूँ?

(*a*) पूर्व (*b*) पश्चिम
(*c*) उत्तर (*d*) दक्षिण

8. मैं अपने घर से उत्तर दिशा में चला और तब बायीं ओर मुड़ गया। अब कुछ देर तक आगे चलने के बाद मैं फिर से बायीं ओर मुड़ा और तब दायीं ओर मुड़ गया। बाद में आगे चलते हुए मैं बायीं

ओर और एक बार फिर से बायीं ओर मुड़ा। बताइए कि अब मैं किस दिशा में चल रहा हूँ?

(*a*) उत्तर (*b*) दक्षिण
(*c*) पूर्व (*d*) पश्चिम

9. राज पश्चिम दिशा में चल रहा है। वह आगे चलते हुए अपने दाएं, फिर दाएं और तब बाएं, हर बार 45° के कोण पर मुड़ा। बताइए कि अब वह किस दिशा में चल रहा है?

(*a*) उत्तर-पूर्व (*b*) दक्षिण-पूर्व
(*c*) पूर्व (*d*) पश्चिम

10. जतिन अपने घर से उत्तर दिशा में 12 किमी. चलता है। तब वह अपनी दायीं ओर मुड़कर 12 किमी. की एक अन्य दूरी तय करता है। वह एक बार फिर से दायीं ओर मुड़ता है और 12 किमी. की एक अन्य दूरी तय करके बायीं ओर मुड़ता है ओर तब 5 किमी. आगे चलता है। बताइए कि इस समय वह अपने घर से कितनी दूरी पर है और किस दिशा में है?

(*a*) 7 किमी., पूर्व दिशा (*b*) 10 किमी., पूर्व दिशा
(*c*) 17 किमी., पूर्व दिशा (*d*) 24 किमी., पूर्व दिशा

11. एक महिला उत्तर दिशा में 12 किमी. चलती है, तब वह दक्षिण दिशा में 6 किमी. चलती है और तत्पश्चात् पूर्व दिशा में 8 किमी. चलती है। इस समय वह अपने आरंभिक बिंदु से कितनी दूरी पर है और किस दिशा में चल रही है?

(*a*) 5 किमी., उत्तर-पूर्व (*b*) 5 किमी., पूर्व
(*c*) 10 किमी., उत्तर-पूर्व (*d*) 10 किमी., पश्चिम

12. दिव्या पूर्व दिशा में 10 किमी. की यात्रा करती है, और तब दक्षिण-पश्चिम दिशा में 10 किमी. की यात्रा करती है। वह एक बार फिर से मुड़कर उत्तर-पश्चिम दिशा में 10 किमी. चलती है। बताइए कि अब वह अपने आरंभिक बिंदु से किस दिशा में चल रही है?

(*a*) दक्षिण (*b*) उत्तर
(*c*) पश्चिम (*d*) पूर्व

13. मनु अपने घर से उत्तर दिशा में 40 किमी. चलती है, फिर दाएं मुड़कर 80 किमी. आगे जाती है जहां वह एक बार फिर से दाएं मुड़कर 30 किमी. आगे चलती है। अंत में वह एक बार फिर से दाएं मुड़ती है और इस मार्ग पर वह 80 किमी. आगे की यात्रा करती है। यदि यहां से वह सीधे 50 किमी. आगे बढ़ती है और तब बाएं मुड़कर अंतिम 10 किमी. की एक और दूरी तय करती हो तो बताइए कि अब वह अपने घर से कितनी दूरी पर है?

(*a*) 10 किमी. (*b*) 30 किमी.
(*c*) 40 किमी. (*d*) 50 किमी.

14. मैं अपने घर से 18 किमी. उत्तर की ओर चलता हूं और तब बाईं ओर मुड़कर 4 किमी. की एक अन्य दूरी तय करता हूं जहां से दायीं ओर मुड़कर मैं 12 किमी. की एक अन्य दूरी तय करता हूं। बताइए कि इस समय मैं अपने घर से कितनी दूरी पर और किस दिशा में हूं?

(*a*) 8 किमी. उत्तर (*b*) 10 किमी. पश्चिम
(*c*) 16 किमी. दक्षिण (*d*) 34 किमी. उत्तर

15. रवि अपनी गाड़ी से पश्चिम दिशा में 12 किमी. जाता है। वहां वह दक्षिण दिशा में मुड़कर 3 किमी. आगे की यात्रा करता है, जहां वह पूर्व दिशा में मुड़कर 8 किमी. की यात्रा करता है। बताइए कि इस समय वह अपने आरंभिक बिंदु से कितनी दूरी पर है?

(*a*) 3 किमी. (*b*) 5 किमी.
(*c*) 7 किमी. (*d*) 11 किमी.

व्याख्यात्मक उत्तर

1. (***b***):

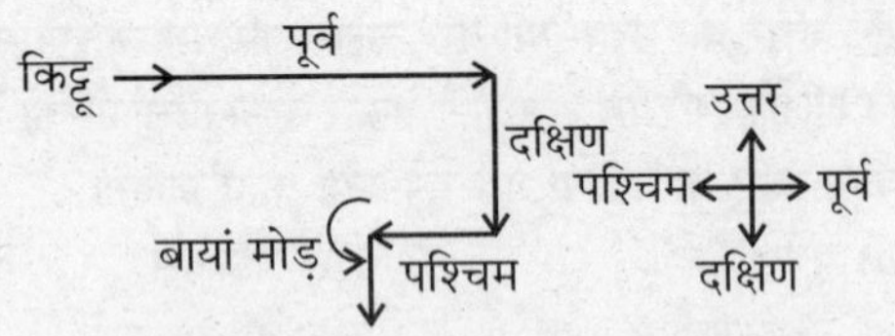

2. (***d***):

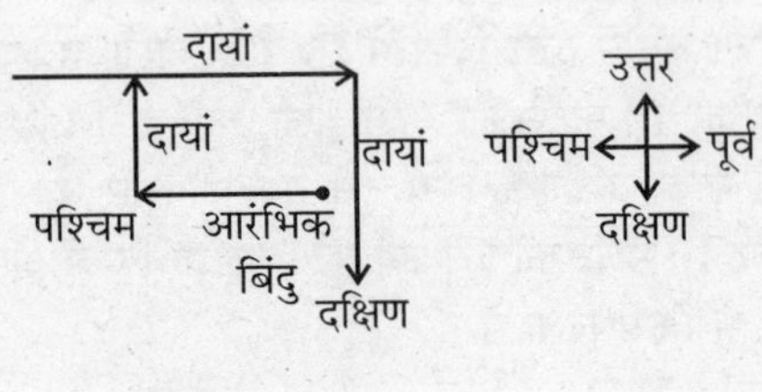

3. (***b***):

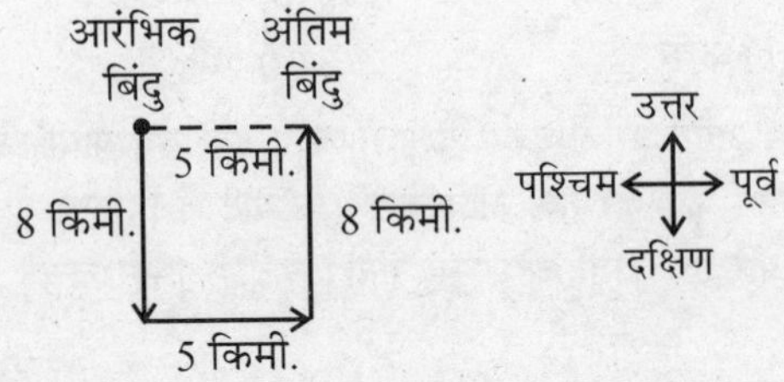

4. (***c***):

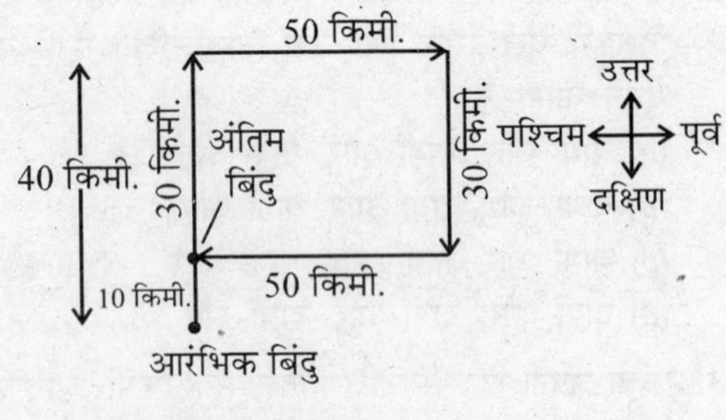

5. (***d***):

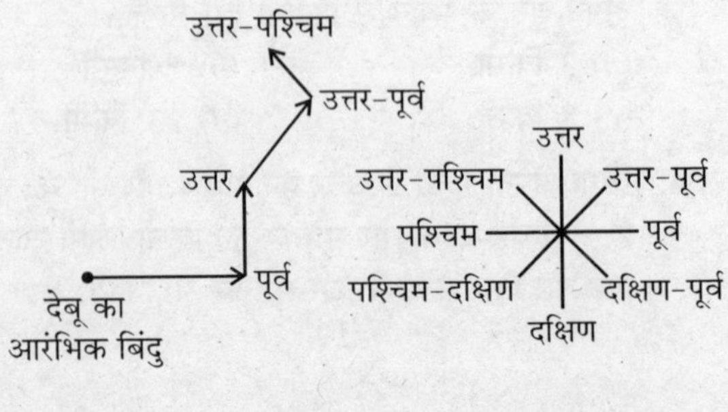

6. (a): मूल दिशाएं

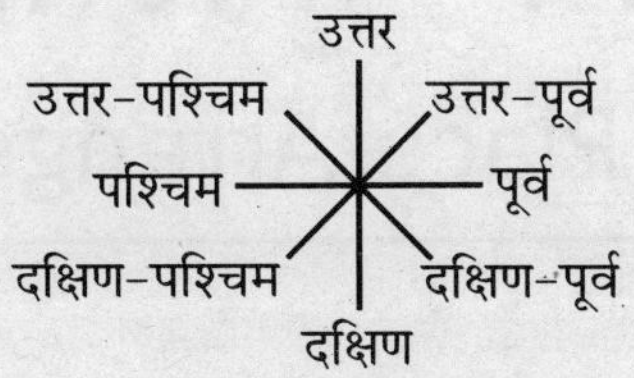

बदली हुई दिशाएं

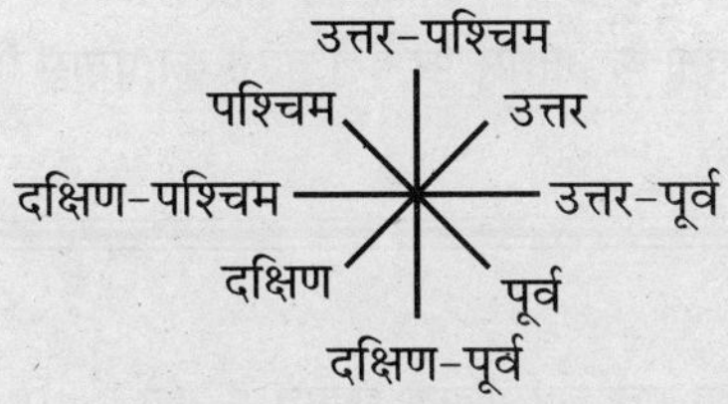

7. (c):

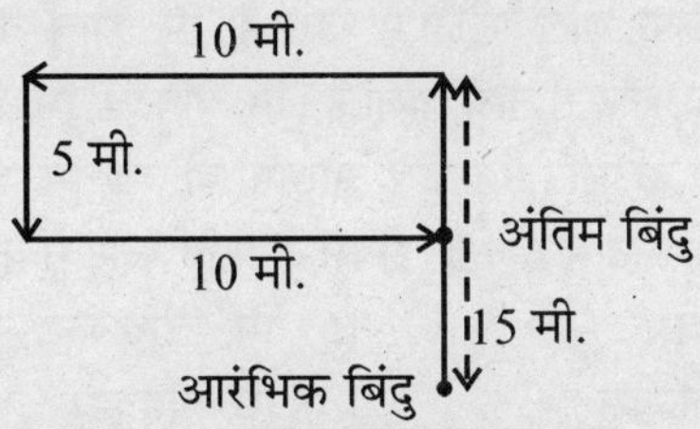

अंतिम बिंदु आरंभिक बिंदु से 10 मीटर उत्तर की ओर है।

8. (c):

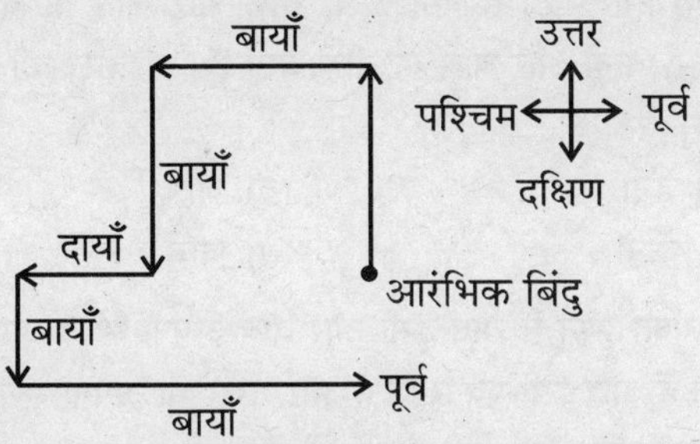

9. (a):

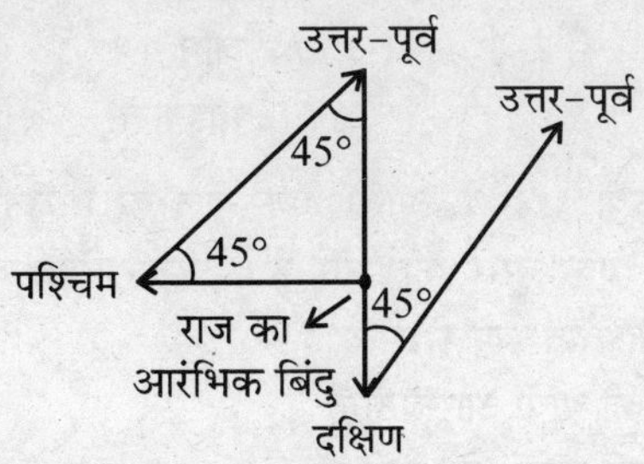

10. (c): (12 किमी. + 5 किमी. = 17 किमी.)

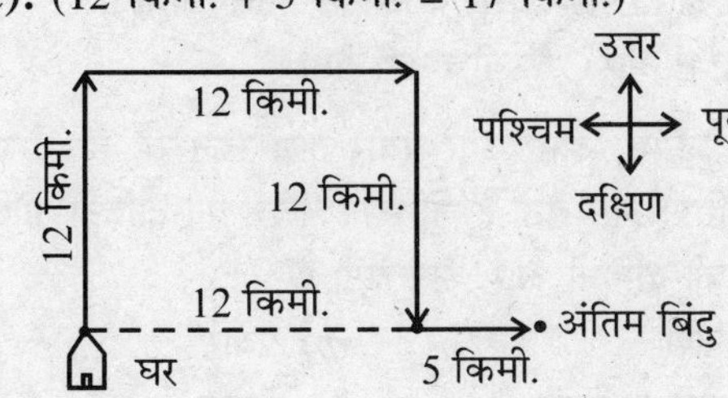

11. (c): $ab = \sqrt{ac^2 + bc^2}$

$ab = \sqrt{8^2 + 6^2} = \sqrt{64 + 36} = \sqrt{100}$

$= 10$

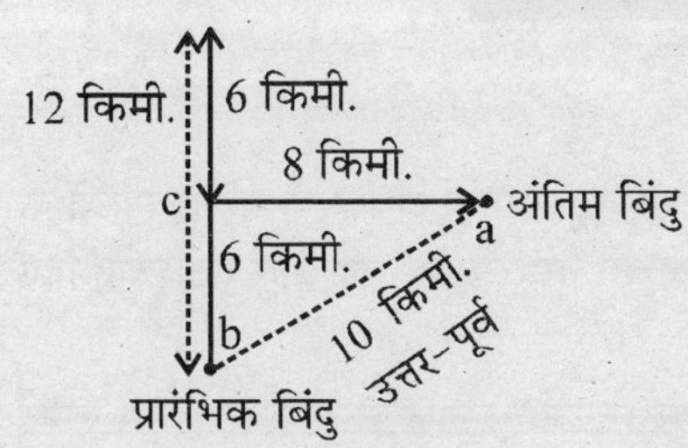

12. (c):

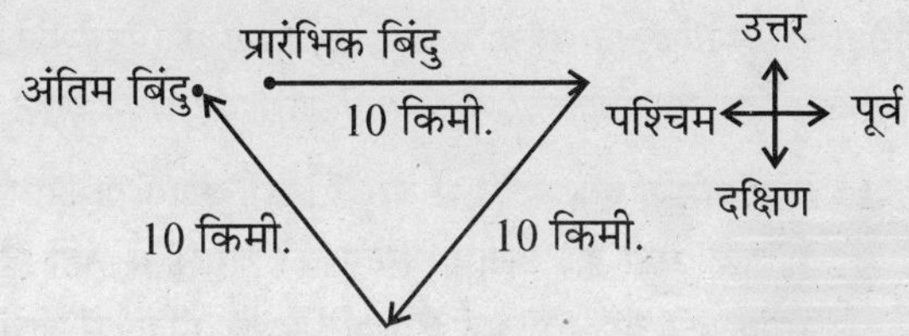

13. (d):

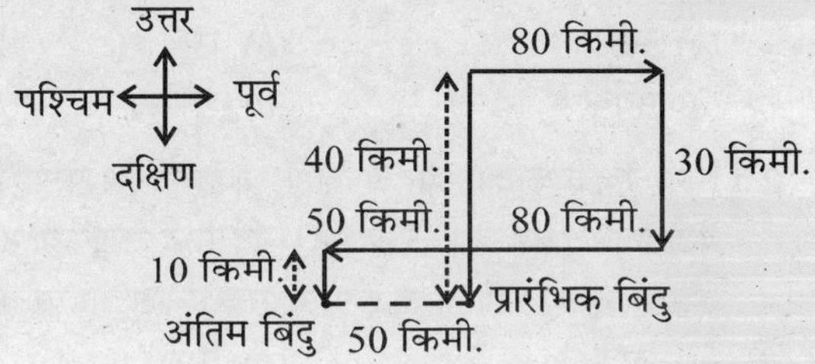

14. (d):

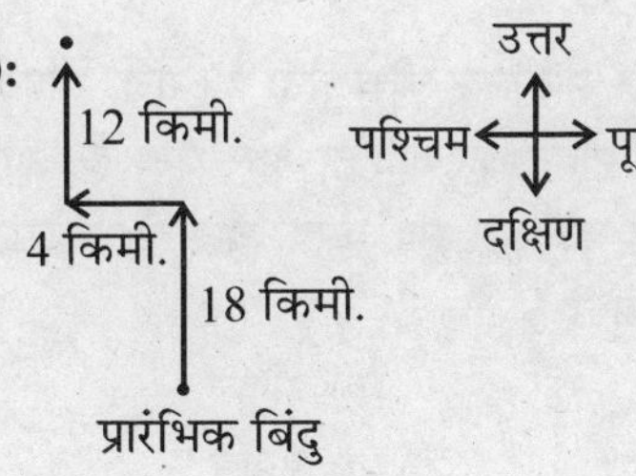

कुल दूरी = 18 + 4 + 12

= 34 किमी.

15. (b): $ab = \sqrt{bc^2 + ca^2}$

$ab = \sqrt{3^2 + 4^2} = \sqrt{9 + 16} = \sqrt{25} = 5$

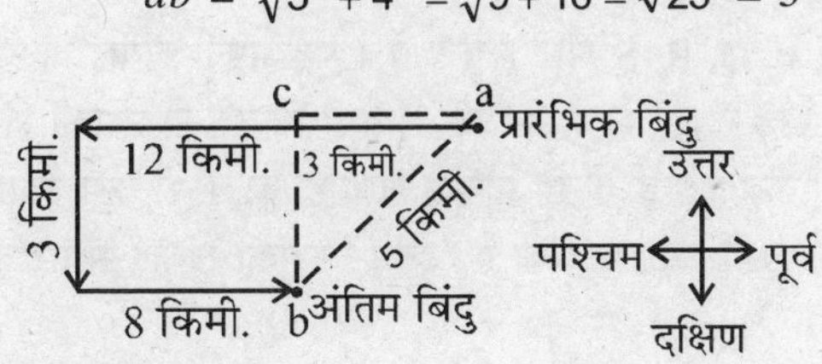

★ ★ ★

5

स्थान-व्यवस्थीकरण
(Place-Arrangement)

स्थान व्यवस्थीकरण का सामान्य अर्थ है दी गई सूचनाओं के आधार पर व्यक्तियों या वस्तुओं का स्थान-क्रम निर्धारित करना। इसके लिए आवश्यक है कि स्थान-क्रम को अच्छी तरह समझा जाए और तत्पश्चात् दिए गए प्रश्नों को उपलब्ध कराई गई सूचना के आधार पर हल करने का प्रयास किया जाए।

वस्तुनिष्ठ प्रश्न

निर्देश : *निम्नलिखित प्रश्नों में व्यवस्थीकरण के पैटर्न को समझें और तत्पश्चात् दिए गए विकल्पों में से सही उत्तर का चयन करें:*

1. पांच लड़के एक पंक्ति में बैठे हैं। रघु, श्याम या अमित की बगल में नहीं बैठा है। अजय, श्याम की बगल में नहीं बैठा है। रघु, मयंक की बगल में बैठा है। यदि मयंक पंक्ति में बीच में बैठा हो तो अजय निम्नलिखित में से किसकी बगल में बैठा है?

(*a*) अमित (*b*) रघु
(*c*) मयंक (*d*) श्याम

2. मिनी, रजनी के दाएं और अनंता के बाएं बैठी है। सत्या, मिनी के दाएं बैठी है किंतु वह जया के बाएं है। यदि सभी लड़कियां उत्तर दिशा की ओर मुंह किए बैठी हों तो इनमें से सबसे बाएं छोर पर कौन बैठी है?

(*a*) जया (*b*) मिनी
(*c*) रजनी (*d*) सत्या

3. किट्टू, मोहन और सोहन के बीच बैठा है। राजू, सोहन की बायीं ओर और श्याम, मोहन की दाहिनी ओर बैठा है। यदि ये सभी मित्र दक्षिण दिशा की ओर मुंह करके बैठे हों, तो सबसे दाहिने छोर पर कौन बैठा है?

(*a*) मोहन (*b*) सोहन
(*c*) किट्टू (*d*) श्याम

4. A, B, C, D और E एक दूसरे के पीछे दौड़ रहे हैं। C, E के निकट नहीं है और A, D के निकट नहीं है। B, A के पीछे है और E, D के निकट नहीं है। इनके बीच में कौन व्यक्ति है?

(*a*) B (*b*) E
(*c*) A (*d*) कहा नहीं जा सकता

5. O, P, Q, R, S और T एक बेंच पर अपनी लंबाई के घटते क्रम में खड़े हैं। P, O से अधिक लंबा है किंतु S से उसकी लंबाई कम है। केवल S ही T से अधिक लंबा है। R, P से कम लंबा है किंतु वह Q से अधिक लंबा है। इनमें किसकी लंबाई सबसे कम है?

(*a*) O (*b*) Q
(*c*) P (*d*) कहा नहीं जा सकता

6. पांच व्यक्ति एक बहुमंजिली इमारत में रहते हैं। मि. एफर्टलेस, मि. ऐक्टिव से ऊपर वाले फ्लैट में रहते हैं, मि. चार्ज का फ्लैट मि. डिलिजेन्ट के फ्लैट से नीचे वाला है। मि. ऐक्टिव, मि. डिलिजेन्ट के फ्लैट से ऊपर के फ्लैट में रहते हैं और मि. बीहैव्ड, मि. चार्ज के फ्लैट से नीचे वाले फ्लैट में रहते हैं। सबसे ऊपर के फ्लैट में कौन रहता है?

(*a*) मि. चार्ज (*b*) मि. डिलिजेन्ट
(*c*) मि. एफर्टलेस (*d*) मि. बीहैव्ड

7. छह मित्र एक गोल घेरे में बैठ कर ताश खेल रहे हैं। केनी, डैनी की बायीं ओर बैठा है। माइकल, बॉब और जॉन के बीच बैठा है। रॉजर, केनी और बॉब के बीच बैठा है। माइकल की दाहिनी ओर कौन बैठा है?

(*a*) डैनी (*b*) जॉन
(*c*) केनी (*d*) बॉब

8. उपर्युक्त प्रश्न में यदि डैनी और बॉब अपना स्थान आपस में बदल लेते हैं और इसी प्रकार केनी और रोजर भी अपना स्थान बदल लेते हैं तो बताइए कि वैसी स्थिति में बॉब की बायीं और कौन बैठा है?

(*a*) रोजर (*b*) जॉन
(*c*) केनी (*d*) माइकल

9. चार लड़कियां A, B, C और D एक गोल घेरे में बैठी हैं। B और C का मुंह एक दूसरे की ओर है। निम्नलिखित कथनों में से कौन-सा निश्चित रूप से सत्य है?

(*a*) A, C की बायीं ओर बैठी है
(*b*) D, C की बायीं ओर बैठी है
(*c*) A और D एक दूसरे के आमने-सामने बैठी हैं
(*d*) A, B और C के बीच नहीं बैठी है

10. बृजेश, जयेश, अमर और प्रवीर ताश खेल रहे हैं। अमर, जयेश की दाहिनी ओर बैठा है जो स्वयं बृजेश की दाहिनी ओर बैठा है। अमर की दाहिनी ओर कौन बैठा है?

(*a*) बृजेश (*b*) प्रवीर
(*c*) बृजेश या प्रवीर (*d*) जयेश

11. फोटो खिंचवाने के लिए चार लड़कियां एक बेंच पर बैठी हैं। सीमा, रानी की बायीं ओर बैठी है। मीरा, रानी के दाहिने बैठी है। रीता, रानी और मीरा के बीच बैठी है। इनमें बाएं से दूसरी कौन बैठी है?

(*a*) रानी (*b*) सीमा
(*c*) मीरा (*d*) रीता

12. 10 पुस्तकों के एक ढेर में 3 पुस्तकें इतिहास की, 3 हिंदी की, 2 गणित की और 2 अंग्रेजी की पुस्तकें हैं। यदि ऊपर से देखा जाए तो इतिहास और गणित की एक-एक पुस्तकों के बीच अंग्रेजी की एक पुस्तक है, गणित और अंग्रेजी की एक-एक पुस्तकों के बीच इतिहास की एक पुस्तक है, अंग्रेजी और गणित की एक-एक पुस्तकों के बीच एक हिंदी की पुस्तक है, हिंदी की दो पुस्तकों के बीच गणित की एक पुस्तक है तथा गणित और इतिहास की एक-एक पुस्तकों के बीच हिंदी की दो पुस्तकें हैं। इस ढेर में किस विषय की पुस्तक ऊपर से छठे स्थान पर है?

(*a*) अंग्रेजी (*b*) हिंदी
(*c*) इतिहास (*d*) गणित

13. पांच व्यक्ति A, B, C, D और E एक पंक्ति में आपकी ओर मुंह करके इस प्रकार बैठे हैं कि D, C की बायीं ओर बैठा है और B, E की दाहिनी ओर बैठा है। A, C की दाहिनी ओर बैठा है और B, D की बायीं ओर बैठा है। यदि E कोने में बैठा हो तो बीच में कौन बैठा है?

(*a*) A (*b*) B
(*c*) C (*d*) D

14. किसी एक पंक्ति में बैठे एक पैनल के पांच सदस्यों में से R, P की बायीं ओर बैठा है किंतु वह T की दाहिनी ओर है तथा Q, S की बायीं ओर बैठा है किंतु वह P की दाहिनी ओर बैठा है। इनमें बीच में कौन बैठा है?

(*a*) P (*b*) Q
(*c*) R (*d*) S

15. छह मित्र A, B, C, D, E और F एक गोल घेरे में खड़े हैं। B, F और C के बीच में है, A, E और D के बीच में है, F, D की बायीं ओर है। A और F के बीच कौन है?

(*a*) C (*b*) B
(*c*) D (*d*) E

निर्देश (प्रश्न संख्या 16 से 18) : *नीचे दिए गए कथन को ध्यानपूर्वक पढ़ें और पूछे गए प्रश्नों के उत्तर दें :*

A, B, C, D और E एक पंक्ति में खड़े हैं। पंक्ति के एक छोर पर D और दूसरे छोर पर C है। B, E की दाहिनी ओर खड़ा है। A, C की बायीं ओर खड़ा है तथा E, D और B के बीच खड़ा है।

16. पंक्ति के बीच में कौन खड़ा है?

(*a*) E (*b*) D
(*c*) B (*d*) A

17. A निम्नलिखित में से किसके बीच खड़ा है?

(*a*) B और D (*b*) E और B
(*c*) C और E (*d*) B और C

18. B की दाहिनी ओर कौन खड़ा है?

(*a*) C (*b*) E
(*c*) A (*d*) D

निर्देश (प्रश्न 19-20) : *निम्नलिखित कथनों को सावधानीपूर्वक पढ़ें और पूछे गए प्रश्नों के उत्तर दें :*

छह व्यक्ति एक अलाव के चारों ओर बैठे हैं। विदुर सोनु की बायीं ओर बैठा है। रॉय और श्याम के बीच आदित्य बैठा हुआ है। नेगी आदित्य की बायीं ओर दूसरे स्थान पर बैठा है।

19. विदुर की दाहिनी ओर दूसरे स्थान पर कौन बैठा है?

(*a*) रॉय (*b*) नेगी
(*c*) श्याम (*d*) उपर्युक्त में से कोई नहीं

20. रॉय की बायीं ओर कौन बैठा है?

(*a*) सोनु (*b*) आदित्य
(*c*) नेगी (*d*) कहा नहीं जा सकता

व्याख्यात्मक उत्तर

1. **(*b*):** पांचों लड़कों के पंक्ति में बैठने का निम्नलिखित क्रम है:

अमित, श्याम, मयंक, अजय, रघु
या
अजय, रघु, मयंक, अमित, श्याम

2. **(*c*):** इन सभी लड़कियों के बैठने का निम्नलिखित क्रम है:

रजनी, मिनी, अनंता, सत्या, जया
या
सत्या, जया, अनंता
या
सत्या, अनंता, जया

3. **(*d*):** दक्षिण दिशा की ओर मुंह करके बैठने पर इन मित्रों के बैठने का निम्नलिखित क्रम होगा : श्याम, मोहन, किट्टू, सोहन, राजू

4. **(*a*):** दौड़ते समय ये व्यक्ति निम्नलिखित क्रम में एक दूसरे के पीछे होंगे :

E		E
A		A
B	या	B
C		D
D		C

5. *(d)*: लंबाई के घटते क्रम में ये व्यक्ति बेंच पर निम्नलिखित विन्यास में खड़े होंगे :

S		S
T		T
P	या	P
R		R
O		Q
Q		O

इनमें या तो O या फिर Q सबसे छोटा है। दी गई सूचना उत्तर ज्ञात करने के लिए पर्याप्त नहीं है।

6. *(c)*: इस बहुमंजिली इमारत में इन पांच व्यक्तियों को आवंटित फ्लैटों की मंजिल निम्नलिखित क्रम में है :

मि. एफर्टलेस	–	पांचवीं मंजिल
मि. ऐक्टिव	–	चौथी मंजिल
मि. डिलिजेन्ट	–	तीसरी मंजिल
मि. चार्ज	–	दूसरी मंजिल
मि. बिहैव्ड	–	पहली मंजिल

(**नोट** : इस बहुमंजिली इमारत में भूतल का उपयोग गैरेज के रूप में किया जाता है)

7. *(d)*: इन छह मित्रों के बैठने का निम्नलिखित क्रम है :

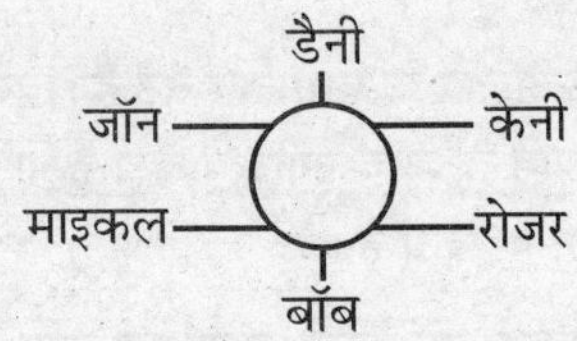

8. *(a)*: बदली हुई स्थिति में इन मित्रों के बैठने का निम्नलिखित क्रम होगा :

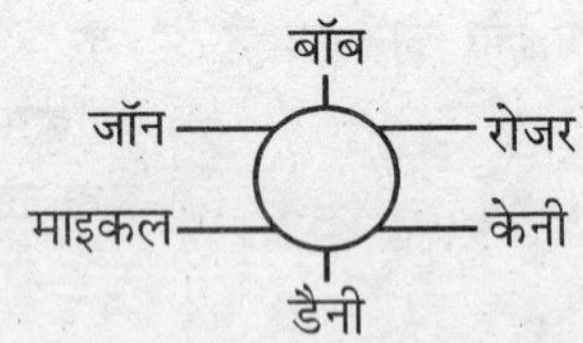

9. *(c)*: इन लड़कियों के बैठने का निम्नलिखित क्रम होगा :

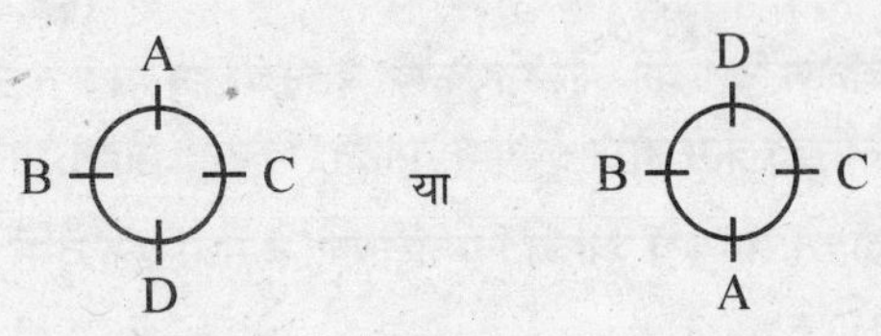

10. *(b)*: ताश खेल रहे ये व्यक्ति बाएं से दाएं निम्नलिखित क्रम में बैठे हैं : बृजेश, जयेश, अमर, प्रवीर

11. *(d)*: फोटो खिंचवाने के लिए ये लड़कियां निम्नलिखित क्रम में बैठी हैं : मीरा, रीता, रानी, सीमा
इनमें सबसे बाएं मीरा और उसके बाद बाएं से दूसरे स्थान पर रीता बैठी है।

12. *(b)*: पुस्तकें निम्नलिखित विषय-क्रम में एक दूसरे के ऊपर रखी गई हैं :

पहला —	इतिहास
	अंग्रेजी
	गणित
	इतिहास
	अंग्रेजी
छठा —	हिंदी
	गणित
	हिंदी
	हिंदी
दसवां —	इतिहास

13. *(d)*: हमारी ओर मुंह किए बैठे इन व्यक्तियों का निम्नलिखित क्रम होगा : A, C, D, B, E

14. *(a)*: पैनल के सदस्य निम्नलिखित क्रम में एक दूसरे की बगल में बैठे हैं : T, R, P, Q, S

15. *(c)*: ये मित्र निम्नलिखित क्रम में एक दूसरे की बगल में खड़े हैं

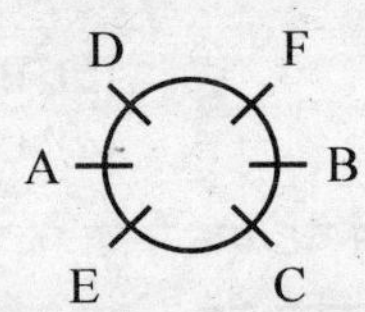

16. *(c)*: प्रश्न संख्या 16 से 18 के संदर्भ में बताए गए पांच व्यक्ति पंक्ति में निम्नलिखित क्रम में खड़े हैं : D, E, B, A, C.

17. *(d)*

18. *(c)*

19. *(b)*: प्रश्न संख्या 19 और 20 के संदर्भ में दिए गए कथन में छह व्यक्ति अलाव के चारों ओर निम्नलिखित क्रम में बैठे हैं :

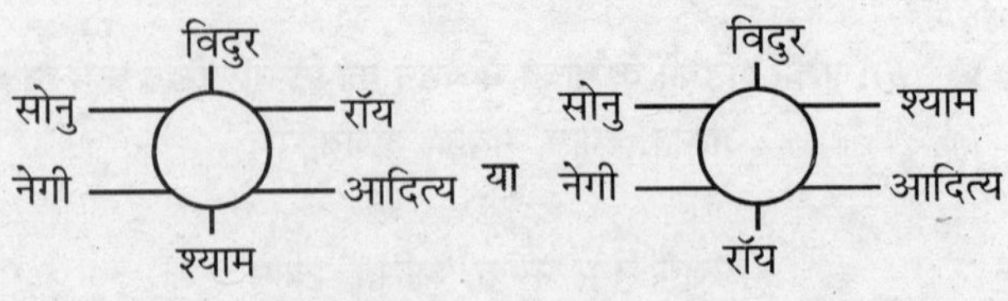

20. *(d)*: रॉय की बगल में बैठा व्यक्ति आदित्य या नेगी हो सकता है। अतः उत्तर के संबंध में निश्चित रूप से कुछ नहीं कहा जा सकता।

★ ★ ★

6

रक्त संबंध परीक्षण
(Blood Relation Test)

रक्त संबंधों पर आधारित प्रश्नों को हल करने के लिए यह आवश्यक है कि परीक्षार्थी रिश्तों की जटिलता को तत्काल समझ सकें और किन्हीं दो व्यक्तियों के बीच किस प्रकार के संबंध हो सकते हैं, इस बारे में उन्हें स्पष्ट जानकारी हो।

इस प्रकार के प्रश्नों को पूछने का अभिप्राय मुख्यत: यह सुनिश्चित करना है कि परीक्षार्थी कतिपय जटिल भाषा में व्यक्त रिश्तों को कितनी तत्परता से समझ सकते हैं और उत्तर के रूप में सही विकल्प का चयन कर सकते हैं।

कुछ सामान्य रक्त संबंधों की सूची नीचे दी गई है :

मां	दादी
पिता	दादा
पुत्र	पोता
पुत्री	पोती
भाई	साला
बहन	साली
भतीजी	श्वसुर
भतीजा	सास
चाचा	दामाद
चाची	पुत्रवधु
पति	चचेरे या फुफेरे या ममेरे या मौसेरे भाई-बहन
पत्नी	

इन प्रश्नों को हल करने में सहायक कुछ संबंधों के पैटर्न नीचे दर्शाए गए हैं :

पिता का पिता	—	दादा
मां का पिता	—	नाना
पिता की मां	—	दादी
मां की मां	—	नानी
पिता या मां का पुत्र	—	भाई
पिता या मां की पुत्री	—	बहन
पिता का भाई	—	चाचा
पिता की बहन	—	बुआ
मां का भाई	—	मामा
मां की बहन	—	मौसी
चाचा या चाची का पुत्र या पुत्री	—	चचेरा भाई, चचेरी बहन
पुत्र की पत्नी	—	पुत्रवधु
पुत्री का पति	—	दामाद
पति का भाई	—	देवर
पत्नी का भाई	—	साला
पति की बहन	—	ननद
पत्नी की बहन	—	साली
भाई की पत्नी	—	भाभी
बहन का पति	—	बहनोई
भाई का पुत्र	—	भतीजा

वस्तुनिष्ठ प्रश्न

निर्देश : *नीचे के प्रत्येक प्रश्न में व्यक्तियों के बीच उल्लिखित संबंधों को सावधानीपूर्वक समझें और तब दिए गए विकल्पों में से सही उत्तर का चयन करें :*

1. A, B और C का पिता है। B, A का पुत्र है किंतु C, A का पुत्र नहीं है। C का A से क्या संबंध है?
(*a*) पुत्री (*b*) पुत्र
(*c*) भतीजी (*d*) भतीजा

2. एक महिला ने कहा, ''वहां खड़ी लड़की मेरे दादा जी के एकमात्र पुत्र की पुत्री है''। उस महिला का उस लड़की से क्या संबंध है?
(*a*) बहन (*b*) मां
(*c*) चाची (*d*) भतीजा

3. रवि अमित के पुत्र के पुत्र का भाई है। अमित, रवि का क्या है?
(*a*) चचेरा भाई (*b*) पिता
(*c*) दादा (*d*) पुत्र

4. मयंक ने कहा, ''मेरी मां रजत के भाई की बहन है''। रजत का मयंक से क्या संबंध है?
(*a*) चचेरा भाई (*b*) मामा
(*c*) चाचा (*d*) साला

5. लिली से परिचय कराते हुए राघव ने कहा, ''इसके पिता मेरी मां के एकमात्र पुत्र हैं''। लिली का राघव से क्या संबंध है?
(*a*) चाची (*b*) पुत्री
(*c*) मां (*d*) बहन

6. अजय, विजय का भाई है। शुभा, अजय की बहन है। संजय, राहुल का भाई है और मेहुल विजय की पुत्री है। संजय का चाचा कौन है?

(*a*) राहुल (*b*) अजय
(*c*) मेहुल (*d*) दी गई सूचना अपर्याप्त है

7. आदित्य, रवि का भाई है। भरत, जयंत के पिता हैं। ईला, रवि की मां है। आदित्य और जयंत आपस में भाई हैं। ईला का भरत से क्या संबंध है?

(*a*) बहन (*b*) मां
(*c*) पुत्री (*d*) पत्नी

8. एक व्यक्ति ने अपने साथ आ रहे लड़के का परिचय देते हुए कहा, ''यह मेरी पत्नी की पुत्री के पिता का पुत्र है।'' वह लड़का उस व्यक्ति का क्या है?

(*a*) दामाद (*b*) पुत्र
(*c*) भाई (*d*) पिता

9. A और B दो भाई हैं। C, B की बहन है। D, E की बहन है। E, A का पुत्र है। D का चाचा कौन है?

(*a*) D (*b*) E
(*c*) B (*d*) C

10. वरुण ने अरुण की ओर संकेत करते हुए कहा, ''वह मेरी बहन के एकमात्र भाई का पुत्र है।'' अरुण का वरूण से क्या संबंध है?

(*a*) पुत्र (*b*) भाई
(*c*) भतीजा (*d*) दी गई सूचना अपर्याप्त है

11. एक व्यक्ति की ओर संकेत करते हुए एक महिला ने कहा ''उसके भाई के पिता मेरे दादाजी के एकमात्र पुत्र हैं।'' वह महिला उस व्यक्ति की क्या लगती है?

(*a*) मां (*b*) बहन
(*c*) पुत्री (*d*) चाची

12. विद्या, गोपी की पत्नी है और गोपी, अखिल का भाई है। अखिल, विजय का चाचा है। विजय, विद्या का कौन है?

(*a*) पुत्र (*b*) भतीजा
(*c*) देवर (*d*) भाई

13. यदि अमित के पिता बिल्लू के पिता के एकमात्र पुत्र हैं और बिल्लू का कोई भी भाई नहीं है और न ही उसकी कोई पुत्री है तो अमित और बिल्लू के बीच क्या संबंध है?

(*a*) चाचा-भतीजा (*b*) पिता-पुत्री
(*c*) पिता-पुत्र (*d*) चचेरा भाई

14. A, B की बहन है। B, C का पुत्र है तथा E, D की पुत्री और A की बहन है। D, C का कौन है?

(*a*) भाई (*b*) पति
(*c*) पत्नी (*d*) दी गई सूचना अपर्याप्त है

15. एक व्यक्ति ने एक महिला से कहा, ''फागु की मां तुम्हारे पिता की एकमात्र पुत्री है''। वह महिला फागु की क्या लगती है?

(*a*) पुत्री (*b*) बहन
(*c*) पत्नी (*d*) मां

व्याख्यात्मक उत्तर

1. (*a*):

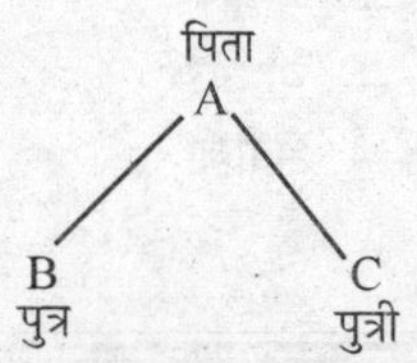

C, A का पुत्र नहीं है किंतु A, C का पिता है। अत: C, A की पुत्री है।

2. (*a*):

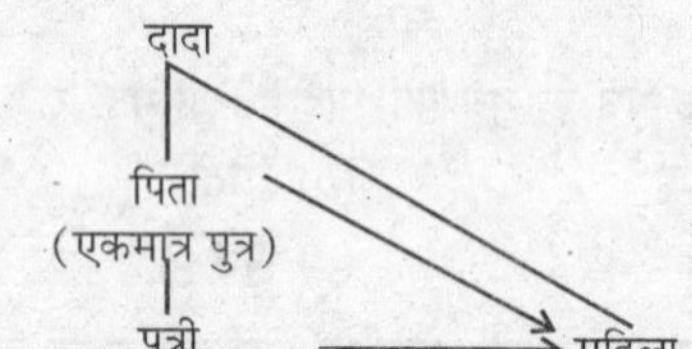

उस महिला के दादा का पुत्र उसके पिता हैं तथा पिता की पुत्री निश्चित ही उस महिला की बहन होगी।

3. (*c*):

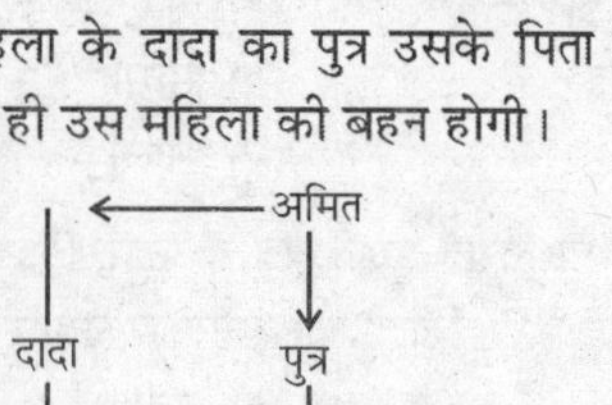

अमित के पुत्र का पुत्र अमित का पोता होगा। रवि अमित के पुत्र के पुत्र का भाई है, अत: अमित रवि के भी दादाजी हैं।

4. (*b*):

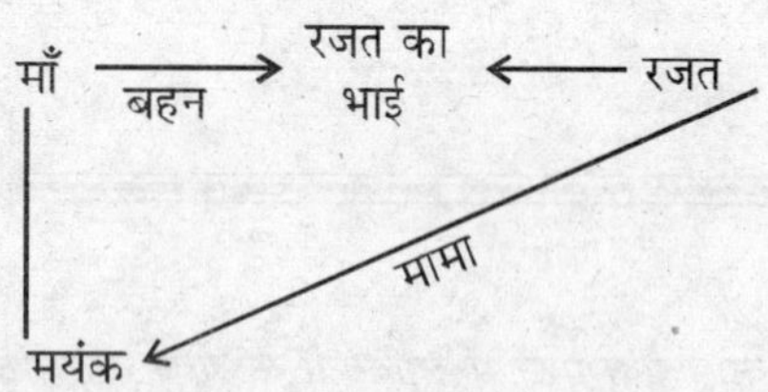

मयंक की मां रजत के भाई की बहन है। अत: रजत भी मयंक की मां का भाई है। इस प्रकार रजत, मयंक का मामा हुआ।

5. (*b*): संबंध चार्ट निम्नवत् है : माँ

↑ पुत्र

राघव

↓ पिता

लिली (पुत्री)

राघव जब कहता है, ''मेरी मां का एकमात्र पुत्र'' तो वह स्वयं अपने बारे में ही कह रहा होता है। इसके पिता का आशय है, 'लिली के पिता' अर्थात् स्वयं राघव।

अत: लिली, राघव की पुत्री है।

6. (*d*): 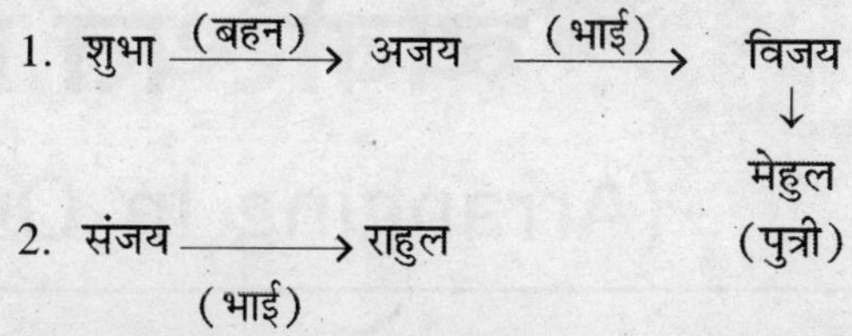

यहां दो संबंध-समुच्चयों का उल्लेख किया गया है। दी गई सूचना अपर्याप्त है और इन दो भिन्न संबंध-समुच्चयों के बीच कोई संबंध स्थापित नहीं किया जा सकता।

7. (*d*): प्रश्न पर आधारित संबंध चार्ट है :

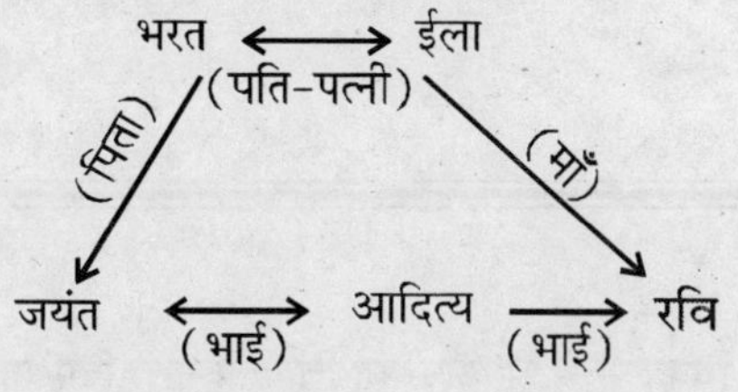

जयंत और आदित्य भाई हैं। यदि आदित्य, रवि का भाई है तो जयंत भी रवि का भाई है। यदि भरत, जयंत का पिता है तो वह आदित्य और रवि का भी पिता है। यदि ईला, रवि की मां है तो वह आदित्य और जयंत की भी मां है। इसका अर्थ है कि भरत और ईला पति-पत्नी हैं और तीनों बच्चों के माता-पिता हैं।

8. (*b*): प्रश्न पर आधारित संबंध-चार्ट है :

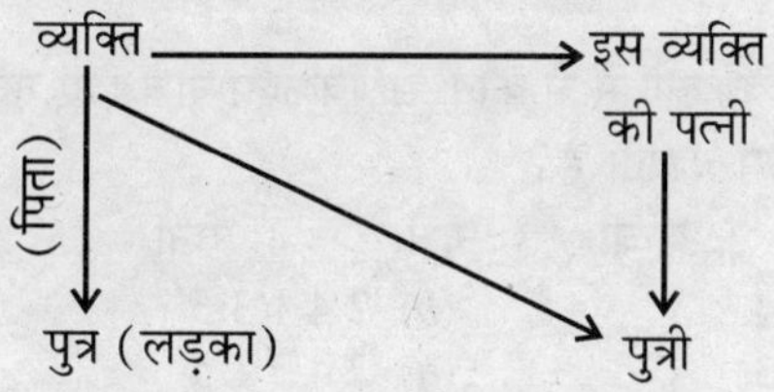

'उस व्यक्ति की पत्नी की पुत्री के पिता' का आशय है कि वह व्यक्ति स्वयं अपने बारे में बात कर रहा है, अत: वह लड़का उस व्यक्ति का पुत्र है।

9. (*c*): प्रश्न पर आधारित संबंध-चार्ट है :

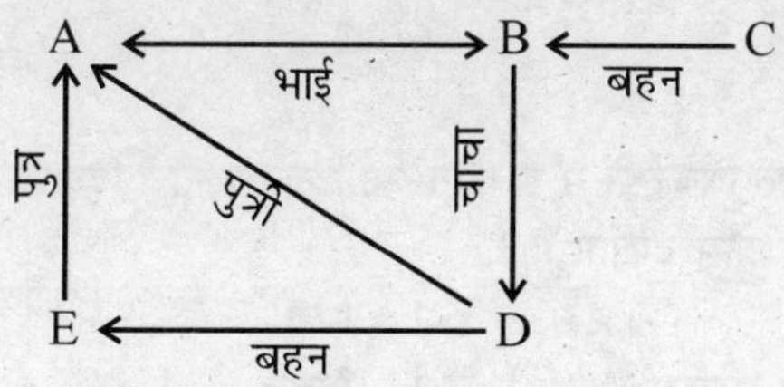

D, E की बहन है और E, A का पुत्र है। अत: D, A की पुत्री है। चूंकि A का भाई B है, अत: B, D का चाचा है।

10. (*a*): 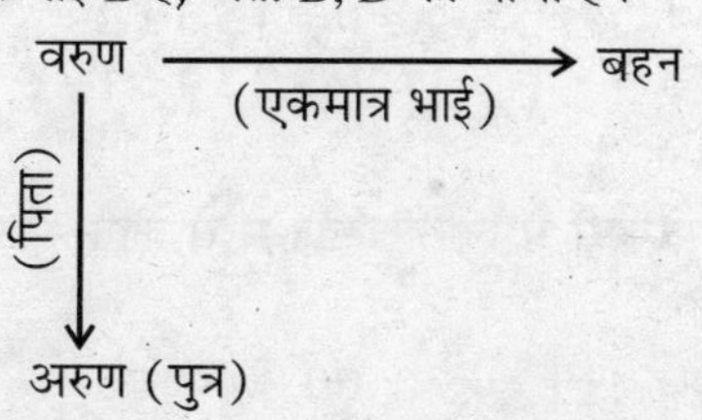

वरुण की बहन का एकमात्र भाई स्वयं वरुण है और उसका पुत्र अरुण है।

11. (*b*): 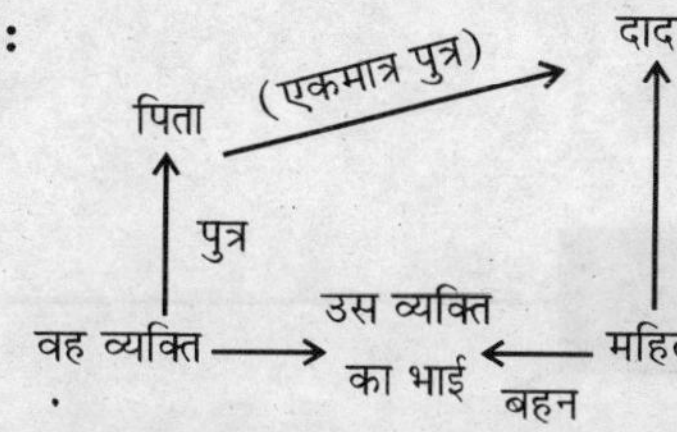

उस व्यक्ति के भाई के पिता उस महिला के भी पिता हैं क्योंकि वे उस महिला के दादाजी के एकमात्र पुत्र हैं। अत: वह महिला उस व्यक्ति की बहन है।

12. (*b*): प्रश्न पर आधारित संबंध चार्ट है :

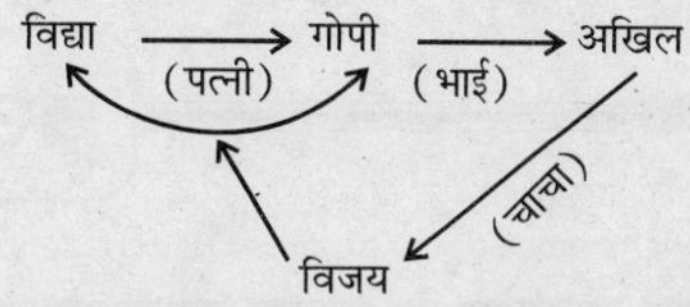

विद्या, गोपी की पत्नी है और गोपी, अखिल का भाई है। अत: विद्या, अखिल की भाभी है। यदि अखिल, विजय का चाचा है, तो स्पष्ट है कि गोपी भी विजय का चाचा ही है क्योंकि प्रश्न में उल्लिखित कथनों में यह नहीं बताया गया है कि अखिल या गोपी में से कोई भी विजय का पिता है। अब यदि विजय गोपी का भतीजा है, तो निश्चित ही वह विद्या का भी भतीजा है।

13. (*c*): प्रश्न पर आधारित संबंध-चार्ट है :

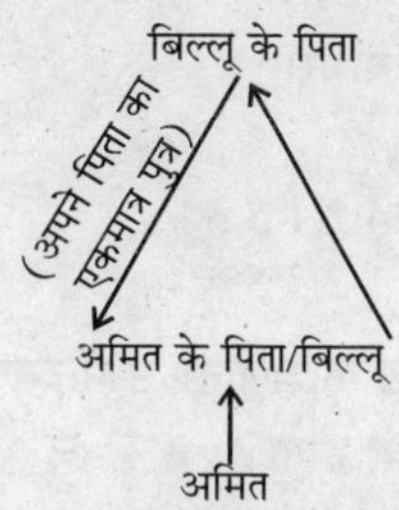

अमित के पिता बिल्लू के पिता के एकमात्र पुत्र हैं, और बिल्लू अपने पिता का एकमात्र पुत्र है (बिल्लू का कोई भाई नहीं है)। इससे यह स्पष्ट होता है कि बिल्लू ही अमित का पिता है। चूंकि बिल्लू की कोई पुत्री नहीं है, अत: अमित ही उसका एकमात्र पुत्र है।

14. (*d*): 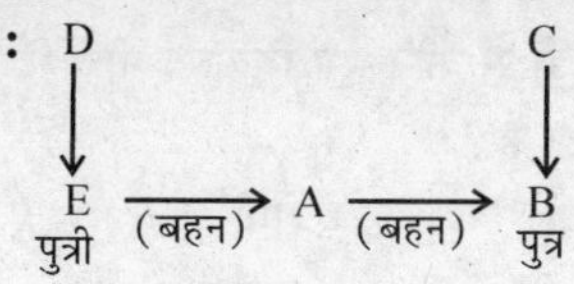

D और C के बीच संबंध नहीं बताया गया है, अत: इनके बीच कोई संबंध नहीं बताया जा सकता है।

15. (*d*): 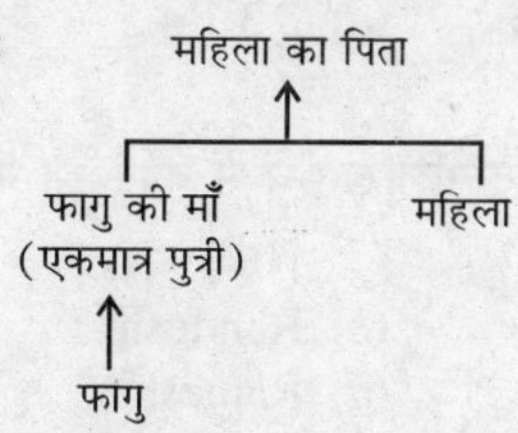

महिला के पिता की एकमात्र पुत्री फागु की मां है।

★ ★ ★

7

व्यवस्थित क्रम
(Arranging in Order)

इस प्रकार के प्रश्नों में दिए गए विकल्पों को शब्दकोश में उनके स्थान, आकार, पदानुक्रम; व्यक्तियों अथवा वस्तुओं को उनके गुणों के परिमाण जैसे कि वजन, सहज अनुक्रम, आदि के अनुसार आरोही अथवा अवरोही क्रम में व्यवस्थित करना होता है। इस प्रकार के प्रश्नों की सम्यक जानकारी हेतु निम्नलिखित उदाहरणों का अवलोकन करें।

वस्तुनिष्ठ प्रश्न

1. निम्नलिखित शब्दों को शब्दकोश के अनुसार व्यवस्थित करने पर कौन-सा शब्द बीच में होगा?
(*a*) Delude (*b*) Delirium
(*c*) Defer (*d*) Demean
(*e*) Delete

2. निम्नलिखित विकल्पों में से कौन-सा विकल्प नीचे दिए गए शब्दों का सार्थक क्रम दर्शाता है?
1. चाबी 2. दरवाजा
3. ताला 4. कमरा
5. स्विच ऑन
(*a*) 5 1 2 4 3 (*b*) 4 2 1 5 3
(*c*) 1 3 2 4 5 (*d*) 1 2 3 5 4

3. यदि निम्नलिखित शब्दों को शब्दकोश के वर्णानुक्रम में व्यवस्थित किया जाए, तो इनमें तीसरा शब्द क्या होगा?
(*a*) Amphibian
(*b*) Amorphous
(*c*) Ambiguous
(*d*) Amphidextrous
(*e*) Ambivalent

4. निम्नलिखित विकल्पों में से कौन-सा विकल्प नीचे दिए गए शब्दों का सार्थक क्रम दर्शाता है?
1. चिकित्सीय परामर्श 2. रोगी
3. चिकित्सक 4. इलाज
5. स्वास्थ्य लाभ
(*a*) 4 3 1 2 5 (*b*) 2 3 4 1 5
(*c*) 5 1 4 3 2 (*d*) 2 3 1 4 5
(*e*) 4 1 5 3 2

5. टेलीफोन डायरेक्टरी में निम्नलिखित में से कौन-सा नाम बीच में लिखा होगा?
(*a*) Randhir (*b*) Randesh
(*c*) Rama (*d*) Ramesh
(*e*) Renmurthi

6. निम्नलिखित विकल्पों में से कौन-सा विकल्प नीचे दिए गए शब्दों का सार्थक क्रम दर्शाता है?
1. आंध्र प्रदेश 2. ब्रह्मांड
3. तिरुपति 4. विश्व
5. भारत
(*a*) 1 5 3 2 4 (*b*) 4 1 5 3 2
(*c*) 5 4 2 1 3 (*d*) 2 1 3 5 4
(*e*) 3 1 5 4 2

7. निम्नलिखित विकल्पों में से कौन-सा विकल्प नीचे दिए गए शब्दों का सार्थक क्रम दर्शाता है?
1. मां 2. बच्चा 3. दूध 4. रोना 5. हंसना
(*a*) 3 2 1 5 4 (*b*) 2 4 1 3 5
(*c*) 1 5 2 4 3 (*d*) 2 4 3 1 5
(*e*) 3 4 1 2 5

8. निम्नलिखित का उचित क्रम क्या होगा?
1. इंद्रधनुष 2. वर्षा 3. सूरज 4. खुश 5. बच्चा
(*a*) 4 2 3 5 1 (*b*) 4 5 1 2 3
(*c*) 2 1 4 3 5 (*d*) 2 3 1 5 4
(*e*) 4 3 1 2 5

9. निम्नलिखित विकल्पों में से कौन-सा विकल्प नीचे दिए गए शब्दों का सार्थक क्रम दर्शाता है?
1. जन्म 2. मृत्यु
3. अंतिम संस्कार 4. विवाह
5. शिक्षा
(*a*) 1 3 4 5 1 (*b*) 4 5 3 1 2
(*c*) 1 5 4 2 3 (*d*) 2 3 4 5 1
(*e*) 3 1 4 2 5

10. टेलीफोन डायरेक्टरी में निम्नलिखित में से कौन-सा नाम बीच में लिखा होगा?
(*a*) Sajewet (*b*) Sajewat
(*c*) Segvan (*d*) Salwar
(*e*) Sajevar

11. निम्नलिखित विकल्पों में से कौन-सा विकल्प नीचे दिए गए शब्दों का उपयुक्त क्रम दर्शाता है? (आरोही क्रम में)

1. ट्रिलियन (दस शंख) 2. हजार
3. बिलियन (अरब) 4. सौ
5. मिलियन (दस लाख)

(*a*) 4 2 5 3 1 (*b*) 1 5 3 2 4
(*c*) 4 2 3 5 1 (*d*) 1 2 3 4 5
(*e*) 4 2 5 1 3

12. निम्नलिखित विकल्पों में से कौन-सा विकल्प नीचे दिए गए शब्दों का सार्थक क्रम दर्शाता है?

1. मेज 2. पेड़
3. लकड़ी 4. बीज
5. पौधा

(*a*) 1 3 2 4 5 (*b*) 4 5 3 2 1
(*c*) 4 5 2 3 1 (*d*) 1 2 3 4 5
(*e*) 1 4 2 5 3

13. निम्नलिखित विकल्पों में से कौन-सा विकल्प नीचे दिए गए शब्दों का सार्थक क्रम दर्शाता है?

1. सांप 2. घास
3. उकाब 4. मेंढ़क
5. कीट

(*a*) 3 2 1 4 5 (*b*) 5 2 1 4 3
(*c*) 2 5 4 1 3 (*d*) 2 4 5 3 1
(*e*) 2 4 5 1 3

14. निम्नलिखित विकल्पों में से कौन-सा विकल्प नीचे दिए गए शब्दों का सार्थक क्रम दर्शाता है?

1. खिड़कियां 2. दीवारें
3. फर्श 4. नींव
5. छत 6. कमरा

(*a*) 4 2 1 5 3 6 (*b*) 4 3 5 6 2 1
(*c*) 4 5 3 2 1 6 (*d*) 4 1 5 6 2 3
(*e*) 4 1 5 3 6 2

15. निम्नलिखित विकल्पों में से कौन-सा विकल्प नीचे दिए गए शब्दों का सार्थक क्रम दर्शाता है?

1. अनुक्रमणिका 2. विषय-वस्तु
3. शीर्षक 4. अध्याय
5. परिचय

(*a*) 2 3 4 5 1 (*b*) 3 2 5 4 1
(*c*) 5 1 4 2 3 (*d*) 3 2 5 1 4
(*e*) 5 4 2 1 3

16. यदि निम्नलिखित शब्दों को उनके सहज अनुक्रम में अवरोही क्रम में व्यवस्थित किया जाए तो इनमें से कौन-सा शब्द बीच में होगा?

1. पुस्तक 2. पैराग्राफ
3. पुस्तकालय 4. अक्षर
5. पृष्ठ

(*a*) पृष्ठ (*b*) पैराग्राफ
(*c*) पुस्तक (*d*) पुस्तकालय
(*e*) अक्षर

17. निम्नलिखित का सही क्रम क्या होगा?

1. डेकामीटर 2. मीटर
3. किलोमीटर 4. सेंटीमीटर
5. मिलीमीटर

(*a*) 1 4 3 2 5 (*b*) 5 4 1 2 3
(*c*) 5 4 3 2 1 (*d*) 5 4 2 1 3
(*e*) 1 3 4 5 2

18. निम्नलिखित शब्दों को सहज क्रम में व्यवस्थित करने पर दूसरे स्थान पर कौन-सा शब्द होगा?

1. उत्पादक 2. कच्ची सामग्री
3. विक्रेता 4. उपभोक्ता
5. वितरक

(*a*) उत्पादक (*b*) विक्रेता
(*c*) उपभोक्ता (*d*) वितरक
(*e*) कच्ची सामग्री

19. निम्नलिखित शब्दों को मानव की जीवन अवस्था के आरोही क्रम में विन्यास करने पर चौथे स्थान पर कौन-सा शब्द होगा?

1. युवा 2. शिशु
3. वयस्क 4. बच्चा
5. किशोर

(*a*) किशोर (*b*) बच्चा
(*c*) वयस्क (*d*) युवा
(*e*) शिशु

20. निम्नलिखित शब्दों को शब्दकोश के अनुसार व्यवस्थित करने पर इनका सही अनुक्रम क्या होगा?

1. Martial 2. Marital
3. Matrimony 4. Material
5. Matriarch

(*a*) 2 1 4 5 3 (*b*) 2 4 5 1 3
(*c*) 3 4 1 5 2 (*d*) 2 1 5 3 4
(*e*) 3 1 5 2 4

21. निम्नलिखित शब्दों का अवरोही क्रम में सही अनुक्रम क्या होगा?

1. ग्राम 2. डेसीग्राम
3. हेक्टोग्राम 4. किलोग्राम
5. सेंटीग्राम

(*a*) 4 3 1 2 5 (*b*) 4 2 3 1 5
(*c*) 5 2 1 4 3 (*d*) 4 3 2 1 5
(*e*) 5 4 1 3 2

22. निम्नलिखित शब्दों को उनके सहज क्रम में व्यवस्थित करने पर अनुक्रम में बीच का शब्द क्या होगा?

1. चिकित्सा 2. रोगी
3. निदान 4. स्वास्थ्य लाभ
5. चिकित्सक

(*a*) चिकित्सक (*b*) रोगी
(*c*) चिकित्सा (*d*) स्वास्थ्य लाभ
(*e*) निदान

23. निम्नलिखित का सही क्रम क्या होगा?

1. देश
2. फर्नीचर
3. जंगल
4. लकड़ी
5. पेड़

(*a*) 4 3 2 1 5 (*b*) 2 4 1 5 3
(*c*) 1 3 5 4 2 (*d*) 1 2 3 4 5
(*e*) 2 1 5 4 3

24. निम्नलिखित शब्दों को उनके सहज क्रम में व्यवस्थित करने पर आरोही क्रम में अंतिम शब्द क्या होगा?

1. कैप्टन
2. ब्रिगेडियर
3. मेजर
4. लेफ्टिनेंट जनरल
5. लेफ्टिनेंट

(*a*) लेफ्टिनेंट जनरल
(*b*) ब्रिगेडियर
(*c*) कैप्टन
(*d*) मेजर
(*e*) लेफ्टिनेंट

25. गति के अनुसार निम्नलिखित का सहज क्रम क्या होगा?

1. जेट
2. बस
3. साइकिल
4. हवाई जहाज
5. रेलगाड़ी

(*a*) 3 5 2 4 1 (*b*) 3 2 5 1 4
(*c*) 3 2 5 4 1 (*d*) 3 2 1 4 5
(*e*) 3 1 4 2 5

व्याख्यात्मक उत्तर

1. **(*b*):** इन शब्दों का शब्दकोश के अनुसार व्यवस्थित क्रम है: Defer, Delete, **Delirium,** Delude, Demean

2. **(*c*):** आप चाबी से पहले ताला खोलते हैं, और तब दरवाजा खोलकर कमरे में प्रवेश करते हैं और तत्पश्चात् स्विच ऑन करके कमरे में प्रकाश करते हैं।

3. **(*b*):** इन शब्दों का शब्दकोश के अनुसार व्यवस्थित क्रम है: Ambiguous, Ambivalent, **Amorphous,** Amphibian, Amphidextrous.

4. **(*d*):** रोगी व्यक्ति चिकित्सक के पास चिकित्स्कीय परामर्श प्राप्त करने के लिए जाता है जो उसका इलाज करता है जिससे उसे स्वास्थ्यलाभ प्राप्त होता है।

5. **(*b*):** टेलीफोन डायरेक्टरी में इन नामों का क्रम होगा : Ramesh, Rana, **Randesh,** Randhir, Renmurthi.

6. **(*e*):** तिरुपति, आंध्र प्रदेश में है जो भारत का एक राज्य है तथा भारत विश्व का एक हिस्सा है और हमारा विश्व ब्रह्मांड में अवस्थित है।

7. **(*b*):** बच्चे के रोने पर मां उसे दूध पिलाती है और तब बच्चा हंसता है।

8. **(*d*):** वर्षा होने पर सूरज की किरणों से इंद्रधनुष बनता है और बच्चा उसे देखकर खुश होता है।

9. **(*c*):** बच्चे के जन्म के पश्चात् उसे शिक्षा प्रदान करना आवश्यक है। बच्चे के वयस्क होने पर उसका विवाह किया जाता है। बूढ़ा होने पर उसकी मृत्यु हो जाती है और तब उसका अंतिम संस्कार (दाह संस्कार) किया जाता है।

10. **(*a*):** टेलीफोन डायरेक्टरी में इन नामों का क्रम है :Sajevar, Sajewat, **Sajewet**, Salwar, Segvan.

11. **(*a*):** शब्दों को बढ़ती हुई राशि के क्रम में व्यवस्थित किया गया है।

12. **(*c*):** बीज से पौधा उगता है जो विकसित होकर पेड़ बनता है, पेड़ से हमें लकड़ी मिलती है जिससे मेज बनायी जाती है।

13. **(*c*):** घास में अनेक कीट होते हैं। इन कीटों को खाने वाला मेंढक सांप का शिकार बनता है जिसे उकाब (गरुड़ पक्षी) खाता है।

14. **(*a*):** शब्दों का अनुक्रम भवन/कमरा के निर्माण का सही क्रम प्रदर्शित करता है।

15. **(*b*):** पुस्तक में पाठ को निम्नलिखित पांच शीर्षों के अंतर्गत प्रस्तुत किया जाता है : 'शीर्षक, विषय-वस्तु, परिचय, अध्याय, अनुक्रमणिका'

16. **(*c*):** दिए गए शब्दों को उनके सहज अनुक्रम में अवरोही क्रम में व्यवस्थित करने पर निम्नलिखित अनुक्रम प्राप्त होता है: 'पुस्तकालय, पुस्तक, पृष्ठ, पैराग्राफ, अक्षर' पुस्तकालय में पुस्तकों का संग्रह होता है। पुस्तक अनेक पृष्ठों का एक संग्रह है, एक पृष्ठ में अनेक पैराग्राफ होते हैं जिसमें अनेक अक्षर होते हैं।

17. **(*d*):** माप के आरोही या बढ़ते क्रम में अनुक्रम है : मिलीमीटर, सेंटीमीटर, मीटर, डेकामीटर, किलोमीटर।

18. **(*a*):** शब्दों का सहज क्रम है : 'कच्ची सामग्री, उत्पादक, वितरक, विक्रेता, उपभोक्ता'। कच्ची सामग्री का उपयोग करके उत्पादक उत्पाद निर्मित करता है। जिसे वितरक द्वारा विक्रेता को दिया जाता है जिससे उपभोक्ता उस उत्पाद को खरीदते हैं।

19. **(*d*):** आरोही क्रम में व्यवस्थित करने पर इन शब्दों से मानव की सहज वृद्धि/विकास की अवस्था सूचित होती है : 'शिशु, बच्चा, किशोर, युवा, वयस्क'।

20. **(*a*):** इन शब्दों का शब्दकोश के अनुसार व्यवस्थित क्रम है: Marital, Martial, Matirial, Matriarch, Matrimony.

21. **(*a*):** घटते हुए भार के क्रम में इनका व्यवस्थित क्रम है : 'किलोग्राम, हेक्टोग्राम, ग्राम, डेसीग्राम, सेंटीग्राम'

22. **(*e*):** दिए गए शब्दों का सहज क्रम है : 'रोगी, चिकित्सक, निदान, चिकित्सा, स्वास्थ्यलाभ'। रोगी चिकित्सक के पास जाता है जो उसके रोग का निदान करने के लिए उसकी चिकित्सा करता है जिससे रोगी को स्वास्थ्य लाभ होता है।

23. **(*c*):** दिए गए शब्दों का सही क्रम है : 'देश, जंगल, पेड़, लकड़ी, फर्नीचर'। किसी देश में जंगल होते हैं जिनमें पाए जाने वाले पेड़ों से लकड़ी मिलती है जिससे फर्नीचर बनते हैं।

24. **(*a*):** आरोही क्रम में पदानुक्रम है : 'लेफ्टिनेंट, कैप्टन, मेजर, ब्रिगेडियर, लेफ्टिनेट जनरल'।

25. **(*c*):** गति के बढ़ते क्रम में परिवहन के साधनों का सहज क्रम है : 'साइकिल, बस, रेलगाड़ी, हवाई जहाज, जेट'।

★ ★ ★

8

क्रम और रैंकिंग
(Order and Ranking)

क्रम और रैंकिंग तर्क मोटे तौर पर निम्नलिखित से संबंधित है :

(*i*) व्यक्तियों या वस्तुओं की ऊंचाई, वजन आदि जैसी विशेषताओं की तुलना करना, और उनके संबंधित रैंक की पहचान करना।

(*ii*) किसी विशिष्ट व्यवस्था में व्यक्तियों के क्रम या स्थान का पता लगाना, चाहे वह एक पंक्ति में हो या एक वृत्त में।

प्रश्नों को हल करने के लिए नीचे दिए गए क्रम और रैंकिंग तर्क के लिए विभिन्न युक्तियों और तरकीबों का उपयोग करें :

- स्थिति पंक्ति के किसी भी ओर से हो सकती है, और रैंक हमेशा पंक्ति के ऊपर या नीचे से होती है।
- उम्मीदवार सूत्र का उपयोग करके पंक्ति या स्तंभ में कुल व्यक्तियों की संख्या की गणना कर सकते हैं :
  कुल व्यक्ति = बाएं से रैंक + दाएं से रैंक – 1
- गैर-अतिव्यापी (ओवरलैपिंग) प्रकार के प्रश्नों के लिए,
  दो लोगों के बीच व्यक्तियों की संख्या = व्यक्तियों की कुल संख्या – विपरीत छोरों से दो अलग-अलग लोगों की स्थिति का योग।
- अतिव्यापी (ओवरलैपिंग) प्रकार के प्रश्नों के लिए,
  दो व्यक्तियों के बीच व्यक्तियों की संख्या = विपरीत छोर से दो अलग-अलग व्यक्तियों की स्थिति का योग – व्यक्तियों की कुल संख्या–2
- अतिव्यापी (ओवरलैपिंग) के लिए शर्त है,
  विपरीत छोर से दो व्यक्तियों की स्थिति का योग > व्यक्तियों की कुल संख्या।

वस्तुनिष्ठ प्रश्न

1. पेड़ों की एक पंक्ति में, एक पेड़ पंक्ति के दोनों छोर से पाँचवाँ है। पंक्ति में कितने पेड़ हैं?
(*a*) 11 (*b*) 8
(*c*) 10 (*d*) 9

2. जया 53 छात्रों की एक कक्षा में 5वें स्थान पर है। कक्षा में नीचे से उसका स्थान क्या है?
(*a*) 49वां (*b*) 48वां
(*c*) 47वां (*d*) 50वां

3. यदि राहुल को पता चलता है कि वह लड़कों की एक पंक्ति में दाईं ओर से 12वें और बाईं ओर से चौथे स्थान पर है, तो पंक्ति में कितने लड़कों को जोड़ा जाना चाहिए ताकि पंक्ति में 28 लड़के हो जाएं?
(*a*) 12 (*b*) 14
(*c*) 20 (*d*) 13

4. लड़कों की एक पंक्ति में, राजन दाईं ओर से दसवाँ और सूरज बाईं ओर से दसवाँ है। जब राजन और सूरज अपनी स्थिति बदलते हैं, तो सूरज बाईं ओर से सत्ताईसवाँ होगा। निम्नलिखित में से कौन-सा स्थान दाईं ओर से राजन का होगा?
(*a*) दसवाँ (*b*) छब्बीसवाँ
(*c*) सत्ताईसवाँ (*d*) पच्चीसवाँ

5. उमा एक कक्षा में ऊपर से 8वें और नीचे से 37वें स्थान पर है। कक्षा में कितने छात्र हैं?
(*a*) 47 (*b*) 44
(*c*) 45 (*d*) 48

6. वीना 182 छात्रों की एक कक्षा में ऊपर से 73वें स्थान पर है। यदि 22 छात्र परीक्षा में अनुत्तीर्ण हुए हैं, तो नीचे से उसका स्थान क्या होगा?
(*a*) 88 (*b*) 108
(*c*) 110 (*d*) 90

7. राकेश एक कक्षा में ऊपर से 9वें और नीचे से 38वें स्थान पर है। कक्षा में कितने छात्र हैं?
(*a*) 47 (*b*) 45
(*c*) 46 (*d*) 48

8. अमिता अपनी कक्षा में ऊपर से 19वें और नीचे से 26वें स्थान पर है। कक्षा में कितने छात्र हैं?
(*a*) 44 (*b*) 45
(*c*) 42 (*d*) 43

9. सौरभ अपनी कक्षा में ऊपर से 11वें और नीचे से 24वें स्थान पर था। कक्षा में कितने छात्र हैं?
(*a*) 36 (*b*) 34
(*c*) 35 (*d*) 33

10. P, Q, R और S सीढ़ी पर चढ़ रहे हैं। R, S से आगे खड़ा है, P, Q और S के बीच में खड़ा है। नीचे से दूसरे स्थान पर कौन खड़ा है?

(*a*) P (*b*) Q
(*c*) R (*d*) S

11. हर्ष सचिन से तेज दौड़ता है, पुनीत हिमांशु से धीमा दौड़ता है, हिमांशु सचिन से धीमा दौड़ता है। सबसे धीमा धावक कौन है?

(*a*) सचिन (*b*) पुनीत
(*c*) हिमांशु (*d*) हर्ष

12. पाँच आदमी A, B, C, D और E एक अखबार पढ़ते हैं। जो पहले पढ़ता है वह इसे C को देता है। जो आखिरी में पढ़ता है उसने A से लिया था। E पढ़ने वाला पहला या आखिरी नहीं था। B और A के बीच दो पाठक थे। अखबार सबसे आखिर में किसने पढ़ा?

(*a*) A (*b*) B
(*c*) C (*d*) D

13. एक आवासीय परिसर में चार इमारतें A, B, C और D हैं। प्रत्येक की ऊँचाई अलग-अलग है। D केवल B से छोटी है। A, D और C से छोटा है। उनमें से सबसे छोटा कौन है?

(*a*) A (*b*) B
(*c*) C (*d*) D

14. O, P, Q, R, S और T अपनी ऊँचाई के अनुसार एक बेंच पर खड़े हैं। P, O से लंबा है लेकिन S से छोटा है। केवल S, T से लंबा है। R, P से छोटा है लेकिन Q से लंबा है। सबसे छोटा कौन है?

(*a*) O (*b*) Q
(*c*) P (*d*) नहीं कहा जा सकता

15. 49 छात्रों की एक कक्षा में नितिन ऊपर से अठारहवें स्थान पर है। अंतिम से उसका स्थान क्या है?

(*a*) 18 (*b*) 19
(*c*) 31 (*d*) 32

16. तान्या एरिक से बड़ी है।
क्लिफ, तान्या से बड़ा है।
एरिक, क्लिफ से बड़ा है।

यदि पहले दो कथन सत्य हैं, तो तीसरा कथन है :

(*a*) सत्य (*b*) असत्य
(*c*) अनिश्चित (*d*) इनमें से कोई नहीं

17. 45 छात्रों की एक कक्षा में, आमिर का शीर्ष से स्थान 16वां है। अशोक, आमिर से 6 स्थान नीचे है। नीचे से अशोक का स्थान क्या है?

(*a*) 23वां (*b*) 32वां
(*c*) 24वां (*d*) 30वां

18. 37 लड़के एक पंक्ति में खड़े हैं। आकाश दाएं छोर से 14वें स्थान पर है। यदि उसे छह स्थान बाईं ओर स्थानांतरित कर दिया जाए, तो बाएं छोर से उसका स्थान क्या है?

(*a*) 20 (*b*) 18
(*c*) 11 (*d*) 14

19. छह मित्र M, N, O, P, Q और R उत्तर की ओर मुख करके एक पंक्ति में बैठे हैं। N, P के तुरंत बाएं बैठा है। R, Q और O के ठीक बीच में बैठा है। N और O दोनों छोर पर बैठे हैं। Q के तुरंत बाएं कौन बैठा है?

(*a*) M (*b*) N
(*c*) P (*d*) R

20. छह मित्र A, B, C, D, E और F गोलाकार में खड़े हैं। वे समान दूरी पर खड़े हैं। A, B के दाईं ओर तीसरे स्थान पर खड़ा है। E, D के ठीक बाईं ओर खड़ा है। A, F और D के ठीक बीच में खड़ा है। निम्नलिखित में से कौन D के बाईं ओर तीसरे स्थान पर खड़ा है?

(*a*) C (*b*) E
(*c*) A (*d*) F

व्याख्यात्मक उत्तर

1. (*d*):

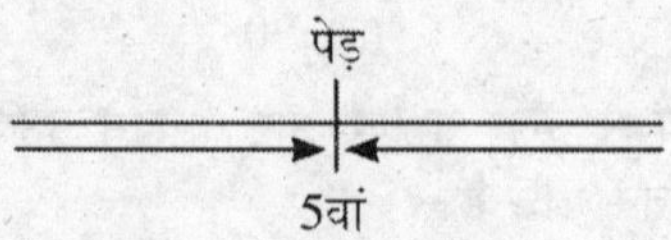

पंक्ति में पेड़ों की कुल संख्या है

(5 + 5) –1 = 9

2. (*a*):

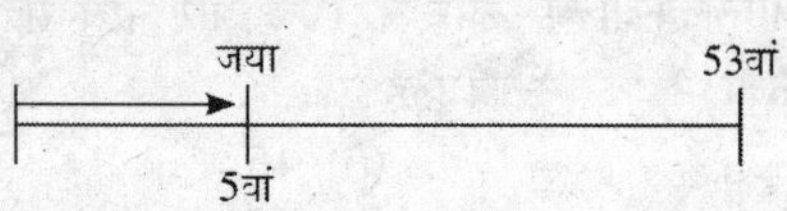

नीचे से जया का स्थान है :

(53 – 5) + 1 = 49वां।

3. (*d*):

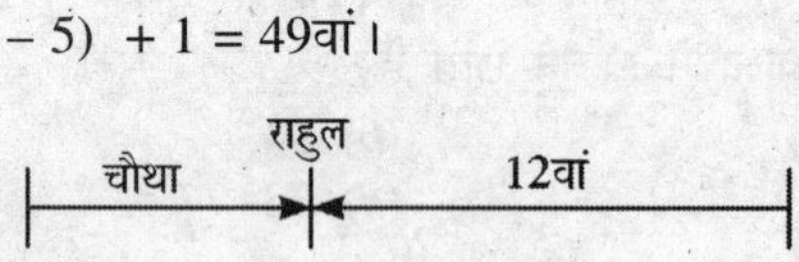

पंक्ति में लड़कों की संख्या है :

(4 + 12) – 1 = 15

28 लड़कों की एक पंक्ति बनाने के लिए, (28 –15) यानी 13 और लड़कों की जरूरत है।

4. (*c*):

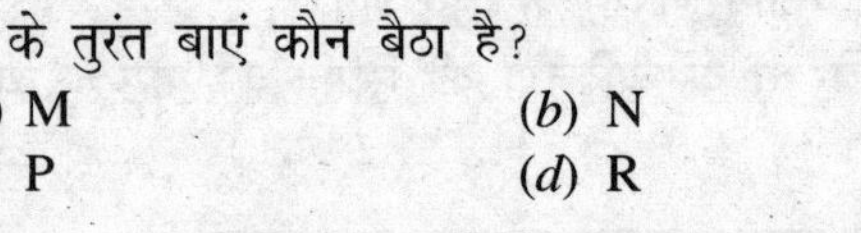

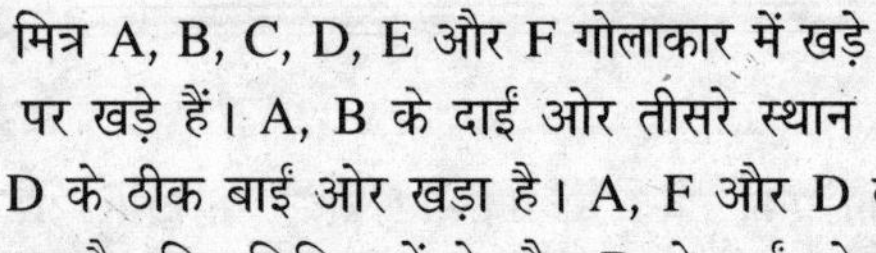

चूँकि लड़कों की स्थिति दोनों छोर से बराबर है, इसलिए राजन भी स्थान बदलने के बाद दाईं ओर से 27वें स्थान पर होगा।

5. (*b*):

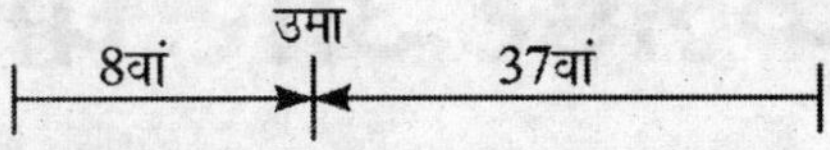

कक्षा में कुल छात्रों की संख्या :
(8 + 37) – 1 = 44

6. (*a*):

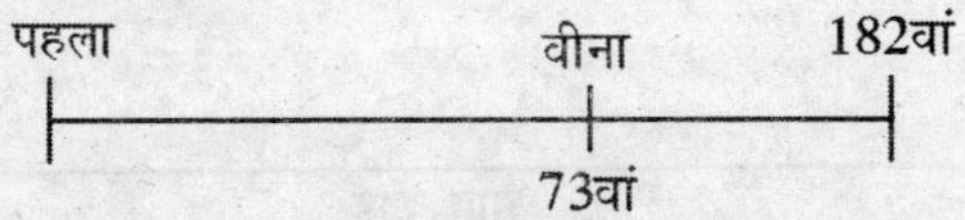

अनुत्तीर्ण छात्रों की संख्या 22 है। उत्तीर्ण छात्रों की संख्या = 182 – 22 = 160.
तो नीचे से वीना की रैंक होगी :
(160 – 73) + 1 = 88वां

7. (*c*):

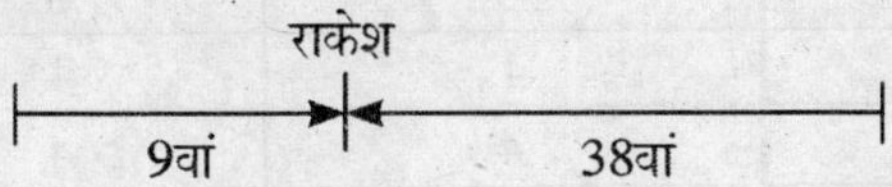

कक्षा में छात्रों की संख्या है :
(9 + 38) – 1 = 46

8. (*a*): ऊपर से रैंक = 19वीं
नीचे से रैंक = 26वीं
कुल छात्र = (ऊपर से रैंक –1) + 1 + (नीचे से रैंक –1)
= (19 – 1) + 1 + (26 – 1) = 18 + 1 + 25 = 44

9. (*b*): छात्रों की संख्या = ऊपर से सौरभ की रैंक + नीचे से सौरभ की रैंक – 1
= 11 + 24 – 1 = 34

10. (*a*): कथनों का उपयोग करते हुए, R, S से आगे बैठा है, P, Q और S के बीच में खड़ा है।
R > S > P > Q
अतः, P नीचे से दूसरे स्थान पर खड़ा है।

11. (*b*): दिए गए कथनों से, हर्ष > सचिन > हिमांशु > पुनीत
अतः, पुनीत सबसे धीमा धावक है।

12. (*d*): निम्नलिखित अनुक्रम उस क्रम को दर्शाता है जिसमें समाचार पत्र पढ़ा गया था।

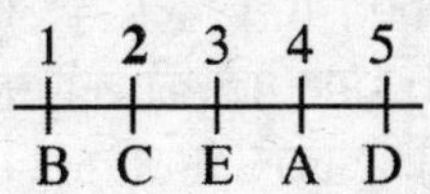

अतः, D समाचार पत्र पढ़ने वाला अंतिम व्यक्ति है।

13. (*a*): प्रश्न के अनुसार, चार इमारतों की ऊँचाई
B > D > C > A
अतः, A उन सभी में सबसे छोटा है।

14. (*d*): प्रश्न के अनुसार,
S > T > P > O और P > R > Q
या तो Q या O सबसे छोटा है।

15. (*d*): छात्रों की कुल संख्या = L + R – 1
49 = L + 18 – 1 L = 49 – 17 = 32

16. (*b*): पहले दो कथनों के अनुसार,
तान्या > एरिक
क्लिफ > तान्या
क्लिफ > तान्या > एरिक
तीसरा कथन, एरिक > क्लिफ
पहले दो कथन सत्य हैं।
इसलिए, तीसरा कथन असत्य है।

17. (*c*):

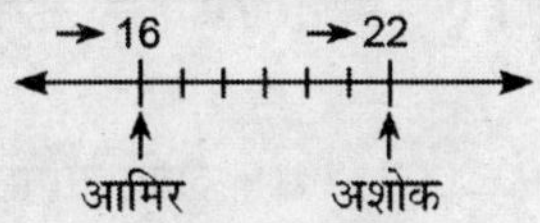

नीचे से अशोक का स्थान
= 45 – (16 + 6) + 1
= 45 – 22 + 1 = 45 – 21 = 24वाँ

18. (*b*):

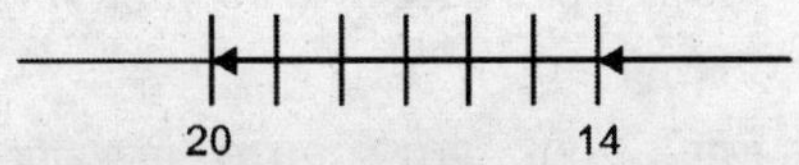

दिया गया है, पंक्ति में लड़कों की संख्या = 37
आकाश दाएँ छोर से 14वाँ है।
आकाश को बाएँ छोर से 6 स्थान पर स्थानांतरित किया गया है,
दाएँ छोर से उसका स्थान = 14 + 6 = 20
अतः, बाएँ छोर से आकाश का स्थान
= 37 – 20 + 1 = 38 – 20 = 18

19. (*a*): दिया गया है, छह मित्र M, N, O, P, Q और R उत्तर की ओर मुख करके एक पंक्ति में बैठे हैं।

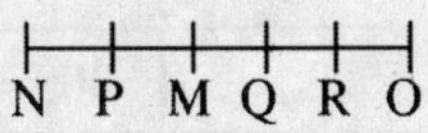

N और O दो छोर पर बैठे हैं। N, P के ठीक बाएँ बैठा है। R, Q और O के ठीक बीच में बैठा है। और M शेष स्थान पर बैठा है। M, Q के ठीक बाएँ बैठा है।
अतः, सही उत्तर विकल्प (*a*) है।

20. (*a*): जानकारी के अनुसार, हमें अंतिम व्यवस्था निम्न प्रकार मिलती है :

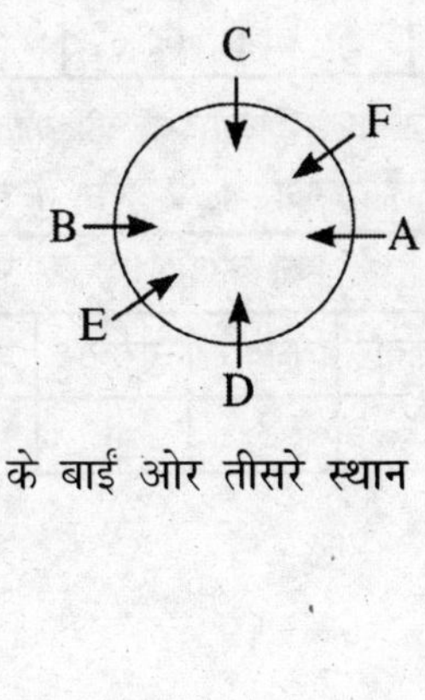

अतः C, D के बाईं ओर तीसरे स्थान पर है।

★ ★ ★

9

कैलेंडर और घड़ियाँ (Calendar and Clocks)

कैलेंडर

साधारण वर्ष : एक साधारण वर्ष वह वर्ष होता है जिसमें 365 दिन होते हैं और यह लीप वर्ष नहीं होता। एक साधारण वर्ष का कैलेंडर 11 वर्ष के बाद दोहराया जाता है।

उदाहरण के लिए : 1879, 2009, 2019 आदि सामान्य वर्ष हैं।

लीप वर्ष : यदि कोई वर्ष 4 से विभाजित होता है, तो वह लीप वर्ष (अधिवर्ष) है, बशर्ते कि वह वर्ष शताब्दी वर्ष न हो।

यदि कोई शताब्दी 400 से विभाज्य है, तो वह लीप वर्ष होता है।

लीप वर्ष में 366 दिन होते हैं। एक लीप वर्ष का कैलेंडर 28 वर्षों के बाद दोहराया जाता है।

उदाहरण के लिए : 2008, 2012, 2020 आदि लीप वर्ष हैं।

निम्नलिखित वर्षों में लीप वर्षों की संख्या :

1-100	24	201-300	24
101-200	24	301-400	25

अतः, 400 वर्षों में 97 लीप वर्ष होते हैं।

दिए गए वर्षों में विषम दिनों की संख्या इस प्रकार है :

वर्ष	विषम दिनों की संख्या	वर्ष	विषम दिनों की संख्या
1 साधारण वर्ष	1	200 वर्ष	3
1 लीप वर्ष	2	300 वर्ष	1
100 वर्ष	5	400 वर्ष	0

शताब्दी कोड : शताब्दी को 400 से भाग दें। शेष के अनुसार कोड का प्रयोग करें।

शताब्दी	1600	1700	1800	1900	2000	2100	2200	2300
शेष	0	100	200	300	0	100	200	300
कोड	6	4	2	0	6	4	2	0

नोट : 400 के गुणज वाली शताब्दियों का कोड 6 है और अगली क्रमागत शताब्दियों के कोड क्रमशः 4, 2 और 0 हैं।

दिन कोड						
रविवार	सोमवार	मंगलवार	बुधवार	गुरुवार	शुक्रवार	शनिवार
0	1	2	3	4	5	6

माह कोड		
माह	**(सामान्य वर्ष) कोड**	**(लीप वर्ष) कोड**
जनवरी	0	6
फरवरी	3	2
मार्च	3	3
अप्रैल	6	6
मई	1	1
जून	4	4
जुलाई	6	6
अगस्त	2	2
सितंबर	5	5
अक्टूबर	0	0
नवंबर	3	3
दिसंबर	5	5

घड़ियाँ

मिनट रिक्त स्थान : घड़ी के डायल की परिधि को 60 बराबर भागों में और 60 मिनट चिह्नों द्वारा विभाजित किया जाता है जिन्हें मिनट स्थान कहते हैं।

घंटा चिह्न : प्रत्येक पाँचवाँ मिनट चिह्न हाइलाइट किया जाता है और उसे घंटा चिह्न कहते हैं। इस प्रकार, हमारे पास 12 घंटे के निशान होते हैं, जिन्हें अक्सर 1 से 12 तक क्रमांकित किया जाता है।

घंटे की सूई (HN) : यह घड़ी की छोटी सूई है जो घंटों में समय दर्शाती है। यह एक दिन में वृत्ताकार डायल के 2 पूरे चक्कर लगाती है।

- 12 घंटे = 1 पूरा चक्कर
- यह एक घंटे में 5 मिनट के अंतराल को कवर करती है।
- 12 घंटे = 360° या 1 घंटा = 30°

मिनट की सूई (MN) : यह घड़ी की लंबी सूई है जो मिनटों में समय दर्शाती है। यह एक दिन में वृत्ताकार डायल के 24 पूरे चक्कर लगाती है।

- 1 घंटा = 1 पूरा चक्कर
- यह एक घंटे में 60 मिनट के अंतराल को कवर करती है।
- यह एक घंटे में घंटे की सूई की तुलना में 55 मिनट अधिक अंतराल को कवर करती है।
- 1 घंटा = 360° या 1 मिनट = 6°

सेकंड की सूई : यह घड़ी की सबसे पतली सूई है जो सेकंड में समय दर्शाती है। यह एक मिनट में वृत्ताकार डायल का 1 पूरा लगाती है।

- 1 मिनट = 1 पूरा चक्कर
- 1 मिनट = 360°

वस्तुनिष्ठ प्रश्न

1. यदि परसों बुधवार था, तो परसों कौन-सा दिन होगा?
(*a*) रविवार (*b*) सोमवार
(*c*) मंगलवार (*d*) गुरुवार

2. यदि परसों शुक्रवार था, तो कल कौन-सा दिन होगा?
(*a*) रविवार (*b*) मंगलवार
(*c*) सोमवार (*d*) शनिवार

3. यदि आज सोमवार है, तो परसों कौन-सा दिन था?
(*a*) शुक्रवार (*b*) शनिवार
(*c*) रविवार (*d*) बुधवार

4. यदि कल गुरुवार है, तो तीन दिन पहले कौन-सा दिन था?
(*a*) रविवार (*b*) सोमवार
(*c*) मंगलवार (*d*) शनिवार

5. यदि परसों मंगलवार है, तो कल कौन-सा दिन था?
(*a*) शुक्रवार (*b*) सोमवार
(*c*) रविवार (*d*) शनिवार

6. 400 वर्षों में कितने लीप वर्ष होते हैं?
(*a*) 98 (*b*) 99
(*c*) 100 (*d*) 97

7. जुलाई महीने में कितने विषम दिन होते हैं?
(*a*) 1 (*b*) 2
(*c*) 3 (*d*) 4

8. वर्ष 1846 का कैलेंडर किस वर्ष के कैलेंडर के समान था?
(*a*) 1840 (*b*) 1841
(*c*) 1836 (*d*) 1835

9. वर्ष 1740 का कैलेंडर किस वर्ष के कैलेंडर के समान था?
(*a*) 1741 (*b*) 1768
(*c*) 1746 (*d*) 1747

10. यदि 'शुक्रवार' 17 सितंबर है, तो उसी वर्ष के किस महीने की 17 तारीख शुक्रवार होगी?
(*a*) जनवरी (*b*) जुलाई
(*c*) दिसंबर (*d*) मार्च

11. यदि किसी महीने की 2 तारीख रविवार को पड़ती है, तो उस महीने की 31 तारीख को कौन-सा दिन होगा?
(*a*) मंगलवार (*b*) शनिवार
(*c*) शुक्रवार (*d*) सोमवार

12. कौन-से दिन शताब्दी का पहला दिन नहीं हो सकते?
(*a*) रविवार, मंगलवार, शुक्रवार
(*b*) रविवार, बुधवार, शुक्रवार
(*c*) मंगलवार, गुरुवार, शनिवार
(*d*) इनमें से कोई नहीं

13. कौन-से दिन शताब्दी का अंतिम दिन नहीं हो सकते?
(*a*) रविवार, मंगलवार, शुक्रवार (*b*) रविवार, बुधवार, शुक्रवार
(*c*) मंगलवार, गुरुवार, शनिवार (*d*) इनमें से कोई नहीं

14. यदि किसी घड़ी की दोनों सूइयाँ 3 मिनट के अंतराल पर हैं, तो उनके बीच का कोण है :
(*a*) 3° (*b*) 18°
(*c*) 24° (*d*) 60°

15. 39 मिनट और 56 सेकंड में मिनट की सूई कितनी डिग्री घूमती है?
(*a*) 234° (*b*) 239.6°
(*c*) 239° (*d*) 240°

16. 27 सेकंड में सेकंड की सूई कितनी डिग्री घूमती है?
(*a*) 144° (*b*) 150°
(*c*) 156° (*d*) 162°

17. 16 मिनट में, मिनट की सूई घंटे की सूई से कितनी आगे बढ़ जाती है?
(*a*) 16° (*b*) 80°
(*c*) 88° (*d*) 96°

18. कितने समय बाद घड़ी की दोनों सूइयाँ बार-बार एक-दूसरे के साथ मिलेंगी?
(*a*) 66 मिनट (*b*) $65\frac{6}{11}$ मिनट
(*c*) 65 मिनट (*d*) $65\frac{5}{11}$ मिनट

19. एक दिन में घड़ी की सूइयाँ कितनी बार एक-दूसरे से मिलती हैं?
(*a*) 22 (*b*) 24
(*c*) 20 (*d*) 21

20. एक दिन में कितनी बार घड़ी की सूइयाँ सीधी रेखा में लेकिन विपरीत दिशा में होती हैं?
(*a*) 24 (*b*) 22
(*c*) 20 (*d*) 48

21. एक दिन में कितनी बार घड़ी की सूइयाँ सीधी होती हैं?
(*a*) 24 (*b*) 24
(*c*) 48 (*d*) 44

22. एक दिन में घड़ी की सूइयाँ कितनी बार समकोण पर होती हैं?
(*a*) 22 (*b*) 24
(*c*) 44 (*d*) 48

23. मेरे चाचा मेरे पिता के जन्मदिन के 64 दिन बाद मुझसे मिलने आएंगे। यदि मेरे पिता का जन्मदिन मंगलवार को पड़ता है, तो मेरे चाचा किस दिन मुझसे मिलने आएंगे?
(*a*) बुधवार (*b*) रविवार
(*c*) मंगलवार (*d*) सोमवार

24. घड़ी की मिनट व घण्टे वाली सूई के बीच एक मिनट में बनने वाले कोण का मान कितना होगा?
(*a*) 7 डिग्री (*b*) 7 डिग्री
(*c*) 5.5 डिग्री (*d*) 11 डिग्री

25. यदि 3 दिसंबर 1999 को रविवार है, तो 3 जनवरी 2000 को कौन-सा दिन होगा?
(*a*) मंगलवार (*b*) बुधवार
(*c*) गुरुवार (*d*) शुक्रवार

व्याख्यात्मक उत्तर

1. (*a*): बीता हुआ परसों — बुधवार
बीता हुआ कल — गुरुवार
आज — शुक्रवार
आने वाला कल — शनिवार
∴ आने वाला परसों — रविवार

2. (*c*): बीता हुआ परसों — शुक्रवार
बीता हुआ कल — शनिवार
आज — रविवार
∴ आने हुआ कल — सोमवार

3. (*b*): आज — सोमवार
बीता हुआ कल — रविवार
∴ बीता हुआ परसों — शनिवार

4. (*a*): आने वाला कल — गुरुवार
आज — बुधवार
बीता हुआ कल — मंगलवार
दो दिन पहले — सोमवार
∴ तीन दिन पहले — रविवार

5. (*b*): आने वाला परसों — मंगलवार
आने हुआ कल — सोमवार
आज — रविवार
∴ बीता हुआ कल — शनिवार

6. (*d*): 1 से 300 वर्ष = $3 \times 24 = 72$
301 से 400 वर्ष = 25
∴ कुल लीप वर्ष = $72 + 25 = 97$

7. (*c*): जुलाई महीने में कुल दिन = 31
∴ विषम दिन = $31 \div 7 = 3$ (शेष)
अतः, जुलाई माह में 3 विषम दिन होते हैं।

8. (*d*): एक साधारण वर्ष का कैलेंडर 11 वर्षों के बाद दोहराया जाता है।
∴ अपेक्षित वर्ष = $1846 - 11 = 1835$.

9. (*b*): एक लीप वर्ष का कैलेंडर 28 वर्षों के बाद दोहराया जाता है।
∴ अपेक्षित वर्ष = $1740 + 24 = 1768$.

10. (*c*): समान माह कोड वाले महीनों का कैलेंडर समान होगा। सितंबर और दिसंबर का माह कोड समान है।

11. (*d*): महीने की 2 तारीख → रविवार
महीने की 2 तारीख से 31 तारीख तक विषम दिनों की संख्या = $29 \div 7 = 1$ (शेष) विषम दिन
उस महीने की 31 तारीख = (रविवार + 1 दिन) = सोमवार

12. (*b*): किसी शताब्दी का पहला दिन सोमवार, मंगलवार, गुरुवार और शनिवार हो सकता है। इसलिए शेष दिन बुधवार, शुक्रवार और रविवार शताब्दी का पहला दिन नहीं हो सकते।

13. (*c*): शताब्दी के अंतिम दिन रविवार, सोमवार, बुधवार और शुक्रवार हैं। इसलिए शेष दिन मंगलवार, गुरुवार और शनिवार शताब्दी का अंतिम दिन नहीं हो सकते।

14. (*b*): जब दोनों सूइयाँ 1 मिनट के अंतराल की दूरी पर हों, तो सूइयों के बीच का कोण = $6°$
जब दोनों सूइयाँ 3 मिनट के अंतराल की दूरी पर हों, तो सूइयों के बीच का कोण = $(6 \times 3)° = 18°$

15. (*b*): मिनट की सूई एक मिनट में $6°$ घूमती है, इसलिए 39 मिनट में यह घूमती है = $(39 \times 6)° = 234°$

मिनट की सूई $\frac{1°}{10}$ एक सेकंड में घूमती है, इसलिए 56 सेकंड में यह घूमती है = $\left(56 \times \frac{1}{10}\right)° = 5.6°$

∴ मिनट की सूई कुल घूमती है = $234° + 5.6° = 239.6°$

16. (*d*): सेकंड की सूई एक सेकंड में $6°$ घूमती है, इसलिए 27 सेकंड में घूमती है = $(27 \times 6)° = 162°$

17. (*c*): एक मिनट में, मिनट की सूई घंटे की सूई से $5.5°$ आगे बढ़ जाती है। 16 मिनट में, मिनट की सूई घंटे की सूई से = $(5.5 \times 16)° = 88°$ बढ़ जाती है।

18. (*d*) प्रत्येक $65\frac{5}{11}$ मिनट के बाद, दोनों सूइयाँ एक-दूसरे से मिलती हैं या ओवरलैप होती हैं।

19. (*a*): एक दिन में (अर्थात, 24 घंटे में) घड़ी की सूइयाँ 22 बार मिलती हैं।

20. (*b*): एक दिन में, अर्थात्, 24 घंटे में, घड़ी की सूइयाँ 22 बार एक-दूसरे के विपरीत होंगी।

21. (*d*): एक दिन में, घड़ी की दोनों सूइयाँ 44 बार सीधी रेखा में होती हैं (अर्थात्, 22 बार मिलती हैं और 22 बार एक-दूसरे के विपरीत होती हैं)।

22. (*c*): एक दिन में, घड़ी की सूइयाँ 44 बार समकोण पर होंगी।

23. (*a*): मेरे पिता का जन्मदिन मंगलवार को है।
$64 \div 7$ शेषफल 1 देता है। अतः, 63वाँ दिन मंगलवार होगा और एक दिन आगे वह दिन होगा जब चाचा आएंगे, अर्थात् बुधवार।

24. (*b*): क्योंकि मिनट वाली सूई 1 मिनट में $6°$ का कोण बनाती है तथा घंटे वाली सूई $½°$ का कोण बनाती है अतः कोण का मान $5½°$ होता है।

25. (*b*): 3 दिसंबर 1999 रविवार है। 3 दिसंबर 1999 और 3 जनवरी 2000 के बीच दिनों की संख्या = $28 + 3 = 31$ दिन।
$31 \div 7$ शेषफल 3 देता है।
अतः, 31 दिसंबर 1999 रविवार होगा और 3 जनवरी 2000, 3 दिन आगे अर्थात् बुधवार होगा।

★ ★ ★

10

छिपी हुई आकृति को ढूँढना

(Spotting Hidden Pattern)

इस प्रकार के प्रश्नों में ऊपर एक प्रश्न आकृति दी जाती है जिसके बाद विकल्प आकृतियाँ दी जाती हैं। दी गई प्रश्न आकृति दी गई विकल्प आकृतियों में से किसी एक में निहित होती है। वह प्रश्न आकृति जिस उत्तर आकृति में निहित होती है उसे ढूँढना होता है। इस प्रकार के प्रश्नों को हल करने के लिए अभ्यर्थियों के लिए अपनी मानसिक निपुणता और कल्पना शक्ति तथा तीक्ष्ण विश्लेषणात्मक क्षमता का प्रयोग करना अत्यधिक आवश्यक है और इस प्रकार वे ऐसे प्रश्नों को काफी सरलतापूर्वक हल कर सकेंगे।

वस्तुनिष्ठ प्रश्न

निर्देश (प्रश्न 1 से 25): *नीचे के प्रत्येक प्रश्न में ऊपर एक आकृति दी गई है जिसके नीचे चार विकल्प आकृतियाँ दी गई हैं। प्रत्येक प्रश्न में ऊपर दी गई आकृति नीचे दी गई विकल्प आकृतियों में से किसी एक में निहित है। उस विकल्प आकृति को ढूँढ़िए जिसमें प्रश्न आकृति (मूल आकृति) छिपी है।*

1. 

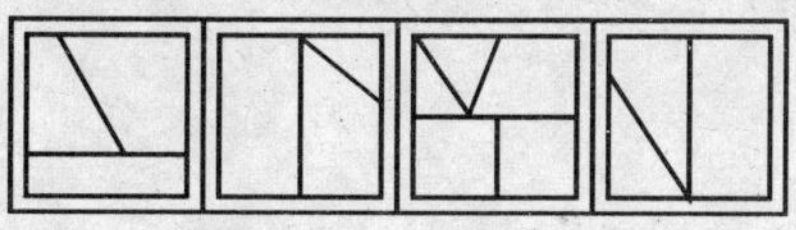

(*a*) (*b*) (*c*) (*d*)

2. 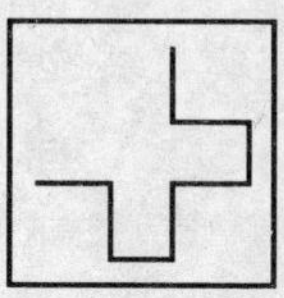

(*a*) (*b*) (*c*) (*d*)

3. 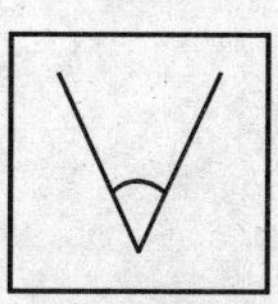

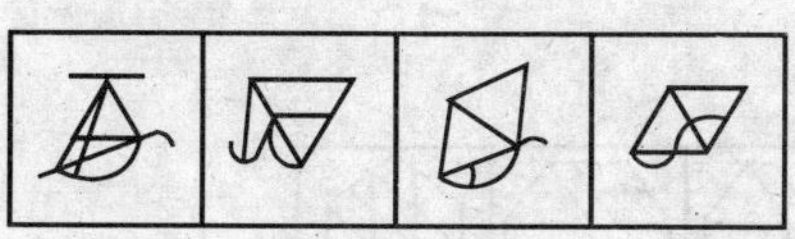

(*a*) (*b*) (*c*) (*d*)

4. 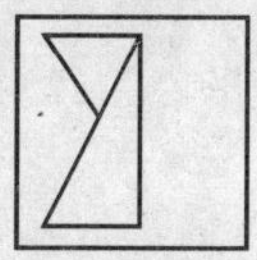

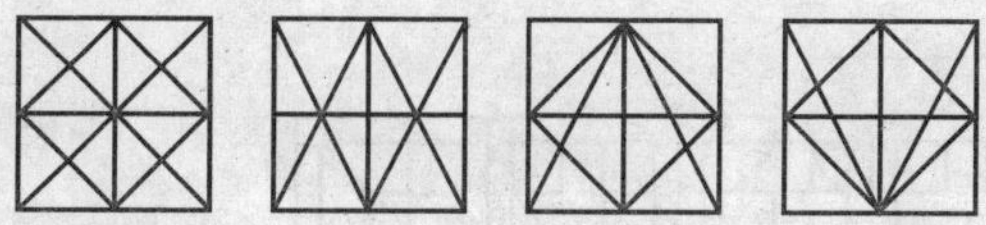

(*a*) (*b*) (*c*) (*d*)

5. 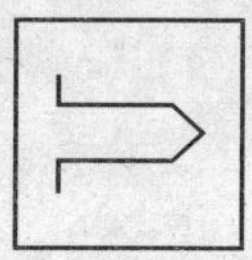

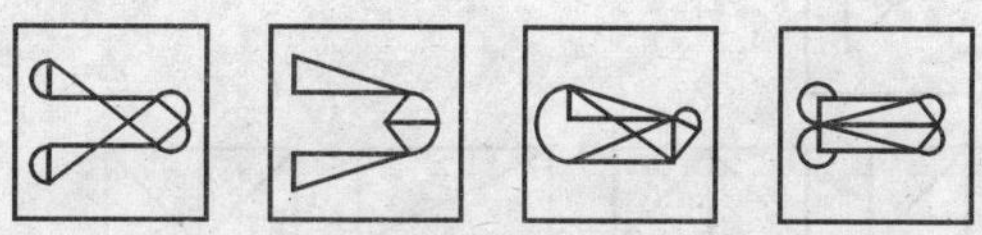

(*a*) (*b*) (*c*) (*d*)

6. 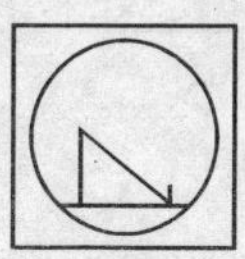

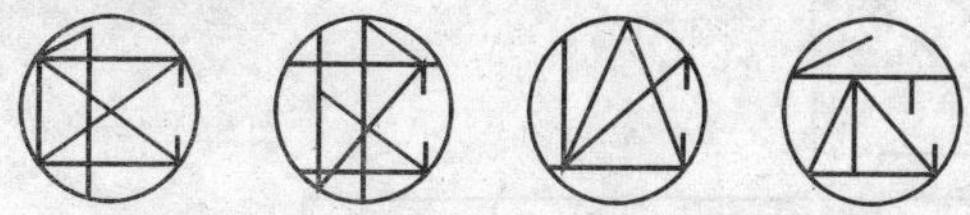

(*a*) (*b*) (*c*) (*d*)

7. 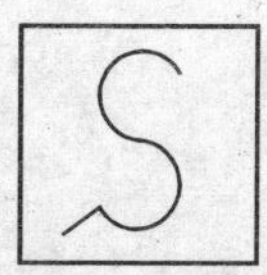

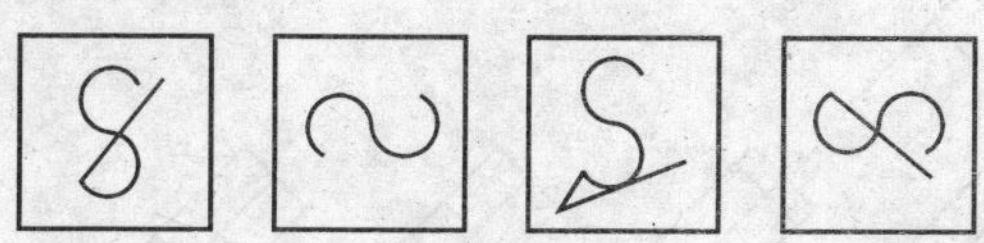

(*a*) (*b*) (*c*) (*d*)

8. 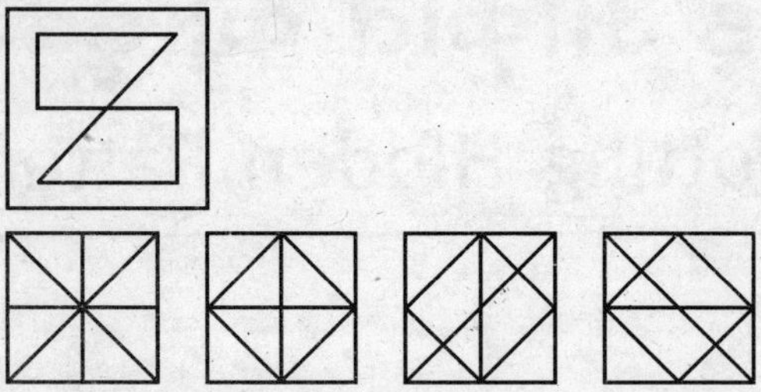

(a) (b) (c) (d)

9. 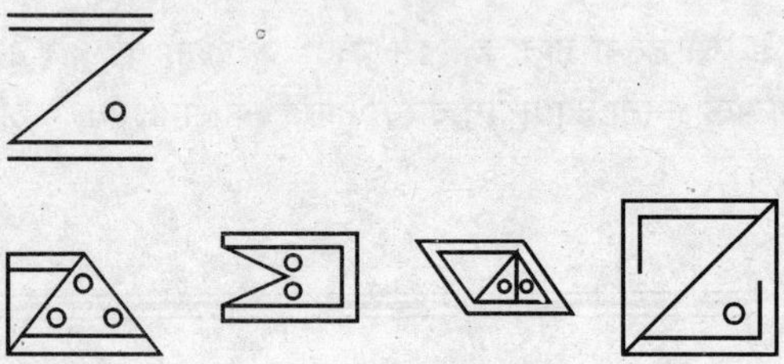

(a) (b) (c) (d)

10. 

(a) (b) (c) (d)

11. 

(a) (b) (c) (d)

12. 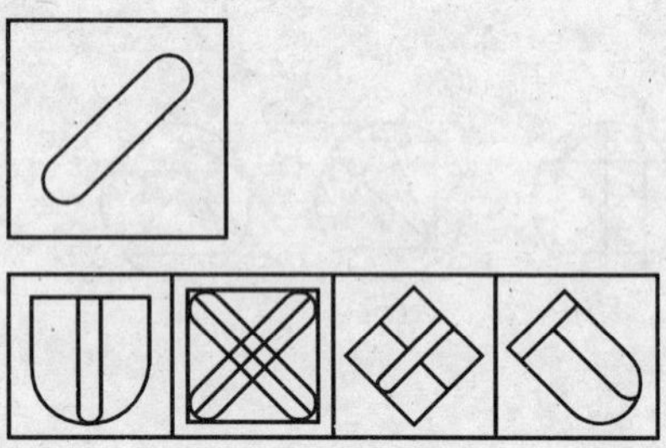

(a) (b) (c) (d)

13. 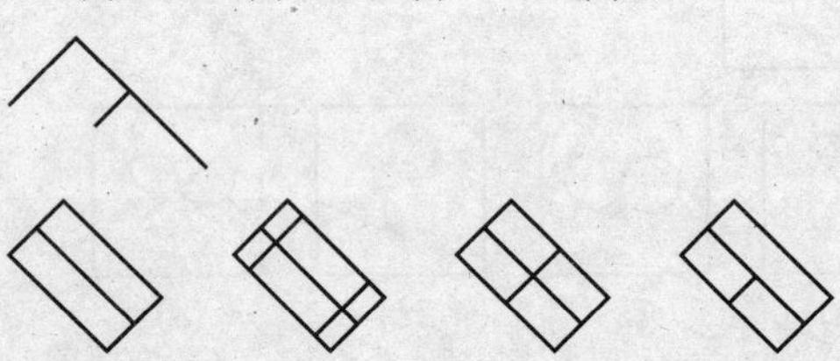

(a) (b) (c) (d)

14. 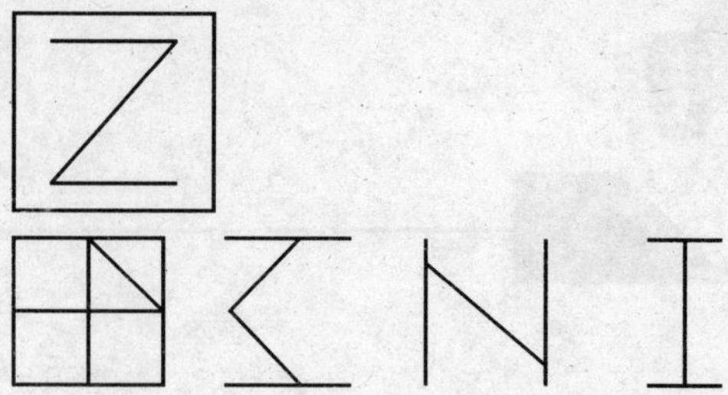

(a) (b) (c) (d)

15. 

(a) (b) (c) (d)

16. 

(a) (b) (c) (d)

17. 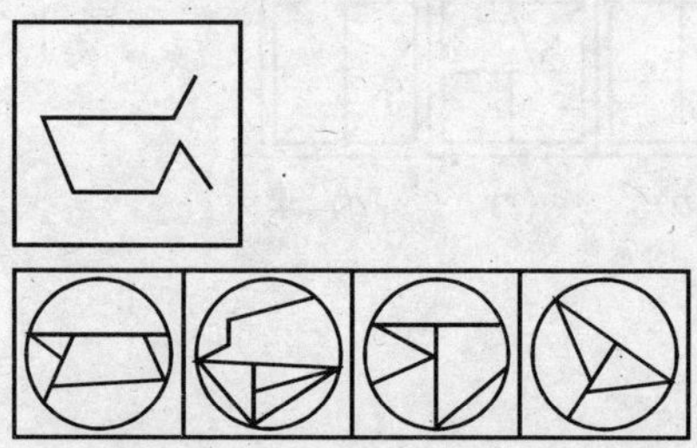

(a) (b) (c) (d)

18. 

(a) (b) (c) (d)

19. 

(a) (b) (c) (d)

20. 

(a) (b) (c) (d)

21. 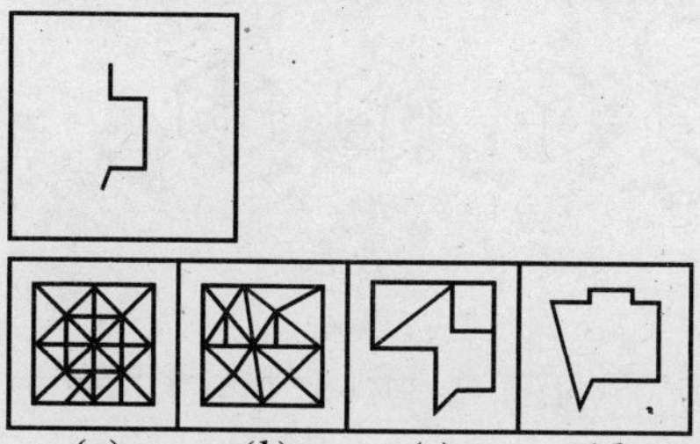

(a) (b) (c) (d)

22. 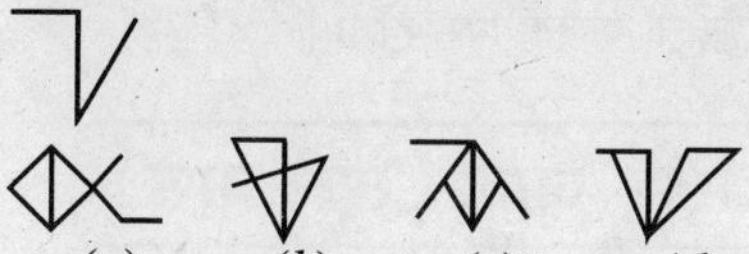

(a) (b) (c) (d)

23. 

(a) (b) (c) (d)

24. 

(a) (b) (c) (d)

25. 

(a) (b) (c) (d)

व्याख्यात्मक उत्तर

1. (a): 

2. (a): 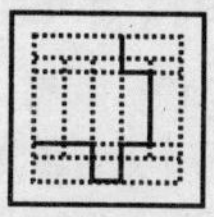

3. (d): 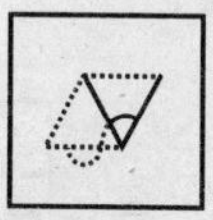

4. (b): 

5. (a): 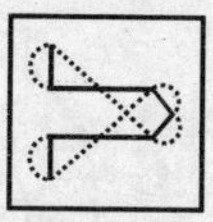

6. (b): 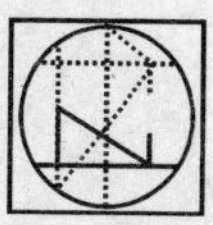

7. (c): 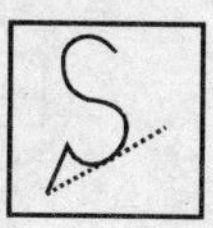

8. (a): 

9. (d): 

10. (a): 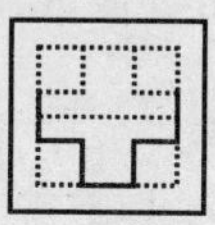

11. (d): 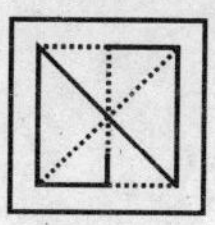

12. (b): 

13. (d): 

14. (c): 

15. (c): 

16. (a): 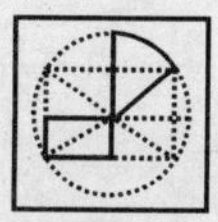

17. (a): 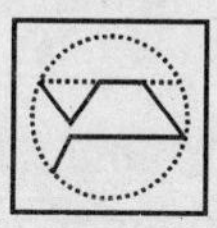

18. (a): 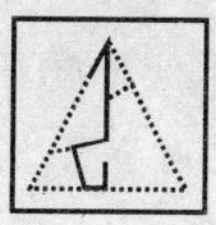

19. (c): 

20. (b): 

21. (c): 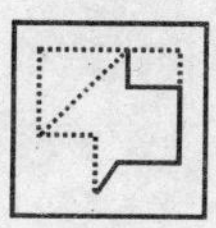

22. (b): 

23. (b): 

24. (b): 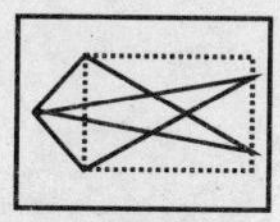

25. (c): 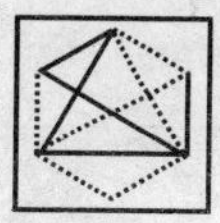

★ ★ ★

11 घन और पासा

(Cube and Dice)

लूडो जैसे खेलों में आमतौर पर इस्तेमाल किया जाने वाला पासा, एक घन होता है जिसके सभी भुजाएँ और किनारे बराबर लंबाई के होते हैं। किसी भी स्थिति में, इसके तीन फलक से ज्यादा एक दिशा से दिखाई नहीं देते हैं।

यदि किसी पासे के दो आसन्न फलकों के अंकों का योग 7 के बराबर नहीं है, तो उसे मानक पासा कहा जाता है। एक मानक पासे में, विपरीत फलकों के प्रत्येक जोड़े पर संख्याओं का योग हमेशा 7 होता है।

नोट : एक मानक पासे (जैसे लूडो में इस्तेमाल किया जाता है) में, 1, 6 के विपरीत फलक पर, 2, 5 के विपरीत फलक पर और 3, 4 के विपरीत फलक पर होता है।

इस प्रकार, विपरीत फलकों के प्रत्येक जोड़े पर संख्याओं (या बिंदुओं) का योग हमेशा 7 होता है।

पासे के बारे में कुछ मुख्य बातें :

- **आकार :** एक पासा एक घन होता है जिसके छह वर्गाकार फलक होते हैं, सभी बराबर आकार के।
- **फलक :** इसके छह फलक होते हैं जिन पर बिंदुओं, संख्याओं या अक्षरों का उपयोग करके 1 से 6 तक संख्याएँ अंकित होती हैं।
- **दृश्यता :** किसी भी एक दृष्टिकोण से पासे के ज्यादा से ज्यादा तीन फलक देखे जा सकते हैं।
- **विपरीत फलक :** एक ही समय में दो विपरीत फलक दिखाई नहीं देते।
- **निष्पक्षता :** मानक पासों को सममित बनाया जाता है ताकि लुढ़कने पर प्रत्येक संख्या के आने की समान संभावना हो।

उदाहरण 1. नीचे एक पासे की स्थिति दी गई है। इस पासे में 3 के विपरीत फलक पर कौन-सी संख्या है?

(*a*) 4 (*b*) 6
(*c*) 2 (*d*) 5

हल (a): इस पासे में आसन्न फलकों (1 और 5) का योग 7 के बराबर नहीं है, इसलिए यह एक मानक पासा है। अतः 3, 4 के विपरीत होगा।

उदाहरण 2. एक पासे को चार बार उछाला जाता है और उसकी चार अलग-अलग स्थितियाँ नीचे दी गई हैं। 2 दर्शाने वाले फलक के विपरीत फलक पर संख्या ज्ञात कीजिए।

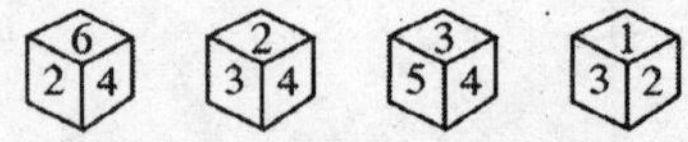

(*i*) (*ii*) (*iii*) (*iv*)

(*a*) 3 (*b*) 4
(*c*) 5 (*d*) 6

हल (c): (*i*), (*ii*) और (*iv*) से, हम यह निष्कर्ष निकालते हैं कि 6, 4, 3 और 1, 2 के आसन्न फलक पर हैं।

अतः, 5, 2 के विपरीत फलक पर होगा।

घनों के लिए जाल (खुले पासे)

जब एक घन, जिसके प्रत्येक फलक पर विशिष्ट चिह्न अंकित हों, को कुछ किनारों पर खोला जाता है, तो परिणामी आकृति को 'घन का जाल' कहते हैं। अक्सर, हमें ऐसा जाल दिया जाता है और यह निर्धारित करने के लिए कहा जाता है कि इसे मोड़कर कौन-सा घन (विकल्पों के समूह में से) बनाया जा सकता है। जाल के लेआउट की सावधानीपूर्वक जाँच करके, हम घन को जोड़ने पर बनने वाले संभावित फलकों की व्यवस्था का अनुमान लगा सकते हैं।

इस कार्य में, हमें यह पहचानना होगा कि कौन से फलक एक-दूसरे के आसन्न हो सकते हैं, और ऐसा करने के लिए, पहले यह समझना जरूरी है कि कौन-से फलक एक-दूसरे के विपरीत स्थित हैं।

सामान्यतः प्रयुक्त जाल नीचे दर्शाए गए हैं :

NET 1: नेट 1 में :

(*i*) 1, 3 के विपरीत स्थित है

(*ii*) 4, 6 के विपरीत स्थित है

(*iii*) 2, 5 के विपरीत स्थित है

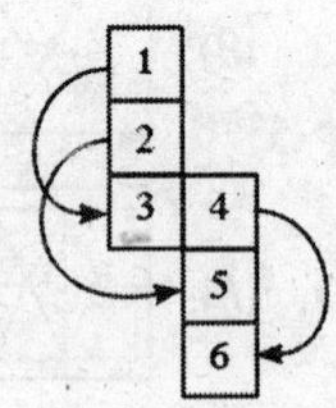

NET 2: नेट 2 में :

(*i*) 2, 4 के विपरीत स्थित है

(*ii*) 3, 5 के विपरीत स्थित है

(*iii*) 1, 6 के विपरीत स्थित है

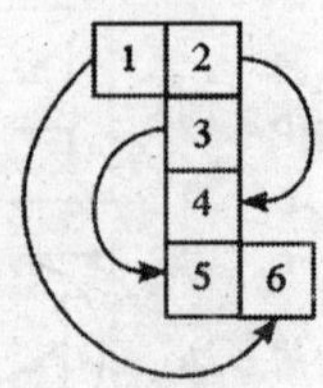

NET 3: नेट 3 में :

(*i*) 1, 5 के विपरीत स्थित है

(*ii*) 3, 6 के विपरीत स्थित है

(*iii*) 2, 4 के विपरीत स्थित है

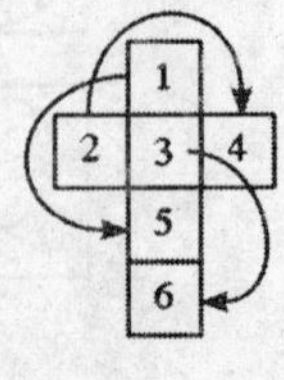

वस्तुनिष्ठ प्रश्न

1. एक पासे में 1, 2, 3 और 4 बिंदु आसन्न फलकों पर दक्षिणावर्त क्रम में हैं, और 5 और 6 बिंदु ऊपर और नीचे हैं। जब 1 बिंदु ऊपर हो, तो नीचे कितने बिंदु होंगे?

(*a*) 4 (*b*) 6
(*c*) 2 (*d*) 3

2. एक ही पासे की दो अलग-अलग स्थितियाँ दर्शाई गई हैं। वह संख्या चुनिए जो '6' वाले फलक के विपरीत फलक पर होगी।

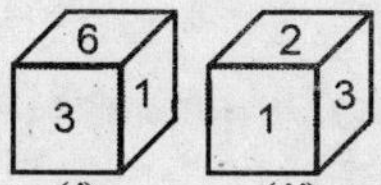

(*i*) (*ii*)

(*a*) 1 (*b*) 4
(*c*) 2 (*d*) 5

3. एक ही पासे की दो स्थितियाँ दी गई हैं। यदि '4' ऊपर हो, तो कौन-सी संख्या सबसे नीचे होगी?

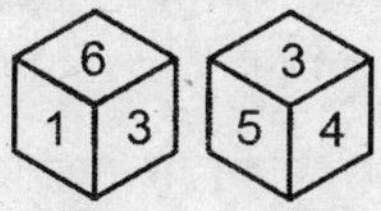

(*i*) (*ii*)

(*a*) 3 (*b*) 2
(*c*) 6 (*d*) 1

4. नीचे पासे की दो स्थितियाँ दर्शाई गई हैं। जब ऊपर '5' हो, तो नीचे की संख्या पहचानिए।

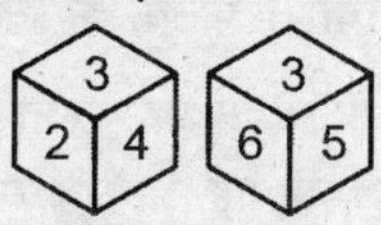

(*i*) (*ii*)

(*a*) 3 (*b*) 2
(*c*) 6 (*d*) 4

5. एक ही पासे की तीन अलग-अलग स्थितियाँ दर्शाई गई हैं। अक्षर A वाले फलक के विपरीत फलक पर अक्षर ज्ञात कीजिए।

(*i*) (*ii*) (*iii*)

(*a*) D (*b*) B
(*c*) C (*d*) E

6. एक ही पासे की तीन अलग-अलग स्थितियाँ दर्शाई गई हैं। वह संख्या चुनिए जो संख्या '1' वाले फलक के विपरीत फलक पर होगी।

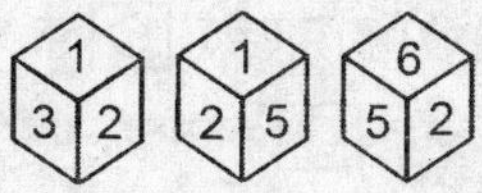

(*i*) (*ii*) (*iii*)

(*a*) 3 (*b*) 6
(*c*) 5 (*d*) 4

7. एक ही पासे की तीन अलग-अलग स्थितियाँ दर्शाई गई हैं। वह अक्षर चुनिए जो 'S' वाले फलक के विपरीत फलक पर होगा।

(*i*) (*ii*) (*iii*)

(*a*) *f* (*b*) *d*
(*c*) *e* (*d*) *a*

8. एक ही पासे की तीन अलग-अलग स्थितियाँ दर्शाई गई हैं। 5 वाले फलक के विपरीत फलक पर कौन-सी संख्या आती है?

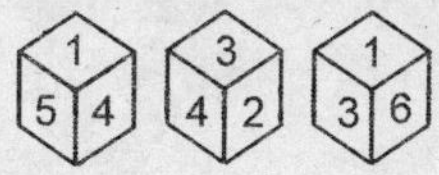

(*i*) (*ii*) (*iii*)

(*a*) 4 (*b*) 3
(*c*) 6 (*d*) 1

9. एक ही पासे की चार अलग-अलग स्थितियाँ दर्शाई गई हैं। '%' दर्शाने वाले फलक के विपरीत फलक पर चिह्न का चयन कीजिए।

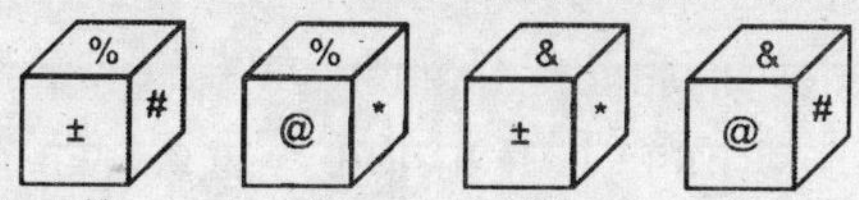

(*i*) (*ii*) (*iii*) (*iv*)

(*a*) * (*b*) &
(*c*) @ (*d*) ±

10. यदि दी गई आकृति को मोड़कर घन बनाया जाए, तो 'E' के विपरीत कौन-सा अक्षर आएगा?

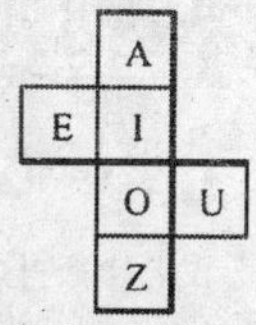

(*a*) U (*b*) A
(*c*) Z (*d*) O

11. दी गई आकृति में, 'Z' वाले फलक के विपरीत क्या आएगा?

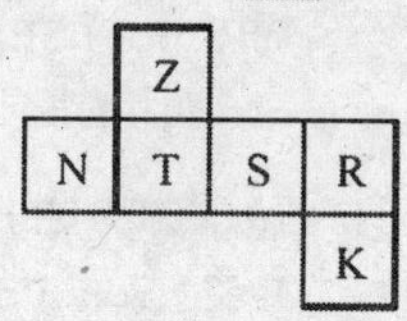

(*a*) N (*b*) S
(*c*) K (*d*) R

12. यदि निम्नलिखित आकृति को मोड़कर घन बनाया जाए, तो 2 बिंदुओं वाले फलक के विपरीत फलक पर कितने बिंदु होंगे?

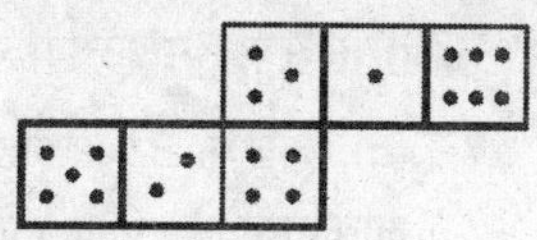

(*a*) 3 (*b*) 6
(*c*) 4 (*d*) 1

13. उत्तर आकृति में निम्नलिखित में से कौन-सा घन प्रश्न आकृति में खुले हुए घन के आधार पर नहीं बनाया जा सकता है?

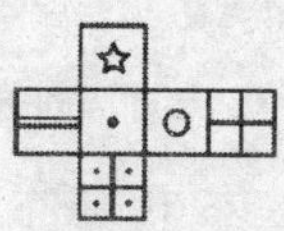

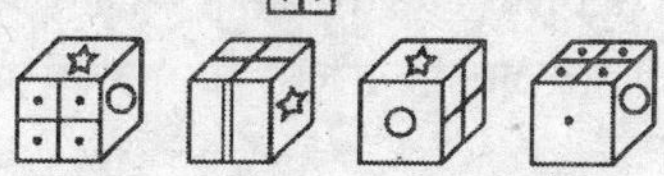

(*a*) (*b*) (*c*) (*d*)

14. नीचे दिये गये संख्याओं वाले कागज को मोड़कर घन बनाया जाता है। 5 के विपरीत कौन-सी संख्या होगी?

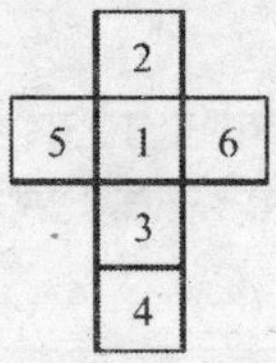

(*a*) 2 (*b*) 3
(*c*) 4 (*d*) 6

15. खुले हुए घन के आधार पर कौन-सा घन नहीं बनाया जा सकता?

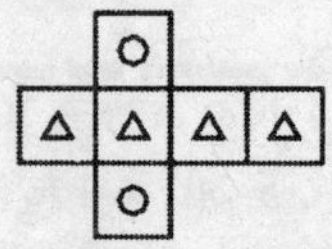

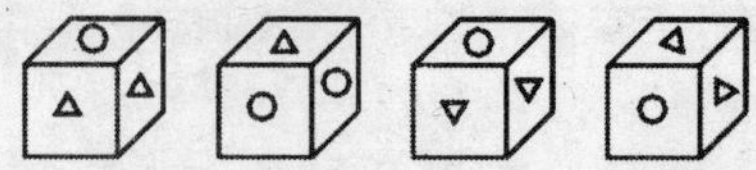

(*a*) (*b*) (*c*) (*d*)

व्याख्यात्मक उत्तर

1. (*d*): जब दिए गए पासे में, 1, 2, 3 और 4 बिंदु आसन्न फलकों पर दक्षिणावर्त क्रम में हों, और 5 और 6 बिंदु ऊपर और नीचे हों, तो इसका मतलब है कि वैकल्पिक फलक एक-दूसरे के विपरीत हैं। इसलिए, 1 बिंदु 3 बिंदुओं के विपरीत है।

2. (*c*): पहली आकृति में, 3, 1 के बाईं ओर है और दूसरी आकृति में, 3, 1 के दाईं ओर है। इसका मतलब है कि पासे को दूसरी स्थिति में उल्टा रखा गया है। इसलिए, 6, 2 के विपरीत है।

3. (*d*): दोनों आकृतियों में 3 उभयनिष्ठ है, जब हम दोनों आकृतियों में 3 से दक्षिणावर्त दिशा में चलते हैं, तो हम पाते हैं कि 1, 4 के विपरीत है और 6, 5 के विपरीत है। इसलिए, यदि 4 शीर्ष पर है, तो 1 सबसे नीचे होगा।

4. (*d*): यदि हम दोनों स्थितियों में 3 से दक्षिणावर्त चलते हैं, तो हम पाते हैं कि, 5, 4 के विपरीत है, और 2, 6 के विपरीत है। इसलिए, जब 5 शीर्ष पर है, तो संख्या 4 नीचे होगी।

5. (*c*): 'B', 'F', 'D', 'E' से चिह्नित फलक 'A' से चिह्नित फलक के आसन्न हैं। इसलिए, 'C' से चिह्नित फलक 'A' से चिह्नित फलक के विपरीत है।

6. (*b*): दूसरी आकृति में, 2, 5 के बाईं ओर है और तीसरी आकृति में, 2, 5 के दाईं ओर है। इसका अर्थ है कि पासे को दूसरे और तीसरे स्थान पर उलटा रखा गया है। इसलिए, 1, 6 के विपरीत है।

7. (*c*): अंतिम 2 आकृतियों में '*f*' उभयनिष्ठ है, जब हम दोनों आकृतियों में '*f*' से दक्षिणावर्त दिशा में चलते हैं, तो हम पाते हैं कि '*d*', '*g*' के विपरीत है और '*e*', '*s*' के विपरीत है।

8. (*b*): पासे (*ii*) और (*iii*) में, अंक 4, 2, 1, 6 अंक '3' के आसन्न फलकों पर हैं। अतः 3, 5 वाले फलक के विपरीत है।

9. (*b*): आकृति (*i*) और (*ii*) से, @, *, # और ±, % के आसन्न हैं। अतः & से चिह्नित फलक, % वाले फलक के विपरीत है।

10. (*a*): खुले हुए घन में, मोड़ने पर एकांतर फलक हमेशा एक दूसरे के विपरीत होते हैं। दी गई आकृति से, हम यह निष्कर्ष निकाल सकते हैं कि A, 'O' के विपरीत है। I, Z के विपरीत है और E, U के विपरीत है।
अतः U, E के विपरीत फलक पर आएगा।

11. (*c*): खुले हुए घन में, मोड़ने पर एकांतर फलक हमेशा एक दूसरे के विपरीत होते हैं। दी गई आकृति से, हम यह अनुमान लगा सकते हैं कि N, S के विपरीत है, T, R के विपरीत है और Z, K के विपरीत है। इसलिए, K, Z के विपरीत फलक पर आएगा।

12. (*d*): खुले हुए घन में, मोड़ने पर एकांतर फलक हमेशा एक दूसरे के विपरीत होते हैं। दी गई आकृति से, हम यह अनुमान लगा सकते हैं कि 5 बिंदुओं से चिह्नित फलक 4 बिंदुओं से चिह्नित फलक के विपरीत है और 3 बिंदुओं से चिह्नित फलक 6 बिंदुओं से चिह्नित फलक के विपरीत है। इसी प्रकार, 2 बिंदुओं से चिह्नित फलक 1 बिंदु से चिह्नित फलक के विपरीत है।

13. (*a*): खुले हुए घन में, मोड़ने पर एकांतर फलक हमेशा एक दूसरे के विपरीत होते हैं। दी गई आकृति से, हम यह अनुमान लगा सकते हैं कि ☰ के विपरीत [O] है। [●] के विपरीत ⊞ है और [☆] के विपरीत ⁘ है। इसलिए, विकल्प (A) में दिये गये घन को नहीं बनाया जा सकता है क्योंकि [☆] और ⁘ विपरीत फलक होने के कारण आसन्न नहीं हो सकते हैं।

14. (*d*): खुले हुए घन में, मोड़ने पर एकांतर फलक हमेशा एक दूसरे के विपरीत होते हैं। दी गई आकृति से, हम यह निष्कर्ष निकाल सकते हैं कि '2', '3' के विपरीत है, '5', '6' के विपरीत है और '1', '4' के विपरीत है।

15. (*b*): खुले हुए घन में, मोड़ने पर वैकल्पिक फलक हमेशा एक दूसरे के विपरीत होते हैं। दी गई आकृति से, हम यह निष्कर्ष निकाल सकते हैं कि [△] के विपरीत है [△] और [O] विपरीत है। इसलिए, विकल्प (*b*) में घन को [○] के रूप में नहीं बनाया जा सकता है [○] और [○] आसन्न नहीं हो सकते क्योंकि वे विपरीत फलक हैं।

★ ★ ★

ENGLISH

1 English Grammar

PARTS OF SPEECH

Parts of speech	Definition or Function	Examples
Noun	Name of a person, place, animal, quality or thing	Ram, boy, dog, pen, sun, Delhi, truth, honesty
Pronoun	Used in place of a noun	I, you, he she, they
Articles & Determiners	Points out indefinite and definite nouns	a, an, the, few, some
Adjective	Describes a noun or pronoun	big, honest, wooden, valuable, quiet, deep, soft, narrow
Adverb	Describes a verb, an adjective or another adverb	silently, widely, softly, quietly, very, carefully
Verb	Tells about action or state of something or someone	is, am, was, have, do, like, walk, work, make, throw, tell
Conjunction	Joins words, clauses or sentences	and, but, when, yet, while, else
Preposition	Links a noun or pronoun to another word	at, to, after, on, for, under, over, with
Interjection	Expresses sudden feelings or emotions	Ah!, Alas!, oh!, ouch!, hi!, well!, Hurrah!

NOUNS

A word which denotes a person, a thing, an animal or a place is said to be a noun.

There are two noun numbers in English — the *Singular* and the *Plural*.

Singular Numbers : A noun that denotes one person or one thing, is said to be in the Singular number. For example — book, pencil, bird, dog, hen etc. are in singular number.

Plural Number : A noun that denotes more than one person or one thing is said to be in plural number. For example — boys, pens, lions, girls, men etc. are in plural number.

REMEMBER

Singular	*Plural*	*Singular*	*Plural*
Cat	Cats	Book	Books
Pen	Pens	Room	Rooms
Tree	Trees	Bus	Buses
Bush	Bushes	Box	Boxes
Glass	Glasses	Dish	Dishes
Judge	Judges	Tax	Taxes
Watch	Watches	Calf	Calves
Thief	Thieves	Knife	Knives
Scarf	Scarves	Wife	Wives
Leaf	Leaves	Wolf	Wolves

Singular	*Plural*	*Singular*	*Plural*
Half	Halves	Monarch	Monarchs
Roof	Roofs	Hoof	Hoofs
Gulf	Gulfs	Staff	Staffs
Radio	Radios	Bamboo	Bamboos
Folio	Folios	Hero	Heroes
Volcano	Volcanoes	Mango	Mangoes
Piano	Pianos	Baby	Babies
Fly	Flies	Country	Countries
Lady	Ladies	Boy	Boys
Monkey	Monkeys	Ox	Oxen
Child	Children	Man	Men
Woman	Women	Tooth	Teeth
Axis	Axes	Basis	Bases
Foot	Feet	Goose	Geese
Englishman	Englishmen	Radius	Radii
Vertex	Vertices	Stimulus	Stimuli

1. Note the plurals of the following nouns:

Singular	*Plural*	*Singular*	*Plural*
copy	copies	cry	cries
baby	babies	duty	duties
body	bodies	country	countries
family	families	diary	diaries
fly	flies	fairy	fairies
city	cities	spy	spies
army	armies	storey	storeys
bay	bays	monkey	monkeys

2. The following nouns do not undergo any change in plural form, in general.

Singular	*Plural*	*Singular*	*Plural*
deer	deer	sheep	sheep
thousand	thousand	pair	pair
hundred	hundred	score	score
dozen	dozen	gross	gross

Note: We can write—(*a*) thousands of men; (*b*) two pairs of shoes; (*c*) dozens of mangoes; (*d*) scores of people etc.

But—(*a*) two thousand rupees; (*b*) three hundred men; (*c*) five dozen eggs, etc.

3. The following nouns are usually used in plural forms. They take a plural verb after them—

eatables	fetters	surroundings
riches	alms	spectacles
trousers	pants	scissors
premises	thanks	annals
congratulations	goods	shorts
tongs	pains	arms
breeches	(for troubles)	

4. The following are the nouns which are plural in appearance but are usually used in singular number. They are followed by a singular verb—

news	politics	physics
mathematics	economics	ethics
politics	classics	gallows
statistics	athletics	innings
mechanics	summons	mumps

5. Collective nouns often used as plurals—

public	police	cattle
audience	clergy	folk
people	poultry	nation
elite	gentry	glitterati

6. The nouns that are usually used in singular forms—

advice	hair	rice
fuel	alphabet	machinery
offspring	issue	furniture
mischief	stationery	luggage
bedding	information	abuse

7. Material nouns are always used in singular number—

gold	copper	milk
water	silk	wool

Note: They may be used in plural with a different meaning. copper coins (coppers), chains or fetters (irons), cans made of tin (tins).

GENDERS

The difference in sex is denoted by Gender in grammar. The various genders are as follows :

1. **Masculine Gender :** A noun that denotes a male is said to be of the masculine gender, as man, uncle, ox, boy etc.
2. **Feminine Gender :** A noun that denotes a female is said to be of feminine gender, as woman, aunt, princess, cow etc.
3. **Common Gender :** Nouns which denote both males and females are said to be of the common gender, as friend, cousin, person, parent, baby etc.
4. **Neuter Gender :** A noun that denotes the name of object without life is said to be of neuter gender, as file, table, pencil.

REMEMBER

Masculine	*Feminine*
Boy	Girl
Son	Daughter
Brother	Sister
Murderer	Murderess
Sorcerer	Sorceress
Son-in-law	Daughter-in-law
Father-in-law	Mother-in-law
Man-servant	Maid-servant
Land-lord	Land-lady
Bachelor	Maid
Gentleman	Lady

Masculine	Feminine
Monk	Nun
Earl	Countess
Lad	Lass
Sir	Madam
Duke	Dutchess
Emperor	Empress
Milk-man	Milk-maid
Pea-cock	Pea-hen
Step-father	Step-mother
Hero	Heroine
Mr.	Mrs.
Governor	Governess
Master	Mistress
Wizard	Witch
Host	Hostess
Lion	Lioness
Mayor	Mayoress
Actor	Actress
Buck	Doe

Masculine	Feminine
Colt	Filly
Dog	Bitch
Horse	Mare
Hunter	Huntress
Prince	Princess
Abbot	Abbess
God	Goddess
Ox	Cow
Widower	Widow
Grand-father	Grand-mother
He-goat	She-goat
Milk-man	Milk-woman
Bridegroom	Bride
Tiger	Tigress
Priest	Priestess
Poet	Poetess
Shepherd	Shepherdess
Nephew	Niece
Stag	Hind

PRONOUNS

The repetition of a noun in a sentence or a set of sentences is really boring. So, instead of repeating the noun, we can use a word (for that noun) called the pronoun.

"A pronoun is a word that we use instead of a noun".

Example: This is *Sachin. He* plays cricket.

Note: *He* is the pronoun used in place of *Sachin.*

Kinds of Pronouns

1. **Personal pronouns :** A pronoun which is used instead of the name of a person is known as a 'Personal Pronoun'. A list of the 'Personal pronouns' is listed below :

   I, my, mine, me, we (First Person)
   You, your, yours (Second Person)
   He, his, him, she, her, hers, it,
   its, they, their, theirs, them (Third Person)

2. **Demonstrative, Indefinite and Distributive Pronouns:**

   (a) Demonstrative Pronouns : Pronouns used to point out the objects to which they refer are called Demonstrative Pronouns.

   Examples :

   (i) *This* is a present from my uncle.
   (ii) *These* are merely excuses.
   (iii) Bombay mangoes are better than *those* of Bengaluru.

   (b) Indefinite Pronouns : All pronouns which refer to persons or things in a general way and do not refer to any particular person or thing are called Indefinite Pronouns.

   Examples :

   (i) *Somebody* has stolen my watch.
   (ii) *Few* escaped unhurt.
   (iii) Did you ask *anybody* to come?

   (c) Distributive Pronouns : Each, either, neither are called distributive pronouns because they refer to persons or things one at a time. For this reason they are always singular and followed by the verb in singular.

   Examples :

   (i) *Each* of the men received a reward.
   (ii) *These* men received *each* a reward.
   (iii) *Either* of you can go.

3. **Relative Pronouns :** A relative pronoun refers or relates to some noun going before, which is called its Antecedent.

   Examples :

   (i) I met Hari *who* used to live here.
   (ii) I have found the pen *which* I had lost.
   (iii) Here is the book *that* you lent me.

4. **Interrogative Pronouns :** These pronouns, are used for asking questions.

   Examples :

   (i) *Whose* book is this?
   (ii) *What* will all the neighbours say?
   (iii) *Which* do you prefer, tea or coffee?

Note : Interrogative pronouns can also be used in asking indirect questions. Consider the following examples:

(i) I asked *who* was speaking.
(ii) Tell me *what* you have done.
(iii) Say *which* you would like best.

Behaviour of the Pronouns

1. If three pronouns are used together in the same sentence they are arranged in the following order :

2	+	3	+	1
↓		↓		↓
Second Person		Third Person		First Person

Examples :

I, you and he must help *that* poor man. (Incorrect)
You, he and I must help *that* poor man. Correct)

2. When two or more singular nouns are joined by and, the pronoun used for them should be plural.
Examples : Mohan and Sohan are friends. *They* play football. *They* live at Lajpat Nagar.
3. But if these nouns joined by and refer to the same person or thing, the pronoun used should be singular.
Examples :
(i) Delhi, the beautiful city and the capital of India, is famous for *its* historical monuments.
(ii) The manager and owner of the firm expressed *his* views on the demands of the workers.
4. When two nouns are used with as well as, the pronoun agrees with the first subject.
Examples :
(a) Mohan as well as his friends is doing *his* work.
(b) The students as well as their teachers are doing *their* work.
5. When two singular nouns joined by 'and' are preceded by *each* or *every,* the pronoun used must be singular and should agree in gender with the second noun.
Examples :
(a) Every man and every woman will do *her* best for the nation.
(b) Each boy and each girl went to *her* house.
6. When two nouns are joined by using 'with', the pronoun agrees with the noun coming before 'with'.
Examples :
(a) The boy with *his* parents has gone to see a movie.
(b) The children with *their* parents have gone to picnic.
7. When two different nouns are joined by either......... or; neither .... nor, the pronoun is used according to the number and gender of the second noun.
Examples :
(a) Either your sister or you have done *your* work.
(b) Neither the students nor the teacher was in *his* class.
8. The pronoun coming after '*than*' must be in the same case as that coming before '*than*'.
Examples :
(a) She plays better than *me*. (Incorrect)
She plays better than *I*. (Correct)
(b) His elder brother is more intelligent than *him*. (Incorrect)
His elder brother is more intelligent than *he*. (Correct)
9. 'Many a' always takes a singular pronoun and singular verb.
Example :
Many a soldier has met *his* death in the battle field.
10. 'Who', 'Whose', 'Whom' are used only for persons.
Examples :
(a) *Who* is knocking at the door?
(b) *Whose* pen is this?
(c) *What* do you want?
11. 'Which' is used for things.
Example :
Which game do you like?

Multiple Choice Questions

Directions: *In the following questions choose the correct options to fill the blanks.*

1. The place was so dirty that ..... wished to run away from there.
A. everybody B. anybody
C. few D. some

2. ..... was there to help me.
A. Somebody B. Anything
C. Anybody D. Nobody

3. Is there .... to eat?
A. some B. something
C. any D. few

4. ..... of the students were making a great noise.
A. Anyone
B. Somebody
C. Many
D. Nobody

5. ..... of the students can solve this sum.
A. Someone B. Anybody
C. Somebody D. None

6. .... of us should try our best to make India a heaven.
A. Any B. Somebody
C. Anybody D. All

7. ...... of us do not know the real meaning of our lives.
A. Any B. Something
C. Several D. Many

8. My .... black.
A. hairs are B. hair is
C. hairs shall D. hair will

9. She saw two .... on the last Sunday.
A. thiefs B. theifs
C. thieves D. theives

10. My sister is a ....
A. bacheloress B. bachelor
C. unmaried D. spinster

11. One is supposed to do ....
A. our duty B. their duty
C. one's duty D. his duty

12. Take anything .... you want.
A. that B. which
C. than D. then

13. I cannot tolerate ....
A. separated you B. your separation
C. separation from you D. you separated

14. He is .... faithful partner.
A. Yours B. You
C. Your D. Your's

15. Ajay is more smart than ....
A. her B. hers
C. herself D. she

16. Vivek works harder than ....
A. me B. I
C. her D. his

17. They should help ....
A. the poor peopie B. the poor
C. the poor persons D. the poor peoples

18. .... are mad.
A. All his sons B. His all sons
C. Sons all his D. All sons his

19. The poor fellow .... to fate.
A. resigned B. resigned himself
C. resigned itself D. resigned themselves

20. Nobody will help you but ....
A. I B. me
C. ours D. his

21. It is a good chance, You must avail ...... this opportunity.
A. of B. yourself of
C. for D. from

22. The person who is elected .... my relative.
A. is B. he is
C. his D. him

23. He made ....
A. yours mention B. mention of you
C. mention for you D. mention about you

24. .... I know, he is quite faithful.
A. As far as B. So far as
C. So far this D. So far so

25. It is a duty of a person to take .... for his family.
A. pain B. pains
C. pain-killers D. pained

26. She does not love .... husband.
A. his B. her
C. its D. their

27. Let .... work together.
A. him and me B. he and I
C. he and him D. I and me

28. Copper, Silver and Gold ....
A. each will do B. either will do
C. any one will do D. any will do

29. Jessica and Roma are very irregular .... habits.
A. in her B. in their
C. in its D. in every

30. One likes to enjoy .... who was a great poet.
A. The sonnets of Shakespeare
B. Shakespeare's sonnets
C. Sonnets
D. Shakespeare

ANSWERS

1	2	3	4	5	6	7	8	9	10
A	D	B	C	D	D	D	B	C	D
11	**12**	**13**	**14**	**15**	**16**	**17**	**18**	**19**	**20**
C	A	C	C	D	B	B	A	B	B
21	**22**	**23**	**24**	**25**	**26**	**27**	**28**	**29**	**30**
B	A	B	A	B	B	A	C	B	A

ARTICLES

The family of the articles has only three members. They are: A, An and The. However, they fall under two groups:

(a) Definite Article
(b) Indefinite Article

'The' is known as definite article whereas 'a' and 'an' are known as indefinite articles.

Use of the Definite Article 'The'

'The' is used before

1. The superlative degree:
He is the ablest man of the town.
(ablest is a superlative degree)

2. The name of states, countries etc. having a descriptive name :
   (i) The J & K is a small state. (J & K is a descriptive name)
   (ii) He lives in the U.S.A. (U.S.A. is a descriptive name)
   (But the Delhi and the America are wrong because neither Delhi nor America is a descriptive name)
3. The names of the scriptures :
   The Gita is a holy book. (Gita is a scripture)
4. Name of newspapers :
   The Tribune is published from Chandigarh.
5. Name of rivers, canals, seas, oceans, bays, gulfs, groups of islands etc. :
   (i) The Ganga is a holy river.
   (ii) The Indian Ocean is the deepest ocean.
   (iii) The Persian Gulf is a narrow gulf.
6. The name of famous buildings :
   The Taj is one of the best buildings in India.
7. The names of nationals, sects and communities:
   (i) The English defeated the Germans in the World War.
   (ii) The rich should help the poor.
   (iii) The Hindus believe in the caste system.
8. Proper nouns used as common nouns :
   (i) Kalidas is the Shakespeare of India.
   (ii) Delhi is the London of India.
9. Famous historical events :
   The Industrial Revolution changed the face of England.
10. The directions and the celestial bodies:
    The sun rises in the east.
11. Titles : Akbar, the Great was loved by his subjects.

Do not use 'the'

1. Before languages :
   The English is an international language. (Incorrect)
   English is an international language. (Correct)
2. Before the names of games :
   The hockey is a popular game. (Incorrect)
   Hockey is a popular game. (Correct)

Use of the Indefinite Articles 'A' and 'An'

'A' is used before :

1. All singular common nouns beginning with a consonant :
   (i) A boy sings a song.
   (ii) A black and a white cow were grazing in the field.
2. If a word begins with a vowel but gives the sound of a consonant, 'a' should be used before it :
   (i) He was helped in his work by a European.
   (ii) He is a one-eyed man.
   (iii) It is a useful work.

'An' is used as follows :

1. All singular common nouns beginning with a vowel (*i.e.*, a, e, i, o, u) :
   (i) He is an artist. (ii) He is an old man. (iii) I intend to buy an umbrella.
2. If a word starts with a consonant but gives the sound of a vowel, "an" should be used before it :
   (i) Brutus is an honourable man.
   (ii) He is an honour to his profession.
   (iii) He is an L.L.B.

Demonstratives, that, these and those

1. The demonstrative adjectives and pronouns are for objects nearby the speaker:
   this (singular) those (plural)
   and for objects far away from the speaker.
   That (singular) those (plural)
2. Demonstratives are the only adjectives that agree in number with their nouns.
   That hat is nice.
   Those hats are nice.
3. When there is the idea of selection, the pronoun "one" (or "ones") often follows the demonstrative.
   I want a book. I'll get this (one).
   If the demonstrative is followed by an adjective, "one"(or "ones") must be used.
   I want a book. I'll get this big one.

Multiple Choice Questions

1. .... will have to be paid for this material.
A. Half rupee B. Half a rupee
C. A half rupee D. An half rupee

2. .... is taking keen interest in India.
A. The USA B. USA
C. An USA D. A USA

3. Only .... can save our country.
A. the Hitler B. a Hitler
C. Hitler D. an Hitler

4. I can run for ....
A. hundred miles B. the hundred miles
C. a hundred miles D. an hundred miles.

5. .... man-eater has been killed.
A. The B. A
C. An D. Either A or B

6. What .... fine idea!
A. the B. an
C. a D. No article

7. .... earth is moving around the sun.
A. An B. A
C. The D. No article

8. This is .... first example while I got.
A. the B. a
C. an D. No article

9. This is .... house which was built during earthquake.
A. a B. an
C. the D. No article

10. .... America is a rich country.
A. The B. An
C. A D. No article

11. .... U.S.A. is a developed country.
A. A B. An
C. The D. No article

12. .... Bible is a holy book.
A. A B. The
C. An D. No article

13. .... rich should help the poor.
A. The B. A
C. An D. No article

14. .... Gold is a costly metal.
A. The B. A
C. An D. No article

15. Kalidas is .... Shakespeare of India.
A. a B. an
C. the D. No article

16. I cannot do .... difficult work.
A. a such B. the such
C. such the D. such a

17. How foolish .... plan it is!
A. a B. an
C. the D. No article

18. An ink is .... useful article.
A. an B. a
C. the D. No article

19. There are .... husband and wife.
A. a B. an
C. the D. No article

20. He is learning .... French
A. the B. a
C. an D. No article

ANSWERS

1	2	3	4	5	6	7	8	9	10
B	A	B	C	D	C	C	A	C	D
11	12	13	14	15	16	17	18	19	20
C	B	A	D	C	D	A	B	D	D

ADJECTIVES & ADVERBS

An Adjective is a word which adds something to the meaning of a noun or a pronoun.

Mridula is an *intelligent* girl. He has a *black* goat.
He is a *brilliant* student. She is a *clever* girl.
It is a *beautiful* picture.

In the sentences given above, the words in italics are adjectives.

An Adverb is a word which qualifies the meaning of a Verb, an Adjective or another Adverb.

(*i*) He talks *slowly.*
(*ii*) He is a *very* good student.
(*iii*) He talks *very* slowly.

In sentence (*i*), *slowly* qualifies the verb *talks.*
In sentence (*ii*), *very* qualifies the adjective *good.*
In sentence (*iii*), *very* qualifies the adverb *slowly.*

Adjectives have three degrees of comparison :

1. Positive Degree : It expresses the common form of an adjective.

Example : Ram is a *tall* boy.

In the above sentence *tall* is an adjective and expresses the common form.

2. Comparative Degree : It expresses the more of the same form.

Example :

Ram is *taller* than Mahesh.

In the above sentence *taller* is an adjective that expresses the more of the common form of the adjective *tall.*

"When and How to Use" Comparative Degree?

(a) Comparative Degree is used when two persons or two groups of persons or things are compared.

Examples :

(a) He is *wiser* than his younger brother.
(b) This glass is *cleaner* than the other.

(b) When two different qualities in the same person are compared, more is used instead of 'er' to form the comparative. The formula used in this case should be :

More + Positive Degree

She is *fairer* than polite. (Incorrect)
She is *more fair* than polite. (Correct)

(c) When selection of one out of two persons or things is meant, the degree of comparison is followed by of and *the* is used before it.
Example : Zia is abler of *the* two sisters.

(d) If two comparatives are used in the same sentence to impress upon an idea, both should be preceded by the definite article.
Examples :
(i) The higher you go, the cooler it is.
(ii) The more we get, the more we desire.

(e) When one person or thing is compared with another of the same kind, other is used after the comparative degree. In such sentences other is normally preceded by any or all.
Examples :
(i) Kalidas is greater than any dramatist. (Incorrect)
Kalidas is greater than any other dramatist. (Correct)
(ii) Lead is heavier than all metals. (Incorrect)
Lead is heavier than all other metals. (Correct)

(f) Senior, junior, superior, inferior, prior, anterior (earlier than) and posterior (later than) are always followed by 'to'.

Examples :
(i) Ram is senior *to* Mohan by three years.
(ii) That pen is inferior *to* that.
(iii) He is junior *to* me in rank.
(iv) This event was posterior *to* that.

Note: Never use *than* after the above mentioned adjectives.

Important Information

(a) 'Preferable' is also used as an adjective of the comparative degree. As such, it is always followed by *to* and not *a*.
Death is preferable than dishonour. (Incorrect)
Death is preferable *to* dishonour. (Correct)

(b) To intensify the Degree of comparison, we use *far* or *much* before the comparative.
Examples :
(i) This book is *far* better than that.
(ii) His performance was *much* better than Mohan's.
Warning : Always avoid the use of double comparatives.
Don't say : Ram is more cleverer than his younger brother.
Say: Ram is cleverer than his younger brother.

3. **Superlative Degree :** It expresses the most of the common form of an adjective.
Example : He is the ablest man of the town.

How and when to use the Superlative Degree?

(a) The Superlative Degree is used when more than two persons or things are compared.

(b) The Superlative Degree is generally preceded by 'the' and followed by 'of' in most of the cases or otherwise.

(c) When an adjective of the superlative degree is preceded by a Possessive Adjective or a Noun in the Possessive case, 'the' should not be used before it.
Example : Which is Kalidas' best play?
It will be a blunder to use 'the' before the Superlative Degree in such cases.
Don't say : Which is Kalidas' the best play.

(d) To intensify the degree of comparison, *by far* is used before the superlative degree.
Example : India is *by far* the most beautiful country of the world.
Note: Always avoid the use of double superlatives.
Don't say : He is the most strongest boy in the class.
Say : He is the strongest boy in the class.

Use of some Important Adjectives

1. (a) **'Some'** is used as follows :
(i) With countable nouns where it means— a little, a small quantity.
(ii) In a question which shows some request.
Examples :
(i) There is some water in the bottle.
(ii) Some of the students were absent yesterday.
(iii) Will you have some milk?
(iv) Will you buy some fruit for me?

(b) **'Any'** is used as follows :
(i) In negative sentences.
(ii) In interrogative sentences.
(iii) After 'Hardly', 'Scarcely' and 'Barely'.
(iv) After 'If'.
Examples :
(i) There is not any sugar in the pot.
(ii) We haven't any rice in the house.
(iii) I have hardly any money.
(iv) There are scarcely any plants in this field.
(v) If there is any danger, blow the whistle.

2. (a) **Older :** Older (and oldest) are used for persons animals and things. But 'Older' and 'Oldest' refer to the persons who do not belong to the same family.
Examples :
(i) Radha is older than Shyama.
(ii) John is the oldest member of the staff.
'Older' and 'Oldest' refer to the persons who do not belong to the same family.

(b) **Elder** (and **eldest**) are used in respect of the members of the same family like sons, daughters, brothers, sisters.
Examples :
(i) My elder sister is a lecturer.
(ii) Meenakshi is the eldest of the three sisters.
Note :
(i) 'Elder' is not followed by 'than'.
(ii) 'Elder' and 'Eldest' cannot be used for things.

3. (a) **'Few'** is negative and is the opposite of 'Many'. It means 'not many'.

(b) **'A few'** is positive and means 'some at least'. It is the opposite of 'None'.

(c) **'The few'** means 'minority' and suggests 'whether there is'.

Examples :

(i) We have few holidays in school.
(ii) Only a few boys will fail in the examination.
(iii) The few poems that he wrote are very popular.

4. (a) **Further** means 'something additional'.
(b) **Farther** means 'a greater distance'.

Examples :

(i) Further discussion will be held in the office of the principal.
(ii) Amritsar is farther from Delhi than Ambala.

5. (a) **Little** is negative. It means, 'not much', or 'hardly any'.
(b) **A little** is positive. It means 'some quantity'.
(c) **The little** denotes quantity. It means, 'not much but all that is, or whatever quantity there is'.

Examples :

(i) There is little hope of his success.
(ii) He knows a little of everything.
(iii) I have spent the little money I had.
(iv) The little knowledge of shoe-making proved very useful to me.

6. (a) **'Much'** expresses 'quantity'.
(b) **'Many'** expresses 'number'.
(c) **'Many a'**—'Singular noun' and 'Singular verb' are used with 'many a'.

Examples :

(i) There is not *much* water in the jug.
(ii) *Many* boys are absent today.
(iii) *Many* a battle has been fought on the soil of India.

7. (a) **'Less'** denotes 'in a small degree'.
(b) **'Fewer'** denotes 'number'.

Examples :

(i) He devotes less time to his studies.
(ii) There are no fewer than ten chairs in this room.

8. (a) **'Each'** is used for a single number of 'two persons' or 'things'.
(b) **'Every'** is used for a single number of 'many persons' or 'things'.

Examples :

(i) Each boy must take part in games.
(ii) There are only two poets. Each poet recited his poem.
(iii) Every man dies in this world.
(iv) Every man is expected to do his duty.

9. (a) **'Either'** means one of the two or both.
(b) **'Neither'** is negative of the either.

Examples :

(i) You may buy either of these two chairs.
(ii) Neither of them could speak on the stage.

10. (a) **'Later'** expresses 'late in time'.
(b) **'Latter'** means 'second in position or order'.

Examples :

(i) My father reached later than I expected.
(ii) The latter position was better than the former.

Use of some Important Adverbs

1. (a) Also, too, enough:

(i) He taught English. Also, he edited the school magazine
(ii) He is a writer and also he is a painter.
(iii) He is too obstinate to listen to any reason.
(iv) This is too difficult a piece for the junior students.
(v) Sarla was kind enough to help the poor.
(vi) He is brave enough to help the truth.

Note: 'Too' is used in a negative sense, but enough is used in a positive sense.

(b) Fairly and rather: Both suggest the meaning 'moderately'. But, mainly 'fairly' is used with the words that denote a positive meaning and rather is used with the words that denote a negative meaning:

(i) Rita did fairly well in that competition, but her performance was rather poor in sports.
(ii) Mona is fairly rich, but she is rather stingy.

Note: 'Rather' can also be used in a positive sense.

(i) This is a rather interesting job.
(ii) That boy is rather smart.

(c) Hardly, barely, scarcely: These words mostly convey the negative suggestions and are almost similar.

(i) I have hardly any strength now.
(ii) There was barely any supply to the township,
(iii) There were scarcely a hundred guests present.

Note: With slight variance in the meaning, the words given above convey the idea of 'very little', 'not enough', 'lack of quantity and number'.

(d) Yet, Still: These adverbs can often be used to connect the sentence units:

(i) He has been defeated many times in the contest; still he wants to be a competitor.
(ii) Mona was sick; yet she went on doing her work.

(e) Alone:

(i) He alone (none else) is capable of handling that fire,
(ii) He hunted all alone in the forest. (not in any company)

Special Note:

(a) Apart from their conventional positions the adverbs might be used in different positions with different meanings and angles.

(i) He had only four books.
(ii) John only contacted his friend in need.
(iii) He greeted me only.
(iv) Only he greeted me there.

(b) Inversion: Some adverbs can be inverted *i.e.* placed in the beginning of the sentence and then be followed by an interrogative form. The most common of these adverb are: so, seldom, never, nowhere, under no circumstances, hardly, scarcely etc.

(i) So big was the bus that it could not enter the narrow lane.
(ii) Hardly had he reached the station when he received the message.

Multiple Choice Questions

Directions: *In the following questions choose the correct options to fill the blanks.*

1. The girl whom you met is the .... sister of Ravi.
A. eldest B. elder
C. older D. oldest

2. The historical place is ....
A. seeing worth B. worthy of seeing
C. worth seeing D. worthy seeing

3. These flowers smell ....
A. sweet B. sweetly
C. more sweetly D. sweetest

4. .... aspirant cannot pass the entrance examination.
A. Each B. Every
C. All D. No

5. Harivansh Rai .... second Shakespeare.
A. is a B. is
C. is the D. is an

6. .... student in the class got prizes.
A. Each and every B. Every and each
C. Every D. Never

7. It is .... picture than the one we saw last Monday.
A. interesting B. much interesting
C. more interesting D. most interesting

8. She is clever ....
A. that her mother is B. as her mother is
C. to her mother is D. than her mother is

9. They will get ....
A. Red, green and black paper
B. Red, green black paper
C. Red and green and black paper
D. Red green black paper

10. Health is .... wealth.
A. preferable to B. more preferable than
C. more preferable to D. most preferable then

11. .... water that was in the jug evaporated.
A. Little B. The little
C. Small D. A small

12. He has not sung .... songs.
A. much B. most
C. more D. many

13. Srishti has searched .... office.
A. whole the B. the whole
C. a whole D. some whole

14. Premchand was ...... best and ...... famous writer.
A. a, the most B. the, a most
C. the, more D. the, the most

15. William Shakespeare is famous as ....
A. a poet and a dramatist
B. a poet and dramatist
C. the poet and the dramatist
D. a poet and the dramatist

16. What does .... leader suggest?
A. other B. another
C. others D. anothers

17. He .... money.
A. has few B. have few
C. has little D. have little

18. The .... boys are rewarded.
A. first two B. two first
C. firsts/two D. two's first

19. He is .... brave.
A. stronger than B. stronger then
C. more strong then D. more strong than

20. No sooner said ....
A. so done B. and done
C. then done D. but done

21. She returned .... than I had thought.
A. quickly B. more quicker
C. more quickly D. quicker

22. He is .... foolish person.
A. rather the B. a rather
C. rather a D. rather

23. This pen .... rupees.
A. costs twenty B. twenty costs only
C. costs only twenty D. only costs twenty

24. It is .... pride.
A. nothing else but B. nothing else than
C. else nothing than D. but

25. This tea is .... to drink.
A. too hot B. very hot
C. enough hot D. much hot

Answers

1	2	3	4	5	6	7	8	9	10
A	C	A	B	A	C	C	C	A	A
11	**12**	**13**	**14**	**15**	**16**	**17**	**18**	**19**	**20**
B	D	B	D	B	B	C	A	D	C
21	**22**	**23**	**24**	**25**					
C	C	C	A	A					

DETERMINERS

Determiners are actually Adjectives. They are always followed by nouns. Determiners are of the following kinds:

1. **Demonstrative Determiners :** this, that, these, those
2. **Possessive Determiners :** my, our, your, his, her, its, their
3. **Quantitative Determiners :** some, any, much, enough, sufficient, whole, a little, the little, little, all, both
4. **Numerical Determiners:** a few, some, few, the few, any, several, many, no, etc.
   One, two, three ... (Cardinals)
   First, second, third ... (Ordinals)
5. **Distributive Determiners:** either, neither
6. **Articles: Indefinite:** a, an, **Definite:** the

Multiple Choice Questions

Directions: *In the following questions choose the correct options to fill the blanks.*

1. Give me .... rice.
A. some B. few
C. a few D. any

2. ..... sheep grazing on the slope of the hill had gone away.
A. Any B. The few
C. This D. Much

3. Have you got .... magazines to read?
A. all B. much
C. some D. little

4. I have .... money that I want to spend on shares.
A. any B. much
C. less D. some

5. There is .... owl on the branch of the tree.
A. a B. the
C. an D. some

6. My brother is .... MBA.
A. a B. an
C. the D. any

7. Have you got .... cheese?
A. some B. many
C. a few D. few

8. No, I have not got .... cheese.
A. many B. few
C. any D. some

9. There is only .... milk left in the bottle.
A. enough B. few
C. much D. a little

10. There is .... hope of his recovery.
A. any B. little
C. many D. few

11. .... dogs were barking at the strangers.
A. Some B. Any
C. Much D. Less

12. The girl bought her father .... juice.
A. few B. some
C. any D. many

13. You should take .... honey everyday.
A. any B. many
C. a little D. a few

14. .... boy was punished by the teacher.
A. Either B. All
C. Any D. Many

15. .... girl was asked to join the army.
A. None B. Neither
C. All D. Any

16. .... water in the jug has been drunk by Mohan.
A. The little B. The few
C. A few D. Few

17. I shall play .... piano at the party.
A. some B. any
C. the D. few

18. .... labourers were found dead in the mine.
A. Any B. Fewer
C. Many D. Less

19. Could I borrow .... umbrella?
A. our B. your
C. yours D. my

20. My brother is standing in the .... row.
A. any B. many
C. some D. first

Answers

1	2	3	4	5	6	7	8	9	10
A	B	C	D	C	B	A	C	D	B
11	**12**	**13**	**14**	**15**	**16**	**17**	**18**	**19**	**20**
A	B	C	A	B	A	C	C	B	D

THE VERB

A Verb is a word that tells something about the action or state of or happenning to a person or thing.

A Verb tells the following:

1. What a person or thing does.

Sachin goes to school daily.
The bell *rang* loudly.
Many birds fly in the sky.
She *sang* a song.

2. What a person or thing is.

India *is* the biggest democracy in the world.
Ram Mehar *is* very rich.
They *are* happy.

3. What is done to a person or thing.

You *are liked* by all.
Two thieves *were arrested.*
Four students *were punished* by the teacher.

4. What happens to a person or thing.

His maternal uncle *died* last week.
Two ships *sank* yesterday.
Leaves *turn* yellow in autumn.

5. What a person or thing has, had, and so on.

I *have* a new car.
He *had* a scooter last year.
He *has* several cows and goats.

It goes without saying that a verb is the most important part of a sentence. No sentence is complete without a Verb.

Important Information

1. If two or more singular nouns are joined by 'and' the verb used will be plural.

   Example:

   (i) He and I were going to the market.
   (ii) Ram and Mohan are friends.

2. If two singular nouns joined by 'and' points out to the same thing or person, the verb used must be singular.

   Example:

   (i) Rice and curry is the favourite food of the Punjabis.
   (ii) The Collector and District Magistrate is away.

3. In case two subjects are joined by 'as well as' the verb agrees with the first subject.

   Example :

   (i) Kanta as well as her children is playing.
   (ii) Children as well as their mother are playing.

   In the case of first sentence the verb (is) agrees with Kanta and in the case of second sentence the verb (are) agrees with the children.

4. 'Neither', 'Either', 'Every', 'Each', 'Everyone', and 'Many a' are followed by a singular verb.

   Example :

   (i) Either of the plans is to be adopted.
   (ii) Neither of the two brothers is sure to pass.
   (iii) Every student is expected to be obedient.
   (iv) Everyone of them desires this.
   (v) Many a person is drowned in the sea.

5. If two subjects are joined by 'Either .... or' / 'Neither .... nor', the verb agrees with the subject near to it.

   Example :

   (i) Either my brother or I am to do this work.
   (ii) Neither he nor they are prepared to do this work.

6. 'A great many' is always followed by a 'plural noun' and a 'plural verb'. For example :

   A great many students have been declared successful.

7. Similarly if two subjects are joined by 'with', 'together with', 'no less than', in addition to 'and not', etc. the verb agrees with the first subject.

   Example :

   (i) The boy with his parents has arrived.
   (ii) He, no less than I, is to blame.

8. Nouns, plural in form, but singular in meaning, take a singular verb.

   Example :

   This news was broadcast from television yesterday.

Multiple Choice Questions

Directions: *In the following questions choose the correct options to fill the blanks.*

1. The bus with all its passengers .... lost.

A. were B. was
C. are D. would

2. You as well as I .... responsible for this work.

A. am B. are
C. was D. is

3. Raghava like all his companions .... a spoiled child.

A. are B. were
C. is D. will be

4. Pen and ink .... required for me.

A. are B. were
C. is D. has required

5. Every girl and every boy .... attended the seminar.

A. have B. has
C. is D. are

6. Not only she but all her sisters .... been married.

A. has B. have

C. is D. are

7. There .... nothing but miseries in life.

A. is B. are

C. were D. will be

8. Neither prose nor poem .... given.

A. were B. was

C. has D. have

9. Either he or I .... wrong.

A. is B. are

C. am D. were

10. Either Sulekha or Rekha .... coming here.

A. are B. is

C. were D. have

11. .... the child or his parents to blame?

A. Is B. Are

C. Were D. Has

12. You and I .... neighbours.

A. am

B. are

C. was

D. has

13. The house with all its belongings ..... sold away.

A. were B. are

C. was D. must

14. Either water or juice .... required.

A. is B. are

C. were D. has

15. There were not as many tables as .... required.

A. was B. were

C. is D. are

16. They each .... a book.

A. have B. are

C. has D. is

17. He and I .... class friends.

A. is B. am

C. was D. are

18. She as well as I .... guilty.

A. is B. are

C. am D. must be

19. Purushottam ...... not read more on this chapter.

A. needs B. has been need

C. need D. had been need

20. He came .... to his aunt.

A. run B. running

C. to run D. in run

ANSWERS

1	2	3	4	5	6	7	8	9	10
B	B	C	C	B	B	A	B	C	B
11	**12**	**13**	**14**	**15**	**16**	**17**	**18**	**19**	**20**
A	B	C	A	B	A	D	A	C	B

CONJUNCTIONS

A conjunction is a word which connects words, clauses or sentences.

Look at the following sentences.

(i) He bought apples *and* mangoes.

(ii) God made the country *and* man made the town.

(iii) The door was open *but* there was no one in the house.

(iv) He knows that I am here *and* that I want to see him.

In the sentence (i), *and* connects two words—*apples* and *mangoes.*

In the sentence (ii), *and* connects two sentences—*God made the country* and *man made the town.*

In the sentence (iii), *but* connects two sentences— *The door was open* and *there was no one in the house.*

In the sentence (iv), *and* connects two clauses—*that I am here* and *that I want to see him.*

The main coordinating conjunctions are:

and, but, for, or, nor, also, either ..... or, neither ..... nor.

There are some conjunctions which are used in pairs. They are:

either .... or, ... neither .... nor, both .... and, though .... yet, whether .... or, not only .... but also.

Example: *Either* take it *or* leave it.

It is *neither* useful *nor* ornamental.

They *both* like *and* respect me.

Though he is suffering from high fever, *yet* he does not cry.

He does not care *whether* you go *or* stay.

He is *not only* doltish, *but also* obstinate.

The conjunctions which are used in pairs in this way, are called correlative conjunctions, or merely correlatives.

Use of Important Conjunctions

1. As soon as : As soon as denotes simultaneous time.

Example : As soon as he saw his enemy, he took to his heels.

2. No sooner .... than :

(a) 'No sooner' is always followed by 'than'.

(b) Please remember that 'No sooner' is always followed by do/does/did. As such only first form of the verb should be used after the subject.

Example :

No sooner did he see his enemy than he took to his heels.

3. Hardly : Hardly is followed by when.

Examples :

(i) Hardly had I left the house when it started raining.

(ii) We had hardly come into the room when his father began chastising him.

Note :

A. Hardly is never followed by than.

B. 'Scarcely' can also be used in the sense and manner of 'Hardly'.

4. Lest : Lest is used in the sense of so that .... not. It is always followed by should. Lest is negative in sense. Hence 'not' should never be used with it.

Example :

Work hard lest you should fail.

Note : 'Lest' is always followed by 'should' and not 'may'.

5. Unless : Unless expresses condition. It is also used in the negative sense. Use of 'not' is not allowed with unless because unless is already in the negative sense.

Example :

Unless you labour hard you will not pass.

6. Until : 'Until' expresses time. It means 'till not'.

Example : Wait here until I return.

Note : Until is in the negative sense. So 'not' should not be used with it. Example :

Wait here until I do not return. (Incorrect)

Wait here until I return. (Correct)

7. As well as : When two subjects are joined by 'as well as', the verb always agrees with the first subject.

Examples :

(i) The teacher as well as students is playing.

(ii) Students as well as the teacher are playing.

Note : 'Both' and 'as well as' cannot be used together in the same sentence.

Examples :

Both Sita as well as Kanta are beautiful. (Incorrect)

Sita as well as Kanta is beautiful. (Correct)

Both Sita and Kanta are beautiful. (Correct)

8. As if : 'As if' is used in the sense of pretension. While using 'as if' in a sentence, we should see that even the third person singular subject gets 'were'.

Example : He talks as if he were mad.

9. Till : Till expresses time. Till is always used in the affirmative.

Example :

We did not come back till sunset.

10. Rather than : 'Rather than' is used in the sense of 'preference'. 'Rather' is always followed by 'than'.

Example :

I would rather die than submit.

11. As long as/so long as : Both express time during which an action or event takes place.

Example :

As long as there is life, there is hope.

12. However : It is both a subordinate and co-ordinate clause.

Examples :

(a) Mala worked hard, she however, failed.

(b) However hard he may work, he cannot pass.

13. Such as : 'Such as' gives us the sense of 'like'. Such is always followed by 'as'.

Example :

Life is such a puzzle as cannot be solved.

Multiple Choice Questions

Directions: *In the following questions choose the correct options to fill the blanks.*

1. Neither he .... his friend is good.

A. or B. and
C. but D. nor

2. The officer asked the peon .... why he was late.

A. that B. if
C. but D. No word needed

3. Both Ajay .... Vijay are intelligent.

A. or
B. nor
C. and
D. No word needed

4. No Sooner did the thief see the public .... he ran away.

A. then B. and
C. but D. than

5. Abhinav .... his brothers was going to Mumbai.
A. but B. yet
C. No word needed D. together with

6. He behaves .... he were the captain of the team.
A. as if B. as
C. No word needed D. that

7. Either Rupali .... Sonali is going to attend the meeting.
A. and B. but
C. nor D. or

8. Neither Nirmal .... Ashwinee is going to listen the speech.
A. and B. but
C. nor D. or

9. Ravi .... Prakash are going to Kolkata.
A. or B. nor
C. but D. and

10. Rice .... curry is my usual breakfast.
A. and B. but
C. then D. than

11. Hardly had he left .... his brother came.
A. then B. than
C. when D. that

12. I would rather have a copy .... a book.
A. then B. than
C. when D. that

13. He is no other .... my friend.
A. then B. than
C. when D. but

14. He saw a snake ....he awoke.
A. then B. when
C. than D. No word needed

15. Ten years have passed .... my grandmother died.
A. since B. when
C. then D. than

16. She is .... good .... bad.
A. either, not B. neither, or
C. neither, nor D. neither, than

17. The cellphone is both cheap .... best.
A. than B. and
C. then D. or

18. No sooner did the rogue see the police .... he disappeared.
A. then B. than
C. so D. because

19. Srishti will go .... Sanju goes.
A. if B. than
C. then D. although

20. She is wise .... timid.
A. and B. yet
C. but D. however

21. Make hay .... the sun shines.
A. though B. while
C. after D. before

22. He is so weak .... he cannot walk.
A. but B. that
C. then D. so

23. Although he is rich, ... he is unhappy.
A. but B. yet
C. so D. still

24. Wait here ...... I come back.
A. till B. until
C. before D. after

25. He is my friend .... I shall help him.
A. so B. hence
C. that is why D. therefore

26. He must go away .... he will be beaten.
A. otherwise B. and
C. or D. else

27. God loves good men .... good men love God.
A. and B. or
C. that D. those

28. He was late .... he was not punished.
A. but B. yet
C. still D. therefore

29. Walk slowly ...., you may fall.
A. and B. or
C. so D. otherwise

30. Work hard, ... you will fail.
A. and B. or
C. otherwise D. else

ANSWERS

1	2	3	4	5	6	7	8	9	10
D	D	C	D	D	A	D	C	D	A
11	**12**	**13**	**14**	**15**	**16**	**17**	**18**	**19**	**20**
C	B	B	B	A	C	B	B	A	C
21	**22**	**23**	**24**	**25**	**26**	**27**	**28**	**29**	**30**
B	B	B	A	B	C	A	C	D	D

PREPOSITIONS

A *Preposition* is a word which is placed before a noun or a pronoun to show its relation to some other word in the sentence.

1. I saw a goat *in* the field.
2. I am fond *of* hot coffee.

In sentence 1, the word *in* shows the relation between two things—*goat* and *field.*

In sentence 2, the word *of* shows the relation between the attribute expressed by the adjective *found* and *tea.*

The words *in* and *of* are here used as prepositions.

The noun or pronoun which is used with a preposition is called its object. The noun or pronoun is in the objective case. It is governed by the preposition. Now it is absolutely clear that in sentence 1, the noun *field* is in the objective case. The word *field* is governed by the preposition *in.*

A preposition may have two or more objects.

The road runs over *hill* and *plain.*

Here, the words *hill* and *plain* are used as objects.

Use of Important Prepositions

1. Among, Between

'**Among**' is used for more than two persons or things; '**Between**' is used only for two.

Examples :

(i) Distribute these sweets *among* the poor students of the class.

(ii) Distribute these books *between* Ram and Shyam.

2. Among, In

'**Among**' is used before collective plural nouns. '**In**' is used before collective singular nouns.

Examples :

(i) I found him standing *among* the crowd.

(ii) I saw him in the crowd.

3. Beside, Besides

'**Beside**' means 'by the side of'. '**Besides**' means 'in addition to'.

Examples :

(i) The daughter was sitting *beside* her mother.

(ii) *Besides* his relatives, he invited his friends also.

4. In, Within

'**In**' means at the expiry of a period of time in future, '**Within**' means before the expiry of a period of time in any tense.

Examples :

(i) She will return *in* a week.

(ii) I shall finish my work *within* a weak.

5. On, Upon

'**On**' is used for things at rest; '**Upon**' is used for things in motion.

Examples :

(i) He is sitting *on* the floor.

(ii) The dog sprang *upon* the table.

6. By, With

'**By**' denotes the agent or doer, '**With**' denotes the instrument with which anything is done.

Examples :

(i) The bird was killed *by* the hunter with an arrow.

(ii) He beat the dog *with* a stick.

(iii) I shall reach here *by* five o'clock.

7. After, In

'**After**' means at the end of a period of time in the past. '**In**' means at the end of a period of time in future.

Examples :

(i) I shall return your book *in* a week.

(ii) He returned the book *after* a week.

8. For, From, Since

'**For**' is used before a noun denoting a period of time with all the tenses. '**From**' is used before a noun or phrase denoting a point of time, it is used in all the tenses. '**Since**' is used before a noun or phrase denoting some point of time and is always produced by a verb in the perfect continuous tense or third form of a verb.

Examples :

(i) We have been playing cards *for* two hours.

(ii) She stayed with her uncle *from* the 15th of March to the 15th of May.

(iii) I have been reading this book *since* morning.

9. Above, Over

'**Above**' means 'higher from', **Over** is used in the following four senses :

(i) In the sense of 'above' :
At noon, the sun is *over* our heads.

(ii) In the sense of 'beyond' :
I cannot get *over* my disappointment.

(iii) In the sense of 'Superiority' :
God *over* all blesses for ever more.

(iv) In the sense of 'Conclusion' :
It is all *over* with me.

10. At, Towards

'**At**' denotes the idea of aim, '**Towards**' denotes the idea of destination.

Examples :

(i) He threw the stone *at* the cat.

(ii) He went *towards* the house.

11. At, In, On

'At' is used as follows :

(i) '**At**' is used with small towns and villages. **Examples:**

(a) He was born *at* Sonepat.

(b) He lives *at* village Bangra. (Bangra is a village)

(ii) **'At'** is used before a noun denoting a definite point of time.

Example : He called on me *at* 9 p.m. yesterday.

'In' is used as follows :

(iii) **'In'** is used with the names of big cities, provinces and countries.

Examples :

(a) His father lives *in* England.

(b) His younger brother lives *in* Calcutta.

(iv) **'In'** is used before the names of months and years.

Example : His elder sister was born *in* 1972 *in* the month of May.

'On' is used with dates and names of days. **Examples:**

(a) I joined college *on* the 26th April.

(b) He will leave for Kolkata *on* Wednesday next.

Important Information

1. **'In'** is also used in the following phrases :
   In the morning; In the evening, In winter, In summer.
2. **'In'** also denotes a place inside anything.
   He travelled *in* a crowded bus.
3. **'At'** is used in the following phrases :
   At home, *At* the station, *At* work, *At* play.

12. Below, Beneath

Below means 'of lower level in position, dignity and expectation' etc. *Beneath* means 'under'.

Examples :

(i) It is *below* my dignity to talk to her.

(ii) They rested *beneath* the shade of a tree.

13. In, Into, To

'In' expresses Rest or Motion inside anything. **'Into'** expresses Motion towards the inside of anything or change from one medium to another. **'To'** denotes motion from one place to another.

Examples :

(i) The boys are *in* the room.

(ii) Translate this passage from English *into* Hindi.

(iii) Every morning he goes *to* the temple.

14. Till, By, Of, Off

- 'Till' means upto or not earlier than.
- 'By' means not later than.
- 'Of' shows cause, source, separation, quality, contents, possession, apposition, point of reference, space in time etc.
- 'Off' shows separation at a near distance, and detached condition.

Consider the following examples:

(i) I shall work *till* 5 a.m.

(ii) Madhu died *of* cancer.

(iii) The nib *of* the pen is made *of* gold.

(iv) He presented me a bottle *of* perfume.

(v) Our principal is a man *of* principle.

(vi) He lived in the house *of* his friend.

(vii) *By* this time tomorrow, I'll have finished my job.

(viii) My house is *off* the road.

(ix) The book fell *off* the table.

Multiple Choice Questions

Directions: *Tick the correct preposition for the blank in each of the following sentences.*

1. He applied ...... the manager.
A. for B. to
C. with D. by

2. Trust ...... God and do the right.
A. in B. for
C. to D. with

3. She is worthy ...... a prize.
A. with B. for
C. to D. of

4. Mr. Gomes has no taste ...... music.
A. of B. for
C. with D. to

5. You are hard ...... hearing.
A. at B. of
C. with D. for

6. He is sure ...... his success
A. for B. with
C. on D. of

7. Preeti was warned ...... the danger ahead.
A. for B. at
C. of D. about

8. I am thankful ...... you for a good advice.
A. for B. with
C. to D. of

9. Deepak would not surrender ...... the police.
A. with B. to
C. for D. on

10. The small plant in your lawn is very sensitive ...... touch.
A. on B. with
C. to D. about

11. Divya was sure to succeed ..... the examination.
A. for B. in
C. to D. with

12. Geeta was jealous ...... Ravina's beauty.
A. to
B. with
C. for
D. of

13. He was ignorant ..... what was happening there.

A. for B. of
C. to D. with

14. Your pen is inferior ...... mine.

A. than B. with
C. from D. to

15. Reenu is no match ...... Meenu.

A. to B. for
C. with D. upon

16. It is necessary ...... you to apply for this job.

A. on B. with
C. for D. to

17. Be loyal ...... your country.

A. for B. to
C. on D. with

18. Mukesh is junior ...... me.

A. than B. to
C. from D. of

19. Deepika was innocent ...... the crime.

A. of B. with
C. from D. to

20. I am desirous.... joining the Indian cricket team.

A. for B. of
C. to D. on

ANSWERS

1	2	3	4	5	6	7	8	9	10
B	A	D	B	B	D	D	D	B	D
11	**12**	**13**	**14**	**15**	**16**	**17**	**18**	**19**	**20**
B	D	B	D	B	D	B	B	A	B

SYNONYMS

A synonym is a word which conveys a meaning similar to the given word.

REMEMBER

Words	*Synonyms*
Add	Increase
Adequate	Enough
Adjust	Adapt
All	Aggregate
Allow	Permit
Abode	Dwelling
Apt	Proper
Assess	Appraise
Accuse	Calumniate
Abashed	Timid
Annoy	Displease
Ample	Enough, Sufficient
Amplify	Increase
Apathetic	Unenthusiastic
Accost	Address
Authentic	True
Adjust	Fit
Approve	Assent, Allow, Accept
Adapt	Conform
Adversary	Opponent, Rival, Competitor
Beat	Whack
Benign	Kind
Breeze	Zephyr
Baffle	Puzzle
Booty	Spoil
Beauty	Charm
Beast	Animal

Words	*Synonyms*
Bandit	Robber
Blaze	Shine
Bond	Tie
Bend	Twist
Bate	Diminish
Beg	Plead
Barbaric	Wild, Savage
Bashful	Shy, Reserved
Begin	Start
Blend	Mix, Mingle
Bizarre	Funny
Below	Under
Bedevil	Confuse
Bemoan	Lament
Babble	Nonsense
Blame	Fault
Behaviour	Demeanour
Call	Accost
Copy	Imitate
Close	Shut
Caress	Love
Camp	Stay
Connect	Attach
Cut	Injure, Curtail
Cling	Stick
Conical	Funny
Convey	Carry
Conspicuous	Prominent
Cheerful	Happy, Pleasant
Curtail	Decrease

Words	*Synonyms*
Cheerless	Sad, Dejected
Curious	Strange
Circumstance	Factor, Situation, Condition
Competent	Capable
Congruent	Overlapping
Cope	Deal, Endure
Confident	Sure
Complex	Intricate
Cajole	Coax, Flatter
Cunning	Crafty
Delectable	Joyful, Delightful
Devilish	Diabolical
Delicate	Soft
Devil	Fiend
Delay	Postpone
Dislike	Repugnance
Destroy	Ruin
Dwell	Live, Dilate
Declare	Pronounce
Drunk	Flushed
Deficient	Lacking
Damn	Condemn, Curse
Decrease	Diminish
Destruction	Devastation
Efficient	Competent
Ethnic	Racial
Enthral	Enslave
Earnest	Serious
Envious	Jealous
Ending	Final
Egg	Incite
Extempore	At once
Extensive	Far-ranging
Extra	Surplus
Existence	Life
Exceed	Overstep
Enormous	Vast
Excessive	Superfluous
Free	Unhindered
Frigid	Cold
Feed	Cater
Fame	Reputation
Frame	Make
First	Initial
Frighten	Terrorise, Intimidate
Fervent	Fervid
Fall	Decline
Feeble	Frail
Fickle	Changeable
Finish	Conclude
Fraud	Deception
Forgiving	Placable
Grow	Develop

Words	*Synonyms*
Greed	Avidity
Greet	Welcome
Grave	Serious
Group	Constellation
Given	Bestowed
Gratitude	Thankfulness
Have	Possess
Hire	Rent
Hit	Strike
Handsome	Beautiful
Hinder	Prevent
Heap	Pile
Hope	Expect
Hard	Harsh
Help	Aid
Hymn	Song
Henpecked	Enslaved
Hoodwink	Mystify, Cheat
Humble	Polite, Urbane, Modest
Harass	Vex, Trouble
Impart	Instil
Intact	Untouched
Instal	Establish
Indict	Impeach
Imitate	Ape
Instigate	Incite
Initiate	Start, Introduce
Inimical	Unfriendly
Insufferable	Intolerable
Impartiality	Justice
Jolly	Merry
Joyful	Delectable
Join	Conjoin
Kind	Benign
Kill	Murder
Kindred	Similar
Kinship	Relationship
Keen	Sharp
Knowledge	Scholarship
Lazy	Slothful
Large	Substantial, Gargantuan
Listless	Careless, Lackadaisical
Lax	Loose
Little	Small
Lifelike	Realistic
Lofty	High
Lenient	Soft, Gentle
Lacking	Deficient, Wanting
Lessen	Decrease
Middleclass	Bourgeois
Mitigate	Lessen, Abate
Modesty	Humility, Lowliness
Mix	Mingle, Blend

Words	Synonyms
Mixture	Mingling
Mixed	Assorted
Modify	Decrease
Mean	Imply
Multifarious	Varied
Miscarry	Abort
Note	Notice
Noble	Stately
Native	Indigenous
Needful	Necessary
Notify	Declare
Nervous	Shaky, Tremulous, Timid
Natural	Spontaneous
Near	Close
Normal	Natural
Offend	Displease
Oppress	Persecute, Tyrannize
Opponent	Adversary
Obstruct	Hinder, Check
Offence	Fault
Offender	Villain
Overstep	Exceed
Overlapping	Congruent
Occult	Mystic
Profane	Unholy
Patience	Forbearance
Pornographic	Obscene
Plenitude	Abundance
Prominent	Important
Prodigal	Spender
Procrastinate	Postpone
Promote	Develop, Honour
Persecute	Tyrannise
Profess	Claim
Pliant	Flexible
Plebian	Common
Polished	Sophisticated
Quake	Shake
Quit	Leave
Queer	Eccentric
Quell	Suppress
Quantify	Allot
Reply	Answer
Relinquish	Retire
Read	Peruse
Relation	Reference
Render	Do
Remainder	Residuals
Repeat	Reiterate
Repentant	Contrite
Retaliative	Retaliatory
Rumour	Hearsay
Reveal	Divulge
Ritualistic	Ceremonious
Soft	Delicate
Sort	Kind, Choose, Select
Selfish	Egoistic
Sensual	Earthly
Suppress	Quell, Check
Stimulate	Provoke
Tasteless	Insipid
Travel	Journey
True	Authentic, Faithful, Truthful
Turbulence	Turmoil
Tragedy	Calamity
Tasteful	Tasty, Delicious
Touching	Painful
Thankful	Grateful
Tremendous	Great, Huge
Tough	Strong
Terminate	Conclude, End
Theory	Doctrine
Tell	Relate
Tremble	Shake, Shiver
Urge	Spur
Unbeaten	Unsubdued
Use	Utilize, Practise
Underhand	Unfair, Undue
Unfair	Unjust
Unravel	Reveal, Divulge
Unimportant	Common
Unconcerned	Apathetic
Unimitated	Inimitable
Unfortunate	Unlucky
Understand	Perceive, Comprehend
Vain	Proud, Haughty, Conceited, Shameless
Vale	Valley, Dale, Dell
Virtue	Quality
Veracity	Reality
Value	Price, Prize
Vex	Tease
Vibrate	Quiver, Shake
Violent	Excessive
Vivid	Clear, Lucid
Victory	Triumph
Vulgar	Indecent
Virtuous	Honest
Variegated	Varied, Multifarious
Well	Good
Yell	Cry, Shout
Yonder	There
Yearn	Wish, Desire
Yoke	Slavery
Zest	Earnestness, Enthusiasm
Zealous	Earnest

ANTONYMS

A antonym is a word which conveys a meaning opposite to the given word.

REMEMBER

Words	*Antonyms*
Abhor	Love
Abnormal	Normal
Able	Unable
Acceptable	Unacceptable
Adequate	Inadequate
Amusing	Boring
Angry	Calm
Apex	Bottom
Attract	Repel
Bad	Good
Barren	Fertile
Beautiful	Ugly
Bitter	Sweet
Brave	Cowardly
Brief	Lengthy
Bright	Dull
Calm	Violent
Careful	Careless
Clear	Vague, Cloudy
Cold	Hot
Cruel	Kind
Dear	Cheap
Deep	Shallow
Difficult	Easy
Direct	Indirect
Dishonest	Honest
Disobey	Obey
Encourage	Discourage
Enormous	Tiny
Excellent	Bad
Expensive	Cheap
Eat	Fast
Fair	Unfair
Fake	Authentic
False	True
Famous	Notorious
Generous	Miserly
Genius	Fool
Genuine	Unauthentic
Gigantic	Tiny
Glad	Depressed
Good	Bad
Great	Little
Happy	Sad
Hard	Soft
Hate	Love
Honest	Dishonest
Idle	Busy

Words	*Antonyms*
Immoral	Moral
Include	Exclude
Incorrect	Correct
Intelligent	Unintelligent
Kind	Cruel
Like	Dislike
Long	Short
Lucid	Vague
Major	Minor
Naive	Experienced
Nadir	Apex
Neat	Clumsy
Obedient	Disobedient
Obscure	Clear
Oppose	Support
Optimistic	Pessimistic
Out	In
Patience	Impatience
Peaceful	Belligerent
Pious	Impious
Polite	Impolite
Prominent	Unimportant
Proper	Improper
Pure	Impure
Quick	Slow
Quiet	Disturbance
Real	False, Unreal
Reject	Select, Choose
Reliable	Unreliable
Respect	Disrespect
Right	Wrong
Robust	Feeble, Weak
Sad	Happy
Secret	Open
Sensible	Insensible
Sharp	Blunt
Simple	Complex
Sociable	Unsociable
Tall	Short
Tidy	Untidy
Uncanny	Canny
Violent	Calm
Vivid	Vague
Strong	Weak
Big	Small
Easy	Difficult
Fast	Slow
High	Low
Catchy	Unattractive
Ugly	Handsome, Beautiful, Tidy
Tasty	Insipid
Sonorous	Harsh

Multiple Choice Questions

Directions (Qs. 1 to 20): *In the following questions choose the word which best expresses the meaning of the given word.*

1. ABSURD
A. Foolish B. Simple
C. Courageous D. Silly

2. ABANDON
A. Lose B. Profit
C. Vacate D. Foil

3. CAJOLE
A. Pause B. Lenient
C. Blast D. Lure

4. COMBAT
A. Fight B. Conflict
C. Shoot D. Quarrel

5. LAMENT
A. Condone B. Console
C. Complain D. Contribution

6. DEBACLE
A. Disgrace B. Defeat
C. Collapse D. Decline

7. SHIVER
A. Fear B. Tremble
C. Shake D. Ache

8. TORTURE
A. Terror B. Harassment
C. Torment D. Tranquility

9. LAUDABLE
A. Lovable B. Commendable
C. Profitable D. Oblivious

10. FIXED
A. Sterile B. Static
C. Stubborn D. Parennial

11. QUEER
A. Unfamiliar B. Cute
C. Curious D. Strange

12. SUFFICIENT
A. Fit B. Proper
C. Adequate D. Vast

13. GLOSS
A. Brightness B. Soothing
C. Rubbing D. Miracle

14. LONGING
A. Prune B. Apathy
C. Curtail D. Craving

15. JEER
A. Applaud B. Magnanimity
C. Avoid D. Scoff

16. ZENITH
A. Minimum B. Nadir
C. Plant D. Peak

17. GARB
A. Distort B. Dress
C. Trivial D. Rage

18. ABHOR
A. Rude B. Reconcile
C. Crave D. Detest

19. YIELD
A. Shum B. Incisive
C. Retain D. Surrender

20. YOKE
A. Twist B. Release
C. Link D. Extra

Directions (Qs. 21 to 26): *In the following questions choose the word which best expresses the opposite of the given word.*

21. TRAGIC
A. Dramatic B. Strong
C. Gentle D. Comic

22. ORAL
A. Verbal B. Sane
C. Minor D. Written

23. ADMIRE
A. Hate B. Unlike
C. Dislike D. Enough

24. VIOLENT
A. Gentle B. Savage
C. Haughty D. Decline

25. ADVERSITY
A. Windfall B. Inprosperity
C. Prosperity D. Slave

26. GENUINE
A. Spurious B. Obscure
C. Countless D. Apathetic

ANSWERS

1	2	3	4	5	6	7	8	9	10
D	C	D	A	C	C	B	C	B	B
11	**12**	**13**	**14**	**15**	**16**	**17**	**18**	**19**	**20**
D	C	A	D	D	D	B	D	D	C
21	**22**	**23**	**24**	**25**	**26**				
D	D	C	A	C	A				

★ ★ ★

2 Sentence Completion

It is such an exercise which starts with the primary schools and continues in the highest level of competitive examinations. One must practise it regularly to score well.

Multiple Choice Questions

Directions (Qs. 1 to 15): *Pick out the most effective word(s) from the given words to fill in the blanks to make the sentence meaningfully complete.*

1. The student ...... that book from the library to study at home.

A. issued B. borrowed
C. hired D. lent

2. I wish I ...... a king.

A. was B. am
C. should be D. were

3. He .... to listen to my arguments and walked away.

A. denied B. disliked
C. objected D. refused

4. The flow of blood was so .... that the patient died.

A. intense B. adequate
C. profuse D. extensive

5. When I met her yesterday, it was the first time I ...... her since Christmas.

A. saw B. have seen
C. had seen D. have been seing

6. Can you pay ...... all these articles?

A. for B. of
C. off D. out

7. I ...... you to be at the party this evening.

A. expect B. hope
C. look forward to D. desire

8. ...... being a handicapped person, he is very cooperative and self-reliant.

A. Because B. Although
C. Since D. Despite

9. The child broke ...... from his mother and ran towards the painting.

A. away B. after
C. down D. with

10. With his ...... income, he finds it difficult to live a comfortable life.

A. brief B. sufficient
C. meagre D. huge

11. He could ...... a lot of money in such a short time by using his intelligence and working hard.

A. spend B. spoil
C. exchange D. accumulate

12. Though the brothers are twins, they look ......

A. alike B. handsome
C. indifferent D. different

13. Unfavourable weather conditions can ..... illness.

A. cure B. detect
C. treat D. enhance

14. No sooner did the bell ring, ... the actor started singing.

A. when B. than
C. after D. before

15. If I ...... realised it, I would not have acted on his advice.

A. was B. had
C. were D. have

Directions (Qs. 16 to 25): *In each question, an incomplete statement (Stem) followed by four fillers is given. Pick out the best one which can complete the incomplete stem correctly and meaningfully.*

16. Unless you work harder you will fail, means .....

A. if you fail you will work harder.
B. you must at least plan well than you will not fail.
C. hardly you will fail if you do not desire so.
D. if you do not put more efforts, then you will fail.

17. Even if it rains I shall come, means .....

A. if I come it will not rain.
B. if it rains I shall not come.
C. I will certainly come whether it rains or not.
D. whenever there is rain I shall come.

18. Dinesh is as stupid as he is lazy means .....
A. Dinesh is stupid because he is lazy.
B. Dinesh is lazy because he is stupid.
C. Dinesh is either stupid or lazy.
D. Dinesh is equally stupid and lazy.

19. He is so lazy that he .....
A. cannot depend on others for getting his work done.
B. cannot delay the schedule of completing the work.
C. can seldom complete his work on time.
D. dislike to postpone the work that he undertakes to do.

20. He always stammers in public meetings, but his today's speech .....
A. was fairly audible to everyone present in the hall.
B. was not received satisfactorily.
C. could not be understood properly.
D. was free from that defect.

21. In order to raise the company's profit, the employees.....
A. demanded two additional increments.
B. decided to go on paid holidays.
C. requested the management to implement new welfare schemes.
D. offered to work overtime without any compensation.

22. Although, he is reputed for making very candid statements, ...
A. his today's speech was not fairly audible.
B. his promises had always been realistic.
C. his speech was very interesting.
D. his today's statements were very ambiguous.

23. I felt somewhat more relaxed .....
A. but tense as compared to earlier.
B. and tense as compared to earlier.
C. as there was already no tension at all.
D. and tension-free as compared to earlier.

24. With great efforts his son succeeded in convincing him not to donate his entire wealth to an orphanage ....
A. and lead the life of a wealthy merchant.
B. but to a home for the forsaken children.
C. and make an orphan of himself.
D. as the orphanage needed a lot of donations.

25. Even though it is a very large house, ...
A. there is a lot of space available in it for children.
B. there is hardly any space available for children.
C. there is no dearth of space for children.
D. the servants take a long time to clean it.

ANSWERS

1	2	3	4	5	6	7	8	9	10
B	D	D	C	C	A	A	D	A	C
11	**12**	**13**	**14**	**15**	**16**	**17**	**18**	**19**	**20**
D	D	D	B	B	D	C	D	C	D
21	**22**	**23**	**24**	**25**					
D	D	D	C	B					

★★★

3 One Word Substitution

There are many single words in English language which can be perfectly used for a number of words. These words help in expressing ideas in a short and correct manner for the right occasion. Such words not only increase the vocabulary but also enable you to economise in the use of words to a great extent.

Multiple Word Expression	*Substitution*
One who always looks towards the bright side of things	Optimist
One who always looks towards the dark side of things	Pessimist
The time when one develops from a child into an adult	Adolescence
The process of growing more plants in order to form a forest.	Afforestation
The science which deals with farming	Agriculture
From some other country or place etc.	Alien
A term, etc. giving more than one meaning	Ambiguous
A vehicle which is used to carry sick persons	Ambulance
An animal which can live both in water and on land	Amphibian
A lawless situation when there is no government	Anarchy
Belonging to the history of thousands of years old	Ancient
Once a year	Annual
A very old object but still valuable	Antique
Words of opposite meanings	Antonyms
Words of similar meanings	Synonyms
Signatures of a famous person	Autograph
A government led by one person with absolute authority	Autocracy
A written work of one's own life history	Autobiography
A person who has never been married	Bachelor
A person usually having no hair on his head	Bald
A place where one can deposit money and get interest	Bank
A person who cuts our hair	Barber
A building/group of buildings where soldiers live	Barracks
A person who makes buns and biscuits	Baker
A person who lives by asking people for food and money without doing any useful job	Beggar
The crime of having married to two persons at the same time	Bigamy
The branch of science which deals with the study of plants	Botany
Able to speak two languages	Bilingual
Able to speak more than two languages	Polyglot
The branch of science which deals with the living organisms	Biology
A powerful snow storm	Blizzard
A great successful book or movie	Blockbuster
A short news on the radio or TV	Bulletin
A system in which the most important works are organised by the government officials	Bureaucracy
A page or a series of pages on which the information of days, weeks, months, etc. is given	Calendar
A person who eats human flesh	Cannibal
A complete list of items often arranged alphabetically	Catalogue
A sudden disaster	Catastrophe
A period of 100 years	Century

Multiple Word Expression	*Substitution*
A branch of science which deals with chemicals	Chemistry
A printed leaf usually issued by banks that we sign to carry certain financial deal	Cheque
A person who makes or mends shoes	Cobbler
A group of people who has been chosen by others to make decisions on their own	Committee
A building in which nuns live	Convent
An animal which feeds on other animals	Carnivorous
A person who does criticism	Critic
A person who cannot hear	Deaf
A condition in which one loses a lot of water from one's body because of vomiting, etc.	Dehydration
A system of government in which the people cast their votes to elect their leaders	Democracy
The study of skin problems	Dermatology
A long piece of land covered with sand	Desert
The art of managing relationships between countries	Diplomacy
A piece of information about the words in a book form	Dictionary
A piece of information about the telephone numbers of the people in a book from	Directory
A person in charge of a newspapers, magazine etc.	Editor
A person who thinks he is better than the others	Egoist
To leave your country and settle in some other country	Emigrate
A book or series of books giving almost all knowledge about an area or some persons etc.	Encyclopaedia
Study of insects	Entomology
Time when day and night are of the same duration	Equinox
To sell things out of the country	Export
To purchase things from some other country	Import
A plant or animal no longer in existence	Extinct
A situation when there is a shortage of food for a long period of time	Famine
An amount of money that we pay for some action or services	Fee
Related to women	Feminine
An animal strong and aggressive	Ferocious
A piece of land where plants grow easily from the soil that is favourable to them	Fertile
A work of literature having some imaginary events	Fiction
A large amount of water covering certain area	Flood
A person who sells flowers	Florist
A religious ceremony for burying or cremating a dead person	Funeral
A substance which kills fungus	Fungicide
A person studying or having studied the diseases and the related things of female reproductory system	Gynaecologist
The murder of the person of the same group race or country	Genocide
A substance which kills germs	Germicide
A situation in which many people die because of fire during war	Holocaust
The act of killing a person deliberately	Homicide
A word having the pronunciation as the other one does but it differs in meaning	Homophone
A word having the same spelling as the other one does but it is pronounced in some other way	Homonym
A person who is attracted towards the person of the same sex	Homosexual
Go across and parallel to the ground	Horizontal
A substance which kills the insects	Insecticide
That cannot be corrected	Incorrigible
That cannot be defeated	Invincible
That cannot be eaten	Inedible
That cannot be seen	Invisible
A place in a school or college where books are kept for the benefit of students, teachers etc.	Library
A place in a school or college where scientific experiments are performed	Laboratory

Multiple Word Expression	Substitution
An official who is a judge in the lowest court	Magistrate
A piece of music or a book before it is printed	Manuscript
Related to men	Masculine
One who believes in the existence of God	A theist
One who does not believe in the existence of good.	An atheist
That can be believed	Credible
That cannot be believed	Incredible
That which dissolves in a solvent	Soluble
That which does not dissolves in a solvent	Insoluble
Hard writing that can be read	Legible
Hard writing that cannot be read	Illegible
A person who does jobs beneficial to mankind	Philanthropist
A person who goes on foot	Pedestrian
A person who fights for his own country	Patriot
An act of killing oneself	Suicide
A woman whose husband is dead	Widow
A person who eats vegetarian and non-vegetarian diets	Omnivorous
Something which is everywhere at the same time	Omnipresent
One who knows everything	Omniscient
A child who does not have parents	Orphan
An award etc. given after the death of the person	Posthumous
The place where animals are kept for amusement and to increase the knowledge of the public	Zoo
The science which deals with the study of animals	Zoology

Multiple Choice Questions

Directions: *In questions given below, out of the four alternatives, choose the one which can be substituted for the given words/sentences.*

1. Something that relates to everyone in the world
A. General B. Common
C. Usual D. Universal

2. An expression of mild disapproval
A. Warning B. Denigration
C. Impertinence D. Reproof

3. One who is not easily pleased by anything
A. Maiden B. Medieval
C. Precarious D. Fastidious

4. Murder of a king
A. Infanticide B. Matricide
C. Genocide D. Regicide

5. A remedy for all diseases
A. Stoic B. Marvel
C. Panacea D. Recompense

6. A dramatic performance
A. Mask B. Mosque
C. Masque D. Mascot

7. Study of birds
A. Orology B. Optology
C. Ophthalmology D. Ornithology

8. Ready to believe
A. Credulous B. Credible
C. Creditable D. Incredible

9. Incapable of being seen through
A. Ductile B. Opaque
C. Obsolete D. Potable

10. One who eats everything
A. Omnivorous B. Omniscient
C. Irresistible D. Insolvent

11. A place where bees are kept is called
A. An apiary B. A mole
C. A hive D. A sanctuary

12. One who cannot be corrected
A. Incurable B. Incorrigible
C. Hardened D. Invulnerable

13. One who is in charge of a museum
A. Curator B. Supervisor
C. Caretaker D. Warden

14. Continuing fight between parties, families, clans, etc.
A. Enmity B. Feud
C. Quarrel D. Skirmish

15. A voice loud enough to be heard
A. Audible B. Applaudable
C. Laudable D. Oral

16. A paper written by hand
A. Handicraft B. Manuscript
C. Handiwork D. Thesis

17. Habitually silent or talking little
A. Serville B. Unequivocal
C. Taciturn D. Synoptic

18. To slap with a flat object
A. Chop B. Hew
C. Gnaw D. Swat

19. A person who speaks many languages
A. Linguist B. Monolingual
C. Polyglot D. Bilingual

20. A light sailing-boat built specially for racing
A. Canoe B. Yacht
C. Frigate D. Dinghy

21. A fixed orbit in space in relation to earth
A. Geological B. Geo-synchronous
C. Geo-centric D. Geo-stationary

22. A style in which a writer makes a display of his knowledge
A. Pedantic B. Verbose
C. Pompous D. Ornate

23. A religious discourse
A. Preach B. Stanza
C. Sanctorum D. Sermon

24. A place that provides refuge
A. Asylum B. Sanatorium
C. Shelter D. Orphanage

25. Detailed plan of a journey
A. Travelogue B. Travelkit
C. Schedule D. Itinerary

26. A person who insists on something
A. Disciplinarian B. Stickler
C. Instantaneous D. Boaster

27. A drawing on transparent paper
A. Red print B. Blue print
C. Negative D. Transparency

28. One who believes that all things and events in life are predetermined is a
A. Fatalist B. Puritan
C. Egoist D. Tyrant

29. A school boy who cuts classes frequently is a
A. Defeatist B. Sycophant
C. Truant D. Martinet

30. The act of violating the sanctity of the church is
A. Blasphemy B. Heresy
C. Sacrilege D. Desecration

31. A place where monks live as a secluded community
A. Cathedral B. Diocese
C. Convent D. Monastery

32. One who is fond of fighting
A. Bellicose B. Aggressive
C. Belligerent D. Militant

33. Tending to move away from the centre or axis
A. Centrifugal B. Centripetal
C. Axiomatic D. Awry

34. Words inscribed on tomb
A. Epitome B. Epistle
C. Epilogue D. Epitaph

35. Leave or remove from a place considered dangerous
A. Evade B. Evacuate
C. Avoid D. Exterminate

36. Original inhabitants of a country
A. Abroge B. Aborger
C. Aborgory D. Aborigins

37. Government by the officials
A. Theocracy B. Plutocracy
C. Bureaucracy D. Democracy

38. Incapable of being exhausted
A. Inexhaustible B. Inaexhaustible
C. Exhaustable D. Non-tired

39. A person of good understanding, knowledge and reasoning power
A. Expert B. Intellectual
C. Snob D. Literate

40. One absorbed in his own thoughts and feelings rather than in things outside
A. Scholar B. Recluse
C. Introvert D. Intellectual

ANSWERS

1	2	3	4	5	6	7	8	9	10
D	D	D	D	C	C	D	A	B	A
11	12	13	14	15	16	17	18	19	20
A	B	A	B	A	B	C	D	A	B
21	22	23	24	25	26	27	28	29	30
D	A	D	A	D	B	D	A	C	C
31	32	33	34	35	36	37	38	39	40
D	A	A	D	B	B	C	A	B	C

★★★

4

Spelling Errors

There are thousands of words in English language. It is difficult to remember the spellings and meanings of all at once. Try to learn as many as you can. Use a dictionary regularly.

Multiple Choice Questions

Directions: *Find the correctly spelt words.*

1. A. Damage B. Dammage C. Damaige D. Dammege

2. A. Efficiant B. Effecient C. Efficient D. Eficient

3. A. Schedule B. Schdule C. Schedale D. Schedeule

4. A. Occurad B. Occurred C. Ocurred D. Occured

5. A. Grieff B. Grief C. Grieef D. Grrief

6. A. Guarantee B. Garuntee C. Guaruntee D. Gaurantee

7. A. Meddicine B. Medicine C. Medicene D. Medicinne

8. A. Benefeted B. Benefitted C. Benifited D. Benefited

9. A. Acommodation B. Acomodation C. Accomodation D. Accommodation

10. A. Querrelsome B. Quarrelsame C. Quarrelsome D. Querralsome

11. A. Sympathetic B. Smypathetic C. Sympothetic D. Sympethetic

12. A. Prograssive B. Progressive C. Progresive D. Prograsive

13. A. Uncivilized B. Uncevilized C. Uncivillized D. Uncevelized

14. A. Extravagant B. Extreragent C. Extreregant D. Extravegent

15. A. Missunderstood B. Miesunderstood C. Misunderstood D. Misunderstod

16. A. Belligerent B. Beligirent C. Belligarant D. Belligerrent

17. A. Astonished B. Astronished C. Astoneshed D. Asstonished

18. A. Sincerely B. Sencerely C. Sincerelly D. Sincerrely

19. A. Rigourous B. Rigerous C. Rigorous D. Regerous

20. A. Satellite B. Sattellite C. Satelite D. Sattelite

21. A. Pesanger B. Passenger C. Pessenger D. Pasanger

22. A. Humurous B. Humorous C. Humoreus D. Humorrous

23. A. Exeggerate B. Exaggerate C. Exadgerate D. Exagerate

24. A. Fariegn B. Forein C. Foriegn D. Foreign

25. A. Excesive B. Excessive C. Exccessive D. Exccesive

26. A. Forcaust B. Forcast C. Forecast D. Forecaste

27. A. Paralleted B. Paralelled C. Parralleled D. Parallelled

28. A. Ocasion B. Occassion C. Occasion D. Ocassion

29. A. Boquet B. Bouquet C. Bouquete D. Bouquette

30. A. Chettering B. Chaterring C. Chattering D. Chatering

31. A. Discourage B. Disscourage C. Discourege D. Discaurage

32. A. Curageous B. Courageous C. Courrageous D. Couregeous

33. A. Abandon B. Abanddon C. Abendon D. Abbandon

34. A. Embarassment B. Emberrassement C. Embarrassment D. Embbaresment

35. A. Eccintric B. Eccentrie C. Eccentric D. Eccintrie

36. A. Occasional B. Occassional C. Occesional D. Occessional

37. A. Querrel B. Querral C. Quarrel D. Quarel

38. A. Contrebution B. Contribution C. Contributtion D. Conterbution

39. A. Desgrace B. Disgrece C. Disgrice D. Disgrace

40. A. Harassment B. Herassment C. Harasment D. Harassmient

41. A. Imaginative B. Imeginative C. Imagenative D. Imaginetive

42. A. Suficient B. Suficiant C. Sufficient D. Sufficiant

43. A. Adequate B. Edequate C. Adaquete D. Edaquete

44. A. Exparienced B. Experianced C. Experienced D. Experrienced

45. A. Flatering B. Fletering C. Flattering D. Fletaring

46. A. Cuttiveted B. Culltrivated C. Cultivated D. Caltivated

47. A. Praiceworthy B. Peiseworthy C. Praiseworthy D. Praisawarthy

48. A. Profesional B. Professionel C. Professional D. Profissional

49. A. Ameteur B. Amateur C. Amataur D. Amateor

50. A. Unfevourable B. Unfevaurable C. Unfavourable D. Unfivourable

ANSWERS

1	2	3	4	5	6	7	8	9	10
A	C	A	B	B	A	B	B	D	C
11	**12**	**13**	**14**	**15**	**16**	**17**	**18**	**19**	**20**
A	B	A	A	C	A	A	A	C	A
21	**22**	**23**	**24**	**25**	**26**	**27**	**28**	**29**	**30**
B	B	B	D	B	C	A	C	B	C
31	**32**	**33**	**34**	**35**	**36**	**37**	**38**	**39**	**40**
A	B	A	C	C	A	C	B	D	A
41	**42**	**43**	**44**	**45**	**46**	**47**	**48**	**49**	**50**
A	C	A	C	A	C	C	C	B	C

★★★

5 Active and Passive Voice

A sentence in active voice focuses on the person or thing doing the action. A sentence in passive voice focuses on the person or thing affected by the action. *e.g.,*

The idol was built. (Active voice)
Someone built the idol. (Passive voice)

Transformation of Voice

- Voice and Tense are closely associated with each other.
- Tense plays an important role while transforming the voice.
  On the basis of following points, voice can be transformed from active to passive voice.

The Present Indefinite Tense

Active voice: Subject + V_1 + Object
Passive voice: Subject + is, am, are + V_3 + by + Object

- **Active voice:** He sings sweet songs.
  Passive voice: Sweet songs are sung by him.

The Present Continuous Tense

Active voice: Subject + is/am/are + V_1 + ing + Object.
Passive voice: Subject + is/am/are + being + V_3 + by + Object.

- **Active voice:** She is cooking food.
  Passive voice: Food is being cooked by her.

The Present Perfect Tense

Active voice: Subject + has/have + V_3 + Object.
Passive voice: Subject + has/have + been + V_3 + by + Object.

- **Active voice:** I have written an essay.
  Passive voice: An essay has been written by me.

The Past Indefinite Tense

Active voice: Subject + V_2 + Object
Passive voice: Subject + was/were + V_3 + by + Object

- **Active voice:** He composed a new song.
  Passive voice: A new song was composed by him.

The Past Continuous Tense

Active voice: Subject + was/were + V_1 + ing + Object
Passive voice: Subject + was/were + being + V_3 + by + Object

- **Active voice:** The farmers were ploughing the fields.
  Passive voice: The fields were being ploughed by the farmers.

The Past Perfect Tense

Active voice: Subject + had + V_3 + Object.
Passive voice: Subject + had + been + V_3 + by + Object

- **Active voice:** He had issued me an import licence.
  Passive voice: I had been issued an import licence.

The Future Indefinite Tense

Active voice: Subject + will/shall + V_1 + Object.
Passive voice: Subject + will/shall + be + V_3 + by + Object.

- **Active voice:** He will remove the dust from the shelf.
  Passive voice: The dust from the shelf will be removed by him.

The Future Perfect Tense

Active voice: Subject + will/shall + have + V_3 + Object.
Passive voice: Subject + will/shall + have + been + V_3 + by + Object.

- **Active voice:** They will have sold their house by then.
  Passive voice: Their house will have been sold by them by then.

Imperative Sentences

- **Active voice:** Open the window.
  Passive voice: You are ordered to open the window.
  Or
  Let the window be opened.

Infinitives

- **Active voice:** It is time to open the shop.
  Passive voice: It is time for the shop to be opened.

Prepositional Verb

- **Active voice:** She laughed at the beggar.
  Passive voice: The beggar was laughed at by her.

Double Object

- **Active voice:** He gave me a pen.
  Passive voice: A pen was given to me by him.

Use of Preposition other than 'by'

- **Active voice:** The jug contains juice.
  Passive voice: Juice is contained in the jug.

Implied Sentences

- **Active voice:** The driver drove the bus.
  Passive voice: The bus was driven.

Multiple Choice Questions

Directions (Qs. 1 to 16): *In the following questions, a sentence has been given in Active/Passive Voice. Out of the four alternatives suggested, select the one that Best Expresses the same sentence in Passive/Active Voice.*

1. Circumstances will oblige me to go.
A. I will oblige the circumstances and go.
B. I shall be obliged to go by the circumstances.
C. Under the circumstances, I should go.
D. I shall be obliged by the circumstances to go.

2. We waste much time on trifles.
A. Much time was wasted on trifles.
B. Much time will be wasted on trifles.
C. Much time is wasted by us on trifles.
D. Much time is wasted on trifles.

3. Mohan gave the beggar an old shirt.
A. An old shirt was given to Mohan by the beggar.
B. An old shirt was given to the beggar by Mohan
C. The begger was gave an old shirt by Mohan.
D. An old shirt was gave to the beggar by Mohan.

4. They have made him a king.
A. A king has been made by him.
B. He was made a king by them.
C. They have been made kings by him.
D. He has been made a king by them.

5. Who taught you English?
A. By whom English was taught to you?
B. By whom you were taught English?
C. By whom was English taught to you?
D. By whom are you taught English?

6. Was he knocking at the door?
A. Was the door being knocked at by him?
B. Was the door being knocked by him?
C. Was the door knocked by him?
D. Was the door knocking at him?

7. What was Rani doing?
A. What was done by Rani?
B. What was Rani being done?
C. What was being done by Rani?
D. What was being doing Rani?

8. Why were you wasting your time?
A. Why was your time being wasted?
B. Why was your time being wasted by you?
C. Why was your time wasted by you?
D. Why was your time wasted?

9. She has laid out a small garden.
A. A small garden has been laid by her.
B. A small garden has laid her.
C. A small garden being laid by her.
D. A small garden has been laid out by her.

10. She had already solved all the sums.
A. All the sums had already been solved by her.
B. All the sums have already been solved by her.
C. All the sums have been solved by her.
D. All the sums are solved by her.

11. He will have posted the letter.
A. The letter has been posted by him.
B. The letter will be posted by him.
C. The letter will have been posted by him.
D. The letter is posted by him.

12. They will have sold all the books by 4 P.M.
A. All the books will be sold by 4 P.M.
B. All the books will have been sold by 4 P.M.
C. All the books were being sold by 4 P.M.
D. All the books must be sold by 4 P.M.

13. Do you speak English?
A. Is English spoken by you?
B. Does English spoken by you?
C. Is English being spoken by you?
D. Does English being spoken by you?

14. Had they seen me before?
A. Had myself been seen by them before?
B. Had me being seen by them before?
C. Had I been seen by them before?
D. Had I being seen by them before?

15. May I take this pen?
A. May this pen will be taken by me?
B. May this pen shall be taken by me?
C. May this pen should be taken by me?
D. May this pen be taken by me?

16. Can we send it by air?
A. Can this be sent by air?
B. Can it be sent by air?
C. Can it go by air?
D. Can it be send by air?

Answers

1	2	3	4	5	6	7	8	9	10
D	C	B	D	C	A	C	B	D	A
11	12	13	14	15	16				
C	B	A	C	D	B				

★★★

6

Narration

The exact words spoken by the speaker are known as Direct Speech. The words spoken by somebody and expressed by someone else with some modification are known as Indirect Speech.

Multiple Choice Questions

Directions (Qs. 1 to 13): *Select the correct Indirect Speech for the following sentences:*

1. I said to him, "I shall help you."
A. I told him that I can help him.
B. I told him that I would help him.
C. I told him that I will help him.
D. I told him that I shall be helping him.

2. My Teacher said to me, "The earth revolves round the sun."
A. My teacher told me that the earth revolves round the sun.
B. My teacher told me that the earth revolve round the sun.
C. My teacher told me that the earth had been revolving round the sun.
D. My teacher told me that the earth has been revolving round the sun.

3. I said to my friend, "My father daily goes for a walk."
A. I told my friend that my father daily goes for a walk.
B. I told my friend that my father daily went for a walk.
C. I told my friend that my father has to go for a walk.
D. I told my friend that my father had gone for a walk.

4. He said to me, "May God bless you!"
A. He requested that God can bless me.
B. He prayed that God can bless me.
C. He prayed that God might bless me.
D. He prayed that God will bless me.

5. The patient said, "Thank you, doctor."
A. The patient thanked the doctor.
B. The patient requested the doctor with thanks.
C. The patient told the doctor thanks.
D. The patient suggested the doctor thanks.

6. Satish said, "No, I shall not talk to him."
A. Satish told that he should not talk to him.
B. Satish suggested that he would not have talked to him.
C. Satish exclaimed with sorrow that he would not talk with him.
D. Satish refused to talk to him.

7. The child said, "What a lovely place!"
A. The child exclaimed with sorrow that it was a lovely place.
B. The child thought that the place was lovely.
C. The child exclaimed with joy that the place was very lovely.
D. The child suggested that the place was lovely.

8. He said, "What a fool I have been!"
A. He told himself with sorrow that he was a fool.
B. He confessed with regret that he had been a great fool.
C. He said himself a fool.
D. He suggested that he could be a fool.

9. He said, "Alas! I am ruined."
A. He told me that he had been ruined.
B. He exclaimed with joy that he had been ruined.
C. He exclaimed with sorrow that he was ruined.
D. He told me that he should not be ruined.

10. The accused said, "I am not guilty."
A. The accused exclaimed with sorrow that I am not guilty.
B. The accused exclaimed with joy that he was not guilty.
C. The accused stated that he was not guilty.
D. The accused told me that he has not been guilty.

11. My teacher said, "The earth is round".
A. My teacher said that the earth was round.
B. My teacher says that the earth is round.
C. My teacher said that the earth is round.
D. My teacher ordered that the earth is round.

12. He said, "What a place it is!"
A. He said that it was a very fine place.
B. He said that is a very fine place.
C. He said that the place is fine.
D. He exclaimed with joy/surprise that it was a very fine place.

13. Ria said, "Shall I thread the needle?"
 A. Ria asked if she should thread the needle.
 B. Ria asked if she shall thread the needle.
 C. Ria ordered if she should thread the needle.
 D. Ria says that if she would thread the needle.

Directions (Qs. 14 to 25): *Pick out the correct alternative that completes the incomplete sentence which is changed into Indirect Narration.*

14. She said to me, "I shall see you as soon as I get time."
 She told me:
 A. that she will see me as soon as she will get time.
 B. that she would see me as soon as she would get time.
 C. she would see me whenever she got time.
 D. that she would see me whenever she gets time.

15. My secretary said to me, "Your plane will leave if you do not go at once."
 My secretary told me that:
 A. her plane would leave if she did not go at that time.
 B. her plane would leave if I do not go at once.
 C. my plane would leave if I did not go at that very time.
 D. my plane will leave if I did not go at that time.

16. My mother said to me, "Don't quarrel among yourselves".
 My mother:
 A. forbade me to quarrel among ourselves.
 B. asked me not to quarrel among ourselves.
 C. asked me that not to quarrel among ourselves.
 D. asked me to quarrel not among ourselves.

17. Her father said to her mother, "Excuse the daughter."
 Her father:
 A. requested her mother to excuse the daughter.
 B. asked her mother to excuse the daughter.
 C. asked her mother to have excused the daughter.
 D. asked her mother to have been excused.

18. He said to his friend, "Wait here till father comes."
 He requested his friend:
 A. to wait here till father had come.
 B. that to wait there till his friend came.
 C. to wait there till father came.
 D. to wait here until his friend came.

19. She said to her maid, "Run and catch the thief."
 She ordered her maid:
 A. ran and catch the thief.
 B. that to run and to catch the thief.
 C. ran and caught the thief.
 D. to run and catch the thief.

20. Anita said to Sunita, "What are you doing?"
 Anita asked Sunita:
 A. what she will be doing.
 B. that what she is doing.
 C. that what she was doing.
 D. what she was doing.

21. She said to me, "Are you meeting me today?"
 She enquired of me:
 A. whether I am meeting her that day.
 B. whether I was meeting her today.
 C. whether I was meeting her that day.
 D. I was meeting her that day.

22. Nitish said to me, "When did you buy this pen?"
 Nitish asked me:
 A. when I was to buy that pen.
 B. when I would buy that pen.
 C. when I had bought that pen.
 D. when I was buying that pen.

23. She said to me, "Are you going to market?"
 She enquired of me:
 A. I am going to market.
 B. I was going to market.
 C. if I was going to market.
 D. if I had been going to the market.

24. Damini said, "Why did not you change your clothes?"
 Damini asked me:
 A. why I had not changed my clothes.
 B. why I did not change my clothes.
 C. why I would not change my clothes.
 D. why I have not been changing my clothes.

25. Umesh said to me, "Have you read that novel?"
 Umesh asked me:
 A. if he was reading that novel.
 B. if he had read that novel.
 C. if I had read that novel.
 D. if I was reading that novel.

ANSWERS

1	2	3	4	5	6	7	8	9	10
B	A	A	C	A	D	C	B	C	C
11	**12**	**13**	**14**	**15**	**16**	**17**	**18**	**19**	**20**
C	D	A	B	C	A	B	C	D	D
21	**22**	**23**	**24**	**25**					
C	C	C	A	C					

★★★

7 Homonyms & Homophones

Homonyms

Two words that share the same spellings and pronunciations but different meanings are called homonyms.

Homophones

Two words that share the same pronunciation, same or different spellings but different meanings are called homophones.

Some Examples and Usage of Homonyms:

- **Left** (*past tense of leave*): He has already left.
  Left (*opposite of right*): He is on the right side.
- **Row** (*propel with oars*): Row the boat fast.
  Row (*arguments*): He fell in a row with opponents.
- **Tire** (*car wheel*): Change the tire fast.
  Tire (*fatigue*): I was dead-tired.
- **Desert** (*arid region*): He was lost in the desert.
  Desert (*abandon*): He deserted his family.
- **Rose** (*a flower*): The rose is a beautiful flower.
  Rose (*past tense of rise*): He rose from his seat.
- **Bow** (*a weapon*): He shot an arrow with the bow.
  Bow (*to bend forward*): You should never bow down before the enemy.
- **March** (*a month*): March is the third month of the year.
  March (*an organised walk*): March forward and capture the enemy post.
- **Polish** (*from Poland*): He is a Polish citizen.
  Polish (*to make shiny*): Polish you shoes well.
- **Skate** (*glide on ice*): He is an expert in skating.
  Skate (*a fish*): He caught a skate in the net.
- **Mouth** (*of a river*): The mouth of Ganges is Gangotri.
  Mouth (*of an animal*): The lion opened its mouth wide open.
- **Bark** (*the sound of a dog*): The dog was barking.
  Bark (*the skin of a tree*): The bark of Neem tree is quite useful.

Some Examples and Usage of Homophones:

- **There** (*a position*): The book is kept there.
  Their (*relationship*): Their uncle is a judge.
- **Bow** (*to bend forward*): Bow and arrow complement each other.
  Bough (*a branch of a tree*): The bough of the tree was broken
- **Read** (*peruse*): Read the book well.
  Reed (*water side plant*): Several reeds were there on the river bank.
- **Two** (*a number*): Two and two make four.
  Too (*also*): He too is a human being.

Some More Examples of Homophones

Air	Heir	Check	Cheque	Meat	Meet	Root	Route
Ail	Ale	Cord	Chord	None	Nun	Rose	Rows
Allowed	Aloud	Dear	Deer	Oar	Ore	Sale	Sail
Arc	Ark	Die	Dye	One	Won	Scene	Seen
Ate	Eight	Ewe	You	Pail	Pale	Sea	See
Bad	Bade	Eye	I	Pain	Pane	Seam	Seem
Bail	Bale	Fair	Fare	Peace	Piece	Sew	Sow
Bare	Bear	Feat	Feet	Peal	Peel	Sight	Site
Bean	Been	Flea	Flee	Plain	Plane	Soar	Sore
Beat	Beet	Flour	Flower	Pore	Pour	Sole	Soul
Bee	Be	Fore	Four	Pray	Prey	Son	Sun
Birth	Berth	Forth	Fourth	Rap	Wrap	Soot	Suit
Blue	Blew	Foul	Fowl	Read	Reed	Steal	Steel
Boy	Buoy	Loan	Lone	Right	Write	Stile	Style
Brake	Break	Made	Maid	Ring	Wring	Suite	Sweet
Buy	By/Bye	Mail	Male	Road	Rode	Tail	Tale
Cell	Sell	Main	Mane	Role	Roll	Tear	Tier

Multiple Choice Questions

1. Choose the correct homonym of the word 'left'.
A. lift B. left
C. right D. theft

2. Choose the correct homonym of the word 'tire'.
A. tyre B. tear
C. tire D. wire

3. Choose the correct homonym of the word 'desert'.
A. dessert B. abandon
C. sands D. desert

4. Choose the correct homonym of the word 'rose'.
A. flower B. rise
C. rose D. pose

5. Choose the correct homonym of the word 'bank'.
A. bank B. savings
C. river D. tank

6. Choose the correct homophone for the word 'been'.
A. done B. being
C. bean D. covered

7. Choose the correct homophone for the word 'dose'.
A. doze B. does
C. douse D. dyes

8. Choose the correct homophone for the word 'would'.
A. could B. weed
C. wood D. hold

9. Choose the correct homophone for the word 'load'.
A. loud B. laud
C. lead D. lode

10. Choose the correct homophone for the word 'loan'.
A. lawn B. lean
C. lone D. long

11. Choose the correct homophone of the word 'Affect'.
A. Affection B. Affectionate
C. Effect D. Affectionately

12. Choose the correct homophone of the word 'Adapt'.
A. Adopt B. Adept
C. Adapted D. Adopted

13. Choose the correct homophone of the word 'Access'.
A. Excess B. Accessed
C. Excessive D. Assess

14. Choose the correct homophone of the word 'Arc'.
A. Archive B. Architect
C. Arch D. Ark

15. Choose the correct homophone of the word 'Aloud'.
A. Loud B. Allow
C. Allowed D. Allowance

16. Choose the correct homophone of the word 'Advice'.
A. Advertise B. Advise
C. Advised D. Advertised

17. Choose the correct homophone of the word 'Bale'.
A. Bell B. Ball
C. Bull D. Bail

18. Choose the correct homophone of the word 'Berth'.
A. Worth B. Birth
C. Dirth D. Earth

19. Choose the correct homophone of the word 'Bear'.
A. Wear B. Hear
C. Beer D. Deer

20. Choose the correct homophone of the word 'Borne'.
A. Bone B. Boon
C. Boom D. Born

21. Choose the correct homophone of the word 'By'.
A. Bay B. Buy
C. Buyer D. Bee

22. Choose the correct homophone of the word 'Cell'.
A. Sale B. Call
C. Sell D. Cull

23. Choose the correct homophone of the word 'Break'.
A. Brake B. Drake
C. Crack D. Wrack

24. Choose the correct homophone of the word 'Blue'.
A. Blow B. Glue
C. Blew D. Bow

25. Choose the correct homophone of the word 'Bite'.
A. Bit B. Byte
C. Bet D. Beat

26. Choose the correct homophone of the word 'Medal'.
A. Middle B. Meddle
C. Model D. Modal

27. Choose the correct homophone of the word 'Fool'.
A. Full B. Foal
C. File D. Feel

28. Choose the correct homophone of the word 'Pair'.
A. Pare B. Pear
C. Pyre D. Par

ANSWERS

1	2	3	4	5	6	7	8	9	10
B	C	D	C	A	C	A	C	D	C
11	**12**	**13**	**14**	**15**	**16**	**17**	**18**	**19**	**20**
C	B	A	D	C	B	D	B	C	D
21	**22**	**23**	**24**	**25**	**26**	**27**	**28**		
B	C	A	C	B	B	A	A		

★★★

8 Tenses and Verbs

1. Tense indicates a point in time or period of time in the past, present, or future tense.
2. The verb may consist of a single word, or a main verb and one or more auxiliary words.
The key point is that tense is related to the form of verb. There are normally three forms of the verb, say, V_1, V_2, V_3 and for convenience a fourth form V_4 as verb+ing may be assumed.

A Comparative Chart Regarding Tenses and Verbs

Simple Present	**Simple Past**	**Simple Future**
V_1	V_2	shall/will + V_1
Present Continuous	**Past Continuous**	**Future Continuous**
is/am/are + V_4	was/were + V_4	shall/will + be + V_4
Present Perfect	**Past Perfect**	**Future Perfect**
has/have + V_3	had + V_3	shall/will + have + V_3
Present Perfect Continuous	**Past Perfect Continuous**	**Future Perfect Continuous**
has/have + been + V_4	had + been + V_4	shall/will + have been + V_4

SIMPLE PRESENT:

A. A present state of affairs. — A. My sister lives in Nagpur.
B. A general fact. — B. The sun rises in the east.
C. Habitual actions. — C. I listen to the radio in the mornings.
D. Future time-tables. — D. My flight leaves at 10:00.

PRESENT CONTINUOUS:

A. A specific action that is occurring. — A. Arvind is watching TV (right now).
B. A general activity that takes. — B. These days, I'm taking it easy.
C. Future arrangements. — C. I'm inviting Hari to the party on Friday.

SIMPLE PAST:

A. An action that began and ended at a particular time in the past. — A. The mail came early this Morning.
B. An action that occurred over a period of time but was completed in the past. — B. Dad worked in advertising in the past.
C. An activity that took place regularly in the past. — C. We jogged every morning before class.

PAST CONTINUOUS:

A. Interrupted Actions. — A. I was sewing when the telephone rang.
B. A continuous state over a period of time but was completed in the past. — B. She was looking very ill. I was meeting lots of people at that time.
C. Events planned in the past. — C. Neetu was leaving for Kolkata but had to make a last minute change
D. Expressing a future intent. — D. Jyoti is going to bring her sister tonight.
E. Predicting an event. — E. You are going to pass the test. Don't worry.

SIMPLE FUTURE:

A. Making a future decision. — A. I will call you after lunch.
B. Predicting a future event. — B. You will pass the test. Don't worry.
C. Indicating willingness to do something. — C. If I don't feel better soon, I will go to to the doctor.

FUTURE CONTINUOUS:

A. An action that will be going at a particular time in the future.

A. At noon tomorrow, I will be taking the children to their piano lessons.

B. Future actions which have already been decided.

B. I will be wearing my black dress to the dinner.

PRESENT PERFECT:

A. An action that happened at an unspecified time.

A. She has never climbed a mountain. I'm sorry. I have forgotten your Name.

B. An action that has recently occurred.

B. He's just gone to sleep.

C. An action that began in the past and continues up to the present (often used with "for" or "since").

C. Jack has lived in Chennai all his life. I have been here since Monday. He has known her for two weeks.

D. An action that happened repeatedly before now.

D. We have flown across the Pacific four times. I've failed my driver's test twice.

PRESENT PERFECT CONTINUOUS:

A. An action that began in the past and has just recently ended.

A. Have you been ringing the Bell?

B. An action that began in the past and continues in the present.

B. Lokesh has been studying for two hours.

C. An action repeated over a period of time in the past and continuing in present.

C. Suresh has been smoking since he was fifteen.

PAST PERFECT:

A. An action that occurred before another past action.

A. Tarun had left hours before we got there.

B. An action that was expected to occur in the past.

B. I had hoped to know about the job before now.

PAST PERFECT CONTINUOUS:

A. An action that occurred before another past action.

A. His eyes hurt because he had been Reading for eight hours.

B. An action that was expected to occur in the past.

B. I had been expecting a change in his attitude.

FUTURE PERFECT:

A. An action that will be completed before a particular time in the future.

A. By next July, my parents will have been married for fifty years.

FUTURE PERFECT CONTINUOUS:

A. Emphasizing the length of time that has occurred before a specific time in the future.

A. By May, my father will have been working at the same job for thirty years.

AGREEMENT OF THE VERB WITH THE SUBJECT

It is very important that the verb in a sentence should obey the subject, otherwise the sentence will be considered wrong.

I. When the Subject is a Singular Noun

A singular noun takes a singular verb.

(i) Mohit **makes** a noise in the class.

(ii) The child is **crying** for a cake.

II. When two singular nouns are joined with 'and'

When two singular nouns are joined with 'and' and they refer to two different persons, the plural verb should be used, *e.g.,*

(i) The novelist and the poet **were** honoured by the government.

(ii) The black and the white dogs **bark** at the strangers.

Note: Article 'the' is used with both the subjects.

If article is used only once, the singular verb should be used.

(i) The painter and singer is going abroad.

(ii) The white and black dog has a bushy tail.

III. When the subjects together give a single idea, singular verb is used:

(i) Slow and steady wins the race.

(ii) Rice and curry is my favourite dish.

IV. A collective noun takes a singular verb when it acts as a whole, but it takes a plural verb when the individual, of which it is composed are considered separately.

(i) The committee was unanimous on imposing the new law.

(ii) The committee have given their separate opinions in the matter.

V. When the subjects are joined by neither . . . nor, either . . . or, and 'or', the verb should obey the last subject.

(i) Rakesh or his friends have been selected for the match.

(ii) His friends or Rakesh has been selected for the match.

(iii) Neither Rohit nor his brothers are going abroad.

(iv) Neither his brothers nor Rohit is going abroad.

(v) Either Sohan or his sisters were dancing at the function.

(vi) Either his sisters or Sohan was dancing at the function.

VI. Either, neither, either of, neither of, takes singular verb.

(i) Either boy was honest.

(ii) Neither girl was allowed to leave the premises.

(iii) Either of the boys was ready to help the old man.

(iv) Neither of the girls was asked to join the extra classes.

VII. Some nouns are always used as plurals so, they take plural verbs.

(i) Where are your glasses?

(ii) His pants are attractive.

(iii) Cattle are grazing in the field.

(iv) Whose scissors are these?

VIII. Some nouns are always used as singulars, so, they take singular verbs.

(i) What is the latest news?

(ii) The furniture in the house is of a poor quality.

(iii) Mumps is not a fatal disease.

(vi) Physics is a tough subject.

IX. Nouns formed by alongwith, as well as, together with, accompanied by, etc., take verb according to the first subject.

(i) I as well as you am to blame.

(ii) You as well as I are going to see a movie.

(iii) John accompanied by his parents is going to visit the Taj.

(iv) His parents accompanied by John are going to visit the Taj.

(v) His brothers together with Vivek are ready to whitewash the fence.

X. To indicate something hypothetical or not factually true, plural verb 'were' with *as if* is used.

(i) He talks as if he were a king.

(ii) She dresses herself as if she were a princess.

Multiple Choice Questions

Directions: *Find the correct word(s) that correctly completes the sentence.*

1. A woman came in with a baby who, she said, ... a safety pin.
A. was just swallowing B. swallowed
C. had just swallowed D. just swallowed

2. The telephone ..... several times before I answered it.
A. was ringing B. has rung
C. had rung D. would ring

3. An employment advertisement should ..... the number of vacancies.
A. provide B. specify
C. contain D. declare

4. A crescendo of metallic thuds arose from the market, where the iron-smiths were ..... the pieces of metals.
A. flattening B. striking
C. hammering D. thrashing

5. Ambition is one of those ..... which are never satisfied.
A. ideas B. fancies
C. passions D. needs

6. The new education policy provides a useful ..... for the planners to remove illiteracy.
A. breakup B. breakthrough
C. breakaway D. break-in

7. The family gave father a gold watch on the ..... of his fiftieth birthday.
A. time B. event
C. occasion D. celebration

8. The passengers were afraid but the captain ..... them that there was no danger.
A. promised B. assured
C. advised D. counselled

9. It's very kind of you to .... to speak at the meeting.
A. accept B. agree
C. comply D. concur

10. The miser gazed ..... at the pile of gold coins in front of him.
A. avidly B. admiringly
C. thoughtfully D. earnestly

11. The pilot had been warned about the storm before he .....
A. took away B. took up
C. took over D. took off

12. On account of the dearth of grass on the arid plains the cattle became .....
A. flippant B. jubilant
C. agitated D. emaciated

13. I saw a ..... of cows in the field.
A. group B. herd
C. swarm D. flock

14. He was sent to the prison for his .....
A. sin B. vice
C. crime D. guilt

15. ..... of old paintings is a job for the experts.
A. Resurrection B. Retrieval
C. Restoration D. Resumption

16. Once he has signed the agreement, he won't be able to .....
A. back up B. back in
C. back at D. back out

17. She ..... a brief appearance at the end of the party.
A. put on B. put in
C. put across D. put up

18. The battalion operating from the mountain was able to ..... three enemy divisions.
A. tie up B. tie down
C. tie on D. tie with

19. Do you know ..... ?
A. where she comes from
B. where does she come from
C. where from she comes
D. from where does she come

20. ..... works of reference are so valuable as the Encyclopaedia Britannica.
A. A few B. Few
C. The few D. Fewer

21. The paths of glory lead ..... to the grave.
A. straight B. but
C. in D. directly

22. Walking at three o'clock, I heard the ..... of thunder.
A. crackle B. rumble
C. ripple D. clank

23. The thief ..... all the money.
A. made up B. made off with
C. made do with D. made good

24. Either Surendra or his friends ..... asked to pay a visit to the university.
A. has been B. have been
C. has D. have

25. Where ..... your spectacles?
A. is B. are
C. were D. have

26. Measles ..... not a fatal disease.
A. is B. are
C. has D. have

27. He walks as if he ..... a prince.
A. was B. were
C. have been D. has been

28. The captain alongwith his team mates ..... reached the ground.
A. have B. has
C. is D. are

29. The jury ..... given its opinion.
A. has B. have
C. is D. are

30. Slow and steady ..... the race.
A. win B. wins
C. has wins D. have win

31. The poet and the novelist ..... invited by the PM.
A. is B. are
C. has D. have

32. Mathematics ..... a tough subject.
A. is B. are
C. has D. have

33. Either girl ..... in a sad mood.
A. was B. were
C. has D. have

34. You should not avoid ...... him.
A. for meeting B. in meeting
C. to meet D. meeting

35. Are you ...... you lessons?
A. busy for preparing B. busy preparing
C. busy to prepare D. busy of preparing

ANSWERS

1	2	3	4	5	6	7	8	9	10
C	C	B	C	C	B	C	B	B	A
11	**12**	**13**	**14**	**15**	**16**	**17**	**18**	**19**	**20**
D	D	B	C	C	D	B	B	A	B
21	**22**	**23**	**24**	**25**	**26**	**27**	**28**	**29**	**30**
B	B	B	B	B	A	B	B	A	B
31	**32**	**33**	**34**	**35**					
B	A	A	D	B					

★★★

हिन्दी

1 भाषा और वर्ण विचार

भाषा

भाषा भाव या विचार की अभिव्यक्ति का अमूर्त माध्यम है। भाषा का शाब्दिक अर्थ है—कहना या व्यक्त करना। मनुष्य अपनी बातों को किसी से कहने के लिए या समझाने के लिए भाषा का प्रयोग करता है। मन के अन्दर जो विचार छिपे हुए हैं, आख़िरकार वे भाषा से ही प्रकट हो सकते हैं। मनुष्य क्या जीव-जन्तु , पशु-पक्षियों की भी अपनी भाषा होती है। भले ही उनकी भाषा हम नहीं समझ पाते हैं और मानवेतर प्राणी मनुष्य की भाँति अपने विचारों को लिखकर व्यक्त नहीं कर पाते हैं।

मनुष्य या अन्य प्राणी भी कुछ कहने या बोलने के समय अपने मुँह से कुछ ध्वनियाँ निकालते हैं। व्याकरण की भाषा में ध्वनि निकालने को ही उच्चारण करना कहा जाता है। मनुष्य एक बुद्धिमान प्राणी है इसलिए वह अपने मुँह से निकली हुई ध्वनियों का विशेष रूप से अर्थ निर्धारित कर लेता है। इस प्रकार, मनुष्य के मुँह से निकली हुई प्रत्येक ध्वनि के परस्पर योग से एक अर्थ व्यक्त होने लगता है, इसलिए मनुष्य अपने मन के विचारों या भावों को कहकर दूसरों को समझाता है या सुनकर स्वयं समझता है।

भाषा के भेद

भाषा के मुख्यतः तीन भेद होते हैं—

- **कथित भाषा :** कथित भाषा उसे कहते हैं, जो मुँह से बोली जाए और कान द्वारा सुनी जाए। जैसे—बातचीत, भाषण।
- **लिखित भाषा :** लिखित भाषा, भाषा का वह स्वरूप है जो हाथों से या अन्य माध्यमों से लिखी जाए, आँखों से देखी जाए और मुँह से पढ़ी जाए। जैसे— निबन्ध, उपन्यास, कविता आदि की भाषा।
- **सांकेतिक भाषा :** सांकेतिक भाषा का प्रयोग संकेत के रूप में होता है। जैसे—सेना, बालचर संस्थाओं, एन.सी.सी. आदि में सांकेतिक भाषा को व्यवहार में लाया जाता है। चोर, डाकुओं, व्यापारियों की भी अपनी सांकेतिक भाषा होती है। आजकल पुलिस महकमें में जो आशुलिपि (Short hand) व्यवहार में लायी जाती है, वह भी सांकेतिक भाषा का ही एक उदाहरण है।

वर्ण विचार

मौखिक भाषा की अंतिम इकाई ध्वनि है। लिखित भाषा की अंतिम इकाई वर्ण है। वर्ण शब्द की व्युत्पत्ति संस्कृत के 'वर्ण' धातु से हुई है, जिसका अर्थ है—वर्णन करना। वर्णों के समूह को **वर्णमाला** कहते हैं। अंग्रेजी में इसे ही Alphabet कहते हैं।

हिंदी वर्णमाला

स्वर	– आ आ इ ई उ ऊ ऋ ए ऐ ओ औ		→ 11
अयोगवाह	– अं अः		→ 2
व्यंजन	– क् ख् ग् घ् ङ् च् छ् ज् झ् ञ् ट् ठ् ड् ढ् ण् त् थ् द् ध् न् प् फ् ब् भ् म्	→ पंचम वर्ण	→ 25
अंतःस्थ	– य् र् ल् व्		→ 4
ऊष्म	– श् ष् स् ह्		→ 4
संयुक्त व्यंजन	– क्ष त्र ज्ञ श्र		→ 4
अतिरिक्त व्यंजन	– ड़् ढ़्		→ 2

इस प्रकार हिंदी की संपूर्ण वर्णमाला में 52 वर्ण होते हैं।

वर्णों के भेद

हिंदी वर्णमाला में उच्चारण और प्रयोग के आधार पर वर्ण के दो भेद हैं—1. स्वर, 2. व्यंजन।

स्वर

स्वर मूल ध्वनि है। इन्हें किसी अन्य ध्वनि के बिना उच्चारित किया जा सकता है। इनका उच्चारण करते समय वायु मुख से बिना किसी रुकावट

के बाहर निकलती हैं, वे स्वतंत्र ध्वनियाँ होती हैं। स्वरों की संख्या 11 है, जो इस प्रकार हैं—अ, आ, इ, ई, उ, ऊ, ऋ, ए, ऐ, ओ, औ।

स्वरों के भेद : उच्चारण में लगने वाले समय के आधार पर स्वर के 3 भेद होते हैं—

(क) **ह्रस्व स्वर :** जिन स्वरों के उच्चारण में बहुत कम समय लगता है, उन्हें ह्रस्व स्वर कहते हैं। ये संख्या में 4 हैं—अ, इ, उ, ऋ।

(ख) **दीर्घ स्वर :** जिन स्वरों के उच्चारण में ह्रस्व स्वर से लगभग दोगुना समय लगता है, उन्हें दीर्घ स्वर कहते हैं। ये संख्या में 7 हैं—आ, ई, ऊ, ए, ऐ, ओ, औ।

(ग) **प्लुत स्वर :** जिन स्वरों के उच्चारण में दीर्घ स्वर से भी अधिक समय लगता है, उन्हें प्लुत स्वर कहते हैं; जैसे—ओ३म, रा॒म आदि। प्लुत स्वर का चिह्न (ऽ) है।

स्वरों की मात्राएँ

जब स्वरों को व्यंजनों के साथ लिखने के लिए इनके चिह्नों का प्रयोग किया जाता है, तो स्वरों के ये चिह्न मात्रा कहलाते हैं। 'अ' को छोड़कर शेष सभी स्वरों की मात्राएँ होती हैं।

हिंदी में स्वरों की मात्राएँ इस प्रकार हैं—

	अ	आ	इ	ई	उ	ऊ	ऋ	ए	ऐ	ओ	औ
स्वर :	अ	आ	इ	ई	उ	ऊ	ऋ	ए	ऐ	ओ	औ
मात्रा :	×	ा	ि	ी	ु	ू	ृ	े	ै	ो	ौ

अयोगवाह

हिंदी वर्णमाला में अं और अः दो वर्ण और होते हैं, जिन्हें अयोगवाह कहते हैं। व्याकरण की दृष्टि से 'अं' को अनुस्वार और 'अः' को विसर्ग कहते हैं। ये वर्ण स्वर और व्यंजन के अतिरिक्त होते हैं, उन्हें अयोगवाह कहते हैं।

1. **अनुस्वार (ं) :** अनुस्वार का उच्चारण करते समय वायु केवल नाक से बाहर आती है। इसका चिह्न शिरोरेखा के ऊपर बिंदु (ं) रूप में लगाया जाता है। इसे ही अनुस्वार कहते हैं; जैसे—शंकर, मंगल, बंदूक, संगम, हंस आदि। इसका प्रयोग पंचम वर्ण के स्थान पर किया जाता है; जैसे—ठण्डा-ठंडा आदि।
2. **अनुनासिक (ँ) :** अनुनासिक के उच्चारण के समय वायु नाक और मुख दोनों से बाहर आती है। इसका चिह्न शिरोरेखा के ऊपर चंद्रबिंदु (ँ) के रूप में लगाया जाता है। यह स्वतन्त्र ध्वनि नहीं है। इसका प्रयोग स्वरों के साथ होता है; जैसे—चाँद, आँख आदि।

विसर्ग (:) : इस ध्वनि का उच्चारण 'ह्' के समान होता है। यह स्वर नहीं है लेकिन इसे 'अ' के साथ जोड़कर 'अः' की तरह लिखा जाता है। इसका प्रयोग केवल तत्सम (संस्कृत) शब्दों में ही किया जाता है; जैसे—प्रातः, प्रायः आदि।

आगत ध्वनि (ॅ) : ऑ अंग्रेजी से हिंदी भाषा में आई ध्वनि है, जो स्वरों में गिनी जाती है। यह 'आ' और 'ओ' के बीच की ध्वनि है। इसका प्रयोग अंग्रेजी शब्दों को हिंदी में लिखते समय ही किया जाता है; जैसे—डॉक्टर, ऑफर आदि।

व्यंजन

जिन वर्णों के उच्चारण में स्वरों की सहायता ली जाती है, उन्हें व्यंजन कहते हैं। इनके उच्चारण में वायु थोड़ा रुककर मुख से बाहर निकलती है। हिंदी में व्यंजनों की संख्या 33 (क् से ह्) होती है। संयुक्त व्यंजनों और अतिरिक्त व्यंजनों को मिलाकर इनकी संख्या 39 होती है।

उच्चारण के आधार पर हिंदी वर्णमाला में व्यंजनों के निम्नलिखित तीन भेद होते हैं—

(क) **स्पर्श व्यंजन :** जिन व्यंजनों का उच्चारण करते समय जीभ मुख के विभिन्न भागों (कंठ, तालु, मूर्धा, दंत, ओष्ठ) को स्पर्श करती है, उन्हें स्पर्श व्यंजन कहते हैं। इन व्यंजनों की कुल संख्या 25 है। इन व्यंजनों को पाँच वर्गों में बाँटा गया है; जैसे—

वर्ग		व्यंजन	उच्चारण स्थान	प्रकार
कवर्ग	–	क ख ग घ ङ	कंठ	कंठ्य
चवर्ग	–	च छ ज झ ञ	तालु	तालव्य
टवर्ग	–	ट ठ ड ढ ण	मूर्धा	मूर्धन्य
तवर्ग	–	त थ द ध न	दंत	दंत्य
पवर्ग	–	प फ ब भ म	ओष्ठ	ओष्ठ्य

(ख) **अंतःस्थ व्यंजन :** जिन व्यंजनों का उच्चारण करते समय जीभ पूरी तरह मुख के किसी भाग को स्पर्श नहीं करती, वे अंतःस्थ व्यंजन कहलाते हैं। ये व्यंजन संख्या में 4 हैं—य, र, ल, व।

(ग) **ऊष्म व्यंजन :** ऊष्म का अर्थ है—गरम। जिन व्यंजनों के उच्चारण में वायु मुख के विभिन्न भागों से टकराकर ऊष्मा (गरमी) पैदा करती है, वे ऊष्म व्यंजन कहलाते हैं। ऊष्म व्यंजन संख्या भी 4 हैं—श, ष, स, ह।

संयुक्त व्यंजन : जब दो या दो से अधिक व्यंजन परस्पर मिलते हैं, तो उसे संयुक्त व्यंजन कहते हैं। उदाहरणार्थ—च्छ, क्क, क्ष, त्र आदि संयुक्त व्यंजन के उदाहरण हैं। संयुक्त व्यंजन को व्यंजन-गुच्छ भी कहते हैं। इन्हें निम्न रूपों में व्यक्त किया जा सकता है—

1. संयुक्त व्यंजनों के स्वतन्त्र प्रयोग में क्ष, त्र, ज्ञ एवं श्र चार ऐसे संयुक्त व्यंजन हैं, जिन्हें स्वतंत्र रूप में प्रयोग किया जाता है।

   क्ष = क् + ष, त्र = त् + र, ज्ञ = ज् + ञ, श्र = श् + र

   क्ष = अक्षर, क्षत्रिय

   त्र = मित्र, त्रिशूल

   ज्ञ = ज्ञाता, आज्ञा

   श्र = विश्राम, श्रमिक

2. द्विवत्व व्यंजन के रूप में—

   न् + न = प्रसन्न, द् + द = उद्देश्य

   ज् + ज = सज्जन

3. संयुक्ताक्षर रूप में—

   द् + य = उद्योग, त् + प = उत्पन्न,

   स् + थ = स्थल

आगत व्यंजन : हिंदी में उर्दू-फारसी, अरबी भाषाओं के शब्द प्रयुक्त होते हैं। इनके शुद्ध उदाहरण के कुछ वर्णों के नीचे नुक्ता (बिन्दु) लगाया जाता है।

जैसे–ज़मीन, तर्ज़ आदि।

'र' के विभिन्न रूप–ये निम्न प्रकार हैं :

(*i*) 'र' का स्वर रहित रूप किसी व्यंजन के पूर्व आने पर वह अगले वर्ण पर रेफ (ˊ) के रूप में लगता है; जैसे–नर्म, गर्म आदि।

(*ii*) 'र' का स्वर सहित रूप किसी व्यंजन के बाद आने पर वह उस व्यंजन के निचले भाग में जुड़ जाता है। इसे 'पदेन' कहा जाता है; जैसे–प्रखर, प्रजा आदि।

(*iii*) 'र' का स्वर युक्त रूप 'ट' एवं 'ड' वर्णों के साथ अलग रूप धारण कर लेता है; जैसे–ट्रॉम, ट्रेन आदि।

(*iv*) 'त्' के साथ 'र' मिलकर 'त्र' और श् के साथ 'र' मिलकर 'श्र' बन जाता है; जैसे–तंत्र-मंत्र, श्रमिक आदि।

वस्तुनिष्ठ प्रश्न

1. विचारों के आदान-प्रदान का सबसे सरल एवं सफल साधन है :
A. शब्द B. भाषा
C. कविता D. संभाषण

2. भाषा शब्द की व्युत्पत्ति संस्कृत भाषा की इस धातु से हुई है :
A. भास B. भाष्
C. भाषा D. बोली

3. संस्कृत के भाष् शब्द का अर्थ है :
A. लिखना B. बातचीत करना
C. बोलना D. सुनना

4. भाषा है :
A. नेत्र ग्राह्य B. श्रोत ग्राह्य
C. स्पर्श ग्राह्य D. उपर्युक्त सभी

5. भाषा की प्रकृति का मूल संबंध है :
A. लिखित भाषा B. मौखिक भाषा
C. मातृभाषा D. राजभाषा

6. यास्क ने शब्दों के .... भेद किये।
A. तीन B. चार
C. पाँच D. छः

7. अंग्रेजी में भाषा के लिए Language शब्द का प्रयोग होता है। इसकी व्युत्पत्ति हुई है :
A. लैटिन भाषा से B. ग्रीक भाषा से
C. यूनानी भाषा से D. फ्रेंच भाषा से

8. बच्चे भाषा सीखते हैं :
A. रेखीय ढंग से B. चक्रीय ढंग से
C. वक्राकार ढंग से D. त्रिकोणीय ढंग से

9. मनोवैज्ञानिकों के अनुसार भाषा की लघुतम इकाई :
A. शब्द B. वर्ण
C. संदर्भ D. वाक्य

10. हर बच्चा अनुवांशिक रूप से सार्वभौमिक व्याकरण नामक भाषाई क्षमता/व्यवस्था के साथ जन्म लेता है। ऐसा मानना है :
A. चॉमस्की का B. वैगस्की का
C. रूसो का D. रायबर्न का

11. ध्वनि और वर्ण :
A. समानार्थी हैं B. भिन्नार्थी हैं
C. एकार्थी हैं D. उपर्युक्त सभी हैं

12. कौन-सा शब्द स्वर का समानार्थी है?
A. शब्द B. ध्वनि
C. अक्षर D. इनमें से कोई नहीं

13. वर्ण किसे कहते हैं?
A. अक्षर को B. शब्द को
C. ध्वनि के लिखित रूप को D. इनमें से किसी को नहीं

14. हिन्दी वर्णमाला में वर्णों की संख्या कितनी है?
A. 52 B. 45
C. 46 D. 38

15. हिन्दी वर्णमाला में कौन-से दो मुख्य वर्ण हैं?
A. स्वर - व्यंजन B. अनुस्वार - विसर्ग
C. संधि - समास D. विसर्ग - व्यंजन

16. हिन्दी वर्णमाला में ह्रस्व स्वरों की संख्या है :
A. चार B. पाँच
C. छः D. कोई नहीं

17. अनुस्वार क्या है?
A. स्वर है
B. व्यंजन है
C. स्वर और व्यंजन दोनों हैं
D. उपर्युक्त में से कोई नहीं

18. हिन्दी वर्णमाला के कौन-से स्वर अयोगवाह कहलाते हैं?
A. मूल स्वर B. दीर्घ स्वर
C. संध्यक्षर D. अनुस्वार और विसर्ग

19. क से म तक के व्यंजन कहलाते हैं :
A. स्पर्श B. स्पर्श संघर्षी
C. कंठ्य D. ओष्ठ्य

20. हल् चिह्न संकेतित करता है :
A. शुद्ध व्यंजन को B. शुद्ध स्वर को
C. शुद्ध अनुस्वार को D. किसी को नहीं

21. वर्गीय व्यंजनों में सघोष होते हैं :
A. प्रथम, द्वितीय, तृतीय, व्यंजन
B. द्वितीय, तृतीय, चतुर्थ, व्यंजन
C. तृतीय, चतुर्थ, पंचम, व्यंजन
D. उपर्युक्त में से कोई नहीं

22. श, ष, स, ह, वायु प्रक्षेप की दृष्टि से कैसे व्यंजन हैं?
A. अल्पप्राण B. महाप्राण
C. उपर्युक्त दोनों D. इनमें से कोई नहीं

23. वायु प्रक्षेप की दृष्टि से स्वर क्या होते हैं?
A. अल्पप्राण B. महाप्राण
C. उपर्युक्त दोनों D. इनमें से कोई नहीं

24. अधोलिखित में से अनुनासिक स्वर वाला शब्द चुनिए :
A. बंदर B. सुंदर
C. बंदरी D. नंदी

25. हिन्दी वर्णमाला के किन वर्णों का शब्द के आदि में प्रयोग नहीं होता?
A. ड़, ढ़, ण B. ड, ढ़, स्
C. र, ल, क्ष D. ड, ढ, ज्ञ

26. हिन्दी वर्णमाला के द्विस्पृष्ट व्यंजन कौन-से हैं?
A. न्ह, म्ह B. द्ह, ल्ह
C. ड़, ढ़ D. कोई नहीं

27. नाद की दृष्टि से न्ह, म्ह, ल्ह, कैसे व्यंजन हैं?
A. अघोष B. सघोष
C. उत्क्षिप्त D. लुंठित

28. 'ह' व्यंजन उच्चारण की दृष्टि से क्या है?
A. कंठ्य B. कंठतालव्य
C. कण्ठोष्ठ D. इनमें से कोई नहीं

29. शब्द के बीच में या अंत में जब अं स्वर का उच्चारण पूरा नहीं होता तो इसके पूर्व स्वर पर :
A. व्यंजनाघात होता है। B. स्वराघात या बलाघात होता है।
C. मात्राघात होता है। D. वर्णाघात होता है।

30. संयोग की दृष्टि से क्या, क्यों अधोलिखित में से क्या हैं?
A. संयुक्त ध्वनि B. युग्मक ध्वनि
C. सामान्य संयुक्ताक्षर D. इनमें से कोई नहीं

31. 'ऐ' में कितने स्वर हैं?
A. एक B. दो
C. तीन D. एक भी नहीं

32. अधोलिखित में से कौन-सा स्वर स्वतंत्र रूप से उच्चरित होने वाला है?
A. ऐ B. आ
C. अं D. इ

33. अधोलिखित में तालव्य स्वर पहचानिए :
A. अ, आ B. इ, ई
C. ए, ऐ D. ओ, औ

34. वर्गीय व्यंजन किन्हें कहा गया है?
A. संयुक्त व्यंजनों को B. अंतःस्थ व्यंजनों को
C. ऊष्म व्यंजनों को D. स्पर्श व्यंजनों को

35. वर्णों के उच्चारण में प्राण शब्द का अर्थ है :
A. आत्मा B. श्वास
C. नाद D. ध्वनि

36. 'कमल' शब्द में बलाघात कहाँ है?
A. क पर B. म पर
C. ल पर D. किसी पर नहीं

37. 'चिल्लाना' शब्द में कितने वर्ण हैं?
A. सात B. छः
C. पाँच D. उपरोक्त कोई नहीं

38. 'संपन्न' शब्द में किस प्रकार की ध्वनियों का मेल है?
A. संयुक्त B. युग्मक
C. उपर्युक्त दोनों D. कोई नहीं

39. हिन्दी ध्वनियों का स्वरूप निर्धारण किस आधार पर होता है?
A. उच्चारण स्थान तथा प्रयत्न के आधार पर
B. नाद के आधार पर
C. महाप्राणता के आधार पर
D. किसी आधार पर नहीं

40. फारसी की ग़, ज़, फ़ ध्वनियाँ हिन्दी वर्णमाला में :
A. स्वीकृत हैं B. स्वीकृत नहीं हैं
C. विचाराधीन हैं D. इनमें से कोई नहीं

उत्तरमाला

1	2	3	4	5	6	7	8	9	10
B	B	C	D	B	B	A	B	D	A
11	**12**	**13**	**14**	**15**	**16**	**17**	**18**	**19**	**20**
B	C	C	A	A	A	C	D	A	A
21	**22**	**23**	**24**	**25**	**26**	**27**	**28**	**29**	**30**
C	B	A	C	A	C	B	A	B	C
31	**32**	**33**	**34**	**35**	**36**	**37**	**38**	**39**	**40**
B	D	B	D	B	B	A	B	A	B

★ ★ ★

2 शब्द विचार

एक अथवा एक से अधिक वर्णों के सार्थक समूह को शब्द कहते हैं, किन्तु केवल वर्णों का समूह ही शब्द नहीं होता, बल्कि उस वर्ण समूह का कोई-न-कोई अर्थ अवश्य होना चाहिए।

शब्द भेद

व्याकरण के अनुसार शब्दों को निम्नलिखित चार प्रकार से विभाजित कर सकते हैं :

- **अर्थ के आधार पर शब्द भेद :** अर्थ के आधार पर शब्दों के दो भेद हैं :
  - **सार्थक शब्द :** जिन वर्ण समूहों की ध्वनि सार्थक होती है अथवा वे शब्द जो एक निश्चित अर्थ को प्रकट करते हैं, सार्थक शब्द कहलाते हैं; जैसे—महल, पुस्तक, राजा आदि।
  - **निरर्थक शब्द :** जिन वर्ण समूहों की ध्वनि सार्थक नहीं होती अथवा शब्दों का कोई अर्थ नहीं निकलता, वे निरर्थक शब्द कहलाते हैं। ऐसे शब्दों का प्रयोग सार्थक शब्दों के जोड़े बनाने के लिए किया जाता है, जैसे—महल-वहल, पुस्तक-वुस्तक, राजा-वाजा आदि।
- **प्रयोग के आधार पर शब्द भेद :** प्रयोग के आधार पर शब्दों के दो भेद हैं :
  - **विकारी शब्द :** प्रयोग करते समय लिंग, वचन, कारक, काल आदि के कारण जिन शब्दों का रूप बदल जाता है, वे विकारी शब्द कहलाते हैं। विकारी शब्द चार प्रकार के होते हैं :
    - (*i*) **संज्ञा :** भारत, राधा, कानपुर, गंगा आदि।
    - (*ii*) **सर्वनाम :** मैं, तुम, आप, वे आदि।
    - (*iii*) **क्रिया :** पढ़ना, लिखना, खाना, सोना आदि।
    - (*iv*) **विशेषण :** चतुर, सुन्दर, मीठा, लम्बा आदि।
  - **अविकारी शब्द :** प्रयोग करते समय लिंग, वचन, कारक, काल आदि के कारण जिन शब्दों का रूप नहीं बदलता, वे अविकारी शब्द कहलाते हैं। अविकारी शब्द चार प्रकार के होते हैं :
    - (*i*) **क्रिया-विशेषण :** अचानक, ऊपर, यहाँ आदि।
    - (*ii*) **संबंधबोधक :** साथ, विरुद्ध, हेतु, मध्य आदि।
    - (*iii*) **समुच्चयबोधक :** चाहे, अथवा, और, परन्तु आदि।
    - (*iv*) **विस्मयादिबोधक :** हाय! अरे! हे! आदि।
- **व्युत्पत्ति के आधार पर शब्द भेद :**
  - **रूढ़ :** जो शब्द किसी दूसरे शब्द के योग से नहीं बनते और विशेष अर्थ को प्रकट करते हैं, रूढ़ शब्द कहलाते हैं, जैसे—घर, आँख, हाथी, मोर आदि।
  - **यौगिक :** जो शब्द दो या दो से अधिक शब्दों के मेल से बनते हैं, यौगिक शब्द कहलाते हैं। इन्हें अलग-अलग करने पर उनका स्पष्ट अर्थ प्रतीत होता है, जैसे—हिमालय, विद्यार्थी आदि।
  - **योगरूढ़ :** जो शब्द यौगिक होते हुए भी किसी विशेष अर्थ को स्पष्ट करते हैं, वे योगरूढ़ कहलाते हैं, जैसे—दशानन (दस हैं मुख जिसके अर्थात्—रावण), लम्बोदर (लम्बा है उदर (पेट) जिसका अर्थात्—गणेश)।
- **उत्पत्ति के आधार पर शब्द भेद :** उत्पत्ति के आधार पर शब्दों के चार भेद हैं :
  - **तत्सम शब्द :** जो शब्द संस्कृत भाषा से ज्यों-के-त्यों अर्थात् बिना किसी परिवर्तन के हिन्दी में ले लिए गए हैं अथवा जिन्हें संस्कृत के मूल शब्दों से संस्कृत के ही प्रत्यय लगाकर निर्मित किया गया है, वे तत्सम शब्द कहलाते हैं, जैसे—पुष्प, जल, नारी, कन्या, साधु, विद्वान, राजा, पृथ्वी, पुस्तक, बालक, नदी इत्यादि।
  - **तद्भव शब्द :** संस्कृत के जो शब्द प्राकृत, अपभ्रंश, पुरानी हिन्दी आदि से विकृत होकर हिन्दी भाषा में आए हैं, वे तद्भव शब्द कहलाते हैं, जैसे—अग्नि (संस्कृत) से आग (तद्भव), कुम्भकार (संस्कृत) से कुम्हार (तद्भव), हस्त (संस्कृत) से हाथ (तद्भव) इत्यादि।
  - **देशज शब्द :** वे शब्द जो संस्कृत या किसी और भाषा से हिन्दी भाषा में नहीं लिए गए हैं बल्कि आवश्यकतानुसार बोलियों द्वारा बना लिए गए हैं, देशज शब्द कहलाते हैं, जैसे—पेटी, शीशा, खाट आदि।
  - **विदेशज शब्द :** जो शब्द अंग्रेजी, फारसी, तुर्की आदि विदेशी भाषाओं से हिन्दी भाषा में आ गए हैं, विदेशज शब्द कहलाते हैं। हिन्दी भाषा में प्रयुक्त किए जाने वाले कुछ विदेशी शब्द निम्नलिखित हैं :
    - (*i*) **अंग्रेजी शब्द :** डॉक्टर, स्टेशन, पेन्सिल, टिकट, रजिस्टर, पेन, कॉलेज, पॉलिश, रेडियो, प्रेस, कमीशन, जज, गेट आदि।
    - (*ii*) **फ्रैंच शब्द :** पिकनिक, कूपन, लैम्प, बम, मीनू आदि।
    - (*iii*) **स्पेनिश शब्द :** सिगरेट, सिगार, कॉर्क आदि।
    - (*iv*) **अरबी शब्द :** अखबार, औलाद, उम्र, इलाज, मतलब, मुकदमा, जवाब, तकदीर, किला, दौलत, कातिल, दाखिल, इनाम, नकद आदि।
    - (*v*) **फारसी शब्द :** आमदनी, उम्मीद, सौदागर, तनख्वाह, खुराक, गवाह, गिरफ्तार, ताजा, पेशा, मुफ्त, दीवार, चिराग आदि।
    - (*vi*) **तुर्की शब्द :** डलिया, खंजर, लाश, कालीन, सराय, सौगात, चाकू, तमगा, बीबी, कैंची, दारोगा, बहादुर, लफंगा आदि।

वस्तुनिष्ठ प्रश्न

1. **पंकज** रचना की दृष्टि से कैसा शब्द है?
A. योगरूढ़ B. यौगिक
C. रूढ़ D. इनमें से कोई नहीं

2. व्याकरण में किस प्रकार के शब्दों का अध्ययन किया जाता है?
A. निरर्थक B. सार्थक
C. यौगिक D. रूढ़

3. शब्द की कौन-सी परिभाषा सही है?
A. एक या एक से अधिक सार्थक वर्ण समूह
B. एक या एक से अधिक निरर्थक वर्ण समूह
C. एक या एक से अधिक यौगिक वर्ण समूह
D. इनमें से कोई नहीं

4. शब्दों का वर्गीकरण किन आधारों पर किया जाता है?
A. रचना के आधार पर B. उद्‌गम के आधार पर
C. अर्थ के आधार पर D. उपर्युक्त सभी आधारों पर

5. **तत्सम** शब्द किस दृष्टि से शब्द का भेद है?
A. अर्थ की दृष्टि से B. उद्‌गम की दृष्टि से
C. व्युत्पत्ति की दृष्टि से D. इनमें से कोई नहीं

6. संकर शब्द ऐसे शब्दों को कहते हैं, जो :
A. दो भाषाओं के शब्दों के मेल से बनते हैं
B. संधि से बनते हैं
C. समास से बनते हैं
D. इनमें से कोई नहीं

7. आकाशवाणी कैसा शब्द है?
A. संकर B. तत्सम
C. देशी D. विदेशी

8. .... व्युत्पत्ति की दृष्टि से धरम कैसा शब्द है?
A. तत्सम B. अर्द्धतत्सम
C. देशी D. विदेशी

9. रचना के आधार पर शब्दों के प्रकार हैं :
A. सार्थक, निरर्थक
B. रूढ़, यौगिक, योगरूढ़
C. तत्सम, तद्‌भव, देशज, विदेशी
D. विकारी, अविकारी

10. शब्द रचना की कितनी विधियाँ हैं?
A. एक B. तीन
C. चार D. दो

11. 'संध्या' का तद्‌भव रूप है :
A. साँझ B. वंध्या
C. आराध्य D. त्रिज्या

12. 'आम्र' का तद्‌भव रूप है :
A. नाम B. ग्राम
C. आम D. वाम

13. 'मयूर' का तद्‌भव रूप है :
A. मोर B. यार
C. माया D. मरण

14. 'सावन' शब्द का तत्सम रूप है :
A. वन B. श्रावन
C. श्रावण D. श्रवण

15. 'खेत' शब्द का तत्सम रूप है :
A. क्षेत्र B. नेत्र
C. रेत D. श्वेत

16. <u>आइडिया</u> रेखांकित शब्द स्रोत की दृष्टि से है :
A. तद्‌भव B. तत्सम
C. विदेशी D. देशज

17. 'प्रभात' शब्द है :
A. तद्‌भव B. तत्सम
C. विदेशी D. देशज

18. 'गाँव' इस शब्द का तद्‌भव रूप है :
A. ग्राम B. काँव
C. छाँव D. शहर

19. <u>फरमाइश</u> रेखांकित शब्द स्रोत की दृष्टि से है :
A. तद्‌भव B. तत्सम
C. विदेशी D. देशज

20. 'अमृत' शब्द है :
A. तद्‌भव B. तत्सम
C. विदेशी D. देशज

उत्तरमाला

1	2	3	4	5	6	7	8	9	10
A	B	A	D	B	A	B	B	B	C
11	**12**	**13**	**14**	**15**	**16**	**17**	**18**	**19**	**20**
A	C	A	C	A	C	B	A	C	B

★ ★ ★

3 संज्ञा

संज्ञा का अर्थ नाम होता है। संसार में जितने भी व्यक्ति या वस्तुएँ हैं, उनका कोई-न-कोई नाम अवश्य होता है। ऐसी सभी वस्तुओं के नामों को 'संज्ञा' कहा जाता है, जैसे—विजय, विनय, भारत, पाकिस्तान, दूध, दही, सुन्दरता, मिठास, झुण्ड आदि।

संज्ञा के भेद

संज्ञा के निम्नलिखित पाँच भेद होते हैं :

- **जातिवाचक संज्ञा :** जातिवाचक संज्ञा किसी प्राणी या वस्तु की सम्पूर्ण जाति का बोध कराती है; जैसे—गाय, किसान, किताब, लेखक, लड़का आदि।
- **व्यक्तिवाचक संज्ञा :** व्यक्तिवाचक संज्ञा किसी एक विशेष व्यक्ति, वस्तु या स्थान का बोध कराती है; जैसे—कृष्ण, गंगा, पटना, मेरठ, दिल्ली आदि।
- **द्रव्यवाचक संज्ञा :** द्रव्यवाचक संज्ञा किसी धातु या द्रव (तरल) पदार्थ का बोध कराती है; जैसे—दूध, दही, सोना, चाँदी, लोहा आदि।
- **समूहवाचक संज्ञा :** समूहवाचक संज्ञा किसी समूह का बोध कराती है; जैसे—झुण्ड, भीड़, सभा, गुच्छा, सेना, जुलूस आदि।
- **भाववाचक संज्ञा :** भाववाचक संज्ञा किसी व्यक्ति या वस्तु के धर्म अथवा गुण का बोध कराती है; जैसे—बुढ़ापा, मिठास, अच्छाई, मित्रता, शत्रुता आदि।

भाववाचक संज्ञा का निर्माण

भाववाचक संज्ञाओं का निर्माण तद्धित और कृदन्त प्रत्ययों को विभिन्न शब्द भेदों में लगाकर किया जाता है।

जातिवाचक संज्ञा से

जातिवाचक संज्ञा	भाववाचक संज्ञा	जातिवाचक संज्ञा	भाववाचक संज्ञा
पशु	पशुता	विद्वान	विद्वता
मनुष्य	मनुष्यता	शत्रु	शत्रुता
लड़का	लड़कपन	बूढ़ा	बुढ़ापा
देहात	देहाती	बंधु	बंधुत्व
स्त्री	स्त्रीत्व	शहर	शहरी
साधु	साधुत्व	माता	मातृत्व
घर	घरेलू	मूर्ख	मूर्खता

विशेषण से

विशेषण	भाववाचक संज्ञा	विशेषण	भाववाचक संज्ञा
सुन्दर	सुन्दरता	ईमानदार	ईमानदारी
कठोर	कठोरता	निपुण	निपुणता
कुरूप	कुरूपता	वीर	वीरता
गर्म	गर्मी	शिष्ट	शिष्टता
सर्द	सर्दी	कायर	कायरता
चौड़ा	चौड़ाई	नीच	नीचता
काला	कालापन	सभ्य	सभ्यता

क्रिया से

क्रिया	भाववाचक संज्ञा	क्रिया	भाववाचक संज्ञा
पढ़ना	पढ़ाई	सजाना	सजावट
लड़ना	लड़ाई	लिखना	लिखावट
चढ़ना	चढ़ाई/चढ़ाव	बनाना	बनावट
विचारना	विचार	मिलाना	मिलावट
उठना	उठाव	निकलना	निकास
झुकना	झुकाव	लूटना	लूट

सर्वनाम से

सर्वनाम	भाववाचक संज्ञा	सर्वनाम	भाववाचक संज्ञा
मम	ममता	अहं	अहंकार
स्व	स्वत्व	पराया	परायापन
अपना	अपनत्व/अपनापन	सर्व	सर्वस्व
आप	आपा	निज	निजता
एक	एकता		

अव्यय से

अव्यय	भाववाचक संज्ञा	अव्यय	भाववाचक संज्ञा
निकट	निकटता	शाबाश	शाबाशी
समीप	समीपता/सामीप्य	वाह	वाहवाही
दूर	दूरी	धिक्	धिक्कार
अधिक	अधिकता	तेज	तेजी
सहज	सहजता	नित्य	नित्यता
नीचे	निचाई	बहुत	बहुतायत
मना	मनाही	शीघ्र	शीघ्रता

वस्तुनिष्ठ प्रश्न

1. संज्ञा बोध कराती है :
A. व्यक्तियों के नाम का B. वस्तुओं के नाम का
C. स्थानों के नाम का D. उपरोक्त सभी का

2. वस्तु अथवा व्यक्ति के नाम को कहते हैं :
A. प्रतीक B. चिह्न
C. संज्ञा D. पहचान

3. संज्ञा के भेद होते हैं :
A. चार B. पाँच
C. छः D. तीन

4. प्रधानमंत्री कौन-सी संज्ञा है?
A. व्यक्तिवाचक B. समूहवाचक
C. जातिवाचक D. भाववाचक

5. जातिवाचक संज्ञा बोध कराती है :
A. व्यक्ति या मनुष्य के जातिवर्ग का
B. व्यक्ति के संस्कार का
C. पशुओं के जाति गुण का
D. व्यक्ति के पद का

6. हिमालय कौन-सी संज्ञा है?
A. व्यक्तिवाचक B. स्थानवाचक
C. द्रव्यवाचक D. कोई नहीं

7. सोना, चाँदी, लोहा, पीतल किस संज्ञा से संबद्ध शब्द हैं?
A. जातिवाचक संज्ञा B. भाववाचक संज्ञा
C. द्रव्यवाचक संज्ञा D. किसी से नहीं

8. किन संज्ञा शब्दों का प्रयोग बहुवचन में होता है?
A. प्राण B. दर्शन
C. आँसू D. उपरोक्त सभी का

9. इनमें से कौन-सा संज्ञा का कार्य नहीं है?
A. समूहसूचक नामों का बोध कराना
B. धातु, द्रव्य और अनाजों के नाम का बोध कराना
C. दिनों, महीनों, ग्रह-नक्षत्रों का बोध कराना
D. व्यक्ति के भविष्य का बोध कराना

10. इनमें से क्या भाववाचक संज्ञा नहीं है?
A. ममता B. कृपा
C. क्षमा D. गुच्छा

11. 'जयचन्दों' ने ही देश का विनाश किया। यहाँ 'जयचन्द' क्या है?
A. व्यक्तिवाचक संज्ञा B. जातिवाचक संज्ञा
C. भाववाचक संज्ञा D. इनमें से कोई नहीं

12. 'कक्षा' कौन-सी संज्ञा है?
A. जातिवाचक B. भाववाचक
C. समूहवाचक D. व्यक्तिवाचक

13. 'पढ़ना' की भाववाचक संज्ञा क्या होगी?
A. पाठ B. पठनीय
C. पढ़ाई D. पाठक

14. 'पंडित' की भाववाचक संज्ञा है:
A. पंडित्व B. पंडिताइन
C. पंडिताऊ D. पांडित्य

15. डॉ. राजेन्द्र प्रसाद को देशरत्न कहा जाता है। रेखांकित शब्द में कौन-सी संज्ञा है?
A. जातिवाचक संज्ञा B. द्रव्यवाचक संज्ञा
C. व्यक्तिवाचक संज्ञा D. भाववाचक संज्ञा

16. स्वतंत्रता सबको प्यारी होती है। वाक्य के रेखांकित शब्द का संज्ञा भेद है।
A. जातिवाचक संज्ञा B. भाववाचक संज्ञा
C. समूहवाचक संज्ञा D. इनमें से कोई नहीं

17. निम्नलिखित में से कौन-सा शब्द भाववाचक संज्ञा को नहीं दर्शाता है?
A. सुन्दरता B. गंदगी
C. लड़की D. बचपन

18. आजकल हर शहर में रावण पैदा हो रहे हैं। रेखांकित शब्द में संज्ञा है:
A. जातिवाचक B. व्यक्तिवाचक
C. भाववाचक D. समुदायवाचक

19. 'लेखक' संज्ञा का कौन-सा प्रकार है?
A. भाववाचक संज्ञा B. समूहवाचक संज्ञा
C. व्यक्तिवाचक संज्ञा D. जातिवाचक संज्ञा

20. आजकल भारतीय पहनावे बदल गए हैं। इस वाक्य में 'पहनावे' में कौन-सी संज्ञा है?
A. जातिवाचक B. व्यक्तिवाचक
C. भाववाचक D. समूहवाचक

उत्तरमाला

1	2	3	4	5	6	7	8	9	10
D	C	B	C	A	A	C	D	D	D
11	**12**	**13**	**14**	**15**	**16**	**17**	**18**	**19**	**20**
B	C	C	D	C	B	C	A	D	A

★ ★ ★

4 सर्वनाम

संज्ञा शब्दों की पुनरुक्ति को दूर करने हेतु उनके स्थान पर जो शब्द प्रयुक्त किए जाते हैं, उन्हें सर्वनाम कहते हैं; जैसे—राम आज बीमार है, इसलिए वह आज विद्यालय नहीं आया। इस वाक्य में 'वह' शब्द राम के लिए प्रयुक्त हुआ है। यदि 'वह' शब्द का प्रयोग न होता तो 'राम' शब्द की पुनरुक्ति होती और वाक्य का सौन्दर्य नष्ट हो जाता।

हिन्दी के मूल सर्वनाम 11 हैं—मैं, तू, आप, यह, वह, जो, सो, कौन, क्या, कोई, कुछ।

सर्वनाम के भेद

सर्वनाम के निम्नलिखित छः भेद होते हैं :

- **पुरुषवाचक सर्वनाम :** जो सर्वनाम बोलने वाले या सुनने वाले या जिसके विषय में कुछ कहा जाए—इन तीनों पुरुषों का बोध कराते हैं, उन्हें पुरुषवाचक सर्वनाम कहा जाता है। 'पुरुषवाचक' सर्वनाम से पुरुष और स्त्री दोनों का बोध होता है।

  पुरुषवाचक सर्वनाम निम्न हैं :

  मैं, हम, तू, तुम, आप, यह, ये, वह, वे आदि।

  उदाहरणः उसने मुझे बोला था कि **तुम** पढ़ रही हो।

  उपर्युक्त वाक्य में तीन तरह के पुरुषवाचक शब्द आए हैं। उसने, मुझे और तुम— अतः स्पष्ट होता है कि पुरुषवाचक सर्वनाम के तीन भेद होते हैं।

  पुरुषवाचक सर्वनाम तीन प्रकार के होते हैं—

  1. **उत्तम पुरुषः** जिन शब्दों का प्रयोग बोलने वाला खुद (स्वयं) के लिए करता है। जैसे— मैं, मेरा, मुझे, मुझको, मेरी, हम, हमारा, हमारी, हम सब, हमलोग, आदि।
  2. **मध्यम पुरुषः** जिन शब्दों का प्रयोग सुनने वाले के लिए किया जाता है जैसे—तू, तुम, तुम्हें, तुम्हारा, तुमको, आप, आपको, आपलोग, आदि।
  3. **अन्य पुरुषः** जिन शब्दों का प्रयोग किसी तीसरे व्यक्ति के बारे में बात करने के लिए किया जाता है। जैसे— यह, वह, ये, वे, उन, उनको, उनसे, इन्हें, उन्हें, ये लोग, वे लोग, आदि।

- **निजवाचक सर्वनाम :** निजवाचक सर्वनाम से निज या अपने आप का बोध होता है; जैसे—आप, अपने-आप, खुद, निज, स्वतः, स्वयं, आदि।

  उदाहरणः मैं **अपनी** गाड़ी से जाऊँगा।

  मैं अपना काम **आप** ही कर लूंगी।

  उपर्युक्त वाक्यों में **अपनी** और **आप** निजवाचक सर्वनाम हैं।

- **निश्चयवाचक सर्वनाम :** निश्चयवाचक सर्वनाम से पास या दूर (उपस्थित या अनुपस्थित) की वस्तु का निश्चित रूप से बोध होता है; जैसे—यह, वे, वह, ये आदि।

  उदाहरणः यह मेरी गाड़ी है, **वह** राम की गाड़ी है।

- **अनिश्चयवाचक सर्वनाम :** अनिश्चयवाचक सर्वनाम से अज्ञात या अनिश्चित व्यक्तियों या वस्तुओं का बोध होता है; जैसे—कुछ, कुछ भी, सब कुछ, बहुत कुछ, कुछ-न-कुछ, जो कुछ, कोई, सब कोई, हर कोई, कोई भी और कोई-न-कोई आदि।

  उदाहरणः दरवाजे पर **कोई** खड़ा है।

  कोई आ रहा है।

- **प्रश्नवाचक सर्वनाम :** प्रश्नवाचक सर्वनाम का प्रयोग किसी व्यक्ति या वस्तु के विषय में कुछ पूछने के लिए होता है; जैसे—कौन, क्या आदि।

  उदाहरणः तुम **क्या** कर रहे हो?

- **संबंधवाचक सर्वनाम :** संबंधवाचक सर्वनाम से किसी संज्ञा या सर्वनाम के संबंध का ज्ञान होता है; जैसे—जो, सो... वह पुनरुक्त सर्वनाम के कुछ उदाहरण निम्न हैं—जो, सो, उसे, जिसकी, उसकी, जैसा, वैसा आदि।

  उदाहरणः जो सोएगा, सो खोएगा।

  जैसा कर्म करोगे, **वैसा** ही फल मिलेगा।

  उपर्युक्त वाक्यों में **जो,** और **सो** तथा **जैसा** और **वैसा** संबंध वाचक सर्वनाम हैं।

वस्तुनिष्ठ प्रश्न

1. **वह** सर्वनाम **वे** के रूप में कब व्यवहृत होता है?

A. आदर भाव में B. प्रश्न भाव में

C. संबंध भाव में D. अनिश्चय भाव में

2. इनमें से कौन शब्द पुरुषवाचक सर्वनाम नहीं है?

A. मैं B. तुम

C. आप D. सभी हैं

3. अधोलिखित में से कौन-सा प्रश्नवाचक सर्वनाम है?

A. कोई　　B. कौन
C. कभी　　D. कुछ

4. निम्नलिखित में कौन-सा शब्द अनिश्चयवाचक सर्वनाम है?

A. कौन　　B. क्या
C. वही　　D. कुछ

5. प्रश्नवाचक सर्वनाम में **कौन** का प्रयोग किसके लिए होता है?

A. व्यक्ति के लिए　　B. वस्तु के लिए
C. प्रश्न के लिए　　D. किसी के लिए नहीं

6. कोई आ रहा है– वाक्य में 'कोई' किस प्रकार का सर्वनाम है।

A. अनिश्चयवाचक　　B. निश्चयवाचक
C. निजवाचक　　D. संबंधवाचक

7. जैसा करोगे, वैसा भरोगे में कौन-सा सर्वनाम है?

A. पुरुषवाचक सर्वनाम
B. प्रश्नवाचक सर्वनाम
C. संबंधवाचक सर्वनाम
D. निजवाचक सर्वनाम

8. निम्न में सर्वनाम शब्द है:

A. नींद　　B. सफाई
C. रोग　　D. कौन

9. निम्न में कौन शब्द सर्वनाम है?

A. मोहन　　B. आप
C. कमला　　D. गुड़िया

10. शायद कमरे में <u>कोई</u> छिपा हुआ है। इस वाक्य में रेखांकित शब्द है।

A. प्रश्नवाचक सर्वनाम　　B. संबंधवाचक सर्वनाम
C. अनिश्चयवाचक सर्वनाम　　D. निजवाचक सर्वनाम

11. <u>जो</u> परिश्रम करेगा सो पास होगा। रेखांकित सर्वनाम का भेद बताइए।

A. निश्चयवाचक　　B. अनिश्चयवाचक
C. संबंधवाचक　　D. प्रश्नवाचक

12. निम्नलिखित वाक्य को उचित सर्वनाम के साथ पूर्ण कीजिए:

.... काम कर रहा है।

A. वह　　B. वेह
C. वे　　D. इनमें से कोई नहीं

13. बाहर कोई रो रहा है, इस वाक्य में कौन-सा शब्द सर्वनाम है?

A. बाहर　　B. रो रहा
C. कोई　　D. है

14. तुम <u>क्या</u> खोज रहे हो? रेखांकित शब्द में कौन-सा सर्वनाम है?

A. अनिश्चयवाचक　　B. प्रश्नवाचक
C. संबंधवाचक　　D. निश्चयवाचक

15. निम्नलिखित में सर्वनाम है:

A. राजेन्द्र　　B. पुस्तक
C. मैं　　D. सीता

16. निम्नलिखित में से निश्चयवाचक सर्वनाम है:

A. क्या　　B. कुछ
C. कौन　　D. यह

17. निम्नलिखित वाक्य को उचित सर्वनाम के साथ पूर्ण कीजिए:

.... बहुत बुद्धिमान हो।

A. मैं　　B. तू
C. तुम　　D. वह

18. किस वाक्य में प्रश्नवाचक सर्वनाम का प्रयोग हुआ है?

A. आपको यह काम करना है।　　B. वह पढ़ता-लिखता है न?
C. आप कहाँ रहते हो?　　D. वहाँ कौन पढ़ रहा था?

19. 'ऐसा भी हो सकता है।' वाक्य में कौन-सा शब्द सर्वनाम के रूप में प्रयोग किया गया है?

A. सकता　　B. ऐसा
C. भी　　D. हो

20. निम्नलिखित में से कौन-सा शब्द सर्वनाम नहीं है?

A. नदी　　B. यह
C. वह　　D. आप

उत्तरमाला

1	2	3	4	5	6	7	8	9	10
A	D	B	D	A	A	C	D	B	C
11	**12**	**13**	**14**	**15**	**16**	**17**	**18**	**19**	**20**
C	A	C	B	C	D	C	D	B	A

★ ★ ★

5 क्रिया और विशेषण

क्रिया

जिस शब्द से किसी काम का होना या करना समझा जाए, उसे क्रिया कहते हैं, जैसे—खाना, पीना, सोना, जागना, पढ़ना-लिखना आदि।

क्रिया तीन प्रकार के शब्दों से बनती है :

- धातु से—पढ़ना = पढ़ + ना
- संज्ञा से—हथियाना = हाथ + आ + ना
- विशेषण से—चिकनाना = चिकना + आ + ना

हिन्दी की बहुत-सी क्रियाएँ धातु से ही बनती हैं अर्थात् दूसरे शब्दों में हम कह सकते हैं कि जिस मूल शब्द से क्रिया का निर्माण होता है, उसे धातु कहते हैं। धातु में 'ना' जोड़ने से क्रिया का सामान्य रूप बनता है। इसका अर्थ यह है कि सामान्य क्रिया से 'ना' हटा देने पर, जो शब्द रह जाता है, उसे धातु कहते हैं : ● धातु + ना = सामान्य क्रिया; पढ़ + ना = पढ़ना।

क्रिया के भेद

क्रिया के दो प्रकार के भेद होते हैं:

1. **सकर्मक क्रियाः** जो क्रिया सदैव कर्म के साथ आती हो, तो उसे सकर्मक क्रिया कहा जाता है। जैसे—श्याम ने केला खाया। इस वाक्य में **श्याम कर्ता** है, **खाया क्रिया** है और केला यहाँ पर **कर्म** है।
2. **अकर्मक क्रियाः** जिन क्रियाओं में कर्म का बोध नहीं होता और क्रिया का प्रभाव कर्ता पर पड़ता है, उन्हें अकर्मक क्रिया कहते हैं। जैसे—रमेश गाता है। यहाँ **कर्म** का अभाव है तथा गाता है **क्रिया** का प्रभाव रमेश पर पड़ता है।

विशेषण

संज्ञा और सर्वनाम की विशेषता बताने वाले शब्द को विशेषण कहते हैं। जिस शब्द की विशेषता बताई जाए, उसे विशेष्य कहते हैं।

जैसे—उजली गाय मैदान में खड़ी है। इस वाक्य में 'उजली' विशेषण तथा गाय विशेष्य है।

विशेषण के भेद

विशेषण के मुख्य चार भेद निम्नलिखित हैं :

- **गुणवाचक विशेषण :** जिस विशेषण द्वारा विशेष्य के गुण अथवा दोष (भाव, रंग, आकार, स्थान, समय आदि) का बोध होता है, उसे 'गुणवाचक विशेषण' कहते हैं।
- **परिमाणबोधक/परिमाणवाचक विशेषण :** जो विशेषण किसी वस्तु की मात्रा वजन, माप-तोल को बताते हैं, उन्हें परिमाणबोधक या परिमाणवाचक विशेषण कहते हैं; जैसे—**बहुत** पानी, **कितना** सोना, **कितनी** चाँदी, **सब** कुछ, **और** दूध आदि।
- **सार्वनामिक विशेषण :** सर्वनाम जब किसी संज्ञा के पूर्व आते हैं, तो सार्वनामिक विशेषण कहलाते हैं; जैसे—यह कलम, वह थोड़ा, कौन आदमी, मेरा आदि।
- **संख्यावाचक विशेषण :** जिन विशेषणों द्वारा संख्या का बोध होता है, उसे संख्यावाचक विशेषण कहते हैं; जैसे—**पाँच** आदमी, **दो** विद्यार्थी, **एक** पुस्तक आदि।

वस्तुनिष्ठ प्रश्न

1. क्रिया के सही रूप से वाक्य पूरा कीजिएः
ट्रेन अचानक से ....।
A. रुका है B. रुक गई
C. रुक रही थी D. रुक चुकी है

2. अकर्मक क्रिया वाले वाक्य को चुनिएः
A. बच्चे पतंग उड़ाते हैं। B. चिड़ियाँ उड़ती हैं।
C. करीम ने दौड़ लगाई। D. उसने अपनी डायरी जला दी।

3. निम्नलिखित वाक्य में से क्रिया पहचानिएः
रमेश हर दिन बगीचे में खेलता है।
A. खेलता B. खिलौना
C. खिलाना D. इनमें से कोई नहीं

4. सही क्रिया चुनिएः
बच्चा कमरे में .... था।
A. सोना B. सो रहा
C. सोएगा D. सो रहा होगा

5. हम लोग आज बड़े मैदान में फुटबॉल मैच देखने जा रहे हैं। वाक्य में क्रिया क्या है?
A. देखने B. फुटबॉल मैच
C. बड़े D. रहे हैं

6. सही क्रिया चुनिएः बच्चा दो घंटे से ....।
A. सो रहा है B. सो रहे हैं
C. सो चुका है D. सोएगा

7. सही क्रिया चुनिएः
अशोक उसे कल .... ।
A. मिलता है B. मिला
C. मिलेंगे D. मिल रहा है

8. सही क्रिया चुनिएः
भूमध्य रेखा के पास, सूर्य अधिक मात्रा में पानी .... ।
A. वाष्पित कर रहा है B. वाष्पित करता है
C. वाष्पित कर चुका है D. वाष्पित करें

9. निम्न में से कौन-सी अकर्मक क्रिया है?
A. चुराना B. माँगना
C. लेना D. हँसना

10. निम्न में से कौन-सी सकर्मक क्रिया है?
A. सोना B. हँसना
C. रोना D. देखना

11. चिड़िया आकाश में उड़ रही है। इस वाक्य में 'उड़ रही' क्रिया किस प्रकार की है?
A. अकर्मक B. सकर्मक
C. सामान्य D. इनमें से कोई नहीं

12. किस वाक्य में पूर्वकालिक क्रिया का प्रयोग हुआ है?
A. रेलगाड़ी स्टेशन पर पहुँच चुकी थी।
B. थोड़ी देर पहले पानी बरस रहा था।
C. घंटा लगते ही वह चल पड़ा।
D. वह नहाकर पढ़ेगा।

13. निम्नलिखित में से सकर्मक क्रिया का चयन कीजिए।
A. डूब B. गाया
C. बैठ D. बह

14. जिस शब्द से काम के करने या होने का पता चले, उसे कहते हैं:
A. कर्म B. शब्द
C. क्रिया D. कर्ता

15. किस वाक्य में प्रेरणार्थक क्रिया है?
A. सूखे पत्ते हवा में उड़ रहे हैं।
B. सोहन तैरना जानता है।
C. पानी के बिना फसल सूख रही है।
D. मालिक नौकर से सफाई करवा रहा है।

16. विशेषण किसकी विशेषता बताता है?
A. संज्ञा की B. सर्वनाम की
C. संज्ञा, सर्वनाम दोनों की D. क्रिया की

17. जिस पद की विशेषता बतायी जाये, उसे कहते हैं :
A. विशेषण B. प्रविशेषण
C. विशेष्य D. प्रधानपद

18. यह किताब ठीक है। इस वाक्य में **यह** कौन-सा विशेषण है?
A. सार्वनामिक विशेषण
B. परिमाण बोधक विशेषण
C. गुणवाचक विशेषण
D. कोई नहीं

19. **पूजनीय** विशेषण पद बना है :
A. क्रिया में प्रत्यय लगाकर B. विशेषण में प्रत्यय लगाकर
C. संज्ञा में प्रत्यय लगाकर D. इनमें से कोई नहीं

20. तुलनात्मक विशेषण की कितनी अवस्थाएँ होती हैं?
A. दो B. तीन
C. चार D. पाँच

21. यह घोड़ा अच्छा है। वाक्य में यह कौन-सा विशेषण है?
A. गुणवाचक B. प्रविशेषण
C. क्रमवाचक D. सार्वनामिक

22. **मीठा** आम में मीठा कौन-सा विशेषण है?
A. गुणवाचक B. संख्यावाचक
C. परिमाणवाचक D. कोई नहीं

23. **चलता-फिरता, टेढ़ा-मेढ़ा** कैसा विशेषण हैं?
A. प्रत्यय लगने से विकारी विशेषण हैं
B. दो शब्दों के मेल से बने विकारी विशेषण हैं
C. दोनों के मेल से
D. कोई नहीं

24. दिए गए विकल्पों में से विशेषण पहचानिएः
A. ऊँचा B. पाया
C. चिड़ियाँ D. अवशेष

25. निम्नलिखित में से संकेतवाचक विशेषण को चुनिएः
A. वह मकान B. बीस मन अनाज
C. दस विद्यार्थी D. लंबी महिला

उत्तरमाला

1	2	3	4	5	6	7	8	9	10
B	B	A	B	A	A	B	B	D	D
11	**12**	**13**	**14**	**15**	**16**	**17**	**18**	**19**	**20**
A	D	B	C	D	C	C	A	A	B
21	**22**	**23**	**24**	**25**					
D	A	B	A	A					

★ ★ ★

6 लिंग, वचन और कारक

लिंग

'लिंग' शब्द संस्कृत भाषा का शब्द है, जिसका अर्थ चिह्न होता है। जिस चिह्न द्वारा यह जाना जाए कि अमुक शब्द पुरुष जाति का है या स्त्री जाति का है। संज्ञा के जिस रूप से पुरुषत्व या स्त्रीत्व का बोध हो, उसे लिंग कहते हैं। हिन्दी में सृष्टि के समस्त पदार्थ, चाहे वे सजीव हों या निर्जीव, दो लिंगों में ही विभक्त किए गए हैं वे हैं—

- **पुल्लिंग :** जिन संज्ञा शब्द से (यथार्थ व कल्पित) पुरुषत्व का बोध होता है, उन्हें पुल्लिंग कहते हैं, जैसे—लड़का, बैल, पेड़, नगर इत्यादि। इन उदाहरणों में 'लड़का' और 'बैल' यथार्थ पुरुषत्व सूचक हैं और 'पेड़' तथा 'नगर' से कल्पित पुरुषत्व का बोध होता है।
- **स्त्रीलिंग :** जिस संज्ञा से (यथार्थ व कल्पित) स्त्रीत्व का बोध होता है, उसे स्त्रीलिंग कहते हैं, जैसे—लड़की, गाय, लता, पुरी इत्यादि। इन उदाहरणों में 'लड़की' और 'गाय' यथार्थ स्त्रीत्व का और 'लता' और 'पुरी' से कल्पित स्त्रीत्व का बोध होता है।

वचन

शब्द के जिस रूप में एकत्व (एक संख्या) या अनेकत्व (अनेक संख्या) का बोध होता है, उसे वचन कहते हैं। वचन दो प्रकार के होते हैं :

- **एकवचन :** शब्द के जिस रूप में एक वस्तु का बोध होता है, उसे एकवचन कहते हैं, जैसे—कागज, कलम, घोड़ा, घड़ी इत्यादि।
- **बहुवचन :** शब्द के जिस रूप से अनेक वस्तुओं का बोध होता है, उसे बहुवचन कहते हैं, जैसे—कागजात, कलमें, घोड़े, घड़ियाँ इत्यादि।

कारक

''क्रिया के साथ जिसका सीधा संबंध हो, उसे कारक कहते हैं—क्रियान्वायित्वं कारकत्वं।'' इस प्रकार वाक्य में जिस शब्द का संबंध क्रिया से होता है, कारक कहलाता है। कारक चिह्न अव्यय या संबंध के परिचायक होते हैं, इन्हें विभक्ति या परसर्ग (बाद में जुड़ने वाले) भी कहा जाता है। सामान्यतः ये स्वतंत्र होते हैं और संज्ञा या सर्वनाम के साथ प्रयुक्त होते हैं। हिन्दी के परसर्ग प्रत्ययों के विकसित रूप हैं। अतः इन्हें चरम कारक नहीं माना गया है, क्योंकि इनका क्रिया से कोई संबंध नहीं रहता है।

हिन्दी में 'संबंध' और 'संबोधन' को मिलाकर आठ कारक माने गए हैं। इनके नाम, विभक्तियाँ और विभक्तिबोधक चिह्न निम्नलिखित हैं—

विभक्ति	बोधक नाम	विभक्तिबोधक चिह्न
प्रथमा	कर्ता (कारक)	ने
द्वितीया	कर्म (कारक)	को
तृतीया	करण (कारक)	से, के द्वारा, द्वारा
चतुर्थी	सम्प्रदान (कारक)	को, के लिए, के वास्ते
पंचम	अपादान (कारक)	से
षष्ठी	संबंध	का, की, के, रा, री, रे
सप्तमी	अधिकरण (कारक)	में, पर
अष्टमी	सम्बोधन	ए, ऐ, हे, अजी, अरे, ओ

वस्तुनिष्ठ प्रश्न

1. 'आयुष्मान' का स्त्रीलिंग है:

A. श्रीमती   B. आयुष्मती
C. आयुष्माती   D. आयुमती

2. निम्न में से कौन-सा शब्द पुल्लिंग है?

A. दया   B. घटना
C. जड़ता   D. बुढ़ापा

3. निम्नलिखित में पुल्लिंग शब्द है:

A. नदी   B. देवी
C. कविता   D. चन्द्रमा

4. निम्नलिखित शब्द का स्त्रीलिंग रूप चुनिए :
जेठ

A. जैठिन   B. जेठानी
C. जेठाइन   D. जिठाइन

5. 'कवि' का स्त्रीलिंग है:

A. कवित्व   B. कविता
C. कवयित्री   D. कवियत्री

6. निम्न में से स्त्रीलिंग शब्द का चयन कीजिए:

A. वेग   B. मौन
C. दही   D. अहिंसा

7. 'मेहतरानी' का पुल्लिंग है:
A. मेहतरी B. मेहतराइन
C. मेहतर D. मेहतरा

8. निम्नलिखित में से स्त्रीलिंग शब्द का चयन कीजिए:
A. धुआँ B. संध्या
C. भत्ता D. धावा

9. 'भिखारिन' का पुल्लिंग शब्द कौन-सा है?
A. सेवक B. भिखारी
C. मजदूर D. इनमें से कोई नहीं

10. 'अध्यक्षा' शब्द किस प्रत्यय के लगने से बना है?
A. आ B. इन
C. इया D. आइन

11. 'उसे' का बहुवचन है:
A. उसको B. उससे
C. उन्हें D. उसका

12. 'हमें' का एकवचन है:
A. हम B. हमको
C. मुझे D. मुझसे

13. निम्नलिखित पर्यायों में से 'भीड़' शब्द का बहुवचन क्या है?
A. भिड़े B. भिड़ें
C. भिड़ाएँ D. इनमें से कोई नहीं

14. 'भारतीय' शब्द का बहुवचन निम्नलिखित में से क्या होगा?
A. भारतीयों B. भारितीयों
C. भारतियों D. भारतिओं

15. 'लड़की' शब्द का बहुवचन रूप है:
A. लड़कियाँ B. लड़की
C. लड़कियें D. लड़कीएं

16. 'चिड़िया' शब्द का बहुवचन रूप है:
A. चिड़ी B. चिड़िया
C. चिड़ियाँ D. चिड़िये

17. 'देवता' का बहुवचन है:
A. देवताएँ B. देवताओं
C. देवताइयों D. देवत्व

18. 'पक्षी' का बहुवचन है:
A. पक्षियों B. पक्षीय
C. पक्षि D. पक्षी

19. 'फूल' का बहुवचन है:
A. फुले B. फुल
C. फूल D. इनमें से कोई नहीं

20. इनमें से कौन-सा शब्द हमेशा बहुवचन के रूप में प्रयुक्त होता है?
A. माता B. प्राण
C. किताब D. भक्ति

21. कारक के कितने भेद होते हैं?
A. सात B. आठ
C. छः D. नौ

22. 'मैंने' कौन-सा कारक है?
A. कर्ता B. कर्म
C. करण D. सम्प्रदान

23. 'को' और 'के लिए' किस कारक के चिह्न हैं?
A. कर्म B. सम्प्रदान
C. संबंध D. करण

24. 'बालक ने पुस्तक पढ़ी होगी।' वाक्य में प्रयुक्त कारक चिह्न है।
A. कर्म कारक B. अधिकरण कारक
C. करण कारक D. कर्ता कारक

25. 'हे राम! रक्षा करो।' वाक्य में कौन-सा कारक है?
A. कर्ता B. अपादान
C. सम्बोधन D. अधिकरण

26. 'वह अगले साल आएगा।' इस वाक्य में कौन-सा कारक है?
A. कर्म कारक B. अपादान कारक
C. संबंध कारक D. अधिकरण कारक

27. 'रमेश जयपुर से दिल्ली जा रहा है।' इस वाक्य में कारक है।
A. संबंध B. अपादान
C. करण D. सम्प्रदान

28. 'भूखे को अन्न दो और प्यासे को पानी' वाक्य किस कारक का है?
A. सम्प्रदान B. संबंध
C. अपादन D. अधिकरण

29. कर्म कारक के लिए प्रयुक्त होने वाला चिह्न है।
A. ने B. के लिए
C. को D. से

30. 'मैं काम से जा रहा हूँ।' वाक्य में 'से' कारक है।
A. सम्प्रदान B. करण
C. अपादान D. अधिकरण

उत्तरमाला

1	2	3	4	5	6	7	8	9	10
B	D	D	B	C	D	C	B	B	A
11	12	13	14	15	16	17	18	19	20
C	C	D	A	A	C	B	A	C	B
21	22	23	24	25	26	27	28	29	30
B	A	B	D	C	D	B	A	C	B

★ ★ ★

7 अविकारी/अव्यय

जिन शब्दों में लिंग, वचन, कारक, काल, वाच्य आदि के कारण कोई विकार नहीं होता, उन्हें अविकारी अथवा अव्यय कहते हैं।

अविकारी के भेदः अविकारी के निम्नलिखित भेद हैं:

1. क्रिया-विशेषण

क्रिया की विशेषता बताने वाले शब्द क्रिया-विशेषण कहलाते हैं।

(*i*) **स्थानवाचक क्रिया-विशेषणः** जो शब्द क्रिया की स्थान संबंधी विशेषता का बोध कराते हैं, उन्हें स्थानवाचक क्रिया-विशेषण कहते हैं। जैसे—यहाँ, वहाँ, जहाँ, इधर-उधर, अंदर-बाहर, पास, दूर, उस ओर, इस ओर, दाएँ, बाएँ, ऊपर, नीचे आदि।

(*ii*) **कालवाचक क्रिया-विशेषणः** जो शब्द क्रिया की काल या समय संबंधी विशेषता का बोध कराते हैं, उन्हें कालवाचक क्रिया-विशेषण कहते हैं। जैसे—आज, सवेरे, अभी, तक, परसों, सदा, कब आदि।

(*iii*) **परिमाणवाचक क्रिया-विशेषणः** जो शब्द क्रिया की मात्रा या परिमाण बताए, उसे परिमाणवाचक क्रिया-विशेषण कहते हैं। जैसे—कितना, थोड़ा, बहुत, कम, अधिक, खूब आदि।

(*iv*) **रीतिवाचक क्रिया-विशेषणः** जो शब्द क्रिया के होने की रीति या विधि बताते हैं, उन्हें रीतिवाचक क्रिया-विशषण कहते हैं। जैसे—धीरे-धीरे, जोर-जोर, हाथों-हाथ, अचानक, तेज, झटपट आदि।

2. संबंध-बोधक (पूर्वसर्ग)

जो शब्द किसी संज्ञा या सर्वनाम के आगे-पीछे प्रयुक्त होकर उसका संबंध वाक्य के किसी अन्य शब्द से कराते हैं, उन्हें संबंध-बोधक कहते हैं। जैसे—पर, में, से, के, को, के पास, के ऊपर, से दूर, के कारण, के लिए, की ओर, की जगह, के अनुसार, के आगे, के साथ, के सामने आदि।

उदाहरणः

- विद्यालय के सामने बगीचा है।
- मैं कार्यालय से दूर पहुँच चुका था।
- तुम घर के भीतर जाओ।
- इसी जंगल के पीछे नदी बहती है।

3. समुच्चय-बोधक

जो अव्यय दो या दो से अधिक शब्दों, वाक्यांशों अथवा वाक्यों को जोड़ता या अलग करता है, उसे समुच्चय-बोधक या योजक कहते हैं। जहाँ पर कि, तब, और, वरना, किंतु, परन्तु, इसीलिए, बल्कि, ताकि, क्योंकि, या, अथवा, एवं, तथा, अन्यथा आदि शब्द जुड़ते हैं वहाँ पर समुच्चय-बोधक होता है। जैसे—'राम और लक्ष्मण वन गए।' यहाँ 'और' अव्यय दो वाक्यों 'राम वन गए', 'लक्ष्मण वन गए' को जोड़ता है। इस वाक्य में समुच्चय-बोधक है।

4. विस्मयादि-बोधक

जो शब्द हर्ष, शोक, आश्चर्य, घृणा, ग्लानि, भय आदि भावों को अचानक व्यक्त करते हैं, लेकिन उनका संबंध वाक्य या उसके किसी विशेष पद से नहीं होता है, उन्हें विस्मयादि-बोधक कहा जाता है। जैसे—हाय! अब वह नहीं रहा।

इस वाक्य में हाय विस्मयादि-बोधक अव्यय है। इसका संबंध न तो वाक्य से है और न किसी पद से।

वस्तुनिष्ठ प्रश्न

1. निम्न में से किस वाक्य में क्रिया-विशेषण का प्रयोग हुआ है?
A. गुंजन गाना गाती है। B. प्रशांत धीरे-धीरे चलता है।
C. वर्षा पत्र लिखती है। D. पेड़ पर पक्षी बैठा है।

2. निम्नलिखित वाक्य में कौन-सा शब्द क्रिया-विशेषण है?
अभिनव अपना काम फटाफट करता है।
A. करता B. फटाफट
C. काम D. अपना

3. निम्नलिखित वाक्य में उचित अव्यय शब्द चुनकर रिक्त स्थान भरिए।
.... बोलो, कोई सुन लेगा।
A. धीरे B. गाकर
C. जोर से D. चिल्लाकर

4. निम्नलिखित वाक्य में कौन-सा शब्द क्रिया-विशेषण है?
तुम जयपुर कल रात जाओगे।
A. जाओगे B. जयपुर
C. कल D. इनमें से कोई नहीं

5. निम्नलिखित में से कौन क्रिया-विशेषण है?
A. अविलंब B. जल्दी से
C. शीघ्रता D. शीघ्र

निर्देश (प्र.सं. 6 से 10): *निम्नलिखित प्रश्नों में दिए गए वाक्य में संबंधबोधक शब्द का चयन कीजिए।*

6. रोटी के लिए आदमी क्या नहीं करता?

A. रोटी B. आदमी
C. क्या D. के लिए

7. बगीचे के अन्दर माली काम कर रहा है।

A. काम कर B. बगीचे के
C. के अन्दर D. माली

8. रोहन के यहाँ टीचर पढ़ाने आएँगी।

A. आएँगी B. के यहाँ
C. पढ़ाने D. टीचर

9. चोर घर के भीतर घुस आए।

A. के भीतर B. आए
C. चोर D. घुस

10. दिनेश के द्वारा मुझे पत्र की प्राप्ति हुई।

A. मुझे B. पत्र की
C. के द्वारा D. दिनेश के

निर्देश (प्र.सं. 11 से 15): *निम्नलिखित प्रश्नों में दिए गए वाक्य को उचित पूर्वसर्ग की सहायता से पूरा कीजिए।*

11. वह परीक्षा .... डरता है।

A. में B. को
C. से D. पर

12. वह अपने माता-पिता .... बहुत प्यार करता है।

A. को B. में
C. से D. पर

13. छात्र कक्षा .... प्रवेश कर रहा है।

A. पर B. में
C. को D. से

14. पुस्तक मेज .... रखी है।

A. पर B. के
C. को D. से

15. उन्होंने मुझे मेरी गलती .... अवगत कराया।

A. को B. में
C. पर D. से

निर्देश (प्र.सं. 16 से 20): *निम्नलिखित प्रश्नों में दिए गए वाक्य को उचित समुच्चय-बोधक शब्द की सहायता से पूरा कीजिए।*

16. वह ईमानदार .... मेहनती है।

A. क्योंकि B. लेकिन
C. और D. या

17. या तो तुम पढ़ाई करो .... खेलो।

A. जबकि B. या
C. परन्तु D. और

18. वह सफल हुआ .... उसने कड़ी मेहनत की।

A. क्योंकि B. फिर भी
C. या D. जबकि

19. मैं वहाँ पहुँचा .... ट्रेन छूट चुकी थी।

A. या B. तो
C. जबकि D. जब

20. वह न केवल अच्छा गायक है .... अच्छा अभिनेता भी है।

A. परंतु B. या
C. और D. बल्कि

निर्देश (प्र.सं. 21 से 25): *निम्नलिखित प्रश्नों में दिए गए विकल्पों में से सही विस्मयादि-बोधक अव्यय प्रयुक्त वाक्य का चयन कीजिए।*

21. A. वाह? क्या नजारा है? B. वाह क्या नजारा है।
C. वाह! क्या नजारा है। D. वाह नजारा क्या है?

22. A. अरे! तुमने तो कमाल कर दिया।
B. ओहो! तुमने तो कमाल कर दिया।
C. अहा! तुमने तो कमाल कर दिया।
D. छिः छिः! तुमने तो कमाल कर दिया।

23. A. अरे! गंदी गलियों से मुझे घृणा है।
B. छिः छिः! गंदी गलियों से मुझे घृणा है।
C. वाह! गंदी गलियों से मुझे घृणा है।
D. हाय राम! गंदी गलियों से मुझे घृणा है।

24. A. वाह! तुम अचानक कैसे आ गए।
B. हाय! तुम अचानक कैसे आ गए।
C. अरे! तुम अचानक कैसे आ गए।
D. ओह! तुम अचानक कैसे आ गए।

25. ....! यह क्या अनर्थ कर दिया तुमने।

A. आह B. धिक्कार है
C. वाह D. हट

उत्तरमाला

1	2	3	4	5	6	7	8	9	10
B	B	A	C	B	D	C	B	A	C
11	**12**	**13**	**14**	**15**	**16**	**17**	**18**	**19**	**20**
C	A	B	A	D	C	B	A	B	D
21	**22**	**23**	**24**	**25**					
C	A	B	C	B					

★ ★ ★

8 विलोम शब्द

जब दो शब्दों के अर्थ एक-दूसरे के विपरीत हों तो उन्हें विलोम या विपरीतार्थी शब्द कहते हैं। शब्दों का सामर्थ्य बढ़ाने तथा भावों को स्पष्ट और सटीक अभिव्यक्ति में भी विलोम शब्द सहायक होते हैं। विलोम शब्दों की रचना प्रायः उपसर्ग और प्रत्यय की सहायता से होती है। जैसे—पुराना-नया, रुचि-अरुचि, आय-व्यय, आकर्षण-विकर्षण, उत्थान-पतन आदि।

वस्तुनिष्ठ प्रश्न

निर्देश (प्र.सं. 1 से 25 तक): *निम्नलिखित प्रश्नों में दिए गए शब्द का सही विलोम पहचानिए।*

1. नूतन
A. पुरातन B. प्राचीन
C. अर्वाचीन D. पुराना

2. कटु
A. मीठा B. मिठाई
C. मिष्ठान D. मधुर

3. संक्षिप्त
A. संक्षेप B. विस्तृत
C. व्यापक D. विस्तार

4. असुर
A. बेसुर B. नरकासुर
C. सुर D. रावनासुर

5. सार्थकता
A. निरर्थकता B. सफलता
C. प्रासंगिकता D. उपयोगिता

6. संयोग
A. प्रेम B. असहयोग
C. वियोग D. दुख

7. समाप्त
A. समीप B. अंत
C. मध्य D. आरंभ

8. धमकी
A. जोखिम B. विचारपूर्ण
C. सुरक्षा D. समृद्ध

9. क्षमाशीलता
A. जीर्णोद्धार B. ह्रास
C. प्रत्याहार D. प्रतिशोध

10. वास्तविक
A. पुरस्कार B. काल्पनिक
C. बुद्धिमान D. आधुनिक

11. राजा
A. प्रजा B. अधीनस्थ
C. रंक D. धनी

12. पुराना
A. खंडहर B. नया
C. नवनिर्मित D. सुसज्जित

13. खुशबू
A. महक B. बदबू
C. गंध D. दुर्गंध

14. कच्चा
A. पक्का B. पिलपिला
C. गलित D. इनमें से कोई नहीं

15. पास
A. लंबा B. दूर
C. बाहर D. अनिकट

16. विदेश
A. अदेश B. स्वदेश
C. अपना देश D. मातृभूमि

17. बुराई
A. निंदा B. भर्त्सना
C. अच्छाई D. प्रशंसा

18. स्त्री
A. सबला B. मर्द
C. पुरुष D. खाबिज

19. नित
A. अनित B. कभी-कभी
C. कभी नहीं D. इनमें से कोई नहीं

20. सुविधा

A. कष्ट B. असुविधा
C. दुःख D. विपत्ति

21. गुप्त

A. अगुप्त B. सुगुप्त
C. प्रकट D. स्पष्ट

22. सामने

A. पीछे B. आमने
C. पीठ की तरफ D. इनमें से कोई नहीं

23. क्षमा

A. कृपा B. दण्ड
C. दया D. इनमें से कोई नहीं

24. आसान

A. कठिन B. असंभव
C. मुश्किल D. अकठिन

25. सुख

A. कष्ट B. तकलीफ
C. अमुख D. दुःख

निर्देश (प्र.सं. 26 से 40 तक): *रेखांकित शब्दों पर ध्यान दीजिए और रिक्त स्थान में इनका विलोम शब्द भरिए।*

26. दुर्दिन के बाद निश्चित ही .... आता है।

A. सुदिन B. अच्छादिन
C. भलादिन D. लाभकारीदिन

27. मैंने यह पुस्तक अथ से .... तक पढ़ी।

A. समाप्ति B. इति
C. अंत D. पूरी

28. सभी निरक्षर .... बनें।

A. पढ़े-लिखे B. होशियार
C. साक्षर D. चतुर

29. सभी अमीर .... की सहायता करें।

A. अभावग्रस्त B. गरीब
C. दरिद्र D. भूखे

30. संतों के लिए छोटे .... एक समान होते हैं।

A. महान् B. समर्थ
C. बड़े D. धनी

31. व्यापारियों को आयात और .... पर एक समान ध्यान देना चाहिए।

A. बिक्री B. भंडारण
C. निर्यात D. फरोख्त

32. अंधे की दृष्टि में सीधा .... एक समान होता है।

A. टेढ़ा B. उल्टा
C. तिरछा D. गोल

33. चापलूस ने खूब नमक .... लगाकर अपनी बात कहीं।

A. चूना B. मिर्च
C. मीठा D. तीखा

34. पुण्य कमाओ .... से बचो।

A. हत्या B. चोरी
C. पाप D. धोखा

35. व्यवसाय में लाभ के साथ .... भी होती हैं।

A. नुकसान B. बरबादी
C. खराबी D. हानि

36. पक्ष .... दोनों ने ध्वनिमत से बिल पारित किया।

A. विरोधी B. विपक्ष
C. विपक्षी D. शत्रु

37. आजकल महात्मा और .... में पहचान करना असंभव है।

A. दुष्ट B. नीच
C. दुरात्मा D. पापी

38. राम को लिखित और .... दोनों परीक्षाओं में अच्छे अंक मिले।

A. अलिखित B. निर्धारित
C. वाचिक D. मौखिक

39. छात्रों! वीर बनो .... नहीं।

A. भगोड़े B. निरुत्साही
C. कायर D. आलसी

40. आज की राजनीति दोषी और .... में भेद नहीं करतीं।

A. अपराधी B. हत्यारे
C. भ्रष्टों D. निर्दोष

उत्तरमाला

1	2	3	4	5	6	7	8	9	10
A	D	B	C	A	C	D	C	D	B
11	**12**	**13**	**14**	**15**	**16**	**17**	**18**	**19**	**20**
C	B	B	A	B	B	C	C	B	B
21	**22**	**23**	**24**	**25**	**26**	**27**	**28**	**29**	**30**
C	A	B	C	D	A	B	C	B	C
31	**32**	**33**	**34**	**35**	**36**	**37**	**38**	**39**	**40**
C	B	B	C	D	B	C	D	C	D

★ ★ ★

9 पर्यायवाची शब्द

किसी शब्द के समान अर्थ के लिए जिन शब्दों को प्रयोग में लाया जाता है, उन्हें पर्यायवाची शब्द कहा जाता है। आशय यह है कि पर्याय का अभिप्राय 'बदले में आने वाला' से लिया गया है। पर्यायवाची शब्द को 'प्रतिशब्द' भी कहते हैं।

1. **अग्नि**—अनल, पावक, कृशानु, वहिन, हुताशन, धूमकेतु वैश्वानर।
2. **अनोखा**—अद्वितीय, अद्‌भुत, अनूठा, अनुपम, विचित्र, विलक्षण, निराला।
3. **अमृत**—पीयूष, सुधा, अमी।
4. **आकाश**-नभ, गगन, व्योम, अम्बर।
5. **आंख**—नेत्र, चक्षु, लोचन, दृग, नयन, अक्षि, अबंक।
6. **इच्छा**—आकांक्षा, स्पृहा, मनोरथ,चाह, कामना, अभिलाषा, वांछा।
7. **इन्द्र**—सुरपति, शचिपति, मधवा, पुरंदर, बासव, शक्र, पुरुहूत।
8. **ईश्वर**—भगवान, प्रभु, परमेश्वर, परमात्मा, जगदीश, विश्वम्भर, हरि।
9. **कपड़ा**—वस्त्र, पट, चीर, वसन, अम्बर, दुकूल, परिधान।
10. **कमल**—पंकज, सरोज, जलज, पद्‌म, अरविंद, राजीव, तामरस, नलिन, नीरज, अब्ज, कंज, उत्पल।
11. **कामदेव**—अनंग, कंदर्प पंचशर, मकरध्वज, मदन, मन्मथ, मार, रतिपति, स्मर, मनोज, शम्बरारि।
12. **किनारा**—तट, तीर, कूल।
13. **किरण**—अंशु, मरीचि, रश्मि, मयूख।
14. **केश**—कच, चिकुर, कुंतल, बाल, अलक।
15. **गणेश**—लम्बोदर, एकदन्त, गजवदन, विनायक, गणपति, गजानन।
16. **गंगा**—भागीरथी, जाह्नवी, सुरसरि, देवपगा, त्रिपथगा।
17. **घर**—गेह, निकेतन, सदन, भवन, गृह, धाम।
18. **घोड़ा**—तुरंग, घोटक, वाजि, हय, अश्व।
19. **चन्द्रमा**—शशि, विधु, निशाकर, इन्दु, मयंक, सुधाकर, उडपति, शशांक, सुधांशु, सोम, मृगांक, हिमकर, रजनीश, क्षपाकर।
20. **जल**—पानी, सलिल, उदक, वारि, नीर, अम्बु, तोय, पय।
21. **तलवार**—असि, करवाल, कृपाण, खड्ग।
22. **तालाब**—सर, सरोवर, तड़ाग, पुष्कर।
23. **दिन**—दिवस, वासर, दिवा, अहन्।
24. **दुःख**—कष्ट, क्लेश, पीड़ा, विषाद, सन्ताप, व्यथा, वेदना, यातना, यन्त्रणा, व्याधि।
25. **देवता**—सुर, देव, विबुध, गोवणि, अमर।
26. **देह**—बपु, शरीर, तनु, काया, कलेवर, गात, विग्रह।
27. **धन**—द्रव्य, अर्थ, वित्त, सम्पत्ति, सम्पदा।
28. **नदी**—सरिता, तटिनी, सरि, आपत्रा, तरंगिणी, निर्सरिणी, धुनी।
29. **नौकर**—सेवक, अनुचर, किंकर, परिचारक, चाकर, भृत्य।
30. **पक्षी**—खग, नभग, द्विज, विहंग, परवेरु, गगनचर, अण्डज, पतंग।
31. **पति**—भर्ता, स्वामी, भरतार, कन्त, नाथ, वर।
32. **पत्नी**—भार्या, दारा, गृहिणी, वधू, कलत्र, अर्द्धांगिनी, कान्ता।
33. **पहाड़**—गिरि, अद्रि, शैल, कुधर, पर्वत, भूधर, महीधर नग।
34. **पार्वती**—गौरी, उमा, भवानी, गिरिजा, शिवा, अम्बिका, रुद्राणी।
35. **पुत्र**—तनय, सुत, आत्मज, नन्दन, पूता, बेटा, सुवन।

वस्तुनिष्ठ प्रश्न

निर्देश (प्र.सं. 1 से 30 तक): *निम्नलिखित शब्दों का सही पर्यायवाची लिखिए।*

1. आज्ञा
A. असाधारण B. असंभव
C. आदेश D. अनुदान

2. प्राचीन
A. पुराना B. पहला
C. समकालीन D. नया

3. बादल
A. अम्बर B. गगन
C. जलद D. नीरज

4. अद्वितीय
A. आश्चर्यजनक B. अनुपम
C. अपूर्व D. साधारण

5. कमल
A. नयन B. अगन
C. पंकज D. अनल

6. हाथी
A. मेघ B. बृहस्पति
C. गज D. महेश

7. तलवार
A. हलवार B. करवाल
C. घरवार D. धारदार

8. मोर
A. कलापी B. विलक्षण
C. विशिष्ट D. तड़ित

9. पय
A. दूध B. पाप
C. सोना D. तालाब

10. सरस्वती
A. लक्ष्मी B. दुर्गा
C. काली D. शारदा

11. यमुना
A. कालिन्दी B. उदधि
C. रत्नाकर D. रदीश

12. अनंग
A. अंगभंग B. शेषनाग
C. बंधन D. मदन

13. आह्लाद
A. सुख B. उत्सुकता
C. प्रसन्नता D. उत्साह

14. अग्नि
A. अनिल B. अनल
C. ज्वाला D. ताप

15. असि
A. तीर B. तमंचा
C. चाकू D. तलवार

16. आम्र
A. अंब B. अंबु
C. बाग D. वृक्ष

17. आँख
A. अक्षि B. कुक्षि
C. अंशु D. चमक

18. जलयान
A. हवाई जहाज B. पोत
C. बैलगाड़ी D. विमान

19. प्रज्ञ
A. प्रवीण B. दक्ष
C. पंडित D. आचार्य

20. उरोज
A. पुष्य B. कमल
C. स्तन D. नेत्र

21. परिणय
A. परिमाण B. पाणिग्रहण
C. प्रमाण D. प्रस्तुति

22. प्रसून
A. बेला B. चमेली
C. पुष्प D. आयु

23. तालाब
A. झील B. प्रपात
C. वन D. सर

24. पुत्र
A. आत्मजा B. अनुज
C. सुत D. सूत

25. अतिथि
A. आगंतुक B. आगत
C. अभ्यागत D. मेहमान

26. जल
A. सुधाकर B. हिमांशु
C. नीर D. चंद्रमा

27. चंद्रमा
A. दिवाकर B. सप्तर्षि
C. तारे D. हिमांशु

28. पर्वत
A. गिरी B. कानन
C. नग D. निर्झट

29. गणेश
A. खगपति B. पशुपति
C. लम्बोदर D. राकेश

30. गजानन
A. भूतनाथ B. गोरखनाथ
C. गणपति D. सुरपति

उत्तरमाला

1	2	3	4	5	6	7	8	9	10
C	A	C	B	C	C	B	A	A	D
11	**12**	**13**	**14**	**15**	**16**	**17**	**18**	**19**	**20**
A	D	C	B	D	A	A	B	C	C
21	**22**	**23**	**24**	**25**	**26**	**27**	**28**	**29**	**30**
B	C	D	C	A	C	D	C	C	C

★ ★ ★

10 अनेक शब्दों के लिए एक शब्द

अनेक शब्दों के स्थान पर एक सार्थक शब्द का प्रयोग कथन को अत्यंत प्रभावशाली और रोचक बना देता है। ऐसे शब्दों के प्रयोग से न केवल विचारों को संक्षेप में व्यक्त किया जा सकता है, बल्कि समय और स्थान की भी बचत होती है। अनेक शब्दों के स्थान पर एक शब्द का निर्माण समास बनाकर अथवा उपसर्ग या प्रत्यय जोड़कर किया जाता है।

वस्तुनिष्ठ प्रश्न

निर्देश (प्र.सं. 1 से 40 तक): *निम्नलिखित प्रश्नों में दिए गए वाक्य या शब्द समूह के लिए, दिए गए विकल्पों में से उचित शब्द का चयन कीजिए।*

1. जो जीता न जा सके:
A. अलौकिक B. अजेय
C. अभेद्य D. अनुकरणीय

2. जो पहले कभी नहीं हुआ:
A. अजर B. भूतपूर्व
C. अकथनीय D. अभूतपूर्व

3. जिसका पता न हो:
A. अज्ञात B. अजात
C. अजित D. अविस्मरणीय

4. जिसका विभाजन न किया जा सके:
A. विभाजित B. अनंत
C. अविभाज्य D. अनभिज्ञ

5. दूसरों की बातों में दखल देना:
A. अत्याचार B. हस्तक्षेप
C. अकिंचन D. हितैषी

6. जहाँ पहुँचा न जा सके:
A. उपकृत B. निराकार
C. अक्षम्य D. अगम्य

7. जो प्रशंसा के योग्य हो:
A. अप्रशंसक B. अप्रत्याशित
C. प्रशासक D. प्रशंसनीय

8. जो करने योग्य न हो:
A. अकरणीय B. सुकरणीय
C. करणीय D. विकरणीय

9. जो सबको समान दृष्टि से देखता हो:
A. सज्जन B. संन्यासी
C. समदर्शी D. परोपकारी

10. परीक्षा देने वाला:
A. परीक्षक B. विद्यार्थी
C. परीक्षार्थी D. शिक्षार्थी

11. जो कहने योग्य न हो:
A. अकथनीय B. अयोग्य
C. अवगुण D. अभावनात्मक

12. जो सहन न कर सके:
A. असहनीय B. असामाजिक
C. असहिष्णु D. असहाय

13. उच्चकुल में जन्म लेने वाला:
A. कुलीन B. धनी
C. रईस D. कुलिश

14. जो इन्द्रियों से परे हो:
A. इन्द्रहीन B. अगोचर
C. गोचर D. इष्टहीन

15. जिसे किसी बात का पता न हो:
A. अज्ञानी B. अल्पज्ञ
C. अनभिज्ञ D. मूर्ख

16. जिसके आर-पार देखा जा सके:
A. अतलदर्शी B. सूक्ष्मदर्शी
C. पारदर्शी D. दूरदर्शी

17. जो आँखों के सामने न हो:
A. प्रत्यक्ष B. परोक्ष
C. दूरस्थ D. अप्रत्यक्ष

18. जंगल में लगने वाली आग:
A. जठरानल
B. दावानल
C. कामानल
D. बड़वानल

19. जिसके पास कुछ भी न हो:
A. अज्ञ B. अकिंचन
C. गरीब D. दीन

20. थोड़ा जानने वाला:
A. अलण्या B. अल्पज्ञा
C. अल्पज्ञ D. अल्प बुद्धि

21. जो लौकिक न हो:
A. पारलौकिक B. इहलौकिक
C. अलौकिक D. ऐहिक

22. वह स्थान जहाँ पृथ्वी और आकाश मिलते हुए दिखाई पड़ते हैं:
A. क्षितिज B. सरसिज
C. अन्तरिक्ष D. नीहारिका

23. जो पुरुषों के अनुरूप हो:
A. पुरुषोचित B. पौरुषेय
C. पौरुष D. पुरुष

24. जो ऊपर से मिलाया गया हो:
A. प्रक्षिप्त B. विक्षिप्त
C. संक्षिप्त D. विलुप्त

25. किसी कथा के अन्तर्गत आने वाली कोई अन्य कथा:
A. दृष्टांत B. अन्तर्कथा
C. अंतःकथा D. अंतर्दृष्टांत

26. गुरु के समीप रहने वाला विद्यार्थी:
A. अंतेवासी B. बटुक
C. ब्रह्मचारी D. शिष्य

27. हाथी की पीठ पर रखी जाने वाली चौकी:
A. मचान B. हौदा
C. तख्त D. गद्दी

28. फाल्गुन की पूर्णिमा को होने वाला हिंदुओं का प्रसिद्ध त्योहार:
A. गुरु पूर्णिमा B. वसंतोत्सव
C. दीपावली D. होली

29. यज्ञ में आहुति देने वाला:
A. पुरोहित B. हवि
C. होता D. समिधा

30. फेंककर चलाया जाने वाला हथियार:
A. वाण B. शस्त्र
C. अस्त्र D. वर्म

31. काम से जी चुराने वाला:
A. कामचोर B. बेकार
C. आलसी D. निकम्मा

32. किसी बात को करने का निश्चय:
A. विकल्प B. संकल्प
C. कल्प D. अत्यल्प

33. जिस बीमारी का ठीक होना सम्भव न हो:
A. असाध्य B. विकट
C. भयानक D. घातक

34. जिस पर विजय प्राप्त कर ली गई हो:
A. आक्रान्त B. अजेय
C. विजित D. पराजित

35. सूर्य के उदय होने का स्थान:
A. उदयाचल B. सूर्योदय
C. प्रभात स्थान D. गंधमादन

36. जो कहा न जा सके:
A. अकथित B. अकथनीय
C. अकथ्य D. नामुमकिन

37. जिसे बहुत बातें करनी आती हो:
A. वाचाल B. गम्भीर
C. समालोचक D. मुनि

38. जो स्त्री के वशीभूत हो:
A. स्त्रीदास B. गुलाम
C. स्त्रैण D. प्रेमी

39. जो समान न हो:
A. बराबर B. जटिल
C. अविषम D. विषम

40. जिसे पढ़ना-लिखना आता हो:
A. अल्पज्ञानी B. शिक्षित
C. बुद्धिजीवी D. साक्षर

उत्तरमाला

1	2	3	4	5	6	7	8	9	10
B	D	A	C	B	D	D	A	C	C
11	**12**	**13**	**14**	**15**	**16**	**17**	**18**	**19**	**20**
A	A	A	B	C	C	B	B	B	C
21	**22**	**23**	**24**	**25**	**26**	**27**	**28**	**29**	**30**
C	A	A	A	B	A	B	D	C	C
31	**32**	**33**	**34**	**35**	**36**	**37**	**38**	**39**	**40**
A	B	A	C	A	B	A	C	D	D

★ ★ ★

11 संधि

संधि का अर्थ होता है, दो वर्णों का मेल। जब दो स्वर या व्यंजन मिलकर तीसरे अक्षर (स्वर या व्यंजन) में बदल जाते हैं, तब इस रूप परिवर्तन को संधि कहते हैं। संधि के तीन प्रमुख भेद हैं :

- **स्वर संधि :** दो स्वरों के मेल से जो विकार उत्पन्न होता है, उसे स्वर संधि कहते हैं। स्वर संधि के पांच भेद होते हैं :
  - (*i*) **दीर्घ संधि :** जब दो समान स्वर चाहे वे दीर्घ हों या ह्स्व, आमने-सामने आते हैं तो दोनों मिलकर दीर्घ हो जाते हैं, अर्थात् अ, इ, उ, ऋ या दीर्घ आ, ई, ऊ परस्पर मिलकर एक हो जाते हैं, तो उसे दीर्घ स्वर संधि कहते हैं। जैसे—अ + अ = आ (नर + अधम = नराधम)
  - (*ii*) **गुण संधि :** गुण संधि में 'अ' अथवा 'आ' के बाद यदि 'इ' अथवा 'ई' हो तो दोनों मिलकर 'ए' बन जाता है। यदि 'अ' अथवा 'आ' के बाद 'उ' अथवा 'ऊ' हो तो दोनों मिलकर 'ओ' बन जाता है। यदि 'अ' अथवा 'आ' के बाद 'ऋ' हो, तो दोनों मिलकर 'अर' बन जाता है तब गुण संधि होती है। जैसे—अ + इ = ए (नर + इन्द्र = नरेन्द्र)
  - (*iii*) **यण संधि :** 'इ', 'ई' के बाद विजातीय स्वर आने पर वह 'य' में 'उ', 'ऊ' के बाद विजातीय स्वर आने पर 'व' और 'ऋ' के बाद विजातीय स्वर आने पर 'र' में बदल जाता है तब यण संधि होती है। जैसे—इ + ए = ये (प्रति + एक = प्रत्येक)
  - (*iv*) **वृद्धि संधि :** जब 'अ' अथवा 'आ' के बाद 'ए' अथवा 'ऐ' स्वर आए तो वहाँ 'ऐ' 'अ' अथवा 'आ' के बाद 'ओ' अथवा 'औ' आए तो वहाँ 'औ' हो जाता है, तब वृद्धि संधि कहलाती है। जैसे—अ + ए = ऐ (एक + एक = एकैक)
  - (*v*) **अयादि संधि :** जब 'ए', 'ऐ', 'ओ', 'औ' के पश्चात् कोई विजातीय स्वर आए, तो ये क्रमशः अय, आय, अव और आव में परिवर्तित हो जाते हैं। जैसे—ए + अ = अय (न + अन = नयन)
- **व्यंजन संधि :** किसी व्यंजन के पश्चात् जब कोई व्यंजन अथवा स्वर आए तो व्यंजन + व्यंजन अथवा व्यंजन + स्वर के मेल से उत्पन्न विकार को व्यंजन संधि कहते हैं। जैसे—दिक् + अम्बर = दिगम्बर।
- **विसर्ग संधि :** जब विसर्ग के साथ किसी स्वर या व्यंजन का मेल होता है, तब उससे उत्पन्न होने वाले विकार को विसर्ग संधि कहते हैं। जैसे—निः + चल = निश्चल।

वस्तुनिष्ठ प्रश्न

निर्देश (प्र.सं. 1 से 8 तक) : *अधोलिखित प्रश्नों का सही विकल्प चुनिए।*

1. संधि कितने प्रकार की होती है?
A. दो B. तीन
C. चार D. पाँच

2. यण संधि कैसी संधि है?
A. स्वर संधि B. व्यंजन संधि
C. विसर्ग संधि D. हल् संधि

3. किस संधि में ए + अ = आय हो जाता है?
A. गुण संधि B. यण संधि
C. वृद्धि संधि D. अयादि संधि

4. व्यंजन संधि में मेल होता है :
A. व्यंजनों का B. व्यंजनों और स्वरों का
C. व्यंजन और विसर्ग का D. व्यंजनों और हलंत का

5. अ, आ कैसे स्वर हैं?
A. समान स्वर हैं B. असमान स्वर हैं
C. विषम स्वर हैं D. सम स्वर हैं

6. उ, ऊ, इ, ई का ....
A. सजातीय स्वर है B. विजातीय स्वर है
C. विरोधी स्वर है D. अवरोधी स्वर है

7. किस संधि में ऋ + ऋ = ऋ होता है?
A. दीर्घ संधि B. यण संधि
C. गुण संधि D. वृद्धि संधि

8. ऋ के प्रयोग की क्या स्थिति है?
A. प्रयुक्त होता है B. नहीं प्रयुक्त होता है
C. कभी-कभी प्रयुक्त होता है D. इनमें से कोई नहीं

निर्देश (प्र.सं. 9 से 14 तक) : *अधोलिखित शब्दों में कौन-सी संधि है?*

9. नायक
A. दीर्घ संधि B. वृद्धि संधि
C. अयादि संधि D. गुण संधि

10. मतैक्य
A. दीर्घ संधि B. वृद्धि संधि
C. गुण संधि D. इनमें से कोई नहीं

11. नाविक

A. अयादि संधि B. वृद्धि संधि

C. गुण संधि D. इनमें से कोई नहीं

12. तथैव

A. दीर्घ संधि B. गुण संधि

C. वृद्धि संधि D. अयादि संधि

13. स्वागत

A. यण संधि B. गुण संधि

C. अयादि संधि D. वृद्धि संधि

14. अत्यावश्यक

A. अयादि संधि B. वृद्धि संधि

C. यण संधि D. गुण संधि

निर्देश (प्र.सं. 15 से 24 तक) : *अधोलिखित प्रश्नों में दिये गये शब्द का सही संधि विच्छेद बताइए।*

15. गीतांजलि

A. गी + तांजलि B. गीत + आंजलि

C. गीत + अंजलि D. गीता + अंजलि

16. प्रत्येक

A. प्रत्य + एक B. प्रति + एक

C. प्रती + एक D. प्रत्य + इक

17. होतृकार

A. होता + त्र-टकार B. होतृ + कार

C. होतृ + ऋ-कार D. होतृ + रिकार

18. कृकार

A. कृ + कार B. कृक + आर

C. कृ + ऋ कार D. इनमें से कोई नहीं

19. महीश

A. मही + श B. महि + इश

C. महि + ईश D. मही + ईश

20. सप्तर्षि

A. सप्त + ऋषि B. सप्त्र + षि

C. सप्त + रिषि D. सप्त + अर्षि

21. नयन

A. नय + नं B. न + यन

C. ने + अन D. ने + यन

22. महर्षि

A. महा + अर्षि B. महा + ऋषि

C. महा + रिषि D. महा + रिशि

23. महौषध

A. महा + ओषध B. मह + औषध

C. महा + उषध D. महा + औषध

24. पवन

A. प + वन B. पव + न

C. पो + अन D. पो + न

निर्देश (प्र.सं. 25 से 30 तक) : *अधोलिखित शब्दों की संधि के उदाहरणों में गलत उदाहरण का चयन करें।*

25. गुण संधि

A. अवधेश B. दिनेश

C. सुरेश D. धनाभाव

26. विसर्ग संधि

A. निराहार B. निराशा

C. दुराचार D. संसार

27. व्यंजन संधि

A. स्वच्छंद B. उच्छ्वास

C. प्रतिच्छाया D. अंत्योदय

28. गुण संधि

A. अधरोष्ठ B. गणेश

C. मदेश D. इत्यादि

29. विसर्ग संधि

A. दुर्मुख B. निराशा

C. दुराशा D. पुण्यात्मा

30. दीर्घ संधि

A. विद्यालय B. अंतरात्मा

C. कृपांक D. देवेन्द्र

उत्तरमाला

1	2	3	4	5	6	7	8	9	10
B	A	D	B	A	B	A	B	C	B
11	**12**	**13**	**14**	**15**	**16**	**17**	**18**	**19**	**20**
A	C	A	C	C	B	C	C	D	A
21	**22**	**23**	**24**	**25**	**26**	**27**	**28**	**29**	**30**
C	B	D	C	D	D	D	D	D	A

★ ★ ★

12 उपसर्ग एवं प्रत्यय

उपसर्ग

ऐसे शब्दांश जो किसी शब्द के पूर्व जोड़े जाने पर उसके अर्थ को परिवर्तित कर देते हैं, वे उपसर्ग कहलाते हैं। ये स्वयं सार्थक नहीं होते, लेकिन जिस शब्द से पहले जुड़ते हैं, उसके अर्थ में विशेषता उत्पन्न कर देते हैं। जैसे 'ज्ञान' में 'वि' जोड़ने पर 'विज्ञान' बनकर ज्ञान शब्द का अर्थ पूरी तरह बदल जाता है। इसी प्रकार 'ज्ञान' में 'अ' जोड़ने पर भी पूर्णतः भिन्न शब्द 'अज्ञान' बन जाता है।

उपसर्गों को पाँच भागों में विभक्त किया जा सकता है–

1. संस्कृत के उपसर्ग
2. अंग्रेजी के उपसर्ग
3. हिन्दी के उपसर्ग
4. उर्दू-फारसी के उपसर्ग
5. उपसर्ग के समान प्रयुक्त किए जाने वाले संस्कृत के अव्यय

प्रत्यय

ऐसे शब्द या शब्दांश जो किसी शब्द के अंत में लगकर उस शब्द के अर्थ में परिवर्तन कर देते हैं, वे प्रत्यय कहलाते हैं। जैसे– सज + आवट = सजावट, दुकान + दार = दुकानदार, पालन + हार = पालनहार।

प्रत्यय मुख्यतः दो प्रकार के होते हैं–

1. **कृत् प्रत्ययः** क्रिया अथवा धातु के बाद जो प्रत्यय लगाए जाते हैं, उन्हें कृत् प्रत्यय कहते हैं। कृत् प्रत्यय के मेल से बने शब्द को 'कृदंत' कहते हैं। जैसे–तैर + आक = तैराक, पठ + अनीय = पठनीय।
2. **तद्धित प्रत्ययः** क्रिया को छोड़कर संज्ञा, सर्वनाम, विशेषण आदि में जुड़कर नए शब्द बनाने वाले प्रत्यय तद्धित प्रत्यय कहलाते हैं। तद्धित प्रत्यय के मेल से बने शब्द को **'तद्धितांत'** कहते हैं।

वस्तुनिष्ठ प्रश्न

निर्देश (प्र.सं. 1 से 15 तक) : *निम्नलिखित प्रश्नों में दिए गए शब्दों में प्रयुक्त उपसर्ग के सही विकल्प का चयन कीजिए।*

1. संकलन
A. संक B. स
C. सम् D. सम

2. स्वभाव
A. स B. स्व
C. सर्व D. सा

3. निष्काम
A. निस् B. निर
C. निः D. निश

4. उपहार
A. उप् B. उप
C. उपा D. उ

5. पराजय
A. पर B. परा
C. जय D. प

6. अधिकार
A. अधि B. अ
C. कर D. कार

7. संयोग
A. सं B. सु
C. सम् D. सम

8. अनुमान
A. अव B. अनु
C. अन् D. आ

9. अपमान
A. मन B. अप
C. अ D. मान

10. आहार
A. आ B. हार
C. र D. इनमें से कोई नहीं

11. अतिव्याप्ति
A. अ B. अति
C. ति D. इनमें से कोई नहीं

12. अत्याचार

A. अति B. आ C. अ D. ति

13. अध्यात्म

A. अ B. अधि C. धि D. आ

14. अनुज

A. अनु B. अ C. ज D. इनमें से कोई नहीं

15. निबंध

A. निः B. नि C. निस् D. निर्

निर्देश (प्र.सं. 16 से 30 तक) : *निम्नलिखित प्रश्नों में दिए गए शब्दों में प्रयुक्त प्रत्यय के सही विकल्प का चयन कीजिए।*

16. विद्यालय

A. लय B. आलय C. य D. अलय

17. वैज्ञानिक

A. इक B. क C. आई D. ईक

18. चतुराई

A. आई B. राई C. यी D. ई

19. मरियल

A. ईयल B. ल C. रियल D. इयल

20. रसोइया

A. रस B. या C. इया D. आ

21. गमन

A. अन B. मन C. न D. उन

22. जानकार

A. कार B. अर C. आर D. अकार

23. कहावत

A. हावत B. वत C. आवत D. कह

24. पुजारिन

A. इन B. आइन C. रिन D. पु

25. शैशव

A. व B. आव C. अ D. अव

26. कवित्व

A. व B. त्व C. तव D. इत्व

27. कविता

A. आ B. ता C. त्व D. इता

28. पांडित्य

A. अ B. य C. त्य D. इत्य

29. पार्थ

A. अ B. अर्थ C. थ D. इनमें से कोई नहीं

30. गांगेय

A. य B. एय C. गेय D. इनमें से कोई नहीं

उत्तरमाला

1	2	3	4	5	6	7	8	9	10
C	B	A	B	B	A	C	B	B	A
11	**12**	**13**	**14**	**15**	**16**	**17**	**18**	**19**	**20**
B	A	B	A	B	B	A	A	D	C
21	**22**	**23**	**24**	**25**	**26**	**27**	**28**	**29**	**30**
A	A	C	A	C	B	B	B	A	B

★★★

13 श्रुतिसम भिन्नार्थक शब्द

श्रुतिसम भिन्नार्थक शब्द वे शब्द होते हैं जो सुनने में लगभग एक समान लगते हैं, लेकिन उनके अर्थ और वर्तनी भिन्न-भिन्न होते हैं। इन्हें समोच्चारित भिन्नार्थक शब्द भी कहा जाता है। हिन्दी में ऐसे शब्दों की संख्या अत्यधिक है। ऐसे कुछ महत्वपूर्ण शब्द नीचे दिए जा रहे हैं।

- अंश – हिस्सा अंस – कंधा
- अँगना – आँगन अंगना – स्त्री
- अपेक्षा – आवश्यकता उपेक्षा – निरादर
- अनल – आग अनिल – हवा
- अभय – निडर उभय – दोनों
- अलि – भ्रमर (भौंरा) अली – सखी
- अथक – बिना थके हुए अकथ – जो कहा नहीं जाए
- अन्न – अनाज अन्य – दूसरा
- अणु – सूक्ष्म कण अनु – पीछे
- अवधि – समय अवधी – अवध की भाषा
- आवृत्त – घिरा हुआ आवृत्ति – दुहराना
- इत्र – सुगन्धित पदार्थ इतर – दूसरा
- उद्यत – तैयार, तत्पर उद्धत – उद्दण्ड
- कुल – वंश कूल – किनारा
- कलि – कलियुग कली – अधखिला फूल
- कर्म – काम क्रम – सिलसिला
- कृपण – कंजूस कृपाण – छोटी तलवार
- खाद – उर्वरक खाद्य – खाने की सामग्री
- गिरि – पर्वत गिरी – बीज/गूदा
- गृह – घर ग्रह – नक्षत्र
- चरण – पैर चारण – भाट/सेवक
- चिर – पुराना चीर – वस्त्र
- कुच – स्तर कूच – प्रस्थान
- छत्र – छाता छात्र – विद्यार्थी
- जलज – कमल जलद – बादल
- तरणि – सूर्य तरणी – नाव
- दिन – दिवस दीन – गरीब
- द्विप – हाथी द्वीप – टापू
- द्रव्य – धन द्रव – तरल पदार्थ
- देव – देवता दैव – भाग्य
- नग – पहाड़ नाग – सर्प
- नगर – शहर नागर – चतुर व्यक्ति
- नारी – स्त्री नाड़ी – नब्ज
- नीर – जल नीड़ – घोंसला
- नीम – एक पेड़ नींव – आधार
- परिधान – वस्त्र प्रधान – मुख्य

वस्तुनिष्ठ प्रश्न

निर्देश (प्र.सं. 1 से 30 तक): *निम्नलिखित प्रश्नों में दिए गए शब्द युग्म का सही अर्थ चुनिए।*

1. 'अब्ज - अब्द'
A. कमल - वर्ष B. सुन्दर - लगातार
C. चढ़ाई - घमण्ड D. मतलब - धन

2. 'अविरोध - अवरोध'
A. तुरंत - सहारा B. मेल - रुकावट
C. असमर्थ - आरम्भ D. मेल - तुरंत

3. 'तनु - तनू'
A. हल्का - तीक्ष्ण B. शरीर - प्रिय
C. पतला - शरीर, देह D. पुत्र - पतला

4. 'जरठ - जठर'
A. पेट - बूढ़ा B. पैर - गर्मी
C. युवा - पैर D. बूढ़ा - पेट

5. 'आय - आयु'
A. आमदनी - उम्र B. आना - आज्ञा
C. उम्र - आयु D. घर - अनादर

6. 'कुजन - कूजन'
A. पक्षियों की चहचहाहट - निपुणता
B. कुआँ - दुष्ट
C. निपुणता - बुरा
D. दुष्ट - पक्षियों की चहचहाहट

7. 'सम - शम'
A. शांति - चावल B. शांति - मोक्ष
C. चावल - शांति D. समान - मोक्ष

8. 'ग्रंथ - ग्रंथी'
A. पुस्तक - वेदपाठी B. किताब - सिखगुरु
C. पुस्तक - गाँठ D. किताब - लेखक

9. 'पृथा - प्रथा'
A. कुंती - रीति B. अलग - रिवाज
C. नाम - ढाल D. अलग - विलग

10. 'करण - कर्ण'
A. करण - साधन B. विषय - संसार
C. साधन - कान D. साधन - प्रगति

11. 'उद्धार - उधार'
A. चकवा पक्षी - रचना B. कष्ट से मुक्ति - कर्ज
C. कर्ज - उधार D. कंजूस - कल्याण

12. 'हय - हिय'
A. हृदय - घोड़ा B. अश्व - गौ
C. घोड़ा - हृदय D. कलेजा - धड़कन

13. 'इंदिरा - इंद्रा'
A. वैभव - सौंदर्य B. लक्ष्मी - इंद्र की पत्नी
C. इंद्रपत्नी - लक्ष्मी D. इंदीवर - कुमुद

14. 'अपमान - उपमान'
A. आदर - निरादर B. पहला - आदर
C. जिससे तुलना हो - पहला D. निरादर - जिससे तुलना हो

15. 'ब्याज - व्याज'
A. सूद - नृत्य B. सूद - बहाना
C. सहोदर - पंखा D. सागर - बहाना

16. 'प्राचीन - प्राचीर'
A. भूमि - दीवार B. पुराना - नतीजा
C. झांकी - दीवार D. पुराना - दीवार

17. 'शुल्क - शुक्ल'
A. फीस - टैक्स B. टैक्स - लय
C. टैक्स - रात D. फीस - उजाला

18. 'असन - आसन'
A. कपड़ा - भोजन B. भोजन - व्यायाम
C. कपड़ा - बैठने की वस्तु D. भोजन - बैठने की वस्तु

19. 'अजर - अजिर'
A. ऋण - चिन्ता B. देवता - आँगन
C. हृदय - दूसरा D. सेना - काँटा

20. 'धूरा - धुरा'
A. धात्री - दासी B. धूरा - अक्ष
C. लत - जल्दी D. शोक - ज्वाला

21. 'शूक - शुक'
A. जौ - सब B. सब - सुग्गा
C. जौ - सुग्गा D. चौटी - सिर

22. 'अनिष्ट - अनिष्ठ'
A. खान - बनावट B. बुरा - निष्ठावान
C. विराम - पूजा D. ढका हुआ - दोहराना

23. 'अकुल - आकुल'
A. बिना अंदाज - अभिप्राय B. बिना कुल के - व्याकुल
C. आज - बहुत ज्यादा D. पर्वत - संग्रह

24. 'नियत - नीयत'
A. भाग्य - निश्चित B. इरादा - निश्चित
C. निश्चित - इरादा D. इरादा - भाग्य

25. 'अलि - अली'
A. दसन - दर्शन B. दमन - दामन
C. कंधा - हिस्सा D. भौंरा - सखी

26. 'अभय - उभय'
A. निर्भय - दोनों B. पढ़ना - पढ़ाना
C. हवा - अग्नि D. दोनों - निर्भय

27. 'भवन - भुवन'
A. संसार - भावना B. मकान - संसार
C. दाव - घोड़ा D. इनमें से कोई नहीं

28. 'बद - बंद'
A. बुरा - जो खुला न हो B. हवा - जो खुला न हो
C. बातचीत - जो खुला न हो D. इनमें से कोई नहीं

29. 'नीरज - नीरद'
A. बादल - जल B. कमल - बादल
C. समुद्र - बादल D. समुद्र - कमल

30. 'चरम - चर्म'
A. टूटना - शाश्वत B. चमड़ा - अंतिम
C. अंतिम - चमड़ा D. श्रेष्ठ - शक्तिहीन

उत्तरमाला

1	2	3	4	5	6	7	8	9	10
A	B	C	D	A	D	D	B	A	C
11	**12**	**13**	**14**	**15**	**16**	**17**	**18**	**19**	**20**
B	C	B	D	B	D	D	D	B	B
21	**22**	**23**	**24**	**25**	**26**	**27**	**28**	**29**	**30**
C	B	B	C	D	A	B	A	B	C

★ ★ ★

14 शुद्ध वर्तनी

वर्तनी के अंतर्गत शब्द ध्वनियों को जिस क्रम से और जिस रूप में उच्चारित किया जाता है उन्हें उसी क्रम से और उसी रूप में लिखा भी जाता है। अतः शुद्ध वर्तनी के लिए शुद्ध उच्चारण करना आवश्यक है। जैसे–यदि हम 'अक्षर' का उच्चारण 'अच्छर' करेंगे तो 'अक्षर' की वर्तनी शुद्ध नहीं लिख सकते।

कुछ ऐसी अशुद्धियाँ दी जा रही हैं जो प्रायः हो जाती हैः

अशुद्ध	शुद्ध	अशुद्ध	शुद्ध
अगामी	आगामी	गृहणी	गृहिणी
अतिथी	अतिथि	शाबास	शाबाश
आधीन	अधीन	प्रशन	प्रश्न
अधार	आधार	गुरू	गुरु
ईकाई	इकाई	पती	पति
एरावत	ऐरावत	धोका	धोखा
उर्पयुक्त	उपर्युक्त	नर्क	नरक
दिवार	दीवार	पत्नि	पत्नी
जबाब	जवाब	नीती	नीति

अशुद्ध	शुद्ध	अशुद्ध	शुद्ध
उपर	ऊपर	कोसिस	कोशिश
वापिस	वापस	पूज्यनीय	पूजनीय
श्रीमति	श्रीमती	मूमर्ष	मुमूर्ष
दवाईयाँ	दवाइयाँ	क्षिती	क्षिति
समाजिक	सामाजिक	त्यौहार	त्योहार
सप्ताहिक	साप्ताहिक	गितांजली	गीतांजलि
कालीदास	कालिदास	त्रिपुरारी	त्रिपुरारि
इसलीए	इसलिए	प्रतिनिधी	प्रतिनिधि
नमश्कार	नमस्कार	रात्री	रात्रि
दिपावली	दीपावली	मूर्ती	मूर्ति
मँहगाई	महँगाई	जोत्सना	ज्योत्स्ना
बिमारी	बीमारी	उपलक्ष	उपलक्ष्य
प्रतिएक	प्रत्येक	व्यंग	व्यंग्य
स्वास्थ	स्वास्थ्य	सामर्थ	सामर्थ्य

वस्तुनिष्ठ प्रश्न

निर्देश (प्र.सं. 1 से 25 तक): *निम्नलिखित प्रश्नों में एक ही शब्द की चार अलग-अलग वर्तनियाँ दी गई हैं। इनमें से केवल एक वर्तनी सही है। उस विकल्प का चयन कीजिए।*

1. A. इकलौता B. एकलोता C. ईकलोता D. ऐकलोता

2. A. संतुष्ट B. शंतुष्ट C. शंतुशत D. स्न्तुष्ट

3. A. अतीथी B. अतिथि C. आतिथी D. अथिति

4. A. आर्शीवाद B. आशिर्वाद C. आर्शिवाद D. आशीर्वाद

5. A. समाजिक B. समाजीक C. सामाजिक D. समजीक

6. A. संश्लेषण B. शंस्लेषण C. षंश्लेसण D. संप्लेशण

7. A. वनवाश B. वनबास C. बनवास D. वनवास

8. A. विशेस B. विशेष C. विसेश D. विषेश

9. A. बाहिष्कार B. बइष्कार C. बहिष्कार D. बहीष्कार

10. A. आकर्षक B. आक्रषक C. अकार्षक D. आकर्शक

11. A. निरकार B. निर्कार C. निराकार D. नीराकार

12. A. मोखिक B. मौखिक
C. मौकिख D. मौखीक

13. A. प्रतिवर्ष B. परतीवर्ष
C. प्रतिवर्श D. प्रतिबर्ष

14. A. अंर्तगत B. अंतर्गत
C. अन्र्तगत D. अन्तरगत

15. A. क्रष्ण B. कृषण
C. कृश्ण D. कृष्ण

16. A. शोणित B. शोनित
C. सोणित D. शोणीत

17. A. अधम्र B. अर्धम
C. अंधर्म D. अधरम

18. A. अनूक्रम B. अनुक्रम
C. अनुकर्म D. अनुकृम

19. A. क्रम B. कृम
C. कर्मृ D. कमृ

20. A. तटस्त B. तटस्थ
C. तटश्थ D. तटष्थ

21. A. अम्रत B. अर्मत
C. अमृर्त D. अमृत

22. A. फुर्तला B. फुर्तिला
C. फुर्तीला D. फुर्तीला

23. A. र्निजीव B. निर्जीव
C. निरजीव D. निज्रीव

24. A. परिकर्मा B. परिक्रिमा
C. परिकृमा D. प्रक्रिमा

25. A. राशी B. राषि
C. राशि D. रासि

निर्देश (प्र.सं. 26 से 30 तक): *निम्नलिखित प्रश्नों में दिए गए विकल्पों में से अशुद्ध शब्द का चयन कीजिए।*

26. A. कौतूहल B. अनधिकार
C. निरपेक्ष D. पौराणीक

27. A. एकतारा B. जिजीविषा
C. कार्यकारणी D. अभ्यंतर

28. A. अनंग B. व्यंग
C. हास्य D. परिहास

29. A. नीती B. नदियाँ
C. कविता D. जीवित

30. A. आचार्य B. अवगुण
C. इष्ट D. उद्घोस

निर्देश (प्र.सं. 31 से 35 तक): *निम्नलिखित प्रश्नों में दिए गए विकल्पों में शुद्ध शब्द का चयन कीजिए।*

31. A. कृप्या B. चिह्न
C. आर्शीवाद D. उज्जवल

32. A. कोश्ठ B. परिशद
C. क्षुधा D. पाठसाला

33. A. प्रतिभूती B. कवयित्री
C. पड़ौसी D. बिमार

34. A. प्रसंशा B. परिस्थिती
C. प्रदर्शनी D. भगिरथी

35. A. आविष्कार B. निसब्द
C. जमाता D. देवार्षि

उत्तरमाला

1	2	3	4	5	6	7	8	9	10
A	A	B	D	C	A	D	B	C	A
11	**12**	**13**	**14**	**15**	**16**	**17**	**18**	**19**	**20**
C	B	A	B	D	A	C	B	A	B
21	**22**	**23**	**24**	**25**	**26**	**27**	**28**	**29**	**30**
D	C	B	B	C	D	C	B	A	D
31	**32**	**33**	**34**	**35**					
B	C	B	C	A					

★ ★ ★

15 मुहावरे एवं लोकोक्तियाँ

मुहावरा

मुहावरे हिन्दी भाषा का एक महत्वपूर्ण हिस्सा हैं, जो वाक्यांशों या वाक्यों के रूप में उपयोग होते हैं और जिनका अर्थ उनके शाब्दिक अर्थ से भिन्न होता है। वे भाषा को अधिक प्रभावशाली, आकर्षक और जीवंत बनाते हैं। **उदाहरणः** राम राजा दशरथ की आँखों के तारे थे। उपर्युक्त वाक्य में 'आँखों के तारे' ऐसा शब्द समूह है जो वाक्य में कुछ विशेष अर्थ प्रकट कर रहा है। इसका सामान्य अर्थ वाक्य में कोई महत्व नहीं रखता।

लोकोक्ति

लोकोक्ति शब्द लोक तथा उक्ति दो शब्दों के मेल से बना है। इसका अर्थ होता है कोई ऐसा पूर्ण या अपूर्ण वाक्य जिसमें कोई अनुभव, सारकथन अथवा कोई कथा छिपी होती है। जैसे—'का बरखा जब कृषि सुखाने' इसका अर्थ है कि यदि कोई काम समय पर नहीं हुआ तो असमय में उसके होने का कोई महत्व नहीं रह जाता।

लोकोक्तियों तथा मुहावरों का महत्व

भावों की अभिव्यक्ति के लिए जो भाषा हम प्रयोग करते हैं, उसमें यदि मुहावरों तथा लोकोक्तियों का मिश्रण हो जाता है तो वह कहीं अधिक प्रभावशाली, रोचक तथा ग्राह्य बन जाती है।

इनके प्रयोग से आशय स्पष्ट हो जाता है तथा मन्तव्य को संक्षेप में प्रकट करने के लिए कथन सशक्त बन जाता है।

यही कारण है कि प्रायः हर भाषा में लोकोक्तियों तथा मुहावरों का प्रयोग मिलता है।

वस्तुनिष्ठ प्रश्न

निर्देश (प्र.सं. 1 से 15 तक): *निम्नलिखित प्रश्नों में चार विकल्प दिए गए हैं। दिए गए मुहावरे का सही अर्थ व्यक्त करने वाले विकल्प का चयन कीजिए।*

1. आँखें बिछाना
A. बहुत इंतजार करना B. बहुत आदर करना
C. बहुत परेशान करना D. बहुत नींद आना

2. अँगुली उठाना
A. दोष सहना B. आदर करना
C. हार मानना D. दोष लगाना

3. अँगूठा दिखाना
A. झूठ बोलना B. अवसरवादी होना
C. मौके पर इनकार करना D. धोखा देना

4. अक्ल पर पत्थर पड़ना
A. मूर्ख बन जाना
B. बुद्धि समाप्त हो जाना
C. सोचने-विचारने की क्षमता न रहना
D. बड़ी चोट लग जाना

5. आँख में धूल झोंकना
A. कमजोर करना B. धोखा देना
C. झूठ बोलना D. भाग जाना

6. आग बबूला होना
A. क्रोधित होना B. परेशान होना
C. दुःखी होना D. खुश होना

7. छाती पीटना
A. परेशान होना B. खुशी मनाना
C. शोक मनाना D. नाराज होना

8. चिकना घड़ा होना
A. चिकना होना B. निर्लज्ज होना
C. चापलूसी करना D. समृद्ध होना

9. अंगारे उगलना
A. आग लगाना
B. क्रोध में कठोर वचन बोलना
C. आग बुझाना
D. जले हुए कोयले को इकट्ठा करना

10. इधर की दुनिया उधर करना
A. जिद पर अड़े रहना B. असम्भव को सम्भव करना
C. दहेज कम करना D. धनी व्यक्ति का निर्धन होना

11. ऊँचा-नीचा सुनाना
A. प्रेरक प्रसंग सुनाना B. उपदेश देना
C. भला बुरा कहना D. प्रवचन करना

12. काला नाग

A. विषधर सर्प
B. खोटा या घातक व्यक्ति
C. तीव्र बुद्धि वाला व्यक्ति
D. काला धन रखने वाला व्यक्ति

13. ठन-ठन गोपाल

A. बना ठना नवयुवक
B. खोखला
C. धनवान
D. शक्तिशाली

14. अंग-अंग ढीला होना

A. परेशान होना
B. शिथिल गात होना
C. पिटाई होना
D. बीमार होना

15. अंधे के हाथ बटेर लगना

A. किसी वस्तु का अनायास मिलना
B. अपात्र को बहुत बड़ी सफलता मिलना
C. अप्राप्य को प्राप्त करना
D. मुसीबत पर मुसीबत आना

निर्देश (प्र.सं. 16 से 25 तक): *निम्नलिखित प्रश्नों में चार विकल्प दिए गए हैं। दी गई लोकोक्ति का सही अर्थ व्यक्त करने वाले विकल्प का चयन कीजिए।*

16. अन्धा बाँटे रेवड़ी फिर-फिर अपनों को देय

A. उच्च पद पाकर अपने ही लोगों को लाभान्वित करना
B. न्याय की अवहेलना करके स्वजनों को लाभान्वित करना
C. अन्धा आदमी स्वजनों का ख्याल रखता है
D. स्वार्थी व्यक्ति पक्षपात करता है

17. अकल बड़ी कि भैंस

A. शारीरिक बल की अपेक्षा बौद्धिक बल श्रेष्ठ होता है
B. अक्ल अमूर्त और भैंस मूर्त रूप हैं
C. भैंस शारीरिक दृष्टि से बड़ी होती है
D. भैंस बुद्धिमान होती है

18. होनहार बिरवान के होत चीकने पात

A. चिकने पत्तों वाला पौधा सुन्दर लगता है
B. बागवानी का शौक अच्छी बात है
C. होनहार बालक के लक्षण बचपन में ही प्रकट होने लगते हैं
D. चिकने पत्तों से पता लगता है कि यह पौधा वृक्ष बन जाएगा

19. सच्चे का बोलबाला, झूठे का मुँह काला

A. झूठ बोलना पाप है
B. झूठ बोलने वाला अपमानित होता है
C. असत्य बोलने वालों पर व्यंग्य
D. सत्य की सर्वत्र विजय होती है

20. शेर भूखा रह जाए, पर घास नहीं खाता

A. श्रेष्ठ व्यक्ति संकट में भी मर्यादा नहीं तोड़ता है
B. शेर केवल मांसाहारी होता है
C. शेर स्वयं शिकार होता है
D. स्वावलम्बी व्यक्ति किसी का सहारा नहीं लेता है

21. हथेली पर सरसों नहीं जमती

A. सरसों के लिए जमीन चाहिए हथेली नहीं
B. हर काम में मनमानी नहीं चल सकती
C. काम के लिए समय चाहिए, जब चाहो, तभी काम नहीं हो सकता
D. सफलता समय पर आती है

22. आग लगे पर पानी कहाँ

A. कलह में कभी सुख नहीं होता
B. मुसीबत आने पर सहज नहीं टलती
C. वक्त पर अभीष्ट वस्तु नहीं मिलती
D. इनमें से कोई नहीं

23. घर में नहीं दाने, अम्मा चली भुनाने

A. झूठा आडम्बर
B. अधिक दिखावा करना
C. डीगें हाँकना
D. मुश्किल से गुजारा करना

24. ऊँची दुकान फीका पकवान

A. ऊँचे पर बनी दुकान के पकवान मीठे नहीं होते
B. ऊँची दुकान महँगी होती है
C. दिखावटी वस्तु में गुणवत्ता कम होती है
D. दिखावट में आकर्षण अधिक रहता है

25. न ऊधो का लेन, न माधो का देन

A. दूसरे के झंझट में दखल देना
B. किसी झंझट में न पड़ना
C. किसी से उधार न लेना
D. नगद लेन-देन करना

उत्तरमाला

1	2	3	4	5	6	7	8	9	10
B	D	C	C	B	A	C	B	B	B
11	**12**	**13**	**14**	**15**	**16**	**17**	**18**	**19**	**20**
C	B	B	B	A	D	A	C	D	A
21	**22**	**23**	**24**	**25**					
C	C	A	C	B					

★ ★ ★

16

समास

समास वह शब्द-रचना है जिसमें अर्थ की दृष्टि से परस्पर स्वतंत्र संबंध रखने वाले दो अथवा दो से अधिक शब्दों के बीच की विभक्ति हटाकर जब उन्हें मिलाकर एक शब्द बनाया जाता है, तो उसे समास कहते हैं अर्थात् समास में शब्दों का परस्पर मेल होने से नवीन सार्थक शब्द की रचना होती है। परस्पर मिले शब्दों के समस्त पद अर्थात् समास किया हुआ या सामासिक शब्द कहते हैं, जैसे—यथाशक्ति, आजन्म, विद्यालय आदि।

कुल मिलाकर हिन्दी में समास के छः भेद माने जाते हैं :

- **अव्ययीभाव समास :** जिस सामासिक शब्द में प्रथम पद प्रधान और पूरा पद अव्यय होता है, उसे अव्ययीभाव समास कहते हैं, जैसे—प्रतिदिन – दिन-दिन, आमरण – मरण तक।
- **तत्पुरुष समास :** जिस सामासिक शब्द में दूसरे पद की प्रधानता होती है तथा विभक्ति चिह्न लुप्त हो जाता है, उसे तत्पुरुष समास कहते हैं, जैसे—रचनाकार – रचना को करने वाला।
- **कर्मधारय समास :** जिस सामासिक शब्द में उत्तर पद प्रधान होता है, उसे कर्मधारय समास कहते हैं। इसमें पूर्व पद विशेषण और उत्तर पद विशेष्य होता है, जैसे—पीताम्बर – पीले हैं जो वस्त्र।
- **द्विगु समास :** जिस सामासिक शब्द में प्रथम पद संख्यावाची और अंतिम पद संज्ञा हो, उसे द्विगु समास कहते हैं, जैसे—तिरंगा – तीन रंगों वाला।
- **द्वन्द्व समास :** जिस सामासिक शब्द के दोनों पद प्रधान हों, दोनों पद संज्ञाएँ अथवा विशेषण हों, उसे द्वन्द्व समास कहते हैं, जैसे—राजा-रंक – राजा और रंक।
- **बहुव्रीहि समास :** जिस सामासिक पद में कोई भी शब्द प्रधान नहीं होता बल्कि दोनों शब्द मिलकर एक नया अर्थ प्रकट करते हैं, जैसे—नीलकण्ठ – नीला है कण्ठ जिसका अर्थात् शिव।

समास विग्रह

समास के उन सभी शब्दों, कारक चिह्नों को पुनः ले आना जिनका लोप कर समास बनाया गया हो 'समास-विग्रह' कहलाता है, जैसे—कमल के समान चरण (चरणकमल)।

समास विग्रह में निम्नलिखित बातों को ध्यान में रखना आवश्यक है :

- समास में विद्यमान शब्दों एवं लुप्त हुए शब्दों को इस प्रकार प्रस्तुत करना कि समास का वास्तविक अर्थ स्पष्ट हो सके।
- समास-विग्रह में यथासम्भव समास के मूल शब्दों का ही प्रयोग करना चाहिए, उनके समानार्थक शब्दों का नहीं, जैसे—'चरणकमल' का विग्रह 'कमल के समान पैर' या 'पंकज के समान चरण' नहीं किया जाना चाहिए।

वस्तुनिष्ठ प्रश्न

निर्देश (प्र.सं. 1 से 25 तक): *निम्नलिखित प्रश्नों में दिए गए शब्दों का सही समास बताने वाले विकल्प का चयन कीजिए।*

1. चन्द्रशेखर
A. तत्पुरुष B. कर्मधारय
C. बहुव्रीहि D. द्विगु

2. रात-दिन
A. द्वन्द्व B. द्विगु
C. कर्मधारय D. अव्ययी भाव

3. बहन-भाई
A. बहुव्रीहि B. तत्पुरुष
C. द्वन्द्व D. द्विगु

4. दशमुख
A. तत्पुरुष B. बहुव्रीहि
C. द्वन्द्व D. कर्मधारय

5. यथाशक्ति
A. द्विगु B. बहुव्रीहि
C. कर्मधारय D. अव्ययीभाव

6. देशभक्ति
A. तत्पुरुष B. बहुव्रीहि
C. द्विगु D. कर्मधारय

7. हस्तलिखित
A. कर्मधारय B. तत्पुरुष
C. बहुव्रीहि D. द्वन्द्व

8. त्रिनेत्र
A. तत्पुरुष B. बहुव्रीहि
C. द्विगु D. द्वन्द्व

9. भरपेट
A. अव्ययीभाव B. कर्मधारय
C. द्विगु D. द्वन्द्व

10. आनन्दमग्न
A. द्विगु B. तत्पुरुष
C. बहुव्रीहि D. कर्मधारय

11. आजन्म
A. तत्पुरुष B. द्वन्द्व
C. अव्ययीभाव D. कर्मधारय

12. नीलकमल
A. बहुव्रीहि B. तत्पुरुष
C. कर्मधारय D. द्विगु

13. चतुर्भुज
A. द्वन्द्व B. द्विगु
C. तत्पुरुष D. कर्मधारय

14. चौराहा
A. बहुव्रीहि B. तत्पुरुष
C. द्विगु D. कर्मधारय

15. दशानन
A. द्विगु B. बहुव्रीहि
C. कर्मधारय D. द्वन्द्व

16. रोग पीड़ित
A. कर्मधारय B. द्वन्द्व
C. बहुव्रीहि D. तत्पुरुष

17. प्रतिमान
A. कर्मधारय B. अव्ययीभाव
C. बहुव्रीहि D. तत्पुरुष

18. वीर पुरुष
A. बहुव्रीहि B. तत्पुरुष
C. अव्ययीभाव D. द्वन्द्व

19. नवयुवक
A. द्विगु B. बहुव्रीहि
C. द्वन्द्व D. कर्मधारय

20. पददलित
A. तत्पुरुष B. कर्मधारय
C. बहुव्रीहि D. द्विगु

21. दिनों-दिन
A. कर्मधारय B. अव्ययीभाव
C. तत्पुरुष D. द्विगु

22. लोकप्रिय
A. तत्पुरुष B. अव्ययीभाव
C. कर्मधारय D. बहुव्रीहि

23. वीणापाणि
A. बहुव्रीहि B. द्विगु
C. तत्पुरुष D. कर्मधारय

24. प्राप्तोदक
A. बहुव्रीहि B. अव्ययीभाव
C. द्वन्द्व D. तत्पुरुष

25. पाप-पुण्य
A. बहुव्रीहि B. द्विगु
C. द्वन्द्व D. अव्ययीभाव

26. 'मैं रामचन्द्र जी के चरणकमल की वन्दना करती हूँ।' रेखांकित शब्द किस समास का उदाहरण है?
A. द्विगु B. कर्मधारय
C. द्वन्द्व D. अव्ययीभाव

27. 'गंगातट पर कुछ लोग भजन कर रहे थे।' रेखांकित शब्द में कौन-सा समास है?
A. द्वन्द्व B. कर्मधारय
C. तत्पुरुष D. अव्ययीभाव

28. निम्न में से कौन-सा समास-विग्रह सही नहीं है?
A. पंचानन – पाँच है जिसके आनन (शिव)
B. दाल-रोटी – दाल और रोटी
C. सुलोचना – सुन्दर है लोचन जिसके
D. पुस्तकालय – पुस्तक और आलय

29. इनमें से कौन-सा 'मालगोदाम' शब्द के समास विग्रह का सही रूप है?
A. माल से गादाम B. माल के लिए गोदाम
C. माल और गोदाम D. माल बनाने के लिए गोदाम

30. 'नीति-निपुण' शब्द का सही समास विग्रह है।
A. नीति से निपुण B. नीति का निपुण
C. नीति में निपुण D. नीति के लिए निपुण

उत्तरमाला

1	2	3	4	5	6	7	8	9	10
C	A	C	B	D	A	B	C	A	B
11	12	13	14	15	16	17	18	19	20
C	C	B	C	B	D	B	B	D	A
21	22	23	24	25	26	27	28	29	30
B	A	A	D	C	B	C	D	B	C

★★★

17 विराम चिह्न

'विराम' का अर्थ होता है—ठहरना या रुकना। लेखन को प्रभावी रूप देने के लिए लेखक द्वारा कई प्रकार के विराम चिह्नों का प्रयोग किया जाता है जो कि लेखन में भावों की अभिव्यक्ति, वाक्य का अर्थ स्पष्ट करने, उतार-चढ़ाव और ठहराव दर्शाने के लिए आवश्यक होते हैं। ऐसे ही विशेष चिह्नों को विराम चिह्न कहा जाता है।

विराम चिह्न का महत्व

विराम चिह्न एक वाक्य को दूसरे से अलग करते हैं। एक वाक्य के भीतर भी एक कोटि के कई शब्दों या वाक्यांशों या उपवाक्यों को वह अलग करता है। विराम चिह्नों के प्रयोग से भाषा में स्पष्टता आती है और भाव को समझने में सुविधा होती है।

विराम चिह्न के अभाव में वाक्य का ठीक अर्थ समझना असम्भव हो जाता है। जैसे—'उसे रोको मत जाने दो' इस वाक्य के दो सर्वथा विपरीत अर्थ हो सकते हैं।

1. उसे रोको, मत जाने दो। (यह वाक्य निषेधात्मक है)
2. उसे रोको मत, जाने दो। (यह वाक्य आज्ञावाचक है)

विराम चिह्न से ही ज्ञात हो सकता है कि वाक्य का वास्तविक अर्थ क्या है।

विराम चिह्न के प्रकार

हिन्दी में प्रचलित प्रमुख विराम चिह्न निम्न हैं :

विराम चिह्नों के नाम	चिह्न	वाक्य में प्रयोग
• अल्प विराम	,	मोहन, सोहन और अनिल आएंगे
• अर्द्धविराम	;	मैंने उससे कहा तो था; वो आया नहीं
• पूर्ण विराम	।	'संयुक्त राष्ट्र संघ' एक श्रेष्ठतम विश्वसनीय संस्था है।
• प्रश्न सूचक चिह्न	?	क्या वो आ गए?
• विस्मय या सम्बोधन सूचक	!	वाह! क्या सौंदर्य है
• उद्धरण चिह्न	' ', " "	''कमजोर किसी को माफ नहीं कर सकते, माफ करना मजबूत लोगों की निशानी है''—महात्मा गांधी
• निर्देशन चिह्न	—	निम्नलिखित प्रश्नों का उत्तर दीजिए—
• विवरण चिह्न	:-	पार्सल में निम्नलिखित वस्तुएं हैं :-
• कोष्ठक चिह्न	( )	ग्लोबल वार्मिंग (वैश्विक ताप) मानव जीवन के लिए हानिकारक है।
• लाघव चिह्न	॰	एम॰ए॰ = मास्टर ऑफ आर्ट्स
• योजक चिह्न	-	'हम-तुम' साथ-साथ चलेंगे
• उपविराम या कोलन	:	हिन्दी निबंध : एक श्रेष्ठ पुस्तक

वस्तुनिष्ठ प्रश्न

1. भाषा में उलझाव न आने देने में सहायक हैं :
A. अर्द्धविराम B. मात्राएँ
C. ध्वनि D. विराम चिह्न

2. ', ' यह कहलाता है :
A. अर्द्धविराम B. अल्पविराम
C. शुद्ध विराम D. पूर्ण विराम

3. '।' यह कहलाता है :
A. अर्द्धविराम B. अल्पविराम
C. उपपद D. पूर्ण विराम

4. '?' यह कहलाता है :
A. अल्पविराम B. प्रश्न चिह्न
C. पूर्ण विराम D. अर्द्धविराम

5. वाक्य को बोलने या पढ़ने में थोड़ी देर का ठहराव कहलाता है :
A. अल्पविराम B. उपपद
C. पूर्ण विराम D. अर्द्धविराम

6. ' ; ' यह कहलाता है :
A. अर्द्धविराम B. अल्पविराम
C. उपपद D. पूर्ण विराम

7. वाक्य में अल्प विराम से अधिक और पूर्णविराम से कम ठहराव आने पर लगता है :
A. अर्द्धविराम B. उपविराम
C. योजक चिह्न D. पूर्ण विराम

8. जहाँ प्रमुख वाक्य और अन्य वाक्य खंडों का कोई संबंध न हो, वहाँ कौन-सा विराम चिह्न लगता है?
A. पूर्ण विराम B. उपविराम
C. अल्पविराम D. अर्द्धविराम

9. '!' यह विराम चिह्न कहलाता है :
A. अर्द्धविराम B. अल्पविराम
C. विस्मयादि सूचक D. पूर्ण विराम

10. ':' यह विराम चिह्न कहलाता है :
A. उपविराम B. अल्पविराम
C. विस्मयादि सूचक D. पूर्ण विराम

11. ' ।' यह वाक्य की समाप्ति का बोधक चिह्न होता है :
A. उपविराम B. अल्पविराम
C. विस्मयादि सूचक D. पूर्ण विराम

12. निम्न में से किसे 'संक्षिप्त चिह्न' भी कहते हैं?
A. निर्देशन B. अल्पविराम
C. लाघव D. उद्धरण

13. पूर्ण अर्थ रखने वाले प्रश्नवाचक वाक्यों के अंत में यह लगता है :
A. , B. ।
C. : D. ?

14. निम्न में से किसे 'सामासिक चिह्न' भी कहते हैं?
A. संयोजक चिह्न B. पूर्णविराम चिह्न
C. अल्पविराम चिह्न D. समानार्थक चिह्न

15. आश्चर्य, घृणा, शोक, हर्ष, प्रसन्नता, उत्साह आदि भावों की अभिव्यक्ति करने वाले वाक्यों में विस्मयादि बोधक अव्ययों के बाद यह लगता है :
A. ! B. ।
C. , D. ?

16. अरे .... बदमाश जेल की चार-दीवारी फाँद गये। रिक्त स्थान में यह विराम चिह्न आएगा :
A. , B. ।
C. ! D. ?

17. निम्न में से योजक चिह्न है :
A. ! B. –
C. ? D. /

18. उद्धरण चिह्न है :
A. " " B. ।
C. : D. !

19. इनमें से कौन-सा विराम चिह्न है जो हिन्दी में अंग्रेजी भाषा से नहीं लिया गया है?
A. ? B. ।
C. . D. :

20. 'अहा!' विस्मयादि बोधक विभक्ति में कौन-सा भाव है?
A. शोक B. घृणा
C. हर्ष D. आश्चर्य

21. निम्न में से किसे 'निदेशक चिह्न' भी कहा जाता है?
A. " " B. ।
C. : D. !

22. किसी शब्द को स्पष्ट करने के लिए इस विराम चिह्न का प्रयोग होता है?
A. कोष्ठक B. अल्पविराम
C. शुद्ध विराम D. पूर्ण विराम

23. शब्दगत प्रयोग की भूल सुधारने या भूल को सही दिखाने में किस कोष्ठक का प्रयोग होता है?
A. वर्गाकार कोष्ठक B. सर्पाकार कोष्ठक
C. चौकोर कोष्ठक D. विपरीत कोष्ठक

24. एक ही विवरण को बार-बार लिखने से बचने के लिए इस चिह्न का प्रयोग होता है :
A. :- B. ,, ,,
C. " " D. ' '

25. यह अलग-अलग पंक्ति में लिखे ऐसे शब्दों को मिलाने के काम में आता है जिनका किसी एक साधारण पद से संबंध होता है :
A. वृत्ताकार कोष्ठक B. वर्गाकार कोष्ठक
C. लंबाकार कोष्ठक D. सर्पाकार कोष्ठक

उत्तरमाला

1	2	3	4	5	6	7	8	9	10
D	B	D	B	A	A	A	D	C	A
11	12	13	14	15	16	17	18	19	20
D	C	D	A	A	C	B	A	B	C
21	22	23	24	25					
A	A	A	B	D					

★★★

18 काल

समय, क्रिया के जिस रूप से उसके होने के समय का बोध होता है, तो उसे काल कहते हैं अथवा जिस समय जो क्रिया सम्पन्न होती है, वही उसका 'काल' कहा जाता है। इस प्रकार क्रिया के जिस रूप से क्रिया के होने का समय ज्ञात होता है, उसे ही काल कहते हैं।

काल के तीन भेद होते हैं:

1. वर्तमान काल 2. भूतकाल 3. भविष्यत् काल

वर्तमान काल

क्रिया के जिस रूप से कार्य के वर्तमान समय में सम्पन्न होने का बोध हो, उसे वर्तमान काल कहते हैं। जैसे—वह पढ़ता है।

मोहन पुस्तक पढ़ रहा है।

वर्तमान काल के चार भेद होते हैं—

(क) सामान्य वर्तमानः क्रिया का वह रूप जिससे क्रिया का वर्तमान में होना पाया जाए, सामान्य वर्तमान कहलाता है। जैसे—• मोहन जाता है। • राम पढ़ता है। • गीता देखती है।

(ख) तात्कालिक/अपूर्ण वर्तमानः क्रिया के जिस रूप से कार्य के होने या करने की निरन्तरता का बोध हो, उसे अपूर्ण वर्तमान कहते हैं। इसे तात्कालिक वर्तमान भी कहते हैं। जैसे—• मैं पत्र लिख रहा हूँ। • सुरेश गाना गा रहा है।

(ग) पूर्ण वर्तमानः क्रिया के जिस रूप से कार्य के वर्तमान में पूर्ण होने की जानकारी प्राप्त होती हो, उसे पूर्ण वर्तमान कहते हैं। जैसे—• राम गया है। • रमेश ने रोटी खायी है।

(घ) संभाव्य वर्तमानः इस काल में कार्य के पूर्ण होने की संभावना रहती है। जैसे—• राम खाया हो। • वह सोया हो।

भूतकाल

क्रिया के जिस रूप से कार्य के बीते हुए समय (अतीत) में सम्पन्न (पूर्ण) होने का बोध हो, उसे भूतकाल कहते हैं। जैसे—• राम खा चुका था। • गीता सो गई थी।

भूतकाल के छः भेद होते हैं—

(क) सामान्य भूतः क्रिया के जिस रूप से कार्य के बीते हुए समय में सम्पन्न होने का बोध हो, किन्तु ठीक समय का बोध न हो तो उसे सामान्य भूत कहते हैं। जैसे—• राम ने पत्र लिखा। • मोहन गया।

(ख) आसन्न भूतः क्रिया के जिस रूप से यह ज्ञात हो कि क्रिया अभी-अभी पूर्ण या समाप्त हुई है, उसे आसन्न भूत कहते हैं। जैसे—• राम पत्र लिख चुका है। • वह अभी आया था।

(ग) पूर्ण भूतः क्रिया के जिस रूप से यह स्पष्ट ज्ञात हो कि कार्य को समाप्त हुए बहुत समय बीत चुका है, उसे पूर्ण भूत कहते हैं। जैसे—• राम ने रावण को मारा था। • आशा ने गीत गाया था।

(घ) अपूर्ण भूतः क्रिया के जिस रूप से कार्य का बीते समय में होने का बोध हो किन्तु उसकी समाप्ति अर्थात् पूर्ण होने की जानकारी न प्राप्त हो, उसे अपूर्ण भूत कहते हैं। जैसे—• रमेश पुस्तक पढ़ रहा था। • सुरेश खाना खा रहा था।

(च) संदिग्ध भूतः संदिग्ध भूत में इस बात का सन्देह बना रहता है कि कार्य समाप्त हुआ या नहीं। जैसे—• तुमने लिखा होगा। • उसने चुराया होगा।

(छ) हेतुहेतुमद् भूतः इस काल में यह पता चलता है कि यद्यपि क्रिया का समापन भूतकाल में होना था परन्तु किसी कारणवश नहीं हो सका। दूसरे शब्दों में हम कह सकते हैं कि इस काल में कार्य के होने की शर्त लगी रहती है अर्थात् एक क्रिया की सिद्धि में दूसरी क्रिया शर्त बनकर प्रयुक्त होती है। जैसे—• यदि तुम पढ़ते तो परीक्षा पास करते। • यदि वर्षा होती तो पैदावार अच्छी होती।

भविष्यत् काल

क्रिया के जिस रूप से यह पता चले कि कार्य आने वाले समय (भविष्य) में होने वाला है, उसे भविष्यत काल कहते हैं। जैसे—• वह नौकरी करेगा। • रमेश व्यापार करेगा।

भविष्यत् काल के तीन भेद होते हैं—

(क) सामान्य भविष्यत्ः इस काल की क्रिया से यह पता चलता है कि कार्य स्वाभाविक रीति से भविष्य में पूरा होगा। जैसे—• मैं लिखूँगा। • वह गाँव जाएगा।

(ख) संभाव्य भविष्यत्ः इस काल की क्रिया से भविष्यत् काल में कार्य होने की संभावना का बोध होता है। जैसे—• संभव है, वह पत्र लिखे। • संभवतः वह कल आए।

(ग) हेतुहेतुमद् भविष्यत्ः इस काल की क्रिया से यह प्रकट होता है कि भविष्य में एक क्रिया का होना दूसरी क्रिया पर निर्भर करता है। जैसे—• अध्यापक आएं तो पढ़ाएं। • विद्यार्थी पढ़े तो परीक्षा उत्तीर्ण करे।

वस्तुनिष्ठ प्रश्न

1. वह दौड़ रहा है में कौन-सा काल है?
A. वर्तमानकाल B. भूतकाल
C. भविष्यकाल D. इनमें से कोई नहीं

2. हेतुहेतुमद् भेद किन कालों में होता है?
A. वर्तमान और भविष्य में B. वर्तमान और भूत में
C. भूत और भविष्य में D. इनमें से कोई नहीं

3. काल कितने होते हैं?
A. तीन B. चार
C. पाँच D. छः

4. कार्य व्यापार, समय और उसकी पूर्ण या अपूर्ण अवस्था का बोध कराने वाले क्रिया के रूपांतर को कहते हैं :
A. सकर्मक क्रिया B. हेतुहेतुमद् भूत
C. अकर्मक क्रिया D. काल

5. कालों का बोध किसके रूप से होता है?
A. संज्ञा B. विशेषण
C. क्रिया D. क्रिया-विशेषण

6. वह पाठशाला जाता है। काल पहचानिए।
A. संदिग्ध वर्तमान B. सामान्य वर्तमान
C. पूर्ण वर्तमान D. अपूर्ण वर्तमान

7. 'राम जाये तो श्याम आये।' काल पहचानिए।
A. संभाव्य भविष्यत् B. हेतुहेतुमद् भविष्यत्
C. अपूर्ण भविष्यत् D. सामान्य भविष्यत्

8. मैंने खाना खाया है। काल पहचानिए।
A. संभाव्य वर्तमान B. संदिग्ध वर्तमान
C. पूर्ण वर्तमान D. अपूर्ण वर्तमान

9. वह किताब पढ़ रहा होगा। काल पहचानिए।
A. सामान्य वर्तमान B. संदिग्ध वर्तमान
C. पूर्ण वर्तमान D. अपूर्ण वर्तमान

10. क्रिया की पूर्णता या अपूर्णता का बोध किसके द्वारा होता है?
A. कारक B. विशेषण
C. काल D. क्रिया-विशेषण

11. जहाँ भूतकाल में कार्य के पूरे होने में संदेह बना रहे, कहलाता है :
A. आसन्न भूतकाल B. हेतुहेतुमद् भूतकाल
C. अपूर्ण भूतकाल D. संदिग्ध भूतकाल

12. काल के भेद किस पर आधारित होते हैं?
A. क्रिया के रूपांतर पर B. सकर्मक क्रिया पर
C. अकर्मक क्रिया पर D. क्रिया-विशेषण पर

13. जिस वाक्य से क्रिया का वर्तमान काल में होना पता चले, वह वाक्य है :
A. सामान्य वर्तमान B. संभाव्य वर्तमान
C. संदिग्ध वर्तमान D. अपूर्ण वर्तमान

14. 'संभव है वे लड़के न आयें।' काल पहचानिए।
A. संभाव्य भविष्यत् B. हेतुहेतुमद् भविष्यत्
C. अपूर्ण भविष्यत् D. सामान्य भविष्यत्

15. भूतकाल के कितने भेद हैं?
A. तीन B. छह
C. पाँच D. चार

16. वर्तमान काल का यह भेद क्रिया के निरंतरण का द्योतक है :
A. सामान्य वर्तमान B. तात्कालिक वर्तमान
C. संदिग्ध वर्तमान D. पूर्ण वर्तमान

17. 'राधा आई है।' काल पहचानिए।
A. सामान्य भूतकाल B. संभाव्य भूतकाल
C. संदिग्ध भूतकाल D. आसन्न भूतकाल

18. 'मैं आता।' काल पहचानिए।
A. सामान्य भूतकाल B. हेतुहेतुमद् भूतकाल
C. संदिग्ध भूतकाल D. आसन्न भूतकाल

19. 'सीता ने खाना खाया था।' काल पहचानिए।
A. पूर्ण भूतकाल B. संभाव्य भूतकाल
C. हेतुहेतुमद् भूतकाल D. संदिग्ध भूतकाल

20. 'राधा आ रही है।' काल पहचानिए।
A. सामान्य वर्तमान B. संभाव्य वर्तमान
C. संदिग्ध वर्तमान D. तात्कालिक वर्तमान

उत्तरमाला

1	2	3	4	5	6	7	8	9	10
A	C	A	D	C	B	B	C	B	C
11	**12**	**13**	**14**	**15**	**16**	**17**	**18**	**19**	**20**
D	A	A	A	B	B	D	B	A	D

★★★

19 वाक्य/वाक्य विचार

वाक्य

सार्थक शब्दों का ऐसा समूह जो किसी विचार को पूर्ण करे या व्यक्त करे, उसे वाक्य कहते हैं। जैसे–मोहन अच्छा लिखता है।

वाक्य के अंग

1. **उद्देश्यः** वाक्य में जिस व्यक्ति या वस्तु के विषय में कुछ कहा जाता है, उसे उद्देश्य कहते हैं। **नोटः** कर्ता को ही उद्देश्य कहते हैं। **जैसे**–राम ध्यान से पढ़ता है। वाक्य में 'राम' शब्द उद्देश्य है।
2. **विधेयः** उद्देश्य के विषय में जो कुछ कहा जाता है, उसे विधेय कहते हैं। दूसरे शब्दों में, कर्ता के अलावा जो भी बात वाक्य में कही जाए, उसे विधेय कहते हैं। जैसे–मोहन धीरे-धीरे चलता है। वाक्य में 'धीरे-धीरे चलता है'–विधेय है।

वाक्य के भेद

1. रचना के आधार पर वाक्य भेदः

रचना के आधार पर वाक्य के तीन भेद होते हैं–

(i) **सरल या साधारण वाक्यः** जिन वाक्यों में एक उद्देश्य और एक ही विधेय होता है, उन्हें सरल या साधारण वाक्य कहते हैं। जैसे– • मुकेश पढ़ता है। • स्वाती खाना खा रही है।

(ii) **संयुक्त वाक्यः** जिन वाक्यों में दो या दो से अधिक सरल वाक्य समुच्चयबोधक शब्दों से जुड़े हों, उन्हें संयुक्त वाक्य कहते हैं। जैसे– • वह सुबह गया और शाम को लौट आया। • मोर नाच रहा है परंतु मोरनी चुपचाप बैठी है।

(iii) **मिश्र या मिश्रित वाक्यः** जिन वाक्यों में एक मुख्य या प्रधान वाक्य हो और अन्य आश्रित उपवाक्य हों, उन्हें मिश्रित वाक्य कहते हैं। इनमें एक मुख्य उद्देश्य के अलावा एक से अधिक समापिका क्रियाएं होती हैं। जैसे–• जो कल घर आया था, वह बाहर खड़ा है। • राधा विद्यालय नहीं जा सकी, क्योंकि वह बीमार है।

2. अर्थ के आधार पर वाक्य भेद

अर्थ के आधार पर आठ प्रकार के वाक्य होते हैं–

(i) **विधिवाचक वाक्यः** जिससे किसी बात के होने का बोध हो, वह विधिवाचक वाक्य कहलाता है। जैसे–• राजेश व्यायाम कर रहा है। • सविता अपना कार्य कर रही है।

(ii) **निषेधवाचक वाक्यः** जिन वाक्यों से कार्य न होने का बोध हो, वह निषेधात्मक वाक्य कहलाता है। जैसे–• उसने खाना नहीं खाया। • कक्षा में शोर मत मचाओ।

(iii) **प्रश्नवाचक वाक्यः** वह वाक्य जिसके द्वारा किसी प्रकार के प्रश्न किये जाने का बोध हो, उसे प्रश्नवाचक वाक्य कहते हैं। जैसे–• तुम क्या खा रहे हो? • तुम क्या पढ़ रहे हो?

(iv) **आज्ञावाचक वाक्यः** जिन वाक्यों से आज्ञा, अनुमति, प्रार्थना आदि का बोध होता है, वह आज्ञावाचक वाक्य कहलाता है। जैसे–• कृपया बैठ जाइए। • सदा सत्य बोलो।

(v) **विस्मयादिवाचक वाक्यः** जिन वाक्यों के द्वारा विस्मय, हर्ष, शोक, घृणा, प्रशंसा आदि के भाव प्रकट किए जाते हैं, वह विस्मयादिवाचक वाक्य कहलाता है। जैसे–• वाह! क्या दृश्य है। • ओह! कितनी ठंडी रात है।

(vi) **इच्छावाचक वाक्यः** जिस वाक्य से दूसरों के लिए आशीर्वाद, कामना, इच्छा आदि का बोध हो, उसे इच्छावाचक वाक्य कहते हैं। जैसे–• भगवान तुम्हें दीर्घायु प्रदान करें। • नववर्ष मंगलमय हो।

(vii) **संकेतवाचक वाक्यः** जिन वाक्यों में किसी संकेत या शर्त का बोध हो, उन्हें संकेतवाचक वाक्य कहते हैं। जैसे–• राम का मकान उधर है। • यदि वर्षा होती तो फसल अच्छी होती।

(viii) **संदेहवाचक वाक्यः** जिन वाक्यों में किसी कार्य के होने के बारे में संदेह या संभावना प्रकट की जाती है, उन्हें संदेहवाचक वाक्य कहते हैं। जैसे–• पता नहीं श्याम आएगा या नहीं (संदेह) • आज पिताजी आ सकते हैं (संभावना)

वस्तुनिष्ठ प्रश्न

1. ''अब इस दर्पण में देखकर बताओ कि तुम क्या देखते हो।'' यह वाक्य है:

A. विधिवाचक वाक्य B. सरल वाक्य
C. संयुक्त वाक्य D. मिश्र वाक्य

2. ''राम आया, भाई से मिला और तुरंत लौट गया।'' यह वाक्य है:

A. सरल वाक्य B. मिश्र वाक्य
C. संयुक्त वाक्य D. संदेहवाचक वाक्य

3. ''उसने परिश्रम तो बहुत किया, किंतु सफलता नहीं मिली।'' यह वाक्य है:

A. मिश्रित वाक्य B. सरल वाक्य
C. संयुक्त वाक्य D. अर्द्ध वाक्य

4. ''पानी न बरसता तो धान सूख जाता।'' किस प्रकार का वाक्य है?

A. इच्छावाचक वाक्य B. संदेहवाचक वाक्य
C. संकेतवाचक वाक्य D. आज्ञावाचक वाक्य

5. ''मैं आज स्कूल नहीं जाऊँगा।'' यह किस प्रकार का वाक्य है?
A. निषेधवाचक वाक्य B. संकेतवाचक वाक्य
C. विधिवाचक वाक्य D. प्रश्नवाचक वाक्य

6. ''मजदूर मेहनत करता है, किन्तु उसके लाभ से वंचित रहता है।'' यह किस प्रकार का वाक्य है?
A. सरल वाक्य B. मिश्र वाक्य
C. संयुक्त वाक्य D. इनमें से कोई नहीं

7. ''व्यवहार में वह बिल्कुल वैसा ही है जैसे उसके पिताजी।'' यह वाक्य है:
A. मिश्र वाक्य B. सरल वाक्य
C. संयुक्त वाक्य D. इनमें से कोई नहीं

8. ''जब तक वह रेलवे स्टेशन पहुँचा तब तक उसके दादा जा चुके थे।'' यह वाक्य किस प्रकार का वाक्य है?
A. सरल वाक्य B. मिश्रित वाक्य
C. संयुक्त वाक्य D. इनमें से कोई नहीं

9. ''राम पढ़ता है।'' यह वाक्य किस प्रकार का वाक्य है?
A. सरल वाक्य B. संयुक्त वाक्य
C. मिश्रित वाक्य D. इनमें से कोई नहीं

10. ''यदि सही दिशा में परिश्रम करोगे तो अवश्य सफल हो जाओगे।'' यह वाक्य है:
A. सरल वाक्य B. मिश्रित वाक्य
C. संयुक्त वाक्य D. इनमें से कोई नहीं

11. ''ईश्वर तुम्हें सफलता दें।'' यह वाक्य है:
A. प्रश्नवाचक वाक्य B. विस्मयवाचक वाक्य
C. निषेधवाचक वाक्य D. इच्छावाचक वाक्य

12. ''संतोष से बढ़कर सुख नहीं।'' यह वाक्य किस प्रकार का वाक्य है?
A. मिश्र वाक्य B. सरल वाक्य
C. संयुक्त वाक्य D. इनमें से कोई नहीं

13. ''आज बहुत पानी गिरा।'' यह वाक्य है:
A. सरल वाक्य B. संयुक्त वाक्य
C. मिश्र वाक्य D. उपवाक्य

14. ''तुलसीदास ने कहा है कि विनाशकाल में मनुष्य की बुद्धि भ्रष्ट हो जाती है।'' यह वाक्य है:
A. साधारण वाक्य B. संयुक्त वाक्य
C. मिश्र वाक्य D. इनमें से कोई नहीं

15. निम्न में से सरल वाक्य का चयन कीजिए:
A. उसने कहा कि कार्यालय बंद हो गया।
B. सुबह हुई और वह आ गया।
C. राहुल धीरे-धीरे लिखता है।
D. जो बड़े हैं, उन्हें सम्मान दो।

16. निम्न में से इच्छावाचक वाक्य का चयन कीजिए:
A. बच्चा देर तक रोता रहा। B. वह बाजार नहीं गया।
C. शायद वर्षा होगी। D. काश! गर्मी कम हो जाती।

17. किस विकल्प में मिश्रित वाक्य है?
A. राम ने चित्र बनाया।
B. साधना बाजार नहीं गई।
C. शिवांश आया पर यहाँ रुका नहीं।
D. माँ ने कहा कि विद्यालय से सीधे घर आना।

18. 'अब्दुल कलाम ने कहा कि पढ़ाई सभी के लिए अनिवार्य है।' में वाक्य का सही प्रकार चिह्नित कीजिए:
A. सरल वाक्य B. संयुक्त वाक्य
C. मिश्र वाक्य D. इनमें से कोई नहीं

19. ''जिसने लाल कमीज पहनी है, वह मेरा मित्र है।'' यह वाक्य किस प्रकार का वाक्य है?
A. सरल वाक्य B. मिश्र वाक्य
C. संयुक्त वाक्य D. इनमें से कोई नहीं

20. ''मैं मेले में नहीं गया क्योंकि मेरी परीक्षा थी।'' यह वाक्य है:
A. मिश्र वाक्य B. संयुक्त वाक्य
C. सरल वाक्य D. इनमें से कोई नहीं

21. ''चूंकि मैं परेशान था इसलिए तुम्हारे बुलाने पर भी न आया।'' यह वाक्य है:
A. मिश्र वाक्य B. संयुक्त वाक्य
C. सरल वाक्य D. इनमें से कोई नहीं

22. ''आकाश में पक्षी विचरण कर रहे हैं।'' यह वाक्य है:
A. संकेतवाचक वाक्य B. निषेधवाचक वाक्य
C. विधिवाचक वाक्य D. संदेहवाचक वाक्य

23. ''इस रास्ते से मत जाओ।'' यह वाक्य किस प्रकार का वाक्य है?
A. निषेधवाचक वाक्य B. प्रश्नवाचक वाक्य
C. विधिवाचक वाक्य D. संदेहवाचक वाक्य

24. ''यदि लोग सोच-समझकर नेता चुनते तो सही सरकार बनती।'' यह वाक्य है:
A. विधिवाचक वाक्य B. संदेहवाचक वाक्य
C. संकेतवाचक वाक्य D. प्रश्नवाचक वाक्य

25. ''शायद आज मेरा परिणाम आ जाएगा।'' में वाक्य का सही प्रकार पहचानिए:
A. विधिवाचक वाक्य B. संदेहवाचक वाक्य
C. विस्मयवाचक वाक्य D. संकेतवाचक वाक्य

उत्तरमाला

1	2	3	4	5	6	7	8	9	10
D	C	C	C	A	C	A	B	A	B
11	12	13	14	15	16	17	18	19	20
D	B	A	C	C	D	D	C	B	B
21	22	23	24	25					
A	C	A	C	B					

★★★

20 वाक्यगत अशुद्धियाँ

वाक्य रचना की अशुद्धियों का कारण है— व्याकरण के नियमों का सही ज्ञान न होना। वाक्य की शुद्धता के लिए वर्तनी, मात्रा, लिंग, वचन, विराम चिह्न और पदक्रम का पालन करना अनिवार्य है।

वस्तुनिष्ठ प्रश्न

1. निम्न में से कौन-सा शुद्ध वाक्य है?
A. मुझे बहुत आती है आनंद
B. मुझे बहुत आनंद आता है
C. मुझे आनंद आता है
D. इनमें से कोई नहीं

2. निम्न में से एक वाक्य अशुद्ध है:
A. गौतम ऋषि की पत्नी का नाम अहिल्या था।
B. इस कार्य में बहुत विलम्ब हो गया।
C. एक गुलाब की माला खरीद लेना।
D. रसगुल्ला बहुत स्वादिष्ट है।

3. शुद्ध वाक्य का चयन कीजिए।
A. आज घोड़ा दौड़ भी होगी।
B. मेरे लिए गणित कठोर विषय है।
C. बाण शस्त्र और बंदूक अस्त्र है।
D. गरीबों के लिए निःशुल्क शिक्षा की व्यवस्था है।

4. शुद्ध वाक्य चुनिए:
A. वाह! कितना सुंदर दृश्य हैं।
B. वाह! कितना सुंदर दृश्य है।
C. 'वाह' कितना सुंदर दृश्य है।
D. वाह? कितना सुंदर दृश्य है।

5. शुद्ध वाक्य का चयन कीजिए:
A. कृपया करके खुले पैसे दो।
B. कृपया खुले पैसे दें।
C. कृपया खुले पैसे देने की कृपा करें।
D. कृपया करके खुले पैसे देने की कृपा करें।

निर्देश (प्र.सं. 6 से 8 तक): *निम्नलिखित अशुद्ध वाक्यों के शुद्ध रूप का नीचे दिए गए विकल्पों में से चयन कीजिए।*

6. मैं तेरे को बता दूँगा।
A. मैं बता तुझको दूँगा।
B. मैं तुम्हें बता दूँगा।
C. मैं तुझको बता दूँगा।
D. सभी वाक्य सही हैं।

7. पेड़ों पर कोयल बोल रही थी।
A. पेड़ पर कोयलें बोल रही थीं।
B. पेड़ों पर कोयल थी।
C. पेड़ पर कोयल बोल रही थी।
D. सभी वाक्य सही हैं।

8. मुझे भारी दुःख हुआ।
A. मुझे बहुत दुःख हुआ।
B. मुझे दुःखी हुआ।
C. मुझे ज्यादा दुःख हुआ।
D. सभी वाक्य सही हैं।

निर्देश (प्र.सं. 9 से 15 तक): *निम्नलिखित प्रश्नों में दिए गए विकल्पों में से शुद्ध वाक्य का चयन कीजिए।*

9. A. एक गीतों की पुस्तक ला दो।
B. गीतों की एक पुस्तक ला दो।
C. पुस्तक एक गीतों की ला दो।
D. पुस्तक गीतों की एक ला दो।

10. A. बन्दर को काटकर चाकू से फल खिला दो।
B. चाकू से बन्दर को काटकर फल खिला दो।
C. चाकू से फल काटकर बन्दर को खिला दो।
D. फल काटकर चाकू से बन्दर को खिला दो।

11. A. मैं गाने की कसरत कर रहा हूँ।
B. मैं गाने का अभ्यास करता हूँ।
C. मैं गाना कर रहा हूँ।
D. मैं गाने का व्यायाम कर रहा हूँ।

12. A. उसे रोको मत, जाने दो।
B. उसे जाने दो, मत रोको।
C. मत रोको, उसे जाने दो।
D. उसे जाने ही दो, रोको नहीं।

13. A. दस बजे रात में गाड़ी आएगी।
B. गाड़ी रात में दस बजे आएगी।
C. रात को दस बजे गाड़ी आएगी।
D. रात में गाड़ी दस बजे आएगी।

14. A. मैं जाते-जाते रुक गया।
B. मैं जा रहा था पर रुक गया।
C. मैं जा रहा था और रुक गया।
D. अचानक जाते-जाते रुक गया।

15. A. मेरे को घर जाना चाहिए।
B. मुझे घर जाना चाहिए।
C. मैंने घर जाना चाहिए।
D. मुझको घर को जाना चाहिए।

निर्देश (प्र.सं. 16 से 30 तक): *सार्थक वाक्य बनाने के लिए शब्दों के निम्नलिखित शब्दों/समूहों को पुनर्व्यवस्थित करें। विकल्पों में दिए गए सही अनुक्रम का चयन कीजिए।*

16. गलतियों (A) / हमें अपनी (B) / चाहिए (C) / को सुधारना (D)
A. BADC B. ABCD
C. DCBA D. BACD

17. बाद भारतीय सेना के (A) / स्वतंत्रता प्राप्ति के (B) / वीरता पदकों की शुरुआत की गयी (C) / सभी रैंकों के लिए अनेक (D)
A. ABCD B. BADC
C. ACDB D. DCAB

18. व्यय (A) / मैं (B) / करता हूँ (C) / सोच-समझकर (D)
A. DCBA B. CDAB
C. BDAC D. ADCB

19. व्यक्ति की (A) / सुख-दुख का अहसास (B) / निर्भर करता है (C) / मनःस्थिति पर (D)
A. ABCD B. BADC
C. BCDA D. BDAC

20. गाय का (A) / ताजा (B) / दूध पीता हूँ (C) / मैं (D)
A. DBAC B. DABC
C. ABCD D. BCDA

21. नागरिक (A) / होना (B) / गर्व की बात है (C) / भारत का (D)
A. ABCD B. DBAC
C. DABC D. BCDA

22. पढ़ाई (A) / सफलता मिलती है (B) / नियमित (C) / से (D)
A. CADB B. BACD
C. ACDB D. ADCB

23. सफाई (A) / पर (B) / हमेशा (C) / ध्यान देना चाहिए (D)
A. BACD B. ABCD
C. CABD D. ACDB

24. मित्र (A) / हमारे (B) / हैं (C) / वृक्ष (D)
A. DABC B. ABCD
C. ADCB D. DBAC

25. एक (A) / देश है (B) / धार्मिक (C) / भारत (D)
A. ADCB B. DACB
C. CDAB D. ACDB

26. जीवन (A) / जल (B) / असंभव है (C) / के बिना (D)
A. BDAC B. ACBD
C. BADC D. ABCD

27. गंभीर (A) / समस्या है (B) / एक (C) / प्रदूषण (D)
A. CADB B. ABCD
C. DCAB D. CADB

28. बर्बादी (A) / की (B) / नहीं करनी चाहिए (C) / समय (D)
A. ADBC B. DBAC
C. DABC D. ABCD

29. विद्यार्थियों (A) / को (B) / कड़ी मेहनत (C) / करनी चाहिए (D)
A. ABCD B. CABD
C. ABDC D. CDAB

30. उद्गम (A) / गंगोत्री है (B) / स्थल (C) / गंगा का (D)
A. DCAB B. ACDB
C. DACB D. CDAB

उत्तरमाला

1	2	3	4	5	6	7	8	9	10
B	C	D	B	B	B	C	A	B	C
11	**12**	**13**	**14**	**15**	**16**	**17**	**18**	**19**	**20**
B	A	C	A	B	A	B	C	B	B
21	**22**	**23**	**24**	**25**	**26**	**27**	**28**	**29**	**30**
C	A	C	D	B	A	C	B	A	C

★ ★ ★

21 रस, छंद, अलंकार

अलंकार का शाब्दिक अर्थ है–आभूषण या गहना। जिस प्रकार शरीर की शोभा को बढ़ाने के लिए लोग आभूषण धारण करते हैं उसी प्रकार काव्य की शोभा को बढ़ाने के लिए जिस शब्द का प्रयोग किया जाता है, उसे अलंकार कहते हैं। किसी ने सच ही कहा है कि ''काव्य शोभाकरान् धर्मान् अलंकान् प्रचक्षते!'' अर्थात् काव्य की शोभा बढ़ाने वाले धर्म या गुण को अलंकार कहते हैं। इसके प्रयोग से काव्य में अर्थ व भाषा की दृष्टि से चार चाँद लग जाते हैं। वहीं दूसरी ओर कविता में रस का प्रयोग श्रोता या पाठक को आत्म-विभोर कर देता है। रस किसी पद्य में ऐसे तत्त्व का समावेश करता है जो पाठक के हृदय में ऐसे आनंद का संचरण करता है जिसे वह सिर्फ महसूस कर पाता है किन्तु मुँह से या शब्दों से उसकी व्याख्या नहीं कर पाता।

वस्तुनिष्ठ प्रश्न

निर्देश : *निम्नलिखित प्रश्नों में दिए गए वाक्यों में प्रयुक्त अलंकार के भेद का चयन उसके नीचे दिए विकल्पों में से कीजिए।*

1. कुन्द इन्दु सन देह, उमा रमन, करुणा 'अयन' में कौन-सा अलंकार है?
A. श्लेष B. उपमा
C. अनुप्रास D. रूपक

2. 'काली लहर कल्पना काली
मेरी काल कोठरी काली'
में कौन-सा अलंकार है?
A. अनुप्रास B. रूपक
C. श्लेष D. उपमा

3. ''लाल चेहरा है नहीं, फिर, लाल किसके'', में कौन-सा अलंकार है?
A. यमक B. रूपक
C. उपमा D. अनुप्रास

4. 'कनक-कनक ते सौ गुनी मादकता अधिकाय' में कौन-सा अलंकार है?
A. यमक B. श्लेष
C. अनुप्रास D. उपमा

5. 'हरिपद कोमल कमल से' में उपमा का कौन-सा भेद है?
A. लुप्तोपमा B. मालोपमा
C. पूर्णोपमा D. इनमें से कोई नहीं

6. रंग-रूप, गुण-धर्म की समानता के कारण किसी वस्तु में दूसरी वस्तु का सन्देह होने पर कौन-सा अलंकार होता है?
A. भ्रान्तिमान B. सन्देह
C. प्रतीप D. अतिशयोक्ति

7. संपत्ति चकई भरतु चक मुनि आयसु खेलवार
तेहि निसि आश्रम पिजराँ राखे भाभिनुसार।
सम्पत्ति चकई में अलंकार बताइए।
A. उपमा B. रूपक
C. संदेह D. कोई नहीं

8. बीती विभावरी जाग री
अम्बर-पनघट में डुबो रही तारा घट उषा-नागरी।।
प्रस्तुत पंक्तियों में कौन-सा अलंकार है?
A. उपमा B. रूपक
C. उत्प्रेक्षा D. यमक

9. 'रघुपति राघव राजा राम' में निम्नलिखित में से किस अलंकार का प्रयोग किया गया है?
A. यमक B. अनुप्रास
C. उपमा D. उत्प्रेक्षा

10. एक शब्द के अनेक अर्थ होने पर कौन-सा अलंकार होता है?
A. उपमा B. रूपक
C. श्लेष D. यमक

11. ''मूक होई वाचाल पंगु चढ़ाई गिरिवर गहन।
जसु कृपा सो दयाल, द्रवहु सकल कलिमल दहन।।''
प्रस्तुत पंक्तियों में कौन-सा छंद है?
A. दोहा B. चौपाई
C. सोरठा D. बरवै

12. अनुराग तड़ाग में भानु उदै बिगसी मानो कंज कली में कौन सा रस है?
A. श्रृंगार रस B. भक्ति रस
C. शांत रस D. इनमें से कोई नहीं

13. किस रस का संचारी भाव उग्रता, गर्व, हर्ष आदि है?
A. श्रृंगार B. वीर
C. वात्सल्य D. रौद्र

14. 'मेरी भव बाधा हरौ,
राधा नागरि सोई।
जो तन की झाईं परत,
स्यामु हरित दुति होई।।'
उपरोक्त पद में कौन-सा अलंकार होता है
A. उपमा B. रूपक
C. यमक D. श्लेष

15. 'आशाओं की करवट
फिर सुप्त व्यथा का जगना'
इन पंक्तियों में अलंकार है
A. उपमा B. रूपक
C. उत्प्रेक्षा D. मानवीकरण

16. "बढ़त-बढ़त सम्पत्ति-सलिल मन-सरोज बढ़ जाए"
सम्पत्ति-सलिल में अलंकार है
A. रूपक B. उपमा
C. उत्प्रेक्षा D. श्लेष

17. "मेरे तो गिरिधर गोपाल दूसरो न कोई।
जाके सिर मोर मुकुट मेरो पति सोई।।"
में किस रस की अभिव्यक्ति है?
A. हास्य B. करुण
C. शृंगार D. शान्त

18. "राग है कि, रूप है कि
रस है कि, जल है कि
तन है कि, मन है कि
प्राण है कि, प्यारी है"
उपर्युक्त पंक्तियों में रस है
A. शृंगार B. वात्सल्य
C. अद्भुत D. शान्त

19. किस रस का संचारी उद्दीपन विभाव बादल की घटाएँ, कोयल का बोलना, बसन्त ऋतु आदि होते हैं?
A. शृंगार B. वात्सल्य
C. अद्भुत D. शान्त

20. "सोहत कर नवनीत लिए
घुटुरुन चलत रेनु तन मंडित
मुख दधि लेप किए।"
उपर्युक्त पंक्तियों में रस है
A. शृंगार B. रौद्र
C. शान्त D. वात्सल्य

21. 'दिनकर' किस रस के कवि माने जाते हैं?
A. शृंगार रस B. वीर रस
C. करुण रस D. रौद्र रस

22. चौपाई के चारों चरणों में कितनी मात्राएँ होती हैं?
A. तेरह B. सत्रह
C. चौदह D. सोलह

23. छंद कितने प्रकार के होते हैं?
A. तीन B. दो
C. पाँच D. चार

24. दोहा के प्रथम और तृतीय चरण में कितनी मात्राएँ होती हैं?
A. ग्यारह B. बारह
C. चौदह D. तेरह

25. दोहे और रोले को क्रम से मिलाने पर कौन-सा छंद बनता है?
A. हरिगीतिका B. कुण्डलियाँ
C. सवैया D. बरवै

26. "अवधि शिला का उर पर था गुरु भार।
तिल-तिल काट रही थी दृग जल धार।।"
प्रस्तुत पंक्तियों में कौन-सा छंद है?
A. दोहा B. सोरठा
C. रोला D. बरवै

27. 'कमल' शब्द का गण बताएं
A. नगण B. जगण
C. मगण D. रगण

28. आचार्य मम्मट के अनुसार रस कितने हैं?
A. नौ B. ग्यारह
C. दस D. बारह

29. किस छन्द में वर्ण या मात्रा की गणना नहीं की जाती है?
A. वर्णिक छन्द B. मात्रिक छन्द
C. मुक्त छन्द D. इनमें से कोई नहीं

30. मात्रिक छंद नहीं है
A. दोहा B. चौपाई
C. सोरठा D. सवैया

उत्तरमाला

1	2	3	4	5	6	7	8	9	10
B	B	A	A	C	B	B	B	B	D
11	12	13	14	15	16	17	18	19	20
C	A	B	D	D	A	C	C	A	D
21	22	23	24	25	26	27	28	29	30
B	D	A	D	B	D	A	A	C	D

★ ★ ★

सामाजिक विज्ञान

मुगल काल

1. निम्न में से किसने बाबर को सर-ए-पुल के युद्ध में पराजित किया था?
A. जानी खां　　B. अब्दुल्लाह खां उजबेक
C. शैबानी खां　　D. उबैदुल्लाह खां

2. किस मुगल शासक ने भारत में आटोमन युद्ध पद्धति को अपनाया?
A. बाबर　　B. अकबर
C. शाहजहाँ　　D. उपरोक्त में से कोई नहीं

3. नीचे दिए गए युद्धों में से किसमें प्रथम बार तोपों का प्रयोग किया गया था?
A. प्लासी का युद्ध　　B. खानवा का युद्ध
C. पानीपत का प्रथम युद्ध　　D. पानीपत का तृतीय युद्ध

4. नीचे दिए गए युद्धों में से किसमें बाबर ने 'जेहाद' की घोषणा की?
A. खानवा का युद्ध　　B. पानीपत का तृतीय युद्ध
C. चँदेरी का युद्ध　　D. इनमें से कोई नहीं

5. बाबर ने अपनी रचना 'बाबरनामा' में किस हिन्दू राज्य का उल्लेख किया है?
A. मेवाड़　　B. गुजरात
C. कश्मीर　　D. उड़ीसा

6. निम्नलिखित में से कौन अकबर के दरबार में राजकवि के पद पर आसीन था?
A. तानसेन　　B. बीरबल
C. फैजी　　D. फकीर अजीउद्दीन

7. निम्न घटनाओं पर विचार करिए और उन्हें क्रमानुसार व्यवस्थित कीजिए :
1. देवराई का युद्ध　　2. कन्नौज का युद्ध
3. सामूगढ़ का युद्ध　　4. चौसा का युद्ध

नीचे दिए गए कूट की सहायता से सही उत्तर का चयन कीजिए :
A. 2, 3, 1, 4　　B. 1, 4, 2, 3
C. 1, 2, 4, 3　　D. 2, 1, 4, 3

8. शेरशाह का मकबरा स्थित है?
A. कालिंजर　　B. दिल्ली
C. सासाराम　　D. सोनारगांव

9. निम्न में से किस शासक ने बंगाल से लेकर पेशावर तक 'सड़क-ए-आजम' कहलायी जाने वाली सड़क का निर्माण कराया?
A. अकबर　　B. शाहजहाँ
C. शेरशाह　　D. बाबर

10. अकबर ने सर्वप्रथम किन राजपूतों के साथ वैवाहिक संबंध स्थापित किया?
A. कछवाहों से　　B. बुंदेलों से
C. सीसोदियों से　　D. राठौडों से

11. निम्नलिखित में से किसे एक 'प्रबुद्ध शासक' कहा जा सकता है?
A. बाबर　　B. अकबर
C. हुमायूँ　　D. औरंगजेब

12. टोडरमल ने किस क्षेत्र में ख्याति अर्जित किया?
A. भू- राजस्व　　B. चित्रकला
C. सैन्य अभियान　　D. हास-परिहास

13. सुलह-ए-कुल का सिद्धांत किसने प्रतिपादित किया था?
A. निजामुद्दीन औलिया　　B. जैनुल आबदीन
C. अकबर　　D. शेख नासिरुद्दीन चिराग

14. सूची-I को सूची-II से मिलान कीजिए और सूचियों के नीचे दिए गए कूट का प्रयोग करके सही उत्तर चुनिये :

सूची-I (शासक)	सूची-II (मकबरा)
A. बाबर	1. लाहौर
B. अकबर	2. आगरा
C. जहांगीर	3. काबुल
D. शाहजहाँ	4. सिकंदरा

कूट :

A. 3, 4, 1, 2 B. 1, 2, 3, 4
C. 2, 1, 3, 4 D. 4, 3, 2, 1

15. अकबर के दरबार में पहुँचने वाला पहला अंग्रेज व्यक्ति कौन था?

A. जॉन हाकिंस B. रॉल्फ फिंच
C. पीटर मुंडी D. सर थॉमस रो

16. दो-अस्पा और सिंह-अस्पा प्रथा किस शासक ने शुरू की थी?

A. शाहजहाँ B. अकबर
C. औरंगजेब D. जहांगीर

17. मुगल चित्रकला किस शासक के काल में अपने पराकाष्ठा पर पहुँच गई?

A. जहांगीर B. हुमायूँ
C. औरंगजेब D. जहांदर शाह

18. हिन्दू कला का अप्रतिम उदाहरण माना जाने वाला गोविंद महल, स्थित है?

A. ओरछा में B. ग्वालियर में
C. दतिया में D. खजुराहो में

19. उपनिषदों का फारसी में अनुवाद किस मुगल शासक के शासनकाल के दौरान हुआ?

A. अकबर B. शाहजहाँ
C. जहांगीर D. औरंगजेब

20. किस मुगल बादशाह के शासनकाल में सेना में सबसे अधिक हिन्दू सेनापति थे?

A. जहांगीर B. औरंगजेब
C. अकबर D. हुमायूँ

21. मध्यकाल में बंटाई शब्द का अर्थ था :

A. संपत्ति कर
B. धार्मिक कर
C. लगान निर्धारित करने का तरीका
D. इनमें से कोई नहीं

22. मुगल काल में किस बंदरगाह को 'बाबुल मक्का' (मक्का द्वार) कहा जाता था?

A. भरूच B. सूरत
C. कालीकट D. कैम्बे

23. बाबरनामा का अंग्रेजी अनुवाद किसने किया?

A. फिंच B. विलियम हॉकिंस
C. विलियम जोन्स D. लेडेन और रस्किन

24. प्रसिद्ध चित्रकार 'दसवंत और वसावन' किस मुगल शासक के राज दरबार में थे?

A. अकबर B. औरंगजेब
C. जहांगीर D. शाहजहाँ

25. मुगल काल में जनपद (जिला) को क्या कहा जाता था?

A. सूबा B. इक्ता
C. सरकार D. तर्फ

1857 का विद्रोह

26. 1857 की क्रांति का प्रमुख कारण था?

A. सैनिक असंतोष
B. ब्रिटिश शासन की नीतियाँ
C. जन आंदोलन
D. आदिवासियों का असंतोष

27. 1857 की क्रांति का प्रतीक क्या था?

A. रुमाल B. बाज
C. कमल और रोटी D. दो तलवार

28. निम्न में से 1857 के स्वतंत्रता संग्राम से संबंधित पहली घटना क्या थी?

A. सैनिकों का दिल्ली के लाल किले पर पहुंचना
B. झांसी की रानी द्वारा विद्रोह
C. कानपुर में विद्रोह
D. कुँवर सिंह द्वारा विद्रोह

29. नीचे दिए गए क्रांतिकारियों में से किसका वास्तविक नाम रामचंद्र पांडुरंग था?

A. नाना साहब B. मंगल पाण्डेय
C. तात्या टोपे D. कुँवर सिंह

30. 1857 के संघर्ष में किस राज्य से सिपाहियों ने सर्वाधिक संख्या में भाग लिया?

A. अवध राज्य से B. बंगाल राज्य से
C. बिहार राज्य से D. राजस्थान राज्य से

31. आजादी की पहली लड़ाई (1857 की क्रांति) में निम्न में से किसने भाग नहीं लिया?

A. रानी लक्ष्मीबाई
B. भगत सिंह
C. तात्या टोपे
D. बहादुरशाह जफर

32. 1857 के संग्राम में शिक्षित वर्ग ने :

A. विद्रोह का विरोध किया था

B. विद्रोह से तटस्थता बनाए रखा था

C. विद्रोह का समर्थन किया था

D. देशी रियासतों के विरुद्ध विद्रोह किया था

33. किस राजवंश ने 1857 के स्वतंत्रता संघर्ष में अंग्रेजों की सर्वाधिक सहायता की थी?

A. इंदौर के होल्कर ने

B. ग्वालियर के सिंधिया ने

C. नागपुर के भोंसले ने

D. रामगढ़ के लोधी ने

34. सूची-I (1857 के संघर्ष के नायक) को सूची-II (उनका कार्यक्षेत्र) से सुमेलित कीजिए :

सूची-I	सूची-II
(*a*) बख्त खां	1. अवध
(*b*) मौलवी अहमदुल्ला	2. कानपुर
(*c*) कुँवर सिंह	3. आरा
(*d*) नाना साहब	4. दिल्ली

कूट :

A. 3, 1, 2, 4 B. 3, 2, 4, 1

C. 4, 1, 3, 2 D. 4, 3, 1, 2

35. निम्न में से कौन 1857 के संघर्ष के दौरान बैरकपुर का ब्रिटिश कमांडिंग ऑफिसर था?

A. हैरसे B. हेनरी लॉरेंस

C. कर्नल फिनिस D. सर ह्यू व्हीलर

36. 1857 के विद्रोह के समय ब्रिटिश प्रधानमंत्री था :

A. एटली B. चर्चिल

C. ग्लेडस्टोन D. पामर्स्टन

37. निम्न में से किस इतिहासकार ने 1857 के विद्रोह को स्वतंत्रता की पहली लड़ाई कहा था?

A. वी.डी. सावरकर

B. अशोक मेहता

C. आर.सी. मजूमदार

D. डॉ. एस.एन. सेन

38. भारतीय भाषा में 1857 की क्रांति के कारणों के बारे में लिखने वाला पहला भारतीय था?-

A. बंकिमचंद्र चटर्जी B. सैयद अहमद खां

C. वी.डी. सावरकर D. ताराचंद्र

39. 1857 का संग्राम मुख्य रूप से किस कारण से असफल रहा?

A. इसके प्रभाव का सीमित क्षेत्र

B. जमींदारों की सीमित सहभागिता

C. हिन्दू-मुस्लिम एकता की कमी

D. किसी सामान्य योजना और केन्द्रीय संगठन की कमी

40. 1857 के संघर्ष के दौरान बहादुर शाह जफर ने किसे 'साहब-ए-आजम' की उपाधि दी?

A. बख्त खां B. अजीमुल्लाह

C. हसन खान D. विरजिस कादिर

41. निम्न में से कौन 1857 के संग्राम से संबंधित नहीं है?

A. कर्नल वैलेस B. कर्नल सेंट लेगर

C. लेफ्टिनेंट कर्नल गिब्स D. उपरोक्त सभी

42. 1857 के विद्रोह के समय भारत का गवर्नर जनरल कौन था?

A. लॉर्ड कैनिंग B. लॉर्ड एमहर्स्ट

C. लॉर्ड हेस्टिंग्स D. लॉर्ड ऑकलैंड

43. निम्न में से कौन-सा स्थल राजस्थान में 1857 की क्रांति का केंद्र नहीं था?

A. जयपुर B. आऊवा

C. अजमेर D. नीमच

44. वह महिला कौन थीं जिन्होंने 1857 की क्रांति के दौरान अवध का नेतृत्व किया था?

A. अरुणा आसफ अली B. लक्ष्मीबाई

C. बेगम हजरत महल D. अहिल्याबाई

45. 1857 के विद्रोह के दमन के बाद भारतीय सेना के पुनर्गठन के लिए ब्रिटिश सरकार द्वारा किस आयोग का गठन किया था?

A. स्ट्रेची आयोग B. बटलर आयोग

C. पील आयोग D. इनमें से कोई नहीं

46. संघर्ष के निम्न केंद्रों में से अंग्रेजों ने सबसे पहले किसे पुनः अधिकृत किया?

A. दिल्ली B. झांसी

C. कानपुर D. मेरठ

47. अंग्रेजों के विरुद्ध 1857 के विद्रोह में कुँवर सिंह किस जगह से शामिल हुए?

A. बेतिया B. वाराणसी

C. पटना D. आरा

48. निम्न में से कौन 1857 के संग्राम में असम का नेता था?

A. पुरंदर सिंह B. दीवान मानिराम दत्त

C. पियाली बरूआ D. कंदपेश्वर सिंह

49. निम्न में से किसका संबंध 1857 के स्वतंत्रता संग्राम से नहीं था?

A. ऊधम सिंह B. कुँवर सिंह

C. बेगम हजरत महल D. मौलवी अहमदुल्लाह

50. 1857 के संघर्ष को किस उर्दू कवि ने देखा था?

A. इकबाल B. जोक

C. मीर तकी मीर D. मिर्जा गालिब

ब्रिटिश शासन का प्रभाव

51. आर्थिक तौर पर 19वीं सदी में भारत पर अंग्रेजी शासन का एक परिणाम था :
A. नगरीय जनसंख्या में तीव्र वृद्धि
B. भारतीय कृषि का वाणिज्यीकरण
C. हस्त-शिल्पों के निर्यात में वृद्धि
D. भारतीय स्वामित्व वाले कारखानों की संख्या में वृद्धि

52. सती प्रथा पर प्रतिबंध किसने लगाया था?
A. विलियम बेंटिक B. लॉर्ड कैनिंग
C. वॉरेन हेस्टिंग्स D. लॉर्ड कर्जन

53. व्यपगत के सिद्धांत की शुरुआत किसने की थी?
A. लॉर्ड कार्नवालिस B. विलियम बेंटिक
C. लॉर्ड डलहौजी D. लॉर्ड लिटन

54. किसके शासनकाल में स्थायी बंदोबस्त लागू किया गया था?
A. लॉर्ड कार्नवालिस B. लॉर्ड वेलेजली
C. वारेन हेस्टिंगस D. सर जॉन शोर

55. रैयतवाड़ी व्यवस्था किस प्रशासक ने प्रारंभ की थी?
A. लॉर्ड डलहौजी B. टॉमस मुनरो
C. अलेक्जेंडर रीड D. लॉर्ड मेयो

56. निम्नलिखित कथनों पर विचार कीजिए तथा उनके नीचे दिए गए कूट से सही उत्तर चुनिये :

कथन (A) : ब्रिटिश काल में भारत का व्यापार संतुलन अनुकूल था।

कारण (R) : धन की निकासी का प्रतिरूप अप्रतिफलित था।
A. (A) और (R) दोनों सही हैं, परंतु (R), (A) की सही व्याख्या नहीं है
B. (A) और (R) दोनों सही हैं, तथा (R), (A) की सही व्याख्या है
C. कथन (A) सही है, पर (R) गलत है
D. कथन (A) गलत है, पर (R) सही है

57. ब्रिटिश शासनकाल में निम्न में से किसने भारत के आर्थिक दोहन के सिद्धांत को प्रतिपादित किया?
A. जयप्रकाश नारायण B. एम.एन. रॉय
C. दादाभाई नौरोजी D. राममनोहर लोहिया

58. किसने यह विचार दिया कि भारत में ब्रिटिश आर्थिक नीति घिनौनी है?
A. कार्ल मार्क्स B. दादाभाई नौरोजी
C. एडम स्मिथ D. रवींद्रनाथ टैगोर

59. दक्षिण भारत में सिचाई व्यवस्था का जनक किसे माना जाता है?
A. लेफ्टिनेंट ब्लेन B. कर्नल बेयर्ड स्मिथ
C. सर आर्थर कॉटन D. कर्नल रॉबर्ट स्मिथ

60. 'पावर्टी एण्ड अन-ब्रिटिश रूल इन इंडिया' नामक पुस्तक के लेखक हैं?
A. दादाभाई नौरोजी B. राममनोहर लोहिया
C. जयप्रकाश नारायण D. आर.सी. दत्त

61. निम्नलिखित में से ''साम्राज्यवाद'' शब्द का भारतीय समाज पर क्या प्रभाव पड़ा?
A. भारतीय संस्कृति का संरक्षण सुदृढ़ हुआ
B. भारतीय लोगों में जागरुकता की वृद्धि हुई
C. भारतीय समाज की बुराइयों में वृद्धि हुई
D. कृषकों की स्थिति में सुधार हुआ

62. ब्रिटिश शासन के दौरान भारतीय समाज के किस पहलू पर प्रमुख प्रभाव पड़ा था?
A. हिन्दू-मुस्लिम संघर्ष में वृद्धि
B. सभी वर्गों पर समान प्रभाव
C. भारतीय संस्कृति का संरक्षण
D. महिला अधिकारों में सुधार

63. निम्न में से किस अधिनियम द्वारा सर्वप्रथम भारत में शिक्षा के लिए एक लाख रुपया दिया गया था?
A. चार्टर अधिनियम, 1853
B. चार्टर अधिनियम, 1813
C. भारतीय परिषद अधिनियम, 1892
D. वुड्स डिस्पैच, 1854

64. निम्न में से चार्ल्स वुड्स डिस्पैच का संबंध किससे था?
A. प्रशासनिक सुधार B. सैन्य सुधार
C. शिक्षा D. व्यापार

65. हंटर कमीशन की रिपोर्ट में किसके विकास पर जोर दिया गया था?
A. प्राथमिक शिक्षा पर
B. तकनीकी शिक्षा पर
C. उच्च शिक्षा पर
C. महिलाओं की शिक्षा पर

66. बंबई में प्रथम महिला विद्यालय की स्थापना किसके प्रयासों से संभव हुई?
A. रमाबाई B. दयाराम साहनी
C. डी.के. कर्वे D. महादेव गोविंद रानाडे

67. निम्न में से किसका संबंध डेक्कन एजुकेशन सोसायटी की स्थापना से है?
A. बाल गंगाधर तिलक B. दयानंद सरस्वती
C. फिरोज शाह मेहता D. जस्टिस रानाडे

68. बनारस हिन्दू विश्वविद्यालय का शिलान्यास किसने किया था?
A. एनी बेसेंट
B. महाराजा विभूति नारायण सिंह
C. मदन मोहन मालवीय
D. लॉर्ड हार्डिंग

69. स्वदेशी आंदोलन की शुरुआत कब हुई थी?
A. 1908 B. 1905
C. 1909 D. 1919

70. ब्रिटिश द्वारा किसानों पर लगाया गया मुख्य कर कौन-सा था?
A. आय कर B. संपत्ति कर
C. भूमि कर D. नमक कर

71. निम्न में से 'ली आयोग' का संबंध किससे था?
A. शिक्षा से B. सामाजिक सुधार से
C. महिला सुधार से D. सिविल सेवा सुधार से

72. सैडलर आयोग का संबंध है?
A. पुलिस प्रशासन से B. राजस्व प्रशासन से
C. शिक्षा से D. न्यायपालिका से

73. ब्रिटिश शासन एवं भारतीय रियासतों के मध्य संबंधों **की परिभाषा** ''सर्वोच्चता ही सर्वोच्च है''। यह किस आयोग का निर्णय था?
A. बटलर आयोग B. हंटर आयोग
C. स्ट्रेची आयोग D. कैंपबेल आयोग

74. 'बहिष्कृत हितकारिणी सभा' के संस्थापक कौन थे?
A. बी.आर. अंबेडकर
B. महात्मा गांधी
C. जवाहर लाल नेहरू
D. डॉ. हेडगेवार

75. ब्रिटिश नीतियों का मुख्य उद्देश्य था :
A. अधिक से अधिक लाभ कमाना
B. भारत में शिक्षा में सुधार करना
C. भारत में महिला अधिकारों में वृद्धि करना
D. उपरोक्त सभी

भारतीय राष्ट्रीय आंदोलन

76. अभिनव भारत संगठन का गठन किसने किया था?
A. भगत सिंह ने B. प्रफुल्ल चाकी ने
C. वी.डी. सावरकर ने D. खुदीराम बोस ने

77. बाल गंगाधर तिलक को 'लोकमान्य' की उपाधि कब दी गई?
A. होमरुल आंदोलन B. स्वदेशी आंदोलन
C. क्रांतिकारी आंदोलन D. भारत छोड़ो आंदोलन

78. निम्नलिखित में से कौन हिंदुस्तान रिपब्लिक एसोसिएसन (एच.आर.ए.) का सदस्य नहीं था?
A. चंद्रशेखर आजाद B. शिव शर्मा
C. राम प्रसाद बिस्मिल D. भगत सिंह

79. निम्न में से कौन काकोरी कांड मुकदमें में सरकारी वकील था?
A. पं. जगत नारायण मुल्ला
B. कृष्ण बहादुर
C. प्रभात चंद
D. मोहनलाल सक्सेना

80. निम्नलिखित में से किस क्रांतिकारी को लाहौर षड़यंत्र कांड में फांसी नहीं हुई थी?
A. सरदार भगत सिंह B. राजगुरु
C. बटुकेश्वर दत्त D. सुखदेव

81. स्वतंत्रता के लिए फांसी पाने वाले प्रथम रिकार्डेड मुस्लिम थे :
A. अशफाकउल्लाह खां B. शौकत अली
C. मोहम्मद अली D. अजीमुल्लाह

82. स्वतंत्रता संग्राम में सबसे कम उम्र के शहीद कौन थे?
A. सुखदेव B. खुदीराम बोस
C. हेमू कालणी D. अशफाकउल्लाह खां

83. निम्न मे से किसने निष्क्रिय प्रतिरोध के सिद्धांत का प्रतिपादन किया था?
A. अरबिन्द घोष B. महात्मा गांधी
C. बाल गंगाधर तिलक D. बिपिनचन्द्र पाल

84. ''आलोचना और स्वतंत्र चिंतन एक क्रांतिकारी की दो विशेषताएं हैं'' यह कथन किसने कहा था?
A. राम प्रसाद बिस्मिल ने B. भगवती चरण वोहरा ने
C. भगत सिंह ने D. शचीन्द्रनाथ सान्याल ने

85. कामागाटामारू किसके लिए प्रसिद्ध है?
A. एक पर्वतीय क्षेत्र के रूप में
C. एक जनजाति के रूप में
C. एक जलपोत के रूप में
D. इनमें से कोई नहीं

86. बंगाल विभाजन (1905) किस वायसराय ने किया था?
A. लॉर्ड मिंटो B. लॉर्ड लिट्टन
C. लॉर्ड मेयो D. लॉर्ड कर्जन

87. किस आंदोलन के कारण भारतीय राष्ट्रीय कांग्रेस का विभाजन नरम दल और गरम दल के रूप में हुआ?
A. असहयोग आंदोलन B. भारत छोड़ो आंदोलन
C. सविनय अवज्ञा आंदोलन D. स्वदेशी आंदोलन

88. छत्तीसगढ़ के उस स्वतंत्रता सेनानी का नाम बताइए जिसे उनकी पत्नी के साथ 6 माह तक नागपुर के सेंट्रल जेल में कारावास में रखा गया था?
A. प्यारेलाल सिंह B. खूबचन्द बघेल
C. पं. रविशंकर शुक्ल D. बैरिस्टर छेदीलाल

89. भारतीय राष्ट्रीय कांग्रेस (1885) की स्थापना किसने की थी?
A. सच्चिदानंद सिंह B. महात्मा गांधी
C. ए.ओ. ह्यूम ने D. इनमें से कोई नहीं

90. सूची-1 को सूची-2 से सुमेलित कीजिए तथा सूचियों के नीचे दिए गए कूट से सही उत्तर चुनिये :

सूची-1 (**कांग्रेस अध्यक्ष**)	**सूची-2** (**अधिवेशन स्थल**)
(*a*) डॉ. एम. ए. अंसारी	1. हरिपुरा
(*b*) पुरुषोत्तम दास टंडन	2. कानपुर
(*c*) सरोजिनी नायडू	3. मद्रास
(*d*) सुभाष चंद्र बॉस	4. नासिक

कूट :
A. 3, 4, 2, 1 B. 2, 3, 1, 4
C. 1, 2, 4, 3 D. 4, 1, 3, 2

91. निम्न में से किसे 'भारतीय जागृति का जनक' कहा जाता है?
A. दयानंद सरस्वती B. स्वामी विवेकानंद
C. राजा राम मोहन रॉय D. रबीन्द्रनाथ टैगोर

92. राममोहन रॉय को 'राजा' की उपाधि किसने प्रदान की थी?
A. अकबर द्वितीय ने
B. लॉर्ड विलियम बेन्टिक ने
C. सती प्रथा का विरोध करने वाले विद्वानों ने
D. ब्रह्म समाज के अनुयायियों ने

93. निम्न में से राजा राम मोहन रॉय ने किसका विरोध नहीं किया था?
A. मूर्ति पूजा B. पाश्चात्य शिक्षा
C. बाल विवाह D. सती प्रथा

94. निम्नलिखित में से किसे 'भारत का मार्टिन लूथर' कहा जाता है?
A. स्वामी विवेकानंद B. स्वामी श्रद्धानंद
C. राजा राम मोहन रॉय D. स्वामी दयानंद सरस्वती

95. निम्न में से किसने सबसे पहले 'स्वराज्य' शब्द का प्रयोग किया था?
A. स्वामी दयानंद B. बाल गंगाधर तिलक
C. स्वामी विवेकानंद D. महात्मा गांधी

96. सन् 1873 में सत्यशोधक समाज की स्थापना किसने की थी?
A. गोपाल कृष्ण गोखले B. शिवनाथ शास्त्री
C. ज्योतिबा फुले D. इनमें से कोई नहीं

97. निम्न में से किसे 'लोकहितवादी' के नाम से जाना जाता था?
A. गोपाल हरि देशमुख B. पंडिता रमाबाई
C. गोपाल कृष्ण गोखले D. एम.जी. रानाडे

98. निम्नलिखित में से कौन सही सुमेलित नहीं है?
A. राधास्वामी सत्संग - तुलसीराम
B. भारतीय ब्रह्म समाज - केशवचंद्र सेन
C. आत्मीय सभा - देवेंद्रनाथ टैगोर
D. प्रार्थना समाज - आत्माराम पांडुरंग

99. निम्न में से कौन-से समाज सुधारक संस्कृत भाषा में प्रवीणता के लिए जाने जाते हैं?
A. राजा राम मोहन राय B. दयानंद सरस्वती
C. ईश्वर चंद्र विद्यासागर D. ये सभी

100. भारतीय राष्ट्रीय कांग्रेस के किस अधिवेशन में प्रथम बार 'स्वराज' शब्द का प्रयोग किया गया था?
A. कलकत्ता अधिवेशन, 1906
B. बनारस अधिवेशन, 1905
C. सूरत अधिवेशन, 1907
D. अमृतसर अधिवेशन, 1919

101. ब्रिटिश पार्लियामेंट में चुने जाने वाले पहले भारतीय थे?
A. दादाभाई नौरोजी B. रासबिहारी बोस
C. विट्ठल भाई पटेल D. सुरेन्द्रनाथ बनर्जी

102. कांग्रेस में विभाजन की प्रक्रिया शुरू हुई :
A. कांग्रेस आंदोलन में लोगों की भागीदारी पर
B. कांग्रेस आंदोलन के उद्देश्यों पर
C. कांग्रेस आंदोलन की रणनीतियों पर
D. उपरोक्त सभी

103. ऑल इंडिया मुस्लिम लीग की स्थापना की थी :
A. आगा खान B. नवाब सलीमुल्लाह खान
C. सर सैयद अहमद खां D. मोहम्मद इकबाल

104. लखनऊ समझौता, 1916 किसके बीच हुआ था?
A. कांग्रेस और ब्रिटिश के बीच
B. महात्मा गांधी और अंबेडकर के बीच
C. कांग्रेस और मुस्लिम लीग के बीच
D. इनमें से कोई नहीं

105. 1915-16 में होमरूल लीग (दो) का आरंभ किसके नेतृत्व में किया गया था?
A. तिलक और अरबिन्द घोष
B. तिलक और लाला लाजपत राय
C. तिलक और एनी बेसेंट
D. तिलक और बिपिन चंद्र पाल

106. महात्मा गांधी ने दक्षिण अफ्रीका में किस समाचार पत्र का प्रकाशन किया?

A. इंडिया गजट B. इंडियन ओपिनियन
C. अफ्रीकन D. नवजीवन

107. निम्न में से गांधी जी के सत्याग्रह की रणनीति में किसे सबसे अंतिम स्थान प्राप्त है?

A. धरना B. हड़ताल
C. उपवास D. बहिष्कार

108. दक्षिण अफ्रीका के किस रेलवे स्टेशन पर गांधी जी को ट्रेन से बाहर फेंका गया था?

A. प्रिटोरिया B. डरबन
C. जोहान्सबर्ग D. पीटरमारित्सबर्ग

109. महात्मा गांधी के राजनीतिक गुरु का नाम था :

A. गोपाल कृष्ण गोखले B. सी.आर. दास
C. दादाभाई नौरोजी D. बाल गंगाधर तिलक

110. महात्मा गांधी का भारत में पहला सत्याग्रह था?

A. बारडोली B. चंपारण
C. वैयक्तिक D. अहमदाबाद

111. महात्मा गांधी के विचार में, राजनीति का तात्पर्य था :

A. सत्यविहीन राजनीति
B. धर्मविहीन राजनीति
C. जनकल्याण के लिए सक्रियता
D. उपर्युक्त में से कोई नहीं

112. किसने सर्वप्रथम गांधीजी को 'महात्मा' के नाम से संबोधित किया था?

A. रबीन्द्रनाथ टैगोर B. जवाहरलाल नेहरू
C. सुभाष चंद्र बोस D. मदन मोहन मालवीय

113. किस सत्याग्रह आंदोलन में महात्मा गांधी ने प्रत्यक्ष रूप से भाग नहीं लिया था?

A. खेड़ा सत्याग्रह B. वायकोम सत्याग्रह
C. राजकोट सत्याग्रह D. असहयोग आंदोलन

114. किस आंदोलन में महात्मा गांधी ने पहली बार भूख हड़ताल का प्रयोग किया था?

A. बारदोली सत्याग्रह B. अहमदाबाद हड़ताल
C. असहयोग आंदोलन D. रौलेट सत्याग्रह

115. महात्मा गांधी ने भारत में अपना पहला जनभाषण किस जगह दिया था?

A. चंपारण में B. वाराणसी में
C. लखनऊ में D. बंबई में

116. किस आंदोलन का लक्ष्य ''एक वर्ष के भीतर स्वराज की प्राप्ति करना'' था?

A. गृहशासन आंदोलन का
B. सविनय अवज्ञा आंदोलन का
C. असहयोग आंदोलन का
D. खिलाफत आंदोलन का

117. किसके सुझाव पर साइमन कमीशन से भारतीयों को बाहर रखा गया था?

A. लॉर्ड इरविन B. लॉर्ड रीडिंग
C. लॉर्ड चेम्सफोर्ड D. सर जॉन साइमन

118. निम्न में से किसे 'पंजाब केसरी' की उपाधि की गई थी?

A. रणजीत सिंह B. लाला लाजपत राय
C. भगत सिंह D. लाल हरदयाल

119. सविनय अवज्ञा आंदोलन शुरू हुआ था :

A. दांडी मार्च के बाद
B. होमरूल लीग की घोषणा के बाद
C. कांग्रेस द्वारा पूर्ण स्वराज्य की घोषणा के बाद
D. बंगाल विभाजन के बाद

120. कांग्रेस के क़राची अधिवेशन की अध्यक्षता किसने की थी?

A. सुभाष चंद्र बोस B. जे.एम. सेनगुप्ता
C. वल्लभभाई पटेल D. जवाहरलाल नेहरू

121. भारतीय राष्ट्रीय आंदोलन से संबंधित निम्न घटनाओं को कालक्रमानुसार व्यवस्थित कीजिए :

1. कांग्रेस का कराची अधिवेशन
2. राजगुरु को फांसी
3. गांधी-इरविन समझौता

कूट :

A. 2, 3, 1 B. 1, 3, 2
C. 3, 2, 1 D. 1, 2, 3

122. निम्न में से किस भारतीय नेता ने लंदन में प्रथम गोलमेज सम्मेलन में भाग लिया था?

A. महात्मा गांधी
B. मौलाना मुहम्मद अली
C. जवाहरलाल नेहरू
D. मौलाना अबुल कलाम आजाद

123. तीनों गोलमेज सम्मेलनों में भाग लेने वाला भारतीय कौन था?

A. मुहम्मद अली जिन्ना B. बी.आर. अंबेडकर
C. महात्मा गांधी D. तेज बहादुर सप्रू

124. 1937 के चुनावों में कांग्रेस ने कितने प्रांतों में बहुमत प्राप्त किया था?

A. पाँच B. छः
C. चार D. तीन

125. किसके नेतृत्व में भारतीय रियासतों का भारतीय संघ में विलय हुआ?

A. गोविंद वल्लभ पंत
B. मौलाना आजाद
C. सरदार वल्लभभाई पटेल
D. बी.आर. अंबेडकर

भारतीय समाज में नए विचार

126. निम्न में से किसके प्रयासों से बनारस में संस्कृत कॉलेज की स्थापना की गई?

A. सर विलियम जोन्स B. जेम्स प्रिंसेप
C. जोनाथन डंकन D. विलकिंस

127. निम्नलिखित में से किसने सर्वप्रथम 'भगवद्गीता' का अंग्रेजी में अनुवाद किया?

A. जॉन मार्शल B. विलियम जोन्स
C. एलेक्जेंडर कनिंघम D. चार्ल्स विलकिंस

128. भारत में किस अधिनियम द्वारा आधुनिक शिक्षा की नींव पड़ी?

A. 1835 के मैकाले के स्मरण पत्र से
B. 1854 वुड्स डिस्पैच से
C. 1813 के चार्टर अधिनियम से
D. पिट्स इंडिया एक्ट से

129. निम्न युग्मों में कौन-सा सही सुमेलित है?

	(संस्थान)		**(संस्थापक)**
1.	फोर्ट विलियम कॉलेज	–	आर्थर वेलेजली
2.	बनारस का संस्कृत कॉलेज	–	विलियम जोन्स
3.	कलकत्ता मदरसा	–	वॉरेन हेस्टिंग्स

A. केवल 3 B. केवल 2
C. 1 और 3 D. 1 और 2

130. निम्न में से किसे सर्वप्रथम केन्द्रीय विश्वविद्यालय घोषित किया गया था?

A. इलाहाबाद विश्वविद्यालय, इलाहाबाद
B. बनारस हिन्दू विश्वविद्यालय, वाराणसी
C. अलीगढ़ विश्वविद्यालय, अलीगढ़
D. डॉ. भीमराव अंबेडकर विश्वविद्यालय, लखनऊ

131. निम्न में से कौन-सा समाचार पत्र उदारवादियों की नीतियों का प्रचार करने वाला था?

A. लीडर B. यंग इंडिया
C. न्यू इंडिया D. इंडियन ओपिनियन

132. सूची-1 को सूची-2 से सुमेलित कीजिए और नीचे दिए गए कूट से सही उत्तर चुनिए :

सूची-1	**सूची-2**
(*a*) बिपिन चंद्र पाल	1. न्यू इंडिया
(*b*) अरबिन्द घोष	2. कॉमरेड
(*c*) ब्रह्मबांधव उपाध्याय	3. वंदे मातरम
(*d*) मुहम्मद अली	4. संध्या

कूट :

	(*a*)	(*b*)	(*c*)	(*d*)
A.	1	3	4	2
B.	2	1	3	4
C.	2	1	4	3
D.	1	3	2	4

133. किसे भारत का प्रथम आधुनिक पुरुष कहा जाता है?

A. दयानंद सरस्वती B. रबीन्द्रनाथ टैगोर
C. स्वामी विवेकानन्द D. राजा राम मोहन राय

134. गांधी जी का राज्य विहीन समाज का विचार किस विद्वान के विचार से मेल खाता है?

A. जॉन लॉक B. फ्रेडरिक हीगल
C. कार्ल मार्क्स D. प्लेटो

135. ईश्वरचंद्र विद्यासागर ने किस सामाजिक बुराई के खिलाफ संघर्ष किया?

A. सती प्रथा B. दहेज प्रथा
C. विधवा पुनर्विवाह D. बाल विवाह

136. सर्वोदय का विचार किससे संबंधित था?

A. डॉ. भीमराव अंबेडकर B. महात्मा गांधी
C. बाल गंगाधर तिलक D. सुभाष चंद्र बोस

137. आत्मसम्मान आंदोलन की शुरुआत किसके द्वारा दी गई?

A. महात्मा गांधी
B. ई.वी. रामासामी नायकर 'पेरियार'
C. ज्योतिबा फुले
D. दयानंद सरस्वती

138. 'बहिष्कृत भारत' पत्रिका किसके द्वारा शुरू की गई थी?

A. डॉ. अंबेडकर B. नेहरू
C. बी.जी. तिलक D. सरदार पटेल

139. आत्मशुद्धि आंदोलन किस संगठन द्वारा शुरू किया गया था?

A. अभिनव भारत B. आर्य समाज
C. ब्रह्म समाज D. रामकृष्ण मिशन

140. किसने कहा था कि "यदि भगवान अस्पृश्यता को सहन करते हैं, तो मैं उन्हें कभी भगवान नहीं मानूँगा"?

A. बाल गंगाधर तिलक
B. महात्मा गांधी
C. लाला लाजपत राय
D. विवेकानंद

141. निम्न में से कौन-सा सही सुमेलित नहीं है?
A. विवेकानंद - रामकृष्ण मिशन
B. राजा राममोहन राय - आदि ब्रह्म समाज
C. आत्माराम पांडुरंग - प्रार्थना समाज
D. दयानंद सरस्वती - आर्य समाज

142. इनमें से कौन-सा कथन सही नहीं है?
A. स्वामी दयानंद सरस्वती ने आर्य समाज की स्थापना की
B. डॉ. एनी बेसेंट थियोसोफिस्ट थीं
C. गांधी जी का जन्म गांधीनगर में हुआ था
D. ब्रह्म समाज ने देशभक्ति की भावना के विकास में सहायता की

143. बंगाल का तारकेश्वर आंदोलन (1924) किसके विरुद्ध किया गया था?
A. हिंसा के विरुद्ध
B. सांप्रदायिकता के खिलाफ
C. राजनैतिक नेताओं की गिरफ्तारी के विरुद्ध
D. मंदिरों में भ्रष्टाचार के विरुद्ध

144. वेदों की ओर लौटो का नारा किसने दिया था?
A. विवेकानन्द
B. ईश्वरचंद्र विद्यासागर
C. दयानंद सरस्वती
D. डॉ. अंबेडकर

145. हिंदी की साहित्यिक पत्रिका "छत्तीसगढ़ मित्र" का प्रकाशन किसने किया था?
A. प्यारेलाल गुप्ता B. माधवराव सप्रे
C. गोकुल प्रसाद D. रघुवीर प्रसाद

146. "नर सेवा ही नारायण सेवा है" यह किसका कथन है?
A. महात्मा गांधी B. रामकृष्ण परमहंस
C. स्वामी विवेकानन्द D. संत तुकाराम

147. "न्यूनतम सरकार, अधिकतम शासन" का सिद्धांत निम्न में से किसका है?
A. उदारवाद B. यथार्थवाद
C. समाजवाद D. साम्यवाद

148. 'बंदीजीवन' पुस्तक किसके द्वारा लिखी गई?
A. रबीन्द्रनाथ टैगोर B. सचिन्द्र नाथ सान्याल
C. भारतेन्दु हरिश्चंद्र D. भगत सिंह

149. किसके द्वारा 'रामराज्य' की संकल्पना दी गई थी?
A. पं. नेहरू B. विवेकानन्द
C. महात्मा गांधी D. बाल गंगाधर तिलक

150. शारदा एक्ट का संबंध था?
A. विधवा विवाह प्रतिबंध से
B. बाल विवाह प्रतिबंध से
C. अन्तर्जातीय विवाह प्रतिबंध से
D. जनजातीय विवाह प्रतिबंध से

आधुनिक यूरोप का उदय

151. यूरोप में पुनर्जागरण की शुरुआत किस देश से हुई?
A. जर्मनी B. फ्रांस
C. इटली D. ब्रिटेन

152. 19वीं सदी में यूरोप में साम्राज्यवाद का मुख्य कारण था?
A. लोकतंत्र की स्थापना
B. कच्चे माल और नए बाजार की खोज
C. वैज्ञानिक खोज
D. धार्मिक उन्माद

153. जर्मनी के एकीकरण में किसका मुख्य योगदान था?
A. मैजिनी B. बिस्मार्क
C. गैरीबाल्डी D. हिटलर

154. "आयरन चांसलर" के नाम से कौन प्रसिद्ध हैं?
A. गैरीबाल्डी B. इमैनुअल विक्टर
C. नेपोलियन D. बिस्मार्क

155. द्वितीय विश्वयुद्ध के समय ब्रिटेन का प्रधानमंत्री कौन था?
A. विंस्टन चर्चिल B. एंथनी इडेन
C. क्लीमेंट एटली D. हेराल्ड विल्सन

156. सर्वप्रथम किस देश ने औद्योगिक क्रांति का अनुभव किया?
A. जापान B. जर्मनी
C. ब्रिटेन D. इटली

157. औद्योगिक क्रांति का प्रमुख प्रभाव क्या था?
A. उपनिवेशवाद का अंत B. सामंती व्यवस्था का उदय
C. पूंजीवाद और शहरीकरण D. कृषि का विस्तार

158. फ्रांस की क्रांति का मुख्य उद्देश्य था?
A. राजशाही को समाप्त करना
B. लोकतंत्र की स्थापना
C. समतापूर्ण समाज की स्थापना
D. उपरोक्त सभी

159. "व्हाइट मैन्स बर्डन" किस नीति का समर्थन करता है?
A. साम्राज्यवाद B. समाजवाद
C. राजतन्त्र D. उदारवाद

160. उपनिवेशवाद का मुख्य उद्देश्य क्या था?
A. समानता
B. लोकतंत्र
C. व्यापार और संसाधनों पर नियंत्रण
D. धार्मिक प्रचार-प्रसार

161. नेपोलियन बोनापार्ट की पराजय किस युद्ध में हुई थी?
A. सोलफेरेनी का युद्ध B. वाटरलू का युद्ध
C. लीपजिंग की लड़ाई में D. ट्रेफलगर की लड़ाई में

162. "लिबर्टी, इक्वालिटी, फ्रेटरनिटी" किस क्रांति का नारा था?
A. रूसी क्रांति B. अमेरिकी क्रांति
C. औद्योगिक क्रांति D. फ्रांसीसी क्रांति

163. यूरोप में प्रोटेस्टेंट धर्म का जनक किसे माना जाता है?
A. हेनरी अष्टम B. आइजेक न्यूटन
C. मार्टिन लूथर D. कैल्विन

164. भारत में किस आंदोलन पर फ्रांसीसी क्रांति का प्रभाव पड़ा?
A. स्वदेशी आंदोलन B. असहयोग आंदोलन
C. 1857 की क्रांति D. भारतीय राष्ट्रीय आंदोलन

165. रूस की क्रांति का मुख्य नारा क्या था?
A. स्वतंत्रता व समानता B. सभी को शिक्षा
C. शांति, रोटी और भूमि D. सर्वहारा की तानाशाही

166. 'दास कैपिटल्स' किसकी रचना है?
A. हीगेल B. एंजेल्स
C. कार्ल मार्क्स D. अरस्तू

167. बोल्शेविक किस विचारधारा से संबंधित था?
A. राष्ट्रवाद B. समाजवाद
C. पूंजीवाद D. उपनिवेशवाद

168. कार्ल मार्क्स ने वर्ग संघर्ष की प्रक्रिया का विवरण निम्न में से किसमें दिया है?
A. अस्तित्ववाद B. विकासवाद
C. द्वन्द्वात्मक भौतिकवाद D. आनुभविक उदारवाद

169. चीन की क्रांति का नेता कौन था?
A. चियांग काई शेक B. तेंग शियाओ फिंग
C. सुन यात सेंट D. माओ त्से तुंग

170. 'दी लॉन्ग मार्च' की घटना किस आंदोलन से संबंधित है?
A. रूसी क्रांति B. चीन की क्रांति
C. भारत छोड़ो आंदोलन D. अमरीकी क्रांति

171. चीनी क्रांति का सबसे बड़ा प्रभाव क्या था?
A. कम्युनिस्ट शासन की स्थापना
B. लोकतंत्र की स्थापना
C. साम्राज्यवाद का विस्तार
D. उपनिवेशवाद का विस्तार

172. "डिवाइन कॉमेडी" पुस्तक किसकी रचना है?
A. शेक्सपियर B. मांटेस्क्यू
C. दांते D. पेत्रार्क

173. गुरुत्वाकर्षण का सिद्धांत न्यूटन द्वारा किस पुस्तक में प्रतिपादित किया गया?
A. फिजिक्स B. डायलॉग्स
C. प्रिंसिपिया D. मोशन लॉज

174. "सूर्य ब्रह्मांड का केंद्र है" इस सिद्धांत का प्रतिपादन किसने किया?
A. न्यूटन B. बाराहमिहिर
C. कॉपरनिकस D. गैलीलियो

175. बिस्मार्क निम्न में से किस नीति का समर्थक था?
A. रक्त और लौह B. क्रांति और युद्ध
C. शांति और अहिंसा D. इनमें से कोई नहीं

भारत की विदेश नीति एवं संयुक्त राष्ट्र संघ

176. भारतीय संविधान का कौन-सा अनुच्छेद भारत की विदेश नीति का मार्गदर्शन करता है?
A. अनुच्छेद-356 B. अनुच्छेद-370
C. अनुच्छेद-51 D. अनुच्छेद-21

177. भारत की विदेश नीति का मुख्य उद्देश्य है?
A. विश्व शांति और सहयोग B. युद्ध करना
C. वैश्विक प्रभुत्व D. धर्म का प्रसार

178. निम्नलिखित में से किस देश की सीमा अफगानिस्तान के साथ नहीं लगती है?
A. अजरबैजान B. तुर्कमेनिस्तान
C. ताजिकिस्तान D. उज्बेकिस्तान

179. चाबहार बंदरगाह किस देश में स्थित है?
A. भारत B. अफगानिस्तान
C. ईरान D. बांग्लादेश

180. भारत में गुटनिरपेक्ष नीति के प्रणेता किसे माना जाता है?
A. महात्मा गांधी B. राजेन्द्र प्रसाद
C. सुभाष चंद्र बोस D. पंडित नेहरू

181. ग्लोबल साउथ में शामिल नहीं है?
A. फिलीपींस B. ऑस्ट्रेलिया
C. वियतनाम D. चिली

182. भारत की 'एक्ट ईस्ट नीति' का संबंध है?
A. मध्य एशिया B. यूरोप
C. दक्षिण-पूर्व एशिया D. अफ्रीका

183. पंचशील सिद्धांत का प्रस्ताव कब और कहाँ दिया गया था?
A. भारत-चीन समझौता, 1954
B. भारत-नेपाल समझौता, 1950
C. भारत-अमेरिका समझौता, 1962
D. भारत-पाकिस्तान समझौता, 1951

184. निम्न में से कौन-सा सिद्धांत पंचशील में शामिल नहीं है?
A. एक- दूसरे की क्षेत्रीय अखंडता का सम्मान करना
B. आक्रामकता का प्रयोग
C. शांतिपूर्ण सह-अस्तित्व
D. आपसी गैर- हस्तक्षेप

185. अपने किस पड़ोसी देश के साथ भारत ने 'गंगा जल समझौता' किया है?
A. पाकिस्तान B. बांग्लादेश
C. नेपाल D. भूटान

186. गोल्डन ट्राएंगल में कौन-सा देश शामिल नहीं हैं?
A. म्यांमार B. थाईलैंड
C. वियतनाम D. लाओस

187. गल्किनीश गैस क्षेत्र किस देश में अवस्थित है?
A. ईरान B. अफगानिस्तान
C. भारत D. तुर्कमेनिस्तान

188. विश्व व्यापार संगठन (WTO) का मुख्यालय कहाँ है।
A. जेनेवा B. पेरिस
C. न्यूयॉर्क D. लंदन

189. निम्न संगठनों में से भारत किसका संस्थापक सदस्य नहीं है?
A. NAM B. SAARC
C. G-7 D. G-77

190. संयुक्त राष्ट्र सुरक्षा परिषद (UNSC) का निर्णय सदस्य देशों के लिए :
A. बाध्यकारी होता है
B. बाध्यकारी नहीं होता है
C. सदस्य देशों की इच्छा पर निर्भर करता है
D. इनमें से कोई नहीं

191. निम्न में से कौन-सा संगठन संयुक्त राष्ट्र की विशेष एजेंसी है?
A. अन्तर्राष्ट्रीय श्रम संघ (ILO)
B. विश्व स्वास्थ्य संगठन (WHO)
C. खाद्य एवं कृषि संगठन (FAO)
D. उपर्युक्त सभी

192. वैश्विक प्रतियोगिता रिपोर्ट (global competitiveness report) कौन जारी करता है?
A. अंतर्राष्ट्रीय मुद्रा कोष
B. विश्व बैंक
C. विश्व आर्थिक मंच
D. यूनेस्को

193. सुरक्षा परिषद में शामिल देश नहीं है?
A. चीन B. संयुक्त राज्य अमेरिका
C. फ्रांस D. जापान

194. भारत ने संयुक्त राष्ट्र शांति सेना में किस क्षेत्र में सर्वाधिक योगदान दिया है?
A. हथियारों में B. सैनिकों की संख्या में
C. नेतृत्व में D. वित्तीय सहायता में

195. अन्तर्राष्ट्रीय न्यायालय में कितने न्यायाधीश होते हैं?
A. 10 B. 5
C. 15 D. 20

196. ग्लोबल एजुकेशन मॉनिटरिंग रिपोर्ट कौन जारी करता है?
A. यूनेस्को
B. विश्व आर्थिक मंच
C. विश्व बैंक
D. संयुक्त राष्ट्र पर्यावरण कार्यक्रम (UNEP)

197. संयुक्त राष्ट्र महासभा के महासचिव का कार्यकाल कितने वर्षों का होता है?
A. 3 वर्ष B. 4 वर्ष
C. 5 वर्ष D. 6 वर्ष

198. संयुक्त राष्ट्र की स्थापना से संबंधित चार्टर पर हस्ताक्षर किस स्थान पर हुआ था?
A. पेरिस B. न्यूयॉर्क
C. वाशिंगटन B. सैन फ्रांसिस्को

199. UNESCO का मुख्यालय स्थित है?
A. न्यूयॉर्क B. जिनेवा
C. पेरिस D. वियना

200. संयुक्त राष्ट्र शांति रक्षक बलों को किस नाम से जाना जाता है?
A. यूएन आर्मी B. ब्लू हेलमेट्स
C. ग्रीन वारियर्स D. पीस मिशनरी

जनसुविधाएं

201. निम्न मे से किन्हें जन सुविधाओं के नाम से जाना जाता है?
A. स्वास्थ्य सुविधा B. किफायती आवास
C. सार्वजनिक परिवहन D. उपरोक्त सभी

202. सूचना का अधिकार अधिनियम किस वर्ष पारित किया गया?
A. 2004 B. 2005
C. 2006 D. 2003

203. जनसुनवाई किसके अंतर्गत आता है?
A. विधायिका B. न्यायपालिका
C. कार्यपालिका D. इनमें से कोई नहीं

204. जनसुनवाई का सफल संचालन सुनिश्चित होता है?
A. सरकार द्वारा
B. जनता द्वारा
C. मीडिया द्वारा
D. संबंधित अधिकारियों की सत्यनिष्ठा द्वारा

205. सूचना का अधिकार है :
A. मौलिक अधिकार B. मौलिक कर्तव्य
C. विधिक अधिकार D. न्यायिक अधिकार

206. किस स्तर पर प्रथम अपील की जाती है?
A. संबंधित लोक सूचना अधिकारी
B. वरिष्ठ अधिकारी
C. सूचना आयोग
D. पुलिस स्टेशन

207. सेवोत्तम मॉडल में कितने घटक शामिल हैं?
A. 2 B. 3
C. 5 D. 7

208. PAN कार्ड किस प्रकार की सेवा का उदाहरण है?
A. G2C B. G2B
C. C2C D. G2G

209. डिजिटल इंडिया कार्यक्रम का लक्ष्य है?
A. चुनाव सुधार
B. पर्यावरण संरक्षण
C. e-गवर्नेंस में सुधार करना
D. न्यायपालिका का डिजिटलिकरण

210. शासन में जनसुनवाई किस प्रकार की प्रक्रिया है?
A. न्यायिक B. प्रशासनिक
C. राजनीतिक D. गोपनीय

211. जनसुनवाई में किस प्रकार की समस्याओं का समाधान किया जाता है?
A. सामाजिक B. प्रशासनिक
C. व्यक्तिगत D. उपरोक्त सभी

212. "My gov-पोर्टल" का संबंध है?
A. शिक्षा B. कर संग्रह
C. नागरिकों की भागीदारी D. खुफिया जानकारी

213. अपने प्रदेश में सीवेज के संग्रह, उपचार और उनके निपटान के लिए उत्तरदायी है :
A. राज्य सरकार
B. संबंधित राज्य का उच्च न्यायालय
C. स्थानीय सरकार
D. इनमें से कोई नहीं

214. निम्न में से कौन-से तत्व जनसुनवाई में शामिल हैं?
A. सामुदायिक भागीदारी B. सूचित निर्णय लेना
C. संघर्ष समाधान D. उपरोक्त सभी

215. लोकपाल और लोकायुक्त अधिनियम, 2013 निम्न में से किससे संबंधित है?
A. शिक्षा B. पर्यावरण संरक्षण
C. खेल D. भ्रष्टाचार नियंत्रण

216. शासन में नागरिकों की भागीदारी किस शासन पद्धति को दर्शाता है?
A. नौकरशाही शासन B. केन्द्रीकृत शासन
C. लोकतांत्रिक शासन D. साम्यवादी शासन

217. जनसुनवाई में सबसे महत्वपूर्ण तत्व क्या होता है?
A. मीडिया द्वारा प्रचार प्रसार
B. जनता की भागीदारी
C. भोजन व्यवस्था
D. राजनेताओं की भागीदारी

218. भारत में किस संगठन ने जनसुनवाई के लिए एक अभियान चलाया?
A. ग्रीनपीस इंडिया
B. मजदूर किसान शक्ति संगठन (MKSS)
C. प्रथम एनजीओ
D. स्माइल फाउंडेशन

219. 'लोकवाणी' किस राज्य से संबंधित है?
A. मध्य प्रदेश B. बिहार
C. उत्तर प्रदेश D. महाराष्ट्र

220. 'PG Portal' का संबंध है?

A. पासपोर्ट सेवा से   B. मतदान से
C. शिक्षा से   D. शिकायत निवारण से

221. निम्न में से किस अधिनियम के अंतर्गत पर्यावरण संबंधी मुद्दों की सुनवाई की जाती है?

A. वन्यजीव संरक्षण अधिनियम, 1972
B. वन अधिनियम, 1927
C. पर्यावरण संरक्षण अधिनियम, 1986
D. जैव विविधता अधिनियम, 2002

222. जनसुनवाई के दौरान नागरिक अपनी समस्या किस प्रकार से प्रस्तुत कर सकते हैं?

A. केवल लिखित
B. केवल मौखिक
C. केवल मीडिया के द्वारा
D. लिखित और मौखिक दोनों रूप में

223. निम्नलिखित में से जनसुनवाई में बाधा का कारण हो सकता है?

A. डिजिटल प्लेटफॉर्म
B. कार्रवाई में देरी और उदासीनता
C. नागरिक शिक्षा
D. RTI कानून

224. निम्न में कौन-सा विकल्प जनसुनवाई में निगरानी के लिए सबसे उपयुक्त हो सकता है?

A. राजनीतिक मंच
B. आम जनता द्वारा सर्वे
C. गुप्त रिपोर्ट
D. स्वतंत्र एजेंसियों द्वारा मूल्यांकन

225. RTI अधिनियम के अंतर्गत सूचनाओं का समाधान कितने दिनों में करना होता है?

A. 7 दिन   B. 15 दिन
C. 30 दिन   D. 3 महीने

भारत की भौगोलिक अवस्थिति

226. वैश्विक स्तर पर, क्षेत्रफल की दृष्टि से भारत को कौन-सा स्थान प्राप्त है?

A. सातवां   B. आठवां
C. छठा   D. चौथा

227. भारत का भौगोलिक विस्तार किन अक्षांशों के मध्य स्थित है?

A. 68°7' पूर्वी देशांतर से 97°25' पूर्वी देशांतर के मध्य
B. 8°4' उत्तरी अक्षांश से 37°6' उत्तरी अक्षांश के मध्य
C. 68°7' उत्तरी अक्षांश से 97°25' उत्तरी अक्षांश के मध्य
D. 8°4' पूर्व से 37°6' उत्तरी अक्षांश के मध्य

228. भारत के कौन-कौन से राज्य भूटान के साथ अपनी सीमा साझा करते हैं?

A. सिक्किम, असम, अरुणाचल प्रदेश और पश्चिम बंगाल
B. असम, मेघालय, बिहार और अरुणाचल प्रदेश
C. सिक्किम, पश्चिम बंगाल, नागालैंड और त्रिपुरा
D. मेघालय, असम, पश्चिम बंगाल और बिहार

229. सूची-I को सूची-II से सुमेलित कीजिए तथा सूचियों के नीचे दिए गए कूट का प्रयोग करते हुए सही उत्तर चुनिए :

सूची-1	सूची-2
(*a*) भारत का सबसे उत्तरी बिन्दु	1. कन्याकुमारी (तमिलनाडु)
(*b*) भारत का सबसे दक्षिणी बिन्दु	2. इंदिरा कॉल (लद्दाख)
(*c*) भारत का सबसे पूर्वी बिन्दु	3. गुहार मोती (गुजरात)
(*d*) भारत का सबसे पश्चिमी बिन्दु	4. किबिथु (अरुणाचल प्रदेश)

कूट :

	(*a*)	(*b*)	(*c*)	(*d*)
A.	3	4	1	2
B.	2	1	4	3
C.	4	3	2	1
D.	2	1	3	4

230. भारत का भौगोलिक विस्तार किन देशांतरों के मध्य स्थित है?

A. 8°4' उत्तरी अक्षांश से 37°6' उत्तरी अक्षांश के मध्य
B. 68°7' पूर्वी देशांतर से 97°25' पूर्वी देशांतर के मध्य
C. 68°7' पूर्वी देशांतर से 97°25' पूर्वी देशांतर के मध्य
D. 97°25' उत्तरी अक्षांश से 37°6' उत्तरी अक्षांश के मध्य

231. निम्नलिखित भारतीय राज्यों में से कोन-सा कर्क रेखा के उत्तरी अक्षांश पर स्थित है?

A. मिजोरम   B. मणिपुर
C. झारखंड   D. पश्चिम बंगाल

232. गुजरात के सबसे पश्चिमी बिंदु और अरुणाचल प्रदेश के सबसे पूर्वी बिंदु के स्थानीय समय में कितना अंतर होता है?

A. 3 घंटा   B. 2.5 घंटा
C. 2 घंटा   D. 1/2 घंटा

233. भारतीय मानक समय रेखा भारत के कितने राज्यों से होकर गुजरती है?

A. 8   B. 5
C. 6   D. 7

234. भारत का सबसे दक्षिणी बिंदु "इंदिरा प्वाइंट" किस द्वीप पर अवस्थित है?

A. बड़ा निकोबार B. छोटा निकोबार
C. कार निकोबार द्वीप D. लक्षद्वीप

235. भारत का वह कौन-सा भौगोलिक बिंदु है, जहाँ बंगाल की खाड़ी, अरब सागर और हिंद महासागर का संगम होता है?

A. रामेश्वरम B. इंदिरा कॉल
C. इंदिरा प्वाइंट D. कन्याकुमारी

236. निम्नलिखित में से भारत के कौन-से राज्य म्यांमार के साथ सीमा साझा करते हैं?

A. अरुणाचल प्रदेश, असम, मेघालय और मिजोरम
B. अरुणाचल प्रदेश, नगालैंड, मणिपुर और मिजोरम
C. असम, त्रिपुरा, मणिपुर और मिजोरम
D. नगालैंड, असम, मिजोरम और मणिपुर

237. मैकमोहन रेखा भारत और किस राष्ट्र के बीच की अंतर्राष्ट्रीय सीमा का निर्धारण करती है?

A. पाकिस्तान B. बांग्लादेश
C. चीन D. नेपाल

238. भारत का कुल भौगोलिक क्षेत्रफल कितना है और यह विश्व के कुल भू-भाग का कितना प्रतिशत है?

A. 32,87,263 वर्ग किमी, 2.42%
B. 31,87,263 वर्ग किमी, 3.2%
C. 30,87,263 वर्ग किमी, 2.8%
D. 34,87,263 वर्ग किमी, 3.42%

239. कर्क रेखा भारत के कुल कितने राज्यों से होकर गुजरती है?

A. 6 B. 7
C. 8 D. 9

240. भारतीय मानक याम्योत्तर (IST) और ग्रीनविच माध्य समय (GMT) के बीच कितने घंटे का समय अंतराल है?

A. 4 घंटे 30 मिनट B. 5 घंटे
C. 5 घंटे 30 मिनट D. 6 घंटे 30 मिनट

241. मकर रेखा को दो बार काटने वाली नदी है :

A. कांगो नदी B. अमेजन नदी
C. माही नदी D. लिम्पोपो नदी

242. भारत का सुदूरतम दक्षिणी बिंदु किस स्थान पर स्थित है?

A. कन्याकुमारी B. रामेश्वरम
C. इंदिरा प्वाइंट D. इंदिरा कॉल

243. भारत के साथ सीमा साझा करने वाले राष्ट्रों को उनकी सीमा की लंबाई के अनुसार अवरोही क्रम में सूचीबद्ध कीजिए।

A. चीन, पाकिस्तान, बांग्लादेश, नेपाल, म्यांमार, भूटान, अफगानिस्तान
B. बांग्लादेश, चीन, पाकिस्तान, नेपाल, म्यांमार, भूटान, अफगानिस्तान
C. पाकिस्तान, चीन, बांग्लादेश, नेपाल, भूटान, म्यांमार, अफगानिस्तान
D. बांग्लादेश, चीन, पाकिस्तान, म्यांमार, नेपाल, भूटान, अफगानिस्तान

244. सूची-I (देश) और सूची-II (भारत से लगने वाली सीमा की लम्बाई) को सुमेलित कीजिए तथा सूचियों के नीचे दिए गए कूट का प्रयोग करते हुए सही उत्तर चुनिए :

सूची-I (देश)	**सूची-II (सीमा रेखा की लम्बाई)**
(a) चीन	1. 699 किमी.
(b) नेपाल	2. 106 किमी.
(c) भूटान	3. 3488 किमी.
(d) अफगानिस्तान	4. 1751 किमी.

कूट :

	(a)	(b)	(c)	(d)
A.	3	4	1	2
B.	2	1	3	4
C.	4	3	2	1
D.	2	1	4	3

245. सूची-I को सूची-II से सुमेलित कीजिए तथा सूचियों के नीचे दिए गए कूट का प्रयोग करते हुए सही उत्तर चुनिए :

सूची-I (देश)	**सूची-II (सीमा- रेखा)**
(a) चीन और भारत	1. डूरंड रेखा
(b) भारत और पाकिस्तान	2. पाक जलडमरुमध्य
(c) भारत और श्रीलंका	3. रेडक्लिफ रेखा
(d) भारत और अफगानिस्तान	4. मैकमोहन रेखा

कूट :

	(a)	(b)	(c)	(d)
A.	3	4	1	2
B.	2	1	3	4
C.	4	3	2	1
D.	2	1	4	3

246. किसी दो क्रमागत अक्षांश रेखाओं के बीच की अनुमानित दूरी कितनी होती है?

A. 111 किलोमीटर B. 121 किलोमीटर
C. 101 किलोमीटर D. 91 किलोमीटर

247. भारत की स्थलीय सीमा किन देशों के साथ सबसे लंबी और सबसे छोटी है?

A. सबसे लंबी – पाकिस्तान, सबसे छोटी – भूटान
B. सबसे लंबी – बांग्लादेश, सबसे छोटी – नेपाल
C. सबसे लंबी – चीन, सबसे छोटी – नेपाल
D. सबसे लंबी – बांग्लादेश, सबसे छोटी – अफगानिस्तान

248. कर्क रेखा निम्नलिखित में से किन राज्यों से होकर गुजरती है?

नीचे दिए गए कूट से सही उत्तर चुनिए :

1. राजस्थान 2. मणिपुर
3. उत्तर प्रदेश 4. मिजोरम

कूट :

A. 1 और 4
B. 1, 2, 3 और 4
C. 1, 3 और 4
D. 2, 3 और 4

249. भारत को दो बराबर भागों में बांटने वाली सबसे महत्वपूर्ण अक्षांश रेखा कौन-सी है?

A. 23°30' दक्षिण B. 23°30 पश्चिम
C. 23°30' पूर्व D. 23°30' उत्तर

250. भारत का सुदूर दक्षिण में स्थित बिंदु किस अक्षांश पर स्थित है?

A. 6°30' उत्तरी अक्षांश
B. 8°4' उत्तरी अक्षांश
C. 10°25' उत्तरी अक्षांश
D. 11°45' उत्तरी अक्षांश

विश्व का भौतिक भूगोल

251. आग्नेय चट्टानों के संबंध में कौन-सा कथन सही है?

A. वे जल के लिए सरंध्र होती हैं
B. वे क्रिस्टलीय तथा अक्रिस्टलीय दोनों ही होती हैं
C. उनमें पुराजीवाश्म बहुत कम होते हैं
D. इन चट्टानों में सिलिका नहीं होती है

252. अवसादी शैलों के संबंध में कौन-सा कथन सत्य है?

A. ये स्तरों में निक्षेपित होते हैं
B. इनकी संरचना ताप व दाब पर निर्भर करती है
C. ये जल में निर्मित नहीं हो सकती हैं
D. इनकी संरचना क्रिस्टलीय होती है

253. निम्नलिखित में से कौन-सा रूपांतरित चट्टानों का उदाहरण नहीं है?

A. स्लेट B. ग्रेनाइट
C. संगमरमर D. क्वार्टजाइट

254. निम्न में से कौन-सा विकल्प अन्य तीन विकल्पों से भिन्न है?

A. चूना पत्थर B. शैल
C. नीस D. बालुका पत्थर

255. बलुआ पत्थर एक परतदार चट्टान है, क्योंकि वह :

A. गर्मी (ताप) से निर्मित होता है
B. पानी के नीचे निर्मित होता है
C. मरुस्थल में निर्मित होता है
D. पर्वत में निर्मित होता है

256. ज्वालामुखी से सबसे अधिक कौन-सी गैस निकलती है?

A. हीलियम B. सल्फर डाइऑक्साइड
C. जलवाष्प D. कार्बन डाइऑक्साइड

257. विश्व का सबसे ऊंचा ज्वालामुखी पर्वत है?

A. माउंट कोटोपैक्सी B. माउंट ताल
C. माउंट पिनाटुबो D. माउंट किलिमंजारो

258. पृथ्वी के भीतर पिघले हुए पदार्थ को कहा जाता है?

A. बेसाल्ट B. मैग्मा
C. लावा D. ऑब्सीडियन

259. निम्न में से किस सागर में ज्वालामुखी उद्गार नहीं होता है?

A. कैरिबियन सागर में B. कैस्पियन सागर में
C. बाल्टिक सागर में D. काला सागर में

260. लावा के ठोस होने के पश्चात पृथ्वी के भीतर निर्मित चट्टानों को कहा जाता है?

A. रूपांतरित चट्टान B. परतदार चट्टान
C. ज्वालामुखी चट्टान D. प्लूटोनिक चट्टान

261. माउंट सेंट हेलेन्स किस देश में स्थित है?

A. जापान B. संयुक्त राज्य अमेरिका
C. चीन D. फिलीपींस

262. 'मौना लोआ' सक्रिय ज्वालामुखी है?

A. हवाई का B. जापान का
C. इटली का D. अलास्का का

263. निम्नलिखित मे से कौन-सा सक्रिय ज्वालामुखी है?

1. अकांकगुआ 2. कोटोपैक्सी
3. एटना 4. फ्यूजीयामा

नीचे दिए गए कूट से सही उत्तर चुनिए :

A. 1 और 2 B. 3 और 4
C. 1, 2 और 3 D. 2, 3 और 4

264. अफ्रीका महाद्वीप का सर्वोच्च पर्वत शिखर किलिमंजारो किस देश में स्थित है?

A. तंजानिया में B. केन्या में
C. जाम्बिया में D. मलावी में

265. निम्न ज्वालामुखियों में से किसे 'भूमध्य सागर का प्रकाश स्तम्भ' कहा जाता है?

A. स्ट्राम्बोली B. एटना
C. विसुवियस D. इनमें से कोई नहीं

266. विश्व का सर्वाधिक सक्रिय ज्वालामुखी कौन-सा है?

A. कोटोपैक्सी B. किलायू
C. विसुवियस D. फ्यूजियामा

267. विश्व प्रसिद्ध 'कराकाटोआ पर्वत' किस देश में अवस्थित है?

A. जापान B. संयुक्त राज्य अमेरिका
C. इटली D. इंडोनेशिया

268. 'रिंग ऑफ फायर' का संबंध किससे है?

A. हिन्द महासागर B. अटलांटिक महासागर
C. प्रशांत महासागर D. भूमध्य सागर

269. भूकंप की तीव्रता का मापन किसमें किया जाता है?

A. डेसीबल में B. रिक्टर स्केल में
C. पास्कल में D. कैल्विन पैमाने पर

270. निम्न भाषाओं मे से 'सुनामी' शब्द का संबंध किस भाषा से है?

A. लैटिन B. ग्रीक
C. जापानी D. अरबी

271. निम्न में से किस यंत्र का प्रयोग भूकंप तरंगों के मापन के लिए किया जाता है?

A. सिस्मोग्राफ B. सिस्मोग्राम
C. सिस्मोस्कोप D. सिस्मोमीटर

272. निम्न महाद्वीपों मे से किसमें देशों की संख्या सर्वाधिक है?

A. एशिया B. अफ्रीका
C. दक्षिणी अमेरिका D. यूरोप

273. नीचे दिए गए कूट का प्रयोग करके महाद्वीपों को क्षेत्रफल के अनुसार सही अवरोही क्रम में लिखिए-

1. यूरोप 2. ऑस्ट्रेलिया
3. अफ्रीका 4. दक्षिणी अमेरिका

कूट :

A. 1, 2, 3, 4 B. 4, 1, 3, 2
C. 2, 1, 3, 4 D. 3, 4, 1, 2

274. निम्न में से किस एक महाद्वीप में उसके सम्पूर्ण क्षेत्रफल में मैदानी भाग का प्रतिशत सर्वाधिक है?

A. दक्षिणी अमेरिका B. यूरोप
C. एशिया D. उत्तरी अमेरिका

275. विश्व की सबसे ऊंची चोटियाँ किस प्रकार के पर्वतों में पाई जाती है?

A. ब्लॉक पर्वत B. अवशिष्ट पर्वत
C. नवीन मोड़दार पर्वत D. प्राचीन मोड़दार पर्वत

276. निम्नलिखित में कौन विश्व की सर्वाधिक लंबी पर्वत शृंखला है?

A. एंडीज B. हिमालय
C. आल्पस D. रॉकी

277. आल्पस पर्वत श्रेणी किस देश का हिस्सा नहीं है?

A. जर्मनी B. फ्रांस
C. इंग्लैंड D. ऑस्ट्रिया

278. ब्लैक पर्वत किस देश में अवस्थित है?

A. नॉर्वे में B. संयुक्त राज्य अमेरिका में
C. कनाडा में D. स्विट्जरलैंड में

279. एटलस पर्वत किस महाद्वीप में स्थित है?

A. अफ्रीका B. यूरोप
C. ऑस्ट्रेलिया D. एशिया

280. निम्न पर्वतों में से कौन-सा प्राचीन पर्वत नहीं है?

A. अरावली पर्वत B. यूराल पर्वत
C. अप्लेशियन पर्वत D. एंडीज पर्वत

281. सूची-I को सूची-II से सुमेलित कीजिए तथा सूचियों के नीचे दिए गए कूट से सही उत्तर चुनिए :

सूची-I (पर्वत)	**सूची-II (देश)**
(*a*) एटलस	1. फ्रांस/स्पेन
(*b*) किलिमंजारो	2. इक्वाडोर
(*c*) चिंबेराजो	3. तंजानिया
(*d*) पाइरेनीज	4. मोरक्को

कूट :

	(*a*)	(*b*)	(*c*)	(*d*)
A.	4	3	2	1
B.	4	1	2	3
C.	2	3	4	1
D.	1	3	4	2

282. 'संसार का छत' (Roof of the World) किसे कहा जाता है?

A. सतपुड़ा B. पामीर
C. अरावली D. म्यांमार

283. अंधी घाटियां पाई जाती हैं?

A. टुंड्रा प्रदेश में B. शुष्क प्रदेश में
C. कार्स्ट प्रदेश में D. हिमनीकृत प्रदेश में

284. विश्व का सबसे बड़ा मरुस्थल कौन-सा है?

A. सहारा B. थार
C. गोबी D. कालाहारी

285. विश्व का सर्वाधिक जनसंख्या वाला मरुस्थल कौन-सा है?

A. सोनोरन B. गिब्सन
C. थार D. तकला माकन

286. निम्नलिखित में से कौन-से सही सुमेलित नहीं है?

	(मरुस्थल)	**(देश)**
A.	काराकुम	तुर्कमेनिस्तान
B.	सोनोरन	संयुक्त राज्य अमेरिका
C.	गिब्सन	ब्राजील
D.	तकला माकन	चीन

287. दश्त-ए-लुत किस देश में अवस्थित है?
A. केन्या में B. ईरान में
C. लीबिया में D. नाइजीरिया में

288. दक्षिण एशिया का सबसे बड़ा मरूस्थल कौन-सा है?
A. कोलोरैडो B. थार
C. अटाकामा D. कालाहारी

289. पृथ्वी का सर्वाधिक शुष्क क्षेत्र कौन-सा है?
A. गोबी मरुस्थल B. अरब का मरुस्थल
C. थार का मरुस्थल D. अटाकामा मरुस्थल

290. निम्न में से कौन-सा मरुस्थल दक्षिणी गोलार्द्ध में स्थित है?
A. सहारा B. गोबी
C. कालाहारी D. चिहुआहुआन

291. निम्नलिखित में से कौन एक सही सुमेलित नहीं है :
A. वेल्ड - ऑस्ट्रेलिया
B. स्टेपीज - यूरोप
C. प्रेयरीज - उत्तरी अमेरिका
D. पम्पास - दक्षिणी अमेरिका

292. सवाना का सर्वाधिक विस्तार है :
A. एशिया में
B. अफ्रीका में
C. उत्तरी अमेरिका में
D. दक्षिणी अमेरिका में

293. कौन-सा शीतोष्ण घास का मैदान यूरेशिया में पाया जाता है?
A. स्टेपीज B. डाउन्स
C. वेल्डस D. प्रेयरीज

294. निम्न महाद्वीपों में से किसमें कोई स्थलरुद्ध देश नहीं हैं?
A. एशिया में B. उत्तरी अमेरिका में
C. अफ्रीका में D. यूरोप में

295. महासागरीय नितल का सबसे विस्तृत भाग कौन-सा होता है?
A. महासागरीय गर्त B. महासागरीय ढाल
C. महासागरीय मग्न तट D. गहरे सागरीय मैदान

296. अगुलहास धारा चलती है?
A. प्रशांत महासागर में
B. हिन्द महासागर में
C. दक्षिणी अटलांटिक महासागर में
D. उत्तरी अटलांटिक महासागर में

297. निम्नलिखित में से कौन-सा एक सही सुमेलित नहीं है?
A. गल्फ स्ट्रीम धारा - उत्तरी अटलांटिक महासागर
B. अगुलहास धारा - हिन्द महासागर
C. हमबोल्ट धारा - उत्तरी प्रशांत महासागर
D. ब्राजील धारा - दक्षिण अटलांटिक महासागर

298. दक्षिण अमेरिका में खनिजों के भंडार वाला क्षेत्र है?
A. ओरीनिको बेसिन B. बोलीविया का पठार
C. ब्राजील का पठार D. पैटागोनिया का पठार

299. तिब्बत के पठार की औसत ऊंचाई है?
A. 2 किमी. B. 3 किमी.
C. 4 किमी. D. 5 किमी.

300. स्ट्राम्बोली है :
A. एक जाग्रत ज्वालामुखी B. एक निर्वापित ज्वालामुखी
C. एक प्रसुप्त ज्वालामुखी D. इनमें से कोई नहीं

अपवाह तंत्र

301. गंगा नदी किस प्रकार की अपवाह प्रणाली का एक उदाहरण है?
A. परवर्ती अपवाह का B. अनुवर्ती अपवाह का
C. पूर्ववर्ती अपवाह का D. अक्रमवर्ती अपवाह का

302. सूची-I को सूची-II से सुमेलित कीजिए तथा सूचियों के नीचे दिए गए कूट का प्रयोग करते हुए सही उत्तर चुनिए :

सूची-I (स्थल)	सूची-II (नदियों का समागम)
(*a*) देव प्रयाग	1. विष्णु गंगा-मंदाकिनी
(*b*) नंद प्रयाग	2. अलकनंदा-मंदाकिनी
(*c*) रुद्रप्रयाग	3. भागीरथी-अलकनंदा
(*d*) कर्ण प्रयाग	4. अलकनंदा-पिंडार

कूट :

	(*a*)	(*b*)	(*c*)	(*d*)
A.	3	4	1	2
B.	2	1	4	3
C.	4	3	2	1
D.	2	1	3	4

303. मंदाकिनी नदी किस प्रमुख जलधारा या मुख्य नदी की सहायक नदी है?
A. यमुना
B. नर्मदा
C. अलकनंदा
D. गंगा

304. भारत की सबसे लंबी नदी है :

A. गोदावरी B. सिंधु

C. गंगा D. सिंधु

305. केदारनाथ से रुद्रप्रयाग के मध्य बहने वाली नदी कौन-सी है?

A. मंदाकिनी B. अलकनंदा

C. सरयू D. भागीरथी

306. निम्न में से किस स्थान पर भागीरथी एवं अलकनंदा नदियां मिलती हैं?

A. विष्णु प्रयाग B. रुद्र प्रयाग

C. देव प्रयाग D. कर्ण प्रयाग

307. गंगा नदी की एकमात्र सहायक नदी जिसका उद्गम मैदान में है, वह है :

A. सरयू B. सोन

C. रामगंगा D. गोमती

308. यमुना नदी का उद्गम स्थल है :

A. बंदरपूँछ B. नीलकंठ

C. नंदादेवी D. चौखंभा

309. बेतवा नदी मिलती है :

A. सोन से B. ब्रह्मपुत्र से

C. यमुना से D. गंगा से

310. निम्न में से कौन-सी श्रेणी यमुना और सोन नदी के मध्य जलद्वि विभाजक का कार्य करती है?

A. मैकाल B. मुकुंदवारा

C. कैमूर D. भांडेर

311. भारत में 'यारलूंग त्संगपो नदी' को किस नाम से जाना जाता है?

A. सिंधु B. ब्रह्मपुत्र

C. गंगा D. महानदी

312. निम्न नदियों पर विचार करिए :

1. लोहित
2. सुबनसिरि
3. बराक

उपर्युक्त में से कौन-सी नदी अरुणाचल प्रदेश से होकर बहती है?

A. केवल 1 B. केवल 1 और 2

C. केवल 1 और 3 D. 1, 2 और 3

313. ब्रह्मपुत्र नदी का बहाव क्षेत्र है :

A. भारत, चीन, बांग्लादेश, तिब्बत

B. बांग्लादेश, पश्चिम बंगाल, भूटान, नेपाल

C. तिब्बत, बांग्लादेश, भारत

D. भारत, पाकिस्तान, बांग्लादेश, सिक्किम

314. निम्न नदियों में से किनका स्रोत बिन्दु लगभग एक ही है?

A. सिंधु और गंगा B. ब्रह्मपुत्र और सिंधु

C. तापी और व्यास D. ब्रह्मपुत्र और गंगा

315. नर्मदा नदी घाटी किन पर्वत शृंखलाओं के मध्य स्थित है?

A. सतपुड़ा और अरावली B. विंध्याचल और अरावली

C. भांडेर और मैकाल D. सतपुड़ा और विंध्याचल

316. निम्न नदियों मे से कौन-सी एक नदी डेल्टा का निर्माण नहीं करती है?

A. कावेरी B. नर्मदा

C. महानदी D. गोदावरी

317. नर्मदा नदी का उद्गम स्थल है?

A. अमरकंटक B. शहडोल

C. नर्मदापुरम D. भेड़ाघाट

318. निम्न में से कौन-सी नदी अरब सागर में गिरती है?

A. महानदी B. कृष्णा

C. ताप्ती D. गोदावरी

319. कावेरी नदी निम्न में से किन राज्यों से होकर बहती है?

A. कर्नाटक, केरल, आंध्र प्रदेश

B. मध्य प्रदेश, महाराष्ट्र, तमिलनाडु

C. गुजरात, मध्य प्रदेश, तमिलनाडु

D. कर्नाटक, केरल, तमिलनाडु

320. निम्न नदियों में से किसे दक्षिण की गंगा कहा जाता है?

A. गोदावरी B. कावेरी

C. नर्मदा को D. कृष्णा से

321. दक्षिण भारत की नदियां मुख्य रूप से कौन-से अपवाह तंत्र का अनुसरण करती हैं?

A. खंडित B. वृक्षनुमा

C. अरीय D. जालीदार

322. भारत का दूसरा बड़ा नदी बेसिन कौन-सा है?

A. कावेरी बेसिन B. नर्मदा बेसिन

C. महानदी बेसिन D. गोदावरी बेसिन

323. निम्न मे से प्रायद्वीपीय भारत की सबसे लंबी नदी कौन-सी है?

A. गोदावरी B. महानदी

C. कावेरी D. कृष्णा

324. निम्नलिखित में से किस नदी की घाटी गहरी खड्डभूमि के लिए प्रसिद्ध है?

A. सोन B. चम्बल

C. ताप्ती D. नर्मदा

325. भारत की निम्न नदियों में से कौन हिमालय की सभी श्रेणियों को काटती है?

A. चिनाब B. व्यास

C. सतलज D. रावी

326. हिमाचल प्रदेश से होकर बहने वाली नदियां हैं?

A. केवल व्यास और रावी

B. केवल चेनाब, रावी और सतलज

C. केवल व्यास और चेनाब

D. व्यास, चेनाब, रावी, सतलज और यमुना

327. अन्तःस्थलीय अपवहन नदी का उदाहरण है :
A. नर्मदा B. कृष्णा
C. घग्घर D. माही

328. निम्न नदियों में से सबसे अधिक नदीपथ परिवर्तन किसने किया है?
A. गंडक नदी B. गंगा नदी
C. सोन नदी D. कोसी नदी

329. निम्न में से किस नदी का स्रोत हिमनदों में नहीं है?
A. अलकनंदा B. यमुना
C. कोसी D. मंदाकिनी

330. संथाल परगना में लगाया जाने वाला दुमका का हिजला मेला किस नदी के तट पर आयोजित किया जाता है?
A. फल्गु B. बराकर
C. सुवर्णरेखा D. मयूराक्षी

331. निम्न नदियों में से कौन-सा अध्यारोपित नदी का उदाहरण है?
A. चम्बल B. अलकनंदा
C. गोदावरी D. कोसी

332. गंगा नदी के किनारे बसा हुआ सबसे बड़ा शहर है?
A. पटना B. कानपुर
C. प्रयागराज D. वाराणसी

333. निम्नलिखित में से कौन-सा एक सही सुमेलित नहीं है?
A. लुधियाना-रावी B. गोरखपुर-राप्ती
C. सूरत-ताप्ती D. जबलपुर-नर्मदा

334. जोग जलप्रपात किस नदी पर अवस्थित है?
A. कावेरी B. नर्मदा
C. शरावती D. गोदावरी

335. निम्नलिखित युग्मों में से कौन-सा सुमेलित नहीं है?
A. धुआंधार प्रपात - नर्मदा
B. जोग प्रपात - कृष्णा
C. शिवसमुद्रम प्रपात - कावेरी
D. चुलिया प्रपात - चम्बल

336. भारत के किस जलप्रपात को लोकप्रिय रूप से नियाग्रा जलप्रपात कहा जाता है?
A. केवटी प्रपात B. रजत प्रपात
C. बरकाना प्रपात D. चित्रकूट प्रपात

337. वेम्बनाद झील किस राज्य में है :
A. केरल B. आंध्र प्रदेश
C. तमिलनाडु D. ओडिशा

338. निम्न में से कौन-सा एक सही सुमेलित है?

	(झील)		(अवस्थिति)
A.	पुलिकट	–	केरल
B.	कोलेरू	–	आंध्र प्रदेश
C.	नक्की	–	गुजरात
D.	लोनार	–	मध्य प्रदेश

339. निम्न में से किसे 'रहस्यमयी झील' कहा जाता है?
A. रूपकुंड झील B. रेड हिल्स झील
C. डोडीताल झील D. जोर पोखरी झील

340. कयाल क्या है?
A. गंगा डेल्टा B. दक्कन पठार की रेगर
C. केरल के लैगून D. तराई मैदान

341. किस नदी को छत्तीसगढ़ की जीवन रेखा कहा जाता है?
A. महानदी B. शिवनाथ
C. इन्द्रावती D. शबरी

342. मांड नदी किसकी सहायक है?
A. गंगा B. महानदी
C. इंद्रावती D. ब्रह्मपुत्र

343. किस नदी को छत्तीसगढ़ की गंगा कहा जाता है?
A. शिवनाथ B. हसदेव
C. अरपा D. महानदी

344. कांगेर घाटी राष्ट्रीय उद्यान किस नदी के किनारे स्थित है?
A. मांड B. इंद्रावती
C. कांगेर D. महानदी

345. निम्न में से कौन-सी नदी पूरी तरह छत्तीसगढ़ राज्य में बहती है?
A. शबरी B. अरपा
C. इंद्रावती D. शिवनाथ

346. छत्तीसगढ़ में बहने वाली अधिकांश नदियाँ किस दिशा में बहती हैं?
A. दक्षिण से पूर्व B. उत्तर से दक्षिण
C. दक्षिण से उत्तर D. पश्चिम से पूर्व

347. गंगरेल जलाशय किस नदी पर है?
A. इंद्रावती B. महानदी
C. हसदेव D. शिवनाथ

348. महानदी किस सागर में मिलती है?
A. अरब सागर
B. बंगाल की खाड़ी
C. अंडमान सागर
D. उपर्युक्त में से किसी में भी नहीं

349. माचकोट जलप्रपात किस नदी पर स्थित है?
A. हसदेव B. इंद्रवती
C. मांड D. कांगेर

350. निम्नलिखित में से कौन-सी नदी छत्तीसगढ़ और तेलंगाना की सीमा बनाती है?
A. शबरी B. इंद्रवती
C. मांड D. हसदेव

मृदा एवं भू-क्षरण तथा कृषि

351. निम्न में से किन पवनों से भारत में मानसून की उत्पत्ति होती है?
A. दक्षिण-पूर्वी पवनों द्वारा B. दक्षिण-पश्चिम पवनों द्वारा
C. व्यापारिक पवनों द्वारा D. उत्तर-पश्चिम पवनों द्वारा

352. भारत के किस भाग में सर्वाधिक दैनिक तापांतर पाया जाता है?
A. राजस्थान के मरूस्थलीय क्षेत्रों में
B. अंडमान द्वीपों में
C. छत्तीसगढ़ मैदान के आंतरिक क्षेत्रों में
D. पूर्वी तटीय प्रदेशों में

353. इंटरट्रॉपिकल कंवरजेन्स जोन (आई.टी.सी.जेड.), एक निम्न वायुदाब पेटी, स्थित है :
A. ध्रुवों के समीपवर्ती क्षेत्रों में
B. व्यापारिक एवं पछुआ पवनों की पेटी में
C. भूमध्य रेखा पर
D. पछुआ एवं ध्रुवीय पवनों की पेटी के मध्य

354. भारत में सर्वाधिक वर्षा मुख्यतः प्राप्त होती है?
A. संवहनी वर्षा से B. उत्तर-पूर्वी मानसून से
C. वापस होती मानसून से D. दक्षिण-पश्चिम मानसून से

355. छत्तीसगढ़ में वर्षा किस मानसून से होती है?
A. नॉर्वेस्टर B. उत्तर-पूर्वी मानसून से
C. दक्षिण-पश्चिम मानसून D. उपर्युक्त में से कोई नहीं

356. आम्र वर्षा (Mango shower) का संबंध है?
A. छत्तीसगढ़ व बंगाल मे होने वाली मानसूनी वर्षा से
B. आम का टपकना
C. आम की फसल
D. आमों की बौछार

357. भारत के उत्तरी मैदानों में शीतऋतु में वर्षा होती है, मुख्यतः
A. अरब सागर मानसून से B. पश्चिमी विक्षोभों से
C. लौटते मानसून से D. बंगाल की खाड़ी मानसून से

358. रेगुर (Regur) किस मिट्टी को कहा जाता है?
A. लैटेराइट मिट्टी को B. काली मिट्टी को
C. लाल मिट्टी को D. जलोढ़ मिट्टी को

359. भारत की निम्न मिट्टियों में से कौन-सी मिट्टी कपास की खेती के लिए सर्वाधिक उपयुक्त है?
A. लाल मिट्टी B. जलोढ़ मिट्टी
C. रेगुर मिट्टी D. लैटेराइट मिट्टी

360. निम्न में से कहाँ लावा मिट्टियाँ पाई जाती हैं?
A. शिलांग पठार में B. मालवा पठार में
C. छत्तीसगढ़ के मैदान में D. इनमें से कोई नहीं

361. लैटेराइट मिट्टी पाई जाती है?
A. पंजाब में B. उत्तर प्रदेश में
C. महाराष्ट्र में D. हिमाचल प्रदेश में

362. भारत में सबसे अधिक उपजाऊ मृदा कौन-सी है?
A. काली मृदा B. चूनेदार मृदा
C. लाल मृदा D. जलोढ़ मृदा

363. निम्न में से किस प्रकार की मृदा में जल धारण करने की क्षमता सबसे कम होती है?
A. दोमट B. दोमट बालू
C. बलुई दोमट D. मटियार दोमट

364. भूमि की उर्वरता बढाने के लिए निम्न में से कौन-सी फसल उगायी जाती है?
A. गन्ना B. उड़द
C. गेहूं D. चावल

365. पौधों को सबसे अधिक पानी की मात्रा किस मिट्टी में मिलती है?
A. बलुई मिट्टी B. लोम मिट्टी
C. चिकनी मिट्टी D. पांशु मिट्टी

366. भारत में निम्नलिखित में से किस क्षेत्र में मृदा अपरदन की समस्या गंभीर है?
A. दंडकारण्य
B. मेघालय पठार
C. मालवा पठार
D. शिवालिक पहाड़ियों का पदीय क्षेत्र

367. निम्न में से कौन-सी मिट्टी चाय बागानों के लिए उपयुक्त है?
A. क्षारीय B. जलोढ़ (कछारी)
C. अम्लीय D. रेगुर

368. निम्न में से किस कारण से फसल चक्र आवश्यक है?
A. मृदा की उर्वरा शक्ति में वृद्धि के लिए
B. मृदा की नमी को बनाए रखने के लिए
C. विभिन्न फसलों की प्राप्ति के लिए
D. पादपों में प्रोटीन की वृद्धि के लिए

369. मृदा अपरदन रोका जा सकता है?
A. वनस्पति के उन्मूलन द्वारा
B. पक्षियों की संख्या में वृद्धि करके
C. वनारोपण द्वारा
D. अति चराई द्वारा

370. समानांतर फसल का एक उदाहरण है?
A. ज्वार- आलू B. कपास-गेहूं
C. गेहूं-सरसों D. आलू-धान

371. भारतीय कृषि की विशेषता नहीं है?
A. फसलों की विविधता B. बड़े खेतों की प्रधानता
C. प्रकृति पर अधिक निर्भरता D. उत्पादकता का निम्न स्तर

372. भारत में कृषि को माना जाता है?
A. व्यापार B. उद्योग
C. व्यवसाय D. जीविकोपार्जन का साधन

373. एगमार्क है :
A. फसलों की एक विनियमित मंडी
B. गुणवत्ता गारंटी की मुहर
C. कृषकों की एक सहकारी समिति
D. अंडा उत्पादन के लिए एक सहकारी समिति

374. वैश्विक स्तर पर 'हरित क्रांति के जनक' कौन हैं?
A. जी.एस. खुश B. बी.पी. पाल
C. नॉर्मन ई. बोरलॉग D. एम.एस. स्वामीनाथन

375. सूची-I को सूची-II से सुमेलित कीजिए तथा सूची के नीचे दिए गए कूट से सही उत्तर चुनिए :

सूची-I	सूची-II
(*a*) खाद्य उत्पादन में वृद्धि	1. हरित क्रांति
(*b*) दुग्ध उत्पादन	2. नीली क्रांति
(*c*) मत्स्य पालन	3. श्वेत क्रांति
(*d*) उर्वरक उत्पादन	4. भूरी क्रांति

कूट :

	(*a*)	(*b*)	(*c*)	(*d*)
A.	3	1	2	4
B.	1	3	2	4
C.	3	2	4	1
D.	2	4	3	1

376. निम्न में से कौन-सी एक 'रबी' फसल है?
A. सरसों B. कपास
C. अरहर D. मक्का

377. निम्न में से कौन-सी फसल नकदी फसल में शामिल नहीं है?
A. कपास B. गेहूं
C. गन्ना D. जूट

378. 'माही सुगंधा' निम्न में से किस फसल की प्रजाति है?
A. सूरजमुखी B. गेहूं
C. धान D. सरसों

379. निम्नलिखित में से कौन एक गेहूं की फसल का रोग है?
A. डस्ट B. टिक्का
C. रस्ट D. ब्लास्ट

380. निम्न फसलों पर विचार कीजिए :
1. कपास 2. मूंगफली
3. धान 4. गेहूं

इनमें से कौन-सी खरीफ की फसल के अंतर्गत आती है?
A. केवल 2 और 3 B. 1 और 4
C. 2, 3 और 4 D. 1, 2 और 3

381. चावल की कृषि के लिए आदर्श जलवायु परिस्थितियां हैं?
A. फसल की पूरी अवधि के लिए ठंडी और नम जलवायु
B. 100 सेमी. से कम वर्षा और 25°C से कम तापमान
C. 100 सेमी से ऊपर वर्षा और 25°C से ऊपर तापमान
D. पूरी फसल अवधि में कुछ गरम और कुछ शुष्क जलवायु

382. इनमें से कौन-सी एक खरीफ की फसल नहीं है?
A. सरसों B. कपास
C. मक्का D. मूंगफली

383. किस क्षेत्र को भारत के 'चावल के कटोरे' के नाम से जाना जाता है?
A. पूर्वोत्तर क्षेत्र B. कृष्णा-गोदावरी डेल्टा क्षेत्र
C. सिंधु-गंगा का मैदान D. केरल और तमिलनाडु

384. निम्न फसलों में किस एक की रोपाई की जाती है?
A. गेहूं B. मक्का
C. धान D. सरसों

385. निम्न में से कौन-सा राज्य सबसे अधिक गन्ने का उत्पादन करता है?
A. बिहार B. छत्तीसगढ़
C. झारखंड D. उत्तर प्रदेश

386. 'पीली क्रांति' का संबंध निम्न में से किससे है?
A. तिलहन उत्पादन से B. मत्स्य उत्पादन से
C. अनाज उत्पादन से D. दुग्ध उत्पादन से

387. किस राज्य में सोयाबीन की खेती का सर्वाधिक क्षेत्रफल है?
A. राजस्थान B. छत्तीसगढ़
C. मध्य प्रदेश D. पंजाब

388. 'वरुणा' है :
A. सूरजमुखी की एक प्रजाति
B. अलसी की एक प्रजाति
C. सरसों की एक प्रजाति
D. तिल की एक प्रजाति

389. दलहन फसलों के उत्पादन के लिए निम्न में से कौन-सा तत्व आवश्यक है?
A. कोबाल्ट B. आयोडीन
C. सोडियम D. क्रोमियम

390. निम्न युग्मों में से कौन-सा एक सही सुमेलित है?
A. टसर रेशम – कर्नाटक
B. मूंगा रेशम – अरुणाचल प्रदेश
C. ईरी रेशम – असम
C. शहतूत रेशम – झारखंड

391. राष्ट्रीय बागवानी बोर्ड की स्थापना कब की गई थी?
A. वर्ष 1987 में B. वर्ष 1976 में
C. वर्ष 1984 में D. वर्ष 2002 में

392. कौन-सा राज्य सर्वाधिक कॉफी उत्पादन करने वाला राज्य है?
A. ओडिशा B. कर्नाटक
C. महाराष्ट्र D. केरल

393. 'ग्रीन गोल्ड' किसकी एक किस्म है?
A. धान B. चाय
C. कॉफी D. स्वर्ण

394. भारत में नारियल का सबसे बड़ा उत्पादक राज्य कौन-सा है?
A. केरल B. आंध्र प्रदेश
C. कर्नाटक D. तमिलनाडु

395. लौंग प्राप्त किया जाता है :
A. तना से B. पुष्पकली से
C. जड़ से D. फल से

396. निम्न में से कौन-सा मसाला भारत के 'काला सोना' के रूप में जाना जाता है?
A. इलायची B. केसर
C. काली मिर्च D. लौंग

397. राष्ट्रीय केला अनुसंधान केंद्र कहाँ स्थित है?
A. पुणे में B. रायपुर में
C. सहारनपुर में D. त्रिची में

398. निम्न में से किस राज्य में केसर का वाणिज्यिक स्तर पर उत्पादन किया जाता है?
A. पंजाब में B. जम्मू एवं कश्मीर में
C. केरल में D. हिमाचल प्रदेश में

399. बोरलॉग पुरस्कार, निम्न में से कौन-से एक वैज्ञानिक क्षेत्र में दिया जाता है?
A. औषधि B. परमाणु भौतिक
C. अंतरिक्ष अनुसंधान D. कृषि विज्ञान

400. भारत में मुख्य रूप से जूट उद्योग केंद्रित है?
A. छत्तीसगढ़ में B. केरल में
C. पश्चिम बंगाल में D. उत्तर प्रदेश में

खनिज संपदा और उद्योग

401. निम्न में से भारत का सबसे महत्वपूर्ण खनिजयुक्त रॉक तंत्र है?
A. विंध्य तंत्र B. कडप्पा तंत्र
C. धारवाड़ तंत्र D. गोंडवाना तंत्र

402. भारत के किस भाग में खनिज संसाधनों के सबसे बड़े भंडार हैं?
A. दक्षिण में B. दक्षिण-पूर्व में
C. पश्चिम में D. उत्तर में

403. सीमेंट उद्योग के लिए कच्चा माल है :
A. लोहा B. कपास
C. चूना पत्थर D. इनमें से कोई नहीं

404. निम्न में से किस राज्य में लौह अयस्क उपलब्ध नहीं है?
A. मध्य प्रदेश में B. बिहार में
C. पंजाब में D. ओडिशा में

405. बैलाडिला खान का संबंध किस खनिज से है?
A. कोयला
B. लौह अयस्क
C. अभ्रक
D. मैंगनीज अयस्क

406. एशिया का श्रेष्ठ सीसा एवं जस्ता अयस्क भंडार उपलब्ध है?
A. उदयपुर जिले के झामर कोटड़ा में
B. राजसमंद जिले के राजपुर दरीबा में
C. भीलवाड़ा जिले के रामपुर आगूचा में
D. उदयपुर जिले के दिलवाड़ा में

407. 'खेतड़ी' किसके लिए प्रसिद्ध है?
A. कोयला B. तांबा
C. लौह अयस्क D. मैंगनीज

408. बॉक्साइट किसका अयस्क है?
A. जस्ता का B. सीसा का
C. तांबा का D. एल्युमीनियम का

409. छत्तीसगढ़ के किस जिले में बॉक्साइट खनिज उपलब्ध है?
A. दुर्ग B. कोंडागाव
C. रायपुर D. धमतरी

410. निम्नलिखित में से किस राज्य में टिन अयस्क का प्रमुख भंडार है?
A. प. बंगाल B. छत्तीसगढ़
C. जम्मू-कश्मीर D. असम

411. निम्न में से कौन-सा राज्य अभ्रक का सबसे बड़ा उत्पादक है?
A. बिहार B. झारखंड
C. राजस्थान D. आंध्र प्रदेश

412. संगमरमर क्या है?
A. कायांतरित चट्टान B. अवसादी चट्टान
C. आग्नेय चट्टान D. बलुआ पत्थर

413. भारत में दो अग्रणी कोयला उत्पादक राज्य कौन-से हैं?
A. छत्तीसगढ़ तथा मध्य प्रदेश
B. मध्य प्रदेश तथा आंध्र प्रदेश
C. झारखंड तथा छत्तीसगढ़
D. झारखंड तथा ओडिशा

414. भारत में कोयले का उत्पादन करने वाला निम्न में से कौन प्रमुख राज्य नहीं है?
A. ओडिशा B. आंध्र प्रदेश
C. पश्चिम बंगाल D. मिजोरम

415. भारत में सर्वाधिक कोयला भंडार किस राज्य में पाया जाता है?
A. मध्य प्रदेश में B. ओडिशा में
C. छत्तीसगढ़ D. झारखंड में

416. छोटानागपुर औद्योगिक क्षेत्र का संबंध रहा है?
A. लौह अयस्क से B. बॉक्साइट से
C. कोयला की खोज से D. मैंगनीज की खोज से

417. कोरबा कोयला क्षेत्र किस राज्य में स्थित है?
A. असम में B. ओडिशा में
C. छत्तीसगढ़ में D. पं. बंगाल में

418. प्रसिद्ध तलचर कोयला क्षेत्र किस राज्य में है?
A. झारखंड में B. आंध्र प्रदेश में
C. ओडिशा में D. छत्तीसगढ़ में

419. निम्न राज्यों में से किसमें झरिया कोयला क्षेत्र अवस्थित है?
A. छत्तीसगढ़ B. झारखंड
C. पश्चिम बंगाल D. ओडिशा

420. निम्न में से किस खनिज का 90% भंडार ओडिशा में उपलब्ध है?
A. क्रोमाइट B. सोना
C. जिप्सम D. निकिल

421. भारत की सबसे पुरानी तेलशोधन इकाई है?
A. कोयली B. मथुरा
C. हल्दिया D. दिग्बोई

422. निम्न में कौन जीवाश्म ईंधन नहीं है?
A. लकड़ी B. कोयला
C. पेट्रोल D. डीजल

423. क्वार्टजाइट निम्न में से किससे कायांतरित होता है?
A. शैल से B. बलुआ पत्थर से
C. चूना से D. आब्सीडियन से

424. निम्न में से कौन एक सही सुमेलित नहीं है-
A. अमरकंटक – बॉक्साइट
B. नेल्लोर – मैंगनीज
C. राखा – तांबा
D. डल्लीराजहरा – लौह अयस्क

425. जादूगोड़ा किसके लिए प्रसिद्ध है?
A. सोने के लिए B. लौह अयस्क के लिए
C. यूरेनियम के लिए D. मैंगनीज के लिए

426. भारत में ऊर्जा का सर्वाधिक स्रोत कौन-सा है?
A. पेट्रोल B. कोयला
C. जलविद्युत D. नाभिकीय ऊर्जा

427. निम्न में से कौन-से राज्य की प्रति व्यक्ति बिजली उत्पादन क्षमता और कुल बिजली उत्पादन क्षमता में प्रथम स्थान है?
A. उत्तर प्रदेश B. छत्तीसगढ़
C. गुजरात D. तमिलनाडु

428. स्टेनलेस स्टील बनाने के लिए क्या प्रयोग किया जाता है?
A. निकेल व तांबा B. क्रोमियम व निकेल
C. बेन्जीन व एसीटीन D. क्रोमियम व ग्रेफ़ाइट

429. भिलाई स्टील प्लांट भारत सरकार तथा एक और किस देश के सहयोग से स्थापित किया गया है?
A. ब्रिटेन B. जर्मनी
C. पोलैंड D. रूस

430. निम्नलिखित में से कौन-सा एक सही सुमेलित नहीं है?
A. दुर्गापुर – पश्चिम बंगाल
B. जमशेदपुर – झारखंड
C. भिलाई – मध्य प्रदेश
D. राउरकेला – ओडिशा

431. निम्न स्थानों में से कहाँ पर तांबा उद्योग स्थापित है?
A. रांची B. खेतड़ी
C. टीटागढ़ D. तारापुर

432. निम्न उद्योगों में से कौन-सा भारत में प्राचीन उद्योग है?
A. चीनी B. चाय
C. सूती वस्त्र D. जूट

433. तमिलनाडु में सबसे अधिक सूती वस्त्र के कारखाने कहाँ पाए जाते हैं?
A. कोयंबटूर B. चेन्नई
C. सलेम D. मदुरै

434. निम्न में से कौन सीमेंट का मुख्य संघटक है?
A. मटियार B. जिप्सम
C. राख D. चूना पत्थर

435. किस राज्य में भारत का सबसे बड़ा पेट्रो-रसायन कारखाना स्थित है?
A. असम में B. पश्चिम बंगाल में
C. गुजरात में D. तमिलनाडु में

436. किस राज्य में सर्वाधिक कागज मिलें स्थापित है?
A. महाराष्ट्र B. बिहार
C. कर्नाटक D. पं. बंगाल

437. निम्न उद्योगों में से कौन-सा एक पानी का सबसे बड़ा उपभोक्ता है?
A. कागज एवं लुगदी B. अभियांत्रिकी
C. ताप शक्ति D. वस्त्र उद्योग

438. मध्य प्रदेश में पीथमपुर किसके लिए प्रसिद्ध है?
A. जूट B. ऑटोमोबाइल
C. कागज D. तांबा

439. नेपानगर का संबंध निम्न में से किस उद्योग से है?
A. चीनी B. उर्वरक
C. अखबारी कागज D. ऊनी वस्त्र

440. 'केन्द्रीय शुष्क भूमि कृषि अनुसंधान संस्थान' कहाँ स्थित है?
A. हैदराबाद में B. जोधपुर में
C. झांसी में D. जबलपुर में

441. 'राष्ट्रीय कृषि विपणन संस्थान' कहाँ स्थित है?
A. भोपाल में B. हिसार में
C. जयपुर में D. नई दिल्ली में

442. 'राष्ट्रीय डेयरी अनुसंधान केंद्र' कहाँ स्थित है?
A. करनाल B. पुणे
C. इज्जतनगर D. अम्बाला

443. 'भारतीय गन्ना अनुसंधान संस्थान' स्थित है?
A. लुधियाना में B. लखनऊ में
C. पूसा, समस्तीपुर में D. कोयंबटूर में

444. भारत में निम्न में से किस साधन से सर्वाधिक सिंचाई होती है?
A. तालाब B. कुआँ व नलकूप
C. नहर D. अन्य स्रोत

445. स्वर्णिम चतुर्भुज क्या है?
A. प्रमुख वायु मार्ग B. राष्ट्रीय राजमार्ग परियोजना
C. स्वर्ण व्यापार का मार्ग D. उपर्युक्त मे कोई नहीं

446. दक्षिण-पूर्वी रेलवे का मुख्यालय है?
A. हैदराबाद B. नागपुर
C. कोलकाता D. बिलासपुर

447. दीनदयाल (कांडला) बंदरगाह कहाँ स्थित है?
A. कच्छ का रण B. खंभात की खाड़ी
C. कच्छ की खाड़ी D. कर्क रेखा

448. भारत का सबसे बड़ा राष्ट्रीय राजमार्ग कौन-सा है?
A. NH-44 B. NH-27
C. NH-16 D. NH-66

449. निम्न भारतीय बंदरगाहों में से कौन-सा एक प्राकृतिक बंदरगाह नहीं है?
A. पारादीप B. मुंबई
C. दीनदयाल (कांडला) D. चेन्नई

450. भारत में सबसे बड़ा जहाज तोड़ने वाला यार्ड गुजरात के किस स्थान पर है?
A. कांडला B. पोरबंदर
C. अलंग D. ओखा

वन एवं वन्यजीव अभयारण्य

451. निम्न में से किस प्रकार का वन भारत के सर्वाधिक वृहत क्षेत्र में पाया जाता है?
A. उष्णकटिबंधीय आर्द्र सदाबहार वन
B. उपोष्ण शुष्क सदाबहार वन
C. पर्वतीय आर्द्र शीतोष्ण वन
D. उष्णकटिबंधीय आर्द्र पर्णपाती

452. साल तथा सागौन किस प्रकार के वन के उत्पाद हैं?
A. उष्णकटिबंधीय कंटीले वन
B. उष्णकटिबंधीय सदाबहार वन
C. पर्वतीय वन
D. उष्णकटिबंधीय शुष्क पहाड़ी वन

453. निम्न पौधों में से किसमें फूल नहीं होता?
A. गूलर B. कटहल
C. फर्न D. ऑर्किड

454. निम्न युग्मों में से कौन-सा एक सही सुमेलित है-
A. चंदन काष्ठ – केरल
B. सुंदरी – पश्चिम बंगाल
C. टीक – जम्मू और कश्मीर
D. देवदार – मध्य प्रदेश

455. निम्नलिखित में से कौन-सा वृक्ष समुद्र तल में सर्वाधिक ऊंचाई पर पाया जाता है?
A. चीड़ B. सागौन
C. देवदार D. साल

456. निम्न में से किस राज्य का सर्वाधिक क्षेत्र घने पतझड़ वाले जंगल से घिरा हुआ है?

A. मध्य प्रदेश B. छत्तीसगढ़

C. महाराष्ट्र D. ओडिशा

457. निम्न में से भारत के किन राज्यों में उष्णकटिबंधीय वर्षावन की उपस्थिति है?

A. ओडिशा और छत्तीसगढ़ में

B. असम और नागालैंड में

C. असम और केरल में

D. उत्तर प्रदेश और केरल में

458. भोजपत्र वृक्ष किन स्थलों में पाया जाता है?

A. नीलगिरी शृंखलाओं में

B. अरावली पर्वतमाला में

C. विंध्याचल पर्वतमाला में

D. हिमालय में

459. निम्न में से किस प्रकार के वनों में पौधों एवं जंतुओं की सर्वाधिक विविधता है?

A. उष्णकटिबंधीय आर्द्र वन में

B. शीतोष्ण कटिबंधीय पर्णपाती वन में

C. शीतोष्ण कटिबंधीय घास के मैदान में

D. सदाबहार वन में

460. निम्न में से किस महाद्वीप में उष्णकटिबंधीय पर्णपाती वनों का विस्तार अधिक है?

A. एशिया B. अफ्रीका

C. दक्षिण अमेरिका D. ऑस्ट्रेलिया

461. निम्न में से किस जंगल को 'पृथ्वी के फेफड़ों' के रूप में जाना जाता है?

A. टैगा वन

B. अमेजन वन

C. पूर्वोत्तर भारत के वर्षा वन

D. टुंड्रा वन

462. वन ह्रास का मुख्य कारण है?

A. नदी घाटी परियोजनाएं B. कृषि विकास

C. सड़कों का विकास D. औद्योगिक विकास

463. पर्यावरण संतुलन बनाए रखने के लिए वनों के अंतर्गत कितना क्षेत्रफल होना चाहिए?

A. 10% B. 20%

C. 33% D. 53%

464. फॉरेस्ट सर्वे ऑफ इंडिया की वर्ष 2023 की रिपोर्ट के अनुसार भारत में वन क्षेत्र कुल भौगोलिक क्षेत्र का कितने प्रतिशत है?

A. 30 प्रतिशत B. 21.76 प्रतिशत

C. 25 प्रतिशत D. 32 प्रतिशत

465. निम्न में से कौन-सा अधिनियम भारत के वन्य जीवों को संरक्षण प्रदान करता है?

A. वन संरक्षण अधिनियम, 1982

B. पर्यावरण संरक्षण अधिनियम, 1996

C. वन्यजीव संरक्षण अधिनियम, 1972

D. वन्यजीव संरक्षण अधिनियम, 1959

466. 'चिपको आंदोलन' मूलतः किसके विरुद्ध था?

A. जल प्रदूषण के B. वनों की कटाई के

C. सांस्कृतिक प्रदूषण के D. ध्वनि प्रदूषण के

467. भारत का पहला राष्ट्रीय उद्यान कौन-सा है?

A. राजाजी राष्ट्रीय उद्यान B. नंदा देवी राष्ट्रीय उद्यान

C. कान्हा राष्ट्रीय उद्यान D. जिम कार्बेट राष्ट्रीय उद्यान

468. निम्न में से दाचीगाम राष्ट्रीय उद्यान का संबंध किससे है?

A. गोल्डन ओरियोल B. कस्तूरी मृग

C. हंगुल या कश्मीर स्टैग D. येलो-थ्रोटेड मार्टन

469. कांगेर घाटी राष्ट्रीय उद्यान किस राज्य में है?

A. बिहार B. झारखंड

C. छत्तीसगढ़ D. पश्चिम बंगाल

470. निम्न बाघ आरक्षित क्षेत्रों में से सबसे बड़ा "क्रांतिक बाघ आवास (Critical Tiger Habitat)" किसके अंतर्गत है?

A. रणथंभौर B. नागार्जुनसागर-श्रीसैलम

C. कार्बेट D. सुंदरबन

471. सरिस्का एवं रणथंभौर निम्नलिखित में से किन जानवरों के लिए संरक्षित है?

A. बाघ B. शेर

C. हिरण D. भालू

472. निम्न में से कौन-सा एक सही सुमेलित नहीं है :

	राष्ट्रीय उद्यान	राज्य
A.	सिमलीपाल	ओडिशा
B.	बाँदीपुर	कर्नाटक
C.	पिन वैली	जम्मू और कश्मीर
D.	राजा जी	उत्तराखंड

473. शुक्लाफांटा वन्यजीव अभयारण्य किस देश में स्थित है?

A. म्यांमार में B. नेपाल में

C. श्रीलंका में D. भूटान में

474. निम्न में से किस बाघ आरक्षित क्षेत्र का विस्तार दो राज्यों में है?

A. मानस B. सरिस्का

C. कान्हा D. पेंच

475. राष्ट्रीय चम्बल अभयारण्य किस राज्य का हिस्सा नहीं है?

A. मध्य प्रदेश B. हरियाणा

C. उत्तर प्रदेश D. राजस्थान

भारतीय संविधान, मौलिक अधिकार एवं मौलिक कर्तव्य

476. भारतीय संविधान कब लागू हुआ था?
A. 15 अगस्त 1947 B. 26 जनवरी 1950
C. 26 नवंबर 1949 D. 15 अगस्त 1950

477. भारतीय संविधान का निर्माता किसे कहा जाता है?
A. महात्मा गांधी B. जवाहरलाल नेहरू
C. डॉ. भीमराव अम्बेडकर D. सुभाष चंद्र बोस

478. भारत में संघीय न्यायालय की स्थापना किस वर्ष की गई थी?
A. 1937 B. 1935
C. 1945 D. 1947

479. केंद्र सरकार में 'द्वैध शासन' प्रणाली की शुरुआत किस अधिनियम के तहत की गई थी?
A. 1909 के अधिनियम
B. भारत सरकार अधिनियम, 1935
C. भारत सरकार अधिनियम, 1919
D. भारत स्वतंत्रता अधिनियम, 1942

480. भारत में द्विसदनीय विधायिका की व्यवस्था सर्वप्रथम कब लागू की गई थी?
A. 1858 के भारत शासन अधिनियम के तहत
B. 1909 के भारतीय परिषद अधिनियम के तहत
C. 1919 के भारत सरकार अधिनियम के तहत
D. 1935 के भारत सरकार अधिनियम के तहत

481. संविधान सभा का पहला स्थायी अध्यक्ष कौन था?
A. डॉ. भीमराव अम्बेडकर B. डॉ. राजेंद्र प्रसाद
C. सुभाष चंद्र बोस D. जवाहरलाल नेहरू

482. भारत का संविधान, एक निर्वाचित संविधान सभा के माध्यम से निर्मित किए जाने का सुझाव प्रस्तुत किया गया था :
A. क्रिप्स प्रस्ताव, 1942 के तहत
B. कैबिनेट मिशन योजना, 1946 के तहत
C. माउंटबेटन योजना, 1947 के तहत
D. भारत सरकार अधिनियम, 1935 के तहत

483. संविधान सभा के लिए प्रांतीय प्रतिनिधित्व निर्धारित करते समय, कैबिनेट मिशन योजना के अनुसार प्रत्येक सदस्य के प्रतिनिधित्व के लिए कितनी जनसंख्या को आधार बनाया गया था?
A. 5 लाख जनसंख्या B. 10 लाख जनसंख्या
C. 15 लाख जनसंख्या D. 20 लाख जनसंख्या

484. भारतीय संविधान किस प्रणाली पर आधारित है?
A. यूनिटरी प्रणाली B. फेडरल प्रणाली
C. फेडरेटेड यूनियन प्रणाली D. यूनियन प्रणाली

485. निम्नलिखित व्यक्तियों में से कौन कैबिनेट मिशन का सदस्य नहीं था?
A. स्टैफोर्ड क्रिप्स B. पेथिक लॉरेंस
C. विलियम वुड D. ए.बी. अलेक्जेंडर

486. संविधान सभा का पहला अस्थायी अध्यक्ष कौन था?
A. डॉ. भीमराव अम्बेडकर B. राजेंद्र प्रसाद
C. जवाहरलाल नेहरू D. सच्चिदानंद सिन्हा

487. संविधान सभा की प्रथम बैठक कब हुई थी?
A. 9 दिसंबर 1945 B. 26 जनवरी 1947
C. 9 दिसंबर 1946 D. 15 अगस्त 1947

488. भारत के संविधान में किस अनुच्छेद के तहत राष्ट्रपति को आपातकाल लगाने का अधिकार है?
A. अनुच्छेद 352 B. अनुच्छेद 370
C. अनुच्छेद 356 D. अनुच्छेद 360

489. भारतीय संविधान की प्रस्तावना में अब तक कितनी बार संशोधन किया गया है?
A. 1 बार B. 2 बार
C. 3 बार D. 4 बार

490. भारतीय संविधान में ''समाजवादी'' शब्द किस वर्ष जोड़ा गया?
A. 1950 B. 1976
C. 1978 D. 1999

491. संविधान सभा ने भारतीय संविधान की ड्राफ्टिंग समिति का गठन कब किया था?
A. 1946 B. 1947
C. 1948 D. 1949

492. संविधान सभा का अंतिम अधिवेशन कब हुआ था?
A. 24 जनवरी 1950 B. 26 जनवरी 1950
C. 26 नवंबर 1949 D. 15 अगस्त 1947

493. भारतीय संविधान के किस भाग में राज्य नीति के निदेशक तत्व दिये गए हैं?
A. भाग III B. भाग IV
C. भाग V D. भाग VI

494. भारतीय संविधान में मौलिक अधिकारों का उल्लंघन होने पर किस अनुच्छेद के तहत न्यायालय में याचिका दायर की जा सकती है?
A. अनुच्छेद 32 B. अनुच्छेद 300
C. अनुच्छेद 370 D. अनुच्छेद 19

495. भारत के संविधान का कौन-सा हिस्सा संघ और राज्यों के बीच शक्तियों के वितरण को नियंत्रित करता है?

A. भाग V B. भाग VI
C. भाग XI D. भाग XII

496. भारतीय संविधान के किस भाग में राष्ट्रपति का पद और उनकी शक्तियां वर्णित हैं?

A. भाग V B. भाग VI
C. भाग VII D. भाग VIII

497. संविधान सभा में उद्देश्य प्रस्ताव कब पेश किया गया था?

A. 22 जनवरी 1947 B. 13 दिसंबर, 1946
C. 22 जनवरी, 1947 D. 26 जनवरी 1950

498. संविधान में कितनी अनुसूचियाँ शामिल हैं?

A. 10 B. 8
C. 15 D. 12

499. संविधान सभा में उद्देश्य प्रस्ताव को कब पारित किया गया था?

A. 13 दिसंबर, 1946 B. 22 जनवरी, 1947
C. 26 नवंबर, 1949 D. 26 जनवरी, 1950

500. भारतीय संविधान के किस संशोधन को "मिनी संविधान" के नाम से जाना जाता है?

A. 24वां संशोधन B. 42वां संशोधन
C. 44वां संशोधन D. 52वां संशोधन

501. सूची-I को सूची-II से सुमेलित कीजिए तथा सूचियों के नीचे दिए गए कूट का प्रयोग करते हुए सही उत्तर चुनिए :

सूची-I	सूची-II
(*a*) प्रारूप समिति के अध्यक्ष	1. एच.सी. मुखर्जी
(*b*) संघ-संविधान समिति के अध्यक्ष	2. डॉ. अम्बेडकर
(*c*) संविधान सभा के पहले उपाध्यक्ष	3. के.एम. मुंशी
(*d*) प्रारूप समिति के मूलतः एकमात्र कांग्रेसी सदस्य	4. जवाहरलाल नेहरू

कूट :

	(*a*)	(*b*)	(*c*)	(*d*)
A.	3	4	1	2
B.	2	4	1	3
C.	4	3	2	1
D.	2	4	3	1

502. संविधान निर्माण की प्रक्रिया के दौरान संविधान सभा के कुल कितने अधिवेशन हुए थे?

A. 11 B. 14
C. 13 D. 15

503. संविधान सभा को संविधान तैयार करने में कितनी अवधि लगी?

A. 3 वर्ष 4 माह 14 दिन
B. 2 वर्ष 7 माह 23 दिन
C. 3 वर्ष 11 माह 18 दिन
D. 2 वर्ष 11 माह 18 दिन

504. भारतीय संविधान के निर्माण में किसे सांविधानिक सलाहकार नियुक्त किया गया था?

A. डॉ. बी.आर. अम्बेडकर B. बी.एन. राव
C. के.एम. मुंशी D. राजेन्द्र प्रसाद

505. संविधान निर्माण के दौरान गठित प्रांतीय संविधान समिति का नेतृत्व किसने किया?

A. डॉ. बी.आर. अम्बेडकर B. के.एम. मुंशी
C. पंडित जवाहरलाल नेहरू D. सरदार पटेल

506. डॉ. अम्बेडकर के नेतृत्व में कार्यरत संविधान सभा की प्रारूप समिति में कितने अन्य लोग सदस्य के रूप में नामित थे?

A. 5 B. 6
C. 7 D. 8

507. संविधान का पांडुलेखन निम्नलिखित में से किसने किया था?

A. सच्चिदानंद सिन्हा B. प्रेम बिहारी नारायण रायजादा
C. नंदलाल बोस D. श्यामा प्रसाद मुखर्जी

508. निम्नलिखित में से कौन संविधान की प्रारूप समिति के सदस्य थे?

I. अल्लादि कृष्णास्वामी अय्यर
II. एन. गोपालास्वामी
III. सरदार पटेल
IV. जवाहरलाल नेहरू

नीचे दिए गए कूट का प्रयोग करते हुए सही उत्तर का चयन कीजिए :

कूट :

A. I, II और IV B. I और II
C. I और III D. II, III और IV

509. संविधान सभा की वह सलाहकार समिति जिसका कार्य मौलिक अधिकारों और अल्पसंख्यक अधिकारों से संबंधित था, उसके अध्यक्ष कौन थे?

A. जवाहरलाल नेहरू B. बी.आर. अम्बेडकर
C. के.एम. मुंशी D. सर मोहम्मद इकबाल

510. भारतीय संविधान में दसवीं अनुसूची किस संविधान संशोधन द्वारा जोड़ी गई?

A. 52वें B. 53वें
C. 54वें D. 55वें

511. सूची-I को सूची-II से सुमेलित कीजिए तथा सूचियों के नीचे दिए गए कूट का प्रयोग करते हुए सही उत्तर चुनिए।

सूची-I (प्रावधान)	सूची-II (स्रोत)
(*a*) न्यायिक पुनरीक्षण	1. आयरलैंड
(*b*) राष्ट्रपति की निर्वाचन पद्धति	2. कनाडा
(*c*) केंद्र द्वारा राज्यपाल की नियुक्ति	3. अमेरिका
(*d*) संविधान संशोधन की व्यवस्था	4. दक्षिण अफ्रीका

कूट :

	(a)	(b)	(c)	(d)
A.	3	4	1	4
B.	3	1	2	4
C.	4	3	2	1
D.	2	4	3	1

512. संविधान के 'संघीय ढांचे' का मॉडल मुख्य रूप से किस देश से लिया गया है?

A. स्विट्जरलैंड B. अमेरिका
C. कनाडा D. ऑस्ट्रेलिया

513. भारतीय संविधान में 'न्यायिक समीक्षा' की व्यवस्था किस देश से ली गई है?

A. अमेरिका B. कनाडा
C. ऑस्ट्रेलिया D. इंग्लैंड

514. भारत के संविधान में 'विधि के समक्ष समता' किस देश के संविधान से प्रभावित है?

A. अमेरिका B. फ्रांस
C. ऑस्ट्रेलिया D. ब्रिटेन

515. समवर्ती सूची की अवधारणा किस देश से ग्रहण की गई है?

A. कनाडा B. अमेरिका
C. ऑस्ट्रेलिया D. ब्रिटेन

516. निम्नलिखित में से कौन-सा एक युग्म सही सुमेलित नहीं है :

प्रावधान		स्रोत
A. आपातकालीन शक्तियां	–	जर्मनी
B. मौलिक अधिकार	–	संयुक्त राज्य अमेरिका
C. राज्य के नीति निदेशक तत्व	–	आयरलैंड
D. केंद्र की अवशिष्ट शक्तियां	–	ऑस्ट्रेलिया

517. सूची-I को सूची-II से सुमेलित कीजिए तथा सूचियों के नीचे दिए गए कूट का प्रयोग करते हुए सही उत्तर चुनिए।

सूची-I	सूची-II
(a) राष्ट्रपति के विचारार्थ राज्यपाल द्वारा विधेयक सुरक्षित रखना	1. ऑस्ट्रेलिया
(b) मूल अधिकार	2. इंग्लैंड
(c) विस्तृत उभयनिष्ठ सूची	3. अमेरिका
(d) विधि का शासन	4. कनाडा

कूट :

	(a)	(b)	(c)	(d)
A.	4	3	1	2
B.	3	1	2	4
C.	4	3	2	1
D.	2	4	3	1

518. निम्न में से कौन एक सही सुमेलित नहीं है?

प्रावधान	संविधान का भाग
A. नगरपालिकाएं	भाग-IXA
B. संघ	भाग-V
C. नागरिकता	भाग-III
D. निर्वाचन	भाग-XV

519. निम्नलिखित में से कौन भारतीय संविधान के अंतर्गत सही सुमेलित नहीं है?

A. अधिकरण	–	भाग 10
B. नगरपालिकाएं	–	भाग 9(क)
C. सहकारी समितियां	–	भाग 9(ख)
D. पंचायत	–	भाग 9

520. भारतीय मूल संविधान में कितने भाग, अनुच्छेद और अनुसूची शामिल थे?

A. 22 भाग, 395 अनुच्छेद और 8 अनुसूची
B. 24 भाग, 400 अनुच्छेद और 12 अनुसूची
C. 22 भाग, 395 अनुच्छेद और 7 अनुसूची
D. 24 भाग, 400 अनुच्छेद और 12 अनुसूची

521. निम्नलिखित में से कौन-सा विकल्प सुमेलित है?

A. भारत का सर्वोच्च न्यायालय	–	अनुच्छेद 51
B. भारत का वित्त आयोग	–	अनुच्छेद 280
C. संघीय लोक सेवा आयोग	–	अनुच्छेद 300
D. महाधिवक्ता	–	अनुच्छेद 52

522. भारतीय संविधान के किस अनुच्छेद के अंतर्गत अखिल भारतीय सेवाओं का प्रावधान किया गया है?

A. अनुच्छेद 310 B. अनुच्छेद 300
C. अनुच्छेद 312 D. अनुच्छेद 313

523. सूची-I को सूची-II से सुमेलित कीजिए तथा सूचियों के नीचे दिए गए कूट का प्रयोग करते हुए सही उत्तर चुनिए :

सूची-I	सूची-II
(a) पहली अनुसूची	1. राज्यों और केंद्र शासित प्रदेशों के लिए राज्यसभा में सीटों के आवंटन
(b) दसवीं अनुसूची	2. राज्य व संघ राज्य क्षेत्र
(c) पांचवी अनुसूची	3. अनुसूचित क्षेत्रों के लिए विशेष उपबंध
(d) चौथी अनुसूची	4. दल बदल के उपबंध

कूट :

	(a)	(b)	(c)	(d)
A.	4	3	1	2
B.	3	1	2	4
C.	4	3	2	1
D.	2	4	3	1

524. सूची-I को सूची-II से सुमेलित कीजिए तथा सूचियों के नीचे दिए गए कूट का प्रयोग करते हुए सही उत्तर चुनिए :

सूची-I	सूची-II
(*a*) दूसरी अनुसूची	1. शपथ और प्रतिज्ञान के प्रारूप
(*b*) तीसरी अनुसूची	2. पंचायत संबंधि उपबंध
(*c*) ग्यारहवीं अनुसूची	3. पदाधिकारियों के वेतन, भत्ते और विशेषाधिकारों
(*d*) बारहवीं अनुसूची	4. नगरपालिका संबंधी उपबंध

कूट :

	(*a*)	(*b*)	(*c*)	(*d*)
A.	2	3	1	4
B.	3	1	2	4
C.	3	1	4	2
D.	2	4	3	1

525. छठी अनुसूची के अंतर्गत निम्नलिखित में से कौन-सा राज्य नहीं शामिल है?
A. असम B. मेघालय
C. त्रिपुरा D. मणिपुर

526. भारत के नागरिकों को कितने मौलिक अधिकार प्रदान किए गए हैं?
A. पाँच B. छह
C. सात D. आठ

527. संविधान में मौलिक अधिकारों का उल्लेख किस भाग में किया गया है?
A. भाग III B. भाग IV
C. भाग II D. भाग I

528. 'समानता का अधिकार' किस अनुच्छेद के अंतर्गत आता है?
A. अनुच्छेद 14 से 18 B. अनुच्छेद 19 से 22
C. अनुच्छेद 23 से 24 D. अनुच्छेद 25 से 28

529. किस अनुच्छेद में अभिव्यक्ति की स्वतंत्रता का अधिकार दिया गया है?
A. अनुच्छेद 14 B. अनुच्छेद 17
C. अनुच्छेद 19 D. अनुच्छेद 21

530. 'जीवन और व्यक्तिगत स्वतंत्रता का अधिकार' किस अनुच्छेद में वर्णित है?
A. अनुच्छेद 21 B. अनुच्छेद 20
C. अनुच्छेद 19 D. अनुच्छेद 18

531. 'अस्पृश्यता का अंत' भारतीय संविधान के किस अनुच्छेद में सम्मिलित है?
A. अनुच्छेद 14 B. अनुच्छेद 15
C. अनुच्छेद 16 D. अनुच्छेद 17

532. धर्म की स्वतंत्रता का अधिकार किस अनुच्छेद के अंतर्गत आता है?
A. अनुच्छेद 14 से 18
B. अनुच्छेद 19 से 22
C. अनुच्छेद 25 से 28
D. अनुच्छेद 30 से 32

533. शिक्षा का अधिकार मौलिक अधिकार कब बना?
A. 42वें संशोधन द्वारा
B. 44वें संशोधन द्वारा
C. 86वें संशोधन द्वारा
D. 61वें संशोधन द्वारा

534. मौलिक अधिकारों के उल्लंघन के मामले में सर्वोच्च न्यायालय में याचिका दायर करने का अधिकार किस अनुच्छेद में है?
A. अनुच्छेद 32 B. अनुच्छेद 226
C. अनुच्छेद 136 D. अनुच्छेद 21

535. कौन-सा अधिकार केवल भारत के नागरिकों को ही प्राप्त है, न कि विदेशी नागरिकों को?
A. जीवन का अधिकार B. धार्मिक स्वतंत्रता
C. अभिव्यक्ति की स्वतंत्रता D. सभी को समान संरक्षण

536. शोषण के विरुद्ध मौलिक अधिकार के अंतर्गत संविधान में कितनी आयु तक के बालकों के कारखानों, खदानों एवं अन्य खतरनाक कार्यों में नियोजन पर निषेध किया गया है?
A. 12 वर्ष से कम B. 14 वर्ष से कम
C. 15 वर्ष से कम D. 18 वर्ष से कम

537. सूची-I को सूची-II से सुमेलित कीजिए तथा सूचियों के नीचे दिए गए कूट का प्रयोग करते हुए सही उत्तर चुनिए :

सूची-I (रिट)	सूची-II (अर्थ/प्रयोग)
(*a*) बंदी प्रत्यक्षीकरण	1. न्यायालय के आदेश की अनुपालना हेतु आदेश देना
(*b*) परमादेश	2. किसी व्यक्ति को उसे न्यायालय में सशरीर प्रस्तुत करने का आदेश
(*c*) अधिकार पृच्छा	3. न्यायालय को यह पूछने का अधिकार कि कोई व्यक्ति किस अधिकार से कार्य कर रहा है
(*d*) प्रतिषेध	4. निम्न न्यायालय या प्राधिकरण को कार्य करने से रोकने का आदेश

कूट :

	(*a*)	(*b*)	(*c*)	(*d*)
A.	3	4	1	2
B.	2	1	4	3
C.	4	3	2	1
D.	2	1	3	4

538. भारत के 44वें संविधान संशोधन अधिनियम (1978) के माध्यम से संविधान में किस प्रमुख अधिकार को अधिक सुरक्षित बनाया गया?

A. समानता का अधिकार
B. संपत्ति का अधिकार
C. जीवन एवं व्यक्तिगत स्वतंत्रता का अधिकार
D. धर्म की स्वतंत्रता का अधिकार

539. 44वें संविधान संशोधन अधिनियम, 1978 के उपरांत 'संपत्ति के अधिकार' को संविधान के किस अनुच्छेद के अंतर्गत एक वैधानिक अधिकार के रूप में स्थानांतरित किया गया?

A. अनुच्छेद 19 D
B. अनुच्छेद 21 D
C. अनुच्छेद 300 D
D. अनुच्छेद 42 D

540. मौलिक अधिकारों की प्रकृति को ध्यान में रखते हुए निम्नलिखित में से कौन-सा कथन सही है?

A. मौलिक अधिकार वाद योग्य नहीं (Non-Justiciable) होते हैं।
B. मौलिक अधिकार केवल राज्य नीति के निदेशक तत्वों पर आधारित होते हैं।
C. मौलिक अधिकार वाद योग्य (Justiciable) होते हैं और इनके उल्लंघन पर न्यायालय में याचिका दायर की जा सकती है।
D. मौलिक अधिकार केवल सांवैधानिक कर्तव्यों के अंतर्गत आते हैं।

541. भारतीय संविधान में मौलिक कर्तव्य किस अनुच्छेद में उल्लिखित हैं?

A. अनुच्छेद 51 B. अनुच्छेद 32
C. अनुच्छेद 14 D. अनुच्छेद 21

542. मौलिक कर्तव्य भारतीय संविधान के किस भाग में शामिल हैं?

A. भाग III B. भाग IV
C. भाग IVA D. भाग V

543. मौलिक कर्तव्य संविधान में कब जोड़े गए थे?

A. संविधान लागू होने के साथ
B. 42वें संशोधन के तहत
C. 44वें संशोधन के तहत
D. 86वें संशोधन के तहत

544. भारतीय संविधान में कुल कितने मौलिक कर्तव्य शामिल हैं?

A. 10 B. 11
C. 12 D. 13

545. मौलिक कर्तव्य किसका संरक्षण करने के लिए नागरिकों को प्रेरित करते हैं?

A. राज्य की संपत्ति
B. संविधान और देश का सम्मान
C. आर्थिक विकास
D. केवल अपने अधिकारों का संरक्षण

546. मौलिक कर्तव्य के अंतर्गत 'देश की समृद्ध सांस्कृतिक विरासत का संरक्षण' किस अनुच्छेद में है?

A. अनुच्छेद 51A (f) B. अनुच्छेद 51A (a)
C. अनुच्छेद 51AC D. अनुच्छेद 51A (g)

547. भारतीय संविधान में मौलिक कर्त्तव्यों को किस समिति की सिफारिश पर जोड़ा गया था?

A. राजीव गांधी समिति
B. सरदार स्वर्ण सिंह समिति
C. नारीवादी समिति
D. विजय केलकर समिति

548. भारतीय संविधान में मौलिक कर्त्तव्यों के अंतर्गत 6 से 14 वर्ष के बच्चों के लिए शिक्षा को अनिवार्य रूप से शामिल करने वाला संविधान संशोधन कौन सा है?

A. 42वां संशोधन B. 61वां संशोधन
C. 86वां संशोधन D. 44वां संशोधन

549. सूची-I में दिए गए मौलिक अधिकारों को सूची-II में उनके संबंधित अनुच्छेदों से मिलाइए और नीचे दिए गए कूट का उपयोग करते हुए सही उत्तर चुनिए :

सूची-I (मौलिक अधिकार)	**सूची-II** (अनुच्छेद)
(*a*) समानता का अधिकार	1. अनुच्छेद 19
(*b*) स्वतंत्रता का अधिकार	2. अनुच्छेद 21
(*c*) धर्म की स्वतंत्रता का अधिकार	3. अनुच्छेद 14
(*d*) जीवन और व्यक्तिगत स्वतंत्रता का अधिकार	4. अनुच्छेद 25

कूट :

	(*a*)	(*b*)	(*c*)	(*d*)
A.	3	1	4	2
B.	1	3	2	4
C.	4	2	3	1
B.	3	2	4	1

550. मौलिक कर्तव्यों को प्रभावी बनाने के लिए वर्ष 1999 में किस समिति का गठन किया गया था?

A. जे. एस. वर्मा समिति
B. केलकर समिति
C. स्वर्ण सिंह समिति
D. इनमें से कोई नहीं

संघीय सरकार

551. भारत में केंद्र और राज्य सरकारों के बीच शक्ति विभाजन किस अनुसूची में है?
A. प्रथम अनुसूची B. तृतीय अनुसूची
C. सातवीं अनुसूची D. दसवीं अनुसूची

552. भारत के राष्ट्रपति का कार्यकाल कितने वर्षों का होता है?
A. 4 वर्ष B. 5 वर्ष
C. 6 वर्ष D. 7 वर्ष

553. प्रधानमंत्री की नियुक्ति कौन करता है?
A. राज्यपाल B. राष्ट्रपति
C. लोकसभा D. चुनाव आयोग

554. राज्यसभा एक स्थायी सदन है, इसका अर्थ है कि :
A. इसे कभी भंग नहीं किया जा सकता
B. यह 6 वर्षों में भंग होता है
C. यह प्रत्येक वर्ष भंग होता है
D. यह केवल राष्ट्रपति द्वारा भंग होता है

555. संसद का निम्न सदन कौन-सा है?
A. राज्यसभा B. लोकसभा
C. विधानसभा D. विधान परिषद

556. भारत में राष्ट्रपति का निर्वाचन किस प्रणाली से होता है?
A. प्रत्यक्ष रूप से
B. राज्य सभा के सदस्यों द्वारा
C. लोक सभा के सदस्यों द्वारा
D. अप्रत्यक्ष मतदान से

557. सूची-I में दिए गए मौलिक अधिकारों को सूची-II में उनके संबंधित अनुच्छेदों से मिलाइए और नीचे दिए गए कूट का उपयोग करते हुए सही उत्तर चुनिए :

सूची-I	सूची-II
(*a*) राष्ट्रपति बनने की न्यूनतम आयु	1. 30 वर्ष
(*b*) प्रधानमंत्री बनने की न्यूनतम आयु	2. 35 वर्ष
(*c*) राज्यसभा का सदस्य बनने की न्यूनतम आयु	3. 25 वर्ष
(*d*) ग्राम प्रधान बनने की न्यूनतम आयु	4. 21 वर्ष

कूट :

	(*a*)	(*b*)	(*c*)	(*d*)
A.	3	1	4	2
B.	1	3	2	4
C.	4	2	3	1
D.	2	3	1	4

558. राष्ट्रपति के महाभियोग की प्रक्रिया किसके द्वारा प्रारंभ की जाती है?
A. सर्वोच्च न्यायालय
B. राज्यसभा
C. लोकसभा
D. संसद के किसी भी सदन द्वारा

559. राष्ट्रपति के महाभियोग प्रस्ताव के लिए कितने प्रतिशत सदस्यों का समर्थन आवश्यक होता है?
A. साधारण बहुमत
B. दो-तिहाई उपस्थित व मतदान करने वाले सदस्य
C. दो-तिहाई कुल सदस्य
D. एक-तिहाई कुल सदस्य

560. नीचे दिए गए कथन राष्ट्रपति के महाभियोग के संबंध में है उसपर विचार कीजिए :

सूची-I (घटक)	सूची-II (विवरण)
(*a*) प्रारंभिक प्रस्ताव	1. संसद के किसी एक सदन में
(*b*) नोटिस अवधि	2. 14 दिन
(*c*) आरोप सिद्ध करने की आवश्यकता	3. संविधान का उल्लंघन
(*d*) बहुमत प्रकार	4. कुल सदस्यता का दो-तिहाई बहुमत

सही कूट चुनिए :

	(*a*)	(*b*)	(*c*)	(*d*)
A.	1	2	3	4
B.	2	1	4	3
C.	3	4	2	1
D.	1	3	2	4

561. राष्ट्रपति के महाभियोग प्रक्रिया से संबंधित निम्नलिखित कथनों पर विचार करें :
1. राष्ट्रपति के विरुद्ध महाभियोग का प्रस्ताव संसद में लाया जा सकता है।
2. प्रस्ताव दोनों सदनों द्वारा पारित किया जाना चाहिए।
3. न्यायपालिका इस प्रक्रिया में शामिल नहीं होती है।
4. राष्ट्रपति को अपनी बात रखने का अवसर नहीं मिलता।

सही कथनों का चयन करें :
A. केवल 1, 2 और 3 B. केवल 1 और 4
C. केवल 2 और 3 D. केवल 3 और 4

562. राष्ट्रपति के महाभियोग प्रक्रिया के दौरान राष्ट्रपति के पद पर क्या प्रभाव पड़ता है?
A. तुरंत पद छोड़ना होता है
B. निलंबित कर दिया जाता है
C. प्रक्रिया पूरी होने तक पद पर बने रहते हैं
D. सुप्रीम कोर्ट निर्णय करता है

563. भारतीय संविधान में राष्ट्रपति को हटाने (महाभियोग) की प्रक्रिया किस अनुच्छेद में वर्णित है?
A. अनुच्छेद 61 B. अनुच्छेद 76
C. अनुच्छेद 123 D. अनुच्छेद 356

564. राष्ट्रपति के महाभियोग प्रस्ताव लाने से पहले कितने दिन पूर्व नोटिस देना अनिवार्य होता है?
A. 7 दिन B. 14 दिन
C. 21 दिन D. 30 दिन

565. संसद का सत्र बुलाने का अधिकार किसके पास है?
A. प्रधानमंत्री B. राष्ट्रपति
C. लोकसभा अध्यक्ष D. राज्यसभा उपाध्यक्ष

566. राष्ट्रपति की अध्यादेश जारी करने की शक्ति किस अनुच्छेद में है?
A. अनुच्छेद 352 B. अनुच्छेद 123
C. अनुच्छेद 370 D. अनुच्छेद 356

567. संसद में प्रश्नकाल की अवधि होती है :
A. दिन की शुरुआत में B. दिन के अंत में
C. केवल सोमवार को D. किसी भी समय

568. उपराष्ट्रपति को हटाने के लिए राज्यसभा में किस प्रकार के बहुमत की आवश्यकता होती है?
A. उपस्थित और मतदान करने वाले सदस्यों का साधारण बहुमत
B. कुल सदस्यता का दो-तिहाई बहुमत
C. उपस्थित और मतदान करने वाले सदस्यों का दो-तिहाई बहुमत
D. तत्कालीन समस्त सदस्यों के बहुमत (प्रभावी बहुमत)

569. भारतीय संविधान के किस अनुच्छेद में कहा गया है, कि भारत का एक उपराष्ट्रपति होगा?
A. अनुच्छेद 62 B. अनुच्छेद 63
C. अनुच्छेद 64 D. अनुच्छेद 65

570. उपराष्ट्रपति का चुनाव किसके द्वारा किया जाता है?
A. लोकसभा और राज्यसभा के निर्वाचित सदस्य
B. केवल संसद के दोनों सदनों के सभी सदस्य
C. संसद के दोनों सदनों और राज्य विधानसभाओं के निर्वाचित सदस्य
D. केवल राज्यसभा के निर्वाचित सदस्य

571. उपराष्ट्रपति को पद से हटाने का प्रस्ताव सबसे पहले किस सदन में पेश किया जा सकता है?
A. लोकसभा B. राज्यसभा
C. किसी भी सदन में D. संयुक्त सत्र में

572. उपराष्ट्रपति के चुनाव में निम्नलिखित में से कौन भाग नहीं लेता है?
A. लोकसभा के निर्वाचित सदस्य
B. राज्यसभा के निर्वाचित सदस्य
C. राज्य विधानसभाओं के निर्वाचित सदस्य
D. लोकसभा के मनोनीत सदस्य

573. यदि राष्ट्रपति का पद रिक्त हो जाए, तो उपराष्ट्रपति अधिकतम कितने समय तक राष्ट्रपति के रूप में कार्य कर सकते हैं?
A. 6 महीने
B. 1 वर्ष
C. 2 वर्ष
D. जब तक नया राष्ट्रपति नहीं चुना जाता

574. निम्न में से कौन-सा कथन उपराष्ट्रपति के बारे में सही नहीं है?
A. वह राज्यसभा के पदेन सभापति होते हैं।
B. वह राज्यसभा के सदस्य होते हैं।
C. वह राष्ट्रपति के रूप में कार्य कर सकते हैं।
D. वह अपना त्यागपत्र राष्ट्रपति को सौंपते हैं।

575. नीति आयोग का गठन कब और किस आयोग के स्थान पर हुआ था?
A. 1 जनवरी 2014, योजना आयोग
B. 1 जनवरी 2015, योजना आयोग
C. 1 अगस्त 2016, योजना आयोग
D. 26 जनवरी 2015, योजना आयोग

576. उपराष्ट्रपति अपना त्यागपत्र किसे सौंपते हैं?
A. भारत के मुख्य न्यायाधीश B. प्रधानमंत्री
C. राष्ट्रपति D. लोकसभा अध्यक्ष

577. भारतीय संविधान का कौन-सा अनुच्छेद प्रधानमंत्री की नियुक्ति और अन्य मंत्रियों की नियुक्ति से संबंधित है?
A. अनुच्छेद 74 B. अनुच्छेद 75
C. अनुच्छेद 76 D. अनुच्छेद 77

578. कोई व्यक्ति जो संसद के किसी भी सदन का सदस्य नहीं है, उसे अधिकतम कितने समय तक मंत्री बनाया जा सकता है?
A. 3 महीने B. 6 महीने
C. 1 वर्ष D. 2 वर्ष

579. निम्नलिखित में से कौन-सा प्रधानमंत्री का एक कार्य नहीं है?
A. मंत्रिपरिषद की बैठकों की अध्यक्षता करना
B. मंत्रियों के बीच विभागों का वितरण करना
C. राज्यों के राज्यपालों की नियुक्ति करना
D. राष्ट्रपति को जानकारी प्रदान करना

580. यदि लोकसभा में किसी मंत्री के खिलाफ अविश्वास प्रस्ताव पारित हो जाता है, तो क्या होता है?
A. केवल उस मंत्री को इस्तीफा देना पड़ता है।
B. पूरी मंत्रिपरिषद को इस्तीफा देना पड़ता है।
C. प्रधानमंत्री को इस्तीफा देना पड़ता है।
D. इनमें से कोई नहीं।

581. मंत्रिपरिषद में शामिल होते हैं :
A. केवल कैबिनेट मंत्री
B. कैबिनेट मंत्री और राज्य मंत्री
C. कैबिनेट मंत्री, राज्य मंत्री और उप मंत्री
D. केवल प्रधानमंत्री और कैबिनेट मंत्री

582. "मंत्रिपरिषद सामूहिक रूप से लोकसभा के प्रति उत्तरदायी होती है" का क्या अर्थ है?
A. सभी मंत्री केवल तभी काम करते हैं जब वे लोकसभा के सदस्य हों।
B. एक मंत्री के खिलाफ अविश्वास प्रस्ताव पूरी मंत्रिपरिषद को गिरा सकता है।
C. प्रधानमंत्री लोकसभा के प्रति उत्तरदायी होते हैं।
D. सभी मंत्री लोकसभा के चुनाव जीत कर आते हैं।

583. भारतीय संसद के कितने अंग हैं?

A. दो B. तीन
C. चार D. एक

584. राज्यसभा की अधिकतम सदस्यों की संख्या कितनी हो सकती है?

A. 250 B. 245
C. 238 D. 260

585. राज्यसभा के सदस्यों का कार्यकाल कितने वर्ष का होता है?

A. 4 वर्ष B. 5 वर्ष
C. 6 वर्ष D. कोई निश्चित कार्यकाल नहीं

586. धन विधेयक (Money Bill) को कहाँ प्रस्तुत किया जा सकता है?

A. केवल लोकसभा B. केवल राज्यसभा
C. किसी भी सदन में D. संयुक्त सत्र में

587. संसद के दो सत्रों के बीच अधिकतम कितना अंतराल हो सकता है?

A. 3 महीने B. 4 महीने
C. 6 महीने D. 1 वर्ष

588. लोकसभा के पहले अध्यक्ष कौन थे?

A. जी.वी. मावलंकर B. एम. ए. अय्यंगर
C. नीलम संजीव रेड्डी D. हुकुम सिंह

589. शून्य काल (Zero Hour) क्या है?

A. प्रश्न काल के बाद का समय
B. प्रश्न काल से पहले का समय
C. जब कोई भी संसदीय कार्य नहीं होता
D. जब कोई भी विधेयक पारित नहीं होता

590. राज्यसभा का पदेन सभापति कौन होता है?

A. राष्ट्रपति B. उपराष्ट्रपति
C. प्रधानमंत्री D. लोकसभा अध्यक्ष

591. कोई विधेयक, एक विधेयक धन विधेयक है या नहीं, इसका निर्णय कौन करता है?

A. वित्त मंत्री B. राष्ट्रपति
C. प्रधानमंत्री D. लोकसभा अध्यक्ष

592. भारतीय संसद के दोनों सदनों की संयुक्त बैठक की अध्यक्षता कौन करता है?

A. राष्ट्रपति B. उपराष्ट्रपति
C. लोकसभा अध्यक्ष D. प्रधानमंत्री

593. संसद की कार्यवाही शुरू करने के लिए आवश्यक न्यूनतम सदस्यों की संख्या (गणपूर्ति या कोरम) कितनी होती है?

A. सदन की कुल सदस्य संख्या का एक-चौथाई
B. सदन की कुल सदस्य संख्या का एक-तिहाई
C. सदन की कुल सदस्य संख्या का दसवां हिस्सा
D. 100 सदस्य

594. यदि कोई सांसद लगातार .... दिनों तक बिना अनुमति के सदन की बैठकों से अनुपस्थित रहता है, तो उसकी सदस्यता रद्द हो सकती है।

A. 30 B. 45
C. 60 D. 90

595. कौन-सा अनुच्छेद संसद को संविधान में संशोधन करने की शक्ति देता है?

A. अनुच्छेद 368 B. अनुच्छेद 352
C. अनुच्छेद 360 D. अनुच्छेद 370

596. भारत के अटॉर्नी जनरल के संबंध में निम्नलिखित कथनों पर विचार कीजिए :

1. उन्हें भारत के राष्ट्रपति द्वारा नियुक्त किया जाता है।
2. उन्हें सर्वोच्च न्यायालय के न्यायाधीश के रूप में नियुक्त होने के लिए योग्य होना चाहिए।
3. वह संसद के किसी भी सदन की कार्यवाही में भाग ले सकते हैं।
4. वह भारत सरकार का सर्वोच्च कानूनी अधिकारी होता है।

उपरोक्त में से कौन-से कथन सही हैं?

A. 1 और 2 B. 1, 2 और 3
C. 1, 2, 3 और 4 D. केवल 4

597. अटॉर्नी जनरल के पद और शक्तियों के संदर्भ में, निम्नलिखित में से कौन-सा कथन सही है?

A. वह राष्ट्रपति के प्रसादपर्यंत पद धारण करते हैं।
B. उन्हें केवल संसद द्वारा महाभियोग की प्रक्रिया से हटाया जा सकता है।
C. वह अपना त्यागपत्र केवल मुख्य न्यायाधीश को दे सकते हैं।
D. उनका कार्यकाल संविधान द्वारा निश्चित किया गया है।

598. अटॉर्नी जनरल के वेतन और भत्तों के बारे में निम्नलिखित में से कौन-सा कथन सही है?

A. उनका वेतन संसद द्वारा निर्धारित किया जाता है।
B. उनका वेतन राष्ट्रपति द्वारा निर्धारित किया जाता है।
C. उनका वेतन भारत के मुख्य न्यायाधीश द्वारा निर्धारित किया जाता है।
D. उनका वेतन संविधान में निश्चित है।

599. भारत के अटॉर्नी जनरल के संबंध में निम्नलिखित में से कौन-सा कथन गलत है?

A. उन्हें संसद की कार्यवाही में बोलने का अधिकार है।
B. वह संसदीय समिति का सदस्य बन सकते हैं।
C. वह संसद में मतदान कर सकते हैं।
D. उनका कार्यकाल संविधान द्वारा तय नहीं है।

600. अटॉर्नी जनरल के पद के लिए योग्यता के संबंध में, निम्नलिखित में से कौन सा कथन सही है?

A. वह लोकसभा का सदस्य होना चाहिए।
B. वह राज्यसभा का सदस्य होना चाहिए।
C. वह उच्च न्यायालय के न्यायाधीश के रूप में 5 साल तक काम कर चुके हों।
D. वह सर्वोच्च न्यायालय के न्यायाधीश के रूप में नियुक्त होने के लिए योग्य होना चाहिए।

राज्य व्यवस्थापिका

601. भारतीय संविधान का कौन सा अनुच्छेद राज्य विधानमंडल के गठन का प्रावधान करता है?
A. अनुच्छेद 163 B. अनुच्छेद 168
C. अनुच्छेद 169 D. अनुच्छेद 170

602. राज्य विधानमंडल में शामिल होते हैं :
1. राज्यपाल
2. विधान सभा (Legislative Assembly)
3. विधान परिषद (Legislative Council)
4. मुख्यमंत्री

उपरोक्त में से कौन से घटक शामिल होते हैं?
A. 1, 2 और 3 B. 1 और 2
C. 1, 2 और 4 D. 1 और 3

603. विधान परिषद के सदस्यों का कार्यकाल कितने वर्ष का होता है?
A. 5 वर्ष
B. 6 वर्ष
C. 4 वर्ष
D. कोई निश्चित कार्यकाल नहीं

604. विधान सभा का सदस्य बनने के लिए न्यूनतम आयु क्या है?
A. 21 वर्ष B. 25 वर्ष
C. 30 वर्ष D. 35 वर्ष

605. निम्नलिखित में से कौन सा कथन विधान सभा के बारे में सही है?
1. यह एक स्थायी सदन है।
2. इसे राज्यपाल द्वारा भंग किया जा सकता है।
3. इसके सदस्य सीधे जनता द्वारा चुने जाते हैं।
4. इसके सदस्य मुख्यमंत्री की सलाह पर हटाए जा सकते हैं।

उपरोक्त में से कौन से कथन सही हैं?
A. 1 और 2 B. 2 और 3
C. 1 और 4 D. 1, 2 और 3

606. निम्नलिखित में से किस राज्य में विधान परिषद नहीं है?
A. उत्तर प्रदेश B. महाराष्ट्र
C. कर्नाटक D. मध्य प्रदेश

607. निम्नलिखित में से किस अनुच्छेद के तहत संसद एक विधान परिषद का गठन या उन्मूलन कर सकती है?
A. अनुच्छेद 168 B. अनुच्छेद 169
C. अनुच्छेद 170 D. अनुच्छेद 171

608. विधान सभा में राज्यपाल द्वारा कितने सदस्यों को मनोनीत किया जाता था (अब समाप्त)?
A. 1/6 B. 1/3
C. 1/12 D. 1 (एंग्लो-इंडियन समुदाय से)

609. निम्नलिखित में से कौन सा कथन धन विधेयक (Money Bill) के संबंध में सही नहीं है?
A. इसे केवल विधान सभा में पेश किया जा सकता है।
B. इसे राज्यपाल की सिफारिश पर ही पेश किया जा सकता है।
C. विधान परिषद इसे अस्वीकार कर सकती है।
D. विधान सभा अध्यक्ष यह तय करता है कि कोई विधेयक धन विधेयक है या नहीं।

610. राज्य विधानमंडल का सत्र बुलाने और सत्रावसान करने का अधिकार किसके पास है?
A. राज्यपाल B. मुख्यमंत्री
C. विधानसभा अध्यक्ष D. राष्ट्रपति

611. राज्य विधानमंडल में किसी विधेयक पर गतिरोध होने पर संयुक्त बैठक का प्रावधान है?
A. हाँ, अनुच्छेद 174 के तहत।
B. हाँ, अनुच्छेद 175 के तहत।
C. नहीं, ऐसा कोई प्रावधान नहीं है।
D. हाँ, लेकिन केवल राज्यपाल की अनुमति से।

612. राज्य विधानमंडल का सदस्य न होते हुए भी, निम्नलिखित में से कौन उसकी कार्यवाही में भाग ले सकता है और बोल सकता है?
A. महाधिवक्ता B. मुख्यमंत्री
C. राज्यपाल D. मुख्य सचिव

613. यदि किसी राज्य में विधान परिषद है, तो उसके कितने सदस्यों को राज्यपाल द्वारा मनोनीत किया जाता है?
A. 1/3 B. 1/6
C. 1/12 D. 1/10

614. निम्नलिखित में से कौन सा कथन विधान परिषद के सदस्यों के बारे में सही है?
1. उनका चुनाव सीधे जनता द्वारा होता है।
2. वे स्नातक निर्वाचन क्षेत्र से चुने जाते हैं।
3. वे स्थानीय निकायों द्वारा चुने जाते हैं।
4. वे शिक्षक निर्वाचन क्षेत्र से चुने जाते हैं।

कूट :

A. 1 और 2 B. 2, 3 और 4
C. 1, 3 और 4 D. उपरोक्त सभी

615. राज्य विधान सभा की बैठक के लिए कोरम (गणपूर्ति) कितना है?

A. कुल सदस्यों का 1/20
B. कुल सदस्यों का 1/4
C. 10 सदस्य या कुल सदस्यों का 1/10, जो भी अधिक हो
D. 50 सदस्य

616. निम्नलिखित में से कौन सा अनुच्छेद राज्यपाल की अध्यादेश जारी करने की शक्ति से संबंधित है?

A. अनुच्छेद 123
B. अनुच्छेद 213
C. अनुच्छेद 200
D. अनुच्छेद 214

617. राज्यपाल द्वारा जारी किया गया अध्यादेश अधिकतम कितने समय तक प्रभावी रह सकता है?

A. 6 महीने
B. 6 महीने और 6 सप्ताह
C. 1 वर्ष
D. जब तक विधानमंडल इसे रद्द न कर दे

618. यदि किसी राज्य की विधान सभा किसी विधेयक को पारित कर देती है और विधान परिषद उसे अस्वीकार कर देती है, तो क्या होगा?

A. विधेयक को समाप्त माना जाता है।
B. विधान सभा विधेयक को दोबारा पारित कर सकती है और वह स्वतः ही विधान परिषद से पारित माना जाता है।
C. राज्यपाल दोनों सदनों की संयुक्त बैठक बुला सकते हैं।
D. विधेयक को फिर से विधान परिषद में भेजा जाता है।

619. निम्नलिखित में से कौन सा कथन राज्यपाल की वीटो शक्ति के बारे में सही है?

1. वह किसी विधेयक को पुनर्विचार के लिए वापस भेज सकता है।
2. वह किसी विधेयक को राष्ट्रपति के विचार के लिए आरक्षित कर सकता है।
3. वह धन विधेयक को भी पुनर्विचार के लिए वापस भेज सकता है।

उपरोक्त में से कौन से कथन सही हैं?

A. 1 और 2
B. 2 और 3
C. 1 और 3
D. 1, 2 और 3

620. राज्यपाल निम्नलिखित में से किसकी नियुक्ति करता है?

1. महाधिवक्ता (Advocate General)
2. राज्य लोक सेवा आयोग के अध्यक्ष और सदस्य
3. राज्य चुनाव आयुक्त

उपरोक्त में से कौन सही है?

A. 1 और 2 B. 2 और 3
C. 1 और 3 D. उपरोक्त सभी

621. राज्यपाल द्वारा जारी किए गए अध्यादेश का क्या प्रभाव होता है?

A. यह केवल विधान सभा के लिए लागू होता है।
B. यह विधानमंडल के अधिनियम के समान ही शक्ति रखता है।
C. यह केवल कुछ ही मामलों में लागू होता है।
D. इसका कोई कानूनी प्रभाव नहीं होता जब तक कि इसे विधानमंडल द्वारा अनुमोदित न किया जाए।

622. विधान परिषद का गठन करने के लिए किसी राज्य की विधान सभा द्वारा किस बहुमत से प्रस्ताव पारित होना चाहिए?

A. साधारण बहुमत (सदन की कुल सदस्यता का बहुमत)
B. विशेष बहुमत (सदन की कुल सदस्यता का बहुमत और उपस्थित व मतदान करने वाले सदस्यों का दो-तिहाई बहुमत)
C. प्रभावी बहुमत (सदन की कुल सदस्यता का बहुमत और उपस्थित व मतदान करने वाले सदस्यों का दो-तिहाई बहुमत)
D. इनमें से कोई नहीं

623. यदि किसी राज्य की विधान सभा धन विधेयक को पारित करने से इनकार कर देती है, तो क्या होगा?

A. मुख्यमंत्री को इस्तीफा देना होगा।
B. राज्यपाल विधान सभा को भंग कर सकता है।
C. विधेयक को विधान परिषद में भेजा जाता है।
D. राज्यपाल विधेयक को राष्ट्रपति के पास भेजता है।

624. एक राज्य की विधान सभा अधिकतम कितनी अवधि तक विधान परिषद द्वारा अस्वीकार किए गए विधेयक को रोक सकती है?

A. 14 दिन B. 1 महीने
C. 3 महीने D. 4 महीने

625. निम्नलिखित में से कौन सा कथन 'महाधिवक्ता' के बारे में सही नहीं है?

A. वह राज्य का सर्वोच्च कानूनी अधिकारी होता है।
B. उसे राज्यपाल द्वारा नियुक्त किया जाता है।
C. वह राज्य विधानमंडल की कार्यवाही में मतदान कर सकता है।
D. वह राज्यपाल के प्रसादपर्यंत पद धारण करता है।

न्यायपालिका

626. भारतीय संविधान के अनुसार, सर्वोच्च न्यायालय के न्यायाधीशों की नियुक्ति के संबंध में निम्नलिखित कथनों पर विचार कीजिए :
1. मुख्य न्यायाधीश और अन्य न्यायाधीशों की नियुक्ति राष्ट्रपति द्वारा की जाती है।
2. मुख्य न्यायाधीश की नियुक्ति के मामले में, राष्ट्रपति अन्य न्यायाधीशों और उच्च न्यायालय के न्यायाधीशों से सलाह लेते हैं।
3. अन्य न्यायाधीशों की नियुक्ति के मामले में, मुख्य न्यायाधीश से सलाह लेना अनिवार्य है।
4. कॉलेजियम प्रणाली के तहत, राष्ट्रपति को सलाह देना मुख्य न्यायाधीश के विवेक पर निर्भर करता है।

उपरोक्त में से कौन से कथन सही हैं :

A. 1 और 2 B. 1, 2 और 3
C. 1 और 3 D. केवल 4

627. सर्वोच्च न्यायालय के न्यायाधीशों को उनके पद से हटाने के संबंध में निम्नलिखित कथनों पर विचार कीजिए :
1. उन्हें हटाने की प्रक्रिया राष्ट्रपति के महाभियोग के समान है।
2. उन्हें केवल साबित दुर्व्यवहार (proved misbehaviour) या अक्षमता (incapacity) के आधार पर हटाया जा सकता है।
3. हटाने का प्रस्ताव संसद के दोनों सदनों द्वारा पारित होना अनिवार्य है।
4. इस प्रक्रिया का उल्लेख संविधान के अनुच्छेद 124(4) में है।

उपरोक्त में से कौन-से कथन सही हैं :

A. 1 और 3 B. 2, 3 और 4
C. 1, 2 और 4 D. उपरोक्त सभी

628. सर्वोच्च न्यायालय के 'अभिलेख न्यायालय' (Court of Record) की शक्ति से क्या तात्पर्य है?
1. इसकी सभी कार्यवाही और निर्णय साक्ष्य के रूप में दर्ज होते हैं।
2. इसकी अवमानना (contempt) करने पर यह दंड दे सकता है।
3. यह अपने निर्णयों को पुनर्विचार के लिए भेज सकता है।
4. इसके फैसले सभी निचली अदालतों के लिए बाध्यकारी होते हैं।

उपरोक्त में से कौन से कथन सही हैं?

A. 1 और 2 B. 1, 2 और 4
C. 1, 3 और 4 D. केवल 2

629. सर्वोच्च न्यायालय के न्यायाधीशों के कार्यकाल के संबंध में निम्नलिखित में से कौन सा कथन सही है?

A. उनका कार्यकाल 6 वर्ष का होता है।
B. वे 65 वर्ष की आयु तक पद पर रहते हैं।
C. वे 65 वर्ष की आयु या 6 वर्ष का कार्यकाल, जो भी पहले हो, तक पद पर रहते हैं।
D. उनका कार्यकाल संविधान द्वारा तय नहीं है।

630. सर्वोच्च न्यायालय की 'परामर्शदात्री क्षेत्राधिकार' (Advisory Jurisdiction) से संबंधित कौन सा अनुच्छेद है?

A. अनुच्छेद 131 B. अनुच्छेद 132
C. अनुच्छेद 143 D. अनुच्छेद 145

631. निम्नलिखित में से कौन सा कथन सर्वोच्च न्यायालय के पुनरावलोकन (Judicial Review) की शक्ति के बारे में सही है?
1. यह शक्ति संसद द्वारा पारित कानूनों की सवैधानिक वैधता की जांच करती है।
2. यह शक्ति केवल केंद्र सरकार के कानूनों पर लागू होती है।
3. यह सर्वोच्च न्यायालय को किसी भी कानून को असवैधानिक घोषित करने का अधिकार देती है।

उपरोक्त में से कौन से कथन सही हैं :

A. 1 और 2 B. 1 और 3
C. 2 और 3 D. उपरोक्त सभी

632. सर्वोच्च न्यायालय के 'मौलिक क्षेत्राधिकार' (Original Jurisdiction) का क्या अर्थ है?

A. वह मामला सीधे सर्वोच्च न्यायालय में शुरू हो सकता है।
B. वह मामला अपीलीय क्षेत्राधिकार के तहत आता है।
C. वह मामला केवल सवैधानिक व्याख्या से संबंधित हो।
D. वह मामला केवल मौलिक अधिकारों से संबंधित हो।

633. निम्नलिखित में से कौन सा मामला सीधे सर्वोच्च न्यायालय के मौलिक क्षेत्राधिकार में आता है?

A. दो राज्यों के बीच विवाद
B. केंद्र और राज्य के बीच विवाद
C. मौलिक अधिकारों के उल्लंघन का मामला
D. A और B दोनों

634. सर्वोच्च न्यायालय के पास निम्नलिखित में से कौन सी रिट जारी करने की शक्ति है?
1. बंदी प्रत्यक्षीकरण (Habeas Corpus)
2. परमादेश (Mandamus)
3. अधिकार-पृच्छा (Quo Warranto)
4. प्रतिषेध (Prohibition)

कूट :

A. 1, 2 और 3   B. 1, 2 और 4
C. 1, 2, 3 और 4   D. केवल 1 और 2

635. सर्वोच्च न्यायालय के न्यायाधीश अपना त्यागपत्र किसे सौंपते हैं?
A. भारत के मुख्य न्यायाधीश
B. प्रधानमंत्री
C. राष्ट्रपति
D. लोकसभा अध्यक्ष

636. भारतीय संविधान के अनुसार, उच्च न्यायालय के न्यायाधीशों की नियुक्ति के संबंध में निम्नलिखित कथनों पर विचार कीजिए :
1. मुख्य न्यायाधीश और अन्य न्यायाधीशों की नियुक्ति राष्ट्रपति द्वारा की जाती है।
2. मुख्य न्यायाधीश की नियुक्ति के लिए, राष्ट्रपति को भारत के मुख्य न्यायाधीश और संबंधित राज्य के राज्यपाल से सलाह लेनी होती है।
3. अन्य न्यायाधीशों की नियुक्ति के लिए, राष्ट्रपति को भारत के मुख्य न्यायाधीश, संबंधित राज्य के राज्यपाल और उच्च न्यायालय के मुख्य न्यायाधीश से सलाह लेनी होती है।

उपरोक्त में से कौन से कथन सही हैं?
A. 1 और 2   B. 2 और 3
C. 1 और 3   D. 1, 2 और 3

637. उच्च न्यायालय के न्यायाधीशों को उनके पद से हटाने के संबंध में निम्नलिखित में से कौन सा कथन सही है?
A. उन्हें केवल संबंधित राज्य के राज्यपाल द्वारा हटाया जा सकता है।
B. उन्हें राष्ट्रपति द्वारा संसद के दोनों सदनों की सिफारिश पर हटाया जा सकता है।
C. उन्हें राज्य विधानसभा के प्रस्ताव द्वारा हटाया जा सकता है।
D. उन्हें भारत के मुख्य न्यायाधीश की सिफारिश पर हटाया जा सकता है।

638. उच्च न्यायालय के न्यायाधीशों के कार्यकाल के संबंध में निम्नलिखित में से कौन सा कथन सही है?
A. वे 62 वर्ष की आयु तक पद पर रहते हैं।
B. वे 65 वर्ष की आयु तक पद पर रहते हैं।
C. उनका कार्यकाल 6 वर्ष का होता है।
D. उनका कार्यकाल संविधान द्वारा तय नहीं है।

639. उच्च न्यायालय की रिट जारी करने की शक्ति से संबंधित निम्नलिखित कथनों पर विचार कीजिए :
1. उच्च न्यायालय मौलिक अधिकारों के प्रवर्तन के लिए रिट जारी कर सकता है।
2. यह किसी अन्य उद्देश्य के लिए भी रिट जारी कर सकता है।
3. सर्वोच्च न्यायालय की तुलना में उच्च न्यायालय का रिट क्षेत्राधिकार अधिक व्यापक है।

उपरोक्त में से कौन से कथन सही हैं?
A. 1 और 2   B. 2 और 3
C. 1 और 3   D. 1, 2 और 3

640. निम्नलिखित में से कौन सी उच्च न्यायालय की शक्ति नहीं है?
A. न्यायिक पुनरावलोकन (Judicial Review)
B. अभिलेख न्यायालय (Court of Record)
C. परामर्शदात्री क्षेत्राधिकार (Advisory Jurisdiction)
D. रिट जारी करने की शक्ति (Power to issue writs)

641. उच्च न्यायालय के न्यायाधीशों का स्थानांतरण (transfer) कौन कर सकता है?
A. भारत के मुख्य न्यायाधीश
B. राष्ट्रपति, भारत के मुख्य न्यायाधीश के परामर्श से
C. संबंधित राज्य के राज्यपाल
D. संसद

642. उच्च न्यायालय के न्यायाधीश अपना इस्तीफा किसे सौंपते हैं?
A. भारत के मुख्य न्यायाधीश
B. संबंधित राज्य के राज्यपाल
C. राष्ट्रपति
D. उच्च न्यायालय के मुख्य न्यायाधीश

643. निम्नलिखित कथनों पर विचार कीजिए :
1. संविधान में प्रत्येक राज्य के लिए एक उच्च न्यायालय का प्रावधान है।
2. संसद दो या दो से अधिक राज्यों के लिए एक संयुक्त उच्च न्यायालय स्थापित कर सकती है।
3. भारत में कुल 25 उच्च न्यायालय हैं।

उपरोक्त में से कौन से कथन सही हैं?
A. 1 और 2   B. 2 और 3
C. 1 और 3   D. 1, 2 और 3

644. निम्नलिखित में से कौन सा अनुच्छेद अधीनस्थ न्यायालयों में न्यायिक सेवाओं में व्यक्तियों की नियुक्ति से संबंधित है?
A. अनुच्छेद 233   B. अनुच्छेद 234
C. अनुच्छेद 235   D. अनुच्छेद 236

645. निम्नलिखित में से कौन सा न्यायालय किसी भी दीवानी या आपराधिक मामले की प्रारंभिक सुनवाई कर सकता है?
A. सत्र न्यायालय   B. जिला न्यायालय
C. मजिस्ट्रेट न्यायालय   D. इनमें से कोई नहीं

646. निम्नलिखित में से कौन सा कथन जिला न्यायाधीश के पद के संबंध में सही नहीं है?
A. वह जिला स्तर पर सर्वोच्च न्यायिक अधिकारी होता है।
B. वह न्यायिक और प्रशासनिक दोनों शक्तियों का प्रयोग करता है।
C. उसके पास अपीलीय क्षेत्राधिकार होता है।
D. वह सीधे राज्यपाल को जवाबदेह होता है।

647. निम्नलिखित में से कौन सा कथन सत्र न्यायालय (Sessions Court) के संबंध में सही है?
1. यह आपराधिक मामलों की सुनवाई करता है।
2. यह मृत्युदंड की सजा दे सकता है, लेकिन इसके लिए उच्च न्यायालय द्वारा पुष्टि अनिवार्य है।
3. यह एक दीवानी न्यायालय (civil court) के रूप में भी कार्य करता है।

उपरोक्त में से कौन से कथन सही हैं?
A. 1 और 2 B. 2 और 3
C. 1 और 3 D. 1, 2 और 3

648. अधीनस्थ न्यायालयों पर नियंत्रण कौन रखता है?
A. सर्वोच्च न्यायालय B. उच्च न्यायालय
C. राज्य सरकार D. राज्यपाल

649. निम्नलिखित में से कौन सा कथन जिला न्यायाधीश की योग्यता के संबंध में सही है?
1. वह केंद्र या राज्य सरकार की सेवा में न हो।
2. उसने कम से कम 7 साल तक एक वकील के रूप में काम किया हो।
3. उसकी नियुक्ति की सिफारिश उच्च न्यायालय द्वारा की गई हो।

उपरोक्त में से कौन से कथन सही हैं?
A. 1 और 2 B. 2 और 3
C. 1 और 3 D. 1, 2 और 3

650. भारतीय संविधान का कौन सा भाग अधीनस्थ न्यायालयों से संबंधित है?
A. भाग IV B. भाग V
C. भाग VI D. भाग VII

स्थानीय स्वशासन

651. भारतीय संविधान का कौन सा भाग पंचायती राज से संबंधित है?
A. भाग VIII B. भाग IX
C. भाग IXA D. भाग X

652. 73वें संविधान संशोधन अधिनियम, 1992 का मुख्य उद्देश्य क्या था?
A. शहरी स्थानीय निकायों को संवैधानिक दर्जा देना।
B. ग्राम पंचायतों को संवैधानिक दर्जा देना।
C. मौलिक अधिकारों का विस्तार करना।
D. चुनाव आयोग की शक्तियों में वृद्धि करना।

653. पंचायती राज प्रणाली की त्रिस्तरीय संरचना में सबसे निचला स्तर कौन सा है?
A. जिला परिषद B. पंचायत समिति
C. ग्राम पंचायत D. ग्राम सभा

654. निम्नलिखित में से कौन सा कथन 'ग्राम सभा' के बारे में सही है?
1. यह पंचायत क्षेत्र में पंजीकृत सभी मतदाताओं का एक निकाय है।
2. यह पंचायत की कार्यकारी शाखा है।
3. इसकी शक्तियों को राज्य विधानमंडल द्वारा निर्धारित किया जाता है।

उपरोक्त में से कौन से कथन सही हैं?
A. 1 और 2 B. 2 और 3
C. 1 और 3 D. 1, 2 और 3

655. निम्नलिखित में से कौन सा कथन 'पंचायत समिति' के बारे में सही है?
1. यह पंचायती राज प्रणाली का मध्यवर्ती स्तर है।
2. इसे ब्लॉक स्तर पर भी जाना जाता है।
3. इसका अध्यक्ष प्रत्यक्ष रूप से मतदाताओं द्वारा चुना जाता है।

उपरोक्त में से कौन से कथन सही हैं?
A. 1 और 2 B. 2 और 3
C. 1 और 3 D. 1, 2 और 3

656. पंचायती राज संस्थानों में महिलाओं के लिए कितनी सीटें आरक्षित हैं?
A. 1/4 B. 1/3
C. 1/2 D. 1/5

657. निम्नलिखित में से कौन सा अनुच्छेद 'ग्राम सभा' को परिभाषित करता है?
A. अनुच्छेद 243A B. अनुच्छेद 243B
C. अनुच्छेद 243 D. अनुच्छेद 243D

658. निम्नलिखित में से कौन सा कथन 'राज्य वित्त आयोग' के बारे में सही है?
1. इसका गठन राज्यपाल द्वारा हर पाँच वर्ष में किया जाता है।
2. यह राज्य और पंचायतों के बीच करों के वितरण की सिफारिश करता है।
3. इसका उल्लेख संविधान के अनुच्छेद 243I में है।

उपरोक्त में से कौन से कथन सही हैं?
A. 1 और 2 B. 2 और 3
C. 1 और 3 D. 1, 2 और 3

659. निम्नलिखित में से कौन सा कथन 'राज्य चुनाव आयोग' के बारे में सही है?
A. यह राज्यपाल द्वारा नियुक्त होता है।
B. यह पंचायत चुनावों के अधीक्षण, निर्देशन और नियंत्रण के लिए जिम्मेदार है।
C. इसे केवल उच्च न्यायालय के न्यायाधीश की तरह ही हटाया जा सकता है।
D. उपरोक्त सभी

660. 74वें संविधान संशोधन अधिनियम का संबंध किससे है?
A. पंचायती राज B. शहरी स्थानीय निकाय
C. केंद्र-राज्य संबंध D. मौलिक कर्तव्य

661. नगर निगम का प्रमुख कौन होता है?
A. मेयर (महापौर) B. आयुक्त
C. अध्यक्ष D. जिला कलेक्टर

662. शहरी स्थानीय निकायों का उल्लेख भारतीय संविधान के किस भाग में है?
A. भाग VIII B. भाग IX
C. भाग IXA D. भाग X

663. निम्नलिखित में से कौन सा कथन सही है?
1. 'पंचायती राज दिवस' 24 अप्रैल को मनाया जाता है।
2. 73वां संशोधन अधिनियम 24 अप्रैल 1993 को लागू हुआ था।
3. पंचायती राज को सबसे पहले राजस्थान के नागौर जिले में लागू किया गया था।

उपरोक्त में से कौन से कथन सही हैं?
A. 1 और 2 B. 2 और 3
C. 1 और 3 D. 1, 2 और 3

664. निम्नलिखित में से कौन सा कथन 'जिला नियोजन समिति' के बारे में सही है?
A. यह राज्य विधानमंडल द्वारा गठित की जाती है।
B. इसका मुख्य उद्देश्य जिले के लिए एक एकीकृत विकास योजना बनाना है।
C. इसमें शहरी और ग्रामीण दोनों क्षेत्रों के प्रतिनिधि शामिल होते हैं।
D. उपरोक्त सभी

665. निम्नलिखित में से कौन सी एक पंचायती राज समिति नहीं है?
A. बलवंत राय मेहता समिति
B. अशोक मेहता समिति
C. जी.वी.के. राव समिति
D. एम.एस. स्वामीनाथन समिति

666. बलवंत राय मेहता समिति ने पंचायती राज की किस संरचना की सिफारिश की थी?
A. द्विस्तरीय B. त्रिस्तरीय
C. चार-स्तरीय D. कोई निश्चित संरचना नहीं

667. निम्नलिखित में से किस अनुच्छेद में पंचायतों को 29 विषयों से संबंधित कार्य करने की शक्ति दी गई है?
A. अनुच्छेद 243G B. अनुच्छेद 243H
C. अनुच्छेद 243I D. अनुच्छेद 243J

668. 'नगर पालिका' को संविधान की किस अनुसूची में जोड़ा गया है?
A. 11वीं अनुसूची B. 12वीं अनुसूची
C. 10वीं अनुसूची D. 8वीं अनुसूची

669. निम्नलिखित में से कौन सा कथन सही है?
1. 73वां संविधान संशोधन केवल पंचायतों पर लागू होता है।
2. 74वां संविधान संशोधन केवल शहरी निकायों पर लागू होता है।
3. इन दोनों संशोधनों का उद्देश्य स्थानीय निकायों को संवैधानिक दर्जा देना था।

उपरोक्त में से कौन से कथन सही हैं?
A. 1 और 2 B. 2 और 3
C. 1 और 3 D. 1, 2 और 3

670. निम्नलिखित में से कौन सा निकाय पंचायती राज प्रणाली में शामिल नहीं है?
A. पंचायत समिति B. नगर पंचायत
C. ग्राम पंचायत D. जिला परिषद

671. यदि किसी पंचायत को समय से पहले भंग कर दिया जाता है, तो चुनाव कितने समय के भीतर कराए जाने चाहिए?
A. 3 महीने B. 6 महीने
C. 1 वर्ष D. 14 दिन

672. निम्नलिखित में से कौन सा विषय 11वीं अनुसूची में शामिल है?
A. सड़कें B. सार्वजनिक स्वास्थ्य
C. कृषि विस्तार D. उपरोक्त सभी

673. निम्नलिखित में से कौन सा अनुच्छेद पंचायतों की संरचना (composition) से संबंधित है?
A. अनुच्छेद 243B B. अनुच्छेद 243C
C. अनुच्छेद 243D D. अनुच्छेद 243E

674. किस समिति ने स्थानीय स्वशासन को संवैधानिक दर्जा देने की सिफारिश की थी?
A. अशोक मेहता समिति B. बलवंत राय मेहता समिति
C. एल.एम. सिंघवी समिति D. थुंगन समिति

675. निम्नलिखित में से कौन सा कथन ग्राम पंचायत के बारे में सही है?
A. यह केवल एक गाँव के लिए होता है।
B. यह दो या दो से अधिक गाँवों के लिए हो सकता है।
C. इसका प्रमुख अप्रत्यक्ष रूप से चुना जाता है।
D. इसके सदस्य सीधे मतदाताओं द्वारा चुने जाते हैं।

कर प्रणाली

676. निम्न में से कौन-सा किसी देश की आर्थिक संवृद्धि का सबसे उपयुक्त मानदंड है?

A. शिशु मृत्यु दर B. साक्षरता दर
C. प्रति व्यक्ति आय D. सकल घरेलू उत्पाद

677. भारत में प्रत्यक्ष कर का उदाहरण क्या है?

A. आयकर B. जीएसटी
C. उत्पाद शुल्क D. बिक्री कर

678. भारतीय संविधान के किस अनुच्छेद में कर लगाने की शक्ति दी गई है?

A. अनुच्छेद-100 B. अनुच्छेद-246
C. अनुच्छेद-370 D. अनुच्छेद-200

679. निम्न कथनों पर विचार कीजिए :

1. भारतीय रिजर्व बैंक केंद्र सरकार की तरफ से करेंसी नोट जारी करता है।
2. भारत में कोई भी व्यक्ति कानूनी तौर पर रूपयों में अदायगी को अस्वीकार कर सकता है।

उपर्युक्त कथनों में से कौन-से सही है?

A. केवल 1 B. केवल 2
C. 1 और 2 दोनों D. न तो 1, न ही 2

680. भारत में वस्तु एवं सेवा कर (GST) कब लागू हुआ था?

A. 1 जुलाई 2016 B. 1 अप्रैल 2017
C. 1 जुलाई 2017 D. 1 जनवरी 2018

681. निम्न में से किस संस्था द्वारा 'मानव विकास रिपोर्ट' जारी किया जाता है?

A. विश्व बैंक B. संयुक्त राष्ट्र विकास कार्यक्रम
C. विश्व आर्थिक मंच D. विश्व स्वास्थ्य संगठन

682. निम्न में से कौन-सा कर केंद्र सरकार द्वारा लगाया जाता है?

A. संपत्ति कर B. आयकर
C. नगर निगम कर D. कृषि कर

683. जीएसटी परिषद का अध्यक्ष कौन होता है?

A. वित्त सचिव B. प्रधानमंत्री
C. राष्ट्रपति D. वित्त मंत्री

684. निम्न में से कौन-सा भारतीय अर्थव्यवस्था का प्रमुख लक्षण है?

A. गाँधीवादी अर्थव्यवस्था B. मिश्रित अर्थव्यवस्था
C. पूंजीवादी अर्थव्यवस्था D. समाजवादी अर्थव्यवस्था

685. डी.के. कर्वे समिति का संबंध है?

A. भुगतान संतुलन से
B. सार्वजनिक उपक्रमों के विकास से
C. लघु उद्यमों के विकास से
D. बैंकिंग क्षेत्र के निजीकरण से

686. निम्न में से कौन-सा कर राज्य सरकार द्वारा लगाया जाता है?

A. आयकर B. सीमा शुल्क
C. निगम कर D. शराब पर उत्पाद शुल्क

687. निम्न में से किस कर को ''प्रगतिशील कर'' कहा जाता है?

A. आयकर B. सीमा शुल्क
C. जीएसटी D. सेवा कर

688. निम्न में से कौन मानव पूंजी का स्रोत हो सकता है?

1. शिक्षा में निवेश
2. निवारक दवा (टीकाकरण)
3. स्वच्छ पेयजल की व्यवस्था
4. कार्य के दौरान प्रशिक्षण

कूट :

A. केवल 1
B. केवल 2 और 3
C. केवल 1 और 4
D. उपर्युक्त सभी

689. निम्न में से किस पर सीमा शुल्क लगाया जाता है?

A. उत्पादन पर B. सेवाओं पर
C. आयात-निर्यात पर D. आय पर

690. 'सेबी' (SEBI) निम्नलिखित में से किस बाजार का एक नियामक निकाय है?

A. दूरसंचार B. मुद्रा बाजार
C. पूंजी बाजार D. विद्युत

691. भारत में टैक्स स्लैब दर किस आधार पर बदलता है?

A. क्षेत्र के आधार पर
B. आय स्तर के आधार पर
C. व्यवसाय के आधार पर
D. लिंग के आधार पर

692. निम्न में से कौन-सा कथन सकल घरेलू उत्पाद को परिभाषित करता है?

A. किसी अर्थव्यवस्था में समस्त वस्तुओं का मूल्य
B. किसी अर्थव्यवस्था में कृषि उत्पाद का समग्र मूल्य
C. किसी अर्थव्यवस्था में सेवाओं का मूल्य
D. किसी घरेलू अर्थव्यवस्था में एक वर्ष के दौरान अंतिम वस्तुओं व सेवाओं का मूल्य

693. GST के अंतर्गत 'इनपुट टैक्स क्रेडिट' का क्या अर्थ है?
A. टैक्स से छूट
B. टैक्स का पुनर्भरण
C. पहले दिए गए टैक्स को अगले चरण में समायोजित करना
D. नया कर

694. कर का वर्गीकरण कितने भागों में किया जाता है?
A. 2 B. 3
C. 4 D. 5

695. मुद्रा सभी परसम्पत्तियों में सबसे तरल है, क्योंकि-
A. यह एक वैध मुद्रा है
B. यह सार्वभौमिक रूप से स्वीकार्य है
C. यह क्रय-विक्रय का माध्यम है
D. उपर्युक्त में से कोई नहीं

696. 'टैक्स इवेजन' का अर्थ है :
A. टैक्स बचाना
B. टैक्स की योजना बनाना
C. अवैध रूप से टैक्स न देना
D. टैक्स में छूट लेना

697. भारत में निगम कर किस पर लगता है?
A. व्यक्तियों पर B. कंपनियों के लाभ पर
C. किसानों पर D. एनजीओ पर

698. भारत में प्रत्येक वित्तीय वर्ष होता है?
A. 1 अप्रैल से 31 मार्च तक
B. 31 मार्च से 1 अप्रैल तक
C. 30 मार्च से 30 अप्रैल तक
D. 31 मार्च से 2 अप्रैल तक

699. निम्न में से किस व्यापार को 'अदृश्य व्यापार' भी कहा जाता है?
A. कृषि उत्पाद का व्यापार
B. वस्तुओं का व्यापार
C. सेवाओं का व्यापार
D. उपर्युक्त कोई नहीं

700. भारत में कर निर्धारण किस संस्था द्वारा किया जाता है?
A. सुप्रीम कोर्ट
B. भारतीय रिजर्व बैंक
C. संसद
D. केंद्रीय प्रत्यक्ष कर बोर्ड (CBDT)

उत्तरमाला

1	2	3	4	5	6	7	8	9	10
C	A	C	A	A	C	B	C	C	A
11	**12**	**13**	**14**	**15**	**16**	**17**	**18**	**19**	**20**
B	A	C	C	B	D	A	C	B	B
21	**22**	**23**	**24**	**25**	**26**	**27**	**28**	**29**	**30**
C	B	D	A	C	B	C	A	C	A
31	**32**	**33**	**34**	**35**	**36**	**37**	**38**	**39**	**40**
B	B	B	C	A	D	A	B	D	A
41	**42**	**43**	**44**	**45**	**46**	**47**	**48**	**49**	**50**
D	A	A	C	C	A	D	B	A	D
51	**52**	**53**	**54**	**55**	**56**	**57**	**58**	**59**	**60**
B	A	C	A	B	B	C	A	C	A
61	**62**	**63**	**64**	**65**	**66**	**67**	**68**	**69**	**70**
C	D	B	C	A	C	A	D	B	C
71	**72**	**73**	**74**	**75**	**76**	**77**	**78**	**79**	**80**
D	C	A	A	A	C	A	B	A	C
81	**82**	**83**	**84**	**85**	**86**	**87**	**88**	**89**	**90**
A	B	A	C	C	D	D	C	C	A
91	**92**	**93**	**94**	**95**	**96**	**97**	**98**	**99**	**100**
C	A	B	D	A	C	A	C	D	A

101	102	103	104	105	106	107	108	109	110
A	D	B	C	C	B	B	D	A	B
111	112	113	114	115	116	117	118	119	120
C	A	B	B	B	C	A	B	A	C
121	122	123	124	125	126	127	128	129	130
C	A	B	A	C	C	D	A	A	B
131	132	133	134	135	136	137	138	139	140
A	A	D	C	C	B	B	A	B	A
141	142	143	144	145	146	147	148	149	150
B	C	D	C	B	C	A	B	C	B
151	152	153	154	155	156	157	158	159	160
C	B	B	D	A	C	C	D	A	C
161	162	163	164	165	166	167	168	169	170
B	D	C	D	C	C	B	C	D	B
171	172	173	174	175	176	177	178	179	180
A	C	C	C	A	C	A	A	C	D
181	182	183	184	185	186	187	188	189	190
B	C	A	B	B	C	D	A	C	A
191	192	193	194	195	196	197	198	199	200
D	C	D	B	C	A	C	D	C	B
201	202	203	204	205	206	207	208	209	210
D	B	C	D	C	B	B	A	C	B
211	212	213	214	215	216	217	218	219	220
D	C	C	D	D	C	B	B	C	C
221	222	223	224	225	226	227	228	229	230
C	D	B	D	C	A	B	A	B	C
231	232	233	234	235	236	237	238	239	240
B	C	B	A	D	B	C	A	C	C
241	242	243	244	245	246	247	248	249	250
D	C	B	A	C	A	D	A	D	A
251	252	253	254	255	256	257	258	259	260
B	A	B	C	B	C	A	B	C	D
261	262	263	264	265	266	267	268	269	270
B	A	D	A	A	B	D	C	B	C
271	272	273	274	275	276	277	278	279	280
A	B	D	B	C	A	C	B	A	D
281	282	283	284	285	286	287	288	289	290
A	B	C	A	C	C	B	B	D	C
291	292	293	294	295	296	297	298	299	300
A	B	A	B	D	B	C	D	D	A
301	302	303	304	305	306	307	308	309	310
C	B	D	C	A	C	D	A	C	C
311	312	313	314	315	316	317	318	319	320
B	B	C	B	D	B	A	C	D	B

321	322	323	324	325	326	327	328	329	330
B	D	A	B	C	D	C	D	C	D
331	332	333	334	335	336	337	338	339	340
A	B	A	C	B	D	A	B	A	C
341	342	343	344	345	346	347	348	349	350
A	B	D	C	B	D	B	B	B	A
351	352	353	354	355	356	357	358	359	360
B	A	C	D	C	C	B	B	C	B
361	362	363	364	365	366	367	368	369	370
C	D	C	B	C	D	C	A	C	C
371	372	373	374	375	376	377	378	379	380
B	D	B	C	B	A	B	C	C	D
381	382	383	384	385	386	387	388	389	390
C	A	B	C	D	A	C	C	A	C
391	392	393	394	395	396	397	398	399	400
A	B	B	A	B	C	D	B	D	C
401	402	403	404	405	406	407	408	409	410
C	B	C	C	B	C	B	D	B	B
411	412	413	414	415	416	417	418	419	420
D	A	C	D	D	C	C	C	B	A
421	422	423	424	425	426	427	428	429	430
D	A	B	B	C	B	C	B	D	C
431	432	433	434	435	436	437	438	439	440
B	C	A	D	C	A	C	B	C	A
441	442	443	444	445	446	447	448	449	450
C	A	B	B	B	C	C	A	D	C
451	452	453	454	455	456	457	458	459	460
D	B	C	B	C	A	C	D	A	A
461	462	463	464	465	466	467	468	469	470
B	D	C	B	C	B	D	C	C	B
471	472	473	474	475	476	477	478	479	480
A	C	B	D	B	B	C	B	B	C
481	482	483	484	485	486	487	488	489	490
B	B	B	C	C	D	C	A	A	B
491	492	493	494	495	496	497	498	499	500
B	A	B	A	C	A	B	D	B	B
501	502	503	504	505	506	507	508	509	510
B	A	D	B	D	B	B	B	C	A
511	512	513	514	515	516	517	518	519	520
B	C	A	D	C	D	A	C	A	A
521	522	523	524	525	526	527	528	529	530
B	C	D	B	D	B	A	A	C	A
531	532	533	534	535	536	537	538	539	540
D	C	C	A	C	B	D	C	C	C

541	542	543	544	545	546	547	548	549	550
A	C	B	B	B	A	B	C	A	A
551	552	553	554	555	556	557	558	559	560
C	B	B	A	B	D	D	D	C	A
561	562	563	564	565	566	567	568	569	570
A	C	A	B	B	B	A	D	B	B
571	572	573	574	575	576	577	578	579	580
B	C	A	B	B	C	B	B	C	B
581	582	583	584	585	586	587	588	589	590
C	B	B	A	C	A	C	A	A	B
591	592	593	594	595	596	597	598	599	600
D	C	C	C	A	C	A	B	C	D
601	602	603	604	605	606	607	608	609	610
B	A	B	B	B	D	B	D	C	A
611	612	613	614	615	616	617	618	619	620
C	A	B	B	C	B	B	B	A	D
621	622	623	624	625	626	627	628	629	630
B	B	A	C	C	B	D	B	B	C
631	632	633	634	635	636	637	638	639	640
B	A	D	C	C	D	B	A	D	C
641	642	643	644	645	646	647	648	649	650
B	C	D	B	C	D	A	B	D	C
651	652	653	654	655	656	657	658	659	660
B	B	C	C	A	B	C	D	D	B
661	662	663	664	665	666	667	668	669	670
A	C	D	D	D	B	A	D	D	B
671	672	673	674	675	676	677	678	679	680
B	D	B	C	D	C	A	C	A	C
681	682	683	684	685	686	687	688	689	690
B	B	D	B	C	D	A	D	C	C
691	692	693	694	695	696	697	698	699	700
B	D	C	A	B	C	B	A	C	D

छत्तीसगढ़ सामान्य ज्ञान

1 इतिहास

1. छत्तीसगढ़ राज्य की स्थापना कब हुई?
A. 1 नवम्बर, 2000 ई॰ B. 10 नवम्बर, 2000 ई॰
C. 12 नवम्बर, 2000 ई॰ D. 20 नवम्बर, 2000 ई॰

2. स्थापना के आधार पर छत्तीसगढ़ का भारत के राज्यों में क्रम है–
A. 26वां B. 27वां
C. 28वां D. इनमें से कोई नहीं

3. निम्नलिखित में कौन दक्षिण भारतीय संस्कृति है जिसके अवशेष छत्तीसगढ़ में मिले हैं?
A. अहाड़ संस्कृति
B. कयथा संस्कृति
C. रंगपुर संस्कृति
D. महापाषाणीय संस्कृति

4. 'महाभारत' में बस्तर के अरण्य क्षेत्र को कहा गया है–
A. प्राक् कोशल B. कोशल
C. कान्तार D. इनमें से कोई नहीं

5. महात्मा बुद्ध के दक्षिण कोसल आगमन एवं तीन माह तक श्रावस्ती में निवास का उल्लेख मिलता है–
A. 'अवदान शतक' में
B. ह्वेनसांग के यात्रा वृतांत में
C. A एवं B दोनों में
D. इनमें से कोई नहीं

6. भारत की सबसे प्राचीन नाट्यशाला पायी गई है–
A. सीताबोंगरा गुफा में B. जीगोमारा गुफा में
C. कार्ले गुफा में D. इनमें से कोई नहीं

7. गुप्त शासक समुद्रगुप्त के दक्षिणापथ अभियान के समय दक्षिण कोसल का नरेश था–
A. महेन्द्र B. व्याघ्रराज
C. नरेन्द्रसेन D. इनमें से कोई नहीं

8. सूची-I को सूची-II के साथ सुमेलित कीजिए–

सूची-I (छत्तीसगढ़ के प्राचीन राजवंश)	सूची-II (शासक)
(*a*) राजर्षितुल्य कुल	1. महाशिवगुप्त
(*b*) शरभपुरीय	2. भीमसेन
(*c*) पाण्डु वंश	3. भवदत्त वर्मन
(*d*) नल वंश	4. प्रसन्नमात्र

कूट :

	(*a*)	(*b*)	(*c*)	(*d*)
A.	3	1	4	2
B.	2	4	1	3
C.	1	3	2	4
D.	4	2	3	1

9. बस्तर के कोरापुट क्षेत्र के नल-नाग वंश का संस्थापक था–
A. शरभ B. शिशुक
C. भवदत्तवर्मन D. अर्थपति

10. राजिम के राजीवलोचन मंदिर (विष्णु मंदिर) का निर्माण किस नल-नागवंशी शासक ने करवाया?
A. शिशुक B. भवदत्तवर्मन
C. स्कन्दवर्मन D. विलासतुंग

11. छत्तीसगढ़ में स्थापित होने वाली कलचुरियों की शाखाओं में से कौन-सी शाखा सबसे पहले स्थापित हुई?
A. रतनपुर शाखा B. रायपुर शाखा
C. चेदि शाखा D. इनमें से कोई नहीं

12. किस कलचुरि शासक ने 'सकल कोसलाधिपति' की पदवी धारण की?
A. कलिंगराज B. रत्नराज-I
C. पृथ्वीदेव-I D. जाजल्लदेव-I

13. निम्नलिखित कलचुरि शासकों ने रतनपुर से राज्य किया–

1. जाजल्लदेव-I 2. पृथ्वीदेव-II
3. प्रतापमल्ल 4. रत्नदेव-II

इन शासकों का क्रम निर्धारित कीजिए–

A. 3-2-4-1 B. 4-1-3-2
C. 2-3-1-4 D. 1-4-2-3

14. शुद्धाद्वैत मत (पुष्टि मार्ग संप्रदाय) के प्रवर्तक महाप्रभु वल्लभाचार्य की जन्मस्थली है–

A. चम्पारण्य B. मल्हार
C. डोंगरगढ़ D. रतनपुर

15. नागपुर के भोंसले शासक के सेनापति भास्कर पंत के आक्रमण के समय रतनपुर राज्य का शासक था–

A. रघुनाथ सिंह B. मोहन सिंह
C. अमर सिंह D. इनमें से कोई नहीं

16. छत्तीसगढ़ का प्रथम मराठा शासक था–

A. भास्कर पंत B. बिम्बाजी भोंसले
C. रघुजी III D. इनमें से कोई नहीं

17. छत्तीसगढ़ में मराठा शासन के दौरान निम्न सूबेदार नियुक्त हुए–

1. केशव गोविन्द
2. विट्ठलराव दिनकर
3. महिपतराव
4. बिकाजी गोपाल

इनका क्रम निर्धारित कीजिए–

A. 1, 2, 3, 4 B. 2, 1, 3, 4
C. 3, 2, 1, 4 D. 3, 4, 1, 2

18. छत्तीसगढ़ में परगना पद्धति का जन्मदाता था–

A. महिपतराव दिनकर B. विट्ठल दिनकर
C. बीकाजी गोपाल D. इनमें से कोई नहीं

19. निम्नलिखित में से किस ब्रिटिश अधिकारी ने 1818 में छत्तीसगढ़ की राजधानी रतनपुर से रायपुर स्थानान्तरित की?

A. कैप्टेन एडमंड B. मेजर एगन्यू
C. क्राफर्ड D. मि. सेण्डिस

20. छत्तीसगढ़ का ब्रिटिश साम्राज्य में विलय हुआ–

A. 1757 ई॰ में B. 1854 ई॰ में
C. 1857 ई॰ में D. इनमें से कोई नहीं

21. छत्तीसगढ़ को एक स्वतंत्र संभाग (Commi-ssionary) का दर्जा मिला–

A. 1862 ई॰ में B. 1885 ई॰ में
C. 1909 ई॰ में D. इनमें से कोई नहीं

22. किसे '1857 के महाविद्रोह का अंतिम शहीद' कहा जाता है?

A. वीर नारायण सिंह B. सुरेन्द्र साय
C. हनुमान सिंह D. इनमें से कोई नहीं

23. छत्तीसगढ़ में राष्ट्रीय जागरण के अग्रदूत थे–

A. पं. सुंदरलाल शर्मा B. गुण्डाधूर
C. खूबचंद बघेल D. इनमें से कोई नहीं

24. निम्नलिखित में से कौन-सा युग्म सुमेलित है?

A. वीरनारायण सिंह – सिडवेल की हत्या
B. कण्डेल नहर सत्याग्रह – पं॰ सुंदरलाल शर्मा
C. बी.एन.सी. मिल मजदूर हड़ताल – नारायणराव मेघावाले
D. सिहावा जंगल सत्याग्रह – हनुमान सिंह

25. सूची-I को सूची-II के साथ सुमेलित कीजिए–

सूची-I (व्यक्ति)	सूची-II (क्षेत्र)
(*a*) पं. रविशंकर शुक्ल	1. रायपुर
(*b*) ई. राघवेन्द्र राव	2. बिलासपुर
(*c*) ठाकुर प्यारेलाल सिंह	3. राजनांदगाँव
(*d*) बाबू छोटेलाल श्रीवास्तव	4. धमतरी

कूट :

	(*a*)	(*b*)	(*c*)	(*d*)
A.	1	2	3	4
B.	2	1	3	4
C.	2	1	4	3
D.	4	3	2	1

26. 1920 में 37 दिनों तक चलने वाली राजनांदगाँव स्थित बी.एन.सी. मिल के श्रमिकों की हड़ताल का नेतृत्व किसने किया था?

A. ठाकुर प्यारेलाल सिंह B. माधवराव सप्रे
C. कुतुबुद्दीन D. अब्दुल रऊफ

27. जुलाई, 1920 ई. में किसके नेतृत्व में धमतरी तहसील में कण्डेल ग्राम में नहर सत्याग्रह आरंभ हुआ?

A. बाबू छोटे लाल श्रीवास्तव
B. पं॰ सुंदरलाल शर्मा
C. पं. राम दयाल तिवारी
D. इनमें से कोई नहीं

28. गाँधीजी का सर्वप्रथम रायपुर आगमन किस तिथि को हुआ?

A. 18 दिसम्बर, 1920 B. 19 दिसम्बर, 1920
C. 20 दिसम्बर, 1920 D. इनमें से कोई नहीं

29. असहयोग आंदोलन (1920-22) के दौरान किसे छत्तीसगढ़ की जनता ने 'लोकप्रिय' उपाधि से सम्मानित किया?

A. ठाकुर प्यारेलाल सिंह B. खूबचंद बघेल
C. पं. सुंदरलाल सिंह D. वामनराव लाखे

30. वर्ष 1921 ई. में रायपुर में सत्याग्रह आश्रम की स्थापना किसने की?

A. पं. सुंदरलाल शर्मा B. माधवराव सप्रे
C. खूबचंद बघेल D. इनमें से कोई नहीं

31. वर्ष 1925 ई. में अस्पृश्य लोगों के साथ पं. सुंदरलाल शर्मा ने किस मंदिर में प्रवेश किया था?
A. शिव मंदिर, चन्दखुरी
B. राजीव लोचन मंदिर, राजिम
C. महामाया मंदिर, रतनपुर
D. इनमें से कोई नहीं

32. महात्मा गांधी ने अछूतोद्धार के मामले में किसे अपना अग्रज या गुरु कहकर सम्मानित किया?
A. पं. सुंदरलाल शर्मा B. ठाकुर प्यारेलाल सिंह
C. खूबचंद बघेल D. इनमें से कोई नहीं

33. सविनय अवज्ञा आंदोलन के दौरान छत्तीसगढ़ के बिलासपुर में 'वानर सेना' का गठन किसके नेतृत्व में हुआ?
A. वासुदेव देवरस B. बलदेव सतनामी
C. नरसिंह प्रसाद अग्रवाल D. राम प्रसाद देशमुख

34. निम्न कथन को पढ़िए–
1. सविनय अवज्ञा आंदोलन के दौरान छत्तीसगढ़ में जंगल सत्याग्रह हुए।
2. छत्तीसगढ़ में सविनय अवज्ञा आंदोलन शांतिपूर्ण रहा।
3. नवागांव–रुद्री जंगल सत्याग्रह में पुलिस ने गोली चालन किया।

सही उत्तर चुनिए–
A. केवल 1 सही है B. केवल 2 सही है
C. 1 और 2 सही हैं D. 1, और 3 सही हैं

35. छत्तीसगढ़ में गांधीजी की हरिजन यात्रा कब हुई थी?
A. नवम्बर, 1933 ई, B. जनवरी, 1933 ई॰
C. जनवरी, 1934 ई॰ D. नवम्बर, 1934 ई॰

36. किसने 'गांधी मीमांसा' नामक ग्रंथ लिखा?
A. पं. राम दयाल तिवारी B. माधव राव सप्रे
C. लोचन प्रसाद पाण्डेय D. इनमें से कोई नहीं

37. छत्तीसगढ़ में व्यक्तिगत सत्याग्रह आंदोलन किसने प्रारंभ किया?
A. पं. रविशंकर शुक्ल B. ठाकुर प्यारेलाल सिंह
C. माधवराव सप्रे D. खूबचंद बघेल

38. बिलासपुर में भारत छोड़ो आंदोलन के नेता थे–
1. ठाकुर छेदीलाल
2. जयनारायण पाण्डे
3. यदुनंदन प्रसाद श्रीवास्तव
4. राजकिशोर शर्मा

सही उत्तर चुनिए–
A. 1, 2 एवं 3 B. 2, 3 एवं 4
C. 1, 3 एवं 4 D. 1, 2 एवं 4

39. पं. रविशंकर शुक्ल दूसरी बार मध्य प्रांत एवं बरार के प्रधानमंत्री (मुख्यमंत्री) कब बने?
A. 1946 ई. में B. 1947 ई. में
C. 1942 ई. में D. 1944 ई. में

40. छत्तीसगढ़ के रियासतों का भारत संघ के मध्य प्रांत (मध्य प्रदेश) में विलय कब हुआ?
A. 1 जनवरी, 1947 ई. को
B. 15 अगस्त, 1947 ई. को
C. 1 जनवरी, 1948 ई. को
D. 15 अगस्त, 1948 ई. को

41. सूची-I को सूची-II के साथ सुमेलित कीजिए–

सूची-I (जनजातीय/आदिवासी विद्रोह)	सूची-II (नेतृत्व)
(*a*) लिंगागिरि विद्रोह : 1856–57 ई.	1. धुर्वा राव
(*b*) कोई विद्रोह : 1859 ई.	2. जुग्गा व जुम्मा
(*c*) मुरिया विद्रोह : 1876 ई.	3. झाड़ा सिरहा
(*d*) महान भूमकाल : 1910 ई.	4. गुण्डाधूर

कूट :

	(*a*)	(*b*)	(*c*)	(*d*)
A.	1	2	3	4
B.	2	1	3	4
C.	2	1	4	3
D.	4	3	2	1

42. बस्तर के आदिवासियों ने किस वृक्ष के काटे जाने पर प्रसिद्ध 'कोई विद्रोह' (1859 ई॰) किया?
A. साल B. सागौन
C. पीपल D. महुआ

43. डौंडीलोहारा–दुर्ग का किसान आंदोलन कब हुआ?
A. 1920 ई. में B. 1927 ई. में
C. 1930 ई. में D. 1937 ई. में

44. छत्तीसगढ़ के मजदूर आंदोलन का सर्वप्रमुख केन्द्र था :
A. रायपुर B. राजिम
C. राजनांदगांव D. इनमें से कोई नहीं

45. सूची-I को सूची-II के साथ सुमेलित कीजिए–

सूची-I (क्रम)	सूची-II (वर्ष)
(*a*) प्रथम मजदूर आंदोलन	1. 1920 ई॰
(*b*) द्वितीय मजदूर आंदोलन	2. 1924 ई॰
(*c*) तृतीय मजदूर आंदोलन	3. 1937 ई॰
	4. 1946 ई॰

कूट :

	(*a*)	(*b*)	(*c*)
A.	1	2	3
B.	1	2	4
C.	2	3	4
D.	1	3	4

46. पृथक् छत्तीसगढ़ राज्य की कल्पना सर्वप्रथम किसने की?
A. पं. सुंदरलाल शर्मा B. वी.आई. तामस्कर
C. खूबचंद बघेल D. पवन दीवान

47. पृथक् छत्तीसगढ़ राज्य निर्माण के मुद्दे को सबसे पहले किसने आंदोलन का रूप दिया?

A. माधवराव सप्रे　　B. नारायण सिंह
C. पं. सुंदरलाल शर्मा　　D. खूबचंद बघेल

48. किसने 1956 ई. में राजनांदगाँव में 'छत्तीसगढ़ महासभा' का गठन किया?

A. पं. सुंदरलाल शर्मा　　B. खूबचंद बघेल
C. शंकर गुहा नियोगी　　D. इनमें से कोई नहीं

49. किसने 1983 ई. में 'पृथक् छत्तीसगढ़ पार्टी' का गठन किया?

A. खूबचंद बघेल　　B. शंकर गुहा नियोगी
C. पवन दीवान　　D. इनमें से कोई नहीं

50. डॉ. खूबचंद बघेल की अध्यक्षता में राजनांदगाँव में 'छत्तीसगढ़ महासभा' का गठन किस वर्ष किया गया था?

A. 1947　　B. 1952
C. 1956　　D. 1958

उत्तरमाला

1	2	3	4	5	6	7	8	9	10
A	A	D	C	C	A	A	B	B	D
11	**12**	**13**	**14**	**15**	**16**	**17**	**18**	**19**	**20**
A	C	D	A	A	B	C	B	B	B
21	**22**	**23**	**24**	**25**	**26**	**27**	**28**	**29**	**30**
A	B	A	B	A	A	A	C	D	A
31	**32**	**33**	**34**	**35**	**36**	**37**	**38**	**39**	**40**
B	A	A	D	A	A	A	C	A	C
41	**42**	**43**	**44**	**45**	**46**	**47**	**48**	**49**	**50**
A	A	D	C	A	A	D	B	C	C

★★★

2 भूगोल

1. छत्तीसगढ़ राज्य की भौगोलिक स्थिति है–
A. 18°48' उत्तरी अक्षांश से 24° उत्तरी अक्षांश तथा 80°24' पूर्वी देशांतर से 84°25' पूर्वी देशांतर
B. 18° उत्तरी अक्षांश से 26°30' उत्तरी अक्षांश तथा 74°30' पूर्वी देशांतर से 84° पूर्वी देशांतर
C. 17°46' उत्तरी अक्षांश से 24°05' उत्तरी अक्षांश तथा 80°15' पूर्वी देशांतर से 84°20' पूर्वी देशान्तर
D. 18°30' उत्तरी अक्षांश से 26°30' उत्तरी अक्षांश तथा 74° पूर्वी देशान्तर से 84°30' पूर्वी देशांतर

2. छत्तीसगढ़ राज्य की सीमाएँ कितने भारतीय राज्यों के साथ लगी हुई हैं?
A. 5 B. 6
C. 7 D. 4

3. छत्तीसगढ़ राज्य की भौगोलिक सीमाएँ हैं–
A. उत्तर में उत्तर प्रदेश, उत्तर-पश्चिम में मध्य प्रदेश, दक्षिण-पश्चिम में महाराष्ट्र, दक्षिण में आन्ध्र प्रदेश एवं तेलंगाना, पूर्व में ओडिशा एवं उत्तर-पूर्व में झारखंड
B. उत्तर में उत्तर प्रदेश एवं झारखंड, दक्षिण में आंध्र प्रदेश, पूर्व में ओडिशा तथा पश्चिम में मध्य प्रदेश एवं महाराष्ट्र
C. उत्तर में उत्तर प्रदेश, पूर्व में बिहार, दक्षिण में आंध्र प्रदेश तथा पश्चिम में मध्य प्रदेश एवं ओडिशा
D. उत्तर में बिहार, पूर्व में आन्ध्र प्रदेश, दक्षिण में मध्य प्रदेश तथा पश्चिम में ओडिशा एवं महाराष्ट्र

4. छत्तीसगढ़ का मातृ राज्य कौन-सा है?
A. बिहार B. मध्य प्रदेश
C. उत्तर प्रदेश D. महाराष्ट्र

5. छत्तीसगढ़ राज्य का विस्तार पूर्व से पश्चिम की ओर कितना है?
A. 140 किमी. B. 170 किमी.
C. 248 किमी. D. 385 किमी.

6. छत्तीसगढ़ राज्य की अधिकतम उत्तर से दक्षिण लंबाई .... किमी. के मध्य है।
A. 500-600 किमी. B. 600-700 किमी.
C. 400-500 किमी. D. 700-800 किमी.

7. छत्तीसगढ़ के निम्नलिखित में से किन जिलों की सीमा दूसरे राज्यों को स्पर्श नहीं करती है?
A. सरगुजा, बेमेतरा, जांजगीर-चांपा, धमतरी
B. बालोद, बेमेतरा, कोरबा, जांजगीर-चांपा
C. जशपुर, रायपुर, दन्तेवाड़ा, दुर्ग
D. सूरजपुर, राजनांदगांव, बीजापुर, महासमुंद

8. छत्तीसगढ़ का क्षेत्रफल देश के कुल भौगोलिक क्षेत्रफल का लगभग कितना है?
A. 2.14% B. 4.11%
C. 5.06% D. 6.12%

9. क्षेत्रफल की दृष्टि से छत्तीसगढ़ का भारतीय राज्यों में कौन-सा स्थान है?
A. सातवाँ B. आठवाँ
C. नौवाँ D. दसवाँ

10. छत्तीसगढ़ से होकर गुजरने वाली अक्षांश रेखा है–
A. कर्क रेखा B. मकर रेखा
C. हिंज रेखा D. विषुवत रेखा

11. निम्न में से कौन-सा राज्य छत्तीसगढ़ के उत्तर में है?
A. महाराष्ट्र B. मध्य प्रदेश
C. उत्तर प्रदेश D. ओडिशा

12. छत्तीसगढ़ में सर्वाधिक नीलगाय किस अभयारण्य में पाई जाती है?
A. बालदखोल B. बारनवापारा
C. तमोर पिंगला D. उदन्ती

13. 36 गढ़ों में शामिल नहीं था–
A. रायगढ़ B. दुर्ग
C. बिलासपुर D. सिरपुर

14. छत्तीसगढ़ राज्य में कुल कितने प्रशासनिक संभाग हैं?
A. 2 B. 3
C. 4 D. 5

15. निम्न में से कौन-सी तहसील दन्तेवाड़ा जिले में शामिल नहीं है?
A. तोकापाल B. आरंग
C. कटेकल्याण D. गीदम

16. छत्तीसगढ़ किस राज्य के साथ सर्वाधिक लंबी सीमा बनाता है?
A. ओडिशा B. आन्ध्र प्रदेश
C. उत्तर प्रदेश D. मध्य प्रदेश

17. नारायणपुर एवं बीजापुर जिले कब अस्तित्व में आए?
A. 1 जनवरी, 2007 B. 11 मई, 2007
C. 1 नवम्बर, 2007 D. 1 जनवरी, 2008

18. सरगुजा जनपद छत्तीसगढ़ राज्य के .... में स्थित है।
A. उत्तर B. पूर्व
C. पश्चिम D. दक्षिण

19. निम्नलिखित में से कौन-सा राज्य छत्तीसगढ़ की सीमा को नहीं छूता है?
A. कर्नाटक B. ओडिशा
C. आन्ध्र प्रदेश D. मध्य प्रदेश

20. रायपुर जिले से कितने जिलों की सीमाएँ लगी हुई है?
A. 5 B. 4
C. 6 D. 7

21. छत्तीसगढ़ राज्य की आकृति किसके समान है?
A. करेला B. मछली
C. समुद्री घोड़ा D. डॉल्फिन

22. छत्तीसगढ़ के किस जिले का नाम परिवर्तित कर कबीरधाम रखा गया है?
A. कोरबा B. कोरिया
C. कांकेर D. कवर्धा

23. उत्तरी बस्तर (कांकेर) जिले का जिला मुख्यालय है–
A. जगदलपुर B. बारसूर
C. दन्तेवाड़ा D. कांकेर

24. सूमेलित कीजिए–

सूची-I (जिले का नाम)	**सूची-II (जिला मुख्यालय)**
(*a*) बस्तर	1. जगदलपुर
(*b*) कबीरधाम	2. कवर्धा
(*c*) सरगुजा	3. अम्बिकापुर
(*d*) कोरिया	4. बैकुण्ठपुर

कूट :

	(*a*)	(*b*)	(*c*)	(*d*)
A.	1	2	3	4
B.	2	1	3	4
C.	1	3	2	4
D.	2	3	4	1

25. छत्तीसगढ़ में निम्नलिखित में से कौन-सा जिला मुख्यालय नहीं है?
A. बलौदा बाजार B. जशपुर
C. कांकेर D. बस्तर

26. छत्तीसगढ़ राज्य का सर्वाधिक भौगोलिक क्षेत्र .... के अन्तर्गत है।
A. पहाड़ी
B. मैदानों और नदियों के बेसिन
C. पठार
D. पाट

27. छत्तीसगढ़ की भूगर्भीय संरचना में निम्नलिखित में से किन दो शैल समूहों का विस्तार सबसे अधिक है?
A. आर्कियन और कुडप्पा
B. धारवाड़ और दक्कन
C. ऊपरी और निचली गोंडवाना
D. ग्रेनाइट और लैटेराइट

28. छुरी-उदयपुर पहाड़ियों का विस्तार है–
A. कोरबा-बलरामपुर B. कोरबा-रायगढ़
C. बलरामपुर-सूरजपुर D. बिलासपुर-कवर्धा

29. चांगभाखड़ पहाड़ी स्थित है–
A. कोरिया में B. बलरामपुर में
C. जशपुर में D. सरगुजा में

30. छत्तीसगढ़ राज्य के निम्न जनपदों में से मैकाल पर्वत श्रेणी किसका भाग नहीं है?
A. राजनांदगांव B. कवर्धा
C. रायगढ़ D. बिलासपुर

31. छत्तीसगढ़ के पाटों का पूर्व से पश्चिम का सही क्रम है–
A. जमीरा पाट, जारंग पाट, जशपुर पाट, मैन पाट
B. जारंग पाट, जशपुर पाट, जमीरा पाट, मैन पाट
C. जशपुर पाट, जारंग पाट, मैन पाट, जमीरा पाट
D. इनमें से कोई नहीं

32. निम्नलिखित में से कौन-सा भौतिक विभाग छत्तीसगढ़ में सर्वाधिक क्षेत्र घेरता है?
A. शिवनाथ मैदान B. हसदेव मैदान
C. महानदी मैदान D. इन्द्रावती मैदान

33. निम्न में से कौन-सा जनपद नर्मदा बेसिन का भाग है?
A. राजनांदगांव B. रायपुर
C. बस्तर D. कोरबा

34. छत्तीसगढ़ राज्य की जलवायु कैसी है?
A. समशीतोष्ण B. उष्ट कटिबंधीय
C. अल्पाइन D. इनमें से कोई नहीं

35. छत्तीसगढ़ प्रदेश अपनी अधिकांश मानसूनी वर्षा प्राप्त करता है–
A. बंगाल की खाड़ी की शाखा से
B. अरब सागरीय शाखा से
C. हिन्द महासागरीय शाखा से
D. लौटते हुए मानसून से

36. छत्तीसगढ़ का चेरापूंजी है–
A. कुसमी B. बगीचा
C. अबूझमाड़ D. पेण्ड्रा रोड

37. छत्तीसगढ़ राज्य की औसत वार्षिक वर्षा है–
A. 1400-1425 मिमी. B. 1390-1400 मिमी.
C. 1425-1450 मिमी. D. 1300-1325 मिमी.

38. छत्तीसगढ़ में सर्वाधिक वर्षा क्षेत्र है—

A. कवर्धा B. कोरिया
C. बिलासपुर D. अबूझमाड़

39. छत्तीसगढ़ में निम्नलिखित में से कौन-सा क्षेत्र कम वर्षा प्राप्त करता है?

A. मैकाल रेंज B. पाट क्षेत्र
C. बस्तर पठार D. रायगढ़ पठार

40. छत्तीसगढ़ का सबसे ठंडा स्थान कौन-सा है?

A. चांपा B. अम्बिकापुर
C. रायपुर D. जगदलपुर

41. मैकाल श्रेणी का कौन-सा भाग एक वृष्टि छाया वाला प्रदेश है?

A. उत्तरी B. दक्षिणी
C. पूर्वी D. पश्चिमी

42. छत्तीसगढ़ क्षेत्र में शीतकालीन वर्षा मुख्यतः निम्नांकित एक से होती है—

A. लौटते हुए मानसून से B. दक्षिण-पश्चिम मानसून से
C. दक्षिण-पूर्व मानसून से D. पश्चिमी गर्तों से

43. छत्तीसगढ़ राज्य के निम्नलिखित क्षेत्रों में से सर्वाधिक वर्षा कहाँ होती है?

A. बस्तर का मैदान B. जशपुर उच्च भूमि
C. चांगभाखड़ पहाड़ियाँ D. शिवनाथ बेसिन

44. छत्तीसगढ़ में सबसे अधिक कौन-सी मिट्टी पायी जाती है?

A. लाल-पीली मिट्टी B. काली मिट्टी
C. मटासी मिट्टी D. कन्हार मिट्टी

45. राज्य में लाल-दोमट मिट्टी किस जिले में मिलती है?

A. कवर्धा B. कोरिया
C. बस्तर D. धमतरी

46. डोरसा, मटासी, कन्हार, भाठा आदि शब्दावलियाँ किससे संबंधित हैं?

A. मिट्टी से B. खनिज से
C. छत्तीसगढ़ व्यंजन से D. लोक चित्रकला से

47. मिट्टी का लाल रंग किसकी उपस्थिति के कारण होता है?

A. सोडियम ऑक्साइड B. कैल्शियम बाईकार्बोनेट
C. कॉपर ऑक्साइड D. फेरिक ऑक्साइड

48. स्थानीय भाषा में राज्य में पायी जाने वाली जलोढ़ मिट्टी को क्या कहा जाता है?

A. कछार B. कन्हार
C. रेगुर D. डोरसा

49. नीले काले या भूरे रंग की गहरी चीका मिट्टी है—

A. कन्हार B. डोरसा
C. मटासी D. भाटा

50. कन्हार मिट्टी का काला रंग किसकी उपस्थिति के कारण होता है?

A. टाइटेनिफेरस मैग्नेटाइट
B. कैल्शियम कार्बोनेट
C. सोडियम ऑक्साइड
D. फेरिक ऑक्साइड

51. छत्तीसगढ़ में वन क्षेत्र कितना है?

A. 55,811.75 वर्ग किमी. B. 50,780.32 वर्ग किमी.
C. 45,380.14 वर्ग किमी. D. 60,480.50 वर्ग किमी.

52. छत्तीसगढ़ का वन क्षेत्रफल देश के कुल वन क्षेत्रफल का लगभग कितना प्रतिशत है?

A. 7.80% B. 14%
C. 22% D. 24%

53. वन क्षेत्रफल की दृष्टि से छत्तीसगढ़ राज्य का भारतीय राज्यों में कौन–सा स्थान है?

A. तीसरा B. पांचवाँ
C. सातवाँ D. आठवाँ

54. छत्तीसगढ़ के वनों में सर्वाधिक पाया जाने वाला वृक्ष है—

A. सागौन B. बीजा
C. बांस D. साल

55. छत्तीसगढ़ में बांस का वार्षिक औसत उत्पादन कितना है?

A. 80 हजार टन B. 30 हजार टन
C. 40 हजार टन D. 150 हजार टन

56. छत्तीसगढ़ के वनों में दूसरा स्थान किसका है?

A. गोंद का B. हर्रा का
C. सागौन का D. बांस का

57. सागौन के वन मुख्यतः किस जिले में विस्तृत हैं?

A. बस्तर B. बिलासपुर
C. सरगुजा D. जशपुर

58. छत्तीसगढ़ में देश का लगभग कितना प्रतिशत तेंदू पत्ता उत्पन्न होता है?

A. 7% B. 20%
C. 27% D. 37%

59. छत्तीसगढ़ में बाँस वन का क्षेत्रफल क्या है?

A. 5553 किमी.^{2} B. 10467 किमी.^{2}
C. 2500 किमी.^{2} D. 6912 किमी.^{2}

60. राज्य के किस जिले में सबसे कम खुले वन पाये जाते हैं?

A. बस्तर B. सरगुजा
C. बेमेतरा D. दुर्ग

61. राज्य के किस जिले में सर्वाधिक अत्यंत सघन वन पाये जाते हैं?

A. रायपुर B. दुर्ग
C. राजनांदगाँव D. बीजापुर

62. छत्तीसगढ़ के निम्नलिखित में से किस जिले में सबसे अधिक वन क्षेत्र है?
A. कोरबा B. बीजापुर
C. कोरिया D. महासमुन्द

63. छत्तीसगढ़ के निम्नलिखित में से किस जिले में सबसे कम वन क्षेत्र है?
A. दुर्ग B. बेमेतरा
C. कवर्धा D. महासमुन्द

64. निम्नलिखित में से किस स्थान को साल वनों का द्वीप कहा जाता है?
A. सरगुजा B. बस्तर
C. कांकेर D. राजनांदगांव

65. वन प्रशिक्षण महाविद्यालय है–
A. बिलासपुर में B. रायपुर में
C. दुर्ग में D. जगलदपुर में

66. छत्तीसगढ़ में वन्य जीव अभयारण्यों की संख्या कितनी है?
A. 7 B. 8
C. 10 D. 11

67. राज्य में कुल कितने राष्ट्रीय उद्यान एवं वन्य जीव अभयारण्य हैं?
A. क्रमशः 3 एवं 10
B. क्रमशः 3 एवं 11
C. क्रमशः 3 एवं 12
D. क्रमशः 3 एवं 14

68. क्षेत्रफल की दृष्टि से राज्य का सबसे बड़ा राष्ट्रीय उद्यान कौन-सा है?
A. इन्द्रावती राष्ट्रीय उद्यान
B. कांगेर घाटी राष्ट्रीय उद्यान
C. गुरु घासीदास राष्ट्रीय उद्यान
D. इनमें से कोई नहीं

69. इन्द्रावती राष्ट्रीय उद्यान किस जिले में स्थित है?
A. दुर्ग B. बिलासपुर
C. बीजापुर D. सरगुजा

70. छत्तीसगढ़ राज्य में दुर्लभ प्रजाति का अजगर *पाइथन रेटिकुलेटस* किस जिले में पाया जाता है?
A. बस्तर B. सरगुजा
C. दन्तेवाड़ा D. बिलासपुर

71. छत्तीसगढ़ का कौन-सा नेशनल पार्क / अभयारण्य प्रोजेक्ट टाइगर के अन्तर्गत है?
A. भैरमगढ़ अभयारण्य
B. इन्द्रावती राष्ट्रीय उद्यान
C. गोमरदा अभयारण्य
D. कांगेर घाटी राष्ट्रीय उद्यान

72. क्षेत्रफल की दृष्टि से राज्य का सबसे बड़ा वन्य जीव अभयारण्य कौन-सा है?
A. सीतानदी B. अचानकमार
C. तमोर पिंगला D. समरसोत

73. तमोर पिंगला वन्य जीव अभयारण्य किस जिले में स्थित है?
A. बिलासपुर B. बलरामपुर
C. बस्तर D. कांकेर

74. छत्तीसगढ़ के किस जिले में गोमरदा वन्य जीव अभयारण्य स्थित है?
A. जांजगीर-चांपा B. रायगढ़
C. सरगुजा D. बिलासपुर

75. छत्तीसगढ़ में बारनवापाड़ा वन्य जीव अभयारण्य कहाँ स्थित है?
A. कांकेर B. सिमगा
C. महासमुंद D. दुर्ग

76. राज्य का सबसे पुराना अभयारण्य कौन-सा है?
A. पामेड़ B. सीता नदी
C. गोमरदा D. समरसोत

77. जशपुर जिले में स्थित वन्य जीव अभयारण्य है–
A. अचानकमार B. उदन्ती
C. बादलखोल D. पामेड़

78. सुमेलित नहीं है–
A. इन्द्रावती-बीजापुर B. गुरु घासीदास-सरगुजा
C. उदन्ती-गरियाबंद D. गोमरदा-रायगढ़

79. सीता नदी अभयारण्य कहाँ स्थित है?
A. धमतरी B. रायगढ़
C. बस्तर D. दुर्ग

80. कौन-सा सुमेलित नहीं है–
A. बादलखोल अभयारण्य-जशपुर
B. अचानकमार अभयारण्य-मुंगेली
C. सीतानदी अभयारण्य-धमतरी
D. बारनवापारा अभयारण्य-सरगुजा

81. निम्नलिखित में से कौन-सी किस्म / किस्में चावल (धान) की हैं?
A. अमन B. औस
C. बोरो D. उपर्युक्त सभी

82. किस राज्य को देश का 'धान का कटोरा' कहा जाता है?
A. छत्तीसगढ़ B. मध्य प्रदेश
C. आन्ध्र प्रदेश D. उत्तर प्रदेश

83. छत्तीसगढ़ की प्रमुख खाद्यान्न फसल कौन-सी है?
A. धान B. गेहूँ
C. मक्का D. चना

84. **कथन (A):** छत्तीसगढ़ को धान का कटोरा कहा जाता है।
कारण (R): यहाँ धान की उपज भारत के अन्य प्रान्तों से अधिक है।
A. A और R दोनों सही हैं और R, A को स्पष्ट करता है।
B. A और R दोनों सही है, परन्तु R, A को स्पष्ट नहीं करता है।
C. A सही है, परन्तु R गलत है।
D. A गलत है, परन्तु R सही है।

85. छत्तीसगढ़ में मक्का का सर्वाधिक उत्पादन करने वाला क्षेत्र है–
A. बस्तर B. कोरिया
C. दन्तेवाड़ा D. सरगुजा

86. मिट्टी से भरा तटबंध बाँध कौन–सा है?
A. मुर्रम सिली डैम B. मिनीमाता हसदेव बांगो
C. खेरकट्टा जलाशय D. मोंगरा बाँध

87. छत्तीसगढ़ में लीची की पैदावार के लिए किस जिले को उपयुक्त माना जाता है?
A. रायपुर B. सरगुजा
C. कोरबा D. धमतरी

88. छत्तीसगढ़ की टमाटर राजधानी के नाम से जाना जाता है–
A. लुडेंग B. कोरर
C. दशरंगपुर D. पिपरिया

89. राज्य में काजू अनुसंधान केन्द्र की स्थापना कहाँ की गई है?
A. बस्तर B. दुर्ग
C. बिलासपुर D. रायपुर

90. राज्य के किस स्थान का कोसा विश्व प्रसिद्ध है?
A. रायगढ़ B. मनेन्द्रगढ़
C. पेण्ड्रा D. चांपा

91. इंदिरा गाँधी कृषि विश्वविद्यालय कहाँ स्थित है?
A. धमतरी B. बिलासपुर
C. जगलदपुर D. रायपुर

92. निम्नलिखित में से कौन–सा जिला नर्मदा बेसिन का हिस्सा है?
A. रायपुर B. राजनांदगांव
C. कोरबा D. बस्तर

93. निम्नांकित में कौन-सा एक कथन छत्तीसगढ़ राज्य के संबंध में सही नहीं है?
A. वह राज्य मुख्यतः एक कृषि-क्षेत्र है
B. इसकी 75 प्रतिशत से अधिक जनसंख्या ग्रामों में निवासित है
C. यहाँ की कृषि वर्षा पर आधारित है
D. राज्य की कृषि अर्थव्यवस्था की मुख्य विशेषता बागानी कृषि है।

94. निम्नलिखित में से कौन-सा एक छत्तीसगढ़ में कृषि भूमि के नाश का कारण नहीं है?
A. सड़कों का विस्तार B. नगरीयकरण
C. औद्योगीकरण D. सिंचाई की सुविधा

95. छत्तीसगढ़ में कुसियार क्या है?
A. धान B. केला
C. नारियल D. गन्ना

96. किस नदी को 'छत्तीसगढ़ की गंगा' कहा जाता है?
A. इन्द्रावती B. पैरी
C. शिवनाथ D. महानदी

97. महानदी की छत्तीसगढ़ में लम्बाई कितनी है?
A. 200 किमी. B. 266 किमी.
C. 286 किमी. D. 295 किमी.

98. छत्तीसगढ़ की सबसे बड़ी नदी कौन-सी है?
A. इन्द्रावती B. नर्मदा
C. महानदी D. मण्ड

99. महानदी की उत्पत्ति किस राज्य से होती है?
A. ओडिशा B. मध्य प्रदेश
C. छत्तीसगढ़ D. महाराष्ट्र

100. महानदी के किनारे अवस्थित शहर हैं–
A. सिरपुर B. शिवरीनारायण
C. राजिम D. उपर्युक्त सभी

101. छत्तीसगढ़ की दूसरी महत्वपूर्ण नदी शिवनाथ का उद्गम स्थल है–
A. पानाबरस पहाड़ी B. नन्दराज चोटी
C. शृंगी पर्वत D. गड़िया पर्वत

102. राजनांदगाँव जिले में अम्बागढ़ तहसील की पानाबरस पहाड़ी से निकलने वाली नदी है–
A. जोंक B. महानदी
C. शिवनाथ D. तान्दुला

103. बस्तर एवं दन्तेवाड़ा जिलों से होकर प्रवाहित होने वाली नदी है–
A. इन्द्रावती B. रिहन्द
C. कन्हार D. ईब

104. बस्तर सम्भाग को दो भागों में विभाजित करने वाली नदी है?
A. शबरी B. गोदावरी
C. इन्द्रावती D. महानदी

105. चित्रकूट बांध किस नदी पर स्थित है?
A. ईब B. इन्द्रावती
C. शिवनाथ D. जोंक

106. मिनीमाता बांगो जलाशय किस नदी पर स्थित है?
A. कोटरी B. डंकिनी
C. शंखिनी D. हंसदो

107. इन्द्रावती नदी का गोदावरी नदी के साथ संगम कहाँ होता है?
A. शिवरीनारायण B. भोपालपट्टनम
C. राजिम D. ठाकुरदेवा

108. ईब नदी कहाँ से निकलती है?
A. कांदावानी पहाड़ी B. बालौद की पहाड़ी
C. जशपुर का पण्डरापाट D. पानाबरस पहाड़ी

109. जशपुर की खुरजा पहाड़ी से निकलने वाली नदी है–
A. ईब B. दूध
C. कन्हार D. रिहन्द

110. रिहन्द नदी का उद्गम स्थल है–
A. अम्बिकापुर की मतिरिंगा पहाड़ी
B. बगीचा का बखौना
C. बालौद की संजरी
D. इनमें से कोई नहीं

111. सरगुजा की जीवन रेखा के नाम से जानी जाने वाली नदी है–
A. शबरी B. कोटरी
C. इन्द्रावती D. रिहन्द

112. हसदो नदी का उद्गम स्थल है–
A. कोरिया की पहाड़ियाँ B. खुरजा की पहाड़ियाँ
C. पानाबरस पहाड़ी D. मुंगेर पहाड़ी

113. कोरबा शहर किस नदी के किनारे स्थित है?
A. नारंगी B. अरपा
C. हसदो D. खारून

114. दुधावा जलाशय का निर्माण किस नदी पर किया गया है?
A. इन्द्रावती B. हसदो
C. महानदी D. शिवनाथ

115. मनियारी नदी किसकी सहायक नदी है?
A. हसदो B. महानदी
C. मांड D. शिवनाथ

116. तान्दुला नदी का उद्गम स्थल है–
A. कांकेर जिला B. राजनांदगाँव जिला
C. दुर्ग जिला D. बिलासपुर जिला

117. पैरी नदी का उद्गम स्थल है–
A. भ्रातृगढ़ पहाड़ी B. पानाबरस पहाड़ी
C. कोरिया की पहाड़ी D. मतिरिंगा पहाड़ी

118. कोरबा के पठार से निकलकर महान्दी में विलीन होने वाली नदी है–
A. दूध B. ईब
C. बोराई D. रिहन्द

119. कांकेर जिले के मलाजकुण्डम पहाड़ी से निकलकर महानदी में विलीन होने वाली नदी है–
A. ईब B. शबरी
C. डंकिनी D. दूध

120. जशपुर जिले में खुरिया पठार की बखौना पहाड़ी से निकलने वाली नदी है–
A. दूध B. केलो
C. बोराई D. कन्हार

121. बालोद जिले से निकली खारून नदी रायपुर जिले के किस स्थान पर शिवनाथ नदी में मिलती है?
A. सोमनाथ B. ओमनाथ
C. साईनाथ D. शिवरीनारायण

122. महासमुन्द जिले की पहाड़ी से निकलने वाली जोंक नदी किस स्थान पर महानदी से मिलती है?
A. राजिम B. दुर्ग
C. शिवरीनारायण D. रायपुर

123. छत्तीसगढ़ और महाराष्ट्र राज्य की सीमा रेखा का निर्धारण करने वाली नदी है–
A. कन्हार B. केलो
C. ईब D. बाघ

124. उत्तर से दक्षिण की ओर प्रवाहित होने वाली छत्तीसगढ़ की नदी है–
A. माण्ड B. महानदी
C. शिवनाथ D. खारून

125. डंकिनी नदी का उद्गम स्थल है–
A. डांगरी-डोमरी B. डोंगर गाँव
C. डोंगरगढ़ D. डोंगरमान

126. रायगढ़ किस नदी के किनारे बसा है?
A. अरपा B. लीलाझर
C. रेहर D. केलो

127. आभनेर, मुस्का एवं पिपरिया नदियों के संगम पर स्थित है–
A. दन्तेवाड़ा B. खैरागढ़
C. बागीचा D. तख्तपुर

128. बस्तर की जीवन रेखा कहलाती है–
A. इन्द्रावती B. शबरी
C. कोटरी D. गोदावरी

129. छत्तीसगढ़ में प्रवाहित होने वाली निम्नलिखित नदियों में से किसका उद्गम स्थल राज्य में नहीं है?
A. हसदो B. शिवनाथ
C. इन्द्रावती D. महानदी

130. महानदी, पैरी एवं सोंदुर नदियों के संगम पर स्थित है–
A. रायपुर B. सिरपुर
C. रतनपुर D. राजिम

131. निम्नलिखित में से कौन-सी नदी महानदी की सहायक नदी है?
A. शिवनाथ B. वैनगंगा
C. भीमा D. मूसी

132. छत्तीसगढ़ का विख्यात चित्रकोट जलप्रपात किस क्षेत्र में स्थित है?
A. बघेलखण्ड पठार B. छत्तीसगढ़ बेसिन
C. जशपुर–सामरी प्रदेश D. दण्डकारण्य प्रदेश

133. चित्रकोट जलप्रपात कहाँ स्थित है?
A. ओडिशा B. कर्नाटक
C. छत्तीसगढ़ D. मध्य प्रदेश

134. चित्रकोट जलप्रपात की प्रसिद्धि का मुख्य कारण है–
A. सर्वाधिक चौड़ाई
B. सर्वाधिक ऊँचाई
C. सर्वाधिक दुर्घटनाएँ
D. धार्मिक संबंध

135. रक्सगण्डा जलप्रपात किस नदी पर है?
A. हसदो B. खारून
C. रेण्ड D. इन्द्रावती

136. रक्सगण्डा जलप्रपात किस जिले में स्थित है?
A. बस्तर B. सरगुजा
C. दन्तेवाड़ा D. रायपुर

137. छत्तीसगढ़ में तीरथगढ़ जलप्रपात किस नदी पर निर्मित है?
A. इन्द्रावती B. मुंगबहार
C. शाकिनी D. डाकिनी

138. जशपुर के निकट किस जलप्रपात का नाम वहाँ किसी रानी द्वारा कूदकर आत्महत्या करने के कारण पड़ा है?
A. रानी स्वर्ग B. रानी समाधि
C. रानीदाह D. रानीदाग

139. अमृतधारा जलप्रपात राज्य के किस जिले में स्थित है?
A. कोरिया B. कवर्धा
C. जशपुर D. सरगुजा

140. मनेन्द्रगढ़ तहसील में बरबसपुर के पास स्थित जलप्रपात है–
A. अमृतधारा B. स्वर्णधारा
C. दूधधारा D. सातधारा

141. मंद्रा जलप्रपात कहाँ स्थित है?
A. पोटानर B. लोहड़ीगुडा
C. टोकपाल D. कोरबा

142. पंडित रविशंकर जलाशय का निर्माण किस नदी पर किया गया है?
A. महानदी B. शबरी
C. शिवनाथ D. अस्पा

143. मिनीमाता बांगो जलाशय का निर्माण किस नदी पर किया गया है?
A. महानदी B. हसदो
C. इन्द्रावती D. शबरी

144. इन्द्रावती की सहायक नदियाँ हैं–
A. बोरडिंग, नारंगी, कोटरी, गुदरा
B. शबरी, बोरडिंग, नारंगी, मालेगर
C. कांगेर, मालेगर, कोटरी, गुदरा
D. डंकिनी, शंखिनी, शबरी, कोटरी

145. महानदी की सहायक नदी है–
A. खारून B. मनियारी
C. अस्पा D. केलो

146. जोंक परियोजना किस नदी पर स्थित है?
A. जोंक B. शबरी
C. शिवनाथ D. इन्द्रावती

147. बोध घाट परियोजना किस नदी पर स्थित है?
A. महानदी B. शबरी
C. इन्द्रावती D. गोदावरी

148. प्रदेश की सबसे बड़ी जलविद्युत परियोजना है–
A. मिनीमाता परियोजना
B. खूंटाघाट परियोजना
C. घोंघा परियोजना
D. मनियारी परियोजना

149. हसदो बांगो परियोजना किस जिले में स्थित है?
A. रायपुर B. कोरबा
C. बस्तर D. बिलासपुर

150. पैरी परियोजना किस जिले में स्थित है?
A. रायगढ़ B. गरियाबंद
C. रायपुर D. बिलासपुर

151. सिंचाई की कोडार परियोजना छत्तीसगढ़ के किस जिले में है?
A. गरियाबंद B. बिलासपुर
C. महासमुंद D. रायगढ़

152. कन्हार परियोजना किस जिले में स्थित है?
A. सरगुजा B. दुर्ग
C. बिलासपुर D. रायपुर

153. महासमुंद जिले की कोडार परियोजना किस नदी पर निर्मित है?
A. कौंवाझर B. कोडार
C. पैरी D. मोंगरा

154. सुमेलित नहीं है–

	परियोजना		**लाभान्वित जिला**
A.	पैरी परियोजना	–	गरियाबंद
B.	मिनीमाता परियोजना	–	कोरबा
C.	हसदो परियोजना	–	जशपुर
D.	तन्दुला परियोजना	–	बालोद

155. सुमेलित कीजिए–

सूची-I (नदी घाटी परियोजना)	सूची-II (लाभान्वित जिला)
(*a*) जोंक परियोजना	1. कोरबा
(*b*) मिनीमाता परियोजना	2. बलौदा बाजार
(*c*) हसदो परियोजना	3. बालोद
(*d*) तन्दुला परियोजना	4. बिलासपुर

कूटः

	(*a*)	(*b*)	(*c*)	(*d*)
A.	2	4	3	1
B.	2	4	1	3
C.	1	2	3	4
D.	4	3	2	1

156. छत्तीसगढ़ की सबसे बड़ी सिंचाई परियोजना है–
A. जोंक परियोजना B. पैरी परियोजना
C. महानदी परियोजना D. कोडार परियोजना

157. खूंटाघाट सिंचाई परियोजना किस जिले में स्थित है?
A. रायपुर B. बिलासपुर
C. दुर्ग D. महासमुंद

158. मनियारी सिंचाई परियोजना किस जिले में स्थित है?
A. धमतरी B. कोरबा
C. कोरिया D. मुंगेली

159. बालोद जिले में स्थित सिंचाई परियोजना है–
A. अरपा परियोजना B. कोडार परियोजना
C. तंदुला परियोजना D. केलो परियोजना

160. सुमेलित नहीं है–
A. केलो परियोजना – रायगढ़
B. अरपा परियोजना – बिलासपुर
C. मोंगरा परियोजना – राजनांदगाँव
D. किकारी परियोजना – दुर्ग

161. दुधावा बांध परियोजना से राज्य का कौन–सा जिला लाभान्वित हो रहा है?
A. बिलासपुर B. राजनांदगाँव
C. दुर्ग D. कांकेर

162. मिनीमाता (हसदो-बांगो) परियोजना किस जिले में है?
A. कोरिया B. कोरबा
C. धमतरी D. कांकेर

163. छत्तीसगढ़ का सबसे ऊँचा जलाशय कौन-सा है?
A. रविशंकर जलाशय B. कोडार जलाशय
C. मिनीमाता जलाशय D. सोंढ़र जलाशय

164. छत्तीसगढ़ का न्यूनतम सिंचित जिला है–
A. सरगुजा B. कवर्धा
C. बस्तर D. कांकेर

165. छत्तीसगढ़ में सर्वाधिक सिंचाई किसके द्वारा होती है?
A. तालाब B. नहर
C. कुआँ D. नलकूप

166. वर्ष 2011 की जनगणना के अंतिम आंकड़ों के अनुसार छत्तीसगढ़ की कुल जनसंख्या कितनी है?
A. 1,95,16,000 B. 1,75,18,000
C. 2,07,95,956 D. 2,55,45,198

167. वर्ष 2011 की जनगणना के अंतिम आंकड़ों के अनुसार छत्तीसगढ़ में पुरुष जनसंख्या कितनी है?
A. 1,03,59,585 B. 1,04,74,218
C. 1,05,74,218 D. 1,28,32,895

168. छत्तीसगढ़ की नगरीय जनसंख्या कितनी है?
A. 41,85,747 B. 42,75,213
C. 43,04,107 D. 59,37,237

169. छत्तीसगढ़ की ग्रामीण जनसंख्या कितनी है?
A. 1,67,40,110 B. 1,64,40,530
C. 1,60,30,418 D. 1,96,07,961

170. वर्ष 2011 की जनगणना के अनुसार जनसख्या की दृष्टि से छत्तीसगढ़ का भारतीय राज्यों में कौन–सा स्थान है?
A. 17वाँ B. 16वाँ
C. 18वाँ D. 19वाँ

171. 2011 की जनगणना के अनुसार छत्तीसगढ़ की कुल जनसंख्या भारत की कुल जनसंख्या का कितना प्रतिशत है?
A. 2.11% B. 3.12%
C. 4.02% D. 5.06%

172. 2011 की जनगणना के अनुसार छत्तीसगढ़ की कुल जनसंख्या में ग्रामीण जनसंख्या का प्रतिशत है–
A. 76.08% B. 77.05%
C. 78.02% D. 79.91%

173. 2011 की जनगणना के अनुसार छत्तीसगढ़ राज्य में 0–6 आयु वर्ग की कुल जनसंख्या कितनी है?
A. 18,90,273 B. 26,40,371
C. 36,61,689 D. 44,23,735

174. 2011 की जनगणना के अनुसार जनसंख्या की दृष्टि से छत्तीसगढ़ का सबसे छोटा जिला है–
A. नारायणपुर B. धमतरी
C. रायगढ़ D. कोरबा

175. 2011 की जनगणना के अनुसार छत्तीसगढ़ का सर्वाधिक ग्रामीण जनसंख्या वाला जिला है–
A. रायपुर B. बिलासपुर
C. दुर्ग D. बस्तर

176. 2011 की जनगणना के अनुसार छत्तीसगढ़ का सर्वाधिक नगरीय जनसंख्या वाला जिला है–

A. रायपुर B. दुर्ग
C. राजनांदगाँव D. बिलासपुर

177. छत्तीसगढ़ का सबसे नगरीकृत जिला है–
A. दुर्ग B. कोरबा
C. रायपुर D. सरगुजा

178. वर्ष 2011 की जनगणना के अनुसार निम्नलिखित में से किस जिले में नगरीय जनसंख्या का प्रतिशत सबसे कम है?
A. कबीरधाम B. बीजापुर
C. जशपुर D. कांकेर

179. 2011 की जनगणना के अनुसार छत्तीसगढ़ का सबसे कम नगरीय जनसंख्या वाला जिला है–
A. जशपुर B. कांकेर
C. नारायणपुर D. कबीरधाम

180. वर्ष 2011 की जनगणना के अंतिम आंकड़ों के अनुसार छत्तीसगढ़ राज्य में अनुसूचित जाति की कुल आबादी कितनी है?
A. 23,10,000 B. 22,50,000
C. 24,35,000 D. 32,74,269

उत्तरमाला

1	2	3	4	5	6	7	8	9	10
C	C	A	B	A	C	B	B	C	A
11	12	13	14	15	16	17	18	19	20
C	C	C	D	B	A	B	A	A	C
21	22	23	24	25	26	27	28	29	30
C	D	D	D	D	B	A	B	A	C
31	32	33	34	35	36	37	38	39	40
D	C	A	B	A	C	D	D	A	B
41	42	43	44	45	46	47	48	49	50
C	A	B	A	C	A	D	A	A	A
51	52	53	54	55	56	57	58	59	60
A	A	A	D	A	C	B	B	B	C
61	62	63	64	65	66	67	68	69	70
D	B	B	B	D	D	B	C	C	D
71	72	73	74	75	76	77	78	79	80
B	C	B	B	C	B	C	B	A	D
81	82	83	84	85	86	87	88	89	90
D	A	A	C	D	A	B	A	A	D
91	92	93	94	95	96	97	98	99	100
D	B	D	D	D	D	C	C	C	D
101	102	103	104	105	106	107	108	109	110
A	C	A	C	B	D	B	C	A	A
111	112	113	114	115	116	117	118	119	120
D	A	C	C	D	A	A	C	D	D
121	122	123	124	125	126	127	128	129	130
A	C	D	A	A	D	B	A	C	D
131	132	133	134	135	136	137	138	139	140
A	D	C	A	C	B	B	C	A	A
141	142	143	144	145	146	147	148	149	150
C	A	B	A	B	A	C	A	B	B
151	152	153	154	155	156	157	158	159	160
C	A	B	C	B	C	B	D	C	D
161	162	163	164	165	166	167	168	169	170
D	B	C	C	B	D	D	D	D	A
171	172	173	174	175	176	177	178	179	180
A	A	C	A	A	A	A	C	C	D

★★★

3 राजव्यवस्था

1. छत्तीसगढ़ राज्य में लोक सभा के कितने निर्वाचन क्षेत्र हैं?
A. 9 B. 11
C. 13 D. 18

2. छत्तीसगढ़ में अनुसूचित जाति हेतु लोक सभा के कितने निर्वाचन क्षेत्र आरक्षित हैं?
A. 1 B. 3
C. 4 D. 5

3. छत्तीसगढ़ में अनुसूचित जनजाति हेतु लोक सभा के कितने निर्वाचन क्षेत्र आरक्षित हैं?
A. 2 B. 3
C. 4 D. 5

4. छत्तीसगढ़ में लोक सभा के कितने निर्वाचन क्षेत्र सामान्य वर्ग के लिए हैं?
A. 4 B. 5
C. 6 D. 7

5. छत्तीसगढ़ राज्य से राज्य सभा के लिए कितने सदस्यों का निर्वाचन किया जाता है?
A. 4 B. 5
C. 6 D. 7

6. छत्तीसगढ़ राज्य में विधानसभा निर्वाचन क्षेत्रों की संख्या कितनी है?
A. 80 B. 90
C. 100 D. 110

7. छत्तीसगढ़ में कितने विधान सभा निर्वाचन क्षेत्र अनुसूचित जाति के लोगों के लिए आरक्षित हैं?
A. 8 B. 10
C. 16 D. 25

8. छत्तीसगढ़ में कितने विधान सभा निर्वाचन क्षेत्र अनुसूचित जनजाति हेतु आरक्षित हैं?
A. 28 B. 29
C. 43 D. 48

9. छत्तीसगढ़ विधानसभा के कुल निर्वाचन क्षेत्रों में से कितनी सीटें सामान्य वर्ग की हैं?
A. 36 B. 40
C. 43 D. 51

10. छत्तीसगढ़ राज्य में सबसे अधिक विधान सभा निर्वाचन क्षेत्र वाला जिला है–
A. बिलासपुर B. रायपुर
C. दुर्ग D. बस्तर

11. छत्तीसगढ़ के किन जिलों में सबसे कम विधानसभा निर्वाचन क्षेत्र हैं?
A. नारायणपुर व सुकमा B. बीजापुर व दंतेवाडा
C. कबीरधाम व कोण्डागांव D. A और B दोनों

12. छत्तीसगढ़ विधान सभा भवन का नामकरण किसके नाम पर किया गया है?
A. तीजनबाई B. मिनीमाता
C. ई॰ राघवेन्द्र राव D. महर्षि महेष योगी

13. छत्तीसगढ़ विधान सभाध्यक्ष के निवास का क्या नाम रखा गया है?
A. आराधना B. संवेदना
C. साधना D. भावना

14. छत्तीसगढ़ के मुख्यमंत्री के आवास का क्या नाम रखा गया है?
A. कामना B. कान्ता
C. करुणा D. कनक

15. छत्तीसगढ़ में विधायक विश्राम गृह का नाम क्या रखा गया है?
A. पहुना B. संगवारी
C. प्रतिनिधि D. सेवकधाम

16. छत्तीसगढ़ राज्य के प्रथम राज्यपाल कौन बने?
A. सी. रंगराजन B. प्रभात कुमार
C. भाई महावीर D. दिनेश नन्दन सहाय

17. छत्तीसगढ़ का प्रथम मुख्यमंत्री बनने का श्रेय किसे है?
A. गुलाब सिंह B. रमन सिंह
C. अजीत जोगी D. विद्याचरण शुक्ल

18. छत्तीसगढ़ विधान सभा के प्रथम अध्यक्ष कौन बने?
A. बनवारी लाल अग्रवाल B. के.एम. अग्रवाल
C. एस.के.के. हरी D. राजेन्द्र प्रसाद शुक्ला

19. छत्तीसगढ़ विधान सभा के प्रथम उपाध्यक्ष कौन बने?
A. नन्द कुमार साय B. बनवारी लाल अग्रवाल
C. मोहन शुक्ला D. गोपाल तिवारी

20. छत्तीसगढ़ विधानसभा में प्रथम नेता प्रतिपक्ष कौन थे?
A. महेन्द्र कर्मा B. नन्द कुमार साय
C. विष्णु देव साय D. राजकुमार भगत

21. छत्तीसगढ़ उच्च न्यायालय किस जिले में स्थित है?
A. रायपुर B. रायगढ़
C. बिलासपुर D. राजनांदगांव

22. छत्तीसगढ़ में 'पाली' तहसील किस जिले में स्थित है?
A. रायपुर B. मुंगेली
C. जशपुर D. कोरबा

23. छत्तीसगढ़ उच्च न्यायालय का देश में कौन-सा क्रम है?
A. 18वाँ B. 19वाँ
C. 21वाँ D. 26वाँ

24. छत्तीसगढ़ उच्च न्यायालय के न्यायाधीशों की पदावधि कितनी हैं?
A. 60 वर्ष B. 62 वर्ष
C. 65 वर्ष D. 70 वर्ष

25. छत्तीसगढ़ राज्य गठन संबंधी विधेयक लोकसभा में कब पारित हुआ?
A. 25.07.2000 B. 29.07.2000
C. 30.07.2000 D. 31.07.2000

26. छत्तीसगढ राज्य गठन संबंधी विधेयक राज्य सभा से कब पारित हुआ?
A. 03.08.2000 B. 07.08.2000
C. 09.08.2000 D. 11.08.2000

27. पृथक छत्तीसगढ़ राज्य गठन हेतु केन्द्र सरकार ने लोक सभा में कब विधेयक प्रस्तुत किया?
A. 25.07.2000 B. 29.07.2000
C. 30.07.2000 D. 31.07.2000

28. छत्तीसगढ़ राज्य कब अस्तित्व में आया?
A. 01-11-2000 B. 01-03-2001
C. 01-11-2001 D. 01-01-2000

29. छत्तीसगढ़ राज्य के गठन हेतु प्रयासरत राजनीतिक दल थे–
A. कांग्रेस व भाजपा B. कांग्रेस व बसपा
C. कांग्रेस व भाकपा D. भाजपा व बसपा

30. पृथक छत्तीसगढ़ राज्य हेतु सुनियोजित संघर्ष कब प्रारंभ हुआ?
A. 1955 ई॰ B. 1956 ई॰
C. 1965 ई॰ D. 1975 ई॰

31. छत्तीसगढ़ राज्य के गठन हेतु प्रथम राजनीतिक प्रयास कब किया गया?
A. 1958 ई॰ B. 1968 ई॰
C. 1978 ई॰ D. 1998 ई॰

32. छत्तीसगढ़ राज्य गठन की मांग मध्य प्रदेश विधान सभा में उठाने वाले प्रथम व्यक्ति (विधायक) कौन थे?
A. पं॰ श्याम चरण शुक्ल
B. डॉ. द्वारिका प्रसाद मिश्र
C. नरेश चन्द्र सिंह
D. डॉ. रामकृष्ण सिंह

33. छत्तीसगढ़ राज्य के उच्च न्यायालय के प्रथम कार्यकारी मुख्य न्यायाधीश कौन थे?
A. न्यायमूर्ति ए.के. पटनायक
B. न्यायमूर्ति एस.आर. नायक
C. न्यायमूर्ति जगदीश भल्ला
D. न्यायमूर्ति आर.एस. गर्ग

34. छत्तीसगढ़ लोक सेवा आयोग के प्रथम अध्यक्ष कौन बने?
A. डॉ. एस.आर. यादव B. डॉ. के.के. चक्रवर्ती
C. मोहन शुक्ला D. बी.के. अग्रवाल

35. छत्तीसगढ़ में सर्वाधिक बार सांसद बनने का श्रेय किसे प्राप्त है?
A. अजीत जोगी B. विद्या चरण शुक्ल
C. मोतीलाल बोरा D. श्यामा चरण शुक्ल

36. छत्तीसगढ़ राज्य गठन हेतु अधिनियम पर राष्ट्रपति ने कब हस्ताक्षर किए?
A. 25 अगस्त, 2000 B. 29 अगस्त, 2000
C. 30 अगस्त, 2000 D. 1 नवम्बर, 2000

37. छत्तीसगढ़ में प्रथम मंत्रिमंडल ने कब शपथ ली?
A. 1 नवम्बर, 2000 B. 12 नवम्बर, 2000
C. 8 नवम्बर, 2000 D. 15 नवम्बर, 2000

38. छत्तीसगढ़ राज्य पुलिस का मुख्यालय कहाँ स्थित है?
A. रायपुर B. भिलाई
C. सूरजपुर D. जगदलपुर

39. राज्य के जनसम्पर्क विभाग ने राज्य शासन की नीतियों एवं कार्य योजना के प्रचार–प्रसार हेतु किस संस्था का गठन किया है?
A. छत्तीसगढ़ समाचार B. छत्तीसगढ़ प्रकाशन
C. छत्तीसगढ़ संवाद D. छत्तीसगढ़ सूत्रधार

40. छत्तीसगढ़ राज्य पुलिस की प्रशिक्षण अकादमी कहाँ स्थित है?
A. जगदलपुर B. रायपुर
C. बिलासपुर D. दुर्ग

41. विधानसभा सचिवालय का प्रमुख कौन होता है?
A. मुख्यमंत्री B. राज्यपाल
C. विधानसभा अध्यक्ष D. गृहमंत्री

42. छत्तीसगढ़ विधान सभा के प्रथम प्रोटेम स्पीकर थे–
A. विद्याचरण शुक्ला B. राजेन्द्र प्रसाद शुक्ल
C. महेन्द्र बहादुर सिंह D. नन्द कुमार साय

43. पंचायती राज व्यवस्था से संबंधित है–
A. 42वां संविधान संशोधन B. 44वां संविधान संशोधन
C. 73वां संविधान संशोधन D. 74वां संविधान संशोधन

44. 73वां संविधान संशोधन अधिनियम कब पारित किया गया?
A. 1993 ई॰ में B. 1994 ई॰ में
C. 1995 ई॰ में D. 1996 ई॰ में

45. छत्तीसगढ़ में लागू पंचायती राज व्यवस्था का स्वरूप है–
A. एक स्तरीय B. दो स्तरीय
C. त्रिस्तरीय D. चार स्तरीय

46. छत्तीसगढ़ में पंचायती राज व्यवस्था के मध्यवर्ती स्तर का नाम है–
A. पंचायत समिति B. मंडल पंचायत
C. जनपद पंचायत D. अंचल समिति

47. जनपद पंचायत है–
A. एक सलाहकार समिति
B. एक प्रशासकीय आधिकरण
C. एक परामर्शदात्री समिति
D. एक निरीक्षण प्राधिकरण

48. 'बलवन्त राय मेहता समिति' का गठन कब किया गया था?
A. 1960 B. 1952
C. 1980 D. 1957

49. सही को पहचानें :
A. पंचायतें जनता और शासन में परस्पर सहयोग बढ़ाती हैं।
B. पंचायतें प्रजातन्त्र की प्रयोगशाला हैं।
C. जनता इन संस्थाओं के माध्यम से शासन के बहुत करीब पहुँच जाती है।
D. उपरोक्त सभी

50. पंचायत समिति या जनपद पंचायत, पंचायती राज्य व्यवस्था के किस स्तर पर हैं?
A. मध्यवर्ती B. उच्चतर
C. निम्नतर D. इनमें से कोई नहीं

51. संविधान के किस अनुच्छेद में 73वें संशोधन के अन्तर्गत पंचायती राज्य संस्थाओं के वित्तीय संबंधों की व्याख्या है?
A. अनुच्छेद 248 B. अनुच्छेद 250
C. अनुच्छेद 233 (I) D. अनुच्छेद 243 (I)

52. पंचायती राज के लिए वित्तीय आयोग का गठन .... द्वारा किया जाता है।
A. राज्यपाल B. मुख्यमंत्री
C. उपराष्ट्रपति D. निर्वाचन आयुक्त

53. पंचायती राज संस्थाओं को 'संवैधानिक दर्जा' किस संविधान संशोधन में दिया गया है?
A. 74वें संशोधन B. 80वें संशोधन
C. 93वें संशोधन D. 73वें संशोधन

54. 73वें संशोधन के अनुसार अगर पंचायती राज संस्थाओं को भंग कर दिया जाए तो अगले कितने महीनों के अन्दर उसका पुनर्गठन आवश्यक है?
A. 6 महीनों के अन्दर B. 1 वर्ष के अंदर
C. 3 महीनों के अंदर D. इनमें से कोई नहीं

55. भारतीय संविधान के अनुच्छेद .... के अनुसार ग्राम पंचायत के संगठन हेतु राज्य को निर्देश दिए गये हैं?
A. 45 B. 30
C. 25 D. 40

उत्तरमाला

1	2	3	4	5	6	7	8	9	10
B	A	C	C	B	B	B	B	D	A
11	**12**	**13**	**14**	**15**	**16**	**17**	**18**	**19**	**20**
D	B	B	C	B	D	C	D	B	B
21	**22**	**23**	**24**	**25**	**26**	**27**	**28**	**29**	**30**
C	D	B	B	D	C	A	A	A	D
31	**32**	**33**	**34**	**35**	**36**	**37**	**38**	**39**	**40**
D	D	D	C	B	A	B	A	C	B
41	**42**	**43**	**44**	**45**	**46**	**47**	**48**	**49**	**50**
C	C	C	A	C	C	B	D	C	A
51	**52**	**53**	**54**	**55**					
D	A	D	A	D					

★★★

4 अर्थव्यवस्था

1. छत्तीसगढ़ राज्य विद्युत बोर्ड का गठन कब किया गया?
A. 15 नवम्बर, 2000 B. 20 फरवरी, 2001
C. 18 जनवरी, 2000 D. 18 नवम्बर, 2000

2. छत्तीसगढ़ राज्य विद्युत बोर्ड का मुख्यालय किस जिला में अवस्थित है?
A. बिलासपुर B. रायपुर
C. सरगुजा D. धमतरी

3. बाल्को ताप विद्युत केन्द्र किस जिला में अवस्थित है?
A. बस्तर B. जशपुर
C. धमतरी D. कोरबा

4. राज्य के किस जिले में सर्वाधिक प्रकार का खनिज पाया जाता है?
A. बस्तर B. रायपुर
C. बिलासपुर D. दुर्ग

5. देश के कोयले का लगभग कितना प्रतिशत भण्डार छत्तीसगढ़ में है?
A. 18% B. 10%
C. 30% D. 15%

6. छत्तीसगढ़ की डल्ली राजहरा (Dalli Rajhara) खदानें किसके लिए प्रसिद्ध हैं?
A. मैंगनीज उत्पादन
B. स्वर्ण उत्पादन
C. लौह-अयस्क उत्पादन
D. बॉक्साइट उत्पादन

7. भारत में लौह-अयस्क की सबसे बड़ी खान कौन-सी है?
A. बैलाडीला B. डल्ली राजहरा
C. अरी डोगरी पहाड़ी D. नोआमुण्डी

8. छत्तीसगढ़ के किस जिले में लौह-अयस्क का सबसे अधिक उत्पादन होता है?
A. बस्तर B. दन्तेवाड़ा
C. कांकेर D. दुर्ग

9. छत्तीसगढ़ में उत्खंनित लौह खनिज मुख्य रूप से किस देश को निर्यात किया जाता है?
A. रूस B. जापान
C. जर्मनी D. इंग्लैंड

10. देश के कुल लौह-अयस्क भण्डार का लगभग कितना प्रतिशत छत्तीसगढ़ में उपलब्ध है?
A. 23.0% B. 18.5%
C. 12.5% D. 28.5%

11. छत्तीसगढ़ के निम्नलिखित में से किस जिले में टिन की खदानें हैं?
A. सरगुजा B. धमतरी
C. बिलासपुर D. दन्तेवाड़ा

12. छत्तीसगढ़ के किस जिले में चूना-पत्थर का सबसे अधिक उत्पादन होता है?
A. महासमुंद B. धमतरी
C. रायपुर D. रायगढ़

13. छत्तीसगढ़ के किस जिले में हीरे के भण्डार पाये गए हैं?
A. रायगढ़ B. जगदलपुर
C. गरियाबंद D. राजनांदगाँव

14. सीसा छत्तीसगढ़ के किन जिलों में पाया जाता है?
A. दुर्ग व बिलासपुर B. बस्तर व रायपुर
C. रायपुर व रायगढ़ D. दुर्ग व रायगढ़

15. राज्य में रॉक फॉस्फेट की उपस्थिति के प्रमाण मिले हैं–
A. रायपुर B. दुर्ग
C. राजनांदगाँव D. इनमें से सभी

16. क्वार्ट्जाइट खनिज मुख्य रूप से छत्तीसगढ़ के किस जिले में पाया जाता है?
A. दुर्ग B. राजनांदगाँव
C. दंतेवाड़ा D. उपर्युक्त सभी

17. छत्तीसगढ़ राज्य देश के कुल कोयला उत्पादन का लगभग कितना प्रतिशत भाग अकेले उत्पादित करता है?
A. 40% B. 19.76%
C. 38% D. 50%

18. छत्तीसगढ़ में कोयला उत्पादन में कौन-सा जिला प्रथम है?
A. कोरबा B. कोरिया
C. बिलासपुर D. सरगुजा

19. छत्तीसगढ़ की हसदो घाटी विख्यात है–
A. लौह-अयस्क खदानों के लिए
B. कोयला खदानों के लिए
C. बॉक्साइट खदानों के लिए
D. डोलोमाइट खदानों के लिए

20. छत्तीसगढ़ का प्रमुख कोयला उत्पादक क्षेत्र है–
A. कोरबा B. मान्ड-रायगढ़
C. सोनहट D. लखनपुर

21. छत्तीसगढ़ में स्वर्ण प्राप्ति का प्रमुख क्षेत्र है–
A. सोनहट क्षेत्र B. सोनाखान क्षेत्र
C. झिलमिली क्षेत्र D. झिरमिरी क्षेत्र

22. चिरमिरी में बहुतायत मात्रा में मिलता है–
A. लौह-अयस्क B. बॉक्साइट
C. डोलोमाइट D. कोयला

23. छत्तीसगढ़ का सुपर थर्मल पावर स्टेशन कहाँ स्थित है?
A. रायगढ़ B. दंतेवाड़ा
C. कोरबा D. भिलाई

24. छत्तीसगढ़ राज्य में निम्नलिखित में से किसे 'ऊर्जा राजधानी' के नाम से जाना जाता है?
A. भिलाई B. सरगुजा
C. रायपुर D. कोरबा

25. भिलाई स्टील प्लांट छत्तीसगढ़ के किस जिले में स्थित है?
A. रायपुर B. बिलासपुर
C. कोरबा D. दुर्ग

26. छत्तीसगढ़ में दुर्ग जिले में स्थित भिलाई क्यों प्रसिद्ध है?
A. प्रसिद्ध वन विहार के लिए
B. सुन्दर मंदिरों की खुदाई के लिए
C. लौह–इस्पात कारखानों के लिए
D. इनमें से कोई नहीं

27. भिलाई लौह–इस्पात संयंत्र एक .... उपक्रम है–
A. सार्वजनिक B. निजी
C. सहकारी D. संयुक्त

28. छत्तीसगढ़ में मिनी स्टील प्लाण्ट स्थापित है–
A. बिलासपुर B. रायपुर
C. कोरबा D. महासमुन्द

29. भिलाई इस्पात संयंत्र किस देश के सहयोग से स्थापित किया गया है?
A. रूस B. ब्रिटेन
C. जर्मनी D. हंगरी

30. भारतीय इस्पात प्राधिकरण का कौन–सा इस्पात संयंत्र छत्तीसगढ़ में स्थित है?
A. बोकारो B. राऊरकेला
C. दुर्गापुर D. भिलाई

31. भारत एल्युमिनियम कंपनी लिमिटेड (BALCO) की स्थापना किस देश के सहयोग से की गई है?
A. हंगरी B. अमेरिका
C. जर्मनी D. फ्रांस

32. भारत एल्युमिनियम कंपनी लिमिटेड (BALCO) के अंतर्गत एल्युमिना से एल्युमिनियम निकालने का संयंत्र किस देश के सहयोग से स्थापित किया गया है?
A. हंगरी B. ब्रिटेन
C. अमेरिका D. रूस

33. छत्तीसगढ़ में प्रथम सूती वस्त्र कारखाना 'बंगाल-नागपुर कॉटन मिल' की स्थापना कब हुई?
A. 1862 ई. B. 1865 ई.
C. 1870 ई. D. 1875 ई.

34. छत्तीसगढ़ में जूट उद्योग किस स्थान पर है?
A. रायगढ़ B. धमतरी
C. महासमुन्द D. कोरिया

35. राज्य में सीमेन्ट कॉर्पोरेशन ऑफ इंडिया लिमिटेड किस जिले में नहीं है?
A. दुर्ग B. रायपुर
C. जांजगीर D. रायगढ़

36. तिल्दा सीमेंट कारखाना (जे.के. सीमेण्ट लिमिटेड) किस जिले में स्थित है?
A. रायपुर B. सरगुजा
C. दुर्ग D. रायगढ़

37. राज्य में सेंचुरी सीमेन्ट का कारखाना कहाँ स्थित है?
A. मांढ़र B. जामुल
C. तिल्दा D. अकलतरा

38. छत्तीसगढ़ में प्लास्टिक कॉम्प्लेक्स की स्थापना कहाँ पर की गई है?
A. कोरबा B. दन्तेवाड़ा
C. रायगढ़ D. रायपुर

39. राज्य में वैगन रिपेयर शॉप कहाँ स्थित है?
A. दुर्ग B. राजनांदगाँव
C. सरगुजा D. रायपुर

40. प्रसिद्ध ब्रुक बॉण्ड पेपर मिल कहाँ स्थित है?
A. दन्तेवाड़ा B. कांकेर
C. बैकुण्ठपुर D. चांपा

41. छत्तीसगढ़ में तेंदू पत्ता मुख्यतः किस उद्योग में प्रयुक्त होता है?
A. लाह उद्योग B. बीड़ी उद्योग
C. गोंद उद्योग D. चमड़ा उद्योग

42. सुमेलित कीजिए–

सूची-I (सीमेंट कारखाना)	सूची-II (सम्बन्धित जिला)
(*a*) जामुल	1. दुर्ग
(*b*) तिलदा	2. रायपुर
(*c*) अकलतरा	3. जांजगीर चांपा
(*d*) मोदी	4. रायगढ़

कूट :

	(a)	(b)	(c)	(d)
A.	1	2	3	4
B.	1	2	4	3
C.	4	3	2	1
D.	4	3	1	2

43. कोसा अनुसंधान केन्द्र कहाँ स्थित है?
A. जांजगीर B. चांपा
C. रायगढ़ D. सरगुजा

44. छत्तीसगढ़ राज्य औद्योगिक विकास निगम द्वारा प्रायोजित औद्योगिक विकास केन्द्र रायपुर जिले में किस स्थान पर नहीं है?
A. उरला B. सिलतरा
C. तिफरा D. भनपुरी–रावा भाटा

45. भिलाई औद्योगिक क्षेत्र किस जिले में स्थित है?
A. दुर्ग B. बिलासपुर
C. रायपुर D. रायगढ़

46. निम्नलिखित में से कौन-सी जोड़ी सुमेलित नहीं है?

	औद्योगिक क्षेत्र	जिला
A.	सिलतरा	– रायपुर
B.	बोरई	– बालोद
C.	सिरगिट्टी	– बिलासपुर
D.	अंजनी	– रायगढ़

47. छत्तीसगढ़ के किस जिले में बोरई औद्योगिक क्षेत्र है?
A. रायपुर B. बिलासपुर
C. दुर्ग D. रायगढ़

48. छत्तीसगढ़ में ''तुहर पौधा तुहर द्वार'' कार्यक्रम का शुभारंभ कब हुआ?
A. 11 जुलाई, 2022 B. 10 जुलाई, 2022
C. 21 जुलाई, 2022 D. 1 जुलाई, 2022

49. निम्न में से कौन छत्तीसगढ़ राज्य से होकर गुजरने वाला प्रमुख राष्ट्रीय राजमार्ग है–
A. NH-25 B. NH-58
C. NH-510 D. NH-43

50. छत्तीसगढ़ से होकर गुजरने वाले राष्ट्रीय राजमार्गों की संख्या कितनी है?
A. 30 B. 18
C. 20 D. 15

51. निम्न में से कौन–सा राष्ट्रीय राजमार्ग छत्तीसगढ़ से होकर नहीं गुजरता है?
A. NH-30 B. NH-6
C. NH-63 D. NH-343

52. निम्नलिखित राष्ट्रीय राजमार्गों में से कौन-सा छत्तीसगढ़ राज्य से होकर गुजरता है?
A. NH-130 B. NH-108
C. NH-28 D. NH-717

53. छत्तीसगढ़ राज्य का पहला गन्ना आधारित एथेनॉल प्लांट कहाँ स्थापित किया गया है?
A. रायपुर B. बीजापुर
C. जशपुर D. कबीरधाम

54. छत्तीसगढ़ में रेल सेवा कब से प्रारंभ हुई?
A. 22 नवम्बर, 1877 ई. B. 27 दिसम्बर, 1877 ई.
C. 27 नवम्बर, 1888 ई. D. 28 दिसम्बर, 1888 ई.

55. दक्षिण–पूर्व मध्य रेलवे (SECR) का मुख्यालय है–
A. रायपुर B. बिलासपुर
C. रायगढ़ D. जगदलपुर

56. छत्तीसगढ़ का प्रथम रेलखण्ड कौन-सा है?
A. दुर्ग-भरौदा B. नागपुर-राजनांदगाँव
C. बिलासपुर-रायगढ़ D. राजनांदगाँव-रायपुर

57. बिलासपुर रेलवे जोन कब अस्तित्व में आया?
A. 1 अप्रैल, 2001 B. 1 अप्रैल, 2002
C. 1 अप्रैल, 2003 D. 1 अप्रैल, 2004

58. छत्तीसगढ़ में रेल मण्डलों (Division) की संख्या कितनी है?
A. 1 B. 2
C. 3 D. 4

59. छत्तीसगढ़ में रेल-मण्डल स्थित है–
A. बिलासपुर व रायपुर B. बिलासपुर व जशपुर
C. रायपुर व जशपुर D. रायपुर व रायगढ़

60. छत्तीसगढ़ में रेलमार्ग से वंचित जिले हैं–
A. कबीरधाम B. कांकेर
C. जशपुर D. इनमें सभी

61. छत्तीसगढ़ में विमान तलों (हवाई पट्टी) की संख्या कितनी है?
A. 7 B. 9
C. 11 D. 13

62. बिलासपुर मुख्यालय है–
A. पूर्व तटीय रेलवे का
B. दक्षिण पूर्व रेलवे का
C. दक्षिण-पूर्व मध्य रेलवे का
D. उपर्युक्त सभी

63. 'कल्पवृक्ष योजना' कहाँ से शुरु की गई है?
A. रायपुर B. बिलासपुर
C. रायगढ़ D. बस्तर

64. 'कल्पवृक्ष योजना' किसको रोजगार उपलब्ध कराने के उद्देश्य से प्रारंभ की गई है?
A. अनु॰ जनजाति की महिलाओं को
B. अनु॰ जनजाति के पुरुषों को
C. अनु॰ जाति के पुरुषों को
D. अनु॰ जाति की महिलाओं को

65. राज्य में संचालित 'अन्नपूर्णा योजना' का संबंध किससे है?
A. बायो गैस विकास
B. खाद्यान्न उत्पादन में वृद्धि
C. सिंचित भू-क्षेत्र का विकास
D. बंजर भूमि का विकास

66. राज्य में संचालित 'जीवन ज्योति योजना' किस क्षेत्र से सम्बन्धित है?
A. जल प्रबंधन
B. ग्रामीण स्वच्छता
C. खाद्यान्न वितरण
D. आदिवासी बहुल क्षेत्र में स्वास्थ्य सुधार

67. 'आयुष्मती योजना' किससे सम्बन्धित है?
A. गर्भवती महिलाओं की देखभाल
B. बालिका शिक्षा
C. वृद्धावस्था पेंशन
D. भूमिहीन ग्रामीण महिलाओं की सहायता

68. राज्य शासन की इन्दिरा सहारा योजना किस क्षेत्र से सम्बन्धित है?
A. वृद्धावस्था कल्याण
B. बालिका शिक्षा
C. जलग्रहण कार्यक्रम
D. निराश्रित, विधवा, एवं परित्यक्ता महिलाओं की सहायता

69. सुखद सहारा योजना किससे संबंधित है?
A. विधवा / परित्यक्त महिलाओं की सहायता
B. वृद्धावस्था कल्याण
C. बालिका शिक्षा
D. ग्रामीण स्वच्छता

70. छत्तीसगढ़ राज्य में 'दीदी योजना बैंक' का प्रारंभ किस जिले में हुआ है?
A. दुर्ग B. राजनांदगांव
C. बिलासपुर D. कांकेर

71. राजीव गांधी किसान–मितान योजना का सम्बन्ध किस क्षेत्र से है?
A. वृक्षारोपण B. किसानों को ऋण देना
C. फसल चक्र D. किसानों को मित्र बनाना

72. निःशुल्क रसोई गैस कनेक्शन एवं गैस–चूल्हा उपलब्ध कराने की योजना है–
A. गृहलक्ष्मी योजना B. इन्दिरा रसोई अभियान
C. ईंधन आपूर्ति योजना D. इन्दिरा गृह गंगा योजना

73. कम्प्यूटर से भू–अभिलेख उपलब्ध कराने की योजना है–
A. भुईयां
B. सब्बोबर कम्प्यूटर
C. राजीव गांधी किसान मितान योजना
D. ज्ञानदूत

74. छत्तीसगढ़ शासन द्वारा स्कूली छात्राओं हेतु निःशुल्क कम्प्यूटर शिक्षा योजना है–
A. सर्व शिक्षा अभियान
B. इन्दिरा सहारा योजना
C. पढ़बो, पढ़ाबो स्कूल जाबो अभियान
D. छत्तीसगढ़ सूचना शक्ति योजना

75. राज्य की बहुचर्चित 'इंदिरा गांव गंगा योजना' किससे सम्बन्धित है?
A. ग्रामीण विकास B. ग्रामीण महिला कल्याण
C. स्वास्थ्य सुविधा D. पेयजल एवं निस्तार से

उत्तरमाला

1	2	3	4	5	6	7	8	9	10
A	B	D	A	A	C	A	B	B	A
11	12	13	14	15	16	17	18	19	20
D	C	C	A	D	D	B	A	B	A
21	22	23	24	25	26	27	28	29	30
B	D	C	D	D	C	A	B	A	D
31	32	33	34	35	36	37	38	39	40
A	D	A	A	A	A	C	D	D	D
41	42	43	44	45	46	47	48	49	50
B	A	B	C	A	D	C	D	D	C
51	52	53	54	55	56	57	58	59	60
B	A	D	C	B	B	C	B	A	D
61	62	63	64	65	66	67	68	69	70
B	C	C	A	B	D	D	D	A	B
71	72	73	74	75					
C	A	A	D	D					

★ ★ ★

5

अनुसूचित जनजातियाँ

1. छत्तीसगढ़ राज्य में तीर किस जनजाति का प्रतीक चिह्न है?
A. बैगा B. भुंजिया
C. बिंझवार D. पारधी

2. छत्तीसगढ़ में सबसे अधिक जनसंख्या किस आदिवासी समूह की है?
A. उरांव B. गोंड
C. बैगा D. मारिया

3. छत्तीसगढ़ की दूसरी सबसे बड़ी जनजाति कौन-सी है?
A. गोंड B. भील
C. कोल D. सहारिया

4. निम्नलिखित में से कौन-सी जनजाति छत्तीसगढ़ की नहीं है?
A. हो B. भतरा
C. मुण्डा D. भील

5. दूध लौटावा विवाह किस जनजाति में प्रचलित है?
A. गोंड B. भील
C. मारिया D. कोल

6. गोंड जनजाति में निम्नलिखित में से कौन-सी विवाह पद्धति नहीं पायी जाती है?
A. लमसेना B. पायसोतुर
C. दूध लौटावा D. तेल लौटावा

7. गोंड जनजाति की एक शाखा जिसे बस्तर में धुरवा के नाम से जाना जाता है–
A. परजा B. मुंडा
C. बिरहोर D. खरिया

8. गोंड जनजाति में मड़ई के मुख्य दिन किया जाने वाला नृत्य क्या कहलाता है?
A. सैला नृत्य B. करमा नृत्य
C. भगोरिया नृत्य D. एवालतोर नृत्य

9. कोलेरियन और मुण्डारी जनजाति किसे कहा जाता है?
A. कोल B. हल्वा
C. कोरकू D. उपर्युक्त सभी

10. किस जनजाति को 'मनवार' भी कहा जाता है?
A. कंवार B. कोरबा
C. धनवार D. बैगा

11. किस जनजाति को धनुहर भी कहा जाता है?
A. सहारिया B. हल्वा
C. धनवार D. बैगा

12. धनवार जनजाति का निवास क्षेत्र है–
A. रायपुर B. बिलासपुर
C. दुर्ग D. कांकेर

13. धनवार जनजाति के लोगों का मुख्य हथियार क्या है?
A. चाकू-छुरी B. लाठी
C. तमंचा D. धनुष-बाण

14. रसनवा पर्व कौन-सी जनजाति मनाती है?
A. गोंड B. बैगा
C. संथाल D. उरांव

15. छत्तीसगढ़ की कौन-सी जनजाति साल वृक्ष को पूजनीय मानती है?
A. बैगा B. कोरबा
C. कमार D. खैरवार

16. बैगा जनजाति का मुख्य निवास क्षेत्र है–
A. रायपुर B. बिलासपुर
C. सरगुजा D. बस्तर

17. उरांव जनजाति का निवास क्षेत्र नहीं है–
A. रायगढ़ B. सरगुजा
C. जशपुर D. बस्तर

18. भतरा जनजाति का निवास क्षेत्र है–
A. बस्तर B. दन्तेवाड़ा
C. धमतरी D. कोरिया

19. छत्तीसगढ़ की किस जनजाति में घोटुल प्रथा पायी जाती है?
A. गोंड B. हल्वा
C. मारिया D. धुरवा

20. मुरिया जनजाति के लोकनाट्य माओपाटा का मुख्य प्रसंग होता है–
A. कृषि B. शिकार
C. मत्स्यन D. वन

21. उरांव जनजाति के धुमकुरिया का अभिप्राय क्या है?
A. देवस्थल B. मुखिया का घर
C. युवागृह D. पगडण्डी

22. कौन-सी जनजाति मृतक स्तम्भ का प्रयोग करती है?
A. मोड़िया B. मुरिया
C. हल्वा D. पहाड़ी कोरबा

23. राज्य की किस जनजाति का नृत्य भयोत्पादक होता है?
A. बैगा B. कोरबा
C. कमार D. खैरवार

24. कौरवों को अपना पूर्वज मानने वाली जनजाति है–
A. कोरबा B. कमार
C. मारिया D. गोंड

25. राज्य का कौन-सा जिला पूर्व में नरबलि हेतु प्रचलित था?
A. सरगुजा B. बस्तर
C. धमतरी D. कबीरधाम

26. छत्तीसगढ़ की कौन-सी जनजाति अपने रोगों का इलाज गर्म लोहे से शरीर को दागकर करती है?
A. धनवार B. नगेशिया
C. मंझवार D. भुंजिया

27. छत्तीसगढ़ के आदिवासियों के सम्बन्ध में कौन-सा कथन सही नहीं है?
A. जनजातीय समाज पितृसत्तात्मक है
B. जनजातियों में गणचिह्न (टोटेम) का विशेष महत्व है
C. जनजातीय समाज में स्त्रियाँ गौरवान्वित होती हैं
D. जनजातीय समाज मातृसत्तात्मक होता है

28. छत्तीसगढ़ के महान समाज सेवक गाहिरा गुरु किस जनजाति समुदाय के थे?
A. कंवर B. गोंड
C. कोरकू D. बिंझवार

29. निम्नलिखित सूचियों को सुमेलित कीजिए–

सूची-I (जनजातीय विवाह)	**सूची-II** (वास्तविक नाम)
(*a*) क्रय विवाह	1. पारिंग धन
(*b*) सेवा विवाह	2. लमसेना
(*c*) अपहरण विवाह	3. पायसोतुर
(*d*) गंधर्व विवाह	4. पोटा

कूट :

	(*a*)	(*b*)	(*c*)	(*d*)
A.	1	2	3	4
B.	2	3	4	1
C.	3	4	1	2
D.	4	3	1	2

30. जनजातीय अंचल (Tribal Region) में प्रचलित सल्फी क्या है?
A. पेय
B. पशु
C. कृषि उपकरण
D. धान का एक प्रकार

उत्तरमाला

1	2	3	4	5	6	7	8	9	10
C	B	B	A	A	D	A	D	A	A
11	**12**	**13**	**14**	**15**	**16**	**17**	**18**	**19**	**20**
C	C	D	B	A	C	C	A	A	B
21	**22**	**23**	**24**	**25**	**26**	**27**	**28**	**29**	**30**
C	A	B	B	B	D	D	C	A	A

★ ★ ★

6 कला, संस्कृति, शिक्षा एवं साहित्य

1. भोरमदेव मंदिर का निर्माण किस शताब्दी में हुआ माना जाता है?
A. दूसरी शताब्दी B. पाँचवीं शताब्दी
C. ग्यारहवीं शताब्दी D. चौदहवीं शताब्दी

2. 'छत्तीसगढ़ का खजुराहो' किसे कहा जाता है?
A. खरौद B. भोरमदेव
C. राजिम D. इनमें से कोई नहीं

3. 'भोरमदेव मंदिर' का निर्माण किस काल में हुआ?
A. नलवंश काल में B. छिन्दक नागवंश काल में
C. फणिनाग वंश काल में D. कलचुरि वंश काल में

4. 'भोरमदेव मंदिर' किस स्थापत्य शैली का सुन्दर नमूना है?
A. चालुक्य शैली B. नागर शैली
C. द्रविड़ शैली D. इनमें से कोई नहीं

5. छत्तीसगढ़ राज्य का अति प्राचीन मंदिर कौन-सा है?
A. देवरानी-जेठानी मंदिर B. केवड़ी मंदिर
C. चितवड़ी मंदिर D. सिद्धेश्वर मंदिर

6. 'देवरानी-जेठानी मंदिर' छत्तीसगढ़ के किस जिले में स्थित है?
A. रायगढ़ B. जशपुर
C. बिलासपुर D. सरगुजा

7. 'मामा-भांजा' मंदिर' कहाँ स्थित है?
A. बारसूर B. ताला
C. आरंग D. रतनपुर

8. निम्नलिखित में से किस मंदिर की प्रतिमाओं में देश के दक्षिणी राज्यों की वास्तुकला का प्रभाव दिखायी देता है?
A. बम्लेश्वरी मंदिर B. मामा-भांजा मंदिर
C. विष्णु मंदिर D. राजीव लोचन मंदिर

9. प्रसिद्ध 'मामा-भांजा मंदिर' छत्तीसगढ़ के किस जिले में स्थित है?
A. दन्तेवाड़ा B. राजनांदगाँव
C. सरगुजा D. जांजगीर-चांपा

10. 'महामाया मंदिर' कहाँ स्थित है?
A. बिलासपुर B. कोरबा
C. रतनपुर D. गुंगेली

11. 'लक्ष्मणेश्वर शिव मंदिर' कहाँ स्थित है?
A. खरौद B. रायगढ़
C. खैरागढ़ D. बारसूर

12. 'माँ दन्तेश्वरी का विशाल मंदिर' किस जिले में स्थित है?
A. कांकेर B. दन्तेवाड़ा
C. बस्तर D. रायपुर

13. प्रसिद्ध 'दंतेश्वरी देवी का मंदिर' छत्तीसगढ़ में किस नदी के किनारे स्थित है?
A. पैरी B. मनियारी
C. शंखनी व डंकनी D. महानदी

14. 'छत्तीसगढ़ का प्रयाग' किसे कहा जाता है?
A. राजिम B. रायपुर
C. मल्हार D. खरौद

15. 'छत्तीसगढ़ का महातीर्थ' एवं 'छत्तीसगढ़ की संस्कारधानी' के नाम से प्रसिद्ध है–
A. राजिम B. मैनपाट
C. रतनपुर D. जगदलपुर

16. छत्तीसगढ़ के प्रयाग 'राजिम' में प्रसिद्ध मंदिर है–
A. देव बलौदा मंदिर B. नगपुरा मंदिर
C. गुरूर मंदिर D. राजीव लोचन मंदिर

17. 'राजीव लोचन मंदिर' छत्तीसगढ़ के किस जिले में स्थित है?
A. धमतरी B. गरियाबंद
C. कोरबा D. बिलासपुर

18. 'छत्तीसगढ़ का नागलोक' किस सांस्कृतिक स्थल को कहा जाता है?
A. राजिम B. भोरमदेव
C. खरौद D. तपकरा

19. छत्तीसगढ़ के किस पर्यटन स्थल को 'मंदिरों का नगर' कहा जाता है?
A. खल्लारी B. कलचा भदवाही
C. खरौद D. आरंग

20. 'छत्तीसगढ़ का शिमला' किसे कहा जाता है?
A. अमरकंटक B. मैनपाट
C. रायगढ़ D. रायपुर

21. प्रसिद्ध 'बम्लेश्वरी देवी मंदिर' राज्य के किस जिले में स्थित है?

A. बस्तर B. राजनांदगाँव
C. कोरबा D. कबीरधाम

22. राज्य में 'धूमनाथ का मंदिर' किस जिले में स्थित है?

A. रायपुर B. बस्तर
C. दुर्ग D. बिलासपुर

23. राज्य का एकमात्र जैन तीर्थस्थल 'नगपुरा' किस जिले में स्थित है?

A. जशपुर B. महासमुंद
C. जांजगीर-चांपा D. दुर्ग

24. बौद्ध ग्रंथ 'अवदान शतक' के अनुसार महासमुंद जिले के किस स्थान में गौतम बुद्ध ने भ्रमण किया था?

A. खल्लारी B. सिरपुर
C. बसना D. सरायपाली

25. 'दामाखेड़ा' निम्न में से किससे सम्बन्धित है?

A. सतनाम पंथ B. कबीर पंथ
C. तेरा पंथ D. भग्न मंदिर

26. छत्तीसगढ़ का कौन-सा नगर 'इस्पात नगरी' के नाम से जाना जाता है?

A. रायपुर B. कोरबा
C. जशपुर D. भिलाई

27. 'मैत्री बाग' कहाँ स्थित है?

A. भिलाई B. रायपुर
C. बस्तर D. कांकेर

28. 'कटुमसर की गुफा' छत्तीसगढ़ के किस जिले में स्थित है?

A. सरगुजा B. बस्तर
C. रायपुर D. रायगढ़

29. 'जोगीमारा की गुफाएँ' छत्तीसगढ़ के किस जिले में स्थित हैं?

A. जशपुर B. सूरजपुर
C. बिलासपुर D. कबीरधाम

30. प्रसिद्ध 'कबरा गुफा' छत्तीसगढ़ के किस जिले में स्थित है?

A. कबीरधाम B. कोरबा
C. रायगढ़ D. रायपुर

31. 'कैलाश गुफा' में किस संत ने तपस्या की थी?

A. गहिरा गुरु B. श्रृंगी गुरु
C. स्वामी विवेकानंद D. स्वामी आत्मानंद

32. 'कबरा पहाड़' की प्रसिद्धि का कारण है–

A. धार्मिक तीर्थस्थल B. स्टेडियम
C. जैविक उद्यान D. चित्रित शैलाश्रय

33. 'गुरु घासीदास संग्रहालय' कहाँ स्थित है?

A. धमतरी B. रायपुर
C. बिलासपुर D. महासमुंद

34. छत्तीसगढ़ में 'सर्प ज्ञान केंद्र' की स्थापना कहाँ पर की गई है?

A. तपकरा B. रायगढ़
C. कोरिया D. अम्बिकापुर

35. 'टाइगर प्वाइण्ट प्रपात' तथा 'मछली प्वॉइण्ट प्रपात' कहाँ स्थित है?

A. सामरी पाट B. अबुझमाड़
C. कांगेर घाटी D. मैन पाट

36. पर्यटन स्थल 'मैनपाट' किस प्राकृतिक स्थिति पर स्थित है?

A. छत्तीसगढ़ का मैदान
B. सतपुड़ा की श्रेणी
C. दण्डकारण्य का पठार
D. नर्मदा श्रेणी

37. तातापानी गर्म जलकुंड किस जिले में स्थित है?

A. बलरामपुर B. कांकेर
C. रायपुर D. बिलासपुर

38. छत्तीसगढ़ का प्रसिद्ध 'लक्ष्मण मंदिर' कहाँ स्थित है?

A. रतनपुर B. सिरपुर
C. भोरमदेव D. मल्हार

39. सुमेलित कीजिए–

सूची-I (प्रसिद्ध मंदिर)	सूची-II (सम्बन्धित जिला)
(*a*) राजीव लोचन मंदिर	1. जांजगीर-चांपा
(*b*) लक्ष्मण मंदिर	2. बिलासपुर
(*c*) अयप्पा स्वामी मंदिर	3. महासमुन्द
(*d*) शिवरी नारायण मंदिर	4. गरियाबंद

कूट :

	(*a*)	(*b*)	(*c*)	(*d*)
A.	1	2	4	3
B.	1	2	3	4
C.	4	3	2	1
D.	4	3	1	2

40. निम्नलिखित में से कौन-सी जोड़ी सुमेलित नहीं है?

छत्तीसगढ़ के संरक्षित स्मारक		जिले
A. कर्णेश्वर महादेव मंदिर समूह	–	धमतरी
B. सिद्धेश्वर मंदिर	–	बलौदा बाजार
C. कपिलेश्वर मंदिर समूह	–	बालोद
D. लक्ष्मणेश्वर मंदिर	–	मुंगेली

41. सुन्दर लाल शर्मा मुक्त विश्वविद्यालय कहाँ स्थित है?

A. भिलाई B. दुर्ग
C. रायपुर D. बिलासपुर

42. छत्तीसगढ़ में आईआईटी की स्थापना कहाँ की गई है?

A. राजनंदगाँव B. रायगढ़
C. जगदलपुर D. भिलाई

43. छत्तीसगढ़ में आईआईएम की स्थापना कहाँ की गई है?
A. रायगढ़ B. रायपुर
C. बिलासपुर D. दुर्ग

44. कुशाभाऊ ठाकरे पत्रकारिता विश्वविद्यालय कहाँ स्थित है?
A. रायपुर B. बिलासपुर
C. दुर्ग D. दन्तेवाड़ा

45. छत्तीसगढ़ का सबसे पुराना विश्वविद्यालय है–
A. पंडित रविशंकर विश्वविद्यालय, रायपुर
B. गुरु घासीदास विश्वविद्यालय, बिलासपुर
C. इंदिरा गाँधी कृषि विश्वविद्यालय, रायपुर
D. इंदिरा कला एवं संगीत विश्वविद्यालय, खैरागढ़

46. इन्दिरा कला एवं संगीत विश्वविद्यालय की स्थापना किस वर्ष में हुई?
A. 1950 ई。 B. 1954 ई。
C. 1956 ई。 D. 1960 ई。

47. छत्तीसगढ़ में किस स्थान में संगीत विश्वविद्यालय स्थापित है?
A. खैरागढ़ B. रायगढ़
C. डोंगरगढ़ D. सारंगढ़

48. एशिया का एकमात्र संगीत विश्वविद्यालय है–
A. पंडित रविशंकर विश्वविद्यालय, रायपुर
B. गुरु घासीदास विश्वविद्यालय, बिलासपुर
C. इन्दिरा कला एवं संगीत विश्वविद्यालय, खैरागढ़
D. इनमें से कोई नहीं

49. अखिल भारतीय आयुर्विज्ञान संस्थान (AIIMS), रायपुर की स्थापना कब की गई थी?
A. 2007 B. 2008
C. 2010 D. 2012

50. छत्तीसगढ़ में आयुर्वेदिक महाविद्यालय कहाँ स्थित है?
A. रायपुर B. रायगढ़
C. बिलासपुर D. दुर्ग

51. भिलाई इंस्टीट्यूट ऑफ टेक्नोलॉजी कहाँ स्थित है?
A. दुर्ग B. दन्तेवाड़ा
C. रायपुर D. जगदलपुर

52. छत्तीसगढ़ में निजी क्षेत्र में प्रथम विश्वविद्यालय कहाँ स्थापित किया गया?
A. रायगढ़ B. रायपुर
C. दुर्ग D. राजनांदगाँव

53. निम्नलिखित में से किस स्थान पर दुग्ध प्रौद्योगिकी महाविद्यालय स्थित है?
A. बिलासपुर B. दुर्ग
C. रायपुर D. कोरबा

54. छत्तीसगढ़ में रोजगार प्रशिक्षण मुख्यालय कहाँ कार्यरत है?
A. रायपुर B. रायगढ़
C. बिलासपुर D. दुर्ग

55. राज्य में लक्ष्मीबाई राष्ट्रीय शारीरिक शिक्षा संस्थान की स्थापना कहाँ की जा रही है?
A. अभनपुर B. सिरगिट्टी
C. राजिम D. डोंगरगढ़

56. इंदिरा गाँधी कृषि विश्वविद्यालय, रायपुर की स्थापना कब हुई?
A. 1956 ई。 B. 1964 ई。
C. 1983 ई。 D. 1987 ई。

57. छत्तीसगढ़ का मुक्त विश्वविद्यालय है–
A. इंदिरा गाँधी राष्ट्रीय मुक्त विश्वविद्यालय
B. भोज मुक्त विश्वविद्यालय
C. सुन्दरलाल शर्मा मुक्त विश्वविद्यालय
D. कुशाभाऊ ठाकरे पत्रकारिता विश्वविद्यालय

58. छत्तीसगढ़ में प्रथम महाविद्यालय, 'छत्तीसगढ़ महाविद्यालय' की स्थापना का श्रेय किसे है?
A. पंडित रविशंकर शुक्ल B. वामनराव लाखे
C. ठाकुर प्यारेलाल सिंह D. मिनीमाता

59. जस्टिस हिदायतुल्ला राष्ट्रीय विधि विश्वविद्यालय कहाँ स्थित है?
A. खैरागढ़ B. रायपुर
C. बिलासपुर D. दुर्ग

60. इन्दिरा कला संगीत विश्वविद्यालय किस राज्य में स्थित है?
A. मध्य प्रदेश B. राजस्थान
C. गुजरात D. छत्तीसगढ़

61. निम्नलिखित में से कौन-सा लोक नृत्य छत्तीसगढ़ राज्य का है?
A. सुआ B. रहस
C. राउत D. उपर्युक्त सभी

62. छत्तीसगढ़ का सर्वाधिक प्राचीन एवं लोकप्रिय लोक नृत्य कौन-सा है?
A. नाचा B. करमा
C. रहस D. पंथी

63. छत्तीसगढ़ में नाचा लोक नृत्य का भीष्म पितामह किसे माना जाता है?
A. निहाई दास B. झमुक दास
C. दाऊ दुलार सिंह D. गोविन्द निर्मलकर

64. राउत नाचा किस त्योहार के समय विशेष महत्व रखता है?
A. दीपावली B. दशहरा
C. होली D. नागपंचमी

65. 1978 ई. से राउत नाचा महोत्सव कहाँ आयोजित किया जाता है?

A. रायपुर B. जगदलपुर
C. बिलासपुर D. दुर्ग

66. किस लोक नृत्य का आयोजन भगवान श्रीकृष्ण की रासलीला के रूप में होली के अवसर पर किया जाता है?

A. करमा नृत्य B. नाचा नृत्य
C. रहस नृत्य D. पंथी नृत्य

67. छत्तीसगढ़ की आधुनिक नाट्य विधा है–

A. ढोलमारू B. पण्डवानी
C. रहस D. भगोरिया

68. सुआ नृत्य किस त्योहार के समय आयोजित किया जाता है?

A. होली B. दीपावली
C. नवाखानी D. रक्षाबंधन

69. छत्तीसगढ़ का वह कौन-सा नृत्य है जो केवल महिलाओं द्वारा किया जाता है?

A. बार नृत्य B. घसियाबाजा नृत्य
C. सुआ नृत्य D. रहस नृत्य

70. छत्तीसगढ़ की कंवर जनजाति में कौन-सा लोक नृत्य प्रचलित है?

A. राउत नृत्य B. बार नृत्य
C. सुआ नृत्य D. नाचा नृत्य

71. बस्तर में डण्डारी नृत्य किस त्योहार पर आयोजित होता है?

A. गावां B. होली
C. नवाखानी D. दीपावली

72. करमा नृत्य किस जनजाति में प्रचलित है?

A. गोंड B. बैगा
C. उरांव D. उपर्युक्त सभी

73. सरहुल किस जनजाति का पारम्परिक लोक नृत्य है?

A. उरांव B. गोंड
C. भतरा D. मुरिया

74. पहाड़ी कोरबा जनजाति द्वारा विवाह के अवसर पर कौन-सा लोक नृत्य किया जाता है?

A. दमनच नृत्य B. सैला नृत्य
C. परब नृत्य D. मांदरी नृत्य

75. कक्सार किस जनजाति का लोकप्रिय नृत्य है?

A. मुरिया B. भतरा
C. पहाड़ी कोरबा D. अबूझमाड़िया

76. भतरा नाट किस अंचल का लोक नाट्य है?

A. रायपुर B. बिलासपुर
C. बस्तर D. राजनांदगाँव

77. सबसे द्रुत गति का नृत्य है–

A. सुआ B. पंडवानी
C. पंथी D. चंदेनी

78. छत्तीसगढ़ में लोक बैले की संज्ञा दी गई है–

A. सैला को B. करमानी को
C. पण्डवानी को D. ददरिया को

79. पण्डवानी क्या है?

A. छत्तीसगढ़ी वीर रस का लोक नृत्य गीत
B. जनजातियों की पंचायत
C. छत्तीसगढ़ की प्रसिद्ध गुफा
D. छत्तीसगढ़ का औद्योगिक नगर

80. पण्डवानी गाते समय कौन–सा वाद्ययंत्र हाथ में लिया जाता है?

A. संजू B. दमड़ा
C. तम्बूरा D. नगाड़ा

81. निम्नलिखित में से कौन पण्डवानी लोक नृत्य कलाकार है?

A. ऋतु वर्मा B. प्रभा कुमारी
C. लक्ष्मीबाई सतनामी D. उपर्युक्त सभी

82. बस्तर की धुरवा जनजाति का प्रसिद्ध नृत्य है–

A. हुलकी पारा नृत्य B. गौर नृत्य
C. परब नृत्य D. दमनच नृत्य

83. डण्डा नृत्य का आयोजन किया जाता है–

A. खेत जोतने के पश्चात
B. धान बोने के पश्चात
C. गेहूँ बोने के पश्चात
D. फसल काटने के पश्चात

84. नृत्य के साथ मनोरंजक गीत नहीं है–

A. करमा B. डण्डा
C. नचारी D. देवरा

85. छत्तीसगढ़ में बसन्त ऋतु में गाया जाने वाला प्रमुख लोक गीत है–

A. बारामासी B. सवनाही
C. फाग D. इनमें से कोई नहीं

86. वर्षा ऋतु में गाया जाने वाला छत्तीसगढ़ी गीत है–

A. बारामासी B. फाग
C. सवनाही D. इनमें से कोई नहीं

87. चलमाटी, तेलमाटी, मायामौरी, नहहौर, परधानी, भड़ौनी, भांवर दहेज एवं विदा गीत किस गीत के प्रमुख भाग हैं?

A. सोहर गीत B. पठौनी गीत
C. बिहाव गीत D. देव गीत

88. देवदास बंजारे किस क्षेत्र से जुड़े थे?

A. पण्डवाणी B. पंथी नृत्य
C. धनकुल D. ढोकला कला

89. भारत में किस पारम्परिक प्रदर्शन कला के लिए तीजन बाई प्रसिद्ध हैं?
A. पण्डवाणी B. लावणी
C. बिहू D. ताण्डव

90. छत्तीसगढ़ की प्रसिद्ध 'मनमोहिनी सांस्कृतिक कार्यक्रम मण्डली' किसकी है?
A. तीजन बाई B. शांति बाई
C. ऋतु वर्मा D. झाडूराम देवांगन

91. छत्तीसगढ़ में भरथरी की प्रसिद्ध गायिका हैं–
A. ऋतु वर्मा B. सुरजबाई खाण्डे
C. रेखा यादव D. प्रभा यादव

92. छत्तीसगढ़ की कौन-सी जनजाति सिर पर भैंस की सींग बांधकर 'गौर नृत्य' करती है?
A. गोंड B. कोल
C. मारिया D. कंवार

93. बस्तर की घड़वा कला किससे सम्बन्धित है?
A. काष्ठ मूर्ति कला
B. धातु मूर्ति कला
C. मिट्टी कला
D. इनमें से कोई नहीं

94. छत्तीसगढ़ के किस प्रसिद्ध लोक कला में स्त्री का अभिनय भी पुरुष करते हैं?
A. चंदेनी गोंदा B. काक्सार
C. भतरा D. नाचा

95. निम्नलिखित में से कौन-सा नृत्य छत्तीसगढ़ी लोक नृत्य नहीं है?
A. सुआ नृत्य B. पंथी नृत्य
C. चंदेनी नृत्य D. राई नृत्य

96. छत्तीसगढ़ में लोरिक और चंदा की प्रेम कथा का गायन जाना जाता है–
A. पंथी B. नाचा
C. रहस D. चंदेनी

97. ददरिया का अर्थ होता है–
A. खुशी का गीत B. दर्द का गीत
C. कर्म का गीत D. ज्ञान का गीत

98. निम्नलिखित में से कौन छत्तीसगढ़ की एक लोक नृत्य शैली नहीं है?
A. कर्मा B. सुआ नाच
C. राउत नाचा D. लावणी

99. निम्नलिखित में से किसमें गुरु घासीदास का चरित्र गायन होता है?
A. पंथी B. पंडवानी
C. गम्मत D. चंदेनी

100. निम्न में से कौन–सी नृत्य शैली छत्तीसगढ़ से सम्बन्धित नहीं है?
A. कर्मा B. छऊ
C. पंथी D. गेंदी

101. रसनवा पर्व किस जनजाति द्वारा मनाया जाता है?
A. गोंड B. बैगा
C. संथाल D. उरांव

102. मेघनाद पर्व कौन-सी जनजाति मनाती है?
A. गोंड B. बैगा
C. अबूझमड़िया D. इनमें से कोई नहीं

103. राज्य में हरेली नामक पर्व किसके द्वारा मनाया जाता है?
A. किसान B. व्यापारी
C. जुलाहे D. साहूकार

104. जादू-टोना, तंत्र-मंत्र आदि के लिए कौन-से त्योहार को उपयुक्त माना जाता है?
A. नागपंचमी B. हरेली
C. दीपावली D. होली

105. छत्तीसगढ़ में पति के लिए किया जाने वाला व्रत है–
A. हल षष्ठी B. तीज
C. बहुला चौथ D. इनमें से कोई नहीं

106. 'गोंचा' पर्व किस माह में मनाया जाता है?
A. ज्येष्ठ B. आषाढ़
C. श्रावण D. भाद्रपद

107. खल्लारी मेला कहाँ पर लगता है?
A. महासमुन्द B. बिलासपुर
C. कोरबा D. रतनपुर

108. छेर–छेरा किससे सम्बन्धित है?
A. दीपावली से
B. होली से
C. नई फसल के काटने से
D. पोला से

109. राउत नाचा किस त्योहार के आसपास मनाया जाता है?
A. दीपावली B. दशहरा
C. होली D. नागपंचमी

110. छत्तीसगढ़ में कहाँ का दशहरा विख्यात है?
A. कवर्धा B. पेण्ड्रा
C. गरियाबंद D. बस्तर

111. छत्तीसगढ़ की प्रथम राजभाषा है–
A. हिन्दी B. अंग्रेजी
C. छत्तीसगढी D. उर्दू

112. छत्तीसगढ़ी किस भाषा-परिवार की एक बोली है–
A. भारोपीय B. द्रविड़
C. मुण्डा D. इनमें से कोई नहीं

113. छत्तीसगढ़ी हिन्दी भाषा की किस उपभाषा के अंतर्गत आती है?

A. पूर्वी हिन्दी　B. पश्चिमी हिन्दी
C. पहाड़ी　D. बिहारी

114. छत्तीसगढ़ी को किस अन्य नाम से भी जाना जाता है?

A. खल्टाही　B. लारिया
C. A एवं B दोनों　D. न ही A न ही B

115. 'छत्तीसगढ़ी साहित्य के भीष्म पितामह' किसे कहा जाता है?

A. पं. लोचन प्रसाद पाण्डेय
B. मुकुटधर पाण्डेय
C. पदुमलाल पुन्नालाल बख्शी
D. पं. सुंदरलाल शर्मा

116. 'छत्तीसगढ़ी दान लीला' के रचनाकार का नाम है–

A. पं. सुंदरलाल शर्मा　B. पं. लोचन प्रसाद पाण्डेय
C. मुकुटधर पाण्डेय　D. वंशीधर शर्मा

117. प्रथम छत्तीसगढ़ी व्याकरण 'छत्तीसगढ़ी व्याकरण' के रचनाकार हैं–

A. काव्योपाध्याय हीरालाल
B. पं. सुंदरलाल शर्मा
C. पं० लोचन प्रसाद पांडेय
D. पं. सीताराम मिश्र

118. 'सुरही गाइयां' (प्रथम छत्तीसगढ़ी कहानी) के रचनाकार हैं–

A. पं. सीताराम मिश्र　B. पं. लोचन प्रसाद पाण्डेय
C. कुकुटधर पाण्डेय　D. वंशीधर शर्मा

119. 'हीरू के बहिनी' (प्रथम छत्तीसगढ़ी उपन्यास) के रचनाकार का नाम है–

A. पं. वंशीधर शर्मा　B. पं. लोचन प्रसाद पाण्डेय
C. मुकुटधर पाण्डेय　D. इनमें से कोई नहीं

120. 'कलिकाल' (प्रथम छत्तीसगढ़ी नाटक) के रचनाकार हैं–

A. पं. लोचन प्रसाद पाण्डेय
B. मुकुटधर पाण्डेय
C. पं. वंशीधर शर्मा
D. इनमें से कोई नहीं

121. आदिवासी विकास एवं कल्याण के क्षेत्र में छत्तीसगढ़ राज्य शासन द्वारा कौन-सा पुरस्कार प्रदान किया जाता है?

A. युवा वैज्ञानिक पुरस्कार
B. मिनीमाता पुरस्कार
C. शहीद वीर नारायण सिंह पुरस्कार
D. इनमें से कोई नहीं

122. छत्तीसगढ़ राज्य का प्रथम शहीद वीर नारायण सिंह पुरस्कार किसे प्रदान किया गया?

A. रामकृष्ण मिशन आश्रम, नारायणपुर
B. सांकरबार आश्रम, अम्बिकापुर
C. दूधाधारी मठ, रायपुर
D. गाहिरा गुरु आश्रम, रायगढ़

123. सहकारिता के क्षेत्र में उत्कृष्ट कार्य हेतु छत्तीसगढ़ शासन द्वारा कौन–सा पुरस्कार प्रदान किया जाता है?

A. डॉ. खूबचंद बघेल पुरस्कार
B. डॉ. भंवर सिंह पोर्ते पुरस्कार
C. डॉ. प्यारे लाल सिंह पुरस्कार
D. दानवीर भामाशाह पुरस्कार

124. राज्य शासन का पंडित रविशंकर शुक्ल पुरस्कार किस क्षेत्र में उल्लेखनीय योगदान के लिए प्रदान किया जाता है?

A. पत्रकारिता
B. रूपंकर कलाएं
C. जातीय सद्भावना एवं साम्प्रदायिक सौहार्द
D. समाज सुधार

125. छत्तीसगढ़ का प्रतिष्ठित चक्रधर सम्मान किस क्षेत्र में उल्लेखनीय योगदान के लिए दिया जाता है?

A. नृत्य　B. शिक्षा
C. खेलकूद　D. कला एवं संगीत

126. छत्तीसगढ़ शासन द्वारा डॉ. खूबचंद बघेल सम्मान किस क्षेत्र में उत्कृष्ट कार्य करने वालों को प्रदान किया जाता है?

A. कृषि
B. खेलकूद
C. समाज सेवा
D. महिला कल्याण

127. गुण्डाधूर सम्मान किस कार्य के लिए छत्तीसगढ़ शासन द्वारा प्रदान किया जाता है?

A. कृषि　B. खेल
C. साहित्य　D. सिनेमा

128. हनुमान सिंह सम्मान क्रीड़ा की किस गतिविधि के लिए राज्य शासन द्वारा प्रदान किया जाता है?

A. क्षेत्ररक्षण　B. प्रशिक्षण
C. गेंदबाजी　D. तलवारबाजी

129. राज्य प्रशासन द्वारा आर्थिक, सामाजिक एवं शैक्षणिक क्षेत्र में अभिनव प्रयत्नों के लिए कौन–सा सम्मान दिया जाता है?

A. पंडित रविशंकर शुक्ल सम्मान
B. दिग्विजय सिंह सम्मान
C. डी.पी. मिश्रा सम्मान
D. सुन्दर लाल पटवा सम्मान

130. छत्तीसगढ़ शासन द्वारा श्रम के क्षेत्र में उत्कृष्ट कार्य करने वालों को कौन-सा सम्मान प्रदान किया जाता है?

A. बिलासा केवटिन सम्मान
B. महाराजा रामानुज प्रताप सम्मान
C. हाजी हसन अली सम्मान
D. गुण्डाधूर सम्मान

131. पत्रकारिता के लिए राज्य में कौन-सी फैलोशिप दी जाती है?
A. सुन्दरलाल शर्मा फैलोशिप
B. चंदूलाल चंद्राकर फैलोशिप
C. मायाराम सुरजन फैलोशिप
D. माखनलाल चतुर्वेदी फैलोशिप

132. किस चिकित्सा प्रणाली में उत्कृट कार्य करने के लिए राज्य शासन द्वारा धन्वन्तरी सम्मान दिया जाता है?
A. आयुर्वेद B. होमियोपैथी
C. एलोपैथी D. यूनानी

133. महाराजा अग्रसेन पुरस्कार जो छत्तीसगढ़ राज्य का उच्चतम पुरस्कार है, किस क्षेत्र में दिया जाता है?
A. पत्रकारिता B. सामाजिक सहकार
C. श्रम D. जनसम्पर्क

134. सामाजिक चेतना एवं दलित उत्थान के क्षेत्र में कार्य करने वाले व्यक्ति को प्रदान किया जाता है–
A. वीर नारायण सिंह सम्मान
B. मिनीमाता सम्मान
C. गुरु घासीदास सम्मान
D. यति यतनलाल सम्मान

135. साहित्य के क्षेत्र में उत्कृष्ट योगदान के लिए राष्ट्रीय स्तर के विशिष्ट साहित्यकार को प्रदान किया जाता है–
A. पंडित सुन्दरलाल शर्मा सम्मान
B. पंडित रविशंकर शुक्ल सम्मान
C. यति यतनलाल सम्मान
D. गुरु घासीदास सम्मान

136. उत्कृष्ट सामाजिक सेवा करने वाले समाज सेवी को राज्य शासन द्वारा दिया जाने वाला सम्मान है–
A. मिनीमाता सम्मान
B. गुण्डाधूर सम्मान
C. यति यतनलाल सम्मान
D. चक्रधर सम्मान

137. छत्तीसगढ़ सरकार ने अहिंसा और गौ रक्षा के लिए कौन-सा सम्मान स्थापित किया है?
A. मिनीमाता सम्मान
B. यति यतनलाल सम्मान
C. महाराजा अग्रसेन सम्मान
D. पं. सुन्दरलाल शर्मा सम्मान

138. सर्वाधिक उत्पादन करने वाले तथा उन्नत कृषक को सर्वश्रेष्ठ कृषक के रूप में सम्मानित करने के लिए प्रदान किया जाता है–
A. ठाकुर प्यारेलाल सम्मान
B. महाराजा अग्रसेन सम्मान
C. चंदूलाल चंद्राकर सम्मान
D. खूबचंद बघेल सम्मान

139. दाऊ मंदराजी सम्मान किस क्षेत्र में उल्लेखनीय कार्य हेतु प्रदान किया जाता है?
A. लोक कला B. संगीत कला
C. पत्रकारिता D. सहकारिता

140. श्रीमती बिलासा बाई विकास पुरस्कार .... क्षेत्र में दिया जाता है–
A. बागवानी B. मत्स्य पालन
C. कृषि D. इनमें से कोई नहीं

141. यति यतनलाल महासमुन्द के किस आश्रम से जुड़े थे?
A. सेवाग्राम B. रामकृष्ण मिशन
C. विवेक वर्द्धन D. जैतू साहू मठ

142. प्रसिद्ध साहित्यकार पदुमलाल पुन्नालाल बख्शी का गृह जनपद कौन-सा है?
A. बिलासपुर B. रायगढ़
C. महासमुन्द D. रायपुर

143. 'छत्तीसगढ़ के जनकवि' के रूप में कौन मान्य है?
A. रामेश्वर शुक्ल अंचल
B. कोदूराम दलित
C. विनोद कुमार शुक्ल
D. प्रभाकर चौबे

144. 'मुक्तिबोध' के नाम से कौन जाने जाते हैं?
A. माधव राव सप्रे B. लोचन प्रसाद पाण्डेय
C. गजानन माधव D. श्रीकान्त वर्मा

145. राज्य के बहुचर्चित उपन्यास 'नौकर की कमीज' के उपन्यासकार कौन हैं?
A. विनोद कुमार शुक्ल B. प्रभाकर चौबे
C. लतीफ घोंघी D. गजानन माधव

146. छत्तीसगढ़ के किस महान व्यक्तित्व को 'सहकारिता पुरुष' की संज्ञा दी गई है?
A. डॉ. प्रदीप चौबे B. डॉ. खेतराम चंद्राकर
C. प्रो. इन्द्रदेव D. राम गोपाल तिवारी

147. छत्तीसगढ़ का 'मंगल पाण्डे' किसे कहा जाता है?
A. शहीद सुरेन्द्र बहादुर साय
B. शहीद वीर नारायण सिंह
C. शहीद गुण्डाधूर
D. शहीद हनुमान सिंह

148. किस शासक के समय में बस्तर में हल्वा क्रांति (1773–79) हुई थी?
A. राजा दरियादेव B. राजकुमार विंबाजी
C. प्रताप राव D. भगत चंद

149. देवदास बंजारे किस क्षेत्र से जुड़े हैं?
A. पण्डवानी B. पेंथी नृत्य
C. धनकुल D. ढोकरा कला

150. संत घासीदास के पिताजी का क्या नाम था?
A. सुकालू B. बिसाह
C. चैतुराम D. महँगू

151. मिनीमाता का जन्म किस राज्य में हुआ था?
A. मध्य प्रदेश B. कर्नाटक
C. त्रिपुरा D. असम

152. छत्तीसगढ़ क्षेत्र से प्रथम महिला सांसद कौन थी?
A. गंगा पोटाई B. करूणा शुक्ला
C. मिनीमाता D. रश्मि देवी

153. त्रिभुवन पाण्डेय का सम्बन्ध किससे है?
A. क्रिकेट B. शतरंज
C. व्यंग्य लेखन D. अभिनय

154. छत्तीसगढ़ का प्रथम शहीद किसे माना जाता है?
A. सुरेन्द्र बहादुर साय B. गुण्डाधूर
C. वीर नारायण सिंह D. ठाकुर प्यारेलाल सिंह

155. दाऊ मंदराजी का वास्तविक नाम क्या है?
A. दाऊ दुलार सिंह B. दाऊ कृष्ण सिंह
C. दाऊ कुमार सिंह D. दाऊ संतोष सिंह

उत्तरमाला

1	**2**	**3**	**4**	**5**	**6**	**7**	**8**	**9**	**10**
C	B	C	B	A	C	A	B	A	C
11	**12**	**13**	**14**	**15**	**16**	**17**	**18**	**19**	**20**
A	B	C	A	A	D	B	D	D	B
21	**22**	**23**	**24**	**25**	**26**	**27**	**28**	**29**	**30**
B	D	D	B	B	D	A	B	B	C
31	**32**	**33**	**34**	**35**	**36**	**37**	**38**	**39**	**40**
A	D	B	A	D	B	A	C	C	D
41	**42**	**43**	**44**	**45**	**46**	**47**	**48**	**49**	**50**
D	D	B	A	D	C	A	D	D	A
51	**52**	**53**	**54**	**55**	**56**	**57**	**58**	**59**	**60**
A	B	C	D	A	D	C	C	B	D
61	**62**	**63**	**64**	**65**	**66**	**67**	**68**	**69**	**70**
D	A	C	A	C	C	C	B	C	B
71	**72**	**73**	**74**	**75**	**76**	**77**	**78**	**79**	**80**
B	D	A	A	D	C	A	C	A	C
81	**82**	**83**	**84**	**85**	**86**	**87**	**88**	**89**	**90**
D	C	D	D	C	C	C	B	A	A
91	**92**	**93**	**94**	**95**	**96**	**97**	**98**	**99**	**100**
B	C	B	D	D	D	B	D	A	B
101	**102**	**103**	**104**	**105**	**106**	**107**	**108**	**109**	**110**
B	A	A	B	B	B	A	C	A	D
111	**112**	**113**	**114**	**115**	**116**	**117**	**118**	**119**	**120**
A	A	A	C	A	A	A	A	A	A
121	**122**	**123**	**124**	**125**	**126**	**127**	**128**	**129**	**130**
C	A	C	C	D	A	B	B	A	B
131	**132**	**133**	**134**	**135**	**136**	**137**	**138**	**139**	**140**
B	A	B	C	A	A	B	D	A	B
141	**142**	**143**	**144**	**145**	**146**	**147**	**148**	**149**	**150**
C	D	B	A	A	D	D	B	B	D
151	**152**	**153**	**154**	**155**					
D	C	C	C	A					

★ ★ ★

7 विविध

1. राज्य का प्रथम आकाशवाणी केन्द्र कहाँ पर स्थित है?
   A. बिलासपुर B. रायगढ़
   C. दुर्ग D. रायपुर

2. छत्तीसगढ़ में प्रथम आकाशवाणी केन्द्र 2 अक्टूबर, 1963 को किस जिले में स्थापित किया गया?
   A. रायपुर B. बिलासपुर
   C. रायगढ़ D. दुर्ग

3. छत्तीसगढ़ में रेडियो रूपक के प्रमुख हस्ताक्षर कौन माने जाते हैं?
   A. डॉ. नरेन्द्र देव शर्मा B. हबीब तनवीर
   C. बृजलाल बछोर D. भूषण परगनिहा

4. छत्तीसगढ़ में दूरदर्शन की शुरूआत कब हुई?
   A. 1970 ई॰ B. 1972 ई॰
   C. 1982 ई॰ D. 1984 ई॰

5. प्रथम छत्तीसगढ़ी फिल्म कब बनी?
   A. 1953 ई॰ B. 1962 ई॰
   C. 1963 ई॰ D. 1973 ई॰

6. छत्तीसगढ़ी फिल्मों के प्रथम निर्माता कौन थे?
   A. मनु नायक B. राजेन्द्र तिवारी
   C. पवन सिंह D. इनायत अली

7. छत्तीसगढ़ का प्रथम दैनिक समाचार-पत्र है–
   A. छत्तीसगढ़ मित्र B. महाकौशल
   C. दैनिक भास्कर D. देशबंधु

8. छत्तीसगढ़ के प्रथम दैनिक समाचार-पत्र का प्रकाशन कब से प्रारंभ हुआ?
   A. जनवरी, 1951 B. मार्च, 1948
   C. फरवरी, 1955 D. मार्च, 1983

9. छत्तीसगढ़ का प्रथम दैनिक समाचार-पत्र किस जिले से प्रकाशित हुआ था?
   A. रायपुर B. बिलासपुर
   C. बस्तर D. रायगढ़

10. छत्तीसगढ़ के प्रथम समाचार-पत्र 'छत्तीसगढ मित्र' के सम्पादक थे–
    A. माधव राव सप्रे
    B. सुन्दर लाल शर्मा
    C. ठाकुर प्यारे लाल सिंह
    D. पदुमलाल पुन्ना लाल बख्शी

11. 1900 ई॰ में माधव राव सप्रे ने किस साप्ताहिक-पत्र का प्रकाशन आरम्भ किया था?
    A. महाकौशल B. छत्तीसगढ़ मित्र
    C. उदत्त मार्तण्ड D. बंगाल गजट

12. अमृत संदेश नामक दैनिक समाचार-पत्र के सम्पादक हैं–
    A. मनोज वर्मा B. रमेश नैयर
    C. गोविन्द लाल बोरा D. परदेशी राम शर्मा

13. छत्तीसगढ़ शासन के जनसम्पर्क विभाग द्वारा प्रकाशित मासिक पत्रिका का क्या नाम है?
    A. छत्तीसगढ़ जनमन B. छत्तीसगढ़ जनमत
    C. छत्तीसगढ़ लोकमत D. छत्तीसगढ़ जनमंच

14. छत्तीसगढ़ के एकमात्र पत्रकारिता विश्वविद्यालय का नाम किसके नाम पर रखा गया है?
    A. माधव राव सप्रे B. मायाराम सुरजन
    C. कुशाभाऊ ठाकरे D. मुरली मनोहर जोशी

15. छत्तीसगढ़ की प्रथम रंगीन फिल्म थी–
    A. कही देबे सन्देश B. घर द्वार
    C. मोर छइया भुईया D. झन भुलों माँ नाप ला

16. निम्नलिखित में से कौन छत्तीसगढ़ का भारोत्तोलन का खिलाड़ी नहीं है?
    A. बधुराम सारंग B. माधुरी वर्मा
    C. पी. रत्नाकर D. राजेश चौहान

17. छत्तीसगढ़ के संजय मिश्रा किस खेल से सम्बन्धित हैं?
    A. बैडमिंटन B. हॉकी
    C. कबड्डी D. क्रिकेट

18. राज्य की प्रसिद्ध खिलाड़ी माधुरी वर्मा का सम्बन्ध किस खेल से है?
    A. क्रिकेट B. मुक्केबाजी
    C. हॉकी D. भारोत्तोलन

19. छत्तीसगढ़ के प्रसिद्ध खिलाड़ी राजेश चौहान का सम्बन्ध किस खेल से है?
    A. क्रिकेट B. हॉकी
    C. फुटबॉल D. शतरंज

20. छत्तीसगढ़ के प्रसिद्ध खिलाड़ी लेजली क्लाडियस का सम्बन्ध किस खेल से है?

A. फुटबॉल B. बॉस्केटबॉल
C. कबड्डी D. हॉकी

21. प्रसिद्ध खिलाड़ी विन्सेंट लाकड़ा का सम्बन्ध किस खेल से है?

A. क्रिकेट B. फुटबॉल
C. हॉकी D. कबड्डी

22. कृष्णा साहू एवं वीरेन्द्र साहू किस खेल से सम्बन्धित हैं?

A. भारोत्तोलन B. कबड्डी
C. वॉलीबॉल D. फुटबॉल

23. अखिलेश तोमर किस खेल से सम्बन्धित हैं?

A. जिम्नास्टिक B. हॉकी
C. शतरंज D. क्रिकेट

24. सहीराम जाखड़ का सम्बन्ध किस खेल से है?

A. वॉलीबॉल B. हॉकी
C. शतरंज D. क्रिकेट

25. छत्तीसगढ़ में लक्ष्मीबाई शारीरिक शिक्षा संस्थान की स्थापना कहाँ की जा रही है?

A. अभनपुर B. माना
C. राजिम D. डोंगरगढ़

26. रायपुर के अतिरिक्त राज्य के किस एक अन्य शहर में एस्ट्रोटर्फ हॉकी स्टेडियम का निर्माण किया जा रहा है?

A. राजनांदगाँव B. भिलाई
C. दुर्ग D. जशपुर

27. छत्तीसगढ़ में अंतर्राष्ट्रीय स्तर का पहला क्रिकेट स्टेडियम कहाँ बनाया जा रहा है?

A. जगदलपुर B. रायपुर
C. बिलासपुर D. दुर्ग

28. छत्तीसगढ़ शासन द्वारा किस तिथि को राजकीय खेल दिवस घोषित किया गया है?

A. 29 जनवरी B. 28 फरवरी
C. 29 जुलाई D. 29 अगस्त

29. निम्नलिखित में से कौन छत्तीसगढ़ का प्रसिद्ध खिलाड़ी है?

A. राजेन्द्र प्रसाद B. बशीर अहमद खान
C. दिलीप इंग्ले D. रवि पाध्या

30. छत्तीसगढ़ की खेल राजधानी के रूप में किसे जाना जाता है?

A. रायपुर B. बस्तर
C. बिलासपुर D. भिलाई

31. छत्तीसगढ़ के किस जिले में राजा रघुराज सिंह स्टेडियम स्थित है?

A. राजनांदगाँव B. बिलासपुर
C. भिलाई D. रायपुर

32. सुमेलित कीजिए–

सूची-I	सूची-II
(*a*) प्रथम राज्यपाल	1. अजीत कुमार जोगी
(*b*) प्रथम मुख्यमंत्री	2. दिनेश नन्दन सहाय
(*c*) प्रथम विधान सभाध्यक्ष	3. डब्ल्यू.ए. शेषक
(*d*) प्रथम मुख्य न्यायाधीश	4. राजेन्द्र प्रसाद शुक्ल

कूट :

	(*a*)	(*b*)	(*c*)	(*d*)
A.	1	2	3	4
B.	2	1	3	4
C.	2	1	4	3
D.	1	3	2	4

33. छत्तीसगढ़ राज्य लोक सेवा आयोग के प्रथम अध्यक्ष कौन बने?

A. मोहन शुक्ल B. नन्द कुमार साय
C. आर.एस. गर्ग D. डब्ल्यू.ए. शेषक

34. एक पृथक राज्य के रूप में छत्तीसगढ़ के गठन के संकल्पनाकार हैं–

A. माधव राव सप्रे B. रविशंकर शुक्ल
C. सुन्दर लाल शर्मा D. वीर नारायण सिंह

35. 'छत्तीसगढ़' शब्द के प्रथम प्रयोगकर्ता हैं–

A. कवि दलपत राम राव
B. पंडित वामन राव लाखे
C. पंडित सुन्दर लाल शर्मा
D. वीर नारायण सिंह

36. सही सुमेलित नहीं है–

A. प्रथम सीमेंट कारखाना – जरमुल
B. प्रथम परिवार न्यायालय – रायगढ़
C. प्रथम आकाशवाणी केन्द्र – रायपुर
D. प्रथम दैनिक समाचार पत्र – महाकौशल

37. राज्य के प्रथम फिल्म निर्माता होने का श्रेय है–

A. मनु नायक B. संजय शर्मा
C. सुयोग्य मिश्र D. रमेश चन्द्र शर्मा

38. छत्तीसगढ़ के प्रथम जलविद्युत केन्द्र हसदो-बांगो की स्थापना कब हुई थी?

A. 1959 में B. 1967 में
C. 1963 में D. 1977 में

39. छत्तीसगढ़ की प्रथम छत्तीसगढ़ी फिल्म है–

A. मयारू भौजी B. पुन्नी के चन्दा
C. मोर छइयां भुइयां D. कहि देवे संदेश

40. छत्तीसगढ़ की प्रथम खुली जेल कौन-सी है?

A. मसगांव B. लाला
C. बीजापुर D. अन्जोरा

41. छत्तीसगढ़ प्रदेश में एकमात्र खुली जेल मसगांव निम्न में से किस जिले में अवस्थित है?
A. धमतरी B. रायगढ़
C. जगदलपुर D. सरगुजा

42. छत्तीसगढ़ के प्रथम शिक्षा मंत्री कौन बने?
A. पं॰ सत्यनारायण शर्मा B. अमितेश शुक्ल
C. विद्याचरण शुक्ल D. श्यामचरण शुक्ल

43. छत्तीसगढ़ राज्य के प्रथम मुख्य सचिव कौन बने?
A. मोहन शुक्ल B. अरूण कुमार
C. इंदिरा मिश्र D. सुभाष मिश्र

44. छत्तीसगढ़ राज्य अनुसूचित जाति एवं जनजाति आयोग के प्रथम अध्यक्ष कौन बने?
A. विक्रम भगत B. राजेन्द्र पामभोई
C. रामदेव राम D. मदन गोपाल सिंह

45. छत्तीसगढ़ उच्च न्यायालय के प्रथम मुख्य न्यायाधीश थे–
A. अनंग कुमार पटनायक
B. डब्ल्यू ए. शेषक
C. एच.एल. दत्तू
D. जगदीश भल्ला

46. छत्तीसगढ़ क्षेत्र से प्रथम महिला सांसद कौन थी?
A. गंगा पोटाई B. करुणा शुक्ला
C. मिनीमाता D. रश्मि देवी

47. छत्तीसगढ़ राज्य का राजकीय वृक्ष कौन-सा है?
A. बीजा B. शीशम
C. सागौन D. साल

48. छत्तीसगढ़ का राज्य पशु क्या है?
A. शेर B. सांभर
C. जंगली भैंसा D. हिरण

49. निम्नलिखित में से कौन छत्तीसगढ़ का राजकीय पक्षी है?
A. तोता B. दूधराज
C. कोयल D. पहाड़ी मैना

50. छत्तीसगढ़ का राज्य दिवस है–
A. 1 नवम्बर B. 7 नवम्बर
C. 15 नवम्बर D. 1 दिसम्बर

51. छत्तीसगढ़ सरकार के राज्य प्रतीक चिह्न की आकृति कैसी है?
A. गोलाकार B. वर्गाकार
C. आयताकार D. सर्पाकार

52. छत्तीसगढ़ सरकार के प्रतीक चिह्न में कौन-सा आदर्श वाक्य अंकित है?
A. सत्यमेव जयते B. श्रमेव जयते
C. अहिंसा परमो धर्मः D. मेरा भारत महान

53. छत्तीसगढ़ सरकार के राज्य प्रतीक चिह्न में किस फसल की बालियाँ अंकित है?
A. गेहूँ B. धान
C. बाजरा D. ज्वार

54. छत्तीसगढ़ राज्य के प्रतीक चिह्न में शामिल नहीं है :
A. ऊर्जा का प्रतीक
B. नदियों को रेखांकित करती लहरें
C. धान की सुनहरी बालियाँ
D. सादगी के साथ जनसेवा

55. छत्तीसगढ़ के प्रतीक चिह्न में शामिल नहीं है :
A. अशोक स्तम्भ
B. सत्यमेव जयते
C. धान की सुनहरी बालियाँ
D. साल (सरई) वृक्ष

उत्तरमाला

1	2	3	4	5	6	7	8	9	10
D	A	A	B	C	A	B	A	C	A
11	**12**	**13**	**14**	**15**	**16**	**17**	**18**	**19**	**20**
B	C	A	C	C	D	A	D	A	D
21	**22**	**23**	**24**	**25**	**26**	**27**	**28**	**29**	**30**
C	A	A	A	A	D	B	C	C	D
31	**32**	**33**	**34**	**35**	**36**	**37**	**38**	**39**	**40**
B	C	A	C	A	B	A	B	D	A
41	**42**	**43**	**44**	**45**	**46**	**47**	**48**	**49**	**50**
C	A	B	B	B	C	D	C	D	A
51	**52**	**53**	**54**	**55**					
A	A	B	D	D					

★ ★ ★

8 पिछली परीक्षाओं में पूछे गए प्रश्न

1. भूमकाल क्या था?
A. जनजातीय समुदाय B. एक विद्रोह
C. बस्तर का राजा D. बस्तर राज्य

2. छत्तीसगढ़ की नदी नहीं है :
A. लूनी B. केलो
C. दूध D. नारंगी

3. छत्तीसगढ़ में स्थित दृष्टिछाया क्षेत्र है :
A. जगदलपुर B. मैकाल श्रेणी
C. छत्तीसगढ़ का मैदान D. अबूझमाड़ की पहाड़ियाँ

4. छत्तीसगढ़ के इस अनाज को 'गरीबों का अनाज' भी कहा जाता है :
A. गेहूँ B. चावल
C. कोदो–कुटकी D. मक्का

5. छत्तीसगढ़ में कौन–सा प्रसिद्ध जल–प्रपात स्थित है?
A. दूधसागर जलप्रपात B. चित्रकोट जलप्रपात
C. जोग जलप्रपात D. भगत जलप्रपात

6. छत्तीसगढ़ में कौन–सा राष्ट्रीय उद्यान स्थित है?
A. कान्हा राष्ट्रीय उद्यान B. इन्द्रावती राष्ट्रीय उद्यान
C. बांधवगढ़ राष्ट्रीय उद्यान D. पन्ना राष्ट्रीय उद्यान

7. गुरु घासीदास विश्वविद्यालय कहाँ पर स्थित है?
A. बिलासपुर B. रायपुर
C. दुर्ग D. कांकेर

8. छत्तीसगढ़ में कुल कितने जिले हैं?
A. 28 B. 32
C. 33 D. 34

9. छत्तीसगढ़ राज्य में "मन्दिर नगरी" किसे कहा जाता है?
A. रतनपुर को B. राजिम को
C. डोंगरगढ़ को D. आरंग को

10. निम्नलिखित में से किस नदी को "सरगुजा की जीवन रेखा" के रूप में जाना जाता है?
A. शिवनाथ B. महानदी
C. रिहंद नदी D. सबरी

11. छत्तीसगढ़ की सरकार के द्वारा 'प्रहार' नामक एक अभियान प्रारम्भ किया गया है, इस अभियान का उद्देश्य क्या है?
A. राज्य से बेरोजगारी दूर करना
B. बी.एस.एफ. को प्रोत्साहित करना
C. नक्सलवाद को दूर करना
D. इनमें से कोई नहीं

12. दुर्ग जिले का गठन कब हुआ था?
A. 1952 B. 1958
C. 1960 D. 1906

13. छत्तीसगढ़ का राजकीय गीत 'अरपा पैरी के धार' के रचयिता कौन हैं?
A. सुंदरलाल शर्मा B. हरि ठाकुर
C. डॉ. नरेंद्र देव वर्मा D. लोचन प्रसाद पाण्डेय

14. छत्तीसगढ़ की वीरता पर लोक नृत्य जिसे लोक बैले भी कहा जाता है, वह है :
A. पंडवानी B. बिलमा
C. रीला D. गौरा

15. छत्तीसगढ़ में 'चुटकी आभूषण' किस अंग में पहना जाता है?
A. गला B. हाथ की उंगली
C. पैर की उंगली D. कान

16. महानदी के उदगम स्थल पर होने वाला माघ पूर्णिमा का मेला किस ऋषि के नाम से है?
A. मुचुकुंद ऋषि B. लोमश ऋषि
C. अगस्त्य ऋषि D. श्रृंगी ऋषि

17. मध्य प्रदेश के कितने जिलों से छत्तीसगढ़ का निर्माण हुआ?
A. 14 B. 15
C. 16 D. 17

18. लोक भाषा पर बनी छत्तीसगढ़ राज्य की पहली फिल्म थी :
A. भाकला B. मया
C. कहीं देवें संदेश D. मोर छईया भुईया

19. गंधेश्वर मंदिर कहाँ है?
A. रायपुर B. दंतेवाड़ा
C. सिरपुर D. महासमुंद

20. सोनाखान के जमींदार वीर नारायण सिंह को कब फाँसी दी गई?
A. 10 दिसम्बर, 1857 B. 10 दिसम्बर, 1858
C. 18 जनवरी, 1857 D. 18 फरवरी, 1857

21. छत्तीसगढ़ की सीमा का अधिकांश भाग किस राज्य से लगा हुआ है?
A. आंध्र प्रदेश
B. महाराष्ट्र
C. ओडिशा
D. मध्य प्रदेश

22. छत्तीसगढ़ के किस जिले में गोमरदा वन्यजीव अभयारण्य स्थित है?
A. रायगढ़
B. बिलासपुर
C. सरगुजा
D. जांजगीर–चांपा

23. छत्तीसगढ़ की सबसे बड़ी नदी जिसे छत्तीसगढ़ की गंगा या जीवन रेखा कहते हैं :
A. शिवनाथ
B. महानदी
C. अरपा
D. केलो

24. कोडार बाँध स्थित है :
A. असम में
B. छत्तीसगढ़ में
C. मिजोरम में
D. तमिलनाडु में

25. भिलाई स्टील प्लांट की स्थापना कब हुई?
A. 1952
B. 1953
C. 1954
D. 1955

26. बादल महल किस जिले में स्थित है?
A. बिलासपुर
B. कोरिया
C. बस्तर
D. रायगढ़

27. छत्तीसगढ़ का गाँधी किसे कहा जाता है?
A. पं. रविशंकर शुक्ल
B. पं. सुंदरलाल शर्मा
C. ठाकुर प्यारेलाल
D. माधव राव सप्रे

28. छत्तीसगढ़ में पत्रकारिता का जनक किसे माना जाता है?
A. पंडित माधव राव सप्रे
B. जय नारायण पाण्डेय
C. पंडित सुन्दरलाल शर्मा
D. राजाराम मोहन राय

29. 'हर मौसम में छंद लिखूँगा' निम्नलिखित में से किनकी कृति है?
A. सुंदरलाल शर्मा
B. हरि ठाकुर
C. दानेश्वर शर्मा
D. लोचन प्रसाद पाण्डेय

30. छत्तीसगढ़ की सबसे प्राचीन नाट्यशाला स्थित है :
A. बस्तर
B. सरगुजा
C. अंबिकापुर
D. नारायणपुर

31. छत्तीसगढ़ का प्रयाग तीर्थ कहलाता है :
A. जॉजगीर
B. शिवरीनारायण
C. राजिम
D. सिरपुर

32. निम्न में से छत्तीसगढ़ के किस स्थान का गणेश मंदिर प्रसिद्ध है?
A. बारसुर
B. भोरमदेव
C. अंबिकापुर
D. रतनपुर

33. छत्तीसगढ़ का खजुराओ किसे कहते हैं?
A. बमलेश्वरी मंदिर
B. गणेश मंदिर
C. भोरमदेव मंदिर
D. राम मंदिर

34. निम्नलिखित में से छत्तीसगढ़ के किस मंदिर निर्माण को प्रसाद योजना के तहत स्वीकृत किया जा रहा है?
A. दंतेश्वरी मंदिर
B. बंजारी माता मंदिर
C. बमलेश्वरी मंदिर
D. जतमाई मंदिर

35. दुर्ग जिले के नगपुरा गाँव में .... वें तीर्थकार का मंदिर है।
A. 21
B. 22
C. 23
D. 24

36. विश्व प्रसिद्ध शिव मंदिर छत्तीसगढ़ में कहाँ स्थित है?
A. बारसूर
B. रतनपुर
C. सिरपुर
D. राजपुर

37. छत्तीसगढ़ राज्य में लोकसभा की कितनी सीटें हैं?
A. 9
B. 10
C. 11
D. 12

38. हवेनसांग छत्तीसगढ़ के किस स्थान पर आए थे?
A. डोंगरगढ़
B. राजिम
C. पाली
D. सिरपुर

39. छत्तीसगढ़ के किस क्षेत्र में वनों को दण्डकारण्य कहते हैं?
A. बस्तर
B. सरगुजा
C. बिलासपुर
D. रायगढ़

40. भारत के क्षेत्रफल की तुलना में छत्तीसगढ़ का क्षेत्रफल प्रतिशत है :
A. 5.11%
B. 4.11%
C. 8.11%
D. 7.12%

41. पृथक छत्तीसगढ़ राज्य की प्रथम कल्पना किसने की थी?
A. पं. सुन्दरलाल शर्मा
B. पं. रविशंकर शुक्ल
C. डॉ. रमन सिंह
D. अजीत जोगी

42. 2011 की जनगणना में जनसंख्या घनत्व कितना है?
A. 154
B. 189
C. 989
D. 991

43. निम्नलिखित में से किस घाटी को फूलों की घाटी के नाम से जाना जाता है?
A. चिल्फी घाटी
B. दरभा घाटी
C. झीरम घाटी
D. लोरो घाटी

44. छत्तीसगढ़ का चित्तौड़गढ़ कहा जाता है :
A. लाफागढ़
B. चैतुरगढ़
C. आरंग
D. भोरमदेव

45. 'मामा–भांजा' मंदिर कहाँ है?

A. बारसूर (बस्तर) B. बारसूर (दन्तेवाड़ा)

C. बारसूर (बीजापुर) D. बारसूर (कांकेर)

46. 'कुई बोली' कौन बोलते हैं?

A. कोंध B. कमार

C. कोरवा D. कंवर

47. "छत्तीसगढ़ी लोक साहित्य का अध्ययन" निम्नलिखित में से किसकी कृति है?

A. विनोद कुमार शुक्ल

B. नरेन्द्र वर्मा

C. दयाशंकर शुक्ल

D. अरुण कुमार शर्मा

48. छत्तीसगढ़ के किस स्थान में आलू खरीफ फसल के मौसम में उगाया जाता है?

A. मैनपाट B. बस्तर

C. चिल्फी D. जांजगीर–चांपा

49. छत्तीसगढ़ में कौन–सा झरना अपने घोड़े की नाल के आकार के झरने के लिए प्रसिद्ध है?

A. तीरथगढ़ B. चित्रकोट

C. अमृतधारा D. तमड़ा घूमर

50. भारत की राष्ट्रीय तितली का नाम बताएं, जो मुख्यतः छत्तीसगढ़ में पाई जाती है?

A. डेडलीफ B. इण्डियन जैजबैल

C. कृष्णा पीकॉक D. ऑरेन्ज औक्लीफ

उत्तरमाला

1	2	3	4	5	6	7	8	9	10
B	A	B	C	B	B	A	C	D	C
11	**12**	**13**	**14**	**15**	**16**	**17**	**18**	**19**	**20**
C	D	C	A	C	D	C	C	C	A
21	**22**	**23**	**24**	**25**	**26**	**27**	**28**	**29**	**30**
C	A	B	B	D	A	B	A	C	B
31	**32**	**33**	**34**	**35**	**36**	**37**	**38**	**39**	**40**
C	A	C	B	C	C	C	D	A	B
41	**42**	**43**	**44**	**45**	**46**	**47**	**48**	**49**	**50**
A	B	D	A	B	A	C	A	B	D

★ ★ ★

2510